Caro aluno,

Siga as instruções abaixo para ter acesso ao livro digital:

1. Acesse o portal **http://moderna.com.br** e clique em **CADASTRO** ou, caso já seja cadastrado, entre com seus dados de ***LOGIN*** e **SENHA** e procure pela seção **MINHAS INFORMAÇÕES**.

2. Escolha seu perfil e preencha o cadastro com os dados solicitados.

3. Guarde com cuidado o seu *login* e sua senha. São eles que garantem o seu acesso ao livro digital.

4. Acesse a opção **MEUS CÓDIGOS DE ACESSO** e digite o seu na área reservada, respeitando os espaços e as letras maiúsculas. Caso tenha outros códigos, repita esse procedimento com todos.

SEU CÓDIGO DE ACESSO: A 00004 CONLPLIT U 11945
Conexões em LP - Literatura - Vol. Único

5. Pronto! O seu acesso foi liberado.*

Após ativar o código de acesso confira a validade do seu livro digital.

Para saber mais informações sobre o *download* de seu material, visite o *site* **http://moderna.com.br/tablet**

CB131712

REQUISITOS MÍNIMOS PARA ACESSO AO PORTAL:

Sistema operacional Windows XP SP3 ou superior	Processador *dual core* ou superior	Memória RAM de 2GB ou superior	Acrobat 9 ou superior	Navegadores de internet em versões atualizadas

* O acesso ao livro digital será liberado a partir do início do ano letivo.

Wilton Ormundo

Bacharel e licenciado em Letras (habilitações Português/ Linguística) pela Faculdade de Filosofia, Letras e Ciências Humanas e pela Faculdade de Educação da Universidade de São Paulo. Mestre em Letras pela Faculdade de Filosofia, Letras e Ciências Humanas da Universidade de São Paulo. Professor de português e diretor pedagógico em escolas de Ensino Médio em São Paulo por 19 anos.

Mara Scorsafava

Licenciada em Língua e Literatura Portuguesas pela Pontifícia Universidade Católica de São Paulo. Bacharel e licenciada em Língua e Literatura Francesas pela Pontifícia Universidade Católica de São Paulo. Professora de português da rede particular de ensino em São Paulo por 35 anos.

CONEXÕES EM LÍNGUA PORTUGUESA LITERATURA

Volume único

1ª edição

MODERNA

MODERNA

Coordenação editorial: Áurea Regina Kanashiro, Cecília Kinker
Edição de texto: Cecília Kinker, José Paulo Brait, Pedro Silva
Assessoria didático-pedagógica: Elisandra de Souza Pedro, Rogério Viana Gusmão, Teresa Chaves
Coordenação de *design* e projetos visuais: Sandra Botelho de Carvalho Homma
Projeto gráfico: Aurélio Camilo
Capa: André Carvalho
Foto da capa: Kentoh/Shutterstock
Coordenação de produção gráfica: André Monteiro, Maria de Lourdes Rodrigues
Coordenação de arte: Patricia Costa
Edição de arte: Iara Susue Rikimaru Vitor, Mônica Maldonado
Editoração eletrônica: Apis Design Integrado, Tangente Design
Ilustrações: Bruno Mota, Eduardo Francisco, Enágio Coelho, Manohead, Paulo Manzi, Roko, Toma
Ilustrações de vinhetas: Paulo Manzi
Coordenação de revisão: Elaine Cristina del Nero
Revisão: Cárita Negromonte, Renato da Rocha, Tatiana Malheiro, Viviane T. Mendes
Coordenação de pesquisa iconográfica: Luciano Baneza Gabarron
Pesquisa iconográfica: Maria Magalhães
Coordenação de *bureau*: Américo Jesus
Tratamento de imagens: Arleth Rodrigues, Bureau São Paulo, Fabio N. Precendo, Marina M. Buzzinaro, Rubens M. Rodrigues
Pré-impressão: Alexandre Petreca, Everton L. de Oliveira Silva, Fabio N. Precendo, Hélio P. de Souza Filho, Marcio H. Kamoto, Rubens M. Rodrigues, Vitória Sousa
Coordenação de produção industrial: Arlete Bacic de Araújo Silva
Impressão e acabamento: EGB-Editora Gráfica Bernardi Ltda.

Dados Internacionais de Catalogação na Publicação (CIP)
(Câmara Brasileira do Livro, SP, Brasil)

Ormundo, Wilton
Conexões em língua portuguesa : literatura, volume único / Wilton Ormundo, Mara Scorsafava. — 1. ed. — São Paulo : Moderna, 2013.

Bibliografia.

1. Literatura (Ensino médio) 2. Português (Ensino médio) I. Scorsafava, Mara. II. Título.

13-09118 CDD-869.07

Índices para catálogo sistemático:
1. Literatura : Português : Ensino médio 869.07

ISBN 978-85-16-08981-8 (LA)
ISBN 978-85-16-08982-5 (LP)

EDITORA MODERNA LTDA.
Rua Padre Adelino, 758 – Belenzinho
São Paulo – SP – Brasil – CEP 03303-904
Vendas e Atendimento: Tel. (0_ _11) 2602-5510
Fax (0_ _11) 2790-1501
www.moderna.com.br
2013
Impresso no Brasil

1 3 5 7 9 10 8 6 4 2

Apresentação

Caro aluno:

Há muitos anos os autores deste livro vêm trabalhando com adolescentes que, como você, refletem criticamente sobre as coisas da vida, têm opiniões, crises, sonhos, projetos e, acima de tudo, sentem-se capazes de transformar o mundo, por mais árido que ele se apresente em alguns momentos.

Essa capacidade e essa força criadora dos jovens nos movem e nos incentivam a entrar nas salas de aula todos os anos, a pesquisar métodos de ensino-aprendizagem, a pensar em diferentes formas de dialogar com nossos alunos, a investigar novas tecnologias e a escrever obras como esta.

Embora reconheçamos que todas as áreas do conhecimento são essenciais para a formação humana, consideramos que o trabalho com a linguagem é, de certo modo, especial. Como disse o poeta mexicano Octavio Paz, "A palavra é o próprio homem. Somos feitos de palavras. Elas são nossa única realidade ou, pelo menos, o único testemunho de nossa realidade".

Acreditamos que é a palavra que nos possibilita inventar e reinventar o mundo; é ela que, quando transformada em arte, nos convida a outros universos e permite nosso acesso ao mais secreto e íntimo de nós mesmos por meio de outros "seres humanos", os personagens das histórias que lemos; é a palavra que nos dá direito ao grito; é ela, finalmente, que expressa e organiza tudo aquilo que sentimos e somos.

Esperamos que seu mergulho nos muitos textos literários apresentados aqui constitua momentos de prazer e de — quem sabe — embate. Este livro pretende dar voz a você e não apenas ser um mero instrumento de consulta.

Um abraço.

Organização do livro

A obra ***Conexões em língua portuguesa – Literatura*** está organizada em 36 capítulos, distribuídos em 15 unidades, finalizadas pelas seções especiais *Expressões* e *Leitura puxa leitura*. Conheça alguns aspectos do livro.

Abertura de unidade
Um texto verbal e uma imagem propõem reflexões sobre o tema a ser desenvolvido.

Para início de conversa
Integra a abertura da unidade e apresenta um texto (em geral contemporâneo) verbal ou não verbal que dialoga com o movimento literário em estudo.

Para lembrar
Recupera conceitos importantes que ajudam na resolução de exercícios.

Navegue
Indica *sites* confiáveis para complementar o estudo e servir de fonte de pesquisa para trabalhos escolares.

Provocação
Extrapola o conteúdo do capítulo e convida ao debate de questões polêmicas ou instigantes.

Percurso do capítulo
Apresenta os assuntos que serão tratados no capítulo.

A **página de abertura** do capítulo traz sempre uma imagem (pintura, fotografia, cena de peça teatral, etc.) relacionada ao movimento literário em foco.

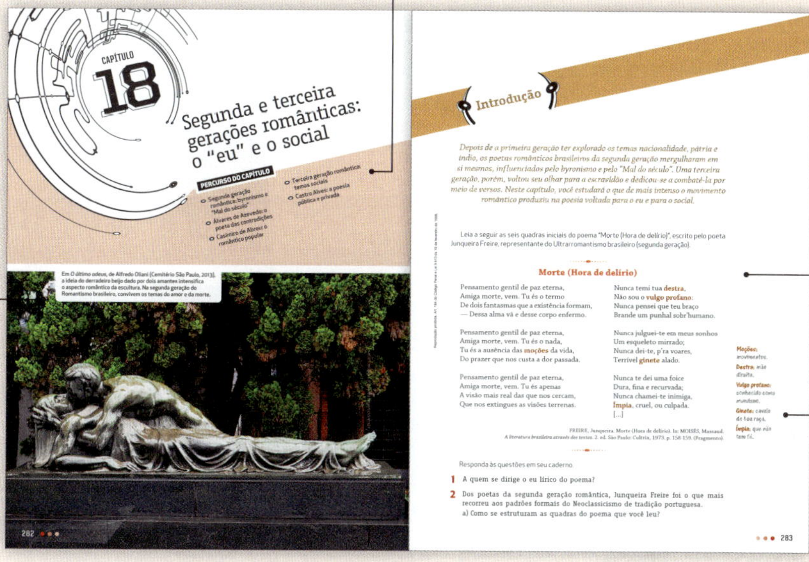

Na **introdução** do capítulo, um texto de autor representativo possibilita um primeiro contato com elementos característicos do movimento.

Glossário

A seção **Atividades** está presente em todos os capítulos e explora vários tipos de trabalho, como leitura de texto e leitura de imagem; intertextualidade e diálogo textual; produção de textos; intervenções artísticas; leitura dramática; criação de cena teatral; etc.

Leitura de imagem

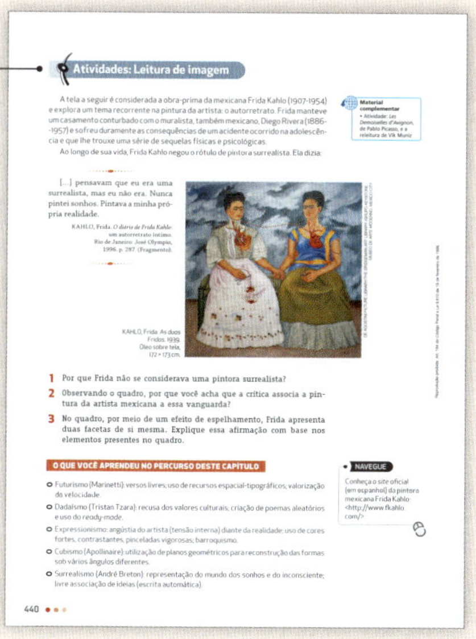

Intervenção artística na escola

Expressões

Seção especial ao final de cada unidade com propostas de criação artística sobre os temas estudados. Possibilita o trabalho conjunto com as disciplinas de Artes e Música.

Leitura puxa leitura

Seção especial de encerramento da unidade. A partir de uma obra literária central, relacionada a um dos capítulos, são sugeridas várias "obras de conexão", como filmes, livros, discos, etc.

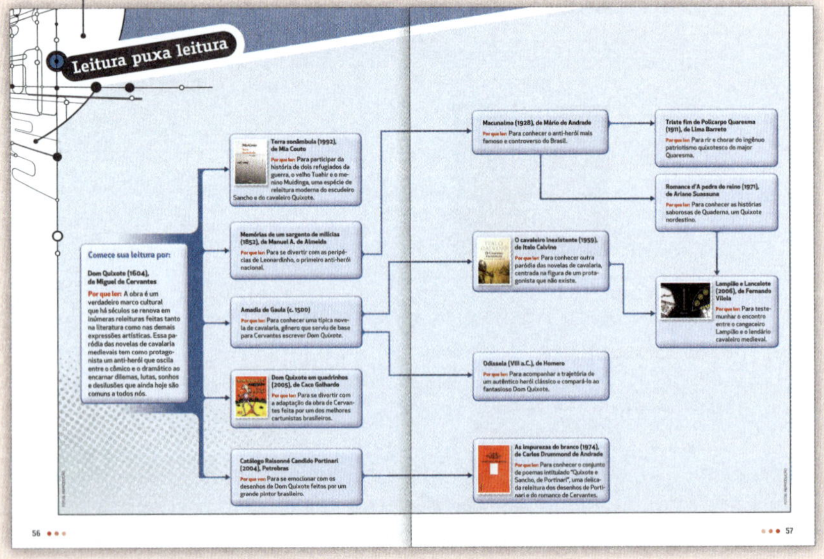

Boxes informativos e biográficos
Complementam o conteúdo apresentado.

Investigue em...
Esse boxe estabelece relações entre o assunto do capítulo e os de outras disciplinas (Física, Artes, Sociologia, etc.).

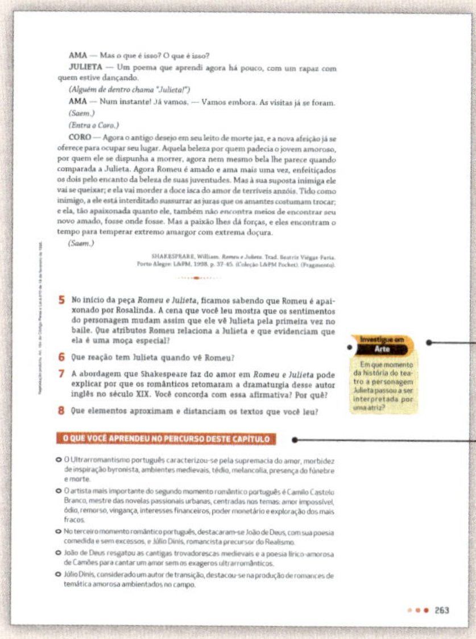

O que você aprendeu no percurso deste capítulo
Encerra o capítulo, sintetizando os principais tópicos explorados.

Remissão para animação ou para o material complementar que constam do DVD.

- Um **apêndice** no final do livro traz questões do Enem e dos principais vestibulares.

Organização do DVD

Ao abrir o DVD, você encontrará o menu com as pastas disponíveis para a sua navegação:

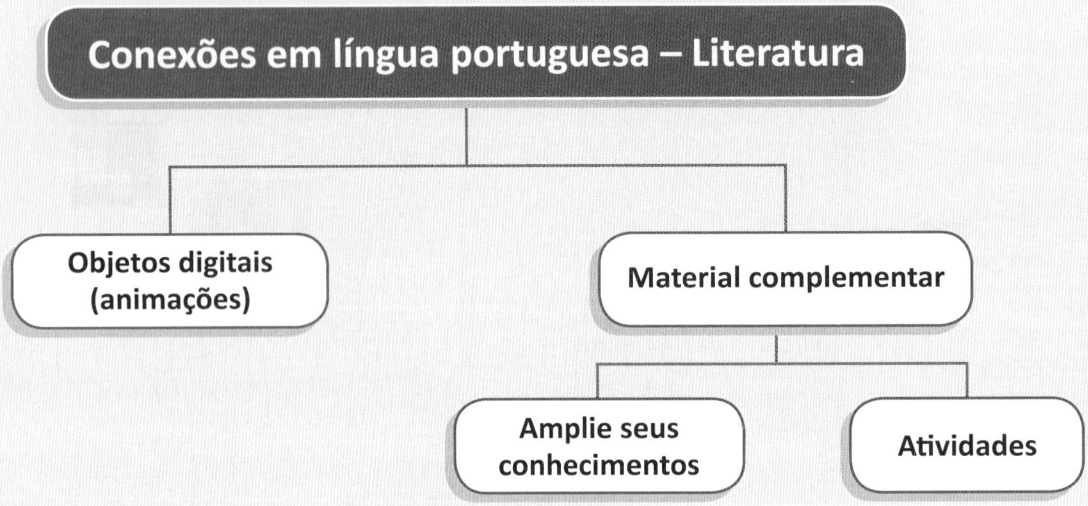

O DVD que acompanha a obra apresenta:

- objetos digitais (animações);
- pasta "Material complementar", com as seções "Amplie seus conhecimentos" e "Atividades".

O material complementar é composto de atividades extras, textos de autores representativos, curiosidades e informações adicionais sobre as estéticas em estudo.

Sumário

Unidade 1 Literatura: "organizadora do caos"

Unidade 2 Literatura medieval: em busca de nossas origens

Unidade 3 Classicismo e Quinhentismo: um novo mundo

Unidade 4 Barroco: movimento das antíteses

Unidade 5 Arcadismo: simplicidade, equilíbrio e razão

Unidade 6 Romantismo: a supremacia do "eu"

Unidade 7 Romantismo: a redescoberta do Brasil

Unidade 8 Realismo-Naturalismo: combate e reforma social

Unidade 9 Realismo-Naturalismo e Parnasianismo no Brasil: crítica e prazer estético

Unidade 10 Simbolismo: o retorno da subjetividade

Unidade 11 Vanguardas europeias e Modernismo português

Unidade 12 Modernismo: a reinvenção do Brasil

Unidade 13 Modernismo (2ª fase): a consolidação de um movimento

Unidade 14 Pós-Modernismo: um mundo em fragmentos

Unidade 15 Que arte literária se faz hoje em língua portuguesa?

UNIDADE 1

LITERATURA: "ORGANIZADORA DO CAOS"

Que tipo de expressão artística você mais aprecia? Que contato você tem com a arte? Você faz arte? Certamente, ainda que você não saiba, a arte está presente no seu cotidiano em diversos contextos: nas imagens que ilustram seus livros didáticos, nas canções que ouve, nos filmes, nas peças de teatro e nos espetáculos de dança a que assiste, nas exposições que visita, nos livros que lê. A arte sempre fez parte do universo humano. Os homens pré-históricos, por exemplo, já se expressavam por meio das pinturas rupestres.

E qual seria o papel da arte? Esse tema já esteve presente em muitas épocas. Os gregos antigos, por exemplo, achavam que o papel da arte era "imitar" a natureza. Já os simbolistas, um grupo de artistas europeus do final do século XIX, defendiam que cabia à arte o papel de sugerir, de maneira indireta, aquilo que ela se propunha a retratar.

Para o crítico literário Antonio Candido, autor da expressão que dá título a esta unidade, a função da arte (no caso, da literatura) é ordenar nosso caótico mundo interno. Você concorda com ele?

ROBERT HARDING EDITORIAL/LATINSTOCK

Produzido pelos artistas brasileiros OSGEMEOS, em parceria com o grafiteiro italiano Blu, esse mural pode ser visto numa avenida de Lisboa, Portugal. Foto de 2010.

Objeto educacional digital (animação)

• A arte do grafite de OSGEMEOS

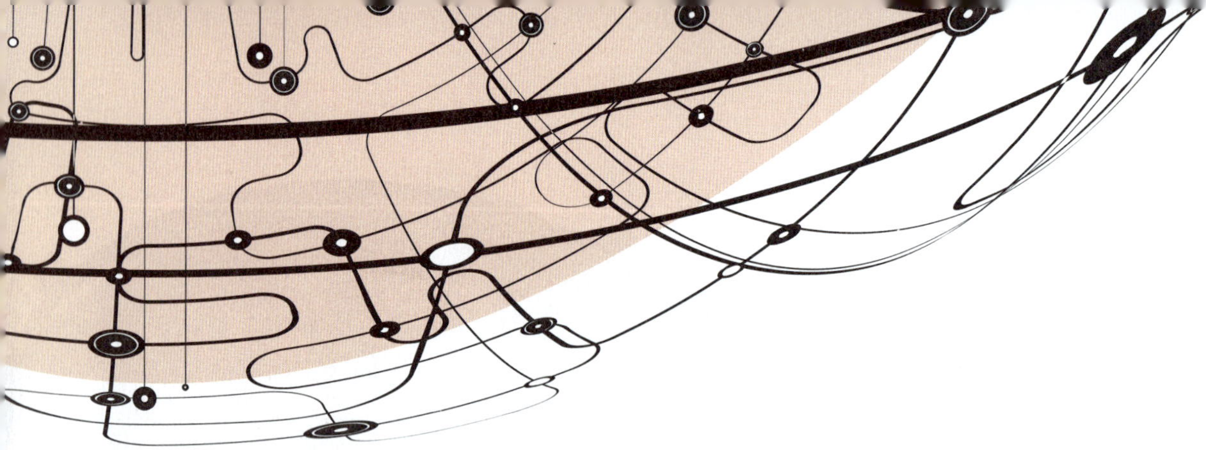

Para início de conversa

O conto a seguir é de um dos escritores mais importantes da língua portuguesa, o mineiro Carlos Drummond de Andrade (1902-1987), e foi publicado em uma coletânea para jovens leitores como você. Por que será que o ato de ler histórias fascina tanto o homem de qualquer tempo? Por que temos necessidade de sair de nosso chão seguro e viajar no universo das palavras que criam novos mundos e personagens? Conheça a história de Paulo e veja como a imaginação do garoto ampliou o mundo dele.

A incapacidade de ser verdadeiro

Paulo tinha fama de mentiroso. Um dia chegou em casa dizendo que vira no campo dois dragões da independência cuspindo fogo e lendo **fotonovelas**. A mãe botou-o de castigo, mas na semana seguinte ele veio contando que caíra no pátio da escola um pedaço de lua, todo cheio de buraquinhos, feito queijo, e ele provou e tinha gosto de queijo. Desta vez Paulo não só ficou sem sobremesa como foi proibido de jogar futebol durante quinze dias.

Quando o menino voltou falando que todas as borboletas da Terra passaram pela chácara de Siá Elpídia e queriam formar um tapete voador para transportá-lo ao sétimo céu, a mãe decidiu levá-lo ao médico. Após o exame, o Dr. Epaminondas abanou a cabeça:

— Não há nada a fazer, Dona Coló. Este menino é mesmo um caso de poesia.

ANDRADE, Carlos Drummond de. *O sorvete e outras histórias*. São Paulo: Ática, 1993. p. 40. (Série Rosa dos Ventos).
Carlos Drummond de Andrade © Graña Drummond — www.carlosdrummond.com.br.

Fotonovela: *história em quadrinhos na qual os desenhos são substituídos por fotografias.*

NAVEGUE

Veja o ator paulista Antônio Abujamra interpretando "A incapacidade de ser verdadeiro" em: <http://tvcultura.cmais.com.br/provocacoes/paulo-tinha-fama-de-mentiroso>.

Responda no caderno:

1 Paulo parece viver em dois planos, o da fantasia e o da realidade.

a) Que elementos do texto sugerem que a vida do menino era povoada pela fantasia?

b) O que, no texto, nos permite saber que Paulo também vivia em um plano real?

2 De acordo com sua compreensão do texto, o que seria esse "caso de poesia", referido pelo Dr. Epaminondas?

3 As histórias que Paulo contava para a mãe eram bem difíceis de acreditar. Na sua opinião, ele pode, por isso, ser considerado um mentiroso? Por quê?

4 Para você, mentira e imaginação podem ser consideradas a mesma coisa? Justifique sua resposta.

NAVEGUE

Ouça a canção "Lisbela", executada pela banda Los Hermanos, no *site* <http://www2.uol.com.br/loshermanos/ventura/letras/outras.htm>, e compare a letra com o texto "A incapacidade de ser verdadeiro".

Como você observou no texto de Drummond, Paulo mergulha intensamente em um mundo paralelo à sua realidade cotidiana (casa, escola, sobremesa, jogo de futebol, família), por isso é incompreendido e tem fama de mentiroso. Esse universo em que tudo é possível — chamado pelo Dr. Epaminondas de "caso de poesia" — é o mundo da literatura. Nele, cabem dragões da independência cuspindo fogo e lendo fotonovelas, um pedaço de lua de queijo caindo no pátio da escola, todas as borboletas da Terra formando um tapete voador... É a arte da ficção que possibilita a Paulo chegar ao sétimo céu.

THE BRIDGEMAN ART LIBRARY/GRUPO KEYSTONE PRIVATE COLLECTION

Ilustração em *A child's garden of verses* (1885), obra de Robert Louis Stevenson.

A literatura é uma arte muito especial. Ver a reprodução do grafite que abre esta unidade é a mesma coisa que vê-lo em suas gigantescas dimensões reais, na rua, em Lisboa? Ouvir uma canção em um tocador de áudio digital ou em um CD é igual a escutá-la ao vivo, executada por sua banda preferida? Contemplar uma cópia, em livro, de um quadro de Tarsila do Amaral é como ver a pintura original em um museu? Apreciar uma escultura de mármore se assemelha a observá-la num pedaço de papel? Infelizmente não. Na literatura, porém, isso é diferente: para mergulhar plenamente no mundo de Paulo não é preciso ter acesso aos originais escritos por Drummond. O livro, mesmo sendo uma cópia, é sempre original.

Nesta unidade, você iniciará seus estudos sobre literatura no Ensino Médio e terá acesso aos muitos mundos criados, por meio da linguagem verbal escrita, pelos poetas, romancistas, contistas, dramaturgos. Além disso, poderá exercitar seu lado criador, interpretando esses mundos, relacionando-os à sua realidade e inventando seus próprios universos literários. Aventure-se!

CAPÍTULO

1

Afinal, para que serve a literatura?

PERCURSO DO CAPÍTULO

- A literatura como ordenadora do caos
- Os conceitos de denotação e de conotação
- A diferença entre textos literários e não literários
- A literatura reinventa a língua e o mundo
- O leitor participa da construção do texto
- A intertextualidade
- A biblioteca cultural: repertório do leitor

SERGIO PITAMITZ/CORBIS/LATINSTOCK

Mesmo com o surgimento de novos suportes, como os eletrônicos, a esfera literária continua a ser associada ao livro impresso. Nas livrarias, habitam dramas, desejos, emoções e os sonhos que só a literatura proporciona. Na foto, a livraria Shakespeare and Company, Paris, França, em 2008.

Introdução

Viver uma só realidade não é o bastante para o homem. Uma das formas de expressar essa inquietação diante da vida é pela arte das palavras. Por meio das histórias que os livros trazem, expandimos nosso olhar, inventamos outros mundos e reinventamos a realidade. A literatura nos faz enxergar outros pontos de vista, novas perspectivas, diferentes maneiras de viver... outros olhares.

Leia os textos a seguir. O primeiro é uma notícia publicada originalmente no caderno Cotidiano do jornal *Folha de S.Paulo*. O segundo, uma crônica de Moacyr Scliar, compunha a coluna que ele assinava nesse mesmo jornal, na qual transformava em ficção notícias publicadas pelo veículo.

Texto 1

CHORO DE MULHER DERRUBA TESTOSTERONA

Homens expostos a lágrimas femininas tiveram redução na concentração do hormônio ligado à agressividade.

Atenção, mulheres, está demonstrado pela ciência: chorar é golpe baixo.

As lágrimas femininas liberam substâncias, descobriram os cientistas, que abaixam na hora o nível de testosterona do homem que estiver por perto, deixando o sujeito menos agressivo.

Mais: ver uma mulher se acabando de chorar mexe tanto com qualquer marmanjão que ele até deixa de lado sua vontade de fazer sexo com ela para, primeiro, saber o que está acontecendo.

Os cientistas queriam ter certeza de que isso acontece em função de alguma molécula liberada — e não, digamos, pela cara de sofrimento feminina, com sua reputação de derrubar até o mais insensível dos durões.

Por isso, evitaram que os homens pudessem ver as mulheres chorando.

Colocaram, então, várias delas para assistir a *O campeão* (1979), que conta a vida de um ex-lutador decadente que perdeu tudo, menos o filho, que adora o pai.

Mas surge a mãe do guri, rica e malvada, que, apesar de nunca ter se interessado por ele, agora quer tirá-lo do pai.

A mulherada caiu no choro, e suas lágrimas foram coletadas e levadas para uma sala com dezenas de homens.

Os cientistas molharam pequenos pedaços de papel, como aqueles utilizados em lojas de perfume como amostra, e deixaram que fossem cheirados pelos homens.

SHUTTERSTOCK

O contato com as lágrimas fez a concentração da testosterona deles cair quase 15%, em certo sentido deixando-os menos machões.

Ficaram tão sensíveis que, quando colocados para assistir à grande obra da história da cinematografia *Nove e meia semanas de amor*, filme erótico de 1986, relataram estar bem menos excitados do que os homens de um grupo que não tinha sido exposto às lágrimas.

[...]

Sobel [o autor do trabalho, Noam Sobel, do Instituto Weizmann de Ciência, em Israel] ressalta que faz sentido imaginar que o choro influencie os homens com frequência. "Quando abraçamos alguém amado, colocamos nosso nariz perto do rosto com lágrimas". O efeito acaba alguns minutos após o fim da exposição às lágrimas.

[...]

MIOTO, Ricardo. *Folha de S.Paulo*, São Paulo, 7 jan. 2011. Cotidiano (Ciência), C11.

SHUTTERSTOCK

Texto 2

Lágrimas e testosterona

Ele vivia furioso com a mulher. Por, achava ele, boas razões. Ela era relaxada com a casa, deixava faltar comida na geladeira, não cuidava bem das crianças, gastava demais. Cada vez, porém, que queria repreendê-la por uma dessas coisas, ela começava a chorar. E aí, pronto: ele simplesmente perdia o ânimo, derretia. Acabava desistindo da briga, o que o deixava furioso: afinal, se ele não chamasse a mulher à razão, quem o faria? Mais que isso, não entendia o seu próprio comportamento. Considerava-se um cara durão, detestava gente chorona.

Por que o pranto da mulher o comovia tanto? E comovia-o a distância, inclusive. Muitas vezes ela se trancava no quarto para chorar sozinha, longe dele. E mesmo assim ele se comovia de uma maneira absurda.

Foi então que leu sobre a relação entre lágrimas de mulher e a testosterona, o hormônio masculino. Foi uma verdadeira revelação. Finalmente tinha uma explicação lógica, científica, sobre o que estava acontecendo. As lágrimas diminuíam a testosterona em seu organismo, privando-o da natural agressividade do sexo masculino, transformando-o num cordeirinho.

Uma ideia lhe ocorreu: e se tomasse injeções de testosterona? Era o que o seu irmão mais velho fazia, mas por carência do hormônio.

Com ele conseguiu duas ampolas do hormônio. Seu plano era muito simples: fazer a injeção, esperar alguns dias para que o nível da substância aumentasse em seu organismo e então chamar a esposa à razão.

Decidido, foi à farmácia e pediu ao encarregado que lhe aplicasse a testosterona, mentindo que depois traria a receita. Enquanto isso era feito, ele, de repente, caiu no choro, um choro tão convulso que o homem se assustou: alguma coisa estava acontecendo?

É que eu tenho medo de injeção, ele disse, entre soluços. Pediu desculpas e saiu precipitadamente. Estava voltando para casa. Para a esposa e suas lágrimas.

SCLIAR, Moacyr. *Folha de S.Paulo*, São Paulo, 28 fev. 2011. Cotidiano, C2. (Fragmento).

NAVEGUE

Conheça a obra de Moacyr Scliar no *site* <http://www.scliar.org/moacyr/>.

Registre as respostas no caderno.

1 Levando em conta que a notícia (texto 1) foi publicada no caderno Cotidiano de um jornal, responda:

a) Qual foi o objetivo do jornalista que a escreveu?

b) Que explicação a ciência dá para o fato de os homens ficarem menos agressivos diante do choro de uma mulher?

c) Que experiências os cientistas fizeram para comprovar a tese sobre o efeito do choro feminino sobre o homem?

Em relação à crônica (texto 2), responda às questões de 2 a 5.

2 O que deixava o personagem furioso?

3 Em que circunstância a fúria do personagem desaparecia?

4 Que plano o personagem concebeu para não mais se comover diante das lágrimas da esposa?

5 Que elemento presente no desfecho garante o efeito de humor à crônica?

6 De certa forma, a crônica que você leu trabalha com alguns preconceitos ligados aos universos feminino e masculino.

a) Em sua opinião, o que pode ser identificado, no texto, como preconceito?

b) De que maneira o autor quebra esses preconceitos?

7 Reflita sobre a relação entre o conteúdo e a forma dos dois textos e conclua: qual deles pertence ao universo da literatura? Justifique sua resposta:

- recorrendo aos objetivos de cada um dos textos;
- explicando a diferença de linguagem entre eles.

NECO VARELLA/FOLHA IMAGEM

Moacyr Scliar, em 2010.

A crônica "Lágrimas e testosterona" foi a última produção escrita pelo gaúcho **Moacyr Scliar** antes de seu falecimento, em 2011, aos 73 anos. Médico especialista em saúde pública e escritor dos mais representativos de nossa literatura, Scliar era membro da Academia Brasileira de Letras. Escreveu mais de setenta livros, e um de seus temas principais foi o da imigração judaica.

Você observou que, embora os textos apresentados tratem da reação do homem diante do choro feminino, eles são bastante distintos. Mas o que torna um diferente do outro? É o que veremos neste capítulo ao trabalharmos com o conceito de literatura.

Literatura: "o sonho acordado das civilizações"

A criação de histórias, heróis, vilões, conflitos, mundos com regras próprias, versos, cantigas sempre fez parte do universo humano. Segundo o crítico Antonio Candido, a literatura é "o sonho acordado das civilizações": assim como ninguém consegue ficar sem sonhar, também não pode deixar de criar histórias ou de ter contato com elas.

Voltemos aos textos analisados no início deste capítulo. Diferentemente do jornalista que escreveu a notícia discorrendo sobre uma descoberta científica, em "Lágrimas e testosterona" Moacyr Scliar reconstrói o mundo real por meio da linguagem: cria um narrador e personagens, insere-os em uma história, estabelece um conflito e oferece ao leitor um final surpreendente.

O primeiro texto, não literário, tem **função utilitária** (ou **referencial**). Nele, importa mais *o que* se comunica e menos *como* isso é feito. O segundo texto, literário, recria o mundo por meio das palavras e não apenas veicula conteúdos; diz-se, por isso, que tem **função estética**. Importa no texto literário *como* será feita a organização da expressão escrita.

Material complementar
- Amplie seus conhecimentos: Antonio Candido

⊙ Literatura: ordenadora do caos

Pense em um momento que tenha sido muito especial para você e que já tenha ficado no passado, apenas em sua memória, de forma vaga e caótica. De que maneira você expressaria esse "caos"?

O poema a seguir foi escrito pelo poeta paulista José Paulo Paes (1926-1998) e trata da necessidade humana de guardar bons momentos.

Elogio da memória

O funil da ampulheta
apressa, retardando-a,
a queda
da areia.

Nisso imita o jogo
manhoso
de certos momentos
que se vão embora
quando mais queríamos
que ficassem.

PAES, José Paulo. *Socráticas*: poemas.
São Paulo: Companhia das Letras, 2011. p. 49.

NAVEGUE

Em <http://www.tirodeletra.com.br/biografia/JosePauloPaes.htm>, você poderá conhecer mais sobre a obra de José Paulo Paes.

Reflita sobre o poema, respondendo oralmente às questões a seguir.

1 Que imagem vem à sua cabeça após a leitura?

2 Há relação entre a imagem que você pensou e a disposição dos versos do poema?

3 Ampulheta é um relógio de areia. Qual a semelhança entre o mecanismo de funcionamento desse tipo de relógio e a memória de "certos momentos" da vida? Para responder a essa questão, considere o título do poema e os termos do segundo verso, *apressa* e *retardando*, que estão em oposição.

O poema "Elogio da memória" ordena as palavras de maneira singular e expressa um sentimento humano complexo e de difícil tradução. Para o poeta, somente a memória seria capaz de retomar determinados momentos especiais.

Segundo Antonio Candido, na literatura,

"[a] organização da palavra comunica-se ao nosso espírito e o leva, primeiro, a se organizar; em seguida, a organizar o mundo."

CANDIDO, Antonio. *Vários escritos*. 3. ed. rev. e ampl.
São Paulo: Duas Cidades, 1995. p. 246. (Fragmento).

É o que ocorre no poema de José Paulo Paes, por meio do qual travamos contato com um desejo humano impossível — o de eternizar "certos momentos / que se vão embora / quando mais queríamos / que ficassem" —, organizado em palavras.

⊙ A literatura atribui novos sentidos às palavras

Você já se deu conta de que nem sempre o fato de dominarmos uma língua é suficiente para compreendermos plenamente um texto literário? O estudioso canadense Northrop Frye, um dos críticos mais respeitados do século XX, defende que, para se fazer uma boa leitura, são necessários, por parte dos leitores, dois conhecimentos:

- o da língua em que o texto está escrito (em nosso caso, a língua portuguesa);
- o da linguagem do próprio texto.

E o que seria a *linguagem do texto*?

Para chegar à resposta, sugerimos que você comece lendo, a seguir, os diversos significados do verbo *guardar*.

guardar (guar.dar) v. **1.** Vigiar para defender, proteger, preservar: *O policial guarda a entrada do prédio*; *Os pais guardam os filhos dos perigos*. **2.** Pôr em algum lugar; acondicionar, meter: *Ele guardou a roupa na mala*. **3.** Manter em bom estado; conservar: *Alimentos perecíveis só se podem guardar por pouco tempo*. **4.** Conservar em seu poder; reservar, preservar: *Guardou todas as cartas do namorado*. **5.** Reter na memória; lembrar, decorar, memorizar: *Não consegue guardar o nome de ninguém*.

[...]

ACADEMIA Brasileira de Letras. *Dicionário escolar da língua portuguesa*. 2. ed. São Paulo: Companhia Editora Nacional, 2008. p. 653. (Fragmento).

Um dicionário, como você pôde comprovar, apresenta uma série de significados (acepções) que uma palavra pode ter, dependendo do contexto em que é usada. Um poeta, por sua vez, tem a liberdade de inventar outros sentidos para as palavras ou mesmo de deslocar significados, daí o desafio que a interpretação de determinados textos literários representa. Leia, a seguir, como o poeta, compositor e filósofo carioca Antonio Cicero definiu em seu poema o verbo *guardar*.

Guardar

Guardar uma coisa não é escondê-la ou trancá-la.
Em cofre não se guarda coisa alguma.
Em cofre perde-se a coisa à vista.
Guardar uma coisa é olhá-la, fitá-la, mirá-la por
admirá-la, isto é, iluminá-la ou ser por ela iluminado.
Guardar uma coisa é vigiá-la, isto é, fazer vigília por
ela, isto é, velar por ela, isto é, estar acordado por ela,
isto é, estar por ela ou ser por ela.
Por isso, melhor se guarda o voo de um pássaro
Do que um pássaro sem voos.
Por isso se escreve, por isso se diz, por isso se publica,
por isso se declara e declama um poema:
Para guardá-lo:
Para que ele, por sua vez, guarde o que guarda:
Guarde o que quer que guarda um poema:
Por isso o lance do poema:
Por guardar-se o que se quer guardar.

CICERO, Antonio. In: MORICONI, Italo (Org.). *Os cem melhores poemas brasileiros do século*. Rio de Janeiro: Objetiva, 2001. p. 337.

Registre as respostas no caderno.

1 O verbo *guardar* é definido, no poema, como "olhar", "fitar", "mirar", "admirar", "iluminar".

a) Essas definições coincidem com as apresentadas no dicionário?

b) Qual a diferença entre as definições dadas no dicionário e as do poema?

c) Que exemplo o eu lírico dá para comprovar sua definição do verbo *guardar*?

2 O eu lírico do poema explica que "se escreve", "se diz", "se publica", "se declara e declama um poema" para "guardá-lo".

a) Essa afirmação não é contraditória, já que o texto passaria a ser acessível aos leitores?

b) Que sentido tem o verbo *guardar* no contexto do poema?

NAVEGUE

Leia uma entrevista com Antonio Cicero em <http://www2.uol.com.br/antoniocicero/> e dialogue com ele no *blog* <http://antoniocicero.blogspot.com/>.

Ao analisar o poema, você observou que Antonio Cicero atribuiu novos sentidos ao verbo *guardar*? Notou também que não há no dicionário citado o registro desses sentidos criados pelo poeta? É a isso que Northrop Frye se refere quando diz que cada texto literário tem a sua própria linguagem.

A linguagem literária é predominantemente conotativa

Quando uma palavra é empregada de forma referencial, isto é, literal, usual, comum, com o significado que normalmente consta nos dicionários, como vimos em relação ao verbete *guardar*, dizemos que ela está em seu **sentido denotativo**. Quando, por outro lado, é utilizada fora de seu sentido habitual, ou seja, de maneira figurada, diz-se que está em seu **sentido conotativo**.

Como a literatura trabalha com as várias possibilidades que o escritor, inserido em determinado contexto histórico-cultural, tem para expressar-se e reinventar a própria língua, predomina nessa forma de arte a **conotação**.

A **linguagem literária** estrutura-se a partir de um arranjo especial, múltiplo, das palavras, por isso diz-se que ela é **multissignificativa**. Já os textos não literários, com função utilitária, buscam uma significação mais restrita (objetiva) das palavras, a fim de garantir a clareza textual.

Observe o quadro comparativo:

Texto literário	função estética	ênfase no plano da expressão	predomínio da conotação	multissignificativo (ou plurissignificativo)
Texto não literário	função utilitária	ênfase no plano do conteúdo	predomínio da denotação	significação mais restrita (objetiva) das palavras

A literatura reinventa o mundo e a própria língua

A descoberta dos novos sentidos que as palavras assumem em um texto literário depende, principalmente, da nossa compreensão do universo criado pelo autor.

Nos fragmentos que você lerá a seguir, dois autores começam a recontar uma história bastante conhecida.

Trecho 1

[...]

Sua mãe mandara-a, com um cesto e um pote, à avó, que a amava, a uma outra e quase igualzinha aldeia. Fita-Verde partiu, sobre logo, ela a linda, tudo era uma vez. O pote continha um doce em calda, e o cesto estava vazio, que para buscar framboesas.

[...]

ROSA, João Guimarães. Fita verde no cabelo: nova velha estória. *Ave, palavra*. 5. ed. Rio de Janeiro: Nova Fronteira, 2001. p. 114. (Fragmento).

Trecho 2

O caso triste deu-se por estas bandas — ela magrinha e jeitosa ia passando pelo caminho do Quixadá levando no braço a cesta de baba de moça e de pudim de coco que a mãe fizera para a vó quando o tipo forte, grosso, simpático, saltou dos matos e interrompeu-a: "Onde é que tu vai com esse chapeuzinho tão vermelhinho na cabeça?" Ela ficou de medo rija, mas ao mesmo tempo achava o moço simpático, disse que ia ali mesmo levar uns negócios pra vó, ele perguntou aonde, disse se não podia acompanhá-la. Ela **se fez de rogada**, abanou que não.

[...]

Se fez de rogada: não cedeu ao pedido.

FERNANDES, Millôr. Tragédia de paixão: estilo telúrico (à maneira de Rachel de Queiroz). *Fábulas fabulosas*, 1949. Disponível em: <http://www2.uol.com.br/millor/chapeuzi/003.htm>. Acesso em: 31 jan. 2012. (Fragmento).

Responda no caderno.

1 Você pôde constatar que os trechos transcritos são versões de uma mesma história. Que história é essa?

2 Ainda que a história seja a mesma, a forma como ela começa a ser contada pelos dois autores é bem diferente.

a) Entre os dois fragmentos, qual é aquele em que o autor cita o local onde se passa a história? Como se chama esse local? Ele é real ou fictício?

b) No trecho 1, qual é a principal mudança em relação à história original?

NAVEGUE

Leia na íntegra as versões humorísticas que Millôr Fernandes escreveu de "Chapeuzinho Vermelho" e de muitas fábulas em: <http://www2.uol.com.br/millor/>.

Embora os textos transcritos constituam versões do mesmo conto de fadas, você deve ter percebido que eles apresentam formas bem diferentes de relatar o início da história. Isso porque cada um desses fragmentos obedece a regras próprias de um "jogo textual" criado pelos escritores. Cabe a nós, leitores, conhecer essas regras se quisermos "jogar" bem.

Se retomarmos os fragmentos em estudo, veremos, por exemplo, que no trecho 1, escrito pelo mineiro Guimarães Rosa (1908-1967), Chapeuzinho Vermelho se transforma em outra personagem, Fita-Verde. Já no título, o leitor fica sabendo o que será contado: uma versão inédita ("nova") de uma história já conhecida de todos ("velha"). Na narrativa, os períodos são mais longos, com interrupções, e o narrador faz seu relato de maneira mais emotiva: sabemos que a avó de Fita-Verde a ama e que ela é linda; sabemos, em detalhes, que o cesto da protagonista servirá para ela colher framboesas, por isso está vazio, e que um

REPRODUÇÃO

Cartaz da peça teatral *Nova velha estória*, do diretor Antunes Filho (1991), baseada no conto de fada "Chapeuzinho Vermelho".

doce em calda será dado à avó. Além disso, sabemos que a história contada pertence ao universo do "era uma vez".

O escritor carioca Millôr Fernandes (1923-2012) dá à sua versão humorística, no segundo fragmento, o título de "Tragédia de paixão: estilo telúrico (à maneira de Rachel de Queiroz)". Em seu texto, o autor imita o modo de escrever de sua colega cearense Rachel de Queiroz (1910-2003), que sempre procurou apresentar o povo nordestino em romances classificados como regionalistas — daí a palavra "telúrico" no subtítulo, ou seja, relativo ou pertencente à terra. Observe que há no texto palavras e expressões como "bandas", "jeitosa", "tu vai", "Quixadá" (cidade do Ceará). A garota leva para sua "vó", em sua cesta, "baba de moça e pudim de coco" (doces típicos de algumas regiões do Nordeste), além de haver muitas descrições, marcas da obra da escritora.

Na literatura, frases podem ser invertidas; palavras, inventadas; classes gramaticais, modificadas; ditos populares podem assumir novos significados, provocando efeitos de sentido inesperados; tudo é possível, desde que esteja a serviço do texto.

Em literatura, o escritor não copia fielmente a realidade; ele cria um universo, uma *pararrealidade*, isto é, uma realidade paralela à nossa. Esse mundo inventado e verossímil só se completa com a colaboração de quem está lendo.

Verossimilhança é a coerência entre elementos que, no mundo ficcional, inventado pelo autor, parecem verdadeiros para o leitor, criando assim o efeito de realidade. Verossimilhante é uma ação logicamente *possível* e *necessária* para a construção do universo proposto pelo autor em sua obra.

Contexto histórico, estilo individual e estilo de época

Além do domínio sobre a língua e a linguagem do texto, a interpretação de um conto, poema, romance, etc. depende do conhecimento de outros elementos:

- contexto histórico-social e cultural em que o texto foi concebido;
- estilo do autor (cada escritor apresenta um conjunto de "marcas" particulares que o tornam singular se comparado a outros autores);
- estilo de época (cada época apresenta um conjunto de traços comuns que a diferencia das demais).

Quando se conhece o universo de Guimarães Rosa, por exemplo, não se estranha o fato de ele repetir, como na fala, palavras e frases e de interromper suas histórias como se estivesse contando, pessoalmente, um "causo". Isso porque, para escrever sua literatura mágica, esse autor inspirou-se no sertão mineiro, em sua gente (o mundo real) e nos relatos que ouviu da boca de vaqueiros, jagunços e pessoas comuns.

Quem já teve oportunidade de ler outros livros de Millôr Fernandes sabe que o humor é a marca desse escritor e não se surpreende com a brincadeira que ele faz em "Tragédia de paixão".

Como se vê, é necessário o exercício de uma leitura atenta e o conhecimento sobre os autores e sua época para poder mergulhar mais intensamente nas belezas que a literatura proporciona.

Esperamos que este estudo tenha motivado você a ler na íntegra as histórias das quais extraímos os fragmentos.

Um mundo paralelo construído pelo autor e pelo leitor

Em "Reinvenção", um de seus poemas mais conhecidos, Cecília Meireles (1901-1964) explica que "a vida só é possível reinventada". É por isso que ler literatura significa participar ativamente da construção de um mundo, atribuindo-lhe novos sentidos, cores e possibilidades.

O mais encantador nesse processo de leitura literária é sua singularidade. Você já notou que, quando um romance que leu é adaptado para o cinema, os atores que interpretam os personagens quase nunca correspondem àquilo que você imaginava que fossem? Isso ocorre porque o filme adaptado também é um *recorte interpretativo* feito pelo cineasta, ou seja, uma visão particular dele sobre o que leu.

Intertextualidade: muitas vozes em um texto

Como você viu, as histórias de Guimarães Rosa e Millôr Fernandes — das quais transcrevemos fragmentos — têm como base o conto de fadas "Chapeuzinho Vermelho". Se você não conhecesse essa história infantil, acha que teria a mesma compreensão a respeito dos trechos lidos? E quanto ao humor proporcionado pela brincadeira de Millôr em relação a Rachel de Queiroz? Ele poderia ser obtido sem o conhecimento da obra da escritora?

Quando um escritor cria um texto, ele estabelece "diálogos" — diretos ou indiretos — com outros livros, pinturas, esculturas, filmes, peças de teatro, textos não literários; enfim, aciona seu repertório cultural, construído ao longo da vida. Um texto é formado, portanto, de muitas vozes que dialogam com ele. Por isso, para que se possa interpretá-lo, é necessário que se investigue a "memória literária" que esse texto traz, a qual é composta de outros textos anteriores a ele.

À relação entre os textos, em que um faz uso do outro, dá-se o nome de **intertextualidade**.

A intertextualidade está bastante presente na literatura e pode ser intencional — como você constatou ao ler os trechos escritos por Guimarães Rosa e Millôr Fernandes — ou não. Algumas vezes, mesmo sem perceber, um escritor pode transformar suas referências literárias em "matéria-prima" para sua criação.

O estudo da intertextualidade investiga de que modo os **hipotextos** (textos de partida) são utilizados nos **intertextos** ("colagens" de outros textos), ou, por exemplo, de que maneira um conto infantil como "Chapeuzinho Vermelho" é transformado em "Fita verde no cabelo" ou "Tragédia de paixão".

Biblioteca cultural

Observe as imagens a seguir.

REPRODUÇÃO

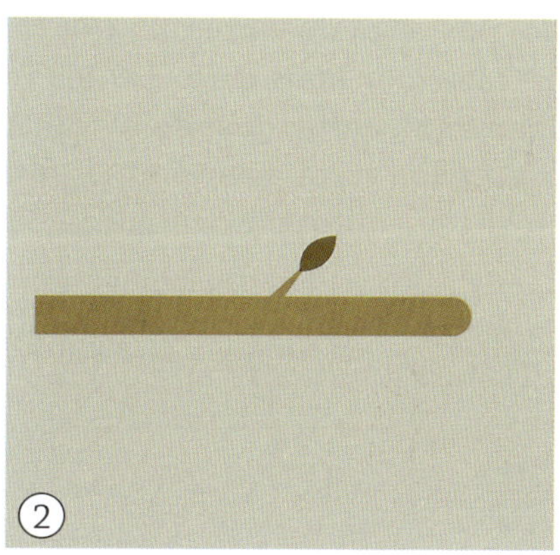

REPRODUÇÃO

REPRODUÇÃO

A figura 1 é a reprodução do cartaz de um filme de 1946, dirigido pelo francês Jean Cocteau, um dos artistas mais importantes do século XX. As figuras 2 e 3 são do *designer* americano Christian Jackson. Você saberia dizer a que histórias elas se referem?

Se você conhece o enredo do filme de Jean Cocteau, mesmo sem ter assistido a ele, e, se conseguiu identificar as histórias ligadas aos trabalhos de Christian Jackson, saiba que você recorreu à sua **biblioteca cultural**.

Assim como os autores recorrem a outros textos — propositalmente ou não — para compor suas obras (intertextualidade), você também faz uso de sua bagagem cultural quando lê. Foi por isso que reconheceu as histórias relacionadas às três figuras da página anterior — da mesma maneira que pôde saber de que falavam os trechos das duas versões lidas no início do capítulo. Recorremos à nossa biblioteca cultural quando lemos ou escrevemos um texto. Quanto maior e melhor for essa biblioteca, melhores serão nossas leituras e nossos textos. Daí a importância da formação cultural.

Atividades: Leitura de texto

Leia os textos a seguir e responda no caderno ao que se pede.

Texto 1

Fusilli coi pomodori al forno

Ingredientes

500 g de *fusilli*, já cozidos, praticamente no ponto *al dente*. Azeite de oliva. 600 g de tomates bem grandes, bem vermelhos e bem firmes, do tipo caqui, cortados em fatias redondas de ao menos um dedo de espessura, 4 dentes de alho, micrometricamente picadinhos. Sal. Pimenta-do-reino, moidinha no momento. Orégano. Folhinhas fresquinhas de manjericão.

FRANCESCO83/SHUTTERSTOCK

Fusilli com molho de tomate (foto de 2011).

Modo de fazer

Unto uma assadeira bem grande com bastante azeite de oliva. Espalho as fatias dos tomatões, sem superposições. Pulverizo com o alho. Tempero com o sal, a pimenta-do-reino e o orégano. Banho, generosamente, com mais azeite. Levo ao forno bem forte, preaquecido, por cerca de vinte minutos. Espalho as folhinhas de manjericão. Mantenho no calor por mais cinco ou dez minutos — o tempo depende da potência do equipamento. Retiro quando os tomates se mostram bem molengas. Despejo tudo numa terrina vasta. Incorporo os *fusilli* bem escorridos e ainda bem quentinhos. Misturo e remisturo com delicadeza. Sirvo, imediatamente, com ou sem queijo.

LANCELLOTTI, Silvio. *100 receitas de macarrão*. Porto Alegre: L&PM, 1999. Disponível em: <http://www.lpm.com.br/livros/layout_capitulo.asp?LivroID=744847>. Acesso em: 14 ago. 2012.

Texto 2

Instruções para chorar

Deixando de lado os motivos, atenhamo-nos à maneira correta de chorar, entendendo por isto um choro que não penetre no escândalo, que não insulte o sorriso com sua semelhança desajeitada e paralela. O choro médio ou comum consiste numa contração geral do rosto e um som espasmódico acompanhado de lágrimas e muco, este no fim, pois o choro acaba no momento em que a gente se assoa energicamente.

CRAIG LOVELL/ALAMY/GLOW IMAGES

O estreito de Magalhães, situado na América do Sul, é a maior e mais importante passagem natural entre os oceanos Atlântico e Pacífico. Foto de 2009.

Para chorar, dirija a imaginação a você mesmo, e se isto lhe for impossível por ter adquirido o hábito de acreditar no mundo exterior, pense num pato coberto de formigas ou nesses golfos do estreito de Magalhães *nos quais não entra ninguém, nunca*.

Quando o choro chegar, você cobrirá o rosto com delicadeza, usando ambas as mãos com a palma para dentro. As crianças chorarão esfregando a manga do casaco na cara, e de preferência num canto do quarto. Duração média do choro, três minutos.

CORTÁZAR, Julio. *Histórias de cronópios e de famas*. Trad. Gloria Rodríguez. 13. ed. Rio de Janeiro: Civilização Brasileira, 2011. p. 17. (Fragmento).

1 Você observou que o texto 1, do jornalista e gastrônomo Silvio Lancellotti, é uma receita culinária.

a) Que tipo de informação ele traz?

b) Percebe-se que o texto apresenta uma organização bem específica. Seria possível pensar em outra estruturação para ele? Por quê?

2 À primeira vista, o texto "Instruções para chorar", do argentino Julio Cortázar (1914-1984), provoca um estranhamento no leitor. Em sua opinião, por que isso ocorre?

3 Qual desses dois textos você classificaria como da esfera literária? Justifique.

Material complementar
- Atividade: *A falsa avó*, Italo Calvino

O QUE VOCÊ APRENDEU NO PERCURSO DESTE CAPÍTULO

- O texto literário é multissignificativo e tem função estética.
- O texto não literário tem função utilitária ou referencial.
- O sentido denotativo de uma palavra é o literal, o comum; o conotativo é o figurado, em que ela é empregada fora de seu sentido habitual.
- Verossimilhança são os elementos que, num mundo ficcional, inventado por um autor, parecem verdadeiros para o leitor, criando assim o efeito de real.
- A relação entre os textos, em que um faz uso do outro, dá-se o nome de intertextualidade.
- Quando lemos, construímos o sentido do texto a partir de uma "biblioteca cultural", interna, pessoal.

CAPÍTULO

2

Gêneros literários: semelhança nas diferenças

PERCURSO DO CAPÍTULO

- Gêneros textuais: os gêneros literários
- Gêneros literários: visão clássica
- Gênero lírico (expressão do "eu")
- Gênero épico (epopeia e gênero narrativo moderno)
- Gênero dramático (tragédia e comédia)

TOM LISBOA

Os artistas do Balé Teatro Guaíra na montagem de 2002 de *O grande circo místico*, em Curitiba. A companhia de dança imortalizou o poema homônimo do modernista Jorge de Lima, transformado em espetáculo teatral por Naum Alves de Souza em 1983.

Introdução

São infinitas as possibilidades de criação na literatura. Cada autor estabelece suas próprias regras e cada obra apresenta um mundo particular. Apesar dessa diversidade, os textos conservam certos traços comuns que permitem sua classificação em gêneros. Neste capítulo, você conhecerá a classificação dos textos literários, teoria que, apesar de sofrer alterações, permanece desde a Antiguidade.

"A história de Lily Braun", uma das canções mais executadas nas rádios brasileiras na época de seu lançamento, faz parte da trilha sonora composta pelos cariocas Chico Buarque e Edu Lobo para o espetáculo *O grande circo místico* (1983). A apresentação misturou várias expressões artísticas, como poema, teatro, dança e músicas do cancioneiro popular do Brasil para contar a história da família Knie, importante trupe circense suíça.

Leia os versos da canção e observe que eles vão construindo uma narrativa, como se estivéssemos lendo um romance ou assistindo a um filme.

A história de Lily Braun

Como num romance
O homem dos meus sonhos
Me apareceu no ***dancing***
Era mais um
Só que num relance
Os seus olhos me chuparam
Feito um *zoom*

Ele me comia
Com aqueles olhos
De comer fotografia
Eu disse ***cheese***
E de ***close*** em *close*
Fui perdendo a pose
E até sorri, feliz

E voltou
[...]
Me chamou de anjo azul
Minha visão
Foi desde então ficando ***flou***

Como no cinema
Me mandava às vezes
Uma rosa e um poema
Foco de luz
Eu, feito uma gema
Me **desmilinguindo** toda
Ao som do *blues*

[...]
Disse que meu corpo
Era só dele aquela noite
Eu disse *please*
Xale no decote
Disparei com as faces
Rubras e febris

E voltou
No **derradeiro** *show*
Com dez poemas e um buquê
Eu disse adeus
Já vou com os meus
Numa turnê

Dancing: casa de *shows*.

Cheese: (inglês) queijo. Expressão dita no momento em que alguém está se preparando para tirar uma fotografia, a fim de simular um sorriso.

Close: exame detalhado, minucioso.

Flou: (francês) embaçada.

Desmilinguindo: desfazendo, desmanchando.

Rubras: vermelhas.

Derradeiro: último.

Como amar esposa
Disse ele que agora
Só me amava como esposa
Não como **star**
Me amassou as rosas
Me queimou as fotos
Me beijou no altar

Nunca mais romance
Nunca mais cinema
[...]
Nunca mais *cheese*
Nunca uma espelunca
Uma rosa nunca
Nunca mais feliz

LOBO, Edu; BUARQUE, Chico. CD *O grande circo místico*, 1982. Disponível em: <http://www.chicobuarque.com.br/construcao/mestre.asp?pg=ahislili_82.htm>. Acesso em: 12 jul. 2012. (Fragmento).

Star: (inglês) estrela.

Responda no caderno às questões propostas.

1 Quem narra a história de Lily Braun?

2 Em sua opinião, qual é a profissão de Lily Braun? Justifique sua resposta com trechos ou expressões retirados da canção.

3 Lily Braun compara sua história a um romance e a um filme. Relacione os acontecimentos da história da personagem aos elementos comparados.

4 Releia a última estrofe. O que o final da história revela em relação aos clichês dos romances e filmes?

SAIBA MAIS!

- A primeira montagem de *O grande circo místico*, pelo Balé Teatro Guaíra, teve direção de Emílio de Biasi e coreografia de Carlos Trincheira. É possível assistir a uma entrevista do coreógrafo no *site* <http://invisivelreal.blogspot.com/2011/11/carlos-trincheiras-fala-sobre-primeira.html>. Acesso em: 12 jul. 2012.

NAVEGUE

TEATRO GUAIRA

Para conhecer um pouco mais sobre o trabalho do Balé Teatro Guaíra, visite o *site* <http://www.teatroguaira.pr.gov.br/modules/conteudo/conteudo.php?conteudo=2>.

"A história de Lily Braun" integra um espetáculo teatral baseado num poema. Teatro e poema são gêneros pertencentes à esfera literária. Neste capítulo, estudaremos a maneira mais clássica de categorizar textos como esses.

O grande circo místico: diferentes gêneros contando a mesma história

Os textos a seguir relacionam-se à história contada no espetáculo *O grande circo místico*, realizado pelo Balé Teatro Guaíra. Leia-os e responda no caderno ao que se pede.

Texto 1

O médico de câmara da imperatriz Teresa — Frederico Knieps —
Resolveu que seu filho também fosse médico,
Mas o rapaz fazendo relações com a equilibrista Agnes,
Com ela se casou, fundando a **dinastia** de circo Knieps

Dinastia: sequência de herdeiros e continuadores de uma atividade (no caso, a circense).

De que tanto se tem ocupado a imprensa.
Charlote, filha de Frederico, se casou com o ***clown***,
De que nasceram Marie e Oto.
E Oto se casou com Lily Braun a grande **deslocadora**
Que tinha no **ventre** um santo tatuado.
[...]

LIMA, Jorge de. A túnica inconsútil. *O grande circo místico*. 1938. Disponível em: <http://www.ograndecircomistico.com.br/Grande_Circo.html>. Acesso em: 12 jul. 2012. (Fragmento).

Clown: (inglês) palhaço, bufão.
Deslocadora: contorcionista.
Ventre: barriga.

Texto 2

DIVULGAÇÃO

Cartaz de divulgação do espetáculo *O grande circo místico* (1983).

Texto 3

A dinastia Knie

Friedrich Knie, filho de um médico austríaco, apaixonou-se por Wilma, em Innsbruk, no ano de 1803. Essa aventura originou uma das dinastias de circo mais célebres do mundo. Com 19 anos, o futuro médico abandonou, sem hesitar, seus estudos para percorrer o país com uma pequena trupe de artistas. O caso de amor foi interrompido, mas Knie tomou gosto pela vida de artista e fundou sua própria companhia de saltimbancos. Em 1807, ele conheceu Antonia Stauffer, mas o pai dela não permitiu que a filha se casasse com um artista mambembe, por isso a enviou para um convento. Segundo a lenda, Friedrich Knie a raptou em uma noite de tempestade e os dois se casaram no mesmo ano.

Em 1808, nasceu Rudolf, o primeiro representante da segunda geração Knie. Quatro crianças nasceram em seguida: Georg, Karl, Fanny-Adelheid e Franz. O contexto eram as guerras napoleônicas, mas a vontade da família e seu amor pelo trabalho fizeram com que superassem as dificuldades. Entre 1814 e 1818, a arena Knie se apresentou na Suíça, onde os espetáculos se multiplicaram.

Após a morte de Friedrich, em 1850, Karl assumiu a direção da arena. Casou-se com Anastasia Staudinger, com quem teve sete filhos, todos futuros artistas da terceira geração: Clara, Sophie, Marie, Ludwig, Nina, Charles e Antoinette.

Histoire de la dinastie [Knie]. Trad. e adap. Augusta Moraes. Disponível (em francês) em: <http://www.knie.ch/cirque/entreprise-et-dynastie/>. Acesso em: 12 jul. 2012.

NAVEGUE

Assista a vídeos do Circo Knie no *site* oficial do grupo: <http://www.knie.ch/circus/>.

Texto 4

[...]

CENA X — [...] A pureza do circo, o amor poético dão lugar ao amor-paixão. Oto, apesar de se sentir fora de seu ambiente, brinca com essas novas figuras e apaixona-se por Lily, a vedete do cabaré.

DANÇA DE LILY BROWN (Instrumental)

(Entram no palco Lily, as irmãs de Lily, Oto Frederic e outros personagens)

CENA XI — Ao final do *show*, como no ambiente do circo, há o cansaço, a troca de roupa, o cotidiano. Lily explora a ingenuidade de Oto e desfaz a imagem de supervedete que ela é no palco do *show* para se mostrar mulher sensual.

CENA XII — Oto e Lily dançam o amor-paixão, feito de buscas e rejeições. Lily já não se satisfaz com a imagem de Oto. Os dois mundos já não se complementam mais.

(Entra canção "A história de Lily Brown", interpretada por Gal Costa)

[...]

SOUZA, Naum Alves de. *O grande circo místico*.
Disponível em: <http://www.ograndecircomistico.com.br/CENAS.html>.
Acesso em: 12 jul. 2012. (Fragmento adaptado).

Investigue em Arte

Por que o espetáculo de dança-teatro *O grande circo místico*, realizado pelo Balé Teatro Guaíra, é tão importante para a história da cultura brasileira?

1 A que esfera de atividade humana (publicitária, literária ou jornalística) cada um dos textos pertence?

2 Explique como as informações sobre a família circense estão dispostas no texto 1 e no texto 3. Qual é a finalidade comunicativa de cada um deles?

3 Qual é a intenção comunicativa do texto 2? Em que ele difere dos demais?

4 Em relação à estrutura, o que há de particular no texto 4 que o torna diferente dos outros três?

Conforme você identificou, os gêneros aqui presentes pertencem a diferentes esferas da atividade humana: literária (o poema e a peça teatral), publicitária (o cartaz de divulgação) e jornalística (a nota biográfica). Vamos estudar a seguir como os gêneros ligados à esfera literária foram abordados na *Poética*, obra de Aristóteles.

A teoria clássica dos gêneros

Baseado na literatura da época, o filósofo grego Aristóteles (384 a.C.-322 a.C.) defende, em sua obra clássica, que há dois gêneros literários, o **épico** (narrativo) e o **dramático** (teatral), que se diferenciam pela maneira como o artista "imita" (representa) a realidade. No primeiro, um narrador (voz épica) conta, em um poema, a ação dos personagens; no segundo, os personagens são representados diretamente. Cada qual com suas características (em relação ao tema e ao tipo de verso, por exemplo), épico e dramático não se misturavam. Essa **teoria clássica** dos gêneros, diferentemente do que ocorre hoje, estabelecia normas rígidas, que não podiam ser rompidas pelos criadores.

Até o século XVIII, a *Poética* de Aristóteles foi a principal fonte dos chamados autores "clássicos" para o estudo dos gêneros literários. Mais tarde, relendo os

NAVEGUE

Conheça a *Poética* de Aristóteles em: <http://www.dominiopublico.gov.br/download/texto/cv000005.pdf>.

escritos de Platão (427 a.C.-347 a.C.) e de Aristóteles, alguns pesquisadores incluíram na teoria clássica um terceiro gênero literário, o **lírico**, em que o poeta faz uso de um eu poemático para expressar subjetivamente seu mundo interior. É por ele que iniciaremos nossos estudos.

Um dos maiores pensadores gregos, Platão foi mestre de Aristóteles.

⊙ Gênero lírico: expressão do "eu"

Na *Poética*, Aristóteles não trata em profundidade daquilo que, modernamente, chamamos de poesia. Na Grécia antiga — contexto do tratado aristotélico sobre os gêneros literários —, poesia eram os textos que tinham como objetivo "imitar" os homens e a natureza, abrigando apenas duas formas de expressão: a épica e a dramática, escritas, em geral, em versos.

Na Antiguidade, os poetas recitavam e cantavam suas produções ao som de um instrumento musical, a lira, daí a origem da palavra *lírico*. Mas o que seria, afinal, o gênero lírico, pouco abordado por Aristóteles em seu tratado? Para responder a essa questão, vamos ler um poema escrito pelo piauiense Torquato Neto (1944-1972) e incluído na coletânea *Os cem melhores poemas brasileiros do século*. Observe a reflexão que se faz nos versos transcritos a seguir.

SHERAB/ALAMY/GLOW IMAGES

Estátua de Orfeu, com sua lira. Segundo a mitologia, após sua morte a lira foi parar na ilha de Lesbos, berço da poesia lírica.

Cogito

eu sou como eu sou
pronome
pessoal intransferível
do homem que iniciei
na medida do impossível

eu sou como eu sou
agora
sem grandes segredos dantes
sem novos secretos dentes
nesta hora

eu sou como eu sou
presente
desferrolhado indecente
feito um pedaço de mim

eu sou como eu sou
vidente
e vivo tranquilamente
todas as horas do fim

NETO, Torquato. In: MORICONI, Italo (Org.). *Os cem melhores poemas brasileiros do século*. Rio de Janeiro: Objetiva, 2001. p. 269.

NAVEGUE

Conheça outros trabalhos de Torquato Neto em: <http://www.torquatoneto.com.br/>.

Responda oralmente às seguintes questões.

1 Qual é o tema central do poema "Cogito"?

2 Pense em uma peça de teatro a que você já tenha assistido ou em um romance que já tenha lido. Que principal diferença você identifica entre esses gêneros e o poema acima?

Nos versos lidos o poeta toma como assunto ele próprio. A essa categoria de textos literários em que o "eu" parte de seu mundo interior para expressar sentimentos de toda natureza (amor, dor, ódio, horror, saudade, etc.) denominamos **gênero lírico**.

Poesia lírica: a palavra que traduz emoção

A poesia lírica tem por objetivo traduzir, pela palavra, as emoções do "eu". Mesmo quando temas relacionados ao mundo exterior (guerras, natureza, etc.) aparecem, eles não estão à parte; ao contrário, é como se houvesse uma identificação entre o "eu" e o mundo. Por exemplo, no século XIX, no contexto do movimento literário romântico, o poeta baiano Castro Alves produziu uma poesia de forte carga social, voltada contra a escravidão no Brasil. Entretanto, o horror diante da violência contra os escravos e o anseio pela liberdade do povo africano são expressos por um "eu" que sofre e sente tudo o que diz. Observe no fragmento do poema "O navio negreiro", que trata do modo desumano como os escravos foram transportados da África ao Brasil, a dor do eu lírico diante da escravidão.

[...]
Senhor Deus dos desgraçados!
Dizei-me vós, Senhor Deus!
Se é loucura... se é verdade
Tanto horror perante os céus?!
Ó mar, por que não apagas
Co'a esponja de tuas **vagas**
De teu manto este borrão?...
Astros! noites! tempestades!
Rolai das imensidades!
Varrei os mares, tufão!
[...]

ALVES, Castro. O navio negreiro. In: GOMES, Eugênio (Org.). *Castro Alves*: obra completa. Rio de Janeiro: Nova Aguilar, 2002. (Fragmento).

Vagas: ondas altas no mar revolto.

Você percebeu que na poesia lírica não existe a figura do narrador? O poeta expressa seu mundo interior (sua subjetividade) falando em primeira pessoa por meio de um "eu". Esse "eu", que não deve ser confundido com a pessoa do poeta, pode ter a denominação **eu lírico**, **eu poético**, **sujeito poemático**, **eu poemático** ou **eu fictício**.

Gênero épico: narrativa da grandiosidade

Você conhece a lenda do cavalo de Troia? Sabe o que significa a expressão "calcanhar de aquiles"? Já ouviu a narrativa em que o herói pede que o amarrem ao mastro de um barco para ouvir, em segurança, o canto da sereia, o mais belo a que um mortal poderia ter acesso?

As histórias ligadas a essas perguntas são muito antigas, mas permanecem em nossa memória graças ao conhecimento que temos das **epopeias** greco-latinas, poemas épicos que misturam elementos históricos a mitos e lendas. Os modelos mais conhecidos desse tipo de texto são a *Ilíada* e a *Odisseia*, atribuídas ao grego Homero, a *Eneida*, do poeta latino Virgílio, e *Os lusíadas*, obra escrita pelo poeta português Camões. No Brasil, um exemplo de poema épico é *Caramuru* (1781), de Santa Rita Durão, que ainda será estudado neste volume.

JUSTIN KASE ZNINEZ/ALAMY/GLOW IMAGES

Réplica do cavalo de Troia criada para o filme *Troia*, dirigido por Wolfgang Petersen (EUA, 2004). A expressão pejorativa "presente de grego" está relacionada ao lendário episódio no qual os gregos, em guerra com os troianos, presentearam o inimigo com um cavalo de madeira, dentro do qual estavam os soldados que invadiriam e destruiriam a cidade de Troia.

No gênero épico, diferentemente do gênero lírico, em que o poeta se expressa subjetiva e individualmente por meio de um "eu", os fatos grandiosos de um povo são narrados por uma **voz épica**. Dessa forma, o poeta transforma-se numa espécie de porta-voz de sua gente.

Observe como a voz épica inicia a *Ilíada*, epopeia que narra o drama do herói Aquiles, filho da ninfa Tétis e do mortal Peleu, rei de Ftia, na Tessália, no contexto da guerra dos gregos contra Troia. O poema atribuído a Homero é constituído de 15.693 versos, distribuídos em 24 cantos, e trata de um episódio da guerra conhecido como "a ira de Aquiles", em que o herói entra em confronto com o rei Agamenon. O trecho a seguir, fragmento da Introdução do poema, é a invocação às Musas para que cantem a ira de Aquiles.

Canta-me, ó **deusa**, do **Peleio** Aquiles
A ira tenaz, que **lutuosa** aos Gregos,
Verdes no **Orco** lançou mil fortes almas,
Corpos de heróis a cães e abutres pasto:
Lei foi de **Jove**, em rixa ao discordarem
O de homens chefe e o **Mírmidon divino**.
    Nume há que os **malquistasse**? O que o **Supremo**
Teve em **Latona**. Infenso um **letal morbo**
No campo ateia; o povo perecia,
Só porque o rei desacatara a **Crises**.
Com ricos dons **remir** viera a filha
Aos alados **baixéis**, nas mãos o cetro
E a do certeiro Apolo **ínfula sacra**.
Ora e aos irmãos potentes mais se humilha:
"**Atridas**, vós Aqueus de fina **greva**,
Raso o **muro Priâmeo**, assim regresso
Vos deem feliz do Olimpo os moradores!
Peço a minha **Criseida**, eis seu resgate;
Reverentes à **prole do Tonante**,
Ao **Longe-vibrador**, soltai-me a filha".
[...]

HOMERO. *Ilíada*. Trad. Manuel Odorico Mendes. 3. ed. São Paulo: Martin Claret, 2011. p. 25-26. (Coleção A Obra-Prima de Cada Autor – Série Ouro). (Fragmento).

Deusa: refere-se a uma das musas protetoras das artes, das ciências e das letras.

Peleio: guerreiro.

Lutuosa: triste, fúnebre.

Orco: morada dos mortos, governada pelo deus Hades.

Jove: nome latino de Zeus (grego) ou Júpiter (romano); pai e soberano dos deuses do Olimpo.

O de homens chefe: refere-se a Agamenon, rei de Micenas e de Argos, que chefiou os guerreiros no cerco à cidade de Troia.

Mírmidon divino: refere-se a Aquiles.

Nume: divindade.

Malquistasse: não os quisesse bem.

Supremo: refere-se a Zeus.

Latona: mãe de Apolo, deus do Sol.

Letal morbo: doença fatal.

Crises: sacerdote de Apolo.

Remir: salvar.

Baixéis: naus, embarcações.

Ínfula sacra: fita sagrada que ornava a cabeça dos sacerdotes.

Atridas: refere-se aos irmãos Agamenon e Menelau.

Greva: armadura.

Muro Priâmeo: refere-se aos muros de Troia, cujo rei era Príamo.

Criseida: filha de Crises.

Prole do Tonante: refere-se aos filhos de Zeus.

Longe-vibrador: refere-se a Apolo, aquele que "faz vibrar o raio".

Veja no quadro a seguir as características gerais do gênero épico.

Narrador onisciente (voz épica)	Domina o passado, o presente e o futuro do que narra.
Herói superior uno e múltiplo	Ser superior singular (uno), que representa uma coletividade, um povo (múltiplo).
Estrutura em versos	Garante oralidade ao relato e facilita a memorização pelo rapsodo que declamará a narrativa.
Sentido histórico	Narra o percurso de um herói que faz seu povo sair de um estágio primitivo, marcado por guerras sangrentas, para um tempo de equilíbrio, paz e harmonia.
Presença do maravilhoso	Elementos sobrenaturais interferem na trajetória do herói, auxiliando-o ou atrapalhando-o em sua empreitada.

Material complementar
- Amplie seus conhecimentos: "Nausicaä", Hayao Miyazaki

Gêneros literários modernos

Alguns elementos das epopeias, descritos por Platão e Aristóteles, influenciaram os chamados "gêneros literários modernos" em prosa. Com o passar dos séculos, o herói representativo de uma coletividade (enaltecido no gênero épico) foi cedendo lugar ao indivíduo problemático que se opõe à sociedade na qual está inserido. Estavam criadas as condições para o surgimento de gêneros como o romance, focado no herói individualista.

Leia a seguir o miniconto escrito por Heloisa Seixas.

No metrô vazio

Entrou no metrô e sentou-se junto à janela. Detestava metrô. O silêncio constrangido, as pessoas frente a frente, sem saber o que fazer com as mãos. Era como nos elevadores, só que pior — pois demorava mais tempo. Por isso ia na janela. Fixou os olhos na escuridão lá fora. Estava inquieta. Talvez por causa do metrô vazio. Ou talvez por culpa da jovem de preto que se sentara ali adiante, num banco de frente para o seu. Podia sentir o olhar dela. Resistiu por um tempo, mas acabou encarando-a. E sentiu que o horror a percorria: no fundo amarelo, as pupilas da moça eram um traço. Tinha olhos de gato.

SEIXAS, Heloisa. *Contos mais que mínimos*. Rio de Janeiro: Tinta Negra Bazar, 2010. p. 72.

Responda no caderno às questões propostas.

1 Quem **narra** os acontecimentos no miniconto?

2 Em que **espaço** acontece a história?

3 Considerando que **personagem** é um ser fictício, criado por um autor a partir de uma caracterização física e psicológica, reflita:

a) Como você caracterizaria as personagens do conto lido?

b) Elas têm o mesmo peso na história?

4 O que assinala a passagem do **tempo** na narrativa?

5 Qual é o **enredo** (conjunto de ações) do miniconto "No metrô vazio"?

As **ações** que compõem o enredo podem ser **externas** (representadas no conto lido pela moça que entra no vagão, senta-se à janela, olha para a outra passageira) ou **internas** (evidenciadas pela inquietação da personagem e seu sentimento de horror, por exemplo).

Observe que as ações externas se desenrolam num período de tempo físico (cronológico): a passageira certamente demorou-se alguns momentos para entrar no vagão, sentar-se, olhar para a frente, etc. Já as emoções da personagem aconteceram dentro de um tempo interno (psicológico).

Em "No metrô vazio", o narrador não participa da história, e os verbos e pronomes estão na 3ª pessoa. O emprego da 3ª pessoa caracteriza o **foco narrativo** (ponto de vista) do narrador-observador ou narrador-onisciente, que está exemplificado no miniconto analisado.

Supondo-se que a narrativa estivesse na 1ª pessoa ("Entrei no trem e sentei-me junto à janela. Detesto metrô"), o foco narrativo seria o do narrador-personagem, que é aquele que participa da ação. O emprego da 1ª pessoa ocorre quando o personagem principal conta sua história ou quando um personagem secundário relata a história do personagem principal.

Assim como o miniconto "No metrô vazio", o romance, a novela, a crônica, ou mesmo a mescla desses textos, são exemplos de gêneros literários modernos que estudaremos ao longo do Ensino Médio.

Gênero dramático: a arte da ação

Imagine que você fosse transformar o conto de Heloisa Seixas em uma peça de teatro. Que ações as personagens teriam de realizar para substituir a figura do narrador? Que nomes teriam as passageiras do metrô? O que elas falariam? Como seria o cenário? E a luz da encenação? Como você trabalharia com os figurinos (roupas) das personagens? Que trilha sonora você inseriria para dar um clima de suspense e terror à peça?

Perceba quantos aspectos estão envolvidos na transposição do gênero.

Para Aristóteles, o gênero dramático caracteriza-se pela presença de personagens que se expressam *diretamente* e *imitam* a ação, em vez de precisarem de um narrador (caso do miniconto de Heloisa Seixas). Ainda segundo o filósofo, esse poder de mimese, ou seja, de "imitação direta", faz do teatro (principalmente a tragédia) o principal gênero literário.

Como a arte teatral não está ligada somente ao ato da leitura, mas também à encenação, alguns críticos questionam sua classificação como gênero literário.

Tragédia: destino e purificação

Você já se emocionou, ao assistir a um filme ou a uma peça de teatro, diante da dor de um personagem, como se estivesse vivendo esse sentimento? As tragédias gregas clássicas buscavam esse tipo de identificação com seu público.

Tragédia é um texto teatral que representa uma ação humana dolorosa, determinada por um **destino** (*fatum*) que conduz um **herói de condição elevada** (rei, príncipe, herói mitológico, etc.), contra sua vontade, à infelicidade ou à morte.

SAIBA MAIS!

Não há como precisar se o teatro surgiu no Oriente ou no Ocidente. A relação direta que normalmente se faz entre o gênero dramático e sua possível origem ocidental é o fato de termos acesso, hoje, a textos completos das tragédias e comédias gregas.

Comédia: rir de nós mesmos

Segundo Aristóteles, a comédia deveria retratar a vida cotidiana de gente comum e não de pessoas advindas de "classes elevadas" (como nas tragédias). Em sua *Poética*, ele explica também que a comédia deveria imitar os piores homens, tratar de assuntos inferiores e manter sua força cômica pela *deformidade* dos personagens (defeito ou feiura) e pela linguagem (brincadeira com nomes, associações engraçadas, etc.).

NAVEGUE

Assista a trechos das tragédias *Medeia* (2001), de Eurípides, *Antígona* (2005), de Sófocles, e *Fragmentos troianos* (1999), baseada em Eurípides. Todas as montagens foram dirigidas por Antunes Filho e estão disponíveis em <http://www.sescsp.org.br/sesc/hotsites/cpt_novo/areas.cfm?cod=4&esp=15>.

Características gerais do gênero dramático

Os conceitos descritos por Aristóteles estão ligados a um tipo de teatro realizado em seu tempo. Mais de dois mil anos separam as tragédias e comédias abordadas pelo filósofo das peças teatrais feitas no século XXI. De lá para cá, outros gêneros teatrais surgiram, novas linguagens foram experimentadas e as próprias tragédias clássicas passaram por releituras a partir da visão dos diretores e atores atuais.

Mesmo marcados por diferenças, os textos teatrais apresentam, em geral, ainda hoje, as seguintes características:

- Em oposição à narração, que está ligada ao ato de contar, o teatro trabalha com a **enunciação** na 1ª pessoa, ou seja, os personagens tomam a palavra e falam por si mesmos.
- No teatro, convivem um **tempo dramático** (vivido pelos personagens da peça) e um **tempo cênico** (vivido pelos espectadores da peça). Assim, uma peça pode abarcar décadas ou mesmo séculos, mas esse período pode ser representado em poucos minutos no palco.
- A **linguagem dramática** apresenta duas facetas: o **texto dramático** (composto pela fala — diálogo ou monólogo — que será dita pelos atores) e os **efeitos de direção** (sugeridos pelas rubricas ou didascálias — indicações do que os atores deverão fazer).

- O **personagem** dispensa a mediação do narrador. A história, no teatro, não é *contada*, mas sim *mostrada* pelos personagens.

Atividades: Entre textos

Segundo a tradição, as epopeias *Ilíada* e *Odisseia* teriam sido criadas por Homero a partir de referências populares gregas. Na primeira, ele narra os episódios da Guerra de Troia; na segunda, conta as aventuras de Ulisses (também personagem da *Ilíada*), que, depois do conflito, ruma para Ítaca, sua cidade natal, onde residem o filho Telêmaco e a esposa Penélope, a quem o herói não vê há vinte anos, desde sua partida para Troia.

No texto 1, fragmento da *Odisseia*, Ulisses expõe-se voluntariamente ao sedutor e mortal canto das sereias. O texto 2, letra de uma canção composta pelo músico carioca Péricles Cavalcanti, faz referência a outro episódio envolvendo Ulisses, dessa vez com a ninfa Calipso, que o ama e o mantém em sua ilha por sete anos. Ulisses, porém, recusa a possibilidade de ser imortal e prefere retornar, na condição humana, para os braços da esposa e do filho.

Texto 1

[...]
À ilha, **entrementes**, a **nau** bem construída chegara depressa,
onde as Sereias demoram, que um vento propício a **impelia**.
[...]
Uma rodela de cera cortei com meu bronze afiado,
em pedacinhos, e pus-me a amassá-los nos dedos possantes.
[...]
Sem exceção, depois disso, tapei os ouvidos dos sócios;
as mãos e os pés, por sua vez, me amarraram na **célere nave**,
em torno ao mastro, de pé, com possantes **calabres** seguro.
Sentam-se logo, batendo com o remo nas ondas grisalhas.
Mas, ao chegar à distância somente de grito da praia,
com toda a força a remar, não passou nosso barco ligeiro
despercebido às Sereias, de perto, que entoam sonoras:
"Vem para perto, famoso **Odisseu**, dos **Aquivos** orgulho,
traz para cá teu navio, que possas o canto escutar-nos".
[...]
Dessa maneira cantavam, belíssima. **Mui** desejoso
de as escutar, fiz sinal com os olhos aos sócios que as cordas
me relaxassem; mas eles remaram bem mais ardorosos.
Alçam-se, então, Perimedes e Euríloco e deitam-me logo
novos calabres, e os laços e as voltas mais firmes apertam.
Mas, quando essa ilha, na viagem, deixamos ficar bem distante,
sem mais ouvirmos a voz das Sereias e o canto **mavioso**,
meus companheiros queridos tiraram depressa do ouvido
a cera ali por mim posta e dos laços, por fim, me livraram.
[...]

HOMERO. *Odisseia*. Trad. Carlos Alberto Nunes. São Paulo: Hedra, 2011. p. 207-208. (Fragmento).

Entrementes: nesse ínterim, nesse meio-tempo.
Nau: navio, barco.
Impelia: empurrava.
Célere nave: rápida embarcação.
Calabres: cordas grossas.
Odisseu: o nome **Ulisses**, em grego.
Aquivos: gregos da Tessália ou do Peloponeso.
Mui: muito.
Alçam-se: levantam-se.
Mavioso: agradável; melodioso.

DE AGOSTINI PICTURE LIBRARY/G. DAGLI ORTI/THE BRIDGEMAN ART LIBRARY/GRUPO KEYSTONE

Mosaico, localizado na Tunísia, representando o episódio de Ulisses e as sereias, da *Odisseia*.

Texto 2

Porto Alegre (Nos braços de Calipso)

amarrado num mastro
tapando as orelhas
eu resisti
ao encanto das sereias
eu não ouvi
o canto das sereias
eu resisti

mas chegando à praia
não fiz nada disso
então caí
nos braços de Calipso
eu **sucumbi**
ao encanto de Calipso
não resisti

desde então eu não tive
nenhum outro vício
senão dançar
ao ritmo de Calipso
pois eu caí
nas graças de Calipso
não resisti
ao encanto de Calipso
só sei dançar
ao ritmo de Calipso

CAVALCANTI, Péricles. Intérprete: Adriana Calcanhotto. CD *Maré*. Rio de Janeiro: Sony Music, 2008. Faixa 4.

NAVEGUE

Conheça o trabalho de Péricles Cavalcanti em: <http://www2.uol.com.br/periclescavalcanti/biografia.htm>.

Sucumbi: cedi, deixei-me vencer.

As respostas às questões devem ser registradas no caderno.

1 Além da voz de Ulisses, que outras vozes estão presentes texto 1?

2 Releia os versos a seguir.

"À ilha, entrementes, a nau bem construída **chegara** depressa,
onde as Sereias **demoram**, que um vento propício a **impelia**."

a) Identifique os sujeitos das formas verbais destacadas.

b) Normalmente, a ordem direta é a mais utilizada na construção de frases (sujeito seguido de predicado). Reescreva os versos relidos na ordem direta.

3 Ulisses elabora uma estratégia para poder ouvir o canto das sereias de forma segura.

a) Descreva o que ele faz para conseguir seu objetivo.

b) O que essa estratégia revela sobre a personalidade de Ulisses?

4 Compare o episódio original atribuído a Homero com o intertexto de Péricles Cavalcanti.

5 Com o auxílio de um dicionário, explique o jogo que o compositor faz com o nome Calipso.

6 Dentro da visão clássica, o Ulisses de Péricles Cavalcanti pode ser considerado menos heroico do que o de Homero? Justifique sua resposta.

O QUE VOCÊ APRENDEU NO PERCURSO DESTE CAPÍTULO

- A literatura faz uso de gêneros textuais da esfera literária, que, convencionalmente, são chamados de *gêneros literários*.
- Segundo a concepção clássica, há três gêneros literários: lírico, épico e dramático.
- Na forma lírica, o poeta faz uso de um eu lírico para expressar seu mundo interior.
- Na forma épica, o autor cria um narrador que conta a ação dos personagens.
- Na forma dramática (teatro), os personagens são representados diretamente.

CAPÍTULO

3

Movimentos literários: "mudam-se os tempos, mudam-se as vontades"

PERCURSO DO CAPÍTULO

- Os movimentos literários
- A relação entre literatura e vida social
- Autor, obra e público: uma tríade inseparável
- A historiografia literária
- O cânone literário
- Fatores externos e internos que atuam no texto literário
- Por que estudar literatura portuguesa

VOVA POMORTZEFF/ALAMY/OTHER IMAGES – MUSEU DO VATICANO, ROMA, ITÁLIA

Laocoonte e seus filhos (século I ou II d.C.), escultura atribuída aos gregos Agesandro, Atenodoro e Polidoro, é representativa da cultura helenística. A temática explorada na obra (um significativo episódio mitológico), a maneira como a imagem foi esculpida, a proporção dos corpos, a dramaticidade da cena e o equilíbrio das formas representam os ideais de uma época, que séculos mais tarde inspirariam artistas renascentistas, como Michelangelo. Essa obra está exposta no Museu do Vaticano, Itália.

Introdução

Não há arte desvinculada da história, pois, como escreveu Camões em um de seus sonetos mais conhecidos, "mudam-se os tempos, mudam-se as vontades". A literatura pode dialogar com seu próprio tempo, com obras e autores da tradição, com outras formas de arte. Neste capítulo trataremos da influência do contexto histórico sobre a produção escrita.

A imagem a seguir é uma reprodução da tela *Laocoonte*, de El Greco (1541-1614). Observe-a e responda no caderno às questões propostas.

THE BRIDGEMAN ART LIBRARY/GRUPO KEYSTONE - NATIONAL GALLERY OF ART, WASHINGTON DC, EUA

EL GRECO. *Laocoonte*, 1610-1614. Óleo sobre tela, 137,5 × 172,5 cm.

Objeto educacional digital (animação)
- Laocoonte: duas visões do mito

1 A escultura da página anterior e a pintura de El Greco foram produzidas em épocas diferentes. Que semelhanças você nota entre as duas obras com relação à forma e ao conteúdo?

SAIBA MAIS!

- O momento dramático retratado nas duas obras de arte está narrado no livro II da epopeia latina *Eneida* (século I a.C.), de Virgílio. Segundo a lenda, Laocoonte, desconfiado de que o cavalo de Troia representava uma ameaça para seu povo, protestou sem sucesso contra a iniciativa de levá-lo para dentro das muralhas da cidade. A deusa Palas Atena, que estava do lado dos gregos, sobretudo de Ulisses, enviou as serpentes que atacariam pai e filhos. O acolhimento do cavalo de madeira pelos troianos possibilitou que os guerreiros gregos, que estavam no interior oco desse artefato, entrassem em Troia e vencessem a guerra.

2 Que diferenças você observou entre uma obra e outra?

Na Europa, o século XVI (do Renascimento) representou o auge de uma série de transformações no campo das artes, das ciências e da religião. Muitos artistas retomaram em seus trabalhos o padrão estético e os ideais culturais da Antiguidade greco-latina, como os que observamos na escultura *Laocoonte e seus filhos*. El Greco teve como mestres artistas renascentistas italianos, mas, apesar dessa influência, reinventou sua pintura, inserindo nela elementos diferentes dos presentes na Antiguidade clássica.

3 Observe o quadro a seguir, pintado em 1944 por um dos artistas mais importantes do Brasil, o paulista nascido em Brodósqui Candido Portinari (1903-1962).

JOÃO CANDIDO PORTINARI/PROJETO PORTINARI - COLEÇÃO MUSEU DE ARTE DE SÃO PAULO ASSIS CHATEAUBRIAND, SÃO PAULO, BRASIL

PORTINARI, Candido. *Retirantes*, 1944.
Óleo sobre tela, 190 × 180 cm.

Embora separadas por séculos, nacionalidades e temáticas, as pinturas *Laocoonte*, de El Greco, e *Retirantes*, de Portinari, guardam algumas semelhanças. Em que essas obras se assemelham?

SAIBA MAIS!

A obra *Retirantes*, de Candido Portinari, possui pontos de contato com o Expressionismo, movimento artístico surgido na Alemanha no contexto pessimista da I Guerra Mundial (1914-1918). Para os expressionistas, a arte deveria criticar a sociedade por meio de cores fortes e contrastantes, da deformação da realidade e do distanciamento dos padrões de beleza.

NAVEGUE

JOÃO CANDIDO PORTINARI/PROJETO PORTINARI - ACERVO PROJETO PORTINARI

PORTINARI, Candido. *Autorretrato*, 1957. Óleo sobre madeira, 55 × 46 cm.

Conheça o Projeto Portinari no *site* <http://www.portinari.org.br/>.

As três obras que você analisou foram produzidas em épocas diferentes, com propósitos específicos e destinadas a públicos distintos. A escultura *Laocoonte e seus filhos* representa os ideais de beleza e equilíbrio da cultura helenística; El Greco, com sua tela *Laocoonte*, retoma temas da Antiguidade greco-latina — a exemplo do que fizeram muitos de seus contemporâneos do século XVI — e também antecipa um movimento (o Expressionismo) que surgiria somente três séculos mais tarde; Candido Portinari, no século XX, faz de sua pintura expressionista, *Retirantes*, um veículo de denúncia das injustiças sociais que caracterizam o Brasil.

Neste capítulo, estudaremos de que maneira uma obra literária dialoga com seu tempo.

Os movimentos literários

De forma semelhante ao que ocorre com as artes plásticas, as obras literárias produzidas em determinada época veiculam, em algum grau, valores ligados ao contexto histórico em que estão inseridas. Além disso, seus autores estabelecem diálogos e jogos intertextuais com obras anteriores e lançam novas tendências artísticas, muitas vezes incompreendidas em suas épocas.

Denominam-se **movimento literário**, **escola literária** ou **estilo de época** os grupos de autores e obras de um mesmo período histórico que possuem semelhanças entre si, embora apresentem particularidades de estilo.

Literatura e sociedade

Leia e compare os textos a seguir. O primeiro é uma cantiga de amor da Idade Média, gênero que estudaremos no próximo capítulo; o segundo é um poema de Hilda Hilst (1930-2004).

Texto 1

Par Deus, coitada vivo,
pois non ven meu **amigo**;
pois non ven, que farei?
meus cabelos, con **sirgo**
eu non vos **liarei**.
[...]

PORTOCARREIRO, Pero Gonçalves. In: SPINA, Segismundo. *Era medieval*. 11. ed. Rio de Janeiro: Difel, 2006. p. 29. (Presença da Literatura Portuguesa, v. 1). (Fragmento).

Amigo: namorado.
Sirgo: fita de seda (símbolo de compromisso), presente do namorado à sua amada.
Liarei: atarei.

Texto 2

VIII

De luas, **desatino** e aguaceiro
Todas as noites que não foram tuas.
Amigos e meninos de ternura

Intocado meu rosto-pensamento
Intocado meu corpo e tão mais triste
Sempre à procura do teu corpo exato.
Livra-me de ti. Que eu reconstrua

Desatino: falta de juízo, disparate.

Meus pequenos amores. A ciência
De me deixar amar
Sem amargura. E que me deem

A enorme incoerência
De desamar, amando. E te lembrando

— Fazedor de desgosto —
Que eu te esqueça.

HILST, Hilda. Dez chamamentos ao amigo. In: PÉCORA, Alcir (Org.). *Júbilo, memória, noviciado da paixão*. São Paulo: Globo, 2001. p. 25.

Responda oralmente às questões a seguir.

1 Qual o tema das duas produções poéticas?

2 Que diferença(s) você notou entre os dois textos?

Como você deve ter percebido pela leitura dos poemas, a literatura — da mesma maneira que outras formas de arte — é uma instituição social e está ligada ao contexto em que é produzida. Os versos escritos pelos poetas medievais portugueses, em que, por exemplo, um eu lírico feminino fala da saudade de seu amado, não são iguais àqueles produzidos no Brasil, no século XX, por uma poeta como Hilda Hilst. Ainda que tratem de um tema semelhante, são significativas as diferenças entre os dois textos.

Na cantiga de amor, a mulher apela a Deus, entristece-se com a ausência do amado e, para puni-lo, não mais usa a fita que serviu de símbolo do compromisso firmado entre eles. Note que não há alusão a outros homens além do namorado ausente. Esses poemas eram escritos em galego-português e difundidos oralmente por meio do canto de seus versos em festas populares.

No poema de Hilda Hilst, o eu lírico confessa a saudade que tem do "corpo exato" do amado, mas deseja livrar-se dele, esquecê-lo, vivendo outros "pequenos amores", pelo fato de o namorado ser um "fazedor de desgosto". Os versos da poeta paulista de Jaú foram escritos em português e impressos e publicados em um livro para leitores brasileiros alfabetizados, diferentemente das produções medievais, feitas para um público, em sua maioria, composto de pessoas não letradas.

SAIBA MAIS!

- Além de veicular determinados padrões de uma época, reforçando-os, a literatura pode interferir mais diretamente na sociedade, mudando concepções e alterando a ordem estabelecida. O poema "Dentro da noite veloz", de Ferreira Gullar, que trata do assassinato do líder argentino-cubano Che Guevara, incentivou muitos brasileiros a lutar contra a ditadura, após 1964.

Ernesto Che Guevara
É chegada a tua hora
E o povo ignora
Se por ele lutavas

GULLAR, Ferreira. *Toda poesia – Ferreira Gullar.* 18. ed. Rio de Janeiro: José Olympio, 2009. p. 197. (Fragmento).

Investigue em
- **História**
- **Geografia**
- **Sociologia**

Que obras literárias (e seus autores) foram responsáveis por influenciar mudanças sociais e políticas?

Atividades: Entre textos

Os textos a seguir foram escritos em épocas diferentes e tratam de eventos sociais. O texto 1 foi retirado do romance *A Moreninha* (1844), de Joaquim Manuel de Macedo, obra que narra a história de amor entre jovens da alta sociedade do Rio de Janeiro. O texto 2 foi publicado originalmente em 1998, na obra *Lábia*, coletânea de poemas escritos pelo baiano Waly Salomão. Leia-os e responda às questões no caderno.

Texto 1

[...]

Um **sarau** é o bocado mais delicioso que temos, de telhado abaixo. Em um sarau todo o mundo tem que fazer. O diplomata ajusta, com um copo de champagne na mão, os mais **intrincados** negócios; todos murmuram e não há quem deixe de ser murmurado. O velho lembra-se dos **minuetes** e das cantigas do seu tempo, e o moço goza todos os **regalos** da sua época; as moças são no sarau como as estrelas no céu; estão no seu elemento: aqui uma, cantando suave **cavatina**, eleva-se vaidosa nas asas dos aplausos, por entre os quais **surde**, às vezes, um bravíssimo **inopinado**, que solta de lá da sala do jogo o parceiro que acaba de ganhar sua partida no ***écarté***, mesmo na ocasião em que a moça se espicha completamente, desafinando um **sustenido**; daí a pouco vão outras, pelos braços de seus pares, se deslizando pela sala e marchando em seu passeio, mais a compasso que qualquer de nossos batalhões da Guarda Nacional, ao mesmo tempo que conversam sempre sobre objetos inocentes que movem olhaduras e risadinhas apreciáveis. [...] Ali vê-se um **ataviado dândi** que dirige mil finezas a uma senhora idosa, tendo os olhos pregados na sinhá, que senta-se ao lado.

Finalmente, no sarau não é essencial ter cabeça nem boca, porque, para alguns é regra, durante ele, pensar pelos pés e falar pelos olhos.

[...]

MACEDO, Joaquim Manuel de. *A Moreninha*. 6. ed. São Paulo: FTD, 1997. p. 107-108. (Grandes Leituras). (Fragmento).

Sarau: reunião festiva em que os convidados dançam, tocam ou recitam textos.
Intrincados: emaranhados, confusos.
Minuetes: músicas de compasso ternário com andamento vagaroso que acompanham dança, originadas na França.
Regalos: prazeres.
Cavatina: tipo de música com andamento ora vivo, ora lento.
Surde: surge.
Inopinado: repentino.
***Écarté*:** jogo de cartas de origem francesa que deve ser jogado em duplas.
Sustenido: nota musical elevada a meio tom.
Ataviado: enfeitado, adornado.
Dândi: cavalheiro refinado.

Texto 2

Pista de dança

[...]
extasiado
piso
hipnotizo
mimetizo
a dança das estrelas
debuxo sobre o celeste caderno de caligrafia das constelações
e plagio a coreografia dos pássaros e dos robôs
aqui neste ***point***
[...]
e a toalha felpuda suja me enxuga o suor do rosto
aqui nesta ***rave***
narro a **rapsódia** de uma tribo misteriosa
imito o rodopio de pião bambo

Mimetizo: imito.
Debuxo: rascunho, esboço.
***Point*:** (inglês) lugar; ponto de encontro.
***Rave*:** (inglês) festa em que geralmente se toca música eletrônica por longo período de tempo.
Rapsódia: na literatura grega, trecho de poema épico recitado pelo rapsodo.

Ê Ê Ê tumbalelê
é o **jongo** do **cateretê**
é o samba
é o **mambo**
é o **tangolomango**
é o **bate-estaca**
é o **jungle**
é o **tecno**
é o **etno**

é o etno
é o tecno
é o jungle
é o bate-estaca
é o tangolomango
é o mambo
é o samba
é o jongo do cateretê
Ê Ê Ê tumbalelê

redemoinho de ilusão em ilusão
como a lua tonta, suada, e fria
que do crescente ao minguante varia
e inicia e finda
e finda e inicia
e vice-versa a pista de dança

[...]

SALOMÃO, Waly. In: FERRAZ, Eucanaã (Org. e pref.). *Veneno antimonotonia*. Rio de Janeiro: Objetiva, 2005. p. 172-173. (Fragmento).

Jongo, cateretê: nomes de danças populares brasileiras.

Mambo: tipo de música e dança cubanas.

Tangolomango: mal, feitiço.

Bate-estaca: referência popular aos gêneros de música eletrônica.

***Jungle, tecno*:** gêneros de música eletrônica.

***Etno*:** música étnica (também chamada de "*world music*").

Responda no caderno às questões a seguir.

1 O texto 1 descreve uma reunião social típica do século XIX, o sarau. Observe a organização textual e explique por que se pode dizer que há uma ordem e uma harmonia nessa descrição.

2 O romance de Joaquim Manuel de Macedo foi publicado originalmente em 1844. A linguagem utilizada permite identificar o texto como uma produção do século XIX? Dê exemplos.

3 Que ações descritas no trecho de Macedo podem ser consideradas típicas dessa época?

4 Que classe social o autor estaria descrevendo?

5 A que público, provavelmente, se destina o texto de Macedo?

6 As mulheres recebem destaque na cena do sarau, em relação a outros personagens. De que maneira elas são caracterizadas no fragmento?

7 Qual é a sensação que Waly Salomão procura transmitir em seu poema? Justifique sua resposta com exemplos retirados do texto.

8 Estabeleça uma relação entre o título "Pista de dança" e a forma do poema.

NAVEGUE

Conheça a obra de Waly Salomão (1944-2003) no *site* <http://walysalomao.com.br/>.

9 Que imagem é criada por Waly Salomão no verso "e plagio a coreografia dos pássaros e dos robôs"? Para responder a esta questão, atente para a antítese.

Figura de linguagem em que as palavras ou expressões estabelecem oposição de ideias.

10 A linguagem utilizada pelo poeta deixa evidente a época em que foi publicado o poema? Justifique sua resposta.

11 O texto de Macedo é um trecho de romance, e o de Waly Salomão, de um poema. Embora de gêneros diferentes, os dois textos se aproximam em relação ao conteúdo.

a) Em que o evento descrito no texto 2 se assemelha àquele descrito no texto 1?

b) No final do texto 1, o narrador do romance de Macedo afirma para algumas pessoas que a regra num sarau é "pensar pelos pés e falar pelos olhos". De que maneira essa ideia pode ser associada ao texto de Waly Salomão?

ProvocAÇÃO

Releia o último parágrafo do texto 1:

"Finalmente, no sarau não é essencial ter cabeça nem boca, porque, para alguns é regra, durante ele, pensar pelos pés e falar pelos olhos."

Segundo o narrador, o mais importante num sarau era a possibilidade da dança e do encontro amoroso, simbolizado pela troca de olhares ("falar pelos olhos"). Você considera que o parágrafo que se refere ao sarau poderia estar presente no poema "Pista de dança"?

A análise dos textos de Macedo e de Waly permite perceber que a comunicação literária se estrutura a partir de três elementos: nela, um artista (**autor**), influenciado por um conjunto de padrões presentes em sua época, cria sua arte (**obra literária**), abordando certos conteúdos — expressos numa determinada forma —, e destina-a a um **público** (leitor).

Contexto, historiografia, intertextualidade

Joaquim Manuel de Macedo (autor) escreveu o romance *A Moreninha* (obra) enfocando, principalmente, os costumes da sociedade carioca do Segundo Reinado (contexto). Por retratar um cotidiano bastante conhecido dos leitores burgueses da época (público), sobretudo situações amorosas vividas e idealizadas, esses romances eram muito populares. O autor fluminense é um típico escritor do Romantismo brasileiro, movimento literário que marcou grande parte do século XIX. Além dele, outros autores românticos, guardadas suas diferenças de estilo, abordaram temas comuns, destinados a um público burguês que se formava no Brasil no contexto da Independência.

Neste livro, trabalharemos com a **historiografia literária**, isto é, com os movimentos literários inseridos em seu contexto histórico. Dessa forma, apresentaremos fatos sociais e culturais importantes em cada época, características dos movimentos literários, autores, obras, textos para análise, etc. Você notará que em cada uma das escolas literárias serão destacados apenas alguns escritores e obras considerados canônicos, isto é, representativos de uma época, embora você possa pesquisar outros autores que não alcançaram tanto êxito em cada período estudado.

Essa classificação, apesar de válida em alguns contextos, pode cometer injustiças. Grandes artistas já foram (e têm sido) excluídos do cânone literário.

Cânone literário é um conjunto de obras e de autores considerados representativos de uma época.

Além de apresentar os **elementos externos** (aspectos históricos, influências de outros autores de mesma época, relação com pintura, cinema, escultura, textos não literários, leitores, etc.), trabalharemos, sempre que possível, com a **intertextualidade** presente nas obras literárias. Por isso é importante que você amplie sua biblioteca cultural. Conte com este livro e com seu professor para auxiliá-lo.

Por que estudar literatura portuguesa

Você notará que dedicaremos muitos capítulos desta obra ao estudo das escolas literárias de Portugal. Os portugueses colonizaram o Brasil, por isso tiveram importância fundamental para a formação da nossa cultura. As primeiras manifestações literárias brasileiras datam do início da colonização (século XVI), enquanto, em Portugal, há registro do primeiro texto literário escrito já no século XII.

Para que você tenha uma noção geral do que estudará, apresentamos um quadro contendo as escolas literárias portuguesas, algumas datas importantes, obras significativas e autores canônicos.

Trovadorismo	Humanismo	Classicismo	Barroco	Arcadismo ou Neoclassicismo
 ANTONIO ABRIGNANI/SHUTTERSTOCK Ilustração do manuscrito "Milagres de São Luís" (1844).	 STEVANZZ/SHUTTERSTOCK Torre de Belém, Lisboa (2010).	 REPRODUÇÃO/FERNÃO GOMES/WIKIPEDIA Camões, por Fernando Gomes.	 COLEÇÃO DE PINTURA DA BNP, LISBOA, PORTUGAL NUNES JÚNIOR, António José. *Padre Antônio Vieira*, 1868. Óleo sobre tela, 133 × 105 cm.	 TOMAS ABAD/ALAMY/OTHER IMAGES - METROPOLITAN MUSEUM OF ART, NOVA YORK, EUA WATTEAU, Antoine. *Mezzetin*, c. 1718-1720. Óleo sobre tela, 55,2 × 43,2 cm.
1189 ou 1198	**1418**	**1527**	**1580**	**1756**
A Ribeirinha (Paio Soares de Taveirós).	Nomeação de Fernão Lopes (Guardador-Mor da Torre do Tombo).	Retorno de Sá de Miranda da Itália ("campanha clássica").	Morte de Camões. / Portugal perde sua autonomia para a Coroa espanhola.	Fundação da Arcádia Lusitana.
Airas Nunes D. Dinis João Garcia de Guilhade Martim Codax Nuno Fernandes Torneol Pero da Ponte Pero Garcia Burgalês	D. Duarte Fernão Lopes Garcia de Resende Gil Vicente Gomes Eanes de Azurara José Roiz de Castelo Branco Rui de Pina	Antônio Ferreira Bernardim Ribeiro Cristóvão Falcão Diogo Bernardes Fernão Mendes Pinto Luís Vaz de Camões Sá de Miranda	Antônio Barbosa Bacelar Antônio José da Silva D. Francisco Manuel de Melo Matias Aires Padre Antônio Vieira Padre Manuel Bernardes Sóror Maria Alcoforado	Bocage Cândido Lusitano Correia Garção Cruz e Silva Filinto Elísio José Anastácio da Cunha Marquesa de Alorna Nicolau Tolentino Verney

Romantismo	Realismo/ Naturalismo	Simbolismo	Modernismo
 OLEG GOLOVNEV/SHUTTERSTOCK – LOUVRE, PARIS, FRANÇA DELACROIX, Eugène. *A liberdade guiando o povo*, 1830. Óleo sobre tela, 260 × 325 cm. Museu do Louvre.	 REPRODUÇÃO/BIBLIOTECA NACIONAL DE PORTUGAL Eça de Queirós, em foto de 1882.	 IGORGOLOVNIOV/SHUTTERSTOCK_ MUSEU PUSHKIN, MOSCOU, RÚSSIA RENOIR, Auguste. *Retrato da atriz Jeanne Samary*, 1877. Óleo sobre tela, 46 × 56 cm.	 MARCELO DE ABREU Fernando Pessoa, por Marcelo de Abreu (2011).
1825	**1865**	**1889**	**1915**
Publicação do poema "Camões" (Almeida Garrett).	"Questão Coimbrã".	Publicação das revistas *Os insubmissos* e *Boêmia nova*.	Revista *Orpheu*. Revista *Presença* (1927). Publicação de *Gaibéus* (1940) — Neorrealismo. Grupo surrealista de Lisboa (1947).
Alexandre Herculano Almeida Garrett Antônio Feliciano de Castilho Camilo Castelo Branco João de Deus João de Lemos Júlio Dinis Soares de Passos	Antero de Quental Cesário Verde Eça de Queirós Fialho de Almeida Gomes Leal Guerra Junqueiro Oliveira Martins Ramalho Ortigão	Afonso Lopes Vieira Antônio Nobre Antônio Patrício Augusto Gil Camilo Pessanha Eugênio de Castro Júlio Dantas Manuel Laranjeiras Raul Brandão	Agustina Bessa-Luís Albano Martins Alexandre O'Neill Almada Negreiros Antônio Ramos Rosa Antônio Rebordão Navarro Aquilino Ribeiro Alves Redol Bernardo Santareno Branquinho da Fonseca David Morão-Ferreira Eugênio de Andrade Faure da Rosa Fernando Namora Fernando Pessoa Ferreira de Castro Florbela Espanca Herberto Helder Irene Lisboa Jorge de Sena José Carlos Pires José Régio José Saramago Lídia Jorge Lobo Antunes Manuel da Fonseca Maria Judite de Carvalho Mário Cesariny de Vasconcelos Mário de Sá-Carneiro Miguel Torga Sophia de Mello Breyner Andresen Vergílio Ferreira

O QUE VOCÊ APRENDEU NO PERCURSO DESTE CAPÍTULO

- Uma obra literária dialoga com seu tempo.
- Movimento literário, escola literária ou estilo de época são nomes dados a grupos de autores e obras que, embora apresentem particularidades de estilo, têm semelhanças em um determinado recorte temporal.
- A literatura pode veicular padrões sociais de uma época, reforçando-os, ou mudar a ordem estabelecida.
- A comunicação literária se estrutura a partir de três elementos: quem (o autor), o que (a obra), para quem (o público).
- A literatura está ligada ao contexto em que é produzida.
- Cânone literário é um conjunto de obras e de autores considerados representativos de uma determinada época.
- Por terem colonizado o Brasil, os portugueses foram de fundamental importância para a formação de nossa literatura.

Expressões

Apresentamos, a seguir, uma proposta para você exercitar sua criatividade. Leia-a com atenção e... expresse-se!

Nesta unidade, vimos que a linguagem literária é multissignificativa e conotativa. Por apresentar essas características especiais, a tradução de um texto literário exige pesquisa e criatividade. Traduzir um poema, por exemplo, é, praticamente, um trabalho de recriação.

Os versos a seguir foram criados por Elizabeth Bishop (1911-1979), uma das poetas mais importantes do século XX. O poema "One art" trata da arte de perder coisas que amamos. Leia abaixo o texto original e, na página seguinte, a tradução literal dos versos.

NAVEGUE

Visite o *site* (em inglês) da poeta Elizabeth Bishop em: <http://www.poetryfoundation.org/bio/elizabeth-bishop>.

One art

The art of losing isn't hard to master;
so many things seem filled with the intent
to be lost that their loss is no disaster.

Lose something every day. Accept the fluster
of lost door keys, the hour badly spent.
The art of losing isn't hard to master.

Then practice losing farther, losing faster:
places, and names, and where it was you meant
to travel. None of these will bring disaster.

I lost my mother's watch. And look! my last, or
next-to-last, of three loved houses went.
The art of losing isn't hard to master.

I lost two cities, lovely ones. And, vaster,
some realms I owned, two rivers, a continent.
I miss them, but it wasn't a disaster.

— Even losing you (the joking voice, a gesture
I love) I shan't have lied. It's evident
the art of losing's not too hard to master
though it may look like (*Write* it!) like disaster.

Disponível em: <http://www.poetryfoundation.org/poem/176996>. Acesso em: 14 jun. 2012.

ELIZABETH BISHOP SOCIETY ADVISORY BOARD

A escritora norte-americana Elizabeth Bishop viveu no Brasil de 1951 a 1966.

Uma arte

A arte de perder não é difícil de dominar;
tantas coisas parecem cheias de determinação
a serem perdidas que a sua perda não é um desastre.

Perca alguma coisa todos os dias. Aceite a confusão
de chaves de portas perdidas, a hora mal gasta.
A arte de perder não é difícil de dominar.

Então pratique perder mais longe, perder mais rápido:
lugares, e nomes, e para onde você pretendia
viajar. Nada disso trará um desastre.

Eu perdi o relógio da minha mãe. E veja! minha última, ou
quase última, de três amadas casas se foram.
A arte de perder não é difícil de dominar.

Eu perdi duas cidades, adoráveis. E, muito mais,
alguns reinos que possuía, dois rios, um continente.
Sinto falta deles, mas não foi um desastre.

— Mesmo perdendo você (a voz de brincadeira, um gesto
que eu amo) eu não devia ter mentido. É evidente
que a arte de perder não é muito difícil de dominar
apesar de parecer (*Escreva* isso!) um desastre.

Tradução literal.

Leia agora a tradução que a escritora Marta Góes fez para o poema de Elizabeth Bishop.

Perder não é uma lição tão difícil;
Tantas coisas querem ser perdidas
Que perder não chega a ser insuportável.
Eu perdi o relógio de mamãe e a última
de três casas que eu amava.
Perder não é nenhum desastre.
Perdi duas cidades lindas, e até mais: alguns impérios que eu
tinha, dois rios, um continente. Me dói,
Mas não é nenhum desastre.
— Mesmo perder você (a voz brincalhona, o gesto
que eu adoro) não seria nenhum absurdo.
É claro que perder não é difícil de aprender,
embora pareça (vou escrever isso!) um desastre.

BISHOP, Elizabeth. Uma arte. Tradução de Marta Góes. In: GÓES, Marta. *Um porto para Elizabeth Bishop*. São Paulo: Terceiro Nome, 2001. p. 62-63.

A exemplo do que fez Marta Góes, você agora vai reinventar, à sua maneira, o poema de Elizabeth Bishop. Para ajudá-lo nesse trabalho, você pode se basear na tradução literal, que aparece no início desta página.

Após produzir seu texto, divulgue-o em um painel no pátio da escola, juntamente com os de seus colegas. Organizem o painel de tal modo que o poema original fique localizado ao centro, em destaque, e os demais, espalhados ao redor. Um dos alunos pode escrever um pequeno texto contendo a explicação dos trabalhos para que os leitores dos Ensinos Fundamental e Médio possam entender o que está sendo exposto. Se alguém souber desenhar, pode ilustrar o painel com imagens relacionadas ao tema do poema de Elizabeth Bishop.

Leitura puxa leitura

Comece sua leitura por:

Dom Quixote (1604), de Miguel de Cervantes

Por que ler: A obra é um verdadeiro marco cultural que há séculos se renova em inúmeras releituras feitas tanto na literatura como nas demais expressões artísticas. Essa paródia das novelas de cavalaria medievais tem como protagonista um anti-herói que oscila entre o cômico e o dramático ao encarnar dilemas, lutas, sonhos e desilusões que ainda hoje são comuns a todos nós.

Terra sonâmbula (1992), de Mia Couto

Por que ler: Para participar da história de dois refugiados da guerra, o velho Tuahir e o menino Muidinga, uma espécie de releitura moderna do escudeiro Sancho e do cavaleiro Quixote.

Memórias de um sargento de milícias (1852), de Manuel A. de Almeida

Por que ler: Para se divertir com as peripécias de Leonardinho, o primeiro anti-herói nacional.

Amadis de Gaula (c. 1500)

Por que ler: Para conhecer uma típica novela de cavalaria, gênero que serviu de base para Cervantes escrever *Dom Quixote*.

Dom Quixote em quadrinhos (2005), de Caco Galhardo

Por que ler: Para se divertir com a adaptação da obra de Cervantes feita por um dos melhores cartunistas brasileiros.

Catálogo Raisonné Candido Portinari (2004), Petrobras

Por que ver: Para se emocionar com os desenhos de Dom Quixote feitos por um grande pintor brasileiro.

Macunaíma (1928), de Mário de Andrade

Por que ler: Para conhecer o anti-herói mais famoso e controverso do Brasil.

Triste fim de Policarpo Quaresma (1911), de Lima Barreto

Por que ler: Para rir e chorar do ingênuo patriotismo quixotesco do major Quaresma.

Romance d'A pedra do reino (1971), de Ariano Suassuna

Por que ler: Para conhecer as histórias saborosas de Quaderna, um Quixote nordestino.

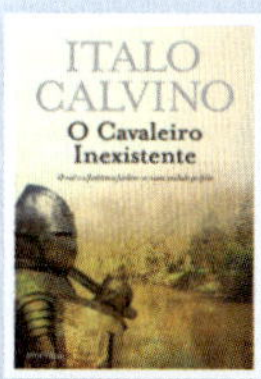

O cavaleiro inexistente (1959), de Italo Calvino

Por que ler: Para conhecer outra paródia das novelas de cavalaria, centrada na figura de um protagonista que não existe.

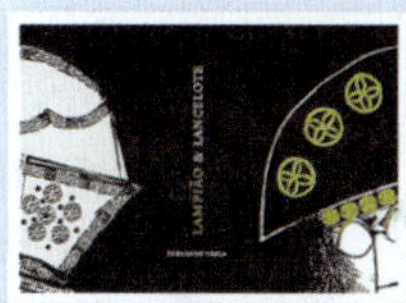

Lampião e Lancelote (2006), de Fernando Vilela

Por que ler: Para testemunhar o encontro entre o cangaceiro Lampião e o lendário cavaleiro medieval.

Odisseia (VIII a.C.), de Homero

Por que ler: Para acompanhar a trajetória de um autêntico herói clássico e compará-lo ao fantasioso Dom Quixote.

As impurezas do branco (1974), de Carlos Drummond de Andrade

Por que ler: Para conhecer o conjunto de poemas intitulado "Quixote e Sancho, de Portinari", uma delicada releitura dos desenhos de Portinari e do romance de Cervantes.

FOTOS: REPRODUÇÃO

UNIDADE

2

LITERATURA MEDIEVAL: EM BUSCA DE NOSSAS ORIGENS

Em que momento surge uma literatura genuinamente brasileira? Se considerarmos que a atividade literária depende da existência de autores, obras e leitores, no Brasil ela é recente. Quando os portugueses aportaram por aqui — trazendo seus costumes e sua língua —, travaram contato com a rica cultura dos nativos, que, entretanto, não era escrita.

O processo de colonização do Brasil se inicia no século XVI, em pleno Renascimento europeu. Pouco a pouco vão se configurando no país as condições propícias para o surgimento de escritores e, consequentemente, de leitores aptos a apreciar as obras literárias. Mas é somente na primeira metade do século XIX, com o advento do movimento romântico, associado à independência política, que um sistema literário se consolida definitivamente num Brasil ainda em busca de identidade.

Estudar as produções medievais portuguesas significa adentrar um outro mundo, com regras sociais, culturais e econômicas próprias, um universo que, embora distante, deixou marcas visíveis na época atual. A literatura de Portugal está presente não só nas origens das letras brasileiras, como também na influência exercida sobre nossos escritores ao longo da história. A essa herança lusitana vieram se somar, mais tarde, a africana e a de outros países da Europa e da América, que também contribuíram para compor esse grande caldeirão — de sabores importados, reinventados e criados com originalidade por nossos artistas —, que faz a riqueza da literatura brasileira.

Folha do *Antifonário para Abadessa de Sainte-Marie de Beaupre*. 1290. Tinta em pergaminho, 48,1 × 34,6 cm. O antifonário (livro de cantos religiosos) apresenta duas fortes referências da Idade Média: a passagem bíblica, representada pela Santa Ceia, e a forte cultura musical sugerida pelos quatro instrumentistas.

WALTERS ART MUSEUM, BALTIMORE, MARYLAND, USA

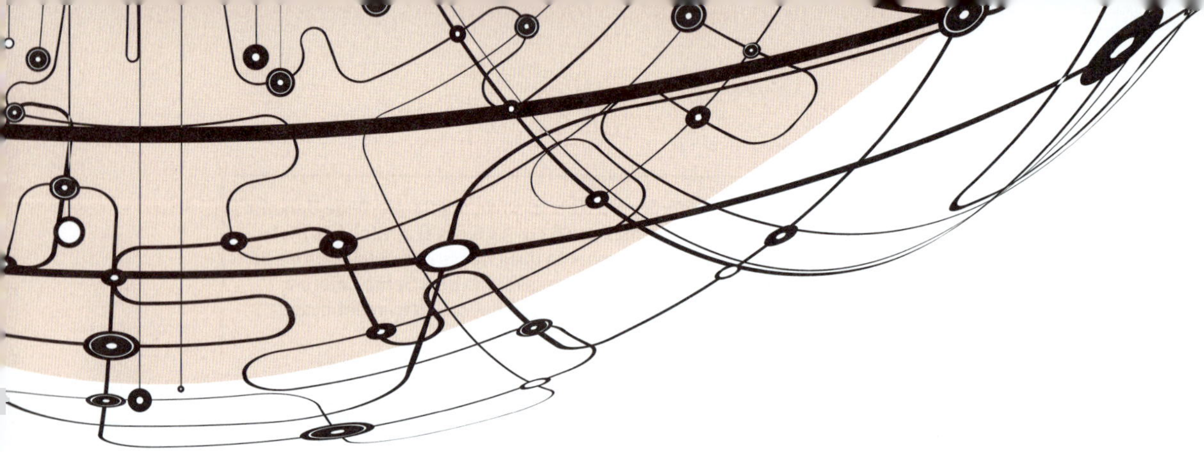

Para início de conversa

Leia a letra da canção "Fez-se mar", criada pelo músico Marcelo Camelo, da banda carioca Los Hermanos.

Fez-se mar

fez-se mar, senhora, o meu penar
demora não, demora não

vai ver o acaso entregou alguém pra lhe dizer
o que qualquer dirá
parece que o amor chegou aí
parece que o amor chegou aí

eu não estava lá, mas eu vi
eu não estava lá, mas eu vi

clareira no tempo
cadeia das horas
eu meço no vento
o passo de agora

e o próximo instante, eu sei, é quase lá
peço não saber até você voltar

CAMELO, Marcelo. Fez-se mar. Intérprete: Los Hermanos.
In: LOS HERMANOS. *4*. São Paulo: Sony/BMG. 2005. 1 CD. Faixa 3.
Disponível em: <http://www2.uol.com.br/loshermanos/ventura/letras/quatro1.htm>.
Acesso em: 4 fev. 2012.

Responda às questões no caderno.

1 A letra da canção "Fez-se mar" estrutura-se a partir de uma metáfora principal, sugerida no primeiro verso. Em que consiste essa metáfora?

2 O eu lírico fala diretamente à sua musa já no primeiro verso da canção.

a) Que pronome de tratamento ele utiliza?

b) Em sua opinião, por que ele se dirige à amada dessa forma?

3 Qual é o apelo feito pelo eu lírico na primeira estrofe?

4 Explique a hipótese levantada pelo eu lírico na segunda estrofe.

5 Releia.

"e o próximo instante, eu sei, é quase lá
peço não saber até você voltar"

Por que o eu poético prefere não saber se a amada voltará ou não?

Em "Fez-se mar", o eu lírico sofre pela ausência de sua *senhora* e pede a ela que não demore. Embora a canção seja atual e tenha alcançado popularidade entre os jovens, ela dialoga com um tipo de produção bastante recorrente na Europa medieval: as cantigas de amor, inspiradas nas produções provençais. Nelas, o eu poético masculino refere-se respeitosamente à amada, chamando-a de *senhora*, e, em versos, canta suas dores de amor.

Nesta unidade, estudaremos o Trovadorismo e o Humanismo, manifestações literárias ocorridas na Europa medieval, entre os séculos XII e XVI. São quatrocentos anos de grandes transformações culturais que marcam o declínio do feudalismo e da cultura teocêntrica (que coloca Deus no centro do mundo) e o início da valorização do homem (antropocentrismo) e do racionalismo.

A produção literária trovadoresca foi profundamente influenciada pelas relações sociais e culturais da Alta Idade Média (séculos V a X), cujo centro eram as cortes, os principais locais de convivência das pessoas letradas. A maioria da população era analfabeta, e mesmo entre os nobres não eram muitos os que sabiam ler e escrever. Essas habilidades se concentravam, particularmente, nas mãos do clero, e a Igreja figurava como a organização mais poderosa da época. O profundo espírito religioso medieval vai se refletir tanto nas novelas de cavalaria como na poesia de temática religiosa e nas hagiografias (vidas de santos) e obras de devoção.

A partir dos séculos XI e XII, a situação na Europa começa a se transformar, com o processo de formação dos Estados Nacionais. Com isso, o poder da Igreja como instituição passa a ser, paulatinamente, questionado pelos pensadores da época. Daí em diante, o teocentrismo medieval seria substituído pelo antropocentrismo renascentista. O Humanismo é o movimento literário que faz a transição entre esses dois sistemas de pensamento tão distintos.

Marcos literários

A publicação da cantiga *A Ribeirinha*, de Paio Soares de Taveirós, em 1189 (ou 1198), é considerada o início da primeira época medieval, cujo término se dá em 1418, ano em que Fernão Lopes é nomeado Guarda-Mor da Torre do Tombo, onde ficavam guardados os documentos do Reino.

A segunda época medieval inicia-se em 1418 e termina em 1527, quando o poeta português Sá de Miranda retorna da Itália propondo novos padrões literários ligados à cultura clássica.

CARLOS LUIS M C DA CRUZ/WIKIPEDIA

Localizada em Campo Grande, Lisboa, a Torre do Tombo (o Arquivo Central do Estado Português) é uma das instituições mais antigas de Portugal, hoje aberta a pesquisas em instalações modernas. Foto de 2010.

CAPÍTULO 4

Trovadorismo: "Amar e malamar"

PERCURSO DO CAPÍTULO

- Novelas de cavalaria
- Cantigas líricas (de amor e de amigo)
- Cantigas satíricas (de escárnio e de maldizer)
- Análise de letra de canção contemporânea e cantiga de amigo

O Castelo de Guimarães, em Portugal, é considerado por muitos o "berço da nacionalidade portuguesa". Originalmente um mosteiro, no século XII passou a ser residência do conde D. Henrique e de sua mulher, D. Teresa. Segundo a lenda, lá teria nascido o filho do casal, D. Afonso Henriques, nobre que derrotou os mouros e se autoproclamou rei de Portugal. Foto de 2007.

MAURICIO ABREU/JAI/CORBIS/LATINSTOCK

Introdução

Ambiente aristocrático, nobreza de caráter, damas inacessíveis, sofrimento amoroso e uma dose de ironia e sarcasmo, ingredientes de um movimento literário que deixou marcas ao longo da história e chegou ao nosso tempo: o Trovadorismo. Neste capítulo, você conhecerá os primórdios da literatura em língua portuguesa e trabalhará com textos bem diferentes daqueles com os quais está acostumado, mas que tratam de sentimentos comuns a todas as épocas.

O texto a seguir é fragmento de uma importante novela de cavalaria, *A demanda do Santo Graal*. Nessa história medieval, são narradas as aventuras dos cavaleiros da Távola Redonda do rei Artur em busca do cálice sagrado (o graal), com o qual José de Arimateia teria colhido o sangue de Jesus Cristo crucificado. A parte que você lerá trata da chegada de uma donzela a Camalote em busca de Lancelote do Lago. Após encontrá-lo, ambos se dirigem a uma floresta a fim de fazerem Galaaz cavaleiro.

GIANNI DAGLI ORTI/CORBIS/LATINSTOCK

Iluminura do *Manuscrito do Santo Graal* (século XV).

Galaaz é armado cavaleiro

1. Véspera de **Pentecostes**, houve muita gente reunida em **Camalote**, de tal modo que se pudera ver muita gente, muitos cavaleiros e muitas mulheres de muito bom parecer. O rei, que estava por isso muito alegre, honrou-os muito e fez servi-los muito bem e toda coisa que entendeu que tornaria aquela corte mais satisfeita e mais alegre, tudo mandou fazer.

Aquele dia que vos digo, exatamente quando queriam pôr as mesas — isto era **hora de noa** — aconteceu que uma donzela chegou muito formosa e muito bem vestida; e entrou no **paço** a pé, como mensageira. Ela começou a procurar de uma parte e de outra pelo paço; e perguntaram-lhe o que buscava.

— Busco — disse ela — dom Lancelote do Lago. Está aqui?

— Sim, donzela — disse um cavaleiro. — Vede-o: está naquela janela falando com dom Galvão.

Ela foi logo para ele e saudou-o. Ele, assim que a viu, recebeu-a muito bem e abraçou-a, porque aquela era uma das donzelas que moravam na ilha da Lediça a quem a filha Amida do rei Peles amava mais que a donzela de sua companhia.

2. Como a donzela disse a Lancelote que fosse com ela

— Ai, donzela — disse Lancelote —, que **ventura** vos trouxe aqui? Que bem sei que sem razão não viestes.

— Senhor, verdade é; mas rogo-vos, se vos **aprouver**, que vades comigo àquela floresta de Camalote; e saberei que amanhã, à hora de comer, estareis aqui.

Pentecostes: celebração importante do calendário cristão que comemora a aparição do Espírito Santo aos apóstolos de Jesus.

Camalote: ou Camelote, capital do reino de Logres.

Hora de noa: para os católicos, hora do Ofício Divino, em torno de três da tarde.

Paço: palácio.

Ventura: sorte, destino.

Aprouver: agradar.

— Certamente, donzela — disse ele —, muito me agrada, pois tenho obrigação de vos servir em tudo que puder.

Então pediu suas armas. E quando o rei viu que se fazia armar com tanta pressa, dirigiu-se a ele com a rainha e disse-lhe:

— Como? Deixar-nos quereis em tal festa, quando cavaleiros de todo o mundo vêm à corte, e muito mais ainda por vos verem que por outro motivo: uns para vos verem, e outros por terem vossa companhia?

— Senhor — disse ele —, não vou senão a esta floresta, com esta donzela que me pediu, mas amanhã, à hora de terça, estarei aqui.

[...]

ROSSETTI, Dante Gabriel. *A donzela do Santo Graal*. 1874. Óleo sobre tela, 36 × 22 cm.

4. Como Lancelote chegou à abadia

Quando chegaram à **abadia**, levaram Lancelote a uma câmara e o desarmaram. E veio a ele a **abadessa** com quatro mulheres, e trouxe consigo Galaaz, tão formosa pessoa que maravilha era. E andava tão bem vestido que não podia melhor. E a abadessa chorava muito com prazer, assim que viu Lancelote, e disse-lhe:

— Senhor, por Deus, fazei nosso novo cavaleiro, porque não queríamos que fosse cavaleiro por mão de outro; porque melhor cavaleiro que vós não o pode fazer cavaleiro; porque bem cremos que ainda será tão bom, que vos achareis bem por isso, e será vossa a honra de o fazerdes, e se ele vos isto não pedisse, vô-lo deveríeis fazer, pois bem sabeis que é vosso filho.

— Galaaz — disse Lancelote —, quereis ser cavaleiro?

E ele respondeu vivamente:

— Senhor, se vos aprouvesse, bem o queria ser, porque não há cousa no mundo que eu tanto deseje como a honra de cavalaria e ser cavaleiro da vossa mão, porque de outro o não queria ser, que vos ouço tanto louvar e prezar de cavalaria, que ninguém, no meu entender, podia ser covarde e mau, que vós fizésseis cavaleiro. E isto é uma das cousas do mundo que me dá maior esperança de ser homem bom e bom cavaleiro.

— Filho Galaaz — disse Lancelote —, estranhamente vos fez Deus formosa criatura. Por Deus, se não cuidásseis ser bom homem ou bom cavaleiro, assim Deus me aconselhe, **sobejo** seria grande dano e grande desventura não serdes bom cavaleiro, porque sobejo sois formoso.

E ele disse:

— Se me Deus fez formoso, dar-me-á bondade, se lhe aprouver, porque de outro modo valeria pouco. E ele quererá que eu seja bom e coisa que semelhe minha **linhagem** e aqueles de quem eu venho; e posta hei minha esperança em Nosso Senhor; e por isso vos rogo que me façais cavaleiro.

E Lancelote respondeu:

— Filho, pois vos **apraz**, eu vos farei cavaleiro. E Nosso Senhor, assim como a ele aprouver e o poderá fazer, vos faça tão bom cavaleiro como sois formoso.

E o ermitão respondeu a isto:

— Dom Lancelote, não tenhais dúvida de Galaaz porque vos digo que em bondade de cavalaria, os melhores cavaleiros do mundo passará.

E Lancelote respondeu:

— Deus o faça assim como eu queria.

Então começaram a chorar de prazer quantos no lugar estavam.

[...]

MEGALE, Heitor (Org.). *A demanda do Santo Graal*. São Paulo: Companhia de Bolso, 2008. p. 17-20. (Fragmento).

NAVEGUE

Veja um livro com uma das versões mais antigas da história da busca pelo Santo Graal acessando o Arquivo Nacional português: <http://digitarq.dgarq.gov.pt/details?id=4248673>.

Abadia: mosteiro.

Abadessa: superiora de uma ordem religiosa e que dirige uma abadia.

Sobejo: muito, em excesso.

Linhagem: linha de parentesco de uma família.

Apraz: agrada, dá prazer.

Responda às questões seguintes no caderno.

1 *A demanda do Santo Graal* foi inventada e reinventada muitas vezes. Que marcas linguísticas presentes no texto sugerem que sua origem é oral? Comprove sua resposta transcrevendo fragmentos do texto.

2 Faça uma síntese do enredo da narrativa "Galaaz é armado cavaleiro", utilizando os subtítulos do texto como base.

3 Ao longo de todo o texto, é dispensado à mulher um determinado tratamento.

a) Como a donzela-mensageira que chega a Camalote é caracterizada?

b) Como ela é tratada por Lancelote e pelos outros cavaleiros?

4 Releia o trecho a seguir.

> "— Certamente, donzela — disse ele —, muito me agrada, pois tenho obrigação de vos servir em tudo que puder."

O que sugere essa fala de Lancelote?

JONATHAN HESSION/TOUCHSTONE/BUREAU L.A. COLLECTION/CORBIS/LATINSTOCK

Cena do filme *Rei Artur*, 2004, dirigido por Antoine Fuqua.

5 Nas novelas de cavalaria medievais, há uma forte marca religiosa cristã. Que elementos do texto confirmam essa ideia?

6 Para sagrar-se cavaleiro, era necessário que o homem tivesse um determinado perfil. Releia o episódio "Como Lancelote chegou à abadia" e responda: que perfil seria esse?

Lendo o fragmento de *A demanda do Santo Graal*, você se deparou com cavaleiros, castelos, magia, damas, nobres e reis, ideais cristãos. Esse é o universo das **novelas de cavalaria**, principal manifestação em prosa da literatura medieval. A poesia realizada durante o Trovadorismo (séculos XII-XIV), por sua vez, foi marcada pela presença das cantigas. Neste capítulo, você estudará essa literatura.

As novelas de cavalaria

No final do século XIV e início do XV, surgem em Portugal as novelas de cavalaria. Esse tipo de produção literária teve origem nas canções de gesta (poemas de temática épica, guerreira) francesas, principalmente, e inglesas. Nelas, era comum a presença de cavaleiros, homens valentes submetidos a situações de risco, vividas em nome da defesa de ideais nobres e cristãos. Diferentemente das canções de gesta, que eram estruturadas em versos e cantadas, as novelas de cavalaria eram textos em prosa feitos para serem lidos.

O cavaleiro medieval obedecia a rígidos padrões estabelecidos pela Igreja: fidelidade, castidade e honra. Esses ideais cavalheirescos identificavam-se com os propósitos das Cruzadas e constituíam uma espécie de estímulo da fé cristã.

REPRODUÇÃO - SUCCESSION PABLO PICASSO/ LICENCIADO POR AUTVIS, BRASIL, 2012

PICASSO, Pablo. *Dom Quixote*. 1955. Guache sobre papel. Escrito por Miguel de Cervantes, *Dom Quixote* (1605) é o mais conhecido diálogo intertextual com as novelas de cavalaria.

As novelas de cavalaria estão organizadas em três ciclos: **clássico** (abrange temas da Antiguidade greco-latina); **carolíngio** (protagonizado por Carlos Magno e os doze pares da França); **bretão** ou **arturiano** (centrado no rei Artur e em seus cavaleiros da Távola Redonda).

Apenas o ciclo arturiano tornou-se popular em Portugal, por meio de narrativas traduzidas do francês. A obra mais completa desse período, que chegou até nós, é *A demanda do Santo Graal*, novela de caráter místico que narra as aventuras dos cavaleiros do rei Artur em busca do sobrenatural cálice santo. Somente Galaaz (de *galaad*, que significa o "puro dos puros") obtém o privilégio de receber o símbolo da Eucaristia, o Santo Vaso, e, assim, propagar a fé cristã como um messias, uma espécie de novo Cristo. Apesar de contar com uma obra de reconhecida qualidade, como é o caso dessa novela sobre as aventuras de Galaaz, Lancelote e outros cavaleiros, a prosa trovadoresca não teve a mesma intensidade da produção poética que será estudada a seguir, as cantigas.

Investigue em História

Que relação há entre as novelas de cavalaria e as Cruzadas?

Cantigas: amor e crítica

Nos dias de hoje, quando falamos em poemas, a imagem que nos vem à cabeça é a de alguém lendo versos, sentado confortavelmente em uma poltrona, ou em pé, recitando alto e de maneira eloquente seus próprios textos ou de outros poetas para uma plateia comovida. Entretanto, nem sempre foi assim. Durante o Trovadorismo, desenvolveu-se em Portugal uma poesia lírico-amorosa e outra satírica que não eram recitadas, lidas, mas cantadas, daí a denominação "cantiga", "canção" ou "cantar" para esse tipo de produção. Doçainas, flautas, gaitas, trompas, alaúdes, cítolas, gigas, guitarras, harpas, violas e pandeiros eram alguns dos instrumentos utilizados pelos músicos para acompanhar a execução das cantigas medievais, cantadas — e até dançadas — pelos trovadores.

ALBUM/ORONOZ/ALBUM ART/LATINSTOCK

Ilustração do Códice Toledano, um dos manuscritos das *Cantigas de Santa Maria* (século XIII).

A palavra *trovadorismo* vem do francês *troubadour*, como eram conhecidos os poetas na Provença, sul da França, e *trouvère* (*trouver* significa "achar"), apelativo recebido por esses artistas no norte da França. Dessa forma, os trovadores tinham como função "achar" versos adequados ao som (melodia) na composição de suas cantigas.

Ao contrário do que ocorre em nossa época, em que os poetas são livres para criar seus poemas da maneira como quiserem, os trovadores eram obrigados a seguir uma série de regras (convenções) quando compunham. A *Arte de trovar* — um tratado anônimo sobre a arte galego-portuguesa — funcionava como um guia, um resumo sobre a poética trovadoresca. Esse documento definia regras e gêneros que deveriam ser seguidos por aqueles que se aventuravam na arte de compor cantigas.

Poesia lírico-amorosa: o sempre presente amor

Ao longo da história humana, a poesia sempre se ocupou de vários temas — dos políticos aos existenciais —, mas o amor talvez tenha sido o mais cantado pelos poetas de todos os tempos. Em língua portuguesa (ainda diferente da que falamos hoje), o tema lírico-amoroso foi documentado, na poesia, pela primeira vez, em 1189 (ou 1198), naquela que ficou conhecida como *A Ribeirinha*, cantiga de Paio Soares de Taveirós.

FRANCHISE PICTURES/TORRES, RICO/ALBUM CINEMA/LATINSTOCK

Cena do filme *Tristão e Isolda*, 2006, adaptado de uma narrativa medieval e dirigido por Kevin Reynolds.

O idioma utilizado para a composição dos versos das cantigas trovadorescas era o galego-português. Essas produções podiam expressar sentimentos masculinos ou femininos — as cantigas em que um eu lírico masculino se manifesta são denominadas "de amor" e aquelas em que se expressa um eu lírico feminino chamam-se "de amigo".

As cantigas trovadorescas eram transmitidas oralmente e manuscritas em folhas soltas (rolos ou *rotulus*). Ao longo dos anos, elas foram reunidas em **cancioneiros** (coletâneas de canções), entre os quais se destacam: *Cancioneiro da Ajuda*, *Cancioneiro da Vaticana* e *Cancioneiro da Biblioteca Nacional*.

NAVEGUE

Veja algumas iluminuras, retiradas do *Cancioneiro da Ajuda*, nas quais há referência ao acompanhamento musical das cantigas medievais: <http://cantigas.fcsh.unl.pt/iluminuras.asp>.

A poesia provençal

Embora apresentem uma série de inovações e elementos originais, as cantigas líricas produzidas em Portugal durante a primeira época medieval tiveram uma forte marca francesa. Durante a Idade Média, a Provença, localizada na parte sul da França, transformou-se em um grande centro de elaboração de poesia lírica, a chamada poesia provençal, e influenciou a produção literária de vários países europeus, inclusive Portugal.

LUIGI VACCARELLA/GRAND TOUR/CORBIS/LATINSTOCK

Ruínas de teatro romano na Provença, França, 2011.

Cantigas de amor: entre senhoras e vassalos

O texto a seguir foi escrito pelo poeta mais importante do Trovadorismo português, o rei D. Dinis (1261-1325). Autor de mais de uma centena de composições, esse rei português que tinha apreço especial pelas artes fundou, em 1290, a Universidade de Lisboa, a primeira de Portugal. Observe que a cantiga está escrita em galego-português, mas, com algum esforço, é possível compreendê-la. Recorra ao glossário para auxiliá-lo e anote a "tradução" no caderno.

Que prazer havedes, **senhor**,
de mi fazerdes mal por ben
que vos quis' e quer' e **por en**
peç'eu tant'a Nostro Senhor
que vos mud'esse coraçon.
que mi havedes tan sen razon.

Prazer havedes do meu mal,
pero vos amo **mais ca mi**;
e poren peç'a Deus assi,
que sabe quant'é o meu mal,
que vos mud'esse coraçon
que mi havedes tan sen razon.

Muito vos praz do mal que hei,
lume d'aquestes olhos meus;
e por esto peç'eu a Deus,
que sab'a **coita** que eu hei,
que vos mud'esse coraçon,
que m'havedes tan sen razon.

E, se vo-lo mudar, enton
poss'eu viver, (e) senon, non.

D. DINIS. In: SPINA, Segismundo. *Era medieval*. 11. ed. Rio de Janeiro: Difel, 2006. v. 1, p. 59. (Coleção Presença da literatura portuguesa).

THE GRANGER COLLECTION, NYC/OTHER IMAGES

Iluminura do manuscrito de Heidelberg Lieder (século XIV).

Senhor: senhora.
Por en: por isso.
Mais ca mi: mais do que a mim.
Lume: luz.
Coita: sofrimento.

Responda oralmente às questões propostas.

1 Ainda que a cantiga tenha sido registrada numa escrita bastante diferente da nossa, é possível compreendê-la com uma leitura atenta.

a) A quem se dirige o eu lírico?

b) Do que ele se queixa?

c) A quem o eu lírico apela?

d) Que pedido faz o eu lírico?

2 No dístico (verso composto de dois versos) que fecha a cantiga, o eu lírico chega a uma sofrida conclusão. Que conclusão é essa?

Iluminura do manuscrito de Heidelberg Lieder (século XIV).

A cantiga de D. Dinis apresenta algumas características típicas das cantigas de amor, gênero cultivado em ambientes cultos e refinados da corte feudal europeia. Nela, um trovador confessa seu amor, sofre exageradamente (**coita de amor**) pelo fato de a dama (**senhora**) o rejeitar e pede a Deus que o auxilie.

Do ponto de vista da forma, há na cantiga de Dinis uma repetição de versos (os dois últimos das três primeiras estrofes) que constituem **refrões**, recurso não tão valorizado entre os sofisticados cantadores de amor, dada a preferência deles por textos com menos repetições e mais complexos. Os versos que abrem cada uma das três primeiras estrofes (ou cobras, como eram chamadas na lírica trovadoresca) são semelhantes no conteúdo, embora apresentem alterações formais. A essas repetições temáticas denomina-se **paralelismo**.

Nas cantigas de amor, esse sentimento respeitoso — dirigido a uma dama inacessível, indiferente, superior —, que causa "coita" (sofrimento) no eu lírico, respeita um código de comportamento conhecido como **amor cortês**, de origem provençal. As mulheres citadas nas cantigas de amor eram formosas e, em geral, pertenciam a grupos sociais mais ricos, por isso seriam merecedoras dessa **relação servil** do eu lírico. A essa postura, típica nos vassalos em relação aos seus senhores feudais, denomina-se, nas cantigas de amor, **vassalagem amorosa**, isto é, o trovador comporta-se de maneira submissa em relação à sua "senhora" e a enxerga como alguém superior a ele.

As damas ("mia senhor" ou "mia dona", que equivalem a "minha senhora") para quem se dirigem os versos das cantigas são seres idealizados, poderosos (que estão no comando das relações), distantes, portanto, da realidade concreta do papel que a mulher ocupava na Idade Média. As cantigas de amor sofreram forte influência de um código ético e moral rígido, e o foco central desse gênero é o homem, e não a mulher, como pode, em princípio, parecer. O eu lírico masculino é que sofre e se submete às dores em nome de um amor puro, sublime, espiritual, contemplativo. Dessa forma, não é à mulher que o eu lírico se submete verdadeiramente, mas ao "sentimento nobre" que nutre por ela.

NAVEGUE

A canção "Dois olhos negros", do disco *O dia em que faremos contato* (1997), de Lenine, apresenta um eu lírico angustiado por não conseguir compreender ou alcançar sua amada. Confira a letra e um trecho da música no *site* <http://www.lenine.com.br/cds-e-dvds/>.

Cantigas de amigo: amor e saudade

Você acha que homens e mulheres sentem e expressam seus afetos da mesma maneira? Os poetas medievais pensavam que não. Quando escreviam utilizando-se de eu líricos femininos, os trovadores concebiam outra forma de amar e de sofrer e traduziam isso nas cantigas de amigo.

Leia o poema a seguir, escrito por Martim Codax, que foi jogral na corte de Afonso III (século XIII). Atente para o glossário e tente traduzir, no caderno, a cantiga para o português moderno. Faça adaptações, se achar necessário.

jogral: Bobo da corte, mímico, bailarino. Às vezes também compunha cantigas.

Ondas do mar de **Vigo**,
se vistes meu amigo?
e ai Deus, se **verrá** cedo?

Ondas do mar levado,
se vistes meu amado!
e ai Deus, se verrá cedo?

Se vistes meu amigo,
o por que eu sospiro!
e ai Deus, se verrá cedo?

Se vistes meu amado
por que hei gran **cuidado**!
e ai Deus, se verrá cedo!

MOISÉS, Massaud. *A literatura portuguesa através dos textos*. 30. ed. São Paulo: Cultrix, 2006. p. 32.

Vigo: cidade da Galícia.
Verrá: virá.
Cuidado: preocupação.

Embora escritas por homens, nas cantigas de amigo é um eu lírico feminino quem faz suas confissões amorosas. Note que na cantiga de Codax uma mulher personifica o mar e pede a ele notícias de seu amado ("amigo"). Nesse tipo de composição, a mulher, em geral, reclama a falta do amado que a abandonou ou está em serviço militar combatendo os mouros invasores de Portugal. As amigas, a mãe, as irmãs mais velhas ou elementos da natureza podem servir de interlocutores para a moça.

A cantiga possui uma estrutura formal bastante simples e repetitiva: quatro tercetos compostos de dois versos hexassílabos (6 sílabas métricas) e um refrão formado por um verso heptassílabo (7 sílabas) ou redondilha maior:

On/das/ do/ mar/ de/ **Vi**/go,
1 2 3 4 5 6
Se/ vis/tes/ meu/ a/**mi**/go?
1 2 3 4 5 6
e ai/ De/us,/ se/ ve/rrá/ **ce**/do?
1 2 3 4 5 6 7

Observe que, para garantir que o assunto principal da cantiga (o paradeiro do amigo) seja retomado a cada estrofe, os segundos versos do primeiro par de estâncias se repetem como primeiros versos do par das estâncias seguintes (veja esquema de setas na cantiga). A esse recurso estilístico, comum nas cantigas de amigo, denomina-se ***leixa-pren*** ("deixa-prende").

Nas cantigas de amigo, o trovador mostra o outro lado da relação amorosa, ou seja, o ponto de vista feminino. Essas produções estão ligadas aos pequenos dramas e dores de amores das donzelas que viviam no campo ou na cidade, por isso são consideradas mais "realistas" que as cantigas de amor e também mais simples do ponto de vista estético. Outra diferença em relação às cantigas de amor é que as de amigo tiveram origem nas festas populares da Península Ibérica.

As mulheres que falam nas cantigas de amor são as pastoras e as camponesas, pertencentes às camadas populares, e seus sentimentos são expressos pelo trovador porque é ele que, supostamente, os conheceria com profundidade. Além disso, as jovens focalizadas eram analfabetas, o que era condição comum, inclusive entre as mulheres nobres.

Veja a seguir as principais diferenças entre as cantigas de amor e as de amigo.

Cantigas de amor	Cantigas de amigo
Eu lírico masculino.	Eu lírico feminino.
Tema: sofrimento do eu lírico diante de uma senhora (coita e vassalagem amorosa).	Tema: tristeza do eu lírico devido à ausência do amigo (amado).
Amor cortês (espiritualizado, distante).	Sentimentos mais "realistas".
Ambiente refinado da corte.	Ambiente popular (rural ou urbano).
Origem: Provença.	Origem: festas populares da Península Ibérica.
Pode haver refrão e paralelismo; todavia, as cantigas de maestria (sem refrões) tinham mais prestígio.	*Leixa-pren,* refrões e paralelismo.
Referência a Deus.	Referência a Deus e à natureza.

⊙ Cantigas de escárnio e maldizer: dizer e maldizer

Pero Garcia Burgalês, trovador galego da segunda metade do século XIII, escreveu a seguinte cantiga para satirizar outro trovador, Rui Queimado. Leia-a, observando a tradução livre, ao lado do texto original.

Rui Queimado morreu con amor
em seus cantares, par Sancta Maria,
por ua dona que gran ben queria,
e, pōr se meter por mais trobador,
porque lh'ela non quis [o] ben fazer,
fez-s'el em seus cantares morrer,
mas ressurgiu depois ao tercer dia!

Esto fez el por ũa sa senhor
que quer gran ben; e mais vos en diria:
porque cuida que faz i maestria,
e nos cantares que fez a sabor
de morrer i e desi d'ar viver;
esto faz el que x'o pode fazer,
mais outr'omem per ren non [o] faria.

E non há já de sa morte pavor,
senon sa morte mais la temeria,
mas sabe ben, per sa sabedoria,
que viverá, dês quando morto for,
e faz-[s']en seu cantar morte prender,
desi ar viver: vede que poder
que lhi Deus deu, mais que non cuidaria.

E se mi Deus a mi desse poder,
qual oi'el há, pois morrer, de viver,
jamais morte nunca temeria.

MOISÉS, Massaud. *A literatura portuguesa através dos textos*. 30. ed. São Paulo: Cultrix, 2006. p. 33.

Rui Queimado morreu de amor
em suas cantigas, por Santa Maria,
uma dona que tão bem queria,
e, por pensar que tem talento,
porque ela não o quis,
morreu em suas cantigas,
mas ressuscitou depois do terceiro dia!

Isto fez ele por sua senhora
a quem queria bem, e digo mais:
porque pensa que possui talento para criar cantigas de maestria,
e nos cantares que fez há sabor
de morrer e depois voltar a viver
isto somente ele consegue fazer
nenhum outro homem faria o que Rui fez

E da morte Rui não tem pavor,
senão ele a temeria muito
mas sabe bem, por sua sabedoria,
que viverá, desde que esteja morto,
e se faz morto em seu cantar
para depois reviver: veja que poder
que Deus lhe deu, não poderia receber maior

E se Deus me desse esse poder,
de, apesar de morto, viver,
jamais temeria a morte.

Tradução livre.

Como você pode perceber a partir do texto de Burgalês, nas cantigas satíricas, utilizando uma linguagem ambígua, o trovador critica e zomba de seus desafetos.

Retome as cantigas líricas de amor que você estudou e responda oralmente:

1 Que aspecto delas Burgalês satiriza?

2 De maneira mais específica, que crítica ele faz em relação ao seu desafeto, Rui Queimado? Exemplifique com trechos da cantiga.

A crítica literária classifica as cantigas satíricas em dois tipos (embora não haja uma diferença significativa entre elas): as de **escárnio**, mais sutis e indiretas, e as de **maldizer**, mais cortantes, diretas e vulgares. Muito populares pelo humor, por vezes grosseiro, elas circulavam em abundância pelas tabernas medievais.

3 Que tipo de cantiga Burgalês escreveu? Justifique.

NAVEGUE

A revista *Piauí* possui uma seção chamada "The Piauí Herald", em que são publicados textos e imagens que satirizam personalidades e situações da atualidade: <http://revistapiaui.estadao.com.br/blogs/herald>.

Atividades: Entre textos

Muitos séculos já se passaram, mas as marcas da produção poética do Trovadorismo permanecem em nossa cultura. Os textos que você analisará a seguir evidenciam isso. O primeiro é uma cantiga de amigo de autoria incerta. Alguns especialistas a atribuem a Afonso X, outros, a Sancho I. O segundo é a letra de uma canção escrita pela compositora soteropolitana Karina Buhr, lançada em seu disco de 2011, *Longe de onde*.

Material complementar
- Amplie seus conhecimentos: Cantiga satírica de maldizer

Texto 1

Ai eu coitada, como vivo em gram cuidado
por meu amigo que hei **alongado**;
muito me tarda
o meu amigo na Guarda.

Ai eu coitada, como vivo em gram desejo
por meu amigo que tarda e nom vejo;
muito me tarda
o meu amigo na Guarda.

Disponível em: <http://cantigas.fcsh.unl.pt/cantiga.asp?cdcant=457&pv=sim>. Acesso em: 14 ago. 2012.

NAVEGUE

Ouça a cantiga "Ai eu coitada" acessando <http://cantigas.fcsh.unl.pt/versaomusical.asp?cdcant=457&cdvm=35>.

Alongado: distante.

Texto 2

Amor brando

Eu já sinto um calor de amor
Quando você chega aqui
Tava tudo tão facinho, no rasinho
E eu sem me dar conta
Assim fui indo
Agora sinto um calor de amor

Quando você chega aqui
E eu te peço que
Se aproxime de mim um pouco
Mas não tanto
A ponto de eu sentir sua falta
Quando você for embora

BUHR, Karina. *Longe de onde.*
Rio de Janeiro: Coqueiro Verde, 2011. 1 CD. Faixa 10.

Responda às questões no caderno.

1 Que sentimento expressa o eu lírico da cantiga de amigo lida por você? Utilize fragmentos do texto para comprovar sua resposta.

2 Do ponto de vista da forma (estrutura das estrofes, paralelismos, etc.), o que aproxima a canção de Karina Buhr da cantiga "Ai eu coitada"?

3 Observe o título da canção de Karina Buhr.

a) De que maneira esse título constitui uma oposição ao sentimento expresso nas cantigas de amor?

b) Que estratégia utiliza o eu lírico da canção "Amor brando" para evitar a coita sofrida pela mulher da cantiga?

NAVEGUE

Ouça a interpretação que Karina Buhr faz dessa canção em <http://karinabuhr.com.br/novo/discos/>.

ProvocAÇÃO

Embora não haja marcas linguísticas explícitas, na canção de Karina Buhr é uma mulher que expressa seus sentimentos, como nas cantigas medievais de amigo. Como você viu ao longo do capítulo, nas cantigas de amigo, a mulher confessa suas dores de amores. Converse com seus colegas sobre a presença desse tema na música popular. O que você acha que poderia justificar a permanência dele ao longo dos anos?

O QUE VOCÊ APRENDEU NO PERCURSO DESTE CAPÍTULO

- As novelas de cavalaria portuguesas tiveram origem nas canções de gesta francesas, principalmente, e inglesas.
- As novelas de cavalaria estão organizadas em três ciclos: clássico, carolíngio e bretão ou arturiano.
- Em *A demanda do Santo Graal* são narradas as aventuras dos cavaleiros da Távola Redonda do rei Artur em busca do sagrado graal.
- As cantigas medievais portuguesas estão reunidas no *Cancioneiro da Ajuda*, no *Cancioneiro da Vaticana* e no *Cancioneiro da Biblioteca Nacional*.
- As principais características das cantigas de amor são: eu lírico masculino, coita de amor, amor cortês e vassalagem amorosa.
- As principais características das cantigas de amigo são: eu lírico feminino, amor mais "realista", refrões, paralelismo e *leixa-pren*.
- Há dois tipos de cantigas satíricas: de escárnio (mais sutis e indiretas) e de maldizer (mais cortantes, diretas e vulgares).

CAPÍTULO

5

Humanismo: uma ponte entre dois mundos

PERCURSO DO CAPÍTULO

- Humanismo: movimento de transição
- A poesia palaciana
- Fernão Lopes e a historiografia portuguesa
- O teatro de Gil Vicente

Objeto educacional digital (animação)
- *Os sete pecados capitais*

ERICH LESSING/ALBUM ART/LATINSTOCK - MUSEO DEL PRADO, MADRID, SPAIN

BOSCH, Hieronymus. *Os sete pecados capitais*. 1480. Óleo sobre madeira, 120 × 150 cm. Assim como Gil Vicente, principal artista do Humanismo português, Bosch trabalha em sua obra os temas religiosos e humanos. Nessa tela, o artista representa em cenas cotidianas a avareza, a soberba, a gula, a ira, a inveja, a preguiça e a luxúria.

Introdução

O Humanismo foi um momento de transição entre a Idade Média e a Idade Moderna, marcado pela coexistência de duas concepções de mundo opostas: a ideia de Deus como centro do universo (teocentrismo) e a que considerava a razão a base do conhecimento. Essa visão antropocêntrica, ou seja, de valorização do homem, passou a nortear a filosofia e as artes do período que se situa entre os séculos XIV e XV.

O texto a seguir foi escrito por Francisco da Silveira, poeta português do final do século XV e início do XVI. Observe como o eu lírico tem uma postura diferente daquela adotada nas cantigas de amor do Trovadorismo.

Vossa grande crueldade,
Minha gram **desaventura**,
vossa pouca **piadade**,
com minha gram lealdade,
de **mestura**,
fezaram minha **trestura**.

A qual já dentro em mim **jaz**
tanto nos **bofes** metida,
que m'entristece, e me faz
que me pese co'a vida.

Cesse vossa crueldade,
mude-se minha ventura,
que, pois tendes fermosura,
tende também piadade
de mestura,
nam me mate esta **tristura**.

Garcia de Resende e o Cancioneiro geral. In: ROCHA, Andrée Crabbé. Lisboa: Instituto de Cultura Portuguesa, Presidência do Conselho de Ministros, Secretaria de Estado da Cultura, 1979. v. 31, p. 29. (Biblioteca Breve).

Desaventura: desventura, falta de sorte.

Piadade: piedade.

Mestura: misturada.

Trestura: tristeza.

Jaz: está sepultado.

Bofes: (sentido figurado) coração.

Tristura: o mesmo que *trestura*.

Responda no caderno às questões propostas.

1 A primeira estrofe do poema é marcada pela presença dos pronomes *vossa* e *minha*. A quem eles se referem?

2 O poema apresenta uma organização temporal bem definida. Que tempo verbal predomina em cada uma das estrofes?

3 O poema é construído a partir da oposição entre um *eu* (o eu lírico) e um *vós* (a amada) numa relação de causa e consequência. Explique essa afirmação.

4 Ao longo dos versos, o eu lírico acusa a amada de ser cruel e de ter pouca piedade diante de sua "desaventura".
a) Que substantivo quebra essa caracterização negativa da mulher?
b) O que essa ruptura representa no contexto do poema?

Material complementar
• Amplie seus conhecimentos: O termo "humanismo"

O poema "Vossa grande crueldade" faz parte da coletânea *Cancioneiro geral*, organizada pelo português Garcia de Resende (1470-1536). Você pôde notar que nele ainda persistem elementos ligados à tradição da poesia trovadoresca — como a presença de um eu lírico que sofre por sua amada —, embora estejam evidentes duas diferenças em relação às cantigas de amor: em primeiro lugar, a mulher não é tratada pelo pronome *senhora*; em segundo, o eu lírico almeja o fim de sua tristeza, daí suplicar à amada que tenha piedade do seu sofrimento.

Quando um poema não tiver título, você pode se referir a ele pelo primeiro verso.

Neste capítulo estudaremos, além da poesia, outros gêneros presentes no Humanismo: as crônicas históricas e o teatro popular.

BIBLIOTECA NACIONAL DE PORTUGAL

Capa da edição de 1516 do *Cancioneiro geral*, de Garcia de Resende.

Poesia palaciana: nova língua, nova expressão

Entre as mudanças que aconteceram na Europa nesse período de transição destaca-se o surgimento dos idiomas nacionais, como o castelhano, o francês, o inglês, etc. Em Portugal, uma língua autônoma se consolida e muitos poetas palacianos farão uso dela em suas produções, mais tarde compiladas no *Cancioneiro geral*, obra que reúne cerca de mil poemas, atribuídos a 286 autores. Note que o poema que abre este capítulo foi escrito em português (e não em galego-português), ainda que apresente algumas palavras diferentes de suas versões atuais, já que se trata de um texto do final do século XV.

Poetas clássicos, como Ovídio, italianos, como Dante Alighieri e Francesco Petrarca, e espanhóis, como Marquês de Santillana, Juan de Mena e Jorge Manrique, influenciaram a poesia portuguesa contida no Cancioneiro geral.

A poesia palaciana era produzida por nobres e retratava os costumes da corte. Diferentemente da poesia trovadoresca, que aliava música aos versos, ela era feita para ser lida ou declamada, o que acontecia em saraus realizados nos domínios do palácio (daí a denominação *palaciana*).

A separação entre a palavra e a música foi a grande inovação dos poemas palacianos, pois os poetas viam-se obrigados a trabalhar os versos de maneira mais cuidadosa para obter o ritmo e a musicalidade antes garantidos pela melodia e pelos instrumentos.

Entre as estratégias e técnicas dos poemas quatrocentistas, destacam-se:

- o **vilancete** — poema estruturado a partir de um **mote** (motivo, tema) composto de dois ou três versos, seguido de uma ou mais glosas (estrofes que retomam e desenvolvem o mote).
- a **cantiga** — poema de forma fixa estruturado a partir de um mote de quatro ou cinco versos, seguido de uma glosa de oito ou dez versos;
- a **trova** — poema de estrofe curta, que, no *Cancioneiro geral*, tem conotação maldosa ou de escárnio;

Como floresceu em torno do ano de 1400, a poesia palaciana também ficou conhecida como quatrocentista.

- a **esparsa** — poema triste e melancólico, de origem provençal, estruturado em uma única estrofe de oito a dez versos.

Outro recurso relacionado à forma dos poemas é o emprego da **métrica regular**: os poetas do Humanismo passam a fazer uso de redondilhas — menores (5 sílabas poéticas) e maiores (7 sílabas poéticas).

Leia este poema do português Aires Teles (1630?-1685).

Meu amor tanto vos quero,
que deseja o coração
mil cousas contra razão.

Porque, se vos não quisesse,
como poderia ter
desejo que me viesse
do que nunca pode ser?
Mas conquanto desespero,
e em mim tanta afeição,
que deseja o coração.

TELES, Aires. In: SPINA, Segismundo. *Era medieval*. 11. ed. Rio de Janeiro: Difel, 2006. v. I, p. 177. (Coleção Presença da literatura portuguesa).

NAVEGUE

Conheça alguns poemas de Jorge Manrique (1440-1479), um dos poetas espanhóis que influenciaram a produção poética do Humanismo: <http://www.antoniomiranda.com.br/iberoamerica/espanha/jorge_manrique.html>.

Responda oralmente ao que se pede.

1 Classifique o poema em relação à forma.

2 Em relação ao conteúdo, percebe-se que o eu lírico se debate entre duas forças. Quais são elas?

3 Que outras características desse poema palaciano evidenciam que ele é diferente de uma cantiga trovadoresca?

Como você observou, do ponto de vista do conteúdo os poemas lírico-amorosos humanistas também desenvolvem o tema do sofrimento do amante. Mas, de modo geral, neles a mulher aparece de forma mais real, menos divinizada, e há textos em que até mesmo seus dotes físicos passam a ser ressaltados. Além dessas características, verifica-se que a natureza se apresenta como confidente e refúgio para o sofrimento do eu lírico masculino.

Crônicas históricas: retratos de uma época

A ascensão de D. João I ao trono português, em 1385, inaugurou a dinastia de Avis, que se estendeu até 1580. Esse período representou uma mudança significativa no cenário cultural de Portugal porque D. João I era um rei culto e incentivador das letras. É nesse contexto que surge a figura de Fernão Lopes (1380?-1460?) como responsável oficial pelo registro da história portuguesa.

PALÁCIO NACIONAL DE SINTRA, PORTUGAL

Detalhe de pintura do século XIV d. C. retratando o casamento de D. João I e Filipa de Lencastre, irmã do rei da Inglaterra Henrique IV.

Durante o Trovadorismo, desenvolveu-se uma tímida historiografia, representada pelos **livros de linhagens** (chamados de nobiliários), em que se registravam apenas os nomes dos fidalgos e as narrativas históricas sobre Portugal. No Humanismo, a historiografia de Fernão Lopes trouxe novo fôlego a esse gênero. Com olhar crítico e linguagem simples, o cronista-mor dos arquivos da Torre do Tombo produziu textos literários saborosos em que investigou e interpretou a história portuguesa não a partir de relatos orais, mas utilizando como fontes documentos escritos. Por isso, muitos especialistas o consideram o "pai da História" em Portugal.

Gomes Eanes de Azurara e Rui de Pina foram os cronistas que sucederam Fernão Lopes.

Essas narrativas apresentam uma série de elementos novos, entre eles:

- o diálogo direto com os leitores;
- a inserção do povo (e não somente dos nobres) nos movimentos históricos;
- a abordagem dos elementos econômicos no processo histórico;
- a descrição "viva" dos fatos do passado, como se o leitor estivesse participando deles.

O texto a seguir trata de um rei português cuja vida foi marcada por uma das histórias de amor mais conhecidas de todos os tempos. Leia-o e responda oralmente às questões propostas.

NAVEGUE

Conheça mais sobre a Torre do Tombo e seus guardas-mores acessando <http://antt.dgarq.gov.pt/exposicoes-virtuais/os-guardas-mores-da-torre-do-tombo/>.

Este rei D. Pedro era muito gago, e foi sempre grande caçador e **monteiro**, sendo **infante** e depois que foi rei, trazendo grande **casa** de caçadores e moços de monte, e de aves, e cães, de todas maneiras que para tais jogos eram **pertencentes**.

[...]

Era ainda **de bom desembargo** aos que lhe requeriam bem e **mercê**; e tal **ordenança** tinha nisto, que nenhum era detido em sua casa por cousa que lhe requeresse.

Amava muito de fazer justiça com direito. E assim como quem faz **correição**, andava pelo Reino; e, visitada uma parte, não lhe esquecia de ir ver a outra, em guisa que poucas vezes acabava um mês em cada lugar de estada.

Foi muito mantenedor de suas leis e grande executor das sentenças julgadas; e trabalhava-se quanto podia das gentes não serem **gastadas por azo de** demandas e prolongados pleitos.

E se a **Escritura** afirma que, por o Rei não fazer justiça, vêm as tempestades e tribulações sobre o povo, não se pode assim dizer deste; pois não achamos, enquanto reinou, que a nenhum perdoasse morte de alguma pessoa, nem que a merecesse por outra guisa, nem lha mudasse em tal pena por que pudesse escapar a vida.

[...]

Este Rei não quis casar depois da morte de D. Inês, em sendo infante, nem depois que reinou, lhe **prouve** receber mulher; mas houve amigas com que dormiu, e de nenhuma houve filhos, salvo de uma dona, natural da Galiza, que chamaram Dona Teresa, que pariu dele um filho que houve nome D. João, que foi Mestre de Avis em Portugal, e depois rei, como adiante ouvireis.

LOPES, Fernão. In: SPINA, Segismundo. *Era medieval*. 11. ed. Rio de Janeiro: Difel, 2006. v. I, p. 121. (Coleção Presença da literatura portuguesa).

Monteiro: caçador de monte.
Infante: filho do rei.
Casa: quantidade.
Pertencentes: próprios.
De bom desembargo: rápido, expedito no despacho.
Mercê: bom.
Ordenança: autoridade.
Correição: visita do corregedor à comarca, a fim de fazer justiça.
Gastadas: prejudicadas.
Por azo de: por causa de.
Escritura: Bíblia.
Prouve: teve vontade de.

1 Em que figura histórica o narrador concentra sua atenção?

2 Como é a linguagem utilizada pelo autor?

3 Sobre a relação entre o narrador e seu interlocutor:

a) que trecho comprova que o narrador procura estabelecer um diálogo com seu leitor?

b) que efeito tem esse recurso?

4 O final do texto faz alusão a D. Inês de Castro, personagem popular na história portuguesa, a qual, segundo consta, teria sido coroada rainha depois de morta. Com base na leitura do boxe **D. Pedro e Inês de Castro**, abaixo, explique o último parágrafo da crônica de Fernão Lopes.

D. Pedro e Inês de Castro

ROBERT HARDING PICTURE LIBRARY LTD/ALAMY/ GLOW IMAGES

Mosteiro de Alcobaça, Portugal, onde estão os túmulos de D. Pedro I e de D. Inês de Castro. Foto de 2004.

Herdeiro do trono português, D. Pedro acabara de se casar com sua prometida, D. Constança, filha do regente de Castela. Entre as damas de companhia de D. Constança havia uma jovem de nome Inês de Castro, filha de nobres galegos, por quem D. Pedro acabou se apaixonando. Com a morte de D. Constança, em 1345, os amantes passaram a viver juntos e tiveram quatro filhos, o que era visto pela corte como uma ameaça à sucessão ao trono. Cedendo aos argumentos de seus conselheiros, o rei, D. Afonso IV, aproveitando-se da ausência do filho, permite que executem Inês. Quando, mais tarde, D. Pedro sobe ao trono, trata de vingar a amada, condenando os assassinos dela a uma morte tão violenta que por isso passou à História como D. Pedro, o Cruel. Segundo a lenda, para completar sua vingança, ordena a coroação de Inês, morta há alguns anos, e obriga os súditos a beijarem a mão do cadáver de sua amada. Mas nem isso teria amenizado seu sofrimento. Conta-se que a única maneira que encontrava para aplacar sua tristeza era sair às ruas para dançar e confraternizar em meio ao povo. D. Pedro I reinou entre os anos de 1357 e 1367.

Gil Vicente: o teatro português personificado

Ao longo da Idade Média, desenvolveu-se em grande parte da Europa um teatro diferente do praticado na Antiguidade greco-latina: o **teatro popular**. Esse teatro — inicialmente falado em latim e depois em francês — teve sua provável origem na França, em meados do século XII, e nele interpretavam-se peças religiosas em datas como o Natal e a Páscoa. Os mistérios e milagres (como eram denominados) eram representados dentro da igreja. Com o tempo, essas peças — encenadas pelo povo e com caráter não religioso, profano — saíram dos templos e passaram a ser apresentadas em palcos localizados em frente à igreja, depois em mercados, feiras, castelos, etc.

Do latim *pro* (diante de) e *fanum* (templo), significa literalmente "que fica fora do templo".

Foi esse tipo de teatro que Gil Vicente (1465?-1536?) introduziu em Portugal durante o Humanismo.

Satirizar para criticar

Para prestigiar o nascimento do futuro D. João III, filho de D. Manuel e de D. Maria de Castela, Gil Vicente declamou, em castelhano, em 7 de junho de 1502, o *Monólogo do vaqueiro* (ou *Auto da visitação*). O sucesso dessa encenação garantiu ao artista a possibilidade de escrever e de representar inúmeras peças até o ano de 1536, das quais se tem registro de apenas 46.

Auto é uma peça de tema religioso.

Do ponto de vista temático, a obra vicentina pode ser dividida, didaticamente, da seguinte maneira:

- **peças tradicionais** — subdividem-se em três tipos:
  a) ligadas à tradição medieval religiosa (por influência do poeta e dramaturgo espanhol Juan del Encina): *Auto da fé*, *Auto da alma*;
  b) ligadas a assuntos bucólicos: *Auto pastoril castelhano*, *Auto pastoril português*;
  c) ligadas às novelas de cavalaria: *D. Duardos* e *Auto de Amadis de Gaula*.

- **peças de atualidade** — compõem um retrato satírico e crítico da sociedade, englobando os plebeus, o alto e o baixo clero, a nascente burguesia urbana e os fidalgos: *Farsa de Inês Pereira*, *Quem tem farelos?*, *Trilogia das barcas*, entre outras.

Farsa é uma peça que parte de situações ridículas e caricaturais. Nela, exagera-se o elemento cômico.

Embora tivesse a proteção e, de certa forma, o controle da Corte, seu principal público, Gil Vicente conseguiu criar um teatro denso, rico, popular e inovador. Sua crítica aguda muitas vezes era indireta, disfarçada e amenizada pelo humor.

O acentuado elemento cômico do teatro vicentino tem a intenção de moralizar uma sociedade contaminada por vícios, injustiças e hipocrisias — com exceção dos reis, Gil Vicente não poupa ninguém. Entre os vários tipos satirizados, o clérigo (geralmente um frade) tem destaque. Presente em todos os setores sociais lusitanos — dos mais pobres aos mais ricos —, esse personagem é apresentado nas peças como aquele que prega valores que ele próprio não pratica.

Tipos e alegorias: recursos para a crítica

O texto a seguir integra a primeira parte da trilogia das barcas, que inclui as peças *Auto da barca do inferno*, *Auto da barca do purgatório* e *Auto da barca da glória*. No moralizante *Auto da barca do inferno*, personagens mortos estão diante de dois barcos, um que terá como destino o céu e outro que conduzirá as almas para o inferno. Um Anjo e um Demônio são os capitães dos barcos e dialogam com os vários personagens em **quadros** (sucessões de cenas relativamente independentes, na peça).

O primeiro personagem a aparecer diante do barco com destino ao inferno é o Fidalgo (nobre), que carrega uma cadeira. Leia o quadro.

[...]

FIDALGO — Porém, a que terra passais?

DIABO — Para o inferno, senhor.

FIDALGO — *(irônico)*
Hum! terra bem sem sabor!

DIABO — Quê?! Também aqui zombais?

FIDALGO — E passageiros achais
para tal embarcação?

DIABO — Pois eu vos vejo à feição
para ir ao nosso cais.

FIDALGO — Parece-te mesmo assim?

DIABO — Onde esperas salvação?

FIDALGO — Eu deixo na outra vida
quem reze sempre por mim.

DIABO — Quem reze sempre por ti?
Hi, hi, hi, hi, hi, hi, hi.
Tu viveste a teu prazer,
pensando aqui ter perdão
por que lá rezam por ti?
Embarca já! — ou embarcai,
esta é a hora **derradeira**.
Mandai meter a cadeira,
que assim passou vosso pai.

Por ironia, o Diabo troca *tu* por *vós*.

Derradeira: final.

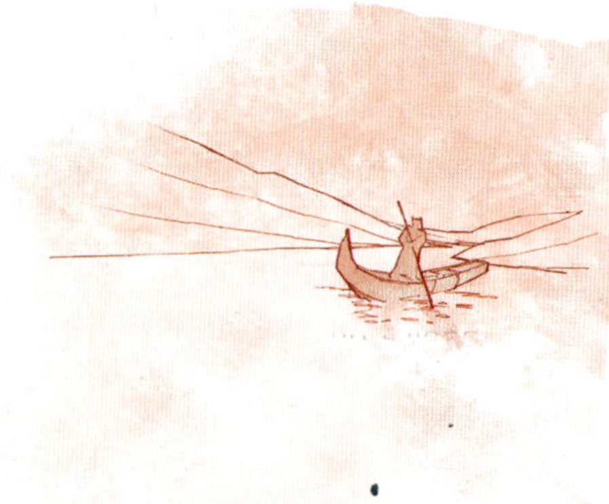

FIDALGO — *(apavorado)*
Quê?!? É assim que a coisa vai?

DIABO — *(impaciente)*
Embarcai! Embarcai logo!
Segundo o que lá plantastes
agora aqui recebereis.
E como a morte já passastes,
passai agora este rio.

FIDALGO — Não há aqui outro navio?

DIABO — Não, senhor, que este fretastes,
pois tão logo expirastes
tínheis me dado o **sinal**.

FIDALGO — *(confuso, sem compreender nada)*
Sinal? Qual foi o sinal?

DIABO — A boa vida que levastes.

[...]

VICENTE, Gil. *Auto da barca do inferno*. Adaptado para o português moderno por Douglas Tufano. São Paulo: Moderna, 2006. p. 61-62. (Fragmento).

Sinal: garantia.

Após a leitura, responda no caderno às questões propostas.

1 Em relação à forma:
a) como o texto de Gil Vicente está estruturado?
b) do ponto de vista sonoro, o que chama a sua atenção?

2 Uma onomatopeia no texto indica que o Diabo ri do Fidalgo. Qual o motivo dessa risada?

Figura de linguagem que consiste na representação de um ruído ou som por uma palavra ou conjunto de palavras.

3 Releia a seguinte fala do Diabo:

"Embarca já! — ou embarcai,
esta é a hora derradeira.
Mandai meter a cadeira,
que assim passou vosso pai."

O que se pode concluir a respeito do destino do pai do Fidalgo?

4 No final do trecho, o Diabo diz ao Fidalgo que este, ao morrer, havia lhe dado "sinal". Releia a continuação do diálogo:

"**FIDALGO** — *(confuso, sem compreender nada)*
Sinal? Qual foi o sinal?
DIABO — A boa vida que levastes."

Como você interpreta essa fala do Diabo?

Gil Vicente seguiu as tradições religiosa e profana do teatro medieval na criação de seus personagens. Para tratar de temas abstratos como a morte e a preguiça, por exemplo, o autor apresenta a personagem Morte, vestida de preto, e o Preguiçoso, roncando enquanto dorme. Esse recurso em que personagens representam abstrações denomina-se **alegoria**. No trecho que você leu, por exemplo, o Fidalgo entra em cena com uma cadeira, objeto que pode ser interpretado como uma alegoria da ociosidade da nobreza de Portugal.

Alegorias são imagens que servem de símbolo e representação de uma situação ou de um comportamento.

Para retratar as pessoas que viviam em sua época, Gil Vicente trabalhou detalhadamente na caracterização de **tipos** representativos de determinadas classes sociais. Assim, pela linguagem, pelo comportamento e pelo figurino, podemos identificar o Parvo, a Alcoviteira, o Clérigo, o Corregedor, etc. Em *Auto da barca do inferno*, por exemplo, o Fidalgo é um desses tipos.

Figurino: Traje usado pelo ator para caracterizar um personagem.

Atividades: Entre textos

No Brasil, direta ou indiretamente, muitos dramaturgos dialogam com a obra vicentina. O texto a seguir foi escrito por um deles, o recifense Nelson Rodrigues. Trata-se de um fragmento da peça *Perdoa-me por me traíres*. Em 1957, Nelson chocou o público com a encenação da história de Glorinha, jovem de 16 anos que teve a mãe assassinada por seu tio paterno, Raul, com quem ela vive e de quem pretende se vingar.

O trecho que você vai ler se passa antes do assassinato da mãe de Glorinha. Nele, Gilberto, pai da jovem, volta para casa após um período de internação por problemas psiquiátricos e surpreende sua esposa Judite em atitude suspeita.

Investigue em Arte

Qual a influência de Gil Vicente sobre o teatro moderno brasileiro?

MARCELO DE ABREU

Nelson Rodrigues (1912-1980) é considerado o mais importante dramaturgo do Brasil. Sua peça *Vestido de noiva*, encenada em 1943 pelo diretor polonês Ziembinski, é um marco do teatro nacional. Nelson atuou como jornalista e dedicou-se também à crônica esportiva.

Nelson Rodrigues retratado por Marcelo de Abreu (2012).

[...]

(Por detrás de Judite, sem que esta o perceba, acaba de aparecer Gilberto)

GILBERTO *(Na paixão contida)* — Linda!

JUDITE *(Vira-se, rápida, em pânico)* — Gilberto!

GILBERTO — Minha carícia!

JUDITE *(Recuando)* — Não avisou, por quê?

GILBERTO *(Avançando)* — E o meu beijo? *(agarra Judite)*

JUDITE *(Fugindo com o rosto)* — Cuidado com a minha pintura!

GILBERTO *(Ainda contido)* — Como cheira bem!

JUDITE *(Com surda impaciência)* — Vamos conversar.

GILBERTO — Primeiro o beijo!

[...]

JUDITE *(Brusca)* — Espera um pouco!

GILBERTO — Esperar ainda?

JUDITE — Você não me avisou e eu assumi um compromisso. Paciência, meu filho!

REPRODUÇÃO/CENTRO CULTURAL SÃO PAULO

Perdoa-me por me traíres, fotos da montagem realizada em 1995, sob direção de Marco Antônio Braz.

GILBERTO — Mas Judite! Não percebes que não pode haver compromisso maior que a minha ressurreição? Ou tens medo de mim? Estou bom, tive alta, fiz malária, Judite!

JUDITE *(Lenta e falsa)* — Infelizmente não posso faltar a esse compromisso!

GILBERTO — Com quem é esse compromisso?

JUDITE *(Vacilando)* — Uma pessoa.

GILBERTO — É mais importante do que eu? Do que o nosso amor? Faz o seguinte: telefona, explica que eu cheguei, não custa!

JUDITE — Não é pessoa.

GILBERTO — Como?

JUDITE *(Mais informativa)* — É promessa.

GILBERTO — Por mim?

JUDITE — Por ti.

GILBERTO *(Num crescendo)* — Pela minha cura? Pela minha volta?

JUDITE — Mas claro!

GILBERTO *(Num transporte)* — Sentias tanto a minha falta. Oh querida! *(apertando a esposa nos braços)* Perdoa a minha insistência! E não penses que eu estou zangado, irritado. Eu não me irritarei nunca mais, eu te juro! Agora me dá o beijo e vai, sim, vai! Beija!

JUDITE — Depois e, aliás, já estou em cima da hora, atrasadíssima. Até logo, até logo!

[...]

RODRIGUES, Nelson. Perdoa-me por me traíres. In: RODRIGUES, Nelson. *Teatro completo*. Rio de Janeiro: Nova Fronteira, 2004. v. 3, p. 21-23. (Tragédias Cariocas I). (Fragmento).

Leia agora um fragmento de *Auto da Índia*, de Gil Vicente. Na peça, o personagem Marido viaja para a Índia a fim de enriquecer. Após a partida dele, Ama Constança, sua esposa, comete adultério com dois amantes. Ela imaginava que o esposo não fosse retornar, pois era comum que no século XV os homens morressem em viagens como essa. Mas o marido retorna e surpreende a esposa.

[AMA] Ora como vos foi lá?
MARIDO Muita **fortuna** passei.
AMA E eu, oh quanto chorei,
quando a armada foi de cá.
E quando vi **desferir**,
que começastes de partir,
Jesu! eu fiquei **finada**;
três dias não comi nada,
a alma se me queria sair.
[...]
MARIDO Fomos na volta do mar
quase a **quartelar**:
a nossa Garça voava
que o mar se espedaçava.
[...]
AMA E eu cá **esmorecer**,
fazendo mil **devações**,
mil choros, mil orações.
MARIDO Assi havia de ser.

AMA
[...]
Onde não há marido
cuidai que tudo é tristura,
não há prazer nem **folgura**;
sabei que é viver perdido.
Alembrava-vos eu lá?
MARIDO E como!
AMA Agora, **aramá**:
lá há índias mui fermosas;
lá faríeis vós das vossas
e a triste de mi cá,
encerrada nesta casa,
[...]

VICENTE, Gil. *Auto da Índia*. Disponível em: <http://www.dominiopublico.gov.br/download/texto/bv000109.pdf>. p. 9-11. (Fragmento).

Fortuna: risco marítimo.
Desferir: desfraldar.
Finada: morta.
Quartelar: referência ao quase tombamento do navio.
Esmorecer: perder o ânimo.
Devações: devoções, cultos religiosos.
Folgura: alegria.
Aramá: em má hora.

Tanto Nelson Rodrigues quanto Gil Vicente utilizaram seu teatro para tratar da hipocrisia e das mentiras que podem caracterizar as relações humanas. Gil Vicente fala do povo lusitano do século XV e Nelson, do brasileiro do século XX.

Responda em seu caderno às questões propostas.

1 Que relação temática pode aproximar textos tão distantes no tempo?

2 No que se refere à forma, o que distancia os textos?

3 Em ambos os textos, as esposas recorrem a hábitos religiosos para sustentar suas mentiras.

a) Por que razão Judite, da peça de Nelson, e Ama Constança, da peça de Gil Vicente, utilizam a igreja como desculpa para suas ações?

b) Que significado o elemento religioso poderia ter nos textos?

O QUE VOCÊ APRENDEU NO PERCURSO DESTE CAPÍTULO

- Durante o Humanismo coexistiram valores teocêntricos e antropocêntricos, por isso esse período é considerado de transição.
- Na poesia palaciana, houve a separação entre a palavra e a música. As principais estratégias e técnicas dos poetas humanistas foram: vilancete, cantiga, trova, esparsa e redondilhas.
- A historiografia de Fernão Lopes apresenta olhar crítico, linguagem simples e interpretação da história portuguesa a partir de fontes documentais escritas e não orais.
- Gil Vicente criou em Portugal um teatro popular denso, rico e inovador. O humor vicentino busca moralizar a sociedade e criticá-la. Gil Vicente trabalhou detalhadamente na caracterização de tipos representativos de determinadas classes sociais e nas alegorias.

Expressões

Nesta unidade, estudamos a produção trovadoresca. Agora convidamos você a trabalhar com a criação. Leia as propostas, arrisque-se e... expresse-se.

PROPOSTA 1

A cantiga de D. Dinis, transcrita a seguir, já foi estudada nesta unidade e tem sua versão musical desconhecida. Em grupo, proponham uma melodia para ela. Não é preciso criar uma, basta adequar alguma que vocês já conheçam, levando em conta o tema e a métrica da cantiga. Se acharem que os versos em galego-português dificultam a tarefa, façam antes uma adaptação da letra para o português.

Que prazer havedes, senhor,
de mi fazerdes mal por ben
que vos quis' e quer' e por en
peç'eu tant'a Nostro Senhor
que vos mud'esse coraçon
que mi havedes tan sen razon.

Prazer havedes do meu mal,
pero vos amo mais ca mi;
e por en peç'a Deus assi,
que sabe quant'é o meu mal,
que vos mud'esse coraçon
que mi havedes tan sen razon.

Muito vos praz do mal que hei,
lume d'aquestes olhos meus;
e por esto peç'eu a Deus,
que sab'a coita que eu hei,
que vos mud'esse coraçon,
que m'havedes tan sen razon.

E, se vo-lo mudar, enton
poss'eu viver, (e) se non, non.

D. DINIS. In: SPINA, Segismundo. *Era medieval*. 11. ed. Rio de Janeiro: Difel, 2006. v. I, p. 59. (Coleção Presença da literatura portuguesa).

THE GRANGER COLLECTION, NYC /OTHER IMAGES

Iluminura de manuscrito do século XIV.

Após inserirem melodia à cantiga, ensaiem uma apresentação e combinem de mostrá-la para a classe ou para a escola. Se algum colega souber tocar qualquer instrumento, usem esse recurso para enriquecer a apresentação.

PROPOSTA 2

Quando se trata do gênero textual poema, é comum pensarmos em elementos como eu lírico, verso, estrofe, rimas, versos brancos e livres, aliteração, etc. Entretanto, há outras maneiras de fazer poesia... A poesia visual é uma delas.

Observe o poema "Xadrez", reproduzido a seguir.

CAPPARELLI, Sérgio; GRUSZYNSKI, Ana Cláudia. *Poesia visual*. São Paulo: Global, 2001. p. 15.

Perceba como o poema visual rompe com a ideia de que os versos dependem unicamente da palavra escrita. Dispostos de um modo diferente, eles podem formar até mesmo uma figura, como é o caso do poema "Xadrez".

Agora é com você. Escolha um tema e crie seu poema visual. Utilize para isso tintas, pincéis, lápis de cor, carvão, computadores, vozes, instrumentos musicais... ou simplesmente uma folha de papel e um lápis. Se houver recursos na escola, trabalhe com poemas visuais animados em computador, inserindo neles palavras, desenhos, vozes, melodia. Você pode se inspirar visitando os *sites*:

- http://www.arnaldoantunes.com.br/new/sec_artes_obras.php?id_type=7
- http://www2.uol.com.br/augustodecampos/clippoemas.htm
- http://www.ciberpoesia.com.br/
- http://www.poesiaconcreta.com/
- http://www.refazenda.com.br/aleer/

A partir da orientação do professor, organize com seus colegas uma exposição dos trabalhos da classe.

Leitura puxa leitura

Comece sua leitura por:

Obras de Gil Vicente

Por que ler: Considerado o "pai do teatro português", Gil Vicente se destacou por imprimir em suas obras a denúncia e a condenação da hipocrisia e dos vícios cometidos por plebeus, nobres e clérigos. Ele certamente não foi o primeiro autor a disfarçar, sob a máscara do humor, uma voz crítica contra os maus costumes de seu tempo, mas, sem dúvida, ele o fez com maestria ímpar. Por isso, muitas de suas peças sobrevivem e são atuais.

Bendito fruto (2004), de Sérgio Goldenberg

Por que assistir: Este filme apresenta uma releitura das comédias de costumes que, ao contrário das obras vicentinas, é um verdadeiro elogio à imperfeição humana.

Auto da compadecida (1955) e **O santo e a porca** (1957), de Ariano Suassuna

Por que ler: Para conhecer duas célebres obras de Suassuna, autor que se destacou por levar a tradição da literatura nordestina de cordel aos palcos e atacar com o riso alguns costumes característicos de nossa sociedade.

O inspetor geral (1836), de Nikolai Gógol

Por que ler: Nessa peça, o autor russo critica de forma irreverente a corrupção de figuras do governo e da sociedade de uma pequena cidade na Rússia do século XIX.

Auto da Barca do Inferno em quadrinhos (2011), de Laudo Ferreira Jr.

Por que ler: Para conhecer uma ótima adaptação da célebre peça vicentina para os quadrinhos.

O Auto da Compadecida (2000), de Guel Arraes (adaptado de obra de Ariano Suassuna)

Por que assistir: Para se divertir com essa adaptação cinematográfica da peça de Ariano Suassuna.

Toda vez que eu dou um passo o mundo sai do lugar (2007), de Siba e a Fuloresta

Por que ouvir: Para conhecer esse grupo que, além de incorporar a sonoridade de manifestações culturais diversas, como o coco, o frevo e a ciranda, apresenta críticas de cunho social de maneira bem-humorada nas faixas "12 linhas" e "Será".

Espetáculos do Teatro Brincante

Por que assistir: Criado por Antonio Nóbrega, o Brincante se consolidou como um importante grupo que, por meio da música, da dança e do teatro, desenvolve a reflexão e a valorização da cultura popular brasileira.

O avarento (1682), de Molière

Por que ler: Nessa comédia, Molière critica a ganância do homem a partir das peripécias do ambicioso Harpagon.

Tempos modernos (1936) e **O Grande Ditador** (1940), de Charles Chaplin

Por que assistir: Os filmes de Chaplin, em geral, se destacam por mesclar diversos tipos de humor e comédia, apresentando de maneira simples reflexões profundas sobre o mundo em que vivemos.

Os Simpsons – o filme (2007), de David Silverman

Por que assistir: O desenho animado ficou famoso nas telas da TV por satirizar de forma aguda os costumes da sociedade norte-americana.

UNIDADE 3

CLASSICISMO E QUINHENTISMO: UM NOVO MUNDO

Os lusitanos aportaram em terras brasileiras em 1500. Enquanto os portugueses chegavam por aqui a bordo de suas modernas caravelas, a Europa vivia o Renascimento, movimento que retomou a cultura greco-latina, defendeu o poder do homem sobre a supremacia de Deus (antropocentrismo) e foi marcado por uma série de avanços científicos. A ruptura com a Igreja Católica (empreendida pela chamada Reforma Protestante) e a forte reação dessa instituição (denominada Contrarreforma) também contribuíram para fazer do século XVI um período conturbado e rico em discussões.

Portugal, beneficiado em parte por sua posição geográfica privilegiada, alargou os horizontes europeus graças às suas grandes navegações e tornou-se um país importante em seu continente. O caminho marítimo para as Índias, descoberto em 1488, e a chegada ao Brasil, em 1500, são provas da supremacia lusitana durante o reinado de D. Manuel (1495-1521).

Na literatura, esse contexto otimista e grandioso encontra síntese nos versos de Camões. A reação católica — personificada nos catequizadores do "povo pagão" — e o espírito aventureiro de quem se lançava às cegas ao mar traduzem-se numa literatura de cunho religioso e na produção de textos informativos acerca de um novo mundo cheio de surpresas, ricas culturas, hábitos diferentes, religiões desconhecidas e inúmeras línguas. Coube aos europeus lidar, por vezes de maneira arbitrária e violenta, com essa nova configuração.

Em foto de 1985, Steve McCurry retrata velhos navios que serão desmontados nas praias do Paquistão. Grandiosidade e decadência estão presentes nessa imagem, que remete ao período do Classicismo, no contexto das Grandes Navegações portuguesas.

STEVE MCCURRY/MAGNUM/LATINSTOCK

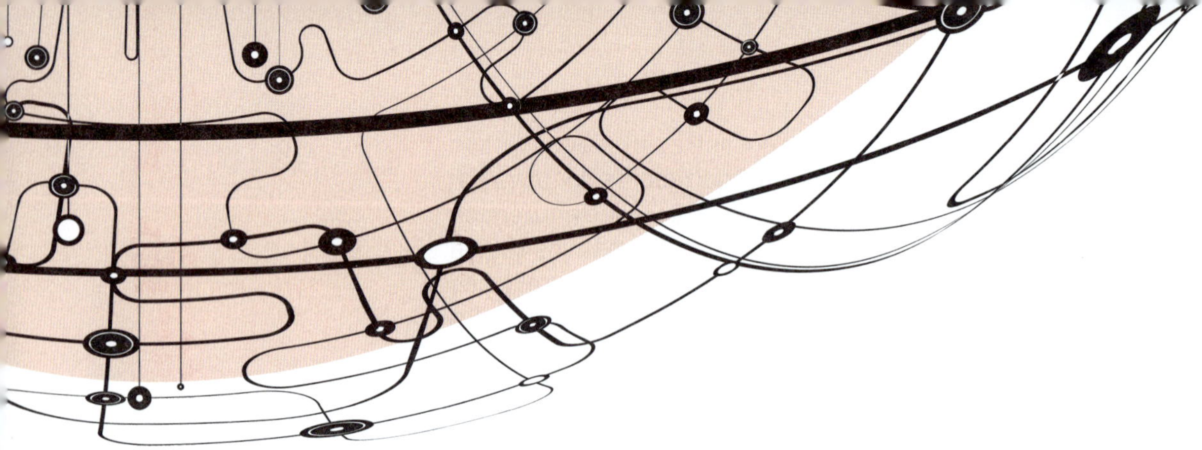

Para início de conversa

Apresentamos, a seguir, dois textos. O primeiro é do poeta português Fernando Pessoa (1888-1935). O segundo está publicado no *site* da Universidade de Coimbra, em Portugal. Leia-os e observe o diálogo que estabelecem com o tema das navegações.

Texto 1

Navegar é preciso

Navegadores antigos tinham uma frase gloriosa:
"Navegar é preciso; viver não é preciso".

Quero para mim o espírito [d]esta frase, transformada
A forma para a **casar** com o que eu sou: Viver não
É necessário; o que é necessário é criar.

Não conto gozar a minha vida; nem em gozá-la penso.
Só quero torná-la grande, ainda que para isso
Tenha de ser o meu corpo e a (minha alma) a lenha desse fogo.

Só quero torná-la de toda a humanidade; ainda que para isso
Tenha de a perder como minha.

Cada vez mais assim penso.
Cada vez mais ponho
Na essência **anímica** do meu sangue o propósito
Impessoal de engrandecer a pátria e contribuir
Para a evolução da humanidade.

É a forma que em mim tomou o misticismo de nossa Raça.

PESSOA, Fernando. In: PAIS, Amélia Pinto. *Fernando Pessoa, o menino da sua mãe*. São Paulo: Companhia das Letras, 2009. p. 57.

Casar: combinar, condizer.
Anímica: própria da alma.

Texto 2

"Navegar é preciso, viver não é preciso" [?]

No século I a.C., o general romano Pompeu encorajava marinheiros receosos, inaugurando a frase "*Navigare necesse, vivere non est necesse*".

Corria o século XIV e o poeta italiano Petrarca transformava a expressão para "Navegar é preciso, viver não é preciso".

"Quero para mim o espírito dessa frase", escreveu depois Fernando Pessoa, **confinando** o seu sentido de vida à criação.

E cantando a coragem navegante, em jeito de **fado** brasileiro, Caetano Veloso escreveu "Os argonautas". "Navegar é preciso, viver..." Com um fim inacabado, a música lança as interrogações.

Navegar é preciso?

Sim! Navegar é uma viagem exata. Fazia-se com bússolas e astrolábios. Hoje, faz-se com satélites, GPS's e www's.

Viver não é preciso?

Não! É uma viagem feita de opções, medos, forças, inseguranças, persistências, constâncias e transições...

Mais de 2000 mil anos depois, interrogamo-nos:

Viver não é preciso?

Não, quando navegar é sonhar, ousar, **planear**, arriscar, empreender, realizar...

Porque aí, navegar é viver!

[...]

Porque viver é acima de tudo im[preciso].

Disponível em: <http://www.uc.pt/informacao/estudantes/navegar>. Acesso em: 4 fev. 2012.

Material complementar
- Amplie seus conhecimentos: "Navegar é preciso, viver não é preciso", Celso Miranda

Confinando: aproximando.
Fado: canção popular portuguesa com tema triste.
Planear: planejar.

Responda no caderno às questões a seguir.

1 No século XV, impedidos pelo monopólio que os mercadores genoveses e venezianos exerciam sobre a rota comercial do Mediterrâneo, os portugueses lançaram-se ao Atlântico (o "mar tenebroso") a fim de explorar a costa ocidental da África. Em nome desse projeto, enfrentaram tempestades marítimas e outros riscos — reais e imaginários.

a) Que sentido tem a frase "Navegar é preciso, viver não é preciso" no contexto da expansão marítima ocorrida na Europa entre os séculos XV e XVI?

b) Na mesma frase, explique a metáfora estruturada a partir dos elementos *navegar* e *viver*. Para responder, considere as informações do texto 2.

2 Embora relacionados pela frase "Navegar é preciso, viver não é preciso", os dois textos guardam diferenças entre si.

a) A que gênero pertencem os textos 1 e 2? Leve em conta os suportes para responder a essa questão.

NAVEGUE

Conheça mais sobre as navegações portuguesas: <http://cvc.instituto-camoes.pt/conhecer/bases-tematicas/navegacoes-portuguesas.html>.

b) Que diferença há entre o sentido de "Navegar é preciso; viver não é preciso" no texto de Fernando Pessoa e para os marinheiros que se aventuravam no mar nos séculos XV e XVI? Recorra ao texto 2 para responder a essa questão.

3 O texto do *site* da Universidade de Coimbra estabelece relações intertextuais com outros hipotextos. A que hipotextos o texto do *site* faz referência?

4 Releia este trecho do texto 2, prestando atenção às palavras destacadas.

"Navegar é **preciso**?

Sim! Navegar é uma viagem exata. Fazia-se com bússolas e astrolábios. Hoje, faz-se com satélites, GPS's e www's.

Viver não é **preciso**?

Não! É uma viagem feita de opções, medos, forças, inseguranças, persistências, constâncias e transições..."

a) Que sentido o autor atribui à palavra *preciso*?

b) Esse sentido dá novo significado à frase "Navegar é preciso, viver não é preciso"? Justifique.

Não há como pensar no Classicismo português sem associá-lo às grandes navegações, pois foram elas que fizeram de Lisboa, por um período relativamente curto, um importante centro comercial e cultural. Foi também a expansão marítima empreendida por Portugal que possibilitou a chegada dos lusitanos ao Brasil, daí a importância desse fato histórico para nós.

Na Europa, o protestantismo se espalhou com rapidez por quase todo o continente, com exceção da Península Ibérica. Espanha e Portugal permaneceram leais à Igreja Católica, que tentava reagir às transformações por meio da Contrarreforma.

THORON/SHUTTERSTOCK

Às margens do Tejo, o Monumento aos Descobrimentos homenageia os navegantes portugueses. Lisboa, Portugal, 2010.

Em 1580, a morte de D. Sebastião na batalha de Alcácer-Quibir ocasionou um problema na sucessão ao trono português, que foi assumido pelo rei espanhol Filipe II. É o início do período conhecido como União Ibérica, que vai durar até 1640.

Nesta unidade, estudaremos o Classicismo em Portugal e os primeiros textos escritos no Brasil a partir de 1500, período que os estudiosos denominam de Quinhentismo.

Marcos literários

O ano de 1527 marca o início do Classicismo português, quando Sá de Miranda retorna a Portugal depois de vários anos na Itália e divulga entre os lusitanos os novos ideais estéticos europeus. A morte de Camões, em 1580, mesmo ano em que o país passa a ser dominado pela Espanha, assinala o fim do movimento em Portugal.

No Brasil, considera-se a *Carta de Pero Vaz de Caminha* o marco inicial do Quinhentismo.

CAPÍTULO

6

Classicismo em Portugal: a poesia lírica de Camões

PERCURSO DO CAPÍTULO

- O Renascimento
- O movimento literário classicista
- O petrarquismo
- O Classicismo em Portugal
- A produção lírica de Camões

ALMADA NEGREIROS

NEGREIROS, Almada. *Retrato de Camões*. 1934. Desenho a pena. Camões conseguiu unir a tradição lusitana, o resgate da cultura greco-latina e o espírito de aventura reinante no século XVI.

Introdução

A partir do século XIII iniciou-se timidamente na Europa uma transformação na sensibilidade artística, com a valorização da cultura clássica greco-latina. Esse processo levou ao Renascimento, movimento que teve seu apogeu entre os séculos XV e XVI e representou uma passagem gradual para o mundo moderno, no qual o homem passou a ocupar o centro do universo. Em Portugal, Camões personifica essa nova época na literatura chamada de Classicismo, assunto deste capítulo.

Os textos a seguir tratam da história do amor de Jacó por sua prima Raquel. O primeiro é uma passagem bíblica do livro do Gênesis. O segundo é um soneto de Camões, recriação lírica do episódio.

Texto 1

Lia e Raquel — [...] 16 Ora, Labão tinha duas filhas: a mais velha chamava-se Lia e a mais nova Raquel. 17 Os olhos de Lia eram meigos, porém Raquel tinha um belo porte e um lindo rosto.

18 E Jacó amou Raquel. Então Jacó disse a Labão: "Eu o servirei durante sete anos em troca de sua filha mais nova, Raquel".

19 Labão respondeu: "É melhor dá-la a você do que a outro qualquer. Fique comigo".

20 Jacó serviu sete anos por Raquel, e estava tão apaixonado que os anos lhe pareceram dias. 21 Depois Jacó disse a Labão: "Terminou o prazo: me dê minha mulher, para que eu viva com ela". 22 Labão reuniu todos os homens do lugar, e lhes ofereceu um banquete. 23 À noite, pegou sua filha Lia, e a levou para Jacó. E Jacó dormiu com ela. 24 Labão deu sua serva Zelfa como serva para sua filha Lia. 25 Na manhã seguinte, Jacó descobriu que era Lia, e disse a Labão: "O que você fez comigo? Não foi por Raquel que eu o servi? Por que você me enganou?" 26 Labão respondeu: "Em nossa região não é costume que a mais nova se case antes da mais velha. 27 Termine esta semana de núpcias, e eu lhe darei também a outra em troca do serviço que você me fará durante outros sete anos".

28 Jacó aceitou. Terminou a semana de núpcias, e Labão lhe deu sua filha Raquel como mulher. 29 Labão deu sua serva Bala como serva para a sua filha Raquel. 30 Jacó uniu-se a Raquel, e amou a Raquel mais do que a Lia. E serviu na casa do seu tio outros sete anos.

Bíblia sagrada: edição pastoral. Gênesis. São Paulo: Paulus, 1990. cap. 29, vers. 16-30. (Fragmento).

Texto 2

Sete anos de pastor Jacó servia
Labão, pai de Raquel, **serrana** bela;
Mas não servia ao pai, servia a ela,
Que a ela só por prêmio pretendia.

Os dias, na esperança de um só dia,
Passava, contentando-se com vê-la;
Porém o pai, usando de cautela,
Em lugar de Raquel lhe dava Lia.

Vendo o triste pastor que com enganos
Lhe fora assi[m] negada a sua pastora,
Como se a não tivera merecida,

Começa de servir outros sete anos,
Dizendo: — Mais servira, se não fora
Para tão longo amor tão curta a vida!

CAMÕES, Luís de. In: SALGADO JÚNIOR, Antônio (Org.). *Luís de Camões*: obra completa. Rio de Janeiro: Nova Aguilar, 2008. p. 298.

Serrana: mulher que nasceu ou vive na serra.

Responda no caderno às questões a seguir.

1 Em relação ao texto 1:
a) Que proposta Jacó faz a Labão?
b) Que estratégia Labão adota diante do interesse de Jacó por uma de suas filhas?
c) Por que Jacó teria aceitado, sem protestar, trabalhar mais sete anos, sabendo que está sendo explorado por Labão?

2 Como qualquer texto, o fragmento bíblico traz marcas de seu tempo e da cultura em que está inserido. Cite passagens da narrativa que comprovem que ele foi criado numa época diferente da nossa (tenha como referência o Brasil atual).

Material complementar
• Amplie seus conhecimentos: Camões em diálogo com Petrarca

3 Sobre a forma do poema "Sete anos de pastor Jacó servia":
a) Observe a quantidade de versos e indique o nome dessa composição.
b) Faça a escansão dos versos e classifique-os quanto ao número de sílabas poéticas.
c) Indique o esquema das rimas do poema.

4 Para garantir suas rimas e a contagem das sílabas métricas, Camões faz uso de hipérbatos. Reorganize as orações que compõem os versos, colocando-as na ordem direta para facilitar o estudo do conteúdo do poema.

PARA LEMBRAR

Hipérbato: figura de linguagem que consiste na inversão da ordem natural e direta dos termos da oração.

5 Compare a versão bíblica e a versão de Camões.
a) Que informações da história bíblica não figuram no poema?
b) Que estratégias o poeta utiliza para ampliar o sentimento de Jacó? Cite versos que exemplifiquem esse trabalho do poeta.

Embora apresente temática lírico-amorosa, ligada ao universo das emoções, o soneto de Camões estrutura-se de maneira lógica e racional. Essa tendência marcou grande parte dos textos escritos pelos artistas do Classicismo, estética que buscou expressar a emoção de maneira equilibrada, universal, calcada em ideais antropocêntricos.

A seguir, estudaremos esse movimento artístico do século XVI e a obra lírica de um de seus maiores representantes.

O Classicismo

Durante a Idade Média, a cultura clássica greco-latina ficou restrita às instituições religiosas que, apesar de a rotularem de pagã, utilizaram-na — com as devidas adaptações — como base para a formação de sua filosofia cristã. Santo Agostinho, por exemplo, foi um estudioso de Platão; São Tomás de Aquino, de Aristóteles. Os papiros e pergaminhos conservados nos mosteiros possibilitaram também aos humanistas o estudo das ideias clássicas.

Mais tarde, de maneira mais liberta, os pensadores europeus do século XVI encontraram nos clássicos gregos e latinos o modelo ideal para suas novas concepções artísticas, filosóficas, científicas e religiosas, calcadas na supremacia do homem sobre Deus e a natureza. Daí o surgimento de uma arte baseada na imitação dos antigos como expressão dos novos ideais humanos. **Renascimento** é o nome que se dá a esse processo.

Muitos classicistas adotaram os valores da cultura greco-latina como regras de uma nova conduta. O racionalismo passa a ser um mecanismo que controla as ações do artista e evita os exageros da emoção. O culto à forma representa a busca pela perfeição suprema. Outras características que marcaram a arte classicista foram a universalidade dos temas e o equilíbrio como balizador das ações humanas. A Verdade, o Amor, o Bem, o Bom, a Beleza passam a ser perseguidos como ideais.

VENIAMIN KRASKOV/SHUTTERSTOCK - PIAZZA DELLA SIGNORIA, FLORENÇA, ITÁLIA

MICHELANGELO. *Davi*. 1501-1504. Mármore. A representação naturalista do corpo humano pelos artistas do Classicismo é influência direta da cultura greco-latina.

⊙ Itália: grande centro irradiador de cultura

Desde o século XV (ou *Quattrocento*), surgem, em Florença, na Itália, importantes centros de estudos clássicos de ciências e de literatura, mas é no *Cinquecento* (século XVI) que a "idade áurea" renascentista tomará corpo com artistas como Rafael, Michelangelo, Botticelli, Lorenzo de Medici, Leonardo Da Vinci, Poliziano, Pulci, Ariosto, Maquiavel, entre outros.

VATICAN MUSEUMS AND GALLERIES, VATICAN CITY

SANZIO, Rafael. *Escola de Atenas*. 1509-1510. Afresco, 500 × 770 cm. Nesse afresco, o pintor renascentista celebra a cultura greco-latina, retratando os sábios da Antiguidade.

Na área da ciência, experiências significativas foram realizadas. O físico, matemático, astrônomo e filósofo italiano Galileu Galilei (1564-1642), por exemplo, iniciou suas experiências com a astronomia, com o pêndulo e com o termômetro no século XVI; Nicolau Copérnico (1473-1543) desenvolveu a teoria heliocêntrica.

NAVEGUE

O *site* (em inglês) <www.google.com/culturalinstitute/collection/uffizi-gallery> possibilita um *tour* virtual pela sala destinada ao pintor renascentista Sandro Botticelli, na Galleria degli Uffizi, em Florença, Itália.

Nas artes plásticas, a obra de Leonardo Da Vinci (1452-1519) é o ponto alto. No quadro *A Virgem das rochas*, o pintor inseriu a figura da madona (como é denominada a representação da Virgem Maria) num plano mais alto, sugerindo sua importância no imaginário cristão da época. Além de Maria, também Jesus e João Batista (as crianças) e o anjo refletem o ideal renascentista de forma humana. Não inserindo auréola nas figuras santas, Da Vinci humaniza as personagens.

A literatura feita no *Cinquecento* italiano era conhecida em toda a Europa e considerada referência para os artistas dos outros países. Nesse período, passou-se a cultuar a Antiguidade latina como forma de resgate das origens italianas — afinal, todo um monumento cultural clássico estava literalmente sob os pés da Itália.

O latim, muito usado até o século XV como expressão erudita e religiosa, foi substituído pelos dialetos, e a produção literária ganhou novos contornos, fazendo emergir uma identidade própria. Curiosamente, no mesmo período em que se cultua a Antiguidade latina, essa língua é deixada de lado na expressão literária.

THE BRIDGEMAN ART LIBRARY/GRUPO KEYSTONE - NATIONAL GALLERY, LONDON, UK

DA VINCI, Leonardo. *A Virgem das rochas*. c. 1500. Óleo sobre madeira. 189,5 × 120cm.

Petrarquismo: uma nova tradição

O poeta italiano Francesco Petrarca (1304-1374), considerado o "primeiro moderno", influenciou decisivamente a arte renascentista europeia a ponto de originar uma das mais importantes tradições literárias de todos os tempos: o petrarquismo.

Quando tinha 23 anos, Petrarca viu, pela primeira vez, aquela que se transformaria em sua musa inspiradora, a jovem Laura de Noves. Apaixonou-se por ela e dedicou parte significativa de sua produção a escrever-lhe versos, até morrer, aos 70 anos. O poema a seguir, dedicado a Laura, é um exemplo de soneto de amor.

Soneto XXXIX

Bendiz tudo que foi razão ou efeito
do seu amor por ela

Bendito seja o dia e o mês e o ano
E a região e o tempo e a hora e a estação
E o belo ponto, que se fez prisão
A uns belos olhos, causa do meu dano.

E bendito o primeiro e doce **arcano**
Com que Amor me reteve em sua visão.
E o arco e as setas, rumo ao coração,
Que me mantêm cativo em meu engano.

E bendita a palavra solta ao vento
Em que o chamar por ela me consuma,
E os suspiros e os prantos e o tormento.

E benditos os versos — tudo, em suma,
Com que fama ganhei; e o pensamento,
Que é todo dela, só, de mais nenhuma.

PETRARCA, Francesco. *Vinte sonetos de amor e uma canção de despedida*. Trad. e notas: Pedro Lyra. Disponível em: <http://www.academia.org.br/abl/media/RB%20-%2048%20-%20POESIA.pdf>. Acesso em: 26 fev. 2012.

Arcano: mistério; aquilo que não se pode desvendar.

O petrarquismo consiste na retomada de elementos presentes na obra de Petrarca, composta de trezentos e cinquenta poemas. Entre as principais características dessa tradição, estão:

- concepção de uma mulher idealizada física e espiritualmente;
- destaque para a descrição espiritual, apontando a serenidade no acolhimento do amor, o riso sutil, os gestos brandos e tranquilos;
- descrição física convencional, com referências a olhos e cabelos claros, pele branca, faces rosadas, lábios vermelhos, etc.;
- amor "elevado" (influência do neoplatonismo);
- uso de hendecassílabos (versos de onze sílabas poéticas) em sonetos e canções;
- adoção de linguagem simples.

Para os artistas renascentistas, a beleza feminina e o Amor deveriam proporcionar ao homem ascensão espiritual. Baseado em conceitos platônicos, neoplatônicos, medievais, religiosos, esse ideal mostrou-se concretizado na poesia de Petrarca, que se transformou num modelo perfeito. As ideias de virtude e elevação espiritual perpassarão épocas e influenciarão muitos escritores, como Camões.

Camões: conhecimento e aventura

Quase nada de seguro se sabe sobre a vida de Luís Vaz de Camões (1524?-1580), poeta que representou a maior expressão da cena classicista de Portugal e uma das maiores da Europa. Supõe-se que suas origens estejam ligadas à aristocracia de Galiza, o que teria possibilitado ao escritor uma sólida formação intelectual, baseada em Petrarca, Homero e Horácio, entre outros.

THE BRIDGEMAN ART LIBRARY/KEYSTONE - PRIVATE COLLECTION, FRANCE

GÉRARD, François. *Camões*. Século XIX. Gravura.

Suas aventuras o levaram a terras distantes. Esteve nas Índias, na África e na China. Em Macau, escreveu a primeira parte da obra que o tornaria imortal, a epopeia *Os lusíadas*. Goa e Moçambique foram outros lugares em que Camões aportou. Em 23 de abril de 1569, com o apoio do historiador português Diogo do Couto, retornou a Portugal, onde, três anos depois, publicou *Os lusíadas*. Como recompensa, recebeu uma pensão anual que não lhe garantiu uma vida minimamente confortável. Morreu pobre e abandonado, a 10 de junho de 1580.

A obra de Camões é fruto de uma combinação rara num artista: a experiência intelectual (teórica) unida à aventureira (prática). A rica vivência pessoal fez do lusitano uma espécie de artista-síntese de sua época e precursor de tendências que surgiriam décadas (e até séculos) depois. Muitos versos de Camões sugerem ao leitor suas aventuras e desventuras pelo mundo.

Além de *Os lusíadas*, Camões escreveu textos teatrais, como *Anfitriões* (inspirado no modelo clássico), *Auto de Filodemo* e *El-Rei Seleuco* (inspirados em Gil Vicente), além de ter produzido uma consistente obra lírica, publicada postumamente.

Os amores de Camões

Os poemas de Camões permitem supor que ele teve uma vida amorosa movimentada. O artista fascinou desde damas da corte até mulheres comuns dos muitos lugares em que viveu. A Infanta D. Maria (filha de D. Manuel), D. Francisca de Aragão (dama da rainha D. Catarina), Isabel Tavares (sua prima, a "menina dos olhos verdes"), Nise (dama da Índia) e a famosa Dinamene — a quem Camões dedicou sonetos e que teria morrido num naufrágio depois de salvar os originais de *Os lusíadas* — são alguns dos amores citados pelos biógrafos de Camões.

MUSEU CALOUSTE GULBENKIAN, LISBOA, PORTUGAL

Infanta D. Maria, de Portugal.

⊙ Tradição e inovação

As primeiras edições de *Rimas*, obra lírica do poeta, datam de 1595 e 1598. Os estudos mais recentes creditam a Camões 126 redondilhas, 204 sonetos, oito éclogas, treze odes, uma sextina, cinco oitavas, dez elegias e onze canções.

SAIBA MAIS!

- **Redondilhas**: poemas de cinco ou sete sílabas.
  Sonetos: 14 versos divididos em dois quartetos e dois tercetos.
  Éclogas: composições dialogadas, de cenário campestre.
  Ode: canto de exaltação.
  Sextina: seis estrofes de seis versos que terminam com um terceto.
  Oitava: estrofe de oito versos.
  Elegia: canto em honra aos mortos; composição poética de tema triste.
  Canção: série de estrofes compostas de versos de número regular, finalizada por uma estrofe menor chamada ofertório.

Ao mesmo tempo que é considerado o maior petrarquista de Portugal (tradição classicista), Camões também recolhe do *Cancioneiro geral* humanista (de tradição medieval) inspiração para muitos de seus poemas.

Leia, a seguir, um vilancete e um soneto, ambos de Camões, e responda no caderno ao que se pede.

PARA LEMBRAR

Vilancete: poema estruturado a partir de um mote (tema) de dois ou três versos, seguido de glosa.

Texto 1

MOTE
*Descalça vai **pera** a fonte*
*Lianor pela **verdura**;*
Vai fermosa, e não segura.

VOLTA
Leva na cabeça o pote,
O **testo** nas mãos de prata,
Cinta de fina **escarlata**,
Sainho de **chamalote**;
Traz a **vasquinha decote**,
Mais branca que a neve pura.
Vai fermosa, e não segura.

Descobre a touca a garganta,
Cabelos de ouro entrançado,
Fita de cor de **encarnado**,
Tão linda que o mundo espanta
Chove nela graça tanta,
Que dá graça à fermosura.
Vai fermosa, e não segura.

CAMÕES, Luís de. In: SALGADO JÚNIOR, Antônio (Org.). *Luís de Camões*: obra completa. Rio de Janeiro: Nova Aguilar, 2008. p. 627.

Pera: para.
Verdura: campina, campo.
Testo: tampa do pote.
Cinta: cinto.
Escarlata: vermelho.
Sainho: saiote.
Chamalote: tecido de seda e lã.
Vasquinha: saia de pregas na cintura usada para vestir sobre a roupa toda.
Decote: de uso diário.
Encarnado: vermelho.

Texto 2

Um mover de olhos, brando e piedoso,
Sem ver de quê; um riso brando e honesto,
Quase forçado; um doce e humilde **gesto**,
De qualquer alegria duvidoso;

Um **despejo** quieto e vergonhoso;
Um repouso gravíssimo e modesto;
Ũa pura bondade, manifesto
Indício da alma, limpo e gracioso;

Um encolhido ousar; ũa **brandura**;
Um medo sem ter culpa; um ar sereno;
Um longo e obediente sofrimento:

Esta foi a celeste fermosura
Da minha **Circe**, e o mágico veneno
Que pôde transformar meu pensamento.

CAMÕES, Luís de. In: SALGADO JÚNIOR, Antônio (Org.). *Luís de Camões*: obra completa. Rio de Janeiro: Nova Aguilar, 2008. p. 301.

Gesto: rosto, face.

Despejo: ausência de pejo (vergonha); desinibição, descontração.

Brandura: ternura.

Circe: divindade da mitologia grega que atraía com seu canto os marinheiros e dava-lhes poções que os transformavam em porcos. Na *Odisseia* de Homero, Circe transforma os companheiros de Ulisses em animais.

1 Que cena cotidiana Camões focaliza em seu vilancete (texto 1)?

2 De que forma o eu lírico caracteriza Lianor?

3 Que diferença há entre a caracterização da mulher no soneto e no vilancete camonianos?

4 Observe, ao lado, a tela pintada pelo italiano Rafael Sanzio (1483-1520), um dos artistas mais importantes do Renascimento.
Que relações podemos estabelecer entre a maneira como a mulher é retratada no quadro e no poema "Um mover de olhos, brando e piedoso", de Camões? Para responder, recorra aos conceitos defendidos pelos petrarquistas.

GIRAUDON/THE BRIDGEMAN ART LIBRARY/KEYSTONE - GALLERIA BORGHESE, ROME, ITALY

SANZIO, Rafael. *Dama com unicórnio*. 1505-1506. Óleo sobre tela, 67,8 × 53 cm.

Como você pode notar a partir da análise dos dois poemas, a produção lírica de Camões expressa, de maneira geral, duas tendências:

- a **medieval**, em que predomina a medida velha (representada pelo verso decassílabo italiano e pelos redondilhos medievais). Nela, a beleza da vida cotidiana surge representada em cenas que focalizam mulheres do povo, como Lianor, descrita no vilancete que você leu.
- a **renascentista**, classicista, em que predomina a medida nova, expressa em sonetos, elegias, odes, canções, oitavas, etc. Nessa tendência, a mulher retratada por Camões muito se assemelha àquela idealizada por Petrarca (olhar sereno, face branca, criatura que a tudo ilumina) e serve, também, perfeitamente ao modelo de amor platônico em voga no século XVI.

Objeto educacional digital (animação)
- *Dama com unicórnio*

Camões e o ideal platônico

Muitos autores do Classicismo foram influenciados pelas ideias de Platão (428-348? a.C.), considerado um dos mais importantes filósofos gregos. Segundo o filósofo, a verdadeira realidade existiria, de fato, no "mundo incorpóreo das ideias", e a esfera em que vivemos (chamada de *mundo sensível*) constituiria apenas um conjunto imperfeito de cópias, sombras, esboços e lembranças de um *mundo inteligível* (do Bom, do Belo e do Verdadeiro). Platão concebia o Amor (com maiúscula) como um sentimento ideal, de espírito, que transcenderia o mundo sensível para eternizar-se no mundo inteligível.

Muitos intelectuais cristãos adaptaram o idealismo de Platão de modo a atender ao princípio de que o homem é formado de *corpo* (parte sensível) e *alma* (parte inteligível) — daí o cristianismo atribuir à alma um valor superior ao do corpo.

As releituras das concepções platônicas são denominadas **neoplatonismo**.

Investigue em Filosofia

O que é o mito da caverna de Platão? Por que esse mito é tão importante para a história do pensamento ocidental?

Embora parta de experiências muito concretas vividas com as mulheres que amou, Camões foge, em alguns de seus versos, à convenção petrarquista quando aborda o conflito entre o *desejo físico* (amor carnal, erótico) e o *Amor de alma* (amor espiritual). Essa tensão poética é um dos pontos altos da lírica camoniana. Seus poemas tratam de uma Mulher não particularizada, que representa todas e, ao mesmo tempo, nenhuma em especial. Em seus textos está presente não exatamente o amor pela Mulher, mas pela possibilidade que ela proporciona de despertar esse sentimento absoluto no eu lírico. Trata-se, portanto, de um amor racional, impessoal, ou seja, do **amor ao Amor** (ao sentimento amoroso sublime).

O desconcerto do mundo

Além do amor, tema comum na lírica camoniana, o poeta também expressa em seus versos o descompasso entre os desejos pessoais e a realidade concreta, uma vez que ela é empecilho à satisfação desses anseios. A injustiça, a hipocrisia, a mentira, a ambição e o desajuste entre os valores do indivíduo e a vida social são colocados em discussão como verdadeiros dramas humanos.

A redondilha a seguir é um exemplo desse sentimento do eu lírico.

Esparsa

Ao desconcerto do Mundo

Os bons vi sempre passar
No Mundo graves tormentos;
E, pera mais me espantar,
Os maus vi sempre nadar
Em mar de contentamentos.
Cuidando alcançar assi[m]
O bem tão mal ordenado,
Fui mau, mas fui castigado.
Assi[m] que só pera mi[m]
Anda o Mundo concertado.

CAMÕES, Luís de. In: SALGADO JÚNIOR, Antônio (Org.). *Luís de Camões*: obra completa. Rio de Janeiro: Nova Aguilar, 2008. p. 475-476.

Responda às questões seguintes no caderno.

1 Segundo o eu lírico, que consequências há no mundo para o homem de má e o de boa conduta?

2 Como o eu lírico faz para "alcançar assi[m] / o bem tão mal ordenado"?

3 Que contradição o eu lírico aponta no final do poema?

4 Qual a posição do eu lírico sobre o que discute? Justifique sua resposta com exemplos retirados do poema.

Observe que, no soneto de Camões, o mundo apresenta-se sempre em desconcerto, mesmo quando está "concertado", já que acaba sendo injusto com o eu lírico, seja ele bom ou mau.

Camões: permanência e renovação

Camões publicou sua obra mais importante, *Os lusíadas*, em 1572, portanto na segunda metade do século XVI, época em que o Classicismo já começava a mostrar-se incompatível com os novos anseios de um homem europeu em conflito. Equilíbrio, racionalismo, valores absolutos como a Verdade, o Bem e a Beleza, impessoalidade, perfeição formal começavam a ceder espaço para uma literatura inquietante, desarmônica, contraditória e antitética, mais tarde intitulada barroca. Entre o Classicismo e a estética barroca, houve um período de transição que recebeu o nome de **Maneirismo**. Camões situa-se nessa fronteira.

Do italiano *maniera*, significa a maneira ou estilo de um artista.

Giambologna e a escultura maneirista

De origem flamenca, o escultor Giambologna (1529-1608) é considerado um dos principais representantes do Maneirismo. Sua obra-prima, *O rapto da sabina*, com estrutura espiralada e linhas sinuosas e exageradas, compondo um equilíbrio aparentemente frágil, transformou-se em modelo para os trabalhos escultóricos da época.

Observe como o artista resolveu a questão espacial entrelaçando as três figuras em poses que oferecem diferentes pontos de vista.

ARTE & IMMAGINI SRL/CORBIS/LATINSTOCK - LOGGIA DEI LANZI, FLORENCE, ITALY

GIAMBOLOGNA. *O rapto da sabina*. 1574-1582. Mármore.

Leia os poemas a seguir.

Texto 1

Que amor sigo? Que busco? Que desejo?
Que **enleio** é este vão da fantasia?
Que tive? Que perdi? Quem me queria?
Quem me faz guerra, contra quem me **pelejo**?

Foi por encantamento o meu desejo,
E por sombra passou minha alegria,
Mostrou-me amor dormindo o que não via,
E eu ceguei do que vi, pois já não vejo.

Material complementar
• Amplie seus conhecimentos: "Junto de um seco, fero e estéril monte", Camões

Enleio: envolvimento.
Pelejo: luto.

Fez à sua medida o pensamento
Aquela estranha e nova formosura,
E aquele parecer quase divino.

Ou imaginação, sombra ou figura,
É certo e verdadeiro meu tormento:
Eu morro do que vi, do que imagino.

LOBO, Francisco Rodrigues. In: MOISÉS, Massaud. *A literatura portuguesa através dos textos*. 30. ed. São Paulo: Cultrix, 2006. p. 189.

Texto 2

Tanto de meu estado me acho incerto,
Que em vivo ardor tremendo estou de frio;
Sem causa, juntamente choro e rio;
O mundo todo abarco e nada aperto.

É tudo quanto sinto, um desconcerto;
Da alma um fogo me sai, da vista um rio;
Agora espero, agora desconfio,
Agora **desvario**, agora acerto.

Estando em terra, chego ao Céu voando;
Nũa hora acho mil anos, e é de jeito
Que em mil anos não posso achar ũa hora.

Se me pergunta alguém por que assi[m] ando,
Respondo que não sei; porém suspeito
Que só porque vos vi, minha Senhora.

CAMÕES, Luís de. In: SALGADO JÚNIOR, Antônio (Org.). *Luís de Camões*: obra completa. Rio de Janeiro: Nova Aguilar, 2008. p. 299.

Analise os dois textos em relação à forma poética e ao conteúdo e responda oralmente ao que se pede.

Desvario: perco o juízo.

1 Aponte as figuras de linguagem presentes nos poemas.

2 Que elementos aproximam os dois textos?

O soneto "Que amor sigo? Que busco? Que desejo?" foi escrito por Francisco Rodrigues Lobo (1580?-1622), representante do Barroco português, e o texto "Tanto de meu estado me acho incerto" é de Camões. Embora ambos pertençam a movimentos literários diferentes, apresentam importantes pontos de identificação. As antíteses, a inquietação, a incerteza, as contradições, o sentimento de desconcerto, as oscilações ("espero", "desconfio", "desvario", "acerto") e a emotividade que caracterizam o soneto de Camões permitem enquadrá-lo como um autor maneirista, isto é, de transição dos preceitos classicistas para os barrocos.

SAIBA MAIS!

- **Diogo Bernardes** (1530-1605), **João de Barros** (1496-1570), **Damião de Góis** (1502-1574), **Frei Amador Arrais** (1530-1600), entre outros, também são representantes do Classicismo em Portugal. No teatro, destacou-se **Antônio Ferreira** (1528-1569), autor de *Castro — Tragédia de D. Inês de Castro* (1587), considerada a expressão máxima do teatro clássico lusitano. Nessa peça, respeita-se a regra das três unidades (tempo, lugar e ação) e há um Coro (seguindo o modelo greco-latino), que comenta a ação e dá conselhos sobre a conduta dos personagens. O ponto alto (a catarse) da peça se dá no ato IV, em que os conselheiros do Rei persuadem-no a matar a heroína, amante do Príncipe.

Atividades: Entre textos

Leia, a seguir, um dos sonetos mais conhecidos de Camões e um poema da autora portuguesa Sophia de Mello Breyner Andresen.

Texto 1

Transforma-se o amador na cousa amada,
Por virtude do muito imaginar;
Não tenho, logo, mais que desejar,
Pois em mi[m] tenho a parte desejada.

Se nela está minha alma transformada,
Que mais deseja o corpo de alcançar?
Em si somente pode descansar,
Pois consigo tal alma está **liada**.

Mas esta linda e pura **semideia**,
Que, como o acidente em seu sujeito,
Assi[m] com a alma minha se conforma,

Está no pensamento como ideia;
[E] o vivo e puro amor de que sou feito,
Como a matéria simples busca a forma.

CAMÕES, Luís de. In: SALGADO JÚNIOR, Antônio (Org.). *Luís de Camões*: obra completa. Rio de Janeiro: Nova Aguilar, 2008. p. 301.

Liada: unida, atada.

Semideia: semideusa. Na mitologia, os semideuses eram filhos de deuses com mortais.

NAVEGUE

O poeta e ensaísta Carlos Felipe Moisés, em seu poema "A paixão segundo Camões", faz uma releitura do soneto camoniano "Transforma-se o amador na cousa amada", em que o eu lírico não consegue alcançar o Amor transcendental. Acesse: <http://www.jornaldepoesia.jor.br/cfm2.html#apaixao>.

Texto 2

Soneto à maneira de Camões

Esperança e desespero de alimento
Me servem neste dia em que te espero
E já não sei se quero ou se não quero
Tão longe de razões é o meu tormento.

Mas como usar amor de entendimento?
Daquilo que te peço desespero
Ainda **que mo dês** — pois o que eu quero
Ninguém o dá senão por um momento.

Mas como és belo, amor, de não durares,
De ser tão breve e fundo o teu engano,
E de eu te possuir sem tu te dares.

Amor perfeito dado a um ser humano:
Também morre o florir de mil pomares
E se quebram as ondas no oceano.

ANDRESEN, Sophia de Mello Breyner. *Coral*. Lisboa: Caminho, 2003. p. 38. (Coleção Obra poética).

Que mo dês: que [tu] o dê a mim.

Responda às questões no caderno.

1 No soneto de Camões está presente o neoplatonismo. Nele, o assunto central é o conflito entre a ideia e a matéria.

a) Segundo o eu lírico, o que determina a transformação que se dá entre o amador e a coisa amada?

b) No segundo quarteto, o eu lírico explica melhor a transformação entre amador (aquele que ama) e coisa amada (quem se ama), mas apresenta uma dúvida. Que dúvida é essa?

c) A dúvida lançada no segundo quarteto estabelece o conflito que é assunto do soneto. Retire do poema três conjuntos de palavras que indicam esse conflito.

d) O eu lírico se refere à "cousa amada" como semideia. Retome o glossário e explique de que forma esse termo sintetiza o conflito central do soneto.

2 Em seu soneto, Sophia de Mello Breyner Andresen dialoga com a obra de Camões tanto em relação à forma quanto ao conteúdo.

a) Que aspectos formais são comuns aos dois poemas lidos nesta seção?

b) Tal como em alguns sonetos maneiristas de Camões, o primeiro quarteto do poema de Sophia apresenta uma oposição. Cite os termos que a evidenciam.

c) "Soneto à maneira de Camões" dialoga com um dos assuntos mais frequentes da poesia camoniana. Que assunto é esse?

d) A terceira estrofe deixa evidente um interlocutor do poema. Explique a quem o eu lírico se dirige.

e) No último terceto, o amor é comparado a elementos da natureza. Que imagem do amor sugere essa comparação?

3 Embora existam semelhanças entre os dois poemas, há também uma diferença. Explique como essa diferença pode ser percebida no "Soneto à maneira de Camões".

DIÁRIO DIGITAL/LUSA

Sophia de Mello, em foto de 2001.

Sophia de Mello Breyner Andresen (1919-2004) é uma das escritoras mais relevantes da literatura contemporânea portuguesa. Seu primeiro livro, *Poesia*, foi publicado em 1944. Além de poemas, escreveu contos, literatura para crianças e ensaios. Recebeu prêmios importantes como o Camões, em 1999, e o Reina Sofía, em 2004.

O QUE VOCÊ APRENDEU NO PERCURSO DESTE CAPÍTULO

- O século XVI representou o auge da retomada da cultura greco-latina na Europa (Renascimento). Esse "retorno", na literatura, foi denominado Classicismo.
- A Itália foi o maior centro irradiador da cultura classicista.
- Principais características do Classicismo: racionalismo, culto à forma, universalidade, equilíbrio como balizador das ações humanas, busca de ideais (como a Verdade, o Amor, o Bem, a Beleza), neoplatonismo, impessoalidade.
- A produção lírica de Camões expressa, de maneira geral, duas tendências: a medieval e a renascentista.
- Camões apresenta em seus poemas uma "Mulher universal", para quem dirige seu Amor (amor ao Amor).
- Além de retomar os ideais clássicos, Camões antecipou em seus versos o conflito que já começava a inquietar o homem do final do século XVI, início do XVII, e que seria característica marcante do Barroco.

CAPÍTULO 7

Camões épico: o desejo da imortalidade lusitana

PERCURSO DO CAPÍTULO

- Registros da expansão marítima portuguesa
- Elementos da epopeia
- Epopeias naturais e epopeias artificiais
- *Os lusíadas*: tema, ação central e estrutura do poema
- Vozes presentes em *Os lusíadas*
- Episódios da epopeia de Camões: Inês de Castro, Velho do Restelo, Gigante Adamastor e Ilha dos Amores

A torre Vasco da Gama, com seus 145 metros de altura, representa a vela de uma embarcação da Era dos Descobrimentos. Construída em 1998 junto ao rio Tejo, a estrutura de aço é o edifício mais alto da capital portuguesa. Lisboa, 2005.

MAURIZIO BORGESE/HEMIS/CORBIS/LATINSTOCK

Introdução

Como retomar um modelo clássico de epopeia e inserir nele fatos históricos recentes, deuses do paganismo greco-latino, reis de verdade, valores cristãos e ideais patrióticos? Tudo isso com "engenho e arte"? Camões nos responde com seu poema Os lusíadas, *a epopeia mais importante da língua portuguesa, como veremos neste capítulo.*

As estrofes a seguir compõem o início da obra épica *Os lusíadas*, de Luís de Camões. Leia-as e recorra ao glossário para auxiliá-lo na compreensão do texto.

As armas e os Barões assinalados
Que, da Ocidental praia Lusitana,
Por mares nunca de antes navegados
Passaram ainda além da **Taprobana**,
Em perigos e guerras esforçados
Mais do que prometia a força humana,
E entre gente remota edificaram
Novo Reino, que tanto **sublimaram**;

E também as memórias gloriosas
Daqueles Reis que foram **dilatando**
A Fé, [e] o Império, e as terras **viciosas**
De África e de Ásia andaram devastando,
E aqueles que por obras valerosas
Se vão da lei da Morte libertando:
Cantando espalharei por toda parte,
Se a tanto me ajudar o **engenho e arte**.

Cessem do sábio Grego e do Troiano
As navegações grandes que fizeram;
Cale-se de Alexandro e de Trajano
A fama das vitórias que tiveram;
Que eu canto o peito ilustre Lusitano,
A quem Neptuno e Marte obedeceram.
Cesse tudo o que a Musa antiga canta,
Que outro valor mais alto se alevanta.
[...]

CAMÕES, Luís de. In: SALGADO JÚNIOR, Antônio (Org.). *Luís de Camões*: obra completa. Rio de Janeiro: Nova Aguilar, 2008. p. 9. (Fragmento).

Taprobana: antigo Ceilão, atual Sri Lanka.

Sublimaram: elevaram.

Dilatando: divulgando.

Viciosas: não cristãs.

Engenho e arte: inspiração e domínio sobre as técnicas de versificação e conhecimento do gênero épico.

Que: porque.

As epopeias criadas na Antiguidade eram divididas em partes bem definidas. Na primeira, subdividida em duas partes, o poeta apresentava o assunto do texto (**proposição**) e pedia inspiração às musas, entidades mitológicas (**invocação**).

As estrofes que você acabou de ler são a proposição de *Os lusíadas*.

Responda no caderno às questões sobre esse trecho.

1 Leia os versos, se possível em voz alta, e caracterize o esquema de métrica e rima das três estrofes.

2 Que grandes proezas realizaram os nobres guerreiros portugueses ("Barões assinalados"), segundo a primeira estrofe?

3 De acordo com a segunda estrofe, o que realizaram os Reis?

4 Considerando as respostas dadas às questões 2 e 3, conclua: o que pretende, afinal, a voz épica do poema?

5 A terceira estrofe da proposição apresenta uma quebra em relação às duas primeiras que a antecedem. Nela, o poeta revela indiretamente sua identificação com o Classicismo ao reconhecer, por meio da voz épica, "As navegações grandes que fizeram" os gregos e os troianos.

a) Que comparação está implícita nessa estrofe?

b) Tendo em vista a resposta ao item anterior, qual o sentido do verso "Que outro valor mais alto se alevanta"?

As três estrofes de oito versos (ou *octásticos*) que abrem *Os lusíadas* permitem experimentar um pouco do tom que marcou essa obra. Com sua epopeia, Camões pretendia não apenas estabelecer um diálogo direto com a tradição classicista, calcada na mimese dos grandes feitos culturais greco-latinos, mas superar essas referências cantando em decassílabos as glórias de um povo — o português — que, segundo ele, possuía um "valor mais alto" que necessitava ser espalhado "por toda parte". Depois da leitura deste capítulo, você poderá responder se concorda ou não com Camões.

NAVEGUE

Leia sobre a pré-história e a história da navegação no *site*: <http://www.museunacionaldomar.com.br/estrutura/historia_navegacao.htm>.

Uma epopeia nada simples

Não era tarefa fácil escrever uma epopeia, narrativa em versos centrada em uma história de interesse nacional e universal. Esse gênero cultivado na Antiguidade clássica — cujos modelos eram, principalmente, a *Ilíada* e a *Odisseia*, de Homero, a *Argonáutica*, de Apolônio de Rodes, e a *Eneida*, de Virgílio — exigia dos poetas renascentistas o conhecimento de regras bastante complexas.

Uma epopeia clássica contemplava:

- a presença de uma *persona* ou voz épica (voz que narra a história);
- a existência de um herói superior (semideus);
- a narração de uma intriga de deuses, divididos em "partidos";
- a descrição de uma ação humana surpreendente (viagem marítima, guerra, etc.);
- a inserção do universo maravilhoso da mitologia;
- a presença de um banquete em que um aedo (cantor ou poeta) canta aventuras passadas ou profetiza vitórias futuras de um povo;
- a narrativa *in medias res* (expressão latina que significa "no meio das coisas", uma técnica literária que consiste em começar a contar a história no meio da ação);
- uma linguagem elevada em que o poeta demonstra total domínio da língua.

Material complementar
• Amplie seus conhecimentos: Os primeiros leitores de *Os lusíadas*

A *Ilíada* e a *Odisseia*, de Homero, são classificadas como **epopeias naturais** ou **primitivas** porque surgiram de narrativas e cantos populares anônimos, entoados após a guerra entre gregos e troianos. Segundo a tradição, Homero teria sido o aedo que organizou e registrou, por volta do século VIII a.C., esses fragmentos que deram origem às epopeias mais importantes da Grécia.

A *Eneida* é classificada como uma **epopeia artificial** ou de **imitação** porque foi encomendada estrategicamente pelo imperador romano Otávio Augusto, cujo governo, à época do nascimento de Cristo, representou o apogeu político de Roma. Nesse período, viveu também Caio Mecenas — influente conselheiro do imperador e importante protetor das artes, de quem dependiam os três maiores poetas romanos: Virgílio, Horácio e Ovídio (daí a denominação *mecenas* para o patrocinador das artes).

Eneida narra a história do herói Eneias, troiano que se vê obrigado a se mudar para uma região da Itália chamada Lácio após a destruição de sua cidade pelos gregos. Entre os latinos (habitantes do Lácio), desenvolveu-se, mais tarde, o grandioso Império Romano. A *Eneida* é uma epopeia criada segundo um modelo literário, o homérico.

ALINARI ARCHIVES/CORBIS/LATINSTOCK - THE METROPOLITAN MUSEUM OF ART, NY

BAROCCI, Federico. *Eneias escapa de Troia em chamas*. 1598. Óleo sobre tela, 33,9 × 46,1 cm. Carregando o pai nos braços, Eneias foge com sua família, enquanto Troia é saqueada pelos gregos.

Os lusíadas: "poema da raça"

Escrever uma epopeia nos modelos homéricos, mas em um outro contexto — o do Renascimento — representava um enorme desafio para os poetas classicistas. O desenvolvimento mercantil, a expansão cristã e o crescimento paulatino de uma classe burguesa (mais afeita ao individualismo) não combinavam com uma narrativa calcada na mitologia clássica (uma religião para os gregos e latinos, mas não para o indivíduo do século XVI) e na figura de um herói coletivo (múltiplo), um semideus. Mesmo assim, Camões publicou seu "poema da raça", sua "Bíblia da nacionalidade", em 1572, reunindo numa só obra 10 cantos e 1.102 estrofes. Como *Eneida*, *Os lusíadas* é uma epopeia artificial porque foi escrita por um autor, Camões, a partir de uma necessidade histórica: as Grandes Navegações.

Essas estrofes estão organizadas em oitava-rima (oito versos com o esquema de rimas ABABABCC), num total de 8.816 versos decassílabos heroicos (com acento tônico na 2ª, ou 3ª, ou 4ª, na 6ª e na 10ª sílaba).

Do que trata, afinal, uma obra intitulada *Os lusíadas*?

Esse título do poema de Camões já nos sugere seu **tema**. O termo *lusíada* era um neologismo inventado por André de Resende, na década de 1530, a partir do personagem mitológico Luso (fundador da Lusitânia), filho do deus Baco, de quem os portugueses seriam descendentes. O tema da epopeia de Camões é a história dos portugueses, um povo vitorioso e soberano na Europa.

A **ação central** do poema é a viagem de Vasco da Gama às Índias, realizada entre 1497 e 1499. Sobre esse episódio, havia, em Portugal, livros, documentos e versões populares orais aos quais Camões poderia recorrer. Esse fato histórico, no entanto, era recente demais para tornar-se um mito, o que era fundamental numa epopeia que se pretendia grandiosa.

Uma narrativa em dois mundos

A viagem de Vasco da Gama, realizada por pessoas reais, não se mostrou suficiente para o desenvolvimento de ações que pudessem desembocar num **enredo** fascinante, recheado de personagens movidas pela paixão. Isso explica por que os seres humanos que habitam *Os lusíadas* não apresentam tanta emoção quanto aqueles fictícios que gravitavam em torno de Ulisses e de Eneias, nas epopeias que serviram de fonte para a epopeia portuguesa.

Camões soluciona esse problema recorrendo a outro recurso clássico: a presença, em paralelo, de deuses pagãos cheios de amor e ódio. Por isso, mais intensos do que os obstáculos naturais enfrentados pelos humanos na viagem de Vasco da Gama são os conflitos entre os deuses rivais Vênus (deusa do amor e protetora dos portugueses) e Baco (deus do vinho e oponente da esquadra lusitana). Vênus protege os portugueses por considerá-los semelhantes ao povo latino, e Baco os ataca por temer abalar seu prestígio junto aos indianos. Nessas entidades mitológicas reside a força e a vida da narrativa.

Há, portanto, dois planos narrativos em *Os lusíadas*: um **plano histórico** (real), centrado nos fatos que fizeram de Portugal um país importante na Europa no século XVI, e um **plano mítico** (maravilhoso), em que estão presentes os deuses da mitologia greco-romana. Além disso, há menções na obra ao maravilhoso cristão, uma vez que fazia parte da tarefa de Camões prestigiar o expansionismo católico promovido pelos portugueses.

THE GRANGER COLLECTION, NEW YORK/OTHER IMAGES

Ilustração de um manuscrito português do século XVI representando a frota de Vasco da Gama na viagem empreendida em 1497.

Na teoria literária, o termo *maravilhoso* se refere a uma intervenção dos deuses nas ações humanas, mudando o curso da narrativa.

Ações anônimas e "Barões assinalados"

Camões inicia sua epopeia citando as "armas e os Barões assinalados", uma referência aos nobres portugueses ligados à guerra e considerados os agentes responsáveis pela supremacia portuguesa. Mas onde está o povo "real" lusitano, citado no título do poema? Onde estão os marinheiros que abandonavam suas famílias para se arriscar na aventura marítima? Em *Os lusíadas*, Camões omite as ações anônimas praticadas pelo povo. Batalhas, conflitos e lutas acabaram creditadas somente aos nobres portugueses.

Divisão do poema

Como vimos, as epopeias antigas obedeciam a uma divisão rigorosa. Em relação a *Os lusíadas* não foi diferente. O poema é dividido em três grandes partes.

1ª parte – Introdução. Inclui as 18 primeiras estrofes do canto I, subdivididas em três momentos:

a) **proposição:** inclui as estrofes 1 a 3. Nelas, o poeta apresenta o assunto que será cantado, isto é, as glórias das "armas" e dos "Barões assinalados", conforme vimos na abertura deste capítulo.

b) **invocação:** inclui as estrofes 4 e 5. Nelas, o poeta pede inspiração às Tágides, como se pode observar a seguir na estrofe 4 do canto I.

RUPERT HANSEN/ALAMY/GLOW IMAGES

Do Tejo, maior rio da Península Ibérica, partiram as naus que desbravaram os mares nos séculos XV e XVI (foto de 2008).

[...]
E vós, **Tágides** minhas, pois criado
Tendes em mi[m] um novo engenho ardente,
Se sempre em verso humilde celebrado
Foi de mi[m] vosso rio alegremente,
Dai-me agora um som alto e **sublimado**,
Um estilo **grandíloq[u]o** e corrente,
Por que de vossas águas **Febo** ordene
Que não tenham inveja às de **Hipocrene**.
[...]

CAMÕES, Luís de. In: SALGADO JÚNIOR, Antônio (Org.). *Luís de Camões*: obra completa. Rio de Janeiro: Nova Aguilar, 2008. p. 10. (Fragmento).

Tágides: entidades da mitologia portuguesa que habitariam as águas do rio Tejo.

Sublimado: elevado, sublime.

Grandíloquo: altíssimo, pomposo.

Febo: na mitologia romana, deus da poesia e da música, equivalente ao deus grego Apolo.

Hipocrene: fonte grega, cujas águas teriam inspirado poetas como Homero.

c) **dedicatória:** inclui as estrofes 6 a 18. Nessa parte, Camões dedica seus versos a D. Sebastião, mecenas da primeira edição de *Os lusíadas*. O poeta aproveita para diferenciar sua **epopeia histórica** (baseada em fatos verídicos, reais) das **epopeias fabulosas** (irreais, não verídicas), cultuadas por alguns renomados renascentistas. A seguir, observe a estrofe 11 do canto I.

Durante o Renascimento, fortaleceram-se os mecenatos, relações de dependência entre um artista e seu "patrocinador", geralmente um nobre ou um membro do clero.

[...]
Ouvi: que não vereis com vãs **façanhas**,
Fantásticas, fingidas, mentirosas,
Louvar os vossos, como nas **estranhas**
Musas, de engrandecer-se desejosas:
As verdadeiras vossas são tamanhas
Que excedem as sonhadas, fabulosas,
Que excedem **Rodamonte** e o vão **Rugeiro**
E **Orlando**, inda que fora verdadeiro.
[...]

CAMÕES, Luís de. In: SALGADO JÚNIOR, Antônio (Org.). *Luís de Camões*: obra completa. Rio de Janeiro: Nova Aguilar, 2008. p. 12. (Fragmento).

Façanhas: feitos heroicos.

Estranhas: estrangeiras.

Rodamonte: protagonista de *Orlando enamorado*.

Rugeiro: protagonista de *Orlando furioso*.

Orlando: Orlando (ou Roland) é o protagonista de muitas epopeias renascentistas.

2ª parte – Narração. Estende-se da estrofe 19 do canto I à estrofe 144 do canto X. Se a *Odisseia* narra a história de Odisseu (Ulisses) e a *Eneida*, a de Eneias; *Os lusíadas* não se referem à trajetória heroica de Vasco da Gama, mas sim dos lusitanos (fato que justifica o título da obra).

A narrativa iniciada *in medias res* (no meio da história) focaliza as naus já navegando no oceano Índico, em meio à viagem para as Índias. Ao mesmo tempo, no Olimpo, presididos por Júpiter, estão reunidos os deuses em concílio para tratar da expedição de Vasco da Gama. Júpiter é favorável aos portugueses, Baco é contrário. Marte e Vênus aderem à posição de Júpiter.

Os navegantes chegam a Moçambique e, com o auxílio de Vênus, desvencilham-se de uma cilada criada por Baco. Em Mombaça, Baco prepara outra armadilha, mas novamente Vênus intervém, protege a esquadra e pede a Júpiter maior proteção.

Aportam em Melinde, onde seu rei, a bordo da nau Capitânia, pede a Vasco da Gama que narre a história de Portugal. Nessa parte, o nauta conta sobre a fundação da Lusitânia por Luso, fala sobre reis e vitórias e narra episódios importantes de *Os lusíadas* — Inês de Castro, Velho do Restelo, Gigante Adamastor, entre outros — e os preparativos de sua viagem às Índias.

Lançadas novamente ao mar, as naus portuguesas enfrentam terrível tempestade, promovida por Baco, mas Vênus envia ninfas amorosas para diminuir a intensidade dos ventos. Depois dessa aventura, chegam a Calecute, na Índia. Paulo da Gama (irmão de Vasco) explica o significado das figuras desenhadas nas bandeiras ornamentais da caravela. Baco tenta novamente atrapalhar os portugueses, sem sucesso.

Como recompensa pelos feitos portugueses, os navegantes são presenteados por Vênus com uma ilha repleta de ninfas encantadas pelas setas do Cupido e desejosas do amor dos marinheiros (esse episódio é denominado Ilha dos Amores e constitui um dos pontos altos da epopeia camoniana). Depois de um banquete, Tétis leva Vasco da Gama ao ponto mais alto da ilha e desvenda-lhe a Máquina do Mundo e a glória do futuro lusitano. É chegado o momento de retorno a Portugal.

NATIONAL MARITIME MUSEUM/ GREENWICH HOSPITAL COLLECTION

FONSECA, António Manuel da. *Vasco da Gama*. 1838. Óleo sobre tela, 1219 × 965 cm.

O sebastianismo: um mito

Mesmo com restrições de parte da nobreza, era desejo do popular rei de 18 anos, D. Sebastião (nobre que encerrou a dinastia de Avis), conquistar o mundo, incluindo os territórios árabes do norte da África, e expandir a fé cristã.

Em 1578, ele comandou pessoalmente um ataque contra os mouros na região de Alcácer-Quibir. No desastroso evento, a alta aristocracia lusitana (incluindo o próprio rei) desapareceu, gerando uma lenda que atravessou séculos: o sebastianismo, calcado na crença de que o soberano retornaria para fazer de seu país o Quinto Império.

Esse mito chegou até mesmo ao sertão da Bahia, no final do século XIX, quando o líder político e religioso do povo de Canudos, Antônio Conselheiro, anunciou a vinda de D. Sebastião. Esse episódio está retratado no livro *Os sertões* (1902), de Euclides da Cunha, que será estudado no capítulo 29.

Retrato d'El Rei Dom Sebastião. Século XVIII. Óleo sobre tela. O desaparecimento de D. Sebastião durante a batalha de Alcácer-Quibir originou o mito do sebastianismo.

3ª parte – Epílogo. Estende-se das estrofes 145 a 156 do canto X. Nessa parte final, a voz épica demonstra decepção com uma pátria perdida ("metida") que se mostra mais interessada em riquezas materiais ("cobiça") e nas glórias ultramarinas do que na elevação espiritual por meio das artes ("O favor com que mais se acende o engenho").

De certa forma, com esse desfecho melancólico e triste, Camões antecipa em seus versos o declínio pelo qual passaria Portugal a partir de 1580. Com a morte de D. Sebastião, o poder ficaria nas mãos de Felipe II e o país passaria ao domínio espanhol. Esse tom de decepção pode ser percebido na estrofe 145 do canto X.

NAVEGUE

O grupo brasileiro Mawaca tem como marca de sua obra a pesquisa e a recriação musical de temas tradicionais de várias etnias. Um de seus discos chama-se *Os lusíadas* e é inspirado na epopeia de Camões. Ouça as faixas do disco no *site* do grupo: <http://www.mawaca.com.br/>.

[...]
Nô-mais, Musa, nô-mais, que a **Lira** tenho
Destemperada e a voz enrouquecida,
E não do canto, mas de ver que venho
Cantar **a gente** surda e endurecida.
O favor com que mais se acende o engenho
Não **no** dá a pátria, não, que está **metida**
No gosto da cobiça e na rudeza
Du[m]a austera, apagada e vil tristeza.
[...]

CAMÕES, Luís de. In: SALGADO JÚNIOR, Antônio (Org.). *Luís de Camões*: obra completa. Rio de Janeiro: Nova Aguilar, 2008. p. 262. (Fragmento).

Nô-mais: não cantarei mais.

Lira: instrumento musical associado à poesia.

A gente: referência ao povo português.

No: me.

Metida: perdida.

Os lusíadas: muitas vozes para narrar

A obra *Os lusíadas* é narrada, de maneira geral, por uma **voz épica** (*persona*) que se identifica com a figura do poeta Camões.

Após chegar a Melinde, quem toma a palavra é **Vasco da Gama**, que conta ao rei melindano a história de Portugal, de sua fundação até a partida da esquadra para as Índias. Após esse relato, Gama retoma a condição de personagem e a voz épica volta a narrar. Em seguida, um outro integrante da armada, **Paulo da Gama**, líder de um dos navios, narra a um indiano episódios da história medieval portuguesa.

No episódio da Ilha dos Amores, durante o banquete oferecido aos navegantes, uma **ninfa** narra façanhas ligadas ao futuro português, como a circum-navegação da Terra por Fernão de Magalhães e a chegada de Cabral ao Brasil. Depois, **Tétis** descreve a Máquina do Mundo para Gama. Por fim, a voz épica narra a chegada da esquadra a Lisboa, após dois anos de sua partida.

Em suma, além da voz épica, estão presentes em *Os lusíadas* as vozes de Vasco da Gama, de Paulo da Gama, da ninfa Tétis e de uma outra ninfa.

Episódios: diálogos intertextuais

Em *Os lusíadas*, muitas histórias importantes são narradas dentro de uma história maior. A leitura desses episódios nos permite acessar um verdadeiro mosaico textual composto de muitos hipotextos (textos-fonte) usados como inspiração por Camões, além de vários aspectos históricos e culturais do povo português e de outros povos ligados à história lusitana. Conheça alguns desses episódios.

⊙ Inês de Castro: lirismo dentro do épico

Paixão, amor proibido, poder e vingança são os ingredientes ideais para compor uma história emocionante em qualquer época. Camões sabia disso e recorreu a um fato bastante conhecido para comover seus leitores: a biografia trágica de Inês de Castro, um dos episódios mais populares e tristes da história portuguesa. Em *Os lusíadas*, ele está inserido na parte que trata do reinado de D. Afonso IV (de 1327 a 1357) e vai da estrofe 98 até a estrofe 135 do canto III.

Duas grandes guerras (Guerra Civil de Castela e Batalha do Salado) e uma tragédia envolvendo um príncipe e sua amante marcaram o reinado de Afonso IV, primogênito de D. Dinis. As estrofes 118 a 135 se ocupam de narrar a história de amor entre D. Pedro (filho de D. Afonso IV) e Inês de Castro — sintetizada na estrofe 118 do canto III, reproduzida a seguir.

NAVEGUE

O *site* da Fundação Inês de Castro — localizada em Coimbra, Portugal — tem por objetivo divulgar e perpetuar o mito dessa personagem histórica portuguesa: <http://www.fundacaoinesdecastro.com>.

[...]
Passada esta tão próspera vitória,
Tornado Afonso à Lusitana terra,
A se **lograr** da paz com tanta glória
Quanta soube ganhar na dura guerra,
O caso triste, e di[g]no da memória
Que do **sepulcro** os homens desenterra,
Aconteceu da mísera e mesquinha
Que de[s]pois de ser morta foi Rainha.
[...]

O verso faz referência à Batalha do Salado (1340).

CAMÕES, Luís de. In: SALGADO JÚNIOR, Antônio (Org.). *Luís de Camões*: obra completa. Rio de Janeiro: Nova Aguilar, 2008. p. 84. (Fragmento).

Lograr: conseguir, alcançar.
Sepulcro: sepultura, túmulo.

Na estrofe 118, Vasco da Gama afirma que o triste caso de Inês de Castro se dá logo após a vitória da Batalha de Salado, quando Afonso IV retorna em paz a Portugal. Na estrofe, sugere-se que, devido à sua força, o caso de Pedro e Inês é digno de ser imortalizado pela poesia, o que comprovam Garcia de Resende, com suas "Trovas à morte de Inês de Castro" (poema publicado no *Cancioneiro geral*, em 1516), e Antônio

Ferreira, com a tragédia *Castro* (publicada em 1587, mas encenada antes da publicação de *Os lusíadas*) — com os quais Camões estabeleceu intertextualidade para escrever sua versão.

História por trás da história

Você já conheceu a história de Inês de Castro ao estudar o Humanismo (releia, no capítulo 5, o boxe **D. Pedro e Inês de Castro**). Leia, a seguir, a estrofe 120 do canto III, de *Os lusíadas*, que trata de Inês em seus anos de felicidade.

[...]
Estavas, linda Inês, posta em sossego,
De teus anos colhendo doce fru[i]to,
Naquele engano da alma, **ledo** e cego,
Que a **Fortuna** não deixa durar muito,
Nos saudosos campos do Mondego,
De teus fermosos olhos nunca enxu[i]to,
Aos montes ensinando e às ervinhas
O nome que no peito escrito tinhas.
[...]

CAMÕES, Luís de. In: SALGADO JÚNIOR, Antônio (Org.). *Luís de Camões*: obra completa. Rio de Janeiro: Nova Aguilar, 2008. p. 86. (Fragmento).

ALAN COPSON/JAI/CORBIS/LATINSTOCK

O rio Mondego, que banha Coimbra, cidade portuguesa onde vivia Inês de Castro (foto de 2006).

Ledo: contente, feliz.
Fortuna: destino.

NAVEGUE

Assista a um divertido episódio do programa *Nossa Língua*, cujo tema é a estrofe 92 do canto IV de *Os lusíadas*. <http://tvcultura.cmais.com.br/nossalingua/csi-pe-na-rua-cmais>.

Responda no caderno às questões propostas.

1 Vasco da Gama narra a história de Inês de Castro ao rei de Melinde; entretanto, não é a ele que o navegador parece se dirigir.
a) Na estrofe apresentada, a quem Vasco da Gama se dirige?
b) Por que Vasco da Gama opta por se dirigir a essa personagem e não ao rei?

2 Embora se afirme que Inês está "posta em sossego", explique por que ela teria "olhos nunca enxuto[s]".

3 Nos dois últimos versos, há uma sutil prosopopeia, ou personificação.
a) Que nome Inês tinha "no peito escrito"?
b) O narrador afirma que Inês havia ensinado "aos montes" e "às ervinhas" o nome que ela trazia no peito. Qual a função dessa figura de linguagem para a construção do sentido da estrofe e da história de D. Pedro e Inês de Castro?

PARA LEMBRAR

Prosopopeia ou **personificação**: figura de linguagem que consiste em humanizar seres não humanos, atribuindo-lhes linguagem, sentimentos e ações humanas.

4 Leia, abaixo, a estrofe 133 do canto III de *Os lusíadas* e, a seguir, o boxe **A lenda grega de Atreu e Tiestes**.

[...]
Bem puderas, ó Sol, da vista destes,
Teus raios **apartar** aquele dia,
Como da **seva mesa** de Tiestes,
Quando os filhos por mão de Atreu comia.

Apartar: separar, desviar.
Seva mesa: cruel banquete.

Vós, ó côncavos vales, que pudestes
A voz extrema ouvir da boca fria,
O nome do seu Pedro, que lhe ouvistes,
Por muito grande espaço repetistes.
[...]

CAMÕES, Luís de. In: SALGADO JÚNIOR, Antônio (Org.). *Luís de Camões: obra completa*. Rio de Janeiro: Nova Aguilar, 2008. p. 88. (Fragmento).

ó côncavos vales: vales de Coimbra.

A lenda grega de Atreu e Tiestes

Por razões políticas, Atreu (rei de Micenas) expulsa do reino seu irmão Tiestes. Para vingar-se, Tiestes conquista a própria cunhada, Europa, e com ela tem dois filhos. No entanto, acaba abandonando a amante e fugindo.

Tempos depois ele reaparece, e Atreu — fingindo perdoar o irmão — oferece-lhe um banquete. Só depois de satisfeito, Tiestes vem a saber que se regalara com a carne dos próprios filhos.

Em sinal de horror e indignação, o Sol deixou de iluminar a Terra naquele dia.

Considerando as informações do boxe acima e a leitura da estrofe 133, responda:

a) Que elementos da estrofe lida evidenciam a relação intertextual com a lenda?
b) Por que o escritor português recorre ao diálogo intertextual com o hipotexto grego?

5 Em *Os lusíadas*, Camões utiliza com frequência uma figura de linguagem denominada **apóstrofe** (uma espécie de vocativo grandioso, em que o poeta interrompe a narrativa e se dirige a alguém fora daquele contexto).

a) Localize e cite as apóstrofes presentes na estrofe 133.
b) Qual é a função dessas apóstrofes para a narração da história de Inês?

Velho do Restelo: a voz dissonante

No dia 8 de julho de 1497, as naus *S. Gabriel*, de Vasco da Gama, *S. Rafael*, de Paulo da Gama, e *Bérrio*, de Nicolau Coelho, (além de uma quarta, abastecida de alimentos) partiram de uma praia chamada Restelo, em Portugal, rumo ao "mar tenebroso", na expressão cunhada pelo infante D. Henrique.

As estrofes 84 a 93 do canto IV narram a partida das naus. Na estância 94, está um idoso — em meio a mulheres, com "choro piadoso"; homens, "com suspiros que arrancavam"; mães, esposas e irmãs, "que o temeroso / Amor mais desconfia"; e outras pessoas que compareceram à praia para despedir-se, com sofrimento, das naus. Descrito por Vasco da Gama como um velho de aparência respeitosa, de "voz pesada" e experiente, tal personagem fala nas estrofes 95 a 97 do canto IV.

PINGGR/SHUTTERSTOCK

A Torre de Belém, patrimônio mundial desde 2007, foi erguida no século XVI na antiga praia do Restelo. Dessa praia-porto partiu a expedição chefiada por Vasco da Gama, em 1497, e a de Pedro Álvares Cabral, em 1500 (foto de 2008).

[...]
— Ó glória de mandar, ó vã cobiça
Desta vaidade a quem chamamos Fama!

Ó **fraudulento** gosto, que se atiça
C'uma **aura** popular que honra se chama!
Que castigo tamanho e que justiça
Fazes no **peito vão** que muito te ama!
Que mortes, que perigos, que tormentas,
Que crueldades **neles** exprimentas!

Dura inquietação da alma e da vida,
Fonte de desamparos e adultérios,
Sagaz consumidora conhecida
De fazendas, de reinos e de impérios:
Chamam-te ilustre, chamam-te subida,
Sendo di[g]na de infames **vitupérios**;
Chamam-te Fama e Glória soberana,
Nomes com quem se o povo **néscio** engana

A que novos desastres determinas
De levar estes Reinos e esta gente?
Que perigos, que mortes lhe destinas,
Deba[i]xo dalgum nome **preminente**?
Que promessas de reinos e de minas
De ouro, que lhe farás tão facilmente?
Que famas lhe prometerás? Que histórias?
Que triunfos? Que palmas? Que vitórias?
[...]

CAMÕES, Luís de. In: SALGADO JÚNIOR, Antônio (Org.). *Luís de Camões*: obra completa. Rio de Janeiro: Nova Aguilar, 2008. p. 112. (Fragmento).

Fraudulento: enganoso.
Aura: prestígio.
Peito vão: homens ambiciosos.
Neles: nos homens de "peito vão".
Vitupérios: insultos, afrontas.
Néscio: ignorante.
Preminente: com aparência importante, proeminente.

Você acabou de ler as estâncias 95, 96 e 97 do episódio conhecido como Velho do Restelo. Responda às questões no caderno.

1 Qual o vocativo da estância 95?

2 Esse vocativo é uma metonímia. A que personagens ele se relaciona?

3 Do que essas personagens são acusadas pelo Velho?

4 Quem é o sujeito do período que forma os dois primeiros versos da estância 97?

5 A quem se refere o pronome *lhe*, presente no terceiro verso da estrofe 97?

6 Qual a crítica feita pelo Velho do Restelo nas estrofes transcritas? Justifique sua resposta utilizando versos do poema.

7 Embora distantes, as estrofes 95 e 97 podem dialogar com a 145 do canto X, reproduzida neste capítulo na abordagem do epílogo. Que relação você acha que elas podem ter?

Em meio a uma epopeia que valoriza a bravura portuguesa ligada ao advento das Grandes Navegações, surge um personagem com um ponto de vista oposto, que critica esse projeto. Para o Velho do Restelo, a expansão marítima não estava ligada ao crescimento de sua pátria, mas aos desejos de ambição e glória particulares (para os quais Camões chama a atenção do leitor — ou de D. Sebastião — no epílogo de *Os lusíadas*).

Investigue em Física

Por que, embora a massa de uma embarcação do século XXI seja maior do que a de uma nau do século XVI, ela é mais veloz e segura?

Embora pertença ao povo, o discurso do Velho do Restelo dialoga com o de uma nobreza fundiária portuguesa, de princípios medievais, que prezava o crescimento por intermédio da agricultura e não pelo comércio mercantil burguês. A fala alegórica do Velho critica os enormes gastos despendidos pelos reis e a fragilidade de Portugal diante de perigos bem concretos como os oferecidos pelos espanhóis e os árabes. Esse grito de revolta saído de um "experto peito" (peito experiente) vai somente da estrofe 95 até a 104 e representa um dos pontos altos da narrativa camoniana.

NAVEGUE

No poema "Fala do Velho do Restelo ao astronauta", o autor português contemporâneo José Saramago dialoga com essa personagem da epopeia camoniana. Para ler o poema, acesse o *site* <http://www.jornaldepoesia.jor.br/1saramago.html#fala>.

ProvocAÇÃO

O discurso presente nas estrofes 95, 96 e 97 vem da boca de um velho anônimo. Por que esse discurso não teria vindo de uma mulher ou de uma autoridade, por exemplo? Discuta esse aspecto com seus colegas.

Gigante Adamastor: a vitória do diálogo

O episódio conhecido como Gigante Adamastor desenvolve-se no canto V, da estrofe 37 à 61. Ao chegar ao extremo sul do continente africano, no Cabo das Tormentas (hoje Cabo da Boa Esperança), as naus deparam-se com uma estranha nuvem negra que, aos poucos, revela ser um gigante de estatura semelhante, segundo o narrador, ao Colosso de Rodes.

Localizada na ilha grega de Rodes, a estátua de bronze do deus Sol tinha 32 metros de altura. Sua construção começou em 294 a.C., mas o colosso não ficou em pé mais do que 60 anos, ruindo durante um terremoto.

Mesmo corajosos, os marinheiros temeram a criatura de aspecto tenebroso, como descrito na estrofe 39 do canto V.

[...]
Não acabava, quando uma figura
Se nos mostra no ar, robusta e **válida**,
De disforme e grandíssima estatura;
O rosto **carregado**, a barba esquálida,
Os olhos encovados e a postura
Medonha e má e a cor terrena e pálida,
Cheios de terra e crespos os cabelos,
A boca negra, os dentes amarelos.
[...]

CAMÕES, Luís de. In: SALGADO JÚNIOR, Antônio (Org.). *Luís de Camões*: obra completa. Rio de Janeiro: Nova Aguilar, 2008. p. 123. (Fragmento).

Válida: forte.
Carregado: carrancudo.

O Gigante põe-se, então, a profetizar sobre o futuro trágico daqueles que se atrevessem a passar por lá, previsões que se tornariam realidade, como, por exemplo, a morte de Bartolomeu Dias, em 1500, quando integrava a esquadra de Cabral.

Bartolomeu Dias foi o primeiro a contornar o Cabo das Tormentas, no extremo sul da África, em 1487.

Vasco da Gama decide enfrentar o Gigante e indaga quem é ele. Para surpresa de todos, Adamastor revela ter sido um titã e conta a história de seu amor pela ninfa Tétis. Depois de concluir seu relato contando que Júpiter, como castigo, o transformara no Cabo das Tormentas, o Gigante começa a chorar e suas lágrimas se transformam numa grande tempestade negra que, aos poucos, vai se dissipando. Os navegantes, então, em plena aurora, vislumbram o enorme rochedo em que se transformou Adamastor e prosseguem viagem.

Adamastor é uma alegoria dos perigos do "mar tenebroso", que naquela época da expansão marítima estavam associados às fantasiosas lendas sobre abismos e seres monstruosos. Mas os riscos envolvendo os projetos expansionistas eram reais. Para se ter uma ideia, dos 158 homens que partiram com Vasco da Gama rumo às Índias, somente 55 retornaram a Portugal.

THE STAPLETON COLLECTION/THE BRIDGEMAN ART LIBRARY/GRUPO KEYSTONE - PRIVATE COLLECTION

COLLAERT, Jan. *Caçando criaturas marinhas*. Século XVII. Gravura.

NAVEGUE

Seja para chegar ao Cabo das Tormentas seja para cumprir outros destinos de viagem, em diversos momentos do poema de Camões faz-se referência à consulta do céu — com a análise das posições de seus astros e estrelas — como recurso para uma navegação mais precisa. Tanto que há especialistas que analisaram a presença da astronomia em *Os lusíadas*. Leia sobre o assunto no *site* <http://www.portaldoastronomo.org/tema.php?id=31>.

⊙ Ilha dos Amores: premiação divina

Após todos os perigos pelos quais passaram os navegantes portugueses, a deusa Vênus resolve premiá-los com uma encantadora ilha, repleta de ninfas amorosas, e com a contemplação da Máquina do Mundo antes do retorno dos homens ao Tejo. Esse episódio — o mais longo da epopeia — inicia-se na estrofe 18 do canto IX, vai até a estância 95 desse canto, prossegue na estrofe 1 do canto X e somente se finaliza na estância 143.

Na estância 64 do canto IX, a voz épica narra a chegada dos nautas à ilha.

[...]
Nesta **frescura** tal desembarcavam
Já das naus os segundos **Argonautas**,
Onde pela floresta se deixavam
Andar as belas Deusas, como incautas.
Algumas, doces **cítaras** tocavam;
Algumas, harpas e sonoras **frautas**;
Outras, cos arcos de ouro, se fingiam
Seguir os animais que não seguiam.
[...]

CAMÕES, Luís de. In: SALGADO JÚNIOR, Antônio (Org.). *Luís de Camões*: obra completa. Rio de Janeiro: Nova Aguilar, 2008. p. 222. (Fragmento).

Frescura: local fresco.

Argonautas: navegadores que, liderados por Jasão, embarcam na nau Argos e viajam para Cólquida em busca do Velo de Ouro (pele dourada de carneiro).

Cítaras: instrumento musical de cordas.

Frautas: flautas.

Depois do desembarque, os homens das naus correm ao encontro das ninfas — a Vasco da Gama ficou reservada a mais bela delas, Tétis.

Tétis apresenta a Vasco da Gama a Máquina do Mundo, cujo centro é ocupado pelo Deus cristão e na qual estão dispostos os planetas gravitando em torno da Terra. Essa imagem evidencia que Camões tinha uma visão geocêntrica do sistema planetário, o que é compreensível se levarmos em conta a época em que o autor escreveu *Os lusíadas*.

Segundo o geocentrismo, a Terra era o centro do sistema planetário, em oposição ao heliocentrismo, que considera o Sol como o centro de nosso sistema.

A estrofe 80 do canto X dá uma ideia da concepção camoniana do universo, baseada no modelo ptolomaico, segundo o qual o universo era formado por onze esferas (orbes), considerando a Terra como centro. Nessa estrofe, observe também a referência ao Deus cristão.

CORDELIA MOLLOV/SPL/LATINSTOCK

A Máquina do Mundo. Ilustração do século XVI.

[...]
Vês aqui a grande máquina do Mundo,
Etérea e elemental, que fabricada
Assi[m] foi do Saber, alto e profundo,
Que é sem princípio e meta limitada.
Quem cerca em derredor este **rotundo**
Globo e sua superfície tão **limada**,
É Deus: mas o que é Deus, ninguém o entende,
Que a tanto o engenho humano não se estende.
[...]

CAMÕES, Luís de. In: SALGADO JÚNIOR, Antônio (Org.). *Luís de Camões*: obra completa. Rio de Janeiro: Nova Aguilar, 2008. p. 248. (Fragmento).

Etérea e elemental: referência aos mundos sublunar e celeste.

Rotundo: em formato de esfera, redondo.

Limada: lisa, polida.

Atividades: Entre textos

O texto a seguir foi escrito, no século XX, pelo poeta português Fernando Pessoa e incluído em *Mensagem* (1934), obra de tom épico.

O mostrengo

O mostrengo que está no fim do mar
Na noite de breu ergueu-se a voar;
À roda da nau voou três vezes,
Voou três vezes a chiar,
E disse: "Quem é que ousou entrar
Nas minhas cavernas que não desvendo,
Meus **tectos** negros do fim do mundo?"
E o homem do leme disse, tremendo:
"El-rei D. João Segundo!"

"De quem são as velas onde me roço?
De quem as **quilhas** que vejo e ouço?"
Disse o mostrengo, e rodou três vezes,
Três vezes rodou imundo e grosso,
"Quem vem poder o que só eu posso,
Que moro onde nunca ninguém me visse
E escorro os medos do mar sem fundo?"
E o homem do leme tremeu, e disse:
"El-rei D. João Segundo!"

Material complementar
- Amplie seus conhecimentos: Sobre a expansão marítima portuguesa

Tectos: tetos.

Quilhas: peças de um navio localizadas na parte inferior de sua estrutura às quais se prendem as grandes partes que formam o casco da embarcação.

Três vezes do leme as mãos ergueu,
Três vezes ao leme as reprendeu,
E disse no fim de tremer três vezes:
"Aqui ao leme sou mais do que eu:
Sou um povo que quere o mar que é teu;
E mais que o mostrengo, que me a alma teme
E roda nas trevas do fim do mundo,
Manda a vontade, que me ata ao leme,
De El-rei D. João Segundo!"

PESSOA, Fernando. In: GALHOZ, Maria Aliete (Org.). *Obra poética*. Rio de Janeiro: Nova Aguilar, 1999. p. 79-80.

Escritor que retratou um país bem distinto daquele que foi cantado por Camões, Fernando Pessoa, nos versos da única obra que publicou em vida, *Mensagem*, retomou o passado glorioso português e o desejo sebastianista de um Quinto Império.

Registre suas respostas no caderno.

1 "O mostrengo" é um intertexto que dialoga com o hipotexto *Os lusíadas*.

a) Com que episódio se estabelece esse diálogo intertextual?

b) Que elementos presentes no texto tornam claro esse diálogo?

Leia as estrofes 40 a 42 do canto V de *Os lusíadas*.

Tão grande era de membros que bem posso
Certificar-te que este era o segundo
De Rodes estranhíssimo Colosso,
Que um dos Sete milagres foi do mundo.
Cum tom de voz nos fala, horrendo e grosso,
Que pareceu sair do mar profundo.
Arrepiam-se as carnes e o cabelo,
A mi[m] e a todos, só de ouvi-lo e vê-lo!

E disse: — Ó gente ousada, mais que quantas
No mundo cometeram grandes **cousas**,
Tu, que por guerras **cruas**, **tais e tantas**,
E **por trabalhos vãos** nunca repousas,
Pois os **vedados términos quebrantas**
E navegar meus longos mares ousas,
Que eu tanto tempo há já que guardo e tenho,
Nunca arados de estranho ou próprio lenho:

"Mares que há tanto tempo guardo para não serem navegados por nenhum navio, meu ou de outro"

Pois vens ver os segredos escondidos
Da natureza e do úmido elemento,
A nenhum grande humano concedidos
De nobre ou de imortal merecimento,
Ouve os danos de mi[m] que apercebidos
Estão a teu sobejo atrevimento,
Por todo o largo mar e pela terra
Que inda hás de so[b]jugar com dura guerra.

CAMÕES, Luís de. In: SALGADO JÚNIOR, Antônio (Org.). *Luís de Camões*: obra completa. Rio de Janeiro: Nova Aguilar, 2008. p. 123.

Cousas: realizações.

Cruas: cruéis.

Tais e tantas: muitas.

Por trabalhos vãos: em nome da ambição.

Pois: já que.

Vedados términos: limites proibidos.

Quebrantas: transpões.

Responda às questões de 2 a 4, baseando-se no texto.

2 Quem se dirige aos marinheiros de Vasco da Gama?

3 É possível afirmar que o personagem já conhecia os portugueses, a quem chama de "gente ousada"? Justifique sua resposta.

4 A fala do mostrengo do poema de Pessoa evidencia que o personagem já conhecia os portugueses? Justifique a resposta com um trecho do poema.

NAVEGUE

Assista à reportagem sobre o escritor português contemporâneo Gonçalo Tavares, que, em sua obra *Uma viagem à Índia*, também propõe um diálogo intertextual com a epopeia camoniana. Acesse: <http://tvcultura.cmais.com.br/entrelinhas/goncalo-tavares>.

SAIBA MAIS!

- Escritores brasileiros também dialogaram com o poema épico de Camões. Olavo Bilac, no poema "Sagres", faz referência ao episódio Gigante Adamastor. Outro autor que se aventurou no diálogo com o poeta foi Guimarães Rosa no conto "Os irmãos Dagobé", incluído no livro *Primeiras estórias* (1962).

A partir de seus conhecimentos sobre o episódio do Gigante Adamastor e da leitura do poema de Fernando Pessoa, responda:

5 Qual das vítimas que morreram no Cabo das Tormentas poderia ser o "homem do leme", com quem o mostrengo fala no poema de Pessoa?

6 Em nome de quem fala o "homem do leme"?

7 O que o "homem do leme" quer dizer ao afirmar: "Aqui ao leme sou mais do que eu"?

O QUE VOCÊ APRENDEU NO PERCURSO DESTE CAPÍTULO

- Tema de *Os lusíadas* (1572): a história dos portugueses como um povo vitorioso e soberano na Europa.
- Ação central de *Os lusíadas*: viagem de Vasco da Gama às Índias, realizada entre 1497 e 1499.
- *Os lusíadas* são uma epopeia artificial ou de imitação que se estrutura em 10 cantos e 1.102 estrofes organizadas em oitava-rima (esquema ABABABCC), num total de 8.816 versos decassílabos heroicos.
- Planos narrativos de *Os lusíadas*:
  a) histórico (centrado nos fatos que fizeram de Portugal um país importante na Europa no século XVI);
  b) mítico (deuses da mitologia greco-romana).
- 1ª parte de *Os lusíadas* — Introdução. Subdivide-se em:
  a) proposição (apresentação do assunto que será cantado, isto é, as glórias das "armas" e dos "Barões assinalados");
  b) invocação (o poeta pede inspiração às Tágides);
  c) dedicatória (a D. Sebastião).
- 2ª parte de *Os lusíadas* — Narração: trajetória heroica dos lusitanos.
- 3ª parte de *Os lusíadas* — Epílogo: decepção com uma pátria mais interessada em riquezas materiais e nas glórias ultramarinas do que em elevação.
- Principais episódios da epopeia de Camões: Inês de Castro, Velho do Restelo, Gigante Adamastor e Ilha dos Amores.

CAPÍTULO

8

Quinhentismo: escritos sobre um outro mundo

PERCURSO DO CAPÍTULO

- Análise de relato de viagem de Hans Staden
- Textos informativos e textos de catequese
- A *Carta* de Pero Vaz de Caminha
- O *Tratado da Terra do Brasil*, de Pero de Magalhães de Gandavo
- O projeto jesuítico do Padre José de Anchieta

MUSEU NACIONAL DA DINAMARCA, COPENHAGUE

ECKHOUT, Albert. *Dança dos Tarairiu (Tapuias)*. S.d. Óleo sobre tela, 172 × 295 cm.
O pintor Albert Eckhout permaneceu no Brasil por sete anos, a pedido do governador da colônia holandesa, Maurício de Nassau, que se estabeleceu aqui no século XVII. Em suas pinturas, o artista constrói um ponto de vista idealizado e por vezes pitoresco sobre o nosso país.

Introdução

Selvagem, pagão, bárbaro, inocente, canibal — muitos foram os adjetivos utilizados pelos primeiros cronistas europeus para caracterizar o nativo que encontraram na nova-velha terra. Convertê-lo ao catolicismo foi a maneira que a Igreja encontrou de se relacionar com o indígena. A leitura dos relatos a respeito do Brasil do século XVI nos permite refletir sobre o sentimento de intolerância que, muitas vezes, rege o encontro entre culturas diferentes.

O texto que você lerá a seguir é um relato *de viagem*, que se caracteriza por ser bastante informativo. Esse tipo de relato era muito lido pelos europeus nos séculos XV e XVI, pois provocava o imaginário a respeito do chamado Novo Mundo. Escrito pelo alemão Hans Staden (1525?-1579), apresenta as aventuras vividas durante seu cativeiro numa aldeia indígena brasileira, em meados do século XVI. O texto e as xilogravuras (gravuras em madeira ou metal) relativas a ele foram publicadas pela primeira vez em 1557, depois traduzidas para diversos idiomas.

Capítulo 18

Como fui capturado pelos selvagens

[...]

Quando eu estava andando na floresta, **eclodiram** grandes gritos dos dois lados da trilha, como é comum entre os selvagens. Os homens vieram na minha direção e eu reconheci que se tratava de selvagens. Eles me cercaram, dirigiram arcos e flechas contra mim e atiraram. Então gritei: "Que Deus ajude minha alma!" Nem tinha terminado estas palavras, eles me bateram e empurraram para o chão, atiraram e desferiram golpes de lança sobre mim. Feriram-me — Deus seja louvado — apenas numa perna, mas me arrancaram a roupa do corpo, um deles o casaco, um outro, o chapéu, o terceiro, a camisa, e assim por diante. [...]

Eclodiram: surgiram.

Capítulo 21

Como os selvagens se comportaram comigo no primeiro dia em sua aldeia

[...]

Desembarcamos. Nesse momento, todos, jovens e velhos, saíram de suas cabanas, que ficavam num morro, e queriam me ver. Os homens foram com seus arcos e flechas para suas cabanas e entregaram-me às mulheres, que ficaram comigo. Algumas andavam à minha frente, outras atrás de mim, e enquanto isso dançavam e cantavam uma canção, o que, segundo seus hábitos, fazem perante o prisioneiro que querem comer. [...]

Capítulo 46

Como Deus todo poderoso fez um milagre

JOÃO CANDIDO PORTINARI / PROJETO PORTINARI - COLEÇÃO BANCO BOA VISTA

STADEN, Hans. *A cruz em Ubatuba, com Hans Staden orando.* 1557. Xilogravura, 18 × 14 cm.

Eu tinha feito uma cruz com dois troncos grossos e a ergui frente à cabana onde eu vivia. Lá orava frequentemente ao Senhor. [...] Uma vez em que eu saí com eles para pescar, uma mulher arrancou a cruz e deu-a a seu marido. Ele devia usar a cruz para esmigalhar as conchas dos caracóis do mar, com as quais faziam uma espécie de rosário. Isso me causou enorme desgosto. Pouco depois começou a chover, e choveu durante dias. Vieram, então, à minha cabana e exigiram que eu tratasse com o meu Deus para que a chuva parasse. Pois a época de plantio tinha começado, e, se não parasse de chover, eles não poderiam plantar.

Respondi que a culpa era deles. Eles tinham irritado o meu Deus, ao arrancarem a madeira na qual eu costumava falar com Ele. No fim acreditaram que aquele era o motivo da chuva, e o filho do meu senhor me ajudou a levantar uma nova cruz. A julgar pelo sol, isso foi mais ou menos à uma da tarde. Quando ficou pronta, o tempo ficou bom de uma hora para outra, apesar de ter estado péssimo de manhã. Todos ficaram admirados e acreditaram que o meu Deus fazia o que eu queria.

STADEN, Hans. In: PARIS, Mary Lou (Org.). *Portinari devora Hans Staden*. Texto e xilogravuras de Hans Staden. Ilustrações de Candido Portinari. São Paulo: Terceiro Nome, 1998. p. 34-56. (Fragmentos).

Responda no caderno às questões propostas.

1 A obra de Hans Staden foi traduzida do alemão por Angel Bojadsen, que procurou manter o coloquialismo empregado pelo autor no original. Que marcas do registro coloquial estão presentes nos trechos que você leu?

2 No texto de abertura de seu relato, Hans Staden escreve:

História verídica

e descrição de uma terra de selvagens,
nus e cruéis comedores de seres humanos, situada no
Novo Mundo da América, desconhecida antes e depois de
Jesus Cristo nas terras de Hessen até os
dois últimos anos, visto que Hans Staden, de Homberg,
em Hessen, a conheceu por experiência própria, e que
agora traz a público com essa impressão.

STADEN, Hans. In: PARIS, Mary Lou (Org.). *Portinari devora Hans Staden*. Texto e xilogravuras de Hans Staden. Ilustrações de Candido Portinari. São Paulo: Terceiro Nome, 1998.

JOÃO CANDIDO PORTINARI/PROJETO PORTINARI

PORTINARI, Candido. *Barco e peixes.* 1941. Nanquim, 16,5 × 17 cm. Ilustração do livro *Portinari devora Hans Staden.*

a) A que público, provavelmente, destinavam-se as primeiras edições dos textos de Staden?

b) Que tipo de concepção sobre os indígenas o autor demonstra na abertura de seu relato, acima?

3 No início do capítulo 18, Hans Staden estabelece uma oposição entre dois grupos.

a) Que oposição é essa?

b) Que povos esses grupos representam, no contexto?

4 Que trechos do relato permitem inferir que Hans Staden era cristão?

5 Encontre no texto elementos que reforcem a ideia de que, para Hans Staden, o deus dos indígenas não era o "verdadeiro Deus".

Material complementar
- Amplie seus conhecimentos: Sobre a aventura de Hans Staden

Os relatos de Hans Staden sobre a cultura dos que habitavam as terras "recém-descobertas" estão relacionados com a visão de mundo do homem europeu dos séculos XV e XVI e, por isso, devem ser analisados de maneira crítica. Além disso, como na época das grandes expedições as tribos brasileiras eram ágrafas, ou seja, não dominavam a escrita, desconhecemos o ponto de vista do nativo, que serviria de contraponto à visão do europeu.

Neste capítulo, você estudará o Quinhentismo, período marcado pela produção dos primeiros textos escritos no (e sobre o) Brasil, durante os anos de 1500.

Outra terra, outro povo, outro deus

As Grandes Navegações desencadearam um verdadeiro confronto do branco com o indígena, sobretudo a partir da expansão marítima portuguesa dos séculos XV e XVI, quando os europeus, obrigados a repensar seu lugar, demonstravam dificuldade em lidar com o diferente. Os **textos informativos** escritos pelos viajantes apresentam em pinceladas vigorosas e exageradas os aspectos pitorescos e exóticos dos povos recém-descobertos. Além dessa visão preconceituosa em relação ao novo, os textos também deixam transparecer os interesses econômicos ligados ao projeto dos descobrimentos.

Na mesma época, a Igreja Católica, em reação à Reforma Protestante, adotou, como uma das medidas da Contrarreforma, estratégias para a conversão dos povos do Novo Mundo ao catolicismo. Assim, os poemas, autos, sermões, canções, etc., escritos pelos padres jesuítas, revelam o projeto da Igreja de **catequização** dos nativos, que aconteceu em meio ao violento choque entre as duas culturas.

Ainda que os textos informativos não tenham grande valor artístico, seu valor histórico é inegável, pois, além de fornecerem dados importantes sobre a formação do Brasil, serviram de fonte de inspiração a muitos escritores brasileiros que, anos mais tarde, participaram do processo de construção de uma literatura representativa da nossa identidade como nação.

O indígena na literatura

Após a Independência, muitos escritores pertencentes ao movimento romântico procuraram retomar em suas obras um Brasil intocado pelas mãos europeias e um nativo idealizado e heroico, símbolo do "brasileiro original". É o caso dos romances indianistas de José de Alencar *O guarani* (1857), *Iracema* (1865) e *Ubirajara* (1874).

Com o movimento modernista, inaugurado pela Semana de Arte Moderna de 1922, outros escritores resgataram criticamente a figura do indígena — caso de Mário de Andrade, com o romance *Macunaíma*, publicado em 1928.

MEDEIROS, José Maria de. *Iracema*. 1881. Óleo sobre tela, 168 × 255 cm.

MUSEU NACIONAL DE BELAS ARTES, RIO DE JANEIRO

O Brasil antes e depois de Portugal

A literatura brasileira pode ser dividida em três grandes períodos, levando-se em conta as influências externas (advindas inicialmente de Portugal e depois de outros países) e as forças internas, ligadas à construção de uma identidade nacional.

1. **Período colonial** (séculos XVI, XVII e XVIII) — Nessa fase em que o Brasil é colônia de Portugal, as influências "externas" ainda estão em primeiro plano. As estéticas do período são o Quinhentismo, o Barroco e o Arcadismo. O processo de busca de uma identidade nacional inicia-se de maneira lenta.

DE AGOSTINI/GETTY IMAGES

Manuscrito do século XVI retratando as caravelas portuguesas.

2. **Período nacional I** (século XIX) — O Brasil torna-se independente. Nesse período, nossos autores passam a interagir com as letras de outros países, além de Portugal. Desenvolve-se uma consciência crítica que busca formas próprias de representar o Brasil. É a época do Romantismo, do Realismo-Naturalismo, do Parnasianismo e do Simbolismo.

FUNDAÇÃO BIBLIOTECA NACIONAL/DRD/DIV. DE ICONOGRAFIA, RIO DE JANEIRO

DEBRET, Jean-Baptiste. *Caboclo, índio civilizado*. 1834. Óleo sobre tela, 168 × 255 cm.

3. **Período nacional II** (século XX) — Fase de maturidade, em que os artistas buscam um equilíbrio entre as influências externas e os elementos próprios do Brasil. Momento do Pré-Modernismo e do Modernismo.

ROMULO FIALDINI/TARSILA DO AMARAL EMPREENDIMENTOS - ACERVO FUNDAÇÃO JOSÉ E PAULINA NEMIROVSKY, SÃO PAULO

AMARAL, Tarsila do. *Antropofagia*. 1929. Óleo sobre tela, 126 × 142 cm.

Embora rico do ponto de vista cultural (no sentido geral desse termo), no período colonial não houve no Brasil o desenvolvimento de movimentos literários organizados em torno de obras, autores e leitores, por isso especialistas como Antonio Candido e Alfredo Bosi defendem que, entre nós, nos séculos XVI, XVII e XVIII, ocorreram apenas **manifestações literárias** ou **ecos dos movimentos europeus**, dada a influência da Europa, notadamente Portugal, nossa metrópole, sobre a colônia brasileira.

Uma carta, um documento, uma certidão

Liderados pelo capitão Pedro Álvares Cabral, as naus portuguesas aportaram no Brasil em 1500. Integrando sua tripulação, estava o escrivão Pero Vaz de Caminha, responsável por registrar aspectos da nova terra e do dia a dia dos navegantes da esquadra.

Pouco se sabe sobre Pero Vaz de Caminha. É certa sua origem nobre. Devia ter cinquenta anos quando escreveu a Carta.

A *Carta* de Caminha sobre o "achamento" do novo país tinha como interlocutor um leitor bastante específico, D. Manuel, o rei de Portugal, e era um documento importante para os patrocinadores das custosas aventuras marítimas. Além disso, por ser o primeiro texto oficial que retrata o Brasil aos olhos de sua metrópole, é considerado uma espécie de "certidão de nascimento" do país.

O processo de colonização foi bastante explorado nos documentos quinhentistas produzidos pelos navegadores, religiosos e nobres que se aventuraram nos empreendimentos da época da Expansão Marítima. Nesses textos informativos, em geral, a figura do "selvagem" é descrita pelo seu viés mais exótico e pitoresco. No texto de Caminha, dados objetivos, como número de léguas, quantidade de nativos, animais encontrados, pesos, distâncias, tipos de alimento, etc., misturam-se a impressões subjetivas sobre a nova terra e, principalmente, sobre seus curiosos habitantes.

A *Carta a el-rei D. Manuel sobre o achamento do Brasil* e relatos de viajantes da época obrigaram o homem europeu a rever seus valores e as verdades até então incontestáveis. Essa literatura de viagem contribuiu para que o homem dito civilizado, que se considerava até aquele momento o único modelo de civilização e cultura, se reposicionasse e questionasse seu papel em um mundo que era muito maior do que ele acreditara.

Os fragmentos a seguir, retirados da *Carta*, mostram o contato dos nativos com os europeus.

BIBLIOTECA NACIONAL DE PORTUGAL

Fac-símile da carta original de Pero Vaz de Caminha.

Texto 1

[...]

Mostraram-lhes um papagaio pardo que o Capitão traz consigo; tomaram-no logo na mão e acenaram para a terra, como se os houvesse ali.

Mostraram-lhes um carneiro; não fizeram caso dele.

Mostraram-lhes uma galinha; quase tiveram medo dela, e não lhe queriam pôr a mão. Depois lhe pegaram, mas como espantados.

Deram-lhes ali de comer: pão e peixe cozido, **confeitos**, **fartéis**, mel, figos passados. Não quiseram comer daquilo quase nada; e se provavam alguma coisa, logo a lançavam fora.

Trouxeram-lhes vinho em uma taça; mal lhe puseram a boca; não gostaram dele nada, nem quiseram mais.

Confeitos: doces.

Fartéis: variedade de doces feitos com amêndoas e açúcar.

Trouxeram-lhes água em uma **albarrada**, provaram cada um o seu bochecho, mas não beberam; apenas lavaram as bocas e lançaram-na fora. Viu um deles umas contas de rosário, brancas; fez sinal que lhas dessem, e folgou muito com elas, e lançou-as ao pescoço; e depois tirou-as e meteu-as em volta do braço, e acenava para a terra e novamente para as contas e para o colar do Capitão, como se dariam ouro por aquilo.

Isto tomávamos nós nesse sentido, por assim o desejarmos! Mas se ele queria dizer que levaria as contas e mais o colar, isto não queríamos nós entender, por que lho não havíamos de dar! E depois tornou as contas a quem lhas dera. E então **estiraram-se** de costas na **alcatifa**, a dormir sem procurarem maneiras de encobrir suas **vergonhas**, as quais não eram **fanadas**; e as cabeleiras delas estavam bem rapadas e feitas.

[...]

Albarrada: jarro para guardar água.

Estiraram-se: estenderam-se, deitaram-se.

Alcatifa: tapete.

Vergonhas: partes íntimas.

Fanadas: circuncidadas.

CAMINHA, Pero Vaz de. Disponível em: <http://www.dominiopublico.gov.br/download/texto/ua000283.pdf>. Acesso em: 14 fev. 2012. (Fragmento).

Responda no caderno às questões propostas.

1 O texto indica que houve, com a chegada dos portugueses ao Brasil, o confronto entre duas culturas bem distintas. Explique de que maneira o fragmento sugere essa ideia.

2 Em outra passagem da *Carta*, Caminha escreve que, na terra, "Até agora não pudemos saber se há ouro ou prata nela, ou outra coisa de metal, ou ferro; nem lha vimos.".

a) A que fragmento do texto 1 essa passagem pode ser relacionada?

b) Relacionando essa passagem citada ao texto 1, o que podemos inferir em relação aos interesses dos portugueses?

NAVEGUE

Em abril de 2000, em comemoração aos quinhentos anos do Brasil, a revista *Veja* lançou a edição *A aventura do descobrimento*, em que as seções convencionais da revista vinham com os textos escritos de uma perspectiva do início do século XVI, simulando uma volta no tempo. <http://veja.abril.com.br/historia/descobrimento/indice.shtml>.

Texto 2

[...]

Andariam na praia, quando saímos, oito ou dez deles; e de aí a pouco começaram a vir. E parece-me que viriam este dia a praia quatrocentos ou quatrocentos e cinquenta. Alguns deles traziam arcos e setas; e deram tudo em troca de carapuças e por qualquer coisa que lhes davam. Comiam conosco do que lhes dávamos, e alguns deles bebiam vinho, ao passo que outros o não podiam beber. Mas quer-me parecer que, se os acostumarem, o hão de beber de boa vontade! Andavam todos tão bem dispostos e tão **bem feitos** e **galantes** com suas pinturas que agradavam. **Acarretavam** dessa lenha quanta podiam, com mil boas vontades, e levavam-na aos **batéis**. E estavam já mais mansos e seguros entre nós do que nós estávamos entre eles.

Foi o Capitão com alguns de nós um pedaço por este arvoredo até um **ribeiro** grande, e de muita água, que ao nosso parecer é o mesmo que vem ter à praia, em que nós tomamos água. Ali descansamos um pedaço, bebendo e **folgando**, ao longo dele, entre esse arvoredo que é tanto e tamanho e tão basto e de tanta qualidade de folhagem que não se pode calcular. Há lá muitas palmeiras, de que colhemos muitos e bons palmitos.

Bem feitos: bonitos.

Galantes: elegantes.

Acarretavam: transportavam.

Batéis: embarcações de pequeno porte.

Ribeiro: pequeno curso d'água, riacho.

Folgando: divertindo-nos.

Ao sairmos do batel, disse o Capitão que seria bom irmos em direitura à cruz que estava encostada a uma árvore, junto ao rio, a fim de ser colocada amanhã, sexta-feira, e que nos puséssemos todos de joelhos e a beijássemos para eles verem o **acatamento** que lhe tínhamos. E assim fizemos. E a esses dez ou doze que lá estavam, acenaram-lhes que fizessem o mesmo; e logo foram todos beijá-la.

Parece-me gente de tal inocência que, se nós entendêssemos a sua fala e eles a nossa, seriam logo cristãos, visto que não têm nem entendem crença alguma, segundo as aparências. E portanto se os **degredados** que aqui hão de ficar aprenderem bem a sua fala e os entenderem, não duvido que eles, segundo a santa **tenção** de Vossa Alteza, se farão cristãos e hão de crer na nossa santa fé, à qual **praza** a Nosso Senhor que os traga, porque certamente esta gente é boa e de bela simplicidade. E imprimir-se-á facilmente neles qualquer cunho que lhe quiserem dar, uma vez que Nosso Senhor lhes deu bons corpos e bons rostos, como a homens bons. E o Ele nos para aqui trazer creio que não foi sem causa. E portanto Vossa Alteza, pois tanto deseja acrescentar a santa fé católica, deve cuidar da salvação deles. E prazerá a Deus que com pouco trabalho seja assim!

[...]

PORTINARI, Candido. *Descobrimento do Brasil*. 1956. Óleo sobre tela, 199 × 169 cm.

CAMINHA, Pero Vaz de. Disponível em: <http://www.dominiopublico.gov.br/download/texto/ua000283.pdf>. Acesso em: 14 fev. 2012. (Fragmento).

Acatamento: respeito.
Degredados: que foram expulsos de sua pátria; banidos, exilados.
Tenção: intenção, propósito.
Praza: agrada.

A *Carta* de Pero Vaz de Caminha apresenta acontecimentos que abrangem a partida da expedição de Cabral, em 9 de março, e a chegada da esquadra lusitana ao Brasil, em 23 de abril, até o dia 1º de maio de 1500, quando uma nau retornou a Portugal para relatar a "descoberta" ao rei. O estreitamento do contato entre os nativos e os marinheiros possibilitou novas aproximações entre povos bem distantes geográfica e culturalmente.

3 Que mudanças são apontadas por Pero Vaz de Caminha no comportamento dos nativos em relação ao primeiro contato deles com os portugueses?

4 No texto 2, que fato sugere que os indígenas se comportaram de maneira submissa e pacífica em relação aos portugueses?

5 Que fragmento dá a entender que Caminha desconsidera qualquer possibilidade de existência de uma religiosidade própria entre os nativos?

6 Que projeto da Companhia de Jesus, ligado à Contrarreforma, fica claro na passagem lida?

7 Em outro fragmento da *Carta* de Caminha, lê-se:

[...]

Contudo, o melhor fruto que dela [da terra] se pode tirar parece-me que será salvar esta gente. E esta deve ser a principal semente que Vossa Alteza em ela deve lançar. E que não houvesse mais do que ter Vossa Alteza aqui esta pousada para essa navegação de Calicute bastava. Quanto mais, disposição para se nela cumprir e fazer o que Vossa Alteza tanto deseja, a saber, acrescentamento da nossa fé!

[...]

CAMINHA, Pero Vaz de. Disponível em: <http://www.dominiopublico.gov.br/download/texto/ua000283.pdf>. Acesso em: 14 fev. 2012. (Fragmento).

Levando-se em conta a leitura do texto 2 e do trecho acima, explique de que maneira Caminha justifica a necessidade do projeto religioso português.

8 Qual a diferença entre a visão sobre os nativos brasileiros, apresentada no texto 2, e aquela expressa por Hans Staden no texto que abre este capítulo? (Leve em conta o fato de Hans Staden ter estado no Brasil aproximadamente cinquenta anos depois do início da colonização portuguesa.)

Outros olhares sobre o Brasil

Além da *Carta*, outros textos informativos, oficiais e não oficiais, foram produzidos durante o Quinhentismo, tendo como interlocutores: o Estado português, financiador das viagens marítimas; o povo lusitano, que poderia ser atraído para habitar as novas terras; ou o público europeu letrado, ávido por curiosidades e aventuras sobre os "selvagens" de "além-mar".

Destacam-se, entre esses documentos:

- *Diário de navegação*, escrito entre 1530 e 1532, por Pero Lopes de Sousa, que registrou suas impressões sobre o litoral brasileiro, de Pernambuco a São Vicente.
- *Tratado descritivo do Brasil*, de Gabriel Soares de Sousa, escrito no final do século XVI, que tornou claras as intenções dos colonizadores portugueses, descrevendo em detalhes os conflitos existentes e as mudanças nos comportamentos do colonizador e do colonizado.
- *Tratado da Terra do Brasil*, texto que relata as vivências de Pero de Magalhães de Gandavo nas novas terras, entre 1565 e 1570, período em que Portugal já desenvolvia uma política de ocupação do Brasil, atribuindo funções aos brancos da metrópole e aos nativos da colônia.

Investigue em
- **Filosofia**
- **Sociologia**
- **História**

De que forma o pensador Montaigne subverte os conceitos de "bárbaros" ou "selvagens", relacionados aos povos indígenas que praticavam os rituais de antropofagia?

Uma escrita para conversão

Em seus estudos ao longo do Ensino Médio, você se deparará com muitos textos literários brasileiros que tratam dos indígenas como personagens, ora mais próximos da realidade desses povos, ora mais idealizados. Alguns autores do início da colonização do Brasil, entretanto, não objetivaram escrever *sobre* os nativos, mas *para* eles. Esses textos, de catequização, foram produzidos pelos religiosos que para cá vieram em busca de "novas almas", em pleno processo de retomada da fé católica, proposto pela Contrarreforma, na Europa.

Entre os missionários jesuítas (pertencentes à Companhia de Jesus) que escreveram durante o Quinhentismo, destaca-se o Padre José de Anchieta. Embora suas produções tenham alcançado maior valor estético do que as escritas pelos cronistas portugueses, nelas se percebe um objetivo bastante claro: a catequese e o ensino.

NAVEGUE

Os documentos históricos atestam que Tibiriçá foi o primeiro indígena a ser catequizado pelo Padre José de Anchieta, recebendo o nome de Martim Afonso. Seus restos mortais estão na cripta de um dos cinco maiores templos neogóticos do mundo: a Catedral da Sé, localizada no centro da cidade de São Paulo. Faça um *tour* virtual pela catedral acessando <http://www.catedraldase.org.br/site/?page_id=559>.

⊙ Anchieta: figura-síntese do projeto jesuítico

Padre José de Anchieta nasceu em Tenerife, nas Ilhas Canárias, Espanha, em 1534, e morreu no Espírito Santo, em 1597. Em 1551, ingressou na Companhia de Jesus, em Portugal, e se transferiu para o Brasil em 1553, onde permaneceu até sua morte. Escreveu um tratado didático sobre o tupi-guarani, intitulado *A arte de gramática da língua mais usada na costa do Brasil* (1595), e — sob influência do Humanismo, do Classicismo, da tradição medieval e dos ideais da Contrarreforma — autos (semelhantes aos de Gil Vicente), crônicas, cartas, sermões, poemas épicos e religiosos em português, espanhol, tupi-guarani e latim.

Procurando atingir um público não letrado, Anchieta preocupou-se em escrever seus textos de forma simples de modo a transmitir ensinamentos básicos da Igreja aos povos considerados pagãos. Declamadas ou encenadas, essas produções dirigiam-se aos indígenas já reunidos pelas missões jesuíticas. Os poemas de inspiração medieval e clássica, baseados principalmente em poetas latinos como Virgílio e Ovídio, por outro lado, provavelmente eram apreciados na época de Anchieta pelos outros padres da Companhia de Jesus, pessoas que podiam alcançar seus sentidos mais complexos.

Observe a seguir um trecho da poesia religiosa de Anchieta.

NAVEGUE

Marco da fundação da cidade de São Paulo, o *Pateo do Collegio* é parte da história de Anchieta, que, junto a Manuel da Nóbrega e outros jesuítas, lá estabeleceu o primeiro núcleo de catequização do planalto paulista. Hoje, além da igreja, o local funciona como centro cultural, contendo uma biblioteca e um museu. Visite o *site*: <http://www.pateocollegio.com.br/>.

Do Santíssimo Sacramento

[...]
Morra eu, por que viver
vós possais dentro de mi.
Ganhai-me, pois me perdi
em amar-me.

Pois que para incorporar-me
e mudar-me em vós de todo,
com um tão divino modo
me mudais,

quando na minh'alma entrais
e dela fazeis **sacrário**
de vós mesmo, e **relicário**
que vos guarda

enquanto a presença tarda
do vosso divino rosto,
o sab'oroso e doce gosto
deste pão
[...]

ANCHIETA, Padre José de. In: MOISÉS, Massaud. *A literatura brasileira através dos textos*. 3. ed. São Paulo: Cultrix. p. 18-23. (Fragmento).

Sacrário: lugar onde se guardam objetos sagrados.

Relicário: lugar específico para guardar relíquias religiosas.

Padre Manuel da Nóbrega

Além de Anchieta, outros padres, como Manuel da Nóbrega (1517-1570), produziram obra catequética de relevo. Em 1549, o jesuíta Manuel da Nóbrega escreveu uma carta em que expôs os conflitos ocorridos em Salvador por conta da chegada do primeiro governador-geral do país, Tomé de Sousa. Esse documento é considerado um marco da literatura jesuítica.

Os quartetos que você leu foram retirados do poema "Do Santíssimo Sacramento", exemplo da devoção de Anchieta a Deus, de sua fidelidade ao projeto cristão e da marca medieval em sua escrita. Como você pôde observar, os versos são marcados pela simplicidade, com estrutura em redondilhas maiores (que facilitavam a memorização) e a presença de rimas ricas (mi/perdi, todo/modo) e pobres (sacrário/relicário).

Síntese dos movimentos literários brasileiros

Apresentamos a seguir a classificação dos movimentos e manifestações literárias no Brasil. Este quadro é apenas um material organizador, ao qual você recorrerá para relembrar datas, obras canônicas e autores. Há várias maneiras de estudar literatura: por temas (amor, morte, política, etc.), por gêneros (romance, poema, etc.), por meio da intertextualidade (como fazemos nas seções "Leitura puxa leitura" e "Atividades: Entre textos"), etc. A apresentação das obras inseridas em estéticas artísticas é apenas uma forma de abordagem.

Quinhentismo	Barroco	Arcadismo ou Neoclassicismo	Romantismo	Realismo-Naturalismo Parnasianismo
 ACERVO DE CARLOS CORNEJO COUTO, José Ferrer de. *O descobrimento do Brasil, em 22 de abril de 1500, pela esquadra portuguesa de Pedro Álvares Cabral*. 1849. Litogravura.	 CASA CADAVAL, MUGE, PORTUGAL *Padre Antonio Vieira*. Autor desconhecido. c. 1700. Óleo sobre tela, 168 × 128 cm.	 OSTILL/SHUTTERSTOCK Igreja de São Francisco de Assis em Ouro Preto, Minas Gerais (foto de 2010).	 MUSEU DO IPIRANGA, SÃO PAULO, BRASIL AMÉRICO, Pedro. *Independência ou morte (O Grito do Ipiranga)* (detalhe). 1888. Óleo sobre tela, 415 × 760 cm.	 ACADEMIA BRASILEIRA DE LETRAS O escritor Machado de Assis, em 1839.
1500	1601	1768	1836	1881
Carta, de Pero Vaz de Caminha	*Prosopopeia*, de Bento Teixeira	*Obras*, de Cláudio Manuel da Costa	*Suspiros poéticos e saudades*, de Gonçalves de Magalhães	*Memórias póstumas de Brás Cubas*, de Machado de Assis, e *O mulato*, de Aluísio Azevedo
Padre José de Anchieta Padre Manuel da Nóbrega Pero de Magalhães de Gandavo Pero Vaz de Caminha	Gregório de Matos Padre Antônio Vieira	Alvarenga Peixoto Basílio da Gama Cláudio Manuel da Costa Santa Rita Durão Silva Alvarenga Tomás Antônio Gonzaga	Álvares de Azevedo Bernardo Guimarães Casimiro de Abreu Castro Alves Fagundes Varela Franklin Távora Gonçalves de Magalhães Gonçalves Dias Joaquim Manuel de Macedo José de Alencar Junqueira Freire Manuel Antônio de Almeida Sousândrade Visconde de Taunay	Alberto de Oliveira Aluísio Azevedo Machado de Assis Olavo Bilac Raimundo Correia Raul Pompeia

Simbolismo	Pré-Modernismo	Modernismo	Pós-Modernismo	Contemporaneidade
 COLEÇÃO PARTICULAR, ALEMANHA RENOIR, Pierre-Auguste. *O camarote*. 1874. Óleo sobre tela, 127 × 92 cm.	 PALÊ ZUPPANI/PULSAR IMAGENS Capela do mirante do Conselheiro. Canudos, Bahia (foto de 2010).	 ROMULO FIALDINI/TARSILA DO AMARAL EMPREENDIMENTOS - COLEÇÃO COSTANTINI, BUENOS AIRES, ARGENTINA AMARAL, Tarsila do. *Abaporu*. 1928. Óleo sobre tela, 85 × 73 cm.	 MARCELO DE ABREU João Cabral de Melo Neto, por Marcelo de Abreu.	 PROJETO HÉLIO OITICICA OITICICA, Hélio. *Metaesquema nº 4066*. 1958. Guache sobre tela, 58 × 53 cm.
1893	**1902**	**1922**	**1945**	**A partir da década de 1960 (aproximadamente)**
Missal e *Broquéis*, de Cruz e Sousa	*Os sertões*, de Euclides da Cunha	Realização da Semana de Arte Moderna	*Pedra do sono*, de João Cabral de Melo Neto (1942), e *Perto do coração selvagem*, de Clarice Lispector (1945)	Desdobramentos do Concretismo, do Neoconcretismo, da poesia marginal, da poesia social, etc.
Alphonsus de Guimaraens Cruz e Sousa Pedro Kilkerry	Augusto dos Anjos Euclides da Cunha Graça Aranha Lima Barreto Monteiro Lobato	Alcântara Machado Carlos Drummond de Andrade Cecília Meirelles Erico Verissimo Graciliano Ramos Jorge Amado Jorge de Lima José Lins do Rego Manuel Bandeira Mário de Andrade Menotti Del Picchia Murilo Mendes Oswald de Andrade Rachel de Queiroz Raul Bopp Vinicius de Moraes	Clarice Lispector Guimarães Rosa João Cabral de Melo Neto	Alice Ruiz, Ana Cristina Cesar, Antônio Cícero, Augusto de Campos, Bernardo Élis, Cacaso, Caio Fernando Abreu, Carlos Heitor Cony, Chacal, Chico Buarque, Cristóvão Tezza, Dalton Trevisan, Décio Pignatari, Eucanaã Ferraz, Fernando Sabino, Ferreira Gullar, Francisco Alvim, Frederico Barbosa, Geir Campos, Glauco Matoso, Haroldo de Campos, João Ubaldo Ribeiro, José Cândido de Carvalho, José Paulo Paes, Lourenço Diaféria, Luiz Alfredo Garcias-Roza, Lygia Fagundes Telles, Marina Colasanti, Mario Chamie, Martha Medeiros, Milton Hatoum, Nélida Piñon, Paulo Leminski, Paulo Mendes Campos, Patrícia Melo, Raduan Nassar, Rubem Braga, Rubem Fonseca, Tiago de Melo, Waly Salomão, entre outros

Atividades: Leitura de texto

Além de servirem de fonte sobre a história da colonização brasileira, os textos quinhentistas traçam um painel das impressões dos europeus sobre os nativos e a nova terra, vista por muitos deles como um paraíso tropical.

O texto a seguir é um fragmento de *Tratado da Terra do Brasil*, que o português Pero de Magalhães de Gandavo teria escrito na década de 1570 para incentivar a emigração portuguesa.

O segundo texto é um quadro de Victor Meirelles (1832-1903) sobre a primeira missa rezada no Brasil.

Leia-os e responda às questões no caderno.

Texto 1

[...]

Não se pode numerar nem compreender a multidão de bárbaro **gentio** que semeou a natureza por toda esta terra do Brasil; porque ninguém pode pelo sertão dentro caminhar seguro, nem passar por terra onde não ache povoações de índios armados contra todas as nações humanas, e assim como são muitos permitiu Deus que fossem contrários uns dos outros, e que houvesse entre eles grandes ódios e discórdias, porque se assim não fosse os portugueses não poderiam viver na terra nem seria possível conquistar tamanho poder de gente.

Havia muitos destes índios pela Costa junto das **Capitanias**, tudo enfim estava cheio deles quando começaram os portugueses a povoar a terra; mas porque os mesmos índios se alevantaram contra eles e faziam-lhes muitas traições, os governadores e capitães da terra destruíram-nos pouco a pouco e mataram muitos deles, outros fugiram para o sertão, e assim ficou a Costa despovoada de gentio ao longo das Capitanias. Junto delas ficaram alguns índios destes nas aldeias que são de paz, e amigos dos portugueses.

A língua deste gentio toda pela Costa é, uma carece de três letras — ***scilicet***, não se acha nela F, nem L, nem R, coisa digna de espanto, porque assim não têm Fé, nem Lei, nem Rei; e desta maneira vivem sem Justiça e desordenadamente.

Estes índios andam nus sem cobertura alguma, assim machos como fêmeas; não cobrem parte nenhuma de seu corpo, e trazem descoberto quanto a natureza lhes deu. Vivem todos em aldeias, pode haver em cada uma sete, oito casas, as quais são compridas feitas à maneira de **cordoarias**; e cada uma delas está cheia de gente de uma parte e de outra, e cada um por si tem sua **estância** e sua rede armada em que dorme, e assim estão todos juntos uns dos outros por ordem, e pelo meio da casa fica um caminho aberto para se servirem. Não há como digo entre eles nenhum Rei, nem Justiça, somente em cada aldeia tem um principal que é como capitão, ao qual obedecem por vontade e não por força; morrendo este principal fica seu filho no mesmo lugar; não serve de outra coisa senão de ir com eles à guerra, e aconselhá-los como se hão de haver na **peleja**, mas não castiga seus erros nem manda sobre eles coisa alguma contra sua vontade. Este principal tem três, quatro

Gentio: pagão, selvagem.
Capitanias: navios.
***Scilicet*:** isto é.
Cordoarias: tipo de técnica de entrelaçamento de cordas.
Estância: moradia.
Peleja: luta.

mulheres, a primeira **tem em mais conta**, e faz dela mais caso que das outras. Isto tem por estado e por honra. Não adoram coisa alguma nem têm para si que há na outra vida glória para os bons, e pena para os maus, tudo cuidam que se acaba nesta e que as almas **fenecem** com os corpos, e assim vivem **bestialmente** sem ter conta, nem peso, nem medida.

Estes índios são muito belicosos e têm sempre grandes guerras uns contra os outros; nunca se acha neles paz nem é possível haver entre eles amizade [...]

[...]

GANDAVO, Pero de Magalhães de.
Disponível em: <http://www.dominiopublico.gov.br/download/texto/bv000291.pdf>.
Acesso em: 16 fev. 2012. (Fragmento).

Tem em mais conta: prefere.
Fenecem: terminam, padecem.
Bestialmente: de maneira selvagem.

1 O texto de Gandavo, embora guarde semelhanças com a *Carta*, apresenta um tom bastante diverso desta. Que pensamento em relação aos indígenas é sugerido pelos fragmentos a seguir? (Atente para as palavras destacadas.)

"a multidão de bárbaro gentio que **semeou** a natureza por toda esta terra do Brasil"

"assim vivem **bestialmente** sem ter conta, nem peso, nem medida"

2 Gandavo caracteriza os nativos como bárbaros — em oposição à suposta civilidade dos europeus — e justifica isso de várias maneiras ao longo do texto, de modo a convencer o leitor da validade de seu julgamento.

a) Que comportamento do português, descrito no texto, também poderia ser classificado como "bárbaro" e incivilizado, segundo os valores atuais?

b) De que maneira Gandavo justifica o comportamento bárbaro praticado pelos lusitanos?

3 Leia o significado do verbete a seguir.

Eurocêntrico *(adjetivo)*
centralizado na Europa e/ou nos europeus; que tende a interpretar o mundo segundo os valores do ocidente europeu.

INSTITUTO ANTÔNIO HOUAISS.
Dicionário eletrônico Houaiss da língua portuguesa.
Rio de Janeiro: Objetiva, 2009.

A visão de Gandavo pode ser classificada como eurocêntrica? Justifique sua resposta recorrendo a passagens do texto.

NAVEGUE

Apesar de relatos como o de Gandavo apontarem para um primeiro contato de estranhamento e repúdio à cultura indígena, ao longo da história do Brasil, muitos foram os estudiosos que buscaram compreender e valorizar essa cultura. No século XX, os irmãos Villas-Bôas, sem dúvida, figuram entre eles. Leia um texto e assista a um vídeo sobre a exposição *Irmãos — O Xingu dos Villas-Bôas*, apresentada pelo Sesc São Paulo em 2011: <http://www.sescsp.org.br/sesc/revistas/subindex.cfm?Paramend=1&IDCategoria=7205>.

Texto 2

MEIRELLES, Victor. *Primeira missa no Brasil*. 1860. Óleo sobre tela, 268 × 356 cm.

4 Que postura os homens brancos estabelecem diante da cruz? E os índios, como se comportam?

5 Como é representada a natureza no quadro de Meirelles?

6 A obra de Meirelles sugere que a chegada dos portugueses foi pacífica e marcada pela religiosidade. Você considera que essa visão, presente na pintura, corresponde à realidade? Justifique.

O QUE VOCÊ APRENDEU NO PERCURSO DESTE CAPÍTULO

- O Quinhentismo foi um período marcado pela produção de textos informativos e catequéticos.
- A *Carta a el-rei D. Manuel sobre o achamento do Brasil* é o primeiro documento oficial escrito sobre o nosso país. Nela, Pero Vaz de Caminha relata acontecimentos que abrangem a partida da expedição de Cabral, em 9 de março, e a chegada da esquadra lusitana ao Brasil, em 23 de abril, até o dia 1º de maio de 1500.
- Além da *Carta*, outros textos informativos foram produzidos durante o Quinhentismo, entre eles: *Diário de navegação*, de Pero Lopes de Sousa, *Tratado descritivo do Brasil*, de Gabriel Soares de Sousa, e *Tratado da Terra do Brasil*, de Pero de Magalhães de Gandavo.
- Algumas obras quinhentistas explicitaram um "sentimento nativista" e supervalorizaram os elementos naturais do Brasil, sendo retomadas posteriormente por outros autores da literatura nacional como modelo ou como crítica.
- Os textos de catequização foram produzidos pelos religiosos enviados ao Brasil pela Companhia de Jesus em busca da conversão dos nativos ao catolicismo. A principal figura do período é o Padre José de Anchieta.
- José de Anchieta escreveu uma gramática, além de autos (de estrutura vicentina), crônicas, cartas, sermões e poemas em português, espanhol, latim e tupi-guarani.

Expressões

A xilografia é uma técnica de produção de gravuras a partir de uma matriz entalhada em madeira, que passa a funcionar como uma espécie de carimbo, aplicado posteriormente em tecido ou papel.

Agora, em grupos, você e seus colegas vão produzir uma xilogravura, como muitos dos artistas do Renascimento. Não se intimidem. Esta seção é um convite à criatividade!

Em grupos de três ou quatro alunos, escolham um episódio de *Os lusíadas* ("Velho do Restelo", "Ilha dos Amores", "Inês de Castro", "Gigante Adamastor", etc.) e, juntos, pensem em ilustrações simples que possam ser transformadas nas xilogravuras.

Observem, a seguir, o passo a passo dessa técnica. Utilizaremos, em lugar de madeira, bandejas de isopor usadas (dessas que há em supermercados e mercearias e que servem para embalar alimentos).

NAVEGUE

O *site* http://www.casadaxilogravura.com.br/xilo.html fornece informações interessantes sobre a xilogravura (técnicas, história, etc.).

Materiais necessários

- Bandejas de isopor.
- Tinta guache preta.
- Pincéis.
- Folhas de papel.
- Rolo de espuma.
- Tesoura.
- Lápis.

Passo a passo

1. Cortem com a tesoura as bordas da bandeja de isopor. Depois, façam o desenho relacionado ao episódio escolhido (apertem bem o lápis, afundando-o no isopor para fixar o traço).
2. Utilizem um rolo de espuma para espalhar bem a tinta guache preta por toda a bandeja de isopor.
3. Depois de espalhar completamente a tinta sobre o isopor, pressionem uma folha branca de papel sobre a placa. Puxando-a com cuidado, vocês observarão que nela estará impresso o desenho.

1

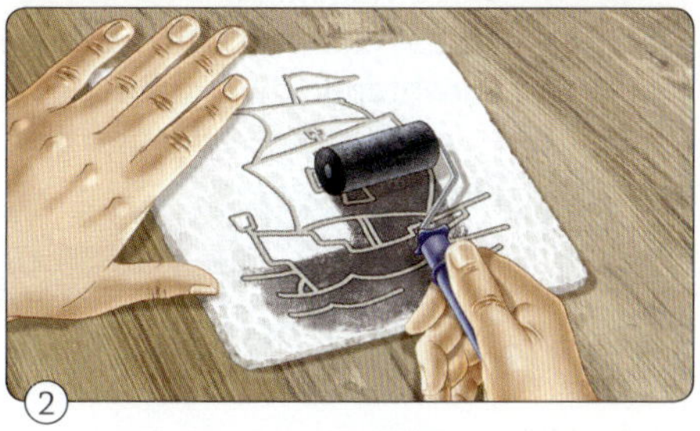
2

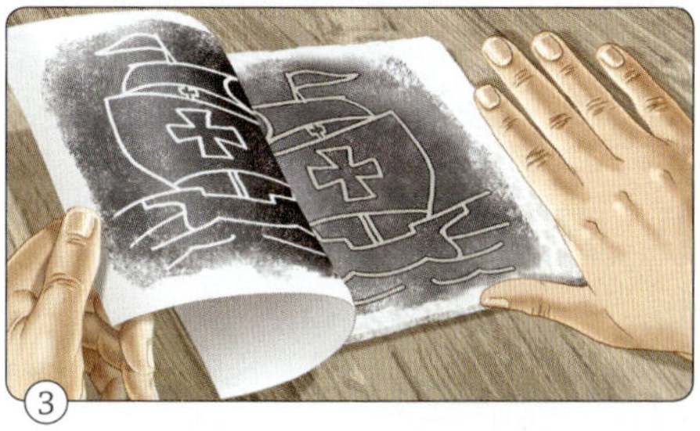
3

Após finalizar a produção das xilogravuras, os grupos poderão realizar uma exposição dos trabalhos no pátio da escola para que todos os alunos possam ter acesso a eles. Não se esqueçam de inserir na exposição uma folha contendo os versos originais que serviram de inspiração para sua produção artística.

Leitura puxa leitura

Comece sua leitura por:

Os lusíadas (1572), de Luís Vaz de Camões

Por que ler: Camões mesclou o histórico, o mítico e o poético ao compor essa que é considerada por parte da crítica a obra máxima da literatura portuguesa. Camões resgata a forma da epopeia clássica para narrar a viagem de Vasco da Gama como verdadeiro símbolo da supremacia lusitana. Além disso, a leitura desse poema nos propõe outra viagem para tempos e lugares reais e fictícios que vem encantando diversos artistas — e leitores — ao longo dos séculos.

Mensagem (1934), de Fernando Pessoa

Por que ler: Nessa coletânea de poemas, o eu lírico surge como a voz da nação portuguesa. Dessa maneira, assim como em *Os lusíadas*, Pessoa revisita o passado português e expõe a promessa da vida futura do país, construindo poemas lírico-épicos que resgatam o espírito desbravador lusitano do século XVI.

Moby Dick (1851), de Herman Melville

Por que ler: Cenário mítico e elemento crucial nas navegações narradas n'*Os lusíadas*, o mar também aparece na literatura como palco de uma luta épica entre a razão humana e o instinto animal. É o caso desse romance de Melville, que explora gêneros diversos, como o relato de viagem, a descrição científica e a poesia.

Ilíada e **Odisseia** (século VIII a.C.), de Homero

Por que ler: Sendo dois dos marcos iniciais da literatura ocidental, essas duas epopeias não apenas foram elementos fundamentais para a construção da identidade dos antigos gregos, como serviram de modelo para grandes epopeias renascentistas.

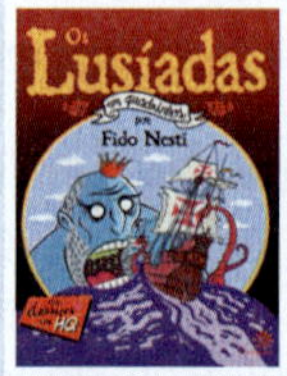

Os lusíadas (2006), de Fido Nesti

Por que ler: Para conhecer essa adaptação que apresenta os principais cantos da obra de Camões por meio de um traço que, apesar de cômico, não esconde o drama e a tensão de algumas passagens bem marcantes do original.

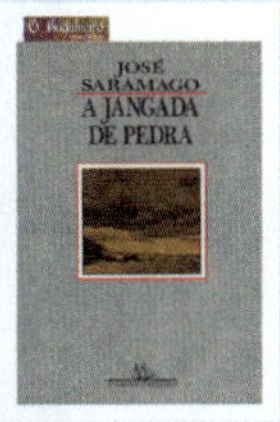

A jangada de pedra (1986), de José Saramago

Por que ler: Nesse romance, a Península Ibérica se separa do restante da Europa e vaga pelo Atlântico como uma nau errante. Dessa maneira, entre outros questionamentos e críticas, Saramago oferece um interessante contraponto ao passado heroico português.

O velho e o mar (1952), de Ernest Hemingway

Por que ler: Diferentemente das lutas grandiosas enfrentadas por Vasco da Gama, nesse romance o embate é interior. Na solidão do mar, um velho pescador trava contra um marlim mais que um duelo de isca e anzol: um duelo existencial.

2001: uma odisseia no espaço (1968), de Stanley Kubrick

Por que assistir: Do passado ancestral para um futuro em que o espaço é colonizado, essa obra-prima de Kubrick leva a busca pela identidade para outro nível e constrói uma verdadeira indagação sobre a própria humanidade.

A Divina Comédia (c. 1304-1321), de Dante Alighieri

Por que ler: Nessa outra epopeia renascentista, Dante narra o que seria sua fantástica passagem pelo Inferno e pelo Purgatório até chegar ao Paraíso. Ao juntar os padrões estéticos clássicos à ideologia católica medieval, o poeta levanta questões que ainda hoje nos fazem refletir.

A Divina Comédia em quadrinhos (2011), de Giuseppe e Piero Bagnariol

Por que ler: Para conhecer uma releitura dessa obra-prima da literatura, um dos principais marcos do Renascimento europeu.

Uma viagem à Índia (2010), de Gonçalo M. Tavares

Por que ler: Nessa premiada obra, Gonçalo Tavares se lança ao desafio de compor uma epopeia no século XXI. A narrativa da viagem que o protagonista Bloom faz de Portugal até a Índia tanto oferece um inegável diálogo com *Os lusíadas* como desconstrói muitos aspectos dos poemas épicos tradicionais.

Cem dias entre o céu e o mar (1995), de Amyr Klink

Por que ler: Para conhecer a riqueza dos relatos desse navegador brasileiro sobre sua viagem pelo Atlântico Sul num barco a remo. Uma verdadeira odisseia moderna.

Na natureza selvagem (2007), de Sean Penn

Por que assistir: O filme conta a história de Christopher McCandless, que larga o conforto de sua vida cotidiana e põe o pé na estrada numa epopeia particular em busca de autoconhecimento e crescimento.

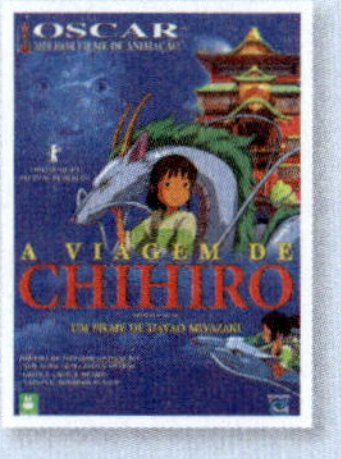

A viagem de Chihiro (2001), de Hayao Miyazaki

Por que assistir: Após adentrar um mundo habitado por criaturas fantásticas, a pequena Chihiro precisa de virtudes dignas de um herói épico, como a coragem e a humildade, para conseguir salvar seus pais e voltar para casa.

FOTOS: REPRODUÇÃO

UNIDADE

4

BARROCO: MOVIMENTO DAS ANTÍTESES

Se o Renascimento representou a procura de um novo modo de vida baseado em uma visão de mundo pagã e humanista, o Barroco, movimento que predominou durante o século XVII, buscou o retorno à tradição cristã, sem, contudo, abandonar totalmente as satisfações proporcionadas pelas coisas terrenas. O homem oitocentista, dessa forma, tenta conciliar os opostos: fé e razão; vida espiritual e vida terrena; pecado e virtude.

Medusa, o quadro que você vê ao lado, foi pintado por um dos mais importantes artistas do Barroco, Caravaggio (1571-1610). Nessa obra, como se pode notar, estão expressos o exagero, o grotesco, o contraste entre claro e escuro, o apelo aos sentidos do observador, a liberdade criadora e, principalmente, a temática da morte, elementos opostos à sobriedade, à clareza e ao equilíbrio classicistas.

Nesta unidade, vamos conhecer a arte barroca, estética que reflete um ser humano mais pessimista, realista e consciente de suas imperfeições.

THE BRIDGEMAN ART LIBRARY/KEYSTONE - GALLERIA DEGLI UFFIZI, FLORENÇA, ITÁLIA

CARAVAGGIO, Michelangelo Merisi da. *Medusa*. 1595-1598. Óleo sobre tela, 60 × 55 cm. As serpentes e o olhar tenebroso de um mito grego são relidos pelo pintor italiano Caravaggio, um dos maiores artistas do Barroco.

Para início de conversa

Você lerá a letra de uma canção do compositor Marcelo Jeneci. Nascido em 1982, de pai pernambucano e mãe paulista, o multi-instrumentista foi criado na periferia de São Paulo ouvindo rádios populares, canções de Roberto Carlos e trilhas sonoras de telenovelas. "Feito pra acabar" dá nome ao CD, considerado um dos melhores de 2010.

Feito pra acabar

Quem me diz
Da estrada que não cabe onde termina
Da luz que cega quando te ilumina
Da pergunta que emudece o coração

Quantas são
As dores e alegrias de uma vida
Jogadas na explosão de tantas vidas
Vezes tudo que não cabe no querer

Vai saber
Se olhando bem no rosto do impossível
O véu, o vento o alvo invisível
Se desvenda o que nos une ainda assim

A gente é feito pra acabar
A gente é feito pra dizer que sim
A gente é feito pra caber no mar
E isso nunca vai ter fim

JENECI, Marcelo; NEVES, Paulo; WISNIK, Zé Miguel.
Intérprete: Marcelo Jeneci.
In: JENECI, Marcelo. *Feito pra acabar*.
Rio de Janeiro: Som Livre, 2010. Faixa 13.

NAVEGUE

Ouça a canção com Marcelo Jeneci, na íntegra, acessando o disco *Feito pra acabar*, no *site* oficial do artista: <http://www.marcelojeneci.com.br/site/audio.php>.

Responda no caderno.

1 Analisando a forma e o conteúdo da letra dessa canção, constatamos que ela apresenta uma estrutura paralelística. Explique de que maneira esse paralelismo é construído no texto.

2 No primeiro quarteto, bastante hermético, o eu lírico propõe reflexões sobre a vida. Discuta com seus colegas e traduza algumas dessas reflexões. Atente para as metáforas presentes nos versos: estrada, luz, pergunta, coração, etc.

3 O segundo quarteto é estruturado a partir de duas figuras de linguagem, a hipérbole e a antítese.

a) Explique essa afirmação.

b) Qual o efeito de sentido dessas figuras de linguagem no poema?

4 Releia a terceira e a quarta estrofes e responda: o que o eu lírico "desvenda"?

PARA LEMBRAR

Paralelismo: correspondência ou simetria entre ideias, estruturas verbais ou segmentos textuais.

Hermético: Fechado, de compreensão muito difícil.

ProvocAÇÃO

Na sua opinião, é possível a experiência humana ser, ao mesmo tempo, finita e infinita, como sugerem o primeiro e o quarto versos da última estrofe? Se você não concorda com a ideia dos compositores, debata com seus amigos. Se concorda, diga qual o seu projeto para transformar sua experiência finita em algo que "nunca vai ter fim".

Em "Feito pra acabar", as inquietações do eu lírico com relação à finitude e ao desejo de viver intensamente se aproximam daquelas experimentadas pelo homem oitocentista, dividido entre a herança religiosa medieval (teocêntrica) e o humanismo racionalista renascentista (antropocêntrico).

O século XVII foi o período em que se acentuaram as tensões religiosas iniciadas no século anterior com a Reforma Protestante, comandada por Martinho Lutero, e com a Contrarreforma Católica, reação da Igreja de Roma. O Concílio de Trento (1545-1563), entre várias medidas, fortaleceu a autoridade papal, reafirmou os dogmas e reorganizou o Tribunal do Santo Ofício para combater aqueles que eram considerados hereges, isto é, os que não seguiam a doutrina católica. Politicamente, o poder estava centralizado na figura do rei, que contava com o apoio da Igreja e da burguesia.

A arte barroca nasceu nesse contexto e foi aproveitada pela Igreja e pelas monarquias nacionais católicas como forma de "propaganda", a fim de recuperar os fiéis perdidos para o protestantismo.

Marcos literários

Em Portugal, o marco inicial do Barroco é o ano 1580, quando morre Camões e Portugal passa ao domínio espanhol. O final é assinalado pela fundação da Arcádia lusitana (1756).

O Barroco brasileiro inicia-se em 1601, com a publicação do poema épico *Prosopopeia*, de Bento Teixeira, e termina em 1768, com a publicação de *Obras poéticas*, de Cláudio Manuel da Costa, no início do Arcadismo.

Palácio Nacional de Mafra, um dos ícones do Barroco português (foto de 2007).

JOSE ELIAS/LUSOIMAGES LANDMARKS/ALAMY/GLOW IMAGES

CAPÍTULO

9

Barroco: um movimento espanhol

PERCURSO DO CAPÍTULO

- Origem do movimento Barroco
- O teatro no Barroco
- Gongorismo/Cultismo
- Barroco em Portugal: Sóror Mariana Alcoforado

NATIONAL GALLERY, LONDRES, INGLATERRA

STEENWYCK, Harmen. *Uma alegoria das vaidades da vida humana*. 1645. Óleo sobre carvalho, 39,2 × 50,7 cm. Na pintura do artista holandês, os prazeres materiais efêmeros, simbolizados, entre outros, pelo livro e pela flauta, remetem à vaidade humana e convivem com a morte, representada em primeiro plano pelo crânio. Morbidez, oposição entre matéria e espírito, consciência em relação à morte são algumas das características do Barroco.

Introdução

É possível conciliar o ideal da eternidade e os apelos da vida terrena? Como solucionar o conflito entre céu e terra, corpo e alma, prazer e culpa? Esse estado de espírito, que envolve pessimismo e incerteza, o avesso da beleza e o caos, está expresso na estética barroca por meio de imagens que valorizam o contraste entre luz e sombra e de textos engenhosamente construídos a partir de jogos de palavras e ideias.

A consciência diante da morte é uma das tônicas da arte barroca. Veja de que maneira o escritor português D. Francisco Manuel de Melo (1608-1666), autor de cartas e de complexos poemas barrocos, discute a morte nos versos a seguir. Retirado da coletânea *Tuba de Calíope*, que compõe a terceira parte de *Obras métricas*, publicada em 1665, o soneto estabelece um interessante diálogo entre a Morte e o eu lírico.

Apólogo da Morte

Vi eu um dia a Morte andar **folgando**
Por um campo de vivos, que a não viam.
Os velhos, sem saber o que faziam,
A cada passo nela iam topando.

Na mocidade os moços confiando,
Ignorantes da morte, a não temiam.
Todos cegos, nenhuns se lhes desviam;
Ela a todos co dedo, os vai contando.

Então, quis disparar, e os olhos cerra:
Tirou, e errou. Eu, vendo seus empregos
Tão sem ordem, bradei: Tem-te homicida!

Voltou-se, e respondeu: Tal vai de guerra!
Se vós todos andais comigo cegos,
Que esperais que convosco ande **advertida**?

MELO, D. Francisco Manuel de. In: MOISÉS, Massaud. *A literatura portuguesa através dos textos*. 30. ed. São Paulo: Cultrix, 2006. p. 193.

Folgando: alegre.
Tirou: atirou.
Advertida: prudente, com cuidado, com cautela.

Registre no caderno as respostas às questões a seguir.

1 O poema que você acabou de ler narra uma história envolvendo a morte. Faça as adaptações necessárias e transforme em prosa os versos do poeta D. Francisco Manuel de Melo.

2 O soneto estrutura-se de maneira lógica, a partir de um jogo de ideias, a fim de permitir que o leitor chegue a uma conclusão. Explique de que maneira esse jogo se constrói no poema como um todo.

3 Leia esta definição de apólogo:

> Apólogo é um gênero alegórico que consiste numa narrativa com personagens reais ou fantásticos, animados ou inanimados, cujo propósito é interferir de alguma forma no comportamento social e moral dos homens, modificando-o pelo exemplo, se possível.
>
> CEIA, Carlos. *E-dicionário de termos literários*. Disponível em: <http://www.edtl.com.pt/index.php?option=com_mtree&task=viewlink&link_id=787&Itemid=2>. Acesso em: 19 set. 2012. (Adaptado).

Baseando-se nessa definição, explique o título do poema de D. Francisco Manuel de Melo.

NAVEGUE

Para entender mais sobre o que é um apólogo, leia o famoso conto "Um apólogo", de Machado de Assis, acessando <http://www.releituras.com/machadodeassis_apologo.asp>.

O sétimo selo

O filme do cineasta sueco Ingmar Bergman (1918-2007) narra a história de um cavaleiro que retorna das Cruzadas e encontra um mundo assolado pela peste. Nesse contexto, depara-se com a Morte e, para ganhar tempo, desafia-a a uma partida de xadrez. Em meio a cenas marcadas pelo contraste de luz e sombra e por inquietantes *closes* nos rostos dos atores, temas como Deus, a fé, o sentido da vida, a presença inevitável da morte são tratados com beleza incomum. Assim como no poema de D. Francisco Manuel de Melo, ao final do filme o cavaleiro descobre ser impossível vencer a Morte.

COURTESY EVERETT COLLECTION/GRUPO KEYSTONE

Cena do filme *O sétimo selo* (1957).

O soneto de D. Francisco Manuel de Melo exemplifica algumas características que marcaram a produção barroca: o dualismo (morte *versus* vida, velhice *versus* mocidade, etc.), a consciência da precariedade da vida e a certeza do fim, o jogo de ideias.

Neste capítulo, estudaremos o movimento que se desenrolou ao longo do século XVII na Espanha, espalhando-se por toda a Europa.

SAIBA MAIS!

- O Barroco teve vários nomes nos países europeus: na Inglaterra foi denominado **eufuísmo**, derivado da novela *Euphues, or the anatomy of wit*, de John Lyly (1569-1625); na França, **preciosismo**, em razão da sofisticação formal dos poemas produzidos na época; na Alemanha, recebeu o nome de **silesianismo** por causa de um grupo de poetas da região da Silésia; na Itália foi **marinismo**, por influência do poeta Giambattista Marino (1569-1625); na Espanha chamou-se **gongorismo**, por influência do poeta Luis de Góngora y Argote (1561-1627).

Barroco: um movimento extravagante

BURSTEIN COLLECTION/CORBIS/LATINSTOCK

O termo *barroco* apareceu no século XVIII, associado às artes plásticas: eram chamadas de barrocas as esculturas e pinturas consideradas de mau gosto, bizarras, extravagantes, artificiais, ou seja, que fugiam aos rígidos padrões de beleza da Antiguidade greco-latina. No século XIX, a palavra perdeu o tom pejorativo, e passou-se a admitir o valor artístico de obras seiscentistas como *Laocoonte*, de El Greco, *Medusa*, de Caravaggio, *Uma alegoria das vaidades da vida humana*, de Steenwyck, já vistas por você, e *Cristo na tempestade sobre o mar da Galileia*, de Rembrandt, observada ao lado. Somente depois de 1914 os críticos literários passaram a se referir ao Barroco como denominação do movimento que agrupava as obras do século XVII.

VAN RIJN, Rembrandt. *Cristo na tempestade sobre o mar da Galileia*. 1633. Óleo sobre tela, 161,7 × 129,8 cm. Bem ao estilo barroco, o pintor holandês faz conviverem nessa obra antíteses como escuridão e luz, céu e mar, rocha e água, fé e desespero.

⊙ O "gran teatro del mundo" barroco

O título acima refere-se à obra teatral de Pedro Calderón de la Barca, um dos dramaturgos que, ao lado de Lope de Vega, Shakespeare e Racine, retratou com cores vivas, música vibrante e cenários suntuosos o conflituoso homem do século XVII.

O teatro teve papel muito importante no Barroco europeu. Como já vimos, na Idade Média as peças teatrais tinham temas religiosos e eram representadas dentro das igrejas. Com o tempo se deslocaram para as praças e passaram a apresentar histórias profanas ao público. As multidões assistiam a tudo e faziam parte das cenas.

Durante o Renascimento, as montagens (comédias principalmente) eram encenadas em palcos, mas estes ficavam praticamente no mesmo nível dos espectadores.

O Barroco trouxe uma mudança significativa no espaço de encenação das peças: o mundo da ilusão teatral passa a ficar totalmente separado do "mundo real" do espectador. Este assiste a tudo de seu assento, no escuro, afastado dos atores e dos cenários. Esse tipo de palco, denominado italiano, surgido nos anos de 1600, se perpetua até nossos dias.

BOB SACHA/CORBIS/LATINSTOCK

Teatro Farnese, construído em Parma, entre 1619 e 1628, por Giovanni Battista Alleoti. Foto de 2006.

Os cenários, no teatro barroco, eram pintados e davam ao público ilusão de profundidade. Máquinas com roldanas e cordas foram criadas nessa época para fazer subir e descer os cenários e os atores; fogo, fumaça, trovão e relâmpago criavam efeitos mágicos e surpreendentes ligados ao universo do sobrenatural e do milagroso. Foi nesse período que surgiram as óperas, peças inteiramente musicadas.

Ópera: o espetáculo da emoção

A ópera surgiu na Itália, no início do século XVII, reunindo música vocal e instrumental, balé, drama representado, figurinos, iluminação, cenários, orquestra sinfônica, etc.

O gênero é composto por dois elementos básicos: o libreto (texto) e a partitura (música). Além da barroca (que tem em *Orfeu*, de Claudio Monteverdi, uma de suas obras-primas), existem vários outros tipos de ópera: séria, bufa, francesa, alemã, clássica, romântica, grande ópera, nacionalista, verista, entre outras.

Objeto educacional digital (animação)
• O teatro no Barroco

A busca por outra beleza

Apresentamos, a seguir, três textos: o primeiro é um quadro do pintor flamengo Pieter Brueghel, o Velho (1525-1569); o segundo, a tradução de um soneto de Andreas Gryphius (1616-1664), considerado o maior representante da literatura barroca alemã; o terceiro texto, também um soneto, pertence ao paraibano Augusto dos Anjos (1884-1912). Apesar de concebidas em épocas diferentes, as obras têm um traço que as aproxima, conforme você poderá constatar.

Texto 1

MUSEO DEL PRADO, MADRID, ESPANHA

BRUEGHEL, Pieter. *O triunfo da morte*. c. 1562. Óleo sobre tela, 117 × 162 cm.

Texto 2

A si mesmo

Tenho horror de mim mesmo: meus membros tremem
Quando os lábios, o nariz, o olhar **encovado**,
Cego pela vigília, e o **alento** pesado
Contemplo, e meus cílios mortos já nem **fremem**.

Com as palavras cai a língua, negra de secura,
Balbucio não sei quê; a alma exausta chama
O grande consolador, a carne cheira a sepultura;
As dores voltam assim que o médico me abandona.

Meu corpo nada mais é que veias, e pele e osso.
Sentar é meu tormento, deitar é minha pena.
Até as **ancas** precisam de muletas ou tropeço.

O que são glórias, honras, juventude e arte?
Quando esta hora chega tudo é fumo e **bruma**,
E uma opressão que vem deliberada a matar-te.

GRYPHIUS, Andreas. In: ECO, Humberto. *História da feiura*. Trad. Eliana Aguiar. Rio de Janeiro: Record, 2007. p. 177.

Encovado: abatido.
Alento: estado de ânimo.
Fremem: piscam.
Balbucio: pronuncio de forma hesitante ou confusa.
Ancas: quadril.
Bruma: nevoeiro, neblina.

Texto 3

Psicologia de um vencido

Eu, filho do carbono e do amoníaco,
Monstro de escuridão e **rutilância**,
Sofro, desde a **epigênesis** da infância,
A influência má dos signos do zodíaco.

Profundissimamente **hipocondríaco**,
Este ambiente me causa repugnância...
Sobe-me à boca uma ânsia **análoga** à ânsia
Que se escapa da boca de um cardíaco.

Já o verme — este operário das ruínas —
Que o sangue podre das carnificinas
Come, e à vida em geral declara guerra,

Anda a espreitar meus olhos para roê-los,
E há de deixar-me apenas os cabelos,
Na **frialdade inorgânica** da terra!

DOS ANJOS, Augusto. In: CALIXTO, Fabiano (Org.). *Eu*. São Paulo: Hedra, 2012. p. 72.

Rutilância: brilho forte.
Epigênesis: modificação da carga genética de um organismo sem a alteração de suas características exteriores.
Hipocondríaco: alguém que é compulsivamente preocupado com seu próprio estado de saúde.
Análoga: semelhante.
Frialdade inorgânica: frieza sem vida.

Registre suas respostas no caderno.

1 Que elementos temáticos aproximam os três textos?

2 Em relação ao quadro de Brueghel:

a) Explique de que forma o pintor retrata a morte.

b) Que sensações o cenário representado desperta em você?

c) Relacione o título *O triunfo da morte* ao que se observa no quadro. Justifique com detalhes da pintura.

3 Sobre o soneto "A si mesmo":

a) O que o eu lírico descreve nos versos sobre "si mesmo"?

b) Tendo como base sua compreensão integral do soneto, explique a metáfora "tudo é fumo e bruma".

4 No poema "Psicologia de um vencido", o verme aparece como elemento de oposição à vida, uma vez que é a ela que ele "declara guerra".

a) Na sua opinião, o que o verme está simbolizando no soneto?

b) A expressão "há de deixar-me" (penúltimo verso) sugere um desejo do eu lírico. O que afinal o eu lírico deseja?

5 Qual das obras atrai mais a sua atenção? Por quê?

6 Na sua opinião, a arte deve retratar somente o belo? Justifique.

Em geral, a estética classicista estava associada à contemplação do belo, do regular e do simétrico, pois acreditava-se que na Antiguidade greco-latina só havia espaço para a perfeição na arte. Mas o que dizer de obras que, embora apresentem a decadência física, o assombroso, a morte, a violência e o horror, como as analisadas anteriormente, também atraem nossa atenção?

A tela de Brueghel data do século XVI, auge do Renascimento, mas já antecipa, com seu exército de esqueletos da morte, um tipo de arte diferente, distante de um belo mais óbvio. O poema barroco "A si mesmo" distancia-se radicalmente dos sonetos renascentistas ao descrever em detalhes a decadência de um corpo humano que busca o fim de seu sofrimento no "grande consolador" (Deus). Finalmente, o soneto do brasileiro Augusto dos Anjos, escrito no século XX, explora a imagem de um verme que aguarda seu momento de devorar um cadáver, tema considerado "não poético" por muitas pessoas e artistas até hoje.

O Barroco reuniu uma série de manifestações artísticas, além da literária. Pintores como Rubens, Velázquez, Guido Reni e Zurbarán; músicos como Bach e Haendel; dramaturgos como Molière, Shakespeare, Calderón de la Barca, entre outros, produziram uma densa arte marcada por antíteses, exagero, emoção, religiosidade, sensualidade e, por vezes, pela feiura e pelo grotesco.

Grotesco: a arte das grutas

Em 1480, escavações realizadas nas ruínas do palácio do imperador romano Nero (58-64 a.C.) e nas Termas de Tito revelaram uma espécie desconhecida de pintura ornamental cultuada na Antiguidade romana. Eram abismos, vegetais, caracóis, folhas, figuras com cabeças humanas dependuradas e animais fantásticos. Essa arte "grotesca", assim denominada por ter sido encontrada em grutas (do italiano, *grotta*), foi considerada feia pelos italianos renascentistas, por isso a palavra passou a ser associada a estranho, bizarro, de mau gosto.

Somente no final do século XVI, com o Barroco, surgiu uma nova maneira de enxergar essa arte recém-descoberta: atribuiu-se a ela um poder de sonho que fugia ao compromisso com a mimese da realidade e provocava nas pessoas reações intensas e perturbadoras.

RENI, Guido. *Davi com a cabeça de Golias*. c. 1605. Óleo sobre tela, 220 × 145 cm.

PETER HORREE/ALAMY/GLOW IMAGES – MUSEU DO LOUVRE, PARIS

Por que a Espanha?

Vimos, no capítulo 6, que uma série de fatores favoreceu o surgimento da estética renascentista na Itália. No que se refere ao Barroco, esse papel coube à Espanha.

Alguns estudiosos defendem que sempre houve na Espanha uma certa tendência ao barroquismo, ou seja, às cores fortes, aos contrastes, às artes de apelo visual, a um certo exagero de expressão. Desde 1520, vinte e cinco anos antes do Concílio de Trento, já se observava uma reação espanhola contra o antropocentrismo renascentista. Essa reação ganha força com as ações da Contrarreforma, especialmente as promovidas pela Companhia de Jesus, em direção à retomada do poder católico em terras espanholas, fato que favoreceu o florescimento dessa nova estética. Depois, esse movimento religioso espalhou-se pela Europa e chegou até colônias como o Brasil.

SAIBA MAIS!

- Embora a Contrarreforma não tenha sido a criadora do Barroco, é certo que adaptou o movimento a seus propósitos e incentivou a difusão de esculturas, pinturas e literaturas que abraçaram essa estética. O mesmo não se deu em relação ao estilo renascentista, devido ao fato de esse movimento propor o equilíbrio, a finitude e o poder do homem. O conflito, a emoção, a busca da transcendência, tipicamente barrocos, serviram perfeitamente aos objetivos católicos de reconciliação do homem com Deus, do céu com a terra, do religioso com o profano, daí o dualismo típico desse movimento.

O Barroco espanhol ganhou força na Europa, também, graças à existência de um grupo de autores como Quevedo, Cervantes, Lope de Vega, Calderón de la Barca e, sobretudo, de Luis de Góngora y Argote, poeta mais importante do *siglo de oro* ("século de ouro"), como era denominado o século XVII na Espanha.

GUTO MUNIZ

Calderón de la Barca imortalizou o Barroco teatral em peças como *A vida é sonho*. Na foto, montagem de 2003 pela companhia mineira Galpão Cine Horto.

Góngora: um arquiteto de línguas

Góngora (1561-1627) foi o autor que mais influência exerceu sobre poetas barrocos portugueses, mexicanos e brasileiros, chegando a ser sinônimo de um estilo extravagante e inacessível, o chamado **gongorismo**, bastante criticado por escritores como Quevedo e Lope de Vega, mas cultuado e apreciado por vários artistas importantes. Góngora conseguiu construir, em seus poemas lúdicos, uma nova língua espanhola, com regras próprias e complexas.

Em oposição ao gongorismo, surgiu, na Espanha, outra corrente, representada principalmente por Francisco de Quevedo (1580-1645), que defendia a escrita de textos calcados na organização lógica das ideias, no racionalismo e na clareza, com o objetivo de convencer os leitores sobre a validade de determinadas concepções sobre a vida. Estudaremos essa tendência, chamada de **conceptismo**, no capítulo sobre o Barroco no Brasil.

No soneto a seguir, Góngora homenageia El Greco, pintor de *Laocoonte*, obra que você já conhece. Leia-o e observe os malabarismos linguísticos do autor.

Inscrição para o sepulcro de El Greco
CXVII [1615]

Esta, em forma elegante, ó **peregrino**,
De **pórfido** luzente dura chave,
O pincel nega ao mundo mais suave
Que alma dá a **lenho**, vida a linho fino.

Seu nome, que inda de exceder é **dino**
Os sons que em seus clarins a **Fama** cabe,
O campo ilustra desse mármor grave:
Venera-o e segue para teu destino.

O Grego jaz. Herdou a **natureza**
Arte; e a Arte herdou estudo; **Íris**, as cores;
Febo, luzes — se não sombras **Morfeu**. —

Urna tanta, apesar de sua dureza,
Lágrimas beba, e quantos **sua olores**
Córtice fúnebre em tronco **sabeu**.

GÓNGORA, Luis de. In: RAMOS, Péricles Eugênio da Silva (Org. e trad.). *Fábula de Polifemo e Galateia e outros poemas*. São Paulo: Hedra, 2008. p. 167.

Peregrino: estrangeiro (no contexto do soneto).
Pórfido: tipo de granito.
Lenho: pedaço de madeira.
Dino: digno.
Fama: divindade alada, mensageira de Júpiter, propagadora de verdades e mentiras.
Natureza: deusa-mãe.
Íris: na mitologia grega, mensageira dos deuses.
Febo: deus romano equivalente ao belo deus grego Apolo.
Morfeu: deus grego dos sonhos.
Sua: exala, transpira.
Olores: perfumes.
Córtice: sinônimo de caixão.
Sabeu: relativo a Sabá, reino que floresceu na Arábia.

Registre as respostas no caderno.

1 O título do soneto deixa claro o propósito de Góngora com seus versos. Que propósito seria esse?

2 Nos quatro primeiros versos, por meio de um hipérbato complexo, o eu lírico dá a entender que a elegante sepultura ("sepulcro") em que está depositado o corpo de El Greco serve, agora, de "chave" para proibir o acesso do mundo ao pintor.

a) Desfaça o hipérbato dos três primeiros versos.
b) Explique a metonímia construída a partir do substantivo *pincel*.
c) Essa metonímia se desdobra em uma personificação, já que o pincel passa a ser o próprio pintor. Que efeito têm essas figuras de linguagem para a construção de sentido do texto?

3 No Barroco, os autores usam diversos recursos estilísticos, o que, em alguns momentos, torna os textos difíceis; por isso é necessária uma leitura atenta deles. Mas não desista, porque você se deparará com belas obras literárias. Releia o primeiro terceto do poema:

"O Grego jaz. Herdou a natureza
Arte; e a Arte herdou estudo; Íris, as cores;
Febo, luzes — se não sombras Morfeu. —"

NAVEGUE

Veja outras obras do pintor El Greco no *site*, em inglês, da National Gallery of Art, de Londres: <http://www.nga.gov/collection/gallery/gg29/gg29-main1.html>.

a) Além de *jazer*, que outro verbo está presente no terceto?

b) Como o poeta fez para não repetir esse verbo e, mesmo assim, inseri-lo várias vezes nos versos?

Mestre no uso de termos raros, metáforas incomuns, hipérbatos engenhosos, como você pôde ver no poema em análise, Góngora não escrevia para o povo, mas para leitores sofisticados, daí sua fama de poeta "difícil".

Em busca da originalidade, alguns escritores barrocos abusavam do emprego de antíteses, paradoxos, catacreses, descrições enigmáticas, inversões, hipérboles, metonímias, antonomásias, aliterações, assonâncias, sinestesias, elipses, etc. e acabavam construindo algo como uma linguagem secreta, acessível somente aos "iniciados". Esse requinte formal, por vezes obscuro e incompreensível, recebeu o nome de **cultismo**.

Cultismo, ou **culteranismo**, é a denominação dada ao jogo de palavras utilizado por determinados artistas barrocos em busca de originalidade e sofisticação.

O Barroco em terras portuguesas

Imagine uma população inteira orgulhosa de fazer parte de uma nação que enfrentou os perigos do mar e ampliou significativamente os limites do mundo. Pense agora nessa mesma gente submetida, por sessenta anos, ao poder de outro reino. Foi o que ocorreu com os lusitanos no ano de 1580, quando, após o desaparecimento de D. Sebastião, em Alcácer-Quibir, Portugal foi anexado à Espanha. Além da influência direta do movimento católico antirreformista, o Barroco português foi marcado pela forte presença cultural espanhola. Como resistência a isso, exaltou-se a língua portuguesa, publicaram-se manuais de história valorizando-se os reis portugueses, reeditaram-se *Os lusíadas* e as *Rimas* de Camões e desenvolveu-se, em Portugal, um forte sentimento nacionalista.

Embora alguns escritores tenham se empenhado em divulgar o Barroco em Portugal, esse movimento não alcançou a mesma intensidade que o Classicismo.

Colaboraram também para a tentativa de criar um movimento Barroco português mais consistente centros de estudos como a *Academia dos singulares* (1663-1665) e a *Academia dos generosos* (1660-1665), sem grande sucesso.

O maior representante do seiscentismo português é o Padre Antônio Vieira, autor que será estudado no capítulo sobre o Barroco no Brasil, visto que o religioso passou grande parte de sua vida em solo brasileiro.

Destacam-se, ainda, na cena barroca lusitana, D. Francisco Manuel de Melo, cujo poema "Apólogo da morte" você já analisou, Padre Manuel Bernardes (1644-1710), Cavaleiro de Oliveira (1702-1783), além de Francisco Rodrigues Lobo (1580-1622), entre outros.

SAIBA MAIS!

- Em 1640, após ter diversas colônias invadidas e quase ver seu Império desmoronar, Portugal finalmente reagiu ao domínio espanhol. Depois de acompanhar sucessivas derrotas espanholas, D. João, duque de Bragança, com suporte da aristocracia e do povo, dá início ao processo de independência que ficou conhecido como Restauração. O sentimento antiespanhol apoiava-se no Sebastianismo e na ideia da aurora do Quinto Império português, dois elementos importantes na obra do padre português Antônio Vieira.

⊙ Cartas barrocas: grandes expressões literárias

Você escreve cartas manualmente a pessoas interessadas em sua vida? Ou seus sentimentos de saudade, amor, tristeza, alegria, indignação são registrados em *e-mails*, em postagens eletrônicas, etc.? Saiba que, na história da literatura, há cartas tão ricas em imagens, figuras de linguagem e outros recursos linguísticos que acabaram por constituir um gênero literário, a **epistolografia** (de *epístola, carta*).

Desde a Antiguidade, a epistolografia é cultivada, mas foi no século XVII, com a escritora francesa Madame de Sévigné (1626-1696), que se firmou como gênero literário. Sévigne escreveu cerca de 1.500 cartas em que fornece um retrato instigante de sua época e de seus pensamentos.

A epistolografia seiscentista portuguesa conta com artistas do porte de D. Francisco Manuel de Melo, Padre Antônio Vieira e, especialmente, Sóror Mariana Alcoforado, autora que você conhecerá a seguir.

MUSÉE CARNAVALET, PARIS, FRANÇA

LEFEBVRE, Claude. *Retrato de Madame de Sévigné*. c. 1665. Óleo sobre tela, 81,2 × 65 cm.

Alcoforado: cinco cartas de amor rasgado

Em pleno século XVII, uma freira portuguesa apaixona-se por um oficial do exército francês. Essa história de amor, digna de um romance, ao que tudo indica ocorreu mesmo.

Sóror Mariana Alcoforado (1640-1723) ingressou muito cedo no Convento de Nossa Senhora da Conceição, em Beja, sua cidade natal. Em 1663, conhece e apaixona-se por Chamilly, um oficial francês que servia em Portugal devido às guerras ligadas à Restauração. Mais tarde, em 1667, o militar, também apaixonado, é obrigado a retornar ao seu país. Restou aos dois somente a troca de cartas.

Em 1669, foram publicadas, em Paris, cinco epístolas com o título *Lettres Portugaises traduites en français*, sem atribuição de remetente ou destinatário. No mesmo ano, em Colônia, na Alemanha, foram publicadas essas mesmas cartas, dessa vez "assinadas" por Mariana, dirigidas a Chevalier de Chamilly e traduzidas por Guilleragues. Depois de serem lidas e traduzidas para vários idiomas, foram vertidas para o português por Filinto Elísio somente em 1810 com o título *Cartas de amor*.

Não se sabe em que língua, originalmente, as cartas atribuídas a Mariana Alcoforado foram escritas. Nem sequer se sabe se são reais ou se foram inventadas ou adaptadas por algum tradutor. O mais importante é que esses textos expressam de maneira singular e sem censura a paixão incontrolável de uma mulher que se sente abandonada pelo amante insensível. Como dilema barroco, encontramos uma remetente confusa entre o desejo racional de esquecer um amor proibido e o desejo emocional de que o ingrato destinatário retorne ou, ao menos, escreva para ela.

Atividades: Leitura de texto

O texto a seguir é uma carta de amor atribuída a Sóror Mariana Alcoforado. A pessoa a quem ela envia essa quinta (e última) correspondência é, como você já sabe, o oficial francês Chamilly, por quem, supostamente, a religiosa teria se apaixonado aos 20 anos. Leia-a e observe que, embora o texto date do século XVII, poderia ter sido escrito nos dias de hoje por alguém magoado por um amor perdido.

Quinta

Escrevo-lhe pela última vez e espero fazer-lhe sentir, na diferença de termos e modos desta carta, que finalmente acabou por me convencer de que já me não ama e que devo, portanto, deixar de o amar.

Mandar-lhe-ei, pelo primeiro meio, o que me resta ainda de si. Não receie que lhe volte a escrever, pois nem sequer porei o seu nome na encomenda. [...]

Não conheci o **desvario** do meu amor senão quando me esforcei de todas as maneiras para me curar dele, e receio que nem ousasse tentá-lo se pudesse prever tanta dificuldade e tanta violência. Creio que me teria sido menos doloroso continuar a amá-lo, apesar da sua ingratidão, do que deixá-lo para sempre. Descobri que lhe queria menos que à minha paixão, e sofri penosamente em combatê-la, depois que o seu indigno procedimento me tornou odioso todo o seu ser.

O orgulho tão próprio das mulheres não me ajudou a tomar qualquer decisão contra si. Ai, suportei o seu desprezo, e teria suportado o ódio e o ciúme que me provocasse a sua inclinação por outra! Ao menos, teria qualquer paixão a combater. Mas a sua indiferença é intolerável.

Os **impertinentes** protestos de amizade e a ridícula **correcção** da sua última carta provaram-me ter recebido todas as que lhe escrevi e que, apesar de as ter lido, não perturbaram o seu coração.

Ingrato! E a minha loucura é tanta ainda, que desespero por já não poder iludir-me com a ideia de não chegarem aí, ou de não lhe terem sido entregues.

Detesto a sua franqueza. Pedi-lhe eu para me dizer pura e simplesmente a verdade? Por que me não deixou com a minha paixão? Bastava não me ter escrito: eu não procurava ser esclarecida. Não me chegava a desgraça de não ter conseguido de si o cuidado de me iludir? Era preciso não lhe poder perdoar? Saiba que acabei por ver quanto é indigno dos meus sentimentos; conheço agora todas as suas detestáveis qualidades. Mas, se tudo quanto fiz por si pode merecer-lhe qualquer pequena atenção para algum favor que lhe peça, suplico-lhe que não me escreva mais e me ajude a esquecê-lo completamente. Se me mostrasse, ao de leve que fosse, ter sentido algum desgosto ao ler esta carta, talvez eu acreditasse; talvez a sua confissão e o seu arrependimento me enchessem de **cólera** e de despeito; e tudo isso poderia de novo incendiar-me.

Não se meta pois no meu caminho; destruiria, sem dúvida, todos os meus projetos, fosse qual fosse a maneira por que se intrometesse. Não me interessa saber o resultado desta carta; não perturbe o estado para que me estou preparando.

Parece-me que pode estar satisfeito com o mal que me causa, qualquer que fosse a sua intenção de me desgraçar. Não me tire desta incerteza; com o tempo espero fazer dela qualquer coisa parecida com a tranquilidade. Prometo-lhe não o ficar a odiar: por de mais desconfio de sentimentos exaltados para me permitir **intentá-lo**. Estou convencida de que talvez encontrasse aqui um amante melhor e mais fiel; mas, ai!. Quem me poderá ter amor? Conseguirá a paixão de outro homem absorver-me? Que poder teve a minha sobre si? Não sei eu por experiência que um coração enternecido nunca mais esquece quem lhe revelou prazeres que não conhecia, e de que era **suscetível**?, Que todos os seus impulsos estão ligados ao ídolo que criou?. Que os seus primeiros pensamentos e primeiras feridas não podem curar-se nem apagar-se?. Que todas as paixões que se oferecem como auxílio, e se esforçam por o encher e apaziguar, lhe prometem em vão um sentimento que não voltará a encontrar?, Que todas as distrações que procura, sem nenhuma vontade de as encontrar, apenas servem para o convencer que nada ama tanto como a lembrança do seu sofrimento? Por que me deu a conhecer a imperfeição e o desencanto de uma afeição que não deve durar eternamente, e a amargura que acompanha um amor violento, quando não é correspondido? E por que razão, uma cega inclinação e um cruel destino, persistem quase sempre em prender-nos àqueles que só a outros são sensíveis? [...]

Ao devolver-lhe as suas cartas, guardarei, cuidadosamente, as duas últimas que me escreveu; hei-de lê-las ainda mais do que li as primeiras, para não voltar a cair nas minhas fraquezas. Ah, quanto me custam, e como teria sido feliz se tivesse

Desvario: loucura.

Impertinentes: inadequados.

Correcção: cuidado.

Cólera: ira.

Intentá-lo: tentá-lo.

Suscetível: capaz de receber.

consentido que o amasse sempre! Reconheço que me preocupo ainda muito com as minhas queixas e a sua infidelidade, mas lembre-se que a mim própria prometi um estado mais tranquilo, que espero atingir, ou então tomarei uma resolução extrema, que virá a conhecer sem grande desgosto. De si nada mais quero.

Sou uma doida, passo o tempo a dizer a mesma coisa. É preciso deixá-lo e não pensar mais em si. Creio mesmo que não voltarei a escrever-lhe.

Que obrigação tenho eu de lhe dar conta de todos os meus sentimentos?

ALCOFORADO, Sóror Mariana. Quinta carta. In: MAGALHÃES, Isabel Allegro de. *História e antologia da literatura portuguesa – Século XVII*. Lisboa: Fundação Calouste Gulbenkian. 2005. p. 80-1.

Registre as respostas no caderno.

1 Que tipo de sentimento você identificou na carta de Sóror Mariana?

2 Em dois trechos da carta, a religiosa indaga: "Por que me não deixou com a minha paixão?" "Descobri que lhe queria menos que à minha paixão". Como você traduz esse sentimento?

3 Qual o objetivo da quinta carta de Alcoforado?

4 A carta de Alcoforado nos permite inferir, de acordo com o ponto de vista da remetente, algumas características morais de seu amante. Quais seriam elas?

5 Recrie a carta de Alcoforado tendo como referência a cultura dos nossos dias. Atente para a função comunicativa e para as marcas de interatividade ou de interlocução do gênero textual carta. Quando a carta estiver pronta, entregue-a a um colega para que ele faça uma leitura crítica do seu texto, enquanto você faz o mesmo em relação ao texto dele. Essa avaliação deve levar em conta a estrutura e a linguagem do gênero carta pessoal. Ao receber seu texto de volta, reescreva-o incorporando os comentários do colega. Publique seu texto em um *blog* e compartilhe-o (cartas "reais" de amor também poderão ser publicadas).

PARA LEMBRAR

Ao produzir sua carta pessoal:

- faça um rascunho do texto;
- indique o local e a data;
- use o vocativo no início da carta;
- promova a interlocução no decorrer da mensagem;
- finalize com uma saudação de despedida;
- verifique se o texto não apresenta problemas de ortografia, concordância ou pontuação;
- assine sua correspondência.

O QUE VOCÊ APRENDEU NO PERCURSO DESTE CAPÍTULO

- Dualismo, precariedade da vida, certeza da morte são características que marcaram a produção barroca.
- Como reação ao tipo de beleza valorizado pelos artistas classicistas, surge, no contexto do Barroco, a retratação de elementos considerados não belos.
- Os escritores barrocos utilizaram figuras de linguagem como antíteses, paradoxos, hipérbatos, assíndetos, metáforas, hipérboles, catacreses e sinestesias.
- A Espanha foi o maior centro irradiador da cultura barroca e teve como escritor mais importante Góngora, mestre no uso de metáforas incomuns e no emprego de hipérbatos engenhosos.
- *Cultismo* ou *culteranismo*: jogo de palavras.
- O Barroco português está ligado ao contexto do domínio espanhol.
- A epistolografia seiscentista portuguesa tem como importante representante Sóror Mariana Alcoforado.

CAPÍTULO

10

O Barroco no Brasil: um movimento à parte

PERCURSO DO CAPÍTULO

- Conceptismo: jogo de conceitos
- Origem do movimento Barroco
- Gregório de Matos: poesia religiosa, de circunstância e amorosa
- Padre Antônio Vieira: sermões
- Barroco tardio no século XVIII: artes plásticas e arquitetura

ARTHUR CAVALIERE/STRANA/EDITORA ABRIL IMAGENS

Inaugurada em São Paulo no ano 2000, a *Mostra do Redescobrimento, Brasil + 500* recebeu quase dois milhões de visitantes nos quatro meses que permaneceu na capital paulista. Os 4 700 metros quadrados destinados à arte barroca foram os mais visitados por brasileiros e estrangeiros. O efeito claro-escuro dos cenários, as imagens de santos, o forte cheiro de madeira, a música, as flores de papel crepom (confeccionadas pelos presos da extinta penitenciária paulistana do Carandiru) seduziram os visitantes, numa demonstração inequívoca do fascínio que o Barroco ainda exerce em pleno século XXI (na foto, detalhe do módulo *Imagens do Barroco* na etapa carioca da mostra. Museu Nacional de Belas Artes do Rio de Janeiro, dezembro de 2000).

Introdução

Imagine-se vivendo na cidade de Salvador no ano de 1650. Certamente você apreciaria ouvir os sermões de Antônio Vieira, padre português criado na Bahia, de rara habilidade com as palavras. Ou, então, se fosse um dos poucos letrados do século XVII, talvez se divertisse lendo as cópias escritas à mão dos poemas de Gregório de Matos, um advogado de formação jesuítica e língua ferina. Neste capítulo, você experimentará um pouco da sensação de viver em pleno Barroco brasileiro.

O poema a seguir foi escrito por Gregório de Matos, considerado o poeta mais importante do Barroco brasileiro. Nesses versos, marcados por engenhoso jogo de ideias, o autor baiano utiliza como tema o roubo da imagem de Nossa Senhora das Maravilhas com o Menino Jesus. A estátua foi quebrada em vários pedaços e espalhada pela cidade. Aos poucos, as partes foram recuperadas, e cada descoberta era saudada com alegria pelos devotos, que assim reafirmavam sua fé.

Observe de que maneira Gregório de Matos transforma o episódio em versos.

Achando-se um braço perdido do Menino Deus de N. S. das Maravilhas, que desacataram infiéis na Sé da Bahia

O todo sem a parte não é todo,
A parte sem o todo não é parte,
Mas se a parte o faz todo, sendo parte,
Não se diga que é parte, sendo todo.

Em todo o **Sacramento** está Deus todo,
E todo assiste inteiro em qualquer parte,
E feito em partes todo em toda a parte,
Em qualquer parte sempre fica o todo.

O braço de Jesus não seja parte,
Pois que feito Jesus em partes todo,
Assiste cada parte em sua parte.

Não se sabendo parte deste todo,
Um braço que lhe acharam, sendo parte,
Nos diz as partes todas deste todo.

MATOS, Gregório de. In: WISNIK, José Miguel (Sel. e org.). *Poemas escolhidos de Gregório de Matos*. São Paulo: Companhia das Letras, 2010. p. 326.

Sacramento: ritual cristão feito com o intuito de confirmar a fé dos homens em Deus.

Assiste: cuida.

Responda no caderno às questões propostas.

1 Por que Gregório de Matos dedica seu poema ao braço da estátua e não ao Menino Jesus?

2 A qual figura de linguagem você associaria o poema?

3 No quarteto inicial do soneto, faz-se um complexo jogo com as palavras *parte* e *todo*.

a) Coloque o primeiro verso em ordem direta e explique-o sucintamente.

b) No segundo verso, afirma-se que, sem o todo, isto é, isolada, a parte não é, de fato, uma parte. Nesse caso, o que seria ela?

c) Os dois últimos versos que fecham o primeiro quarteto do poema conduzem o leitor a uma conclusão. Qual é essa conclusão?

4 Releia o poema e, retomando as estrofes, explique de que maneira cada uma delas se articula à conclusão feita no primeiro quarteto.

Você viu que, por meio de um percurso lógico, o poeta conduz seus leitores à conclusão. Esse jogo de conceitos e ideias baseado no requinte conteudístico, com o objetivo de persuadir o leitor, denomina-se **conceptismo** ou **conceptualismo**.

O soneto que acabamos de analisar é um exemplo da faceta sacra (religiosa) de Gregório de Matos, marcada por poemas que tematizam a culpa e o perdão e confirmam a fé. Nas produções do poeta baiano convivem o sagrado e o profano, numa tradução perfeita do conflituoso espírito barroco do século XVII.

Neste capítulo, além de Gregório de Matos, figura relevante na poesia, estudaremos Padre Antônio Vieira, o maior representante da prosa barroca no Brasil e em Portugal.

NAVEGUE

Leia outros poemas de Gregório de Matos em <http://www.jornaldepoesia.jor.br/grego.html>.

Barroco brasileiro: a arte de propagar a fé

A origem da nossa literatura está fortemente ligada aos padrões que os jesuítas impuseram aos povos das terras recém-descobertas a partir do século XVI. No século seguinte, em que predominou o Barroco, as artes continuaram a ser utilizadas como instrumentos de propagação da fé cristã, ainda que influenciadas pelas ideias renascentistas do humanismo europeu. O Barroco baiano repetiu na forma e no conteúdo o movimento ibérico e o italiano.

Gregório de Matos: voz-síntese

O poeta irreverente, apelidado de Boca do Inferno, viveu em Salvador no século XVII, mudou-se para Portugal, tornou-se juiz e amigo do rei, casou-se, enviuvou, retornou ao Brasil, casou-se novamente, teve filhos, lançou-se à vida boêmia, transformou-se em cantador satírico e tocador de viola, foi protegido de bispos e governadores, colecionou inúmeros inimigos e, depois de ter sido deportado para Angola, voltou ao solo brasileiro, permanecendo em Recife.

Tantos foram os elementos aventureiros e inusitados que marcaram a vida do poeta baiano Gregório de Matos Guerra (1633?-1696) que ela foi assunto do romance *Boca do Inferno*, de Ana Miranda, publicado em 1989, além de receber adaptação para o cinema, no filme *Gregório de Mattos*, de Ana Carolina, lançado em 2002.

UNIVERSIDADE DE COIMBRA

Gregório de Matos recebeu o apelido de Boca do Inferno por satirizar, muitas vezes de forma vulgar, a sociedade baiana da sua época.

Alguns críticos defendem que Gregório de Matos é o artista-síntese do movimento barroco no Brasil. Os versos a ele atribuídos vão da poesia sacra à satírica, passando pela lírico-amorosa. Neles, convivem o sagrado e o profano, as angústias motivadas pelos desejos dos prazeres do corpo, a necessidade da busca de Deus, o estilo cultista repleto de jogos de palavras, além da incorporação de novidades linguísticas como os tupinismos e os africanismos, presentes na língua portuguesa falada no Brasil de sua época.

Poesia de circunstância: um painel da colônia

Os poemas de Gregório de Matos, principalmente os satíricos, criticam com acidez a sociedade baiana do século XVII, como se pode perceber a seguir.

Juízo anatômico dos achaques que padecia o corpo da República, em todos os membros, e inteira definição do que em todos os tempos é a Bahia

EPÍLOGOS

1

Que falta nesta cidade?...Verdade.
Que mais por sua desonra?...Honra.
Falta mais que se lhe ponha?...Vergonha.

O **demo** a viver se exponha,
Por mais que a fama a exalta,
Numa cidade onde falta
Verdade, honra, vergonha.

2

Quem a pôs neste **socrócio**?...Negócio.
Quem causa tal perdição?...Ambição.
E o maior desta loucura?...**Usura**.

Notável **desaventura**
De um povo **néscio**, e **sandeu**,
Que não sabe que perdeu
Negócio, ambição, usura.

[...]

MATOS, Gregório de. In: WISNIK, José Miguel (Sel. e org.). *Poemas escolhidos de Gregório de Matos*. São Paulo: Companhia das Letras, 2010. p. 41.

Anatômico: que se ajusta ao corpo humano.
Achaques: defeitos morais ou comportamentais; vícios.
Epílogos: partes finais de uma obra literária.
Demo: demônio.
Socrócio: neologismo criado a partir de *socrestar* (furtar).
Usura: lucro exagerado.
Desaventura: desgraça, infortúnio.
Néscio: ignorante, irresponsável.
Sandeu: idiota.

Responda no caderno às questões propostas.

1 Faça a escansão dos versos e observe o esquema de rimas. Comparando o poema que você leu aos estudados nos capítulos anteriores, o que chama a sua atenção em relação à forma?

2 No poema, há um jogo de palavras bastante engenhoso denominado "disseminação e recolha". Esse procedimento cultista se baseia na técnica de espalhar palavras em vários versos de uma estrofe e depois recolhê-las no último verso da estrofe seguinte. Explique como esse jogo de palavras se apresenta no poema de Gregório de Matos.

3 Que crítica o eu lírico faz nos versos que você leu?

4 Você já sabe que o conceptismo consiste em um jogo de ideias, comum na produção dos autores do Barroco. Releia o poema de Gregório de Matos e explique de que maneira esse jogo de ideias se realiza.

Como você observou no poema, Gregório de Matos, para fazer sua crítica, emprega estratégias textuais bastante ousadas, como usar rimas baseadas em palavras que estabelecem "ecos" umas com as outras. Por exemplo, **cidade** rima com **verdade** (note que a substituição da sílaba *ver* pela sílaba *ci* faz surgir outra palavra e, ao mesmo tempo, garante a manutenção de sons iguais); **desonra** rima com **honra** e compõe uma antítese. Nos quartetos, Gregório sintetiza as respostas às perguntas feitas nos tercetos como se estivesse jogando com o leitor, levando-o a se questionar sobre quem seria o responsável pela então situação da Bahia. Essa característica barroca, ligada ao experimentalismo formal e a uma espécie de brincadeira poética com o leitor, denomina-se **ludismo**.

O texto a seguir é outro exemplo da presença do ludismo em um poema de circunstância, mas com propósitos diferentes. Trata-se de um soneto em labirinto, no qual Gregório de Matos se refere ao desembargador da Bahia, que fora seu colega na Universidade de Coimbra.

Ao mesmo desembargador Belchior da Cunha Brochado

<table>
<tr><td>Dou</td><td></td><td>pruden</td><td></td><td>nobre</td><td></td><td>huma</td><td></td><td>afáv</td><td>el</td></tr>
<tr><td></td><td>to</td><td></td><td>te</td><td></td><td></td><td></td><td>no</td><td></td><td></td></tr>
<tr><td>Rec</td><td></td><td>cien</td><td></td><td></td><td></td><td>benig</td><td></td><td>e aprazív</td><td></td></tr>
<tr><td>Úni</td><td></td><td>singular</td><td></td><td>ra</td><td></td><td></td><td></td><td>inflexív</td><td>el</td></tr>
<tr><td></td><td>co</td><td></td><td></td><td></td><td>ro</td><td></td><td></td><td></td><td></td></tr>
<tr><td>Magnífi</td><td></td><td></td><td></td><td>precla</td><td></td><td></td><td></td><td>incomparáv</td><td></td></tr>
<tr><td>Do Mun</td><td></td><td>grave</td><td></td><td>Ju</td><td></td><td></td><td></td><td>inimitáv</td><td></td></tr>
<tr><td></td><td>do</td><td></td><td></td><td></td><td>is</td><td></td><td></td><td></td><td>el</td></tr>
<tr><td>Admira</td><td></td><td></td><td></td><td>goza</td><td></td><td>aplauso</td><td></td><td>incrív</td><td></td></tr>
<tr><td>Po</td><td></td><td>a trabalho</td><td></td><td>tan</td><td></td><td>e t</td><td></td><td>terrív</td><td></td></tr>
<tr><td></td><td>is</td><td></td><td></td><td></td><td>to</td><td></td><td>ão</td><td></td><td>el</td></tr>
<tr><td>Da</td><td></td><td></td><td></td><td>pron</td><td></td><td>execuç</td><td></td><td>sempre incansáv</td><td></td></tr>
<tr><td>Voss</td><td></td><td>fa</td><td></td><td>Senhor</td><td></td><td>sej</td><td></td><td>notór</td><td></td></tr>
<tr><td></td><td>a</td><td></td><td>ma</td><td></td><td></td><td></td><td>a</td><td></td><td>ia</td></tr>
<tr><td>L</td><td></td><td>no cli</td><td></td><td>onde</td><td></td><td>nunc</td><td></td><td>chega o d</td><td></td></tr>
<tr><td>Ond</td><td></td><td>do Ére</td><td></td><td>só se</td><td></td><td>tem</td><td></td><td>memór</td><td></td></tr>
<tr><td></td><td>e</td><td></td><td>bo</td><td></td><td></td><td></td><td></td><td></td><td>ia</td></tr>
<tr><td>Para qu</td><td></td><td>gar</td><td></td><td>tal</td><td></td><td>tanta</td><td></td><td>energ</td><td></td></tr>
<tr><td>Po</td><td></td><td>de toda</td><td></td><td>es</td><td></td><td>Terr</td><td></td><td>é gentil glór</td><td></td></tr>
<tr><td></td><td>is</td><td></td><td></td><td></td><td>ta</td><td></td><td>a</td><td></td><td>ia</td></tr>
<tr><td>Da ma</td><td></td><td></td><td></td><td>remo</td><td></td><td>sej</td><td></td><td>uma alegr</td><td></td></tr>
</table>

MATOS, Gregório de. In: WISNIK, José Miguel (Sel. e org.). *Poemas escolhidos de Gregório de Matos*. São Paulo: Companhia das Letras, 2010. p. 205.

NAVEGUE

O ludismo barroco também pode ser percebido no poema de Gregório de Matos "Mortal loucura", que foi musicado por José Miguel Wisnik. Ouça a canção: <http://zemiguelwisnik.bandcamp.com/track/mortal-loucura>.

Preclaro: distinto, ilustre.

Érebo: nome das terras infernais, remotas.

Responda às questões no caderno.

1 À primeira vista, o poema parece um apanhado de palavras, letras e sílabas dispostas em desordem.

a) Como o poeta mantém a lógica e a organização textuais?

b) Releia o soneto e transcreva-o no caderno, organizando-o a partir do jogo com as palavras proposto pelo poeta.

2 Você acha que o objetivo do poeta, ao escrever esse texto, era fazer uma crítica, como no poema anterior? Fundamente sua resposta.

Ao artista barroco interessava envolver o público e provocar seus sentidos, principalmente o visual. O ludismo era um dos mecanismos para promover esse "encantamento" no leitor. Novas configurações espaciais das palavras e jogos sonoros baseados em rimas e repetições — como se fossem mantras, orações e ladainhas — eram recursos comumente utilizados pelos poetas barrocos em seus engenhosos "labirintos poéticos".

Intertextualidade em Gregório de Matos

Várias foram as técnicas empregadas por Gregório em suas sátiras. No soneto a seguir, ele utilizou o mecanismo da intertextualidade, usando como hipotexto o soneto classicista "Sete anos de pastor Jacó servia", de Camões, que você já conhece e, portanto, faz parte da sua biblioteca cultural.

Ao casamento de Pedro Álvares da Neiva

Sete anos a Nobreza da Baía
Servia uma pastora Indiana bela;
Porém servia a Índia e não a ela,
Que a Índia só por prêmio pretendia.

Mil dias na esperança de um só dia
Passava, contentando-se com vê-la;
Mas Frei Tomás, usando de cautela,
Deu-lhe o **vilão**, quitou-lhe a **fidalguia**.

Vendo o Brasil que por tão sujos modos
Se lhe **usurpava** a sua Dona Elvira,
Quase a golpes de um **maço** e de uma **goiva**:

Logo se arrependeram de amar todos,
Mas qualquer mais amara se não vira
Para tão limpo amor tão suja noiva.

MATOS, Gregório de. In: WISNIK, José Miguel (Sel. e org.). *Poemas escolhidos de Gregório de Matos*. São Paulo: Companhia das Letras, 2010. p. 169.

Vilão: palavra usada com duplo sentido: habitante da vila e indivíduo de caráter mesquinho.

Fidalguia: qualidade de quem é fidalgo, nobre.

Usurpava: tomava posse de algo que não lhe era de direito.

Maço: ferramenta utilizada em trabalhos de entalhe.

Goiva: ferramenta utilizada por artesãos para entalhar madeira ou pedra.

Responda no caderno às questões propostas.

1 Em estudos anteriores, vimos que o soneto camoniano sugere que o Amor de Jacó por Raquel transcende a vida para projetar-se em um plano superior. Vimos também que Camões faz algumas alterações importantes no hipotexto bíblico ("Lia e Raquel") para construir essa ideia de Amor superior (neoplatonismo). No soneto "Ao casamento de Pedro Álvares da Neiva", Gregório de Matos também altera o soneto camoniano. Com que intenção ele faz as mudanças no texto-fonte?

2 Em seu soneto, Gregório fala de uma fidalga (nobre) que passa a ser cortejada pelos "nobres" da sociedade baiana do século XVII. A pastora será desejada pelas riquezas que poderia proporcionar ao seu marido. Os homens pretendem, unindo-se à fidalga, alcançar a Índia, metonímia do lucrativo comércio com o Oriente. Que crítica está implícita no primeiro quarteto do soneto?

No primeiro terceto de Gregório, o "Brasil" — personificado e metonímia da "nobreza baiana" — percebe que fora enganado pelo frei (crítica aos interesses nem sempre honestos dos representantes religiosos) e pelo vilão, homem que representa aqueles que ocupavam uma posição desprestigiada nos rígidos extratos sociais da época. (Em outra posição, havia os homens que tinham ascendência fidalga, cristã e branca e que ocupavam os melhores lugares no Recôncavo Baiano.)

3 Na última estrofe, o eu lírico faz uso da ironia, uma figura de linguagem que consiste, entre outras coisas, em afirmar o contrário do que se acredita, deixando um pensamento subentendido. Explique a ironia que fecha o soneto de Gregório.

Há várias formas de intertextualidade, ou seja, diversas maneiras de um intertexto se relacionar com seu hipotexto, entre as quais destacamos:

- **Paródia:** operação lúdica que implica uma *transformação* do texto anterior (hipotexto), em geral um texto canônico. Normalmente, o texto parodiado é logo reconhecido pelo leitor. Um exemplo é a versão de Guimarães Rosa para o conto de fadas "Chapeuzinho vermelho", como vimos no trecho reproduzido no primeiro capítulo desta obra.
- **Pastiche:** operação lúdica que implica uma *imitação*. Em geral, os pastiches não se remetem a um texto determinado, mas a um estilo característico de um autor. Millôr Fernandes, ao imitar o estilo de Rachel de Queiroz em "Chapeuzinho vermelho", como também observamos no capítulo 1, dá exemplo de pastiche.

4 Que tipo de intertextualidade se dá no diálogo estabelecido por Gregório de Matos com o hipotexto de Camões? Justifique sua resposta.

A obra satírica de Gregório de Matos é herdeira da tradição portuguesa que remonta às cantigas satíricas trovadorescas medievais. A voz do autor, como já vimos, expressa um mundo específico: a colônia da segunda metade do século XVII. Nessa poesia de combate, convivem idealizações do passado baiano, preconceitos em relação aos mulatos, sobretudo aos que ascendiam economicamente, e ataques aos "fidalgos caramurus" (senhores de engenho mestiços de português com tupi).

⊙ Sensualidade e delicadeza: a poesia amorosa

Lendo alguns dos textos satíricos de Gregório de Matos, repleto de grosserias, fica difícil acreditar que ele tenha cultivado uma intensa faceta poética amorosa como a que se vê no poema transcrito a seguir. Observe a riqueza das imagens e o apelo à visão, primeiro das belezas presentes nos elementos naturais; depois, da amada Catarina. Atente também para a influência do idealismo amoroso renascentista no soneto.

Pintura admirável de uma beleza

Vês esse Sol de luzes coroado?
Em pérolas a aurora convertida?
Vês a lua de estrelas **guarnecida**?
Vês o céu de planetas adornado?

O céu deixemos; vês naquele prado
A rosa com razão **desvanecida**?
A açucena por alva presumida?
O cravo por galã **lisonjeado**?

Deixa o prado; vem cá, minha adorada:
Vês desse mar a esfera cristalina
Em sucessivo **aljôfar desatada**?

Parece aos olhos ser de prata fina?
Vês tudo isto bem? Pois tudo é nada
À vista do teu rosto, Catarina.

MATOS, Gregório de. In: WISNIK, José Miguel (Sel. e org.). *Poemas escolhidos de Gregório de Matos*. São Paulo: Companhia das Letras, 2010. p. 237.

Guarnecida: enfeitada.
Desvanecida: que perdeu a cor, desbotada.
Lisonjeado: envaidecido.
Aljôfar desatada: que lacrimeja sem parar.

Responda no caderno.

1 Ao longo do soneto, o eu lírico apresenta uma série de imagens que servirão para afirmar a superioridade de sua amada. Que elementos são usados pelo poeta na construção dessas imagens?

2 Que relação se estabelece entre os elementos apontados na questão 1 e o título do soneto?

3 Na última estrofe, que figura de linguagem é usada pelo eu lírico para confirmar a superioridade da amada?

Baseada no dualismo, nas antíteses, no choque entre espírito e matéria, na busca de uma síntese e fusão possíveis, a poesia lírico-amorosa de Gregório alcança, em alguns momentos, qualidade superior à satírica.

Padre Antônio Vieira: a palavra como instrumento

Antônio Vieira (1608-1697) nasceu em Lisboa e, aos seis anos, foi trazido para o Brasil, onde ingressou no colégio dos jesuítas da Bahia. Em 1634, já era padre da Companhia de Jesus. Suas habilidades de orador se revelaram rapidamente e, em 1640, seguiu para sua terra natal, já liberta da Espanha. A corte de D. João IV reconheceu seu talento e o enviou em missão diplomática para Haia, Paris e Roma. De volta ao Brasil, em 1652, trabalhou na

THE BRIDGEMAN ART LIBRARY/ KEYSTONE - PRIVATE COLLECTION

Gravura do século XVII, representando Padre Vieira.

catequese dos indígenas do Maranhão e incentivou-os a se rebelarem contra as violências praticadas pelos colonos. Em consequência disso, foi enviado para a metrópole em 1661. Lá, profetizou que Portugal seria o Quinto Império, liderado pelo rei D. João (que ressuscitaria) e pelo Papa, e foi condenado pela Inquisição ao confinamento e ao silêncio por ter escrito obras consideradas heréticas, como *História do futuro* (1718) e *Esperanças de Portugal* (1856-1857).

Depois de cumprir a pena, foi a Roma pedir revisão de seu processo e tornou-se, mais tarde, orador da rainha Cristina, da Suécia. Retornou a Lisboa e foi novamente condenado pela Inquisição ao defender os cristãos-novos (judeus forçosamente convertidos ao cristianismo). Não lhe restou outra alternativa a não ser retornar definitivamente ao Brasil, em 1681, e dedicar-se à publicação de seus sermões e outras obras.

As habilidades de Vieira como autor de discurso jesuítico e sua postura política de homem de ação fizeram dele uma personalidade ímpar no Barroco brasileiro, português e, mais amplamente, europeu. Sua obra reúne mais de quinhentas cartas, obras de profecia e importantes sermões, reunidos em 15 volumes (13 publicados entre 1679 e 1690 e dois entre 1710 e 1718).

Investigue em História

Que obras compõem o *Index Librorum Prohibitorum*, a lista de livros proibidos pela Igreja?

A vida de Padre Antônio Vieira inspirou o enredo do filme *Palavra e utopia*, do cineasta português Manoel de Oliveira, lançado em 2000.

Sermões: sedução e pregação

No século XXI, há várias maneiras de publicar um texto literário: em livros impressos, em suportes eletrônicos (*tablets*), em audiolivros, na internet, entre outros. Na época de Vieira, o suporte para o texto literário era geralmente o livro impresso. No caso dos sermões, que são um gênero textual da esfera religiosa, eles só poderiam ser lidos ou ouvidos em igrejas, normalmente de cima de um púlpito.

Da mesma maneira que uma peça de teatro só se realiza plenamente quando encenada por atores em um palco, um sermão só alcança sua plenitude e força quando falado para um público — é um tipo de texto construído ao vivo. Para garantir espontaneidade ao sermão, Vieira utilizava como base para sua fala apenas um roteiro e não o texto completo.

Vieira atribuía grande importância para o ato da fala do sermão. No *Sermão da sexagésima*, por exemplo, ele reforça que o orador deve ter "boa voz" e "bom peito" e não deve gritar demais ou pregar com voz baixa como se estivesse conversando. E ele sabia do que estava falando, pois era tão bom orador quanto escritor. Prova disso é que, quando se sabia que Padre Vieira pregaria um sermão, os fiéis da região reservavam seus lugares na igreja desde a madrugada.

Material complementar
- Amplie seus conhecimentos: A herança dos sofistas e os silogismos em Vieira

SAIBA MAIS!

Alguns sermões de Vieira merecem especial destaque (as datas referem-se ao ano em que foram proferidos pelo padre):
- *Sermão XIV do Rosário* (1633) — contra o sofrimento dos escravos.
- *Sermão pelo bom sucesso das armas de Portugal contra as de Holanda* (1640) — crítica à invasão holandesa.
- *Sermão de Santo Antônio* ou *Sermão dos peixes* (1645) — contra a escravização dos índios.
- *Sermão da sexagésima* (1653) — sobre a arte de pregar.

O estilo de Vieira: clássico e barroco

Por considerar que o jogo de palavras tipicamente barroco poderia desviar a atenção dos espectadores (e leitores) daquilo que realmente era essencial na pregação de um sermão, Vieira era um fervoroso crítico do cultismo (ou gongorismo) seiscentista.

Sua faceta clássica se revela na tentativa de buscar clareza, equilíbrio e verdade em seus escritos. Ele defendia que um sermão deveria abordar somente um tema, ou seja, focar-se apenas em "um só assunto e uma só matéria" para atingir unidade e se fazer compreendido plenamente pelos fiéis.

Os sermões de Vieira estão marcados principalmente pelo conceptismo (jogo de ideias). Partindo sempre de um fato real, despertavam imediatamente a atenção do público, chamando-o à ação. Esse fato familiar era relacionado a uma passagem bíblica, com a qual ele estabelecia uma analogia para convencer o ouvinte/leitor da validade de suas ideias.

RICARDO AZOURY/PULSAR IMAGENS

Vista do interior da Igreja da Ordem Terceira de São Francisco, Salvador (BA). Construída entre os séculos XVII e XVIII, é considerada uma das mais ricas expressões do Barroco brasileiro (foto de 1996).

Uma das estratégias de persuasão de Vieira consistia em provocar, no auditório, dúvidas por meio de perguntas retóricas, às quais ele não respondia nem dava tempo ao ouvinte de refletir sobre elas, como podemos perceber no trecho a seguir.

[...]

Sendo, pois, certo que a palavra divina não deixa de frutificar por parte de Deus, segue-se que ou é por falta do pregador ou por falta dos ouvintes. Por qual será? Os pregadores deitam a culpa aos ouvintes, mas não é assim. Se fora por parte dos ouvintes, não fizera a palavra de Deus muito grande fruto, mas não fazer nenhum fruto e nenhum efeito, não é por parte dos ouvintes. [...]

VIEIRA, Padre Antônio. Sermão da sexagésima. In: MAGALHÃES, Isabel Allegro (Org.). *História e antologia da literatura portuguesa — século XVII*. Lisboa: Fundação Calouste Gulbenkian, 2007. v. 37, p. 91. (Fragmento).

NAVEGUE

Assista a episódio da série de TV *Tudo que é sólido pode derreter* sobre os sermões do Padre Vieira, em <http://www3.tvcultura.com.br/tudooqueesolido/player.php?id=329>.

A linguagem dos sermões vieirianos é sofisticada e rica e privilegia as relações lógicas entre as palavras. Em geral são divididos em três partes e seguem a seguinte estrutura:

1. **Introito** (ou **exórdio**): o orador anuncia o tema a ser discutido (proposição).
2. **Desenvolvimento** (ou **argumento**): o orador apresenta prós e contras da proposição e exemplos que sustentem uma tese.
3. **Peroração**: parte final em que o orador convida os fiéis a praticar os valores (cristãos) ressaltados ao longo do sermão.

Barroco tardio: as artes plásticas e a arquitetura

Na segunda metade do século XVIII, quando a Europa já estava tomada por outro movimento artístico baseado na retomada dos ideais da Antiguidade greco-latina (Neoclassicismo), o Barroco brasileiro atingiu sua plenitude nas artes plásticas e na arquitetura. No Nordeste, surgem igrejas ornamentadas com talhas douradas, azulejos portugueses e pedras ricamente esculpidas.

ALEX SALIM

Forro da capela do convento franciscano de Santo Antônio, em João Pessoa (PB), inteiramente revestido de talha dourada e pinturas que criam no observador uma ilusão de profundidade (foto de 2010).

Com o chamado "ciclo do ouro", desenvolveram-se no estado de Minas Gerais cidades como Vila Rica, Mariana, Sabará, Congonhas do Campo, São João del Rei, Caeté, Catas Altas. O enriquecimento arquitetônico e escultórico nesses locais atingiu seu ponto máximo com os trabalhos de Antônio Francisco Lisboa, conhecido como **Aleijadinho** (1730-1814).

RUBENS CHAVES/PULSAR IMAGENS

Igreja de São Francisco de Assis, em Ouro Preto, Minas Gerais (foto de 2011).

Na igreja de São Francisco de Assis, em Ouro Preto (antiga Vila Rica), Aleijadinho criou um Barroco próprio, em que paredes brancas servem de fundo para esculturas caracterizadas por linhas curvas e harmônicas, dando maior leveza ao conjunto. A obra mais importante desse artista múltiplo é o Santuário do Bom Jesus de Matosinhos, em Congonhas do Campo. Nele, estão presentes, ao ar livre, doze esculturas dos profetas bíblicos que parecem estar em movimento, todas feitas de pedra-sabão.

ROGÉRIO REIS/PULSAR IMAGENS

Escultura em pedra-sabão do profeta Isaías, por Aleijadinho. Basílica do Bom Jesus de Matosinhos, Congonhas do Campo, Minas Gerais (foto de 2009).

ALEX SALIM

O teto da Igreja da Ordem Terceira de São Francisco de Assis, em Ouro Preto (MG), é obra de Aleijadinho (foto de 2010).

NAVEGUE

Conheça mais sobre a arte barroca no Brasil acessando <http://www.itaucultural.org.br/barroco/home.html>.

Outro pintor de destaque no Barroco mineiro é Manuel da Costa Ataíde (1762?-1830), responsável pela pintura de forros de igrejas, paredes laterais, painéis e telas.

No contexto da extração do ouro, o Rio de Janeiro, por conter portos importantes, transforma-se em um centro de intercâmbio comercial entre a região mineira e Portugal, o que o eleva à condição de capital do Brasil, a partir de 1763. Nesse contexto, são construídos, entre outros, o Aqueduto da Carioca e a igreja de Nossa Senhora da Glória do Outeiro. Além do escultor português Francisco Xavier de Brito (?-1751), destaca-se a figura de Mestre Valentim (1745-1813), responsável por obras expostas em jardins públicos, praças e igrejas.

AISA/THE BRIDGEMAN ART LIBRARY/GRUPO KEYSTONE - MUSEU NACIONAL DE BELAS ARTES, RIO DE JANEIRO, BRASIL.

JOAQUIM, Leandro. *Lagoa do Boqueirão e Aqueduto da Lapa*. Século XVIII. Óleo sobre tela, 55 × 80 cm.

Atividades: Leitura de texto

O texto a seguir é um fragmento da segunda parte do *Sermão ao enterro dos ossos dos enforcados*, pregado por padre Antônio Vieira em uma igreja na Bahia, em 1637. Na ocasião, vivia-se um período conturbado em que se temiam os ataques que os holandeses preparavam contra Salvador (repelidos em 1638).

Sermão ao enterro dos ossos dos enforcados

Pregado na Igreja da Misericórdia da Bahia, ano de 1637, em que ardia aquele estado em guerra.

[...]

Um dos mais prodigiosos casos com que o Céu assombrou a Terra e as nossas terras, foi o memorável terremoto da ilha Terceira, não muitos anos antes deste. Arruinou, subverteu e arrasou totalmente a vila, chamada da Praia; mas foi muito mais notável, pelo que deixou em pé, que pelo que derrubou. Unicamente ficaram inteiras e sem lesão estas três partes, ou peças daquele povo: a cadeia pública, a casa da misericórdia, e o púlpito da igreja maior. Oh Providência Divina, sempre vigilante, ainda nos casos que parecem e me podem ser da natureza! Aquelas três exceções tão notáveis, não foram sem grande mistério; e todos os que as viram, o notaram e reconheceram logo. No cárcere o reconheceram a justiça, no hospital a misericórdia, e no púlpito a verdade. Como se nos pregara Deus aos Portugueses e mais aos das cidades e praças marítimas (como esta é e aquela era) que por falta de justiça, de misericórdia e de verdade, se veem tão destruídas e assoladas as nossas conquistas; e que só se pode defender, conservar e manter em pé sobre três colunas; com verdade, e com misericórdia, e com justiça; da justiça, basta o que fica dito; da misericórdia e verdade, diremos agora.

Misericordia, et veritas obviaverunt sibi. Contêm estas palavras, senhores, um documento notável, e muito digno de o notarem e advertirem todos os que nesta ilustríssima comunidade com nome e com as obras professam misericórdia. Profetiza e canta Davi, como maravilha e excelência própria da lei da graça, que nos tempos dela — que são estes nossos — a misericórdia e a verdade se concordariam, se abraçariam e se uniriam entre si. Isto quer dizer *obviaverunt sibi*. E é notável dizer. As virtudes não são como os vícios. Os vícios, ainda que se ajuntem no mesmo sujeito, e para o mesmo fim, sempre vão atados ao revés, como as raposas de Sansão, sempre desencontrados e inimigos. Não assim as virtudes. As virtudes conservam tal irmandade e harmonia entre si, que sempre estão unidas e concordes; e entre todas as virtudes, a nenhuma é mais intrínseca esta união, que à verdade, porque a virtude que não é juntamente verdade, não é virtude. Como diz logo Davi, e como celebra por maravilha própria da lei de Cristo, que a misericórdia se ajuntaria com a verdade, e a verdade com a misericórdia: *Misericordia, et veritas obviaverunt sibi*. Uma coisa diz Davi, outra supõe, e ambas certas. Diz que a misericórdia e a verdade se haviam de encontrar e unir, porque assim o manda Cristo; e supõe que a misericórdia e a verdade podiam andar desencontradas e desunidas, porque assim acontece muitas vezes. Nem tudo o que parece misericórdia é misericórdia e verdade.

Misericordia, et veritas obviaverunt sibi: a misericórdia e a verdade se encontraram.

Há misericórdias, que são misericórdia e mentiras: parecem misericórdias e são respeitos, parecem misericórdias e são interesses, parecem misericórdias e são outros afetos tão contrários desta virtude, como de todas. [...]

VIEIRA, Padre Antônio. *Sermões*. Ministério da Cultura. Fundação Biblioteca Nacional. Departamento Nacional do Livro. Disponível em: <http://objdigital.bn.br/Acervo_Digital/Livros_eletronicos/sermoesii_1.pdf>. Acesso em: 25 mar. 2012. (Fragmento).

Registre no caderno as respostas às questões.

1 O primeiro parágrafo do texto lido faz alusão a um terremoto que arrasou a Terceira, uma das nove ilhas dos Açores, pertencente a Portugal.

a) Segundo Vieira, quais foram as três partes que permaneceram inteiras após o abalo?

b) A quais virtudes ele relaciona cada uma dessas partes não atingidas pelo terremoto?

2 Releia o comentário de Padre Vieira sobre o terremoto.

"foi muito mais notável, pelo que deixou em pé, que pelo que derrubou".

Explique esse fragmento, tendo em vista sua compreensão total do texto.

3 Ainda que não tivesse afinidade com o cultismo, Padre Antônio Vieira faz uso do estilo gongórico em algumas passagens de seu texto, estabelecendo jogos com as palavras. Em que passagem isso se dá?

4 O texto de Vieira não perde de vista seu interlocutor. Por se tratar de um sermão, pregado diretamente aos fiéis, o padre explica a seus ouvintes o percurso de seu raciocínio. Que marcas linguísticas sugerem que se trata de um gênero ligado à oralidade?

5 Ao citar um salmo, no segundo parágrafo, Vieira estabelece uma relação entre o fato real abordado no início do texto e a escritura sagrada. Explique de que modo ele encaminha seus ouvintes a uma conclusão.

O QUE VOCÊ APRENDEU NO PERCURSO DESTE CAPÍTULO

- O principal representante do Barroco brasileiro na poesia foi Gregório de Matos, o Boca do Inferno. Em sua produção, convivem o sagrado e o profano, as angústias motivadas pelos desejos dos prazeres do corpo e a necessidade da busca de Deus, num estilo predominantemente cultista.
- O principal representante do Barroco brasileiro na prosa é o padre português Antônio Vieira. Seus sermões alcançam alta qualidade literária e revelam uma faceta clássica (clareza, equilíbrio e verdade) e uma barroca (conceptista).
- Somente no século XVIII, o Barroco brasileiro atingiu sua plenitude nas artes plásticas e na arquitetura.

Expressões

Nesta unidade, você travou contato com o Barroco, movimento artístico cujas produções buscam provocar os sentidos de quem as contempla, exprimindo um outro padrão de beleza. Agora, depois de ter estudado os textos escritos no século XVII, chegou a sua vez de se expressar fazendo arte.

Como você já sabe, cada forma de arte possui um material específico de produção. Assim, a dança geralmente parte de uma trilha sonora para lidar com os movimentos físicos que o corpo consegue realizar; a pintura se faz com a riqueza das cores; a literatura, com as palavras. Mas também há artistas que se arriscam a transformar uma forma de arte em outra, fazendo, por exemplo, uma pintura converter-se em versos. A arte não tem limites.

O poema a seguir, da norte-americana Sylvia Plath (1932-1963), integra um dos capítulos de *História da feiura*, obra organizada pelo italiano Umberto Eco e que mostra as várias manifestações do feio (na pintura, na escultura, na literatura, etc.) ao longo dos séculos. Veja como a poeta apresenta, em versos fortes, sua leitura de um detalhe da tela *O triunfo da morte*, de Pieter Brueghel, o Velho (analisada por você no capítulo 9).

GIRAUDON/THE BRIDGEMAN ART LIBRARY/GRUPO KEYSTONE - MUSEU DO PRADO, MADRI, ESPANHA

BRUEGHEL, Pieter. *O triunfo da morte*. c. 1562. Óleo sobre tela, 117 × 162 cm. Detalhe do canto inferior direito da tela, ao qual Sylvia Plath se refere em seu poema.

Uma visão de necrotério

No panorama bruegeliano de fumo e morte
só os dois estão cegos àquela **horda** de podridão:
À deriva no mar da saia dela,
seda celeste, ele canta olhando
seus ombros nus e ela, reclinando-se
para ele, **solfeja** uma partitura,
ambos surdos ao violino do esqueleto
que sombreia sua canção.
Estes **flamengos** em flor;
não por muito tempo.
E todavia a desolação do quadro
poupa o pequeno refúgio,
absurdo, delicado, no canto,
embaixo à direita.

PLATH, Sylvia. Uma visão de necrotério. In: ECO, Humberto (Org.). *História da feiura*. Rio de Janeiro: Record, 2007. p. 69.

Horda: bando.

Solfeja: lê ou canta pronunciando apenas o nome das notas musicais.

Flamengos: relativo a Flandres, região da Europa que hoje corresponde a territórios franceses, belgas e holandeses.

Agora é você quem irá transformar imagens em palavras e brincar com essa rica possibilidade de expressão. Para isso, apresentamos uma pintura holandesa barroca. Observe-a e, a exemplo de Sylvia Plath, faça uma releitura em versos da obra.

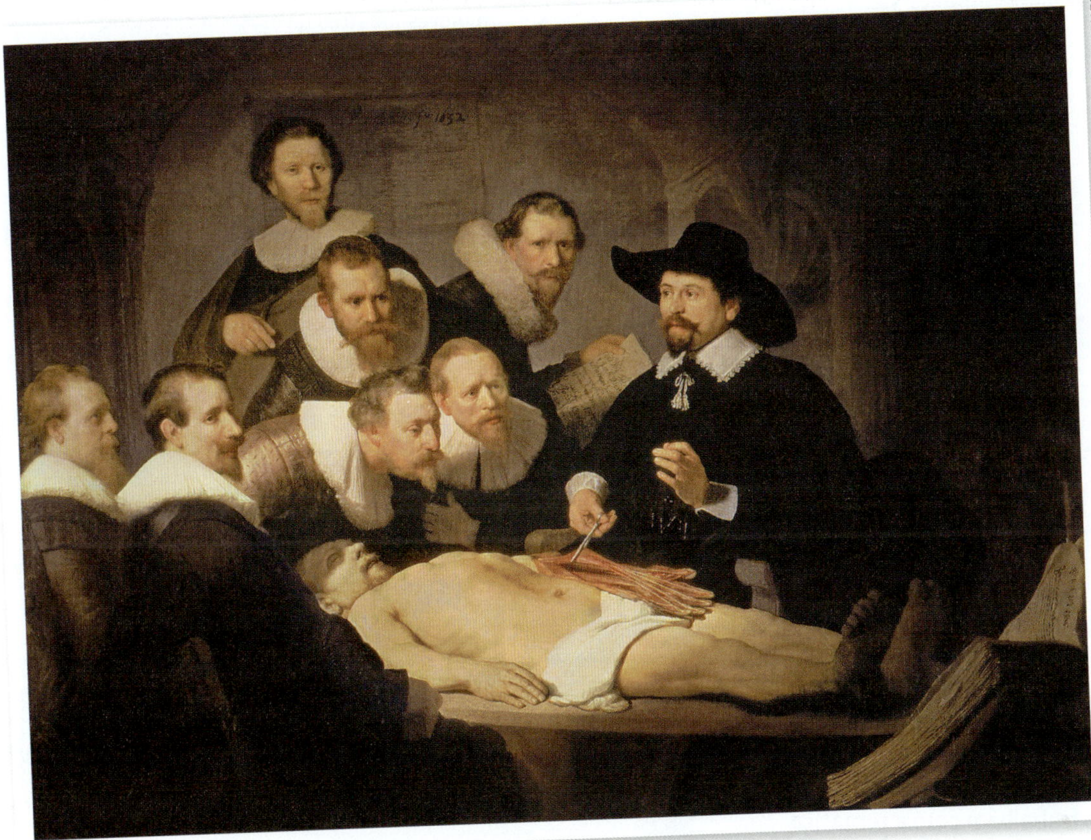

GIRAUDON/THE BRIDGEMAN ART LIBRARY/GRUPO KEYSTONE - MUSEU DO PRADO, MADRI

REMBRANDT. *A lição de anatomia do doutor Tulp*. 1632. Óleo sobre tela, 169,5 × 216 cm. Nesse quadro, que apresenta professor e alunos estudando um cadáver, a luz incide de maneira mais intensa sobre o corpo, e a penumbra indefine os espaços da sala.

A seguir sugerimos os passos para a realização do trabalho:

1. Analise a obra e, antes de escrever o poema, opte por retratar a imagem toda ou, como fez Plath, apenas um detalhe.
2. Observe atentamente a imagem e anote em seu caderno palavras que sugiram o que você está vendo ou que traduzam o que você está sentindo.
3. Após fazer suas anotações, utilize-as para rascunhar a primeira versão de seus versos.
4. Finalizado o rascunho, troque-o com um colega para que ele possa fazer uma leitura crítica de seu texto, analisando se foi atingido o objetivo de recriar literariamente a pintura.
5. Faça os ajustes necessários a partir do que foi apontado pelo seu leitor crítico.
6. Passe a limpo seu texto e leia-o para os colegas.
7. Os poemas podem ser expostos em um painel, na classe ou no pátio, para que todos tenham acesso às produções da turma.

Leitura puxa leitura

Comece sua leitura por:

Obras de Gregório de Matos

Por que ler: Considerado o primeiro grande poeta brasileiro, Gregório de Matos resume em sua figura poética as contradições típicas do Barroco e, de certa forma, da própria cultura brasileira. Autor de belos e célebres poemas sacros, que trabalham com a temática cristã, o poeta ficou conhecido como Boca do Inferno por seus versos satíricos, que não poupavam ninguém — muito menos os políticos.

Sermões (1679), de Padre Antônio Vieira

Por que ler: Vieira é, sem dúvida, um dos maiores mestres da oratória e, ao lado de Gregório de Matos, representa uma referência da literatura barroca em língua portuguesa.

Boca do inferno (1989), de Ana Miranda

Por que ler: Mescla de ficção e história, a obra traça um painel do Barroco brasileiro, numa narrativa em que, entre os personagens, estão os próprios Gregório de Matos e Padre Antônio Vieira.

LETÍCIA MOREIRA/ FOLHAPRESS

Museu de Arte Sacra de São Paulo

Por que visitar: O vasto acervo desse museu conta com obras de importantes nomes da arte barroca no Brasil, como Frei Agostinho de Jesus, Jesuíno do Monte Carmelo e Antônio Francisco Lisboa, o "Aleijadinho".

LÚCIO TÁVORA/ AGÊNCIA A TARDE/ESTADÃO CONTEÚDO

Canções de Caetano Veloso

Por que ouvir: Além de canções que dialogam com poemas de Gregório de Matos, como "Mortal loucura" e "Triste Bahia", o compositor baiano criou obras como "Outras palavras" e "O quereres", cujas letras aproximam-se do cultismo barroco.

Cartas chilenas (c. 1778-1788), atribuídas a Tomás Antônio Gonzaga

Por que ler: Escritas para ridicularizar o governador de Vila Rica, as cartas em versos do poeta árcade denunciam a corrupção e os desmandos de Luís da Cunha Meneses, tornando-o motivo de zombaria diante da população.

REPRODUÇÃO

Palavra e utopia (2000), de Manoel de Oliveira

Por que assistir: O diretor português Manoel de Oliveira apresenta a vida e alguns dos mais célebres sermões do Padre Antônio Vieira, interpretado por Lima Duarte.

ADRIANO GAMBARINI/ PULSAR IMAGENS

Igrejas de Ouro Preto, Minas Gerais (N. Sra. do Carmo, N. Sra. do Rosário e N. Sra. da Conceição)

Por que visitar: Além de ícones da arquitetura barroca brasileira, essas igrejas mineiras possuem em seu interior pinturas e esculturas de artistas da época, o que as transforma em verdadeiros museus.

Museu Virtual de Ouro Preto, <http://museuvirtualdeouropreto.com.br>

Por que acessar: Para fazer uma visita virtual pelas igrejas de Ouro Preto e conhecer alguns detalhes da arquitetura e da escultura barrocas.

Silêncio (1966), de Shusaku Endo

Por que ler: No século XVII, pressionado pelas autoridades japonesas, um missionário português que difundia o catolicismo pelo Japão é levado a abandonar sua prática religiosa. Com isso, passa por uma inquietante crise em sua fé, angustiado pelo silêncio de Deus diante de sua situação. Vive, assim, um conflito espiritual tipicamente barroco.

Rainha Margot (1845), de Alexandre Dumas

Por que ler: Esse livro tem como pano de fundo o Massacre da Noite de São Bartolomeu, resultado de um sangrento conflito entre católicos e protestantes que compõem o contexto histórico e ideológico do Barroco.

REPRODUÇÃO

O Aleijadinho: paixão, glória e suplício (2001), de Geraldo Santos Pereira

Por que assistir: O filme apresenta a vida, bem como a formação cultural e artística de um dos maiores artistas barrocos do mundo, o brasileiro Antônio Francisco Lisboa.

A madona de cedro (1957), de Antônio Callado

Por que ler: Nessa ficção, após roubar uma escultura de Aleijadinho, o personagem Delfino Montiel deve lidar com a constatação da fragilidade humana, o senso do pecado e a busca pelo perdão — temas trabalhados na poesia sacra de Gregório de Matos.

Odorico, o Bem-Amado ou **Os mistérios do amor e da morte** (1962), de Dias Gomes

Por que ler: Nessa crítica ao cinismo político, Dias Gomes desenvolve com humor o personagem fictício Odorico Paraguaçu, inspirando-se no tipo de político demagogo e oportunista.

REPRODUÇÃO

O Bem Amado (2010), de Guel Arraes

Por que assistir: A adaptação cinematográfica mostra que o texto de Dias Gomes continua atual e o aspecto cartunesco do infame Odorico Paraguaçu está muito próximo de modelos reais.

UNIDADE 5

ARCADISMO: SIMPLICIDADE, EQUILÍBRIO E RAZÃO

Você conseguiria reunir todas as suas coisas em apenas uma foto? Foi o que a fotógrafa sueca Sannah Kvist propôs a jovens nascidos nos anos 1980. A artista pediu a nove estudantes que reunissem seus pertences e compusessem com eles "esculturas" para serem registradas com sua câmera. As imagens obtidas por ela nos convidam a refletir sobre o que realmente é necessário para vivermos.

Embora bastante atual em um mundo marcado pelo consumo, essa discussão remonta ao século XVIII, quando os autores retornam, em seus textos, à mitológica Arcádia, região grega paradisíaca em que pastores "eleitos" se dedicavam à poesia e a pequenos prazeres da vida. Em plena eclosão urbana, os artistas setecentistas voltaram a cultivar, em sua literatura, uma vida simples, o retorno ao campo e o desprezo ao luxo e ao desnecessário da cidade. Entramos agora nos domínios da literatura árcade, também denominada neoclássica.

Foto que compõe a série *All I own* (Tudo o que tenho), da fotógrafa sueca Sannah Kvist. 2012.

SANNAH KVIST

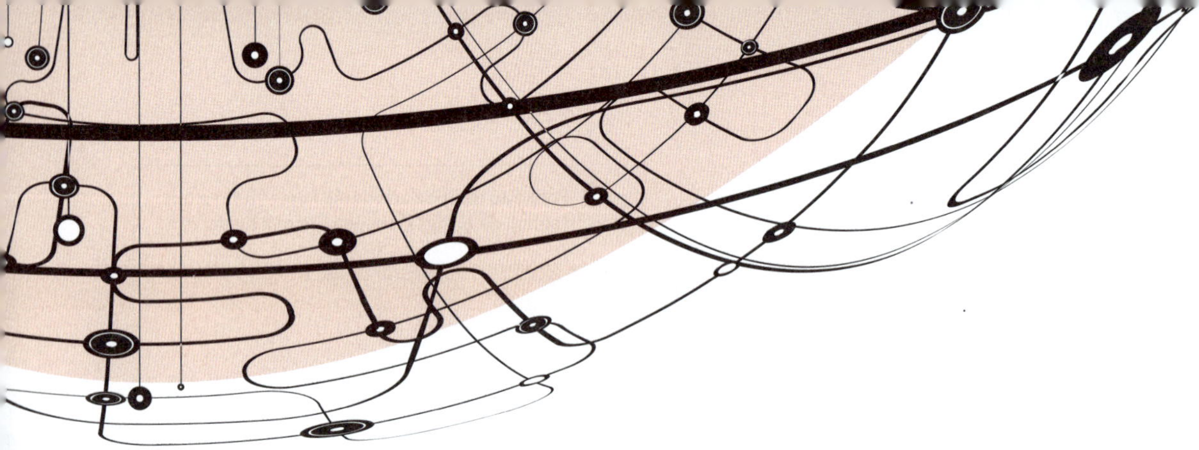

Para início de conversa

Você já parou para pensar em um lugar ideal para viver? Como seria esse seu refúgio? Na letra de canção a seguir, que integra o disco *Infinito particular*, lançado em 2006 pela cantora e compositora carioca Marisa Monte, o eu lírico nos convida a andar e voar por um recanto que ele considera perfeito. Veja o que acha da ideia.

Vilarejo

Há um vilarejo ali
Onde areja um vento bom
Na varanda quem descansa
Vê o horizonte deitar no chão
Pra acalmar o coração

Lá o mundo tem razão
Terra de heróis, lares de mãe
Paraíso se mudou para lá
Por cima das casas cal

Frutas em qualquer quintal
Peitos fartos, filhos fortes
Sonhos semeando o mundo real
Toda a gente cabe lá
Palestina Shangri-lá

Vem andar e voa
Vem andar e voa
Vem andar e voa

Lá o tempo espera
Lá é primavera
Portas e janelas ficam sempre abertas
Pra sorte entrar
Em todas as mesas pão

Flores enfeitando
Os caminhos, os vestidos, os destinos
E essa canção
Tem um verdadeiro amor
Para quando você for

Vem andar e voa
Vem andar e voa

Vem andar e voa
Vem andar e voa

MONTE, Marisa; BABY, Pedro; BROWN, Carlinhos; ANTUNES, Arnaldo. Intérprete: Marisa Monte. In: MARISA MONTE. *Infinito particular*. Rio de Janeiro, EMI, 2006. 1 CD. Faixa 2.

Responda às questões no caderno.

1 Descreva o mundo ideal apresentado na letra de canção "Vilarejo".

2 Se você pudesse se mudar para um lugar ideal, como seria esse seu vilarejo, essa Shangri-lá?

SAIBA MAIS!

- O eu lírico de "Vilarejo" fala de Shangri-lá. Você já ouviu alguma vez essa palavra?

Shangri-lá foi o nome que o escritor inglês James Hilton (1900-1954) deu para um lugar mágico, irreal e perfeito, descrito em seu romance *Horizonte perdido*. Esse utópico paraíso terreno estaria localizado entre as deslumbrantes e inacessíveis montanhas congeladas do Tibete e nele viveriam livremente e em paz pessoas de todos os tipos. A obra de Hilton foi publicada em 1933, em um contexto conturbado. O nazifascismo já se espalhara pela Europa e um enorme conflito estava para eclodir: a Segunda Guerra Mundial (1939-1945). A Shangri-lá desse autor apresentava-se como uma espécie de refúgio.

O paraíso utópico criado por James Hilton, o vilarejo da canção de Marisa Monte e a obra da fotógrafa Sannah Kvist dialogam com algumas das propostas dos escritores árcades da segunda metade do século XVIII. Os anos 1700 apresentam uma particularidade: na primeira metade, o Barroco ainda persiste em muitos países; na segunda, quando se fortalece o Iluminismo, movimento calcado nas ciências, na razão e no progresso, o Neoclassicismo (ou Arcadismo) passa a dominar a cena literária europeia. O período neoclássico, ou árcade, marcado pela racionalidade e pela crítica dos burgueses cultos aos abusos praticados pela nobreza e pelo clero, foi denominado, na Europa, "século das luzes" ou da "ilustração". A obra-símbolo desse momento é a *Enciclopédia*, grande difusora de uma nova visão de mundo.

No Brasil, a descoberta do ouro e sua exploração indiscriminada foram responsáveis pela fundação de vilas e de cidades bastante diferentes dos engenhos e das fazendas produtoras de cana-de-açúcar, estruturas que marcaram a economia do século anterior. Esse intenso comércio favoreceu maior circulação e contato entre os habitantes da colônia. Os homens ricos do período puderam mandar seus filhos estudar na Europa, o que propiciou a esses jovens travar contato com as ideias iluministas e com um novo mundo que se inaugurava.

Na segunda metade do século XVIII, o Marquês de Pombal, ministro iluminista do rei D. José I, expulsou a Companhia de Jesus da colônia e de Portugal e organizou uma reforma educacional que instituiu escolas na América. Pombal também intensificou a cobrança dos impostos sobre o ouro e os diamantes descobertos na região das Minas Gerais, medida que posteriormente se tornou um problema. Quando a quantidade de ouro extraído começou a decair, a insatisfação dos mineradores com as cobranças advindas da administração portuguesa aumentou, até o momento em que um grupo de advogados, juízes, membros do exército e comerciantes organizou o primeiro movimento independentista da história do Brasil: a Inconfidência Mineira.

A revolta não previa a independência de toda a colônia, mas sua importância está no fato de ter sido o primeiro impacto nas relações entre a colônia e a metrópole portuguesa. Além disso, dela participaram figuras fundamentais da literatura brasileira, como Tomás Antônio Gonzaga (que seria o presidente da República independente se a Inconfidência Mineira tivesse dado certo) e Cláudio Manuel da Costa.

Nesta unidade, estudaremos um movimento que se opôs aos exageros cultistas e conceptistas barrocos, buscando resgatar, entre outras coisas, a simplicidade literária. Os antigos gregos e latinos e sua rica cultura servirão, novamente, de modelo para imitação desses artistas, daí a denominação "Neoclassicismo" (neo = novo) para o período.

ANTONIA LOBATO

Palácio dos Condes de Pombeiro, local onde se reunia a Arcádia Lusitana.

Marcos literários

Em Portugal, a fundação da Arcádia Lusitana, em 1790, é considerada o início do Arcadismo, movimento que se estende até 1825, quando a publicação de *Camões*, poema de Almeida Garrett, inaugura o Romantismo.

No Brasil, tem-se como início do Arcadismo o ano de 1768, quando Cláudio Manuel da Costa publica suas *Obras poéticas*. O movimento perdura até 1836, ano em que Gonçalves de Magalhães lança *Suspiros poéticos e saudades*, obra que inicia oficialmente o Romantismo brasileiro.

CAPÍTULO

11

Arcadismo em Portugal: o retorno do equilíbrio

PERCURSO DO CAPÍTULO

- Passagem do Classicismo ao Neoclassicismo
- Contexto do Arcadismo europeu: Iluminismo e a Enciclopédia
- Arcadismo em Portugal: a atuação do Marquês de Pombal
- A Arcádia Lusitana
- As várias faces da poesia de Bocage

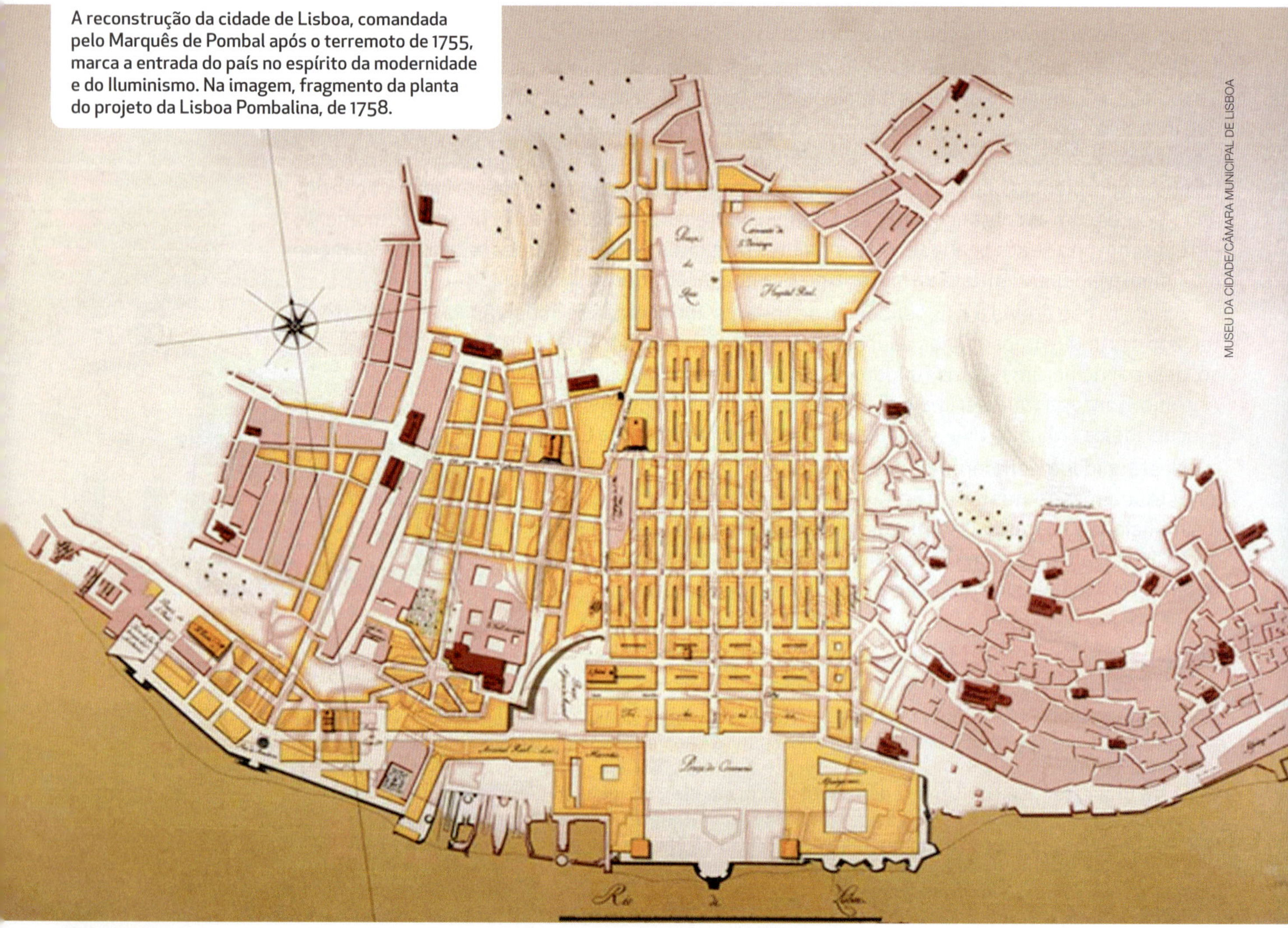

A reconstrução da cidade de Lisboa, comandada pelo Marquês de Pombal após o terremoto de 1755, marca a entrada do país no espírito da modernidade e do Iluminismo. Na imagem, fragmento da planta do projeto da Lisboa Pombalina, de 1758.

MUSEU DA CIDADE/CÂMARA MUNICIPAL DE LISBOA

Introdução

No século XVIII, Portugal — país marcado por sua histórica fé cristã — expulsa os jesuítas de seus domínios. Com isso, as instituições de ensino passam a funcionar separadas da Igreja católica. São tempos de valorização das ciências, da razão e do progresso. Os poetas-pastores neoclássicos afastam-se dos conflitos e se refugiam na tranquila, harmônica e fantasiosa Arcádia. Neste capítulo, você entrará no universo e na natureza perfeita dos neoclássicos, sobretudo no de Bocage, principal autor do Arcadismo português.

O texto a seguir é parte de uma dissertação doutrinária escrita e proferida pelo intelectual português Correia Garção (1724-1772) em uma conferência realizada em 7 de novembro de 1757 na Arcádia Lusitana, importante centro de divulgação das ideias neoclássicas em Portugal. Esse autor de poemas e peças teatrais foi um dos principais doutrinadores do Arcadismo, um defensor das novas ideias que surgiram na arte a partir da segunda metade do século XVIII. Atente para o que o escritor defende.

Dissertação

Nec verbum verbo curabis reddere fidus.
(**Horácio**, *Ars poetica* (Arte poética), verso 135)

Do latim, "Nem procurarás, como servil intérprete, traduzir palavra por palavra".

Preclaríssimos, amantíssimos e sapientíssimos Senhores [membros da Arcádia Lusitana],

[...]

Entre as sólidas máximas com que Horácio pretende formar um bom poeta, não é, como vós sabeis, menos importante a imitação. Não falo da imitação da Natureza, mas da imitação dos bons autores, daquela imitação à qual deve a Arcádia [Lusitana] sua grande reputação e não pequena parte dos honrados elogios com que foi recebida de nossos mais prudentes e **doutos patrícios**, e que há de espalhar seu nome pelas nações estrangeiras. Este foi em todos os séculos e será em todas as idades o maior segredo de tão divina arte.

Os Gregos e os Latinos, que dia e noite não devemos largar das mãos, estes **soberbos** originais, são a única fonte de que **manam** boas odes, boas tragédias e excelentes epopeias.

Este é o verdadeiro gênio a que o **vulgo** chama *veia poética* e os doutos *entusiasmo*.

Muito pode o espírito humano! Mas nunca terá força para subir tão alto se não for pela estrada que trilham os antigos poetas e oradores. Entre nós, depois

Horácio: poeta latino do século I a.C.

Preclaríssimos: nobilíssimos, ilustríssimos.

Doutos: que possuem muitos conhecimentos; eruditos.

Patrícios: naturais de uma mesma pátria.

Soberbos: grandiosos, magníficos.

Manam: emanam, originam-se.

Vulgo: a classe popular; a maior parte das pessoas.

que acabaram os bons dias da poesia portuguesa, poucos foram os que penetraram semelhante mistério, de que são miseráveis testemunhas as obras dos seiscentistas. Guardava o Céu para a Arcádia [Lusitana] a honra e a vaidade de erguer esta bandeira e levar consigo seus compatriotas. Hoje todos desejam imitar os Antigos, todos estudam pelos Gregos, pelos Latinos e pelos nossos bons autores: mas, fugindo de Cila, quantos varam em Caríbdis?

Querem ser imitadores e não passam de uns humildes **plagiários**.

Para evitar tão depravado extremo, nos recomenda Horácio o modo com que devem ser imitados os Antigos: e ainda que neste lugar estabeleça outras regras para conseguirmos tão desejado fim, a mim me pareceu, olhando para o vício mais comum, que devia escolher para assunto as poucas mas importantes palavras com que tão grande crítico nos ensina a imitar e nos mostra o perigo de que devemos fugir.

Muitos, querendo imitar Virgílio, fazem uma má tradução desta ou daquela imagem de tão grande poeta; e escravos de suas palavras não passam de tradutores. Não imitam, roubam e despedaçam as obras alheias: desfiguram o que lhes agradou, como se tomassem por **empresa** fazer-nos aborrecer o que admiramos. Disto acha-se que **enfermam** tantas quantas são as obras que todos os dias aparecem cheias de lugares dos poetas, não imitados, mas servilmente traduzidos. É tão forte a preocupação de que nascem tão lastimosas desordens que muitos com vaidade e com **soberba** apontam e mostram os pensamentos ou ideias que roubaram ou traduziram.

[...]

Devemos imitar e seguir os Antigos: assim no-lo ensina Horácio, no-lo dita a razão, e o confessa todo o mundo literário. Mas esta doutrina, este bom conselho, devem abraçá-lo e segui-lo de modo que mais pareça que o rejeitamos, isto é, imitando e não traduzindo. Os poetas devem ser imitados nas fábulas, nas imagens, nos pensamentos, no estilo; mas quem imita deve fazer seu o que imita. Se imito a fábula, devo conservar a ação, ou alma da fábula; mas devo variar de forma os episódios que pareça outra nova e minha. Se imito as pinturas, não devo no meu poema introduzir um **Polifemo**, mas do painel deste gigante posso tirar as cores para um Adamastor. Se imito o estilo, não devo servir-me das palavras dos Antigos, mas achar na linhagem portuguesa termos equivalentes, enérgicos e majestosos, sem torcer as frases, nem adotar barbarismos.

GARÇÃO, Correia. Dissertação (terceira). In: MOISÉS, Massaud. *A literatura portuguesa através dos textos*. 30. ed. São Paulo: Cultrix, 2006. p. 216-217. (Fragmento).

Plagiários: copiadores, imitadores, que roubam ideias alheias.

Empresa: tarefa para a realização de um objetivo; empreendimento.

Enfermam: enfraquecem.

Soberba: orgulho excessivo; arrogância, presunção.

Polifemo: na mitologia grega, ciclope (gigante de um só olho) filho de Posídon (ou Poseidon) e da ninfa Teosa.

"Fugindo de Cila, quantos varam em Caríbdis"

Na mitologia grega, Cila e Caríbdis eram dois monstros marinhos que habitavam lados opostos de um estreito no sul da Itália, personificando os perigos enfrentados pelos navegadores junto a rochedos (Cila) e redemoinhos (Caríbdis). Muitos deles, tentando escapar dos primeiros, eram apanhados por estes últimos e tinham suas embarcações encalhadas. Metaforicamente, a frase usada por Correia Garção pode significar que alguns escritores, no pantanoso terreno do que julgam ser imitação de autores clássicos, conseguem evitar certos deslizes, mas acabam por incorrer em outros.

Registre no caderno as respostas às questões a seguir.

1 A quem Correia Garção se dirige no texto?

2 Para validar sua concepção, baseada em Horácio, segundo a qual os bons poetas são aqueles que sabem imitar os clássicos, Garção utiliza, no segundo parágrafo, uma estratégia para seduzir seus interlocutores. Explique-a.

3 Releia o quinto parágrafo do texto e responda:

a) A que movimento literário se refere o autor quando cita "os bons dias da poesia portuguesa"?

b) Que concepção tem o autor sobre as obras seiscentistas, ou seja, barrocas?

c) Tendo em vista a leitura integral do texto, que argumento teria Correia Garção para defender seu ponto de vista sobre as obras barrocas?

4 Correia Garção insiste na ideia de que um bom poeta deve saber *imitar* em lugar de apenas *plagiar* os clássicos, acusação que ele faz a alguns de seus contemporâneos. Segundo o autor, que diferença há entre esses dois tipos de intertextualidade?

ProvocAÇÃO

Como você já sabe, obras excepcionais do Classicismo, como *Os lusíadas*, de Camões, foram produzidas tendo como modelo os clássicos greco-latinos. Em 2012, para falar das mulheres judias mortas pelo holocausto no contexto da Segunda Guerra Mundial, a companhia paulistana Núcleo Experimental de Teatro encenou o espetáculo *As troianas — vozes da guerra*, baseado na tragédia grega de Eurípides (415 a.C.). A obra clássica tem como tema a história de Cassandra, Andrômaca, Policena e Hécuba, sobreviventes do conflito de Troia.

Na sua opinião, por que as obras gregas e latinas são retomadas ainda hoje em obras literárias ou em adaptações para televisão, teatro ou cinema?

LENISE PINHEIRO/FOLHAPRESS

Cena do espetáculo teatral *Fragmentos troianos*, baseado na peça *As troianas*, de Eurípides. Direção de Antunes Filho. Teatro Sesc Anchieta, 1999.

Em sua dissertação doutrinária, Correia Garção defende a retomada daqueles que ele considera serem os "soberbos originais", ou seja, a arte feita pelos antigos gregos e latinos.

Neste capítulo, você estudará um movimento que foi bastante influenciado pelo Iluminismo — o Arcadismo (ou Neoclassicismo) —, com ênfase na literatura portuguesa.

Material complementar
• Amplie seus conhecimentos: Principais teóricos iluministas

Do Classicismo ao Neoclassicismo

Lembre-se de que a ideia de resgate dos ideais clássicos greco-latinos não foi uma novidade proposta pelos poetas árcades setecentistas. Durante o Renascimento, no século XVI, o Classicismo, de origem italiana, já fazia uso dessa fonte de inspiração. No século seguinte, a força do Barroco espanhol surgiu com suas cores fortes e exuberantes, expressando o desequilíbrio e a emoção do homem e interrompendo a tendência clássica. Na segunda metade do século XVIII, novos ares e concepções filosóficas, religiosas, políticas, econômicas — advindos principalmente da França — possibilitaram o surgimento de um novo clima para o resgate da serenidade e do equilíbrio greco-latinos. A Europa mergulhava no Iluminismo, movimento que teve fortes desdobramentos.

Rococó: prazer estético entre o Barroco e o Neoclassicismo

Na fase final do Barroco, surgiu — primeiro no reinado de Luís XIV, na França, depois espalhando-se pela Europa — o Rococó, movimento requintado, convencional, marcado, na pintura, por cores suaves e de tom pastel; na escultura, por formas leves, graciosas e sutis; na arquitetura, por espaços internos decorados com delicadas ornamentações e fachadas caracterizadas por um estilo barroco sem exageros ou por um clássico renascentista italiano; na literatura, por jogos verbais e pela valorização de uma arte sem compromisso social (gosto da palavra pela palavra). *As viagens de Gulliver* (1726), do irlandês Jonathan Swift, é um exemplo de romance que se identifica com o movimento rococó.

O movimento acabou associado a um rico público aristocrático europeu, que via nas artes apenas algo que lhe proporcionasse o prazer dos sentidos.

PETER BARRITT/ALAMY/OTHER IMAGES - COLEÇÃO WALLACE, LONDRES, INGLATERRA

FRAGONARD, Jean-Honoré. *O balanço*. 1767-1768. Óleo sobre tela, 82 × 65 cm. Cenas cotidianas graciosas e sutis como a registrada nessa tela eram temas apreciados pelos artistas rococós e seu aristocrático público consumidor.

À luz da razão

Você já observou que muitas revistas, programas de televisão e de rádio se ocupam em veicular as novas descobertas científicas e sua relação com o cotidiano das pessoas? As ciências têm um grande peso em nosso tempo. É delas, muitas vezes, que se esperam respostas para males que nos afligem, como doenças e catástrofes naturais. Mas nem sempre foi assim.

Foi com os filósofos da Ilustração (como também eram chamados) que se difundiu o pensamento de que a humanidade só alcançaria o progresso com o uso da razão — a "luz" contra as "trevas" que haviam vigorado até então.

Em 1687, o pensador inglês Isaac Newton (1643-1727) publicou *Os princípios matemáticos da filosofia natural*, provando que as leis da física eram universais. Esse tratado científico, considerado, no contexto de sua publicação, a mais importante obra de todos os tempos, teve grande influência sobre o Iluminismo.

Enciclopédia: a bíblia iluminista

Que fontes você costuma consultar quando quer pesquisar algum assunto? Utiliza *sites* de busca, enciclopédias impressas e eletrônicas, obras de bibliotecas públicas, livros didáticos? Imagine como deveria ser difícil quando esses recursos não existiam!

Esse tipo de organização do conhecimento, classificado por categorias, foi proposto no século XVIII pelos iluministas. Com a *Enciclopédia*, projeto elaborado entre 1751 e 1780 e coordenado pelos filósofos franceses Diderot (1713-1784) e D'Alembert (1717-1783), os iluministas pretendiam, por meio do conhecimento, criar um "cidadão esclarecido", questionador dos dogmas religiosos, das superstições e dos governantes absolutistas. A ideia era educar para responsabilizar e libertar os cidadãos. Foram necessários quase 30 anos para que os conhecimentos sobre ciências naturais e humanas pudessem ser reunidos nos 35 volumes da *Enciclopédia*.

Essas grandes transformações no plano das ideias, que culminaram com a Revolução Francesa (1789), influenciaram decisivamente os escritores europeus e chegaram, com considerável atraso, a Portugal, país marcado por uma intensa religiosidade e pelo poder absolutista.

As ideias iluministas em Portugal

Até meados do século XVIII, a base do ensino em Portugal era religiosa. Sob o reinado de D. José I (1750-1777), seu influente ministro Sebastião José de Carvalho e Melo, ou simplesmente Marquês de Pombal, promoveu uma série de mudanças e inseriu no país ideias iluministas, porém com tendências ditatoriais. A Real Mesa Censória, por exemplo, uma espécie de Inquisição promovida pelo Estado português e apoiada por Pombal, proibiu obras filosóficas de Spinoza, Voltaire, Hobbes, Diderot e Rousseau. Só se poderia ler o que a Mesa autorizasse.

NORTH WIND PICTURE ARCHIVES/ ALBUM/AKG IMAGES/LATINSTOCK

No dia 1º de novembro de 1755, um violento terremoto seguido de incêndio devastou Lisboa, destruindo três mil das vinte mil casas existentes. (Ilustração do século XIX.)

Em 1759, por razões políticas, a antes poderosa Companhia de Jesus foi extinta, seus bens, confiscados e os jesuítas, expulsos da colônia. O ensino passou para o controle do Estado e, graças aos proventos do ouro brasileiro, o ministro português transformou Lisboa, cidade violentamente destruída por um terremoto em 1755, em uma metrópole moderna.

A Arcádia Lusitana

Reinavam em Portugal novos ares culturais. Academias nos moldes dos grandes centros intelectuais europeus foram inauguradas; ganhou força a estética que valorizava os antigos greco-latinos e combatia os exageros barrocos, considerados de "mau gosto".

Em 1756, os bacharéis em Direito Antônio Dinis da Cruz e Silva, Teotônio Gomes de Carvalho e Manuel Nicolau Esteves Negrão fundaram a Arcádia Lusitana, tendo como referência um outro centro europeu, a Arcádia Romana (1690). Essa sólida instituição portuguesa durou até 1774 e se guiava por uma rígida doutrina árcade, registrada formalmente nos estatutos da academia e relembradas pelas dissertações — como a que você leu no início deste capítulo — proferidas por Correia Garção.

Baseados no mito da Arcádia Grega, os integrantes da instituição portuguesa propuseram a imitação dos antigos e de alguns poetas dos séculos XVI e XVII, como Camões, e defenderam novos ideais poéticos guiados por princípios de vida (alguns expressos em latim), entre os quais:

- o culto da razão;
- o repúdio dos adornos barrocos, considerados inúteis pelos árcades (o lema da Arcádia Lusitana era *inutilia truncat*);
- a adoção de uma vida simples, em harmonia com a natureza (*locus amoenus*);
- a fuga dos centros urbanos (*fugere urbem*) para a bucólica paisagem campestre;
- a desvalorização do luxo, da riqueza e da ambição;
- a valorização da velhice como exemplo de fase tranquila da vida, em que não há grandes dramas existenciais, paixões arrebatadoras e desejos ardentes (*aurea mediocritas*);
- a exaltação da pureza do homem primitivo, natural e espontâneo (o que não quer dizer que os poetas árcades valorizassem o rústico, o animalesco e o bruto) e a adoção de pseudônimos pastoris para garantir a verossimilhança do "fingimento poético" dos autores quando mergulhavam em seus exílios voluntários naturais entre as ninfas; o pastor ou o pescador eram considerados homens naturais;

- a supervalorização de cada minuto da existência; pelo fato de o dia de amanhã ser incerto, o poeta deveria gozar o momento presente (*carpe diem*);
- o uso de referências da mitologia clássica sem atribuição de caráter religioso a elas; as entidades mitológicas fazem parte do "fingimento poético" que compõe o mundo dos pastores. Como muitos poetas assumiam a condição de "neoclássicos católicos", são comuns também referências a Cristo e a Nossa Senhora. Os sócios da Arcádia Lusitana eram devotos da Imaculada Conceição de Maria;
- a crença no estoicismo, filosofia que surgiu por volta de 300 a.C. entre os gregos, chegando aos romanos mais tarde, e permaneceu por cinco séculos; o estoicismo pregava a "arte do bem viver", que consistia na serenidade e na calma diante das dores, da morte e da tristeza.

DEA/G. DAGLI ORTI/DE AGOSTINI PICTURE LIBRARY/ GETTY IMAGES/MUSEU DO LOUVRE, PARIS

POUSSIN, Nicolas. *Os pastores da Arcádia*. 1637-1638. Óleo sobre tela, 185 × 121 cm. Um grupo de pastores da Arcádia, região mitológica e fonte de inspiração para os artistas neoclássicos, encontra-se junto ao túmulo de um companheiro. Em sua lápide, lê-se *Et in Arcadia ego* (Ainda estou eu na Arcádia).

Esses princípios foram adotados não só pelos integrantes da Arcádia Lusitana, mas por poetas árcades de toda a Europa e também do Brasil, como estudaremos no capítulo 12.

Do ponto de vista da forma, os membros da Arcádia Lusitana defenderam o uso de versos curtos (redondilhas), de recursos sonoros que garantissem que os poemas também pudessem ser cantados, linguagem simples e abolição da rima.

Embora criticassem com vigor os exageros e os ornamentos utilizados pelos poetas gongóricos barrocos, os seguidores do Arcadismo acabaram criando uma arte extremamente rígida, inacessível e enquadrada em modelos prefixados. Salvo algumas exceções, produziram poemas afetados, distantes das questões sociais e políticas de seu tempo e da intensidade dos sentimentos humanos, dirigindo-se a leitores intelectualizados, refinados e aristocráticos que compreendiam e participavam desse jogo de fuga para um tempo e um espaço perfeitos, alheios às profundas mudanças pelas quais vinham passando as metrópoles europeias e suas colônias no conturbado século XVIII.

Bocage: poeta de tantas faces

Há artistas que expressam impetuosidade apenas nos versos e levam suas vidas de modo pacífico e até mesmo prosaico. Casam-se, têm filhos, exercem funções estáveis. Há outros, porém, tão inquietos que a arte parece não ser suficiente para dar conta de sua intensidade. Para estes, o cotidiano também serve como expressão ao caos interno. Bocage pertence ao segundo tipo.

BIBLIOTECA NACIONAL DE PORTUGAL

Bocage, retratado pelo pintor português Elói do Amaral, s. d.

Muito cedo, Manuel Maria de Barbosa du Bocage (1765-1805) apaixona-se por Gertrudes, foge de casa e vai viver como soldado no Regimento da Infantaria.

Em 1783, alista-se na Armada Real Portuguesa (Marinha de Guerra) e embarca, três anos depois, para Goa, colônia portuguesa na Índia. Em escala no Rio de Janeiro, mergulha em festas e em paixões. Na Índia, é promovido a tenente e enviado a Damão, outra colônia portuguesa, mas acaba por desertar. Em 1789, vai para Macau, possessão portuguesa na China, e, no ano seguinte, retorna para Portugal, onde reencontra Gertrudes casada com seu irmão Gil.

Esse revés faz com que Bocage se atire na boemia e se entregue a outros amores. Publica, em 1791, *Rimas* (a primeira de três coletâneas homônimas) e ingressa na Nova Arcádia adotando o pseudônimo de Elmano Sadino — Elmano é um anagrama de Ma-nu(no)-el; Sadino é uma homenagem ao rio Sado, que banha Setúbal, cidade natal de Bocage.

Em 1797, Bocage é preso, acusado de herege e devasso. Solto, é transferido para o convento dos oratorianos. Mais tarde, aceita trabalhos de todo tipo para sustentar sua irmã, adoece e morre na miséria, como Camões (com quem gostava de se comparar), e sem qualquer prestígio.

NOBLE IMAGES/ALAMY/OTHER IMAGES

Café Nicola, em Lisboa, bar frequentado por Bocage no século XVIII. Foto de 2009.

⊙ O árcade: Elmano Sadino

Os sonetos a seguir foram escritos por Bocage, considerado um dos três maiores sonetistas de Portugal (os outros dois são Camões e Antero de Quental, autor que estudaremos no capítulo 21).

O primeiro poema foi publicado em 1791 na abertura da coletânea *Rimas*. Por meio de um eu lírico poeta, o escritor português apresenta as "produções da mocidade" a seus leitores.

No segundo, o vocativo é Marília, pseudônimo de Maria Margarida Rita Constâncio Alves, um dos inúmeros amores de Bocage.

Texto 1

Incultas produções da mocidade
Exponho a vossos olhos, ó leitores.
Vede-as com mágoa, vede-as com piedade,
Que elas buscam piedade e não louvores.

Ponderai da **Fortuna** a variedade
Nos meus suspiros, lágrimas e amores;
Notai dos males seus a imensidade,
A curta duração dos seus favores.

E se entre versos mil de sentimento
Encontrardes alguns, cuja aparência
Indique **festival** contentamento,

Crede, ó mortais, que foram com violência
Escritos pela mão do Fingimento,
Cantados pela voz da Dependência.

BOCAGE, Manuel Maria de Barbosa du. In: LAJOLO, Marisa (Seleção de textos, notas, estudos biográficos e críticos). *Bocage*. 3. ed. São Paulo: Nova Cultural, 1990. p. 24. (Coleção Literatura Comentada).

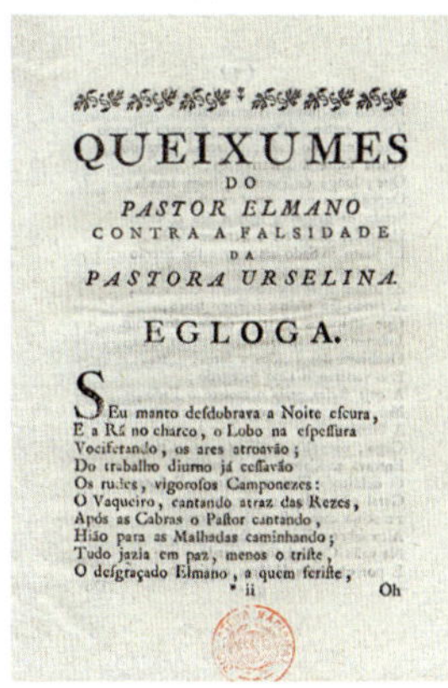
QUEIXUMES
DO
PASTOR ELMANO
CONTRA A FALSIDADE
DA
PASTORA URSELINA.

EGLOGA.

Seu manto desdobrava a Noite escura,
E a Rã no charco, o Lobo na espessura
Vociferando, os ares atroavão;
Do trabalho diurno já cessavão
Os rudes, vigorosos Camponezes:
O Vaqueiro, cantando atraz das Rezes,
Após as Cabras o Pastor cantando,
Hião para as Malhadas caminhando;
Tudo jazia em paz, menos o triste,
O desgraçado Elmano, a quem feriste,

REPRODUÇÃO

Uma das mais antigas edições (1791) da obra *Queixumes do pastor Elmano contra a falsidade da pastora Urselina*, de Bocage.

Fortuna: sorte, destino.
Festival: festivo, alegre.

Texto 2

Já se afastou de nós o Inverno **agreste**;
Envolto nos seus úmidos vapores;
A fértil Primavera, a mãe das flores
O **prado** ameno de **boninas** veste.

Varrendo os ares o sutil Nordeste
Os torna azuis; as aves de mil cores
Adejam entre **Zéfiros**, e **Amores**,
E torna o fresco **Tejo** a cor celeste.

Vem, ó Marília, vem **lograr** comigo
Destes alegres campos a beleza,
Destas copadas árvores o abrigo.

Deixa louvar da corte a vã grandeza:
Quanto me agrada mais estar contigo,
Notando as perfeições da Natureza!

BOCAGE, Manuel Maria de Barbosa du. In: LAJOLO, Marisa (Seleção de textos, notas, estudos biográficos e críticos). *Bocage*. 3. ed. São Paulo: Nova Cultural, 1990. p. 29. (Coleção Literatura Comentada).

Agreste: referente ao campo; selvagem, rústico.

Prado: campo.

Boninas: flores também conhecidas por belas-margaridas, maravilhas ou calêndulas.

Adejam: esvoaçam; pairam.

Zéfiros: ventos que sopram do Ocidente.

Amores: referência ao deus Amor.

Tejo: principal rio português.

Lograr: tirar proveito; desfrutar.

Responda no caderno às questões propostas.

1 No texto 1, como o eu lírico pede que seus poemas sejam vistos pelos leitores?

2 Tendo em vista o sentido que o adjetivo *incultas* tem no poema de Bocage (texto 1), o que os leitores devem concluir, segundo o eu lírico, quando encontrarem versos que sugiram "festival contentamento"? Recorra ao último terceto, em que estão personificados e alegorizados o "Fingimento" e a "Dependência", para responder a esta questão.

3 Para fazer seu convite amoroso a Marília, o eu lírico do texto 2 utiliza como argumento a chegada de uma estação. Explique essa afirmação tendo em vista o que se expressa nos quartetos do poema.

4 Explique de que maneira o texto 2 confirma as ideias relacionadas às expressões "incultas produções", "Fingimento" e "Dependência" a que se refere o eu lírico do texto 1.

NAVEGUE

A Biblioteca Nacional de Portugal projetou um *site* dedicado a Bocage, com poemas, imagens e uma série de detalhes sobre sua vida: <http://purl.pt/1276/1/index.html>.

Como você pôde notar, da mesma maneira que outros autores do Neoclassicismo, Bocage aderiu às convenções impostas pelas arcádias e escreveu poemas bastante fiéis aos ditames setecentistas. O "fingimento", o bucolismo, a fuga da cidade, o convite amoroso a uma mulher distante e idealizada, os deuses pagãos, entre outros, são elementos presentes nesse tipo de produção de Bocage.

⊙ Amor, dor e morte: Bocage pré-romântico

Será possível manter-se fiel a um movimento marcado pelo artificialismo e pela contenção da emoção? No caso de Bocage, vemos que não, pois, ainda que tenha cedido aos apelos neoclássicos de sua época, o autor acabou, ao longo do tempo, ganhando destaque justamente por inserir elementos novos em seus poemas, antecipando o Romantismo, movimento que sucedeu o Arcadismo.

Leia a seguir um soneto de Bocage em que essa faceta está presente.

Importuna Razão, não me persigas;
Cesse a ríspida voz que em vão murmura,
Se a lei de Amor, se a força da ternura
Nem domas, nem contrastas, nem **mitigas**.

Se acusas os mortais, e os não abrigas,
Se, conhecendo o mal, não dás a cura,
Deixa-me apreciar minha loucura;
Importuna Razão, não me persigas.

É teu fim, teu projeto encher de **pejo**
Esta alma, frágil vítima daquela
Que, injusta e vária, noutros laços vejo.

Queres que fuja de Marília bela,
Que a maldiga, a desdenhe; e o meu desejo
É **carpir**, delirar, morrer por ela.

BOCAGE, Manuel Maria de Barbosa du. In: LAJOLO, Marisa (Seleção de textos, notas, estudos biográficos e críticos). *Bocage*. 3. ed. São Paulo: Nova Cultural, 1990. p. 36-37. (Coleção Literatura Comentada).

Material complementar
- Atividade: Bocage e Álvares de Azevedo

Importuna: incômoda, inconveniente.
Mitigas: alivias, aplacas.
Pejo: estorvo, obstáculo, impedimento.
Carpir: lamentar, prantear.

Responda no caderno às seguintes questões.

1 Que palavras presentes no primeiro quarteto sugerem que o eu lírico tem uma visão pejorativa da Razão?

2 Qual o argumento que o eu lírico utiliza para ordenar que a Razão se cale?

3 O que se pode inferir sobre o desejo do eu lírico a partir da leitura do segundo quarteto? Justifique sua resposta recorrendo ao texto.

4 Essa inferência se confirma no terceto que fecha o soneto de Bocage? Justifique sua resposta.

⊙ Bocage crítico e satírico

Bocage foi muitos: poeta neoclássico convencional da Nova Arcádia; escritor de vanguarda, inovador, que rompeu com as regras árcades e propôs uma poesia centrada em um "eu" sofredor, apaixonado, intenso e consciente da morte; autor de poemas e de piadas eróticas e pornográficas, censuradas, mas responsáveis por sua popularização entre os lusitanos e entre falantes de língua portuguesa das colônias; poeta que satirizou e criticou homens de seu tempo. Pertence a essa última faceta o soneto a seguir. Nele, Bocage satiriza impiedosamente um importante oficial, famoso pelas muitas línguas que dominava.

Ao Sr. Tomé Barbosa de Figueiredo de Almeida Cardoso, oficial de Línguas na Secretaria dos Negócios Estrangeiros

Dos **tórridos** sertões, **pejados** de **oiro**,
Saiu um sabichão de escassa fama,
Que os livros preza, os **cartapácios** ama,
Que das línguas repartem o **tesoiro**.

Arranha o **persiano**, arranha o **moiro**,
Sabe que Deus em turco *Allah* se chama;
Que no grego alfabeto o G é *gama*,
Que *taurus* em latim quer dizer **toiro**.

Para papaguear saiu do mato:
Abocanha talentos, que não goza;
É **mono**, e prega unhadas como gato.

É nada em verso, quase nada em prosa:
Não conheces, leitor, neste retrato
O **guapo charlatão** Tomé Barbosa?

BOCAGE, Manuel Maria de Barbosa du. In: LAJOLO, Marisa (Seleção de textos, notas, estudos biográficos e críticos). *Bocage*. 3. ed. São Paulo: Nova Cultural, 1990. p. 57. (Coleção Literatura Comentada).

Tórridos: muito quentes; ardentes.
Pejados: cheios, repletos.
Oiro: ouro.
Cartapácios: em sentido pejorativo, livros grandes e sem utilidade.
Tesoiro: tesouro.
Persiano: refere-se à língua persa (falada no Irã).
Moiro: mouro (língua árabe).
Toiro: touro.
Mono: macaco.
Guapo: elegante.
Charlatão: trapaceiro.

Atividades: Entre textos

Seguindo a tendência de retomada clássica, Bocage escreveu odes (poemas de exaltação, homenagens a figuras importantes) e epístolas (composições poéticas com estrutura semelhante à de uma carta), mas procurou resgatar também as tradições portuguesas do **mote** e da **glosa**, imortalizadas no *Cancioneiro geral*, de Garcia de Resende. Observe:

Material complementar
• Atividade: "O lobo e a ovelha", Bocage

Texto 1

Mote

Almas, vidas, pensamentos.

Glosa

Calções, polainas, sapatos,
Percevejos, pulgas, piolhos,
Azeites, vinagres, molhos,
Tigelas, pires e pratos:
Cadelas, **galgos** e gatos,

Pauladas, dores, tormentos,
Burros, cavalos, jumentos,
Naus, navios, caravelas,
Corações, tripas, moelas,
Almas, vidas, pensamentos.

BOCAGE, Manuel Maria de Barbosa du. In: LAJOLO, Marisa (Seleção de textos, notas, estudos biográficos e críticos). *Bocage*. 3. ed. São Paulo: Nova Cultural, 1990. p. 88. (Coleção Literatura Comentada).

Galgos: cães muito ágeis, de pernas compridas e abdômen estreito.

Na poesia moderna, são comuns versos estruturados a partir de listas de palavras. Bocage faz uso disso em pleno século XVIII! Observe esse recurso no poema "A pesca", escrito no século XX pelo mineiro Affonso Romano de Sant'Anna, nascido em 1937.

Texto 2

A pesca

o anil
o anzol
o azul

o silêncio
o tempo
o peixe

a agulha
vertical
mergulha

a água
a linha
a espuma

o tempo
o peixe
o silêncio

a garganta
a âncora
o peixe

a boca
o arranco
o rasgão

aberta a água
aberta a chaga
aberto o anzol

aquelíneo
ágil-claro
estabanado

o peixe
a areia
o sol

SANT'ANNA, Affonso Romano de. In: KOCH, Ingedore G. Villaça; TRAVAGLIA, Luiz Carlos. *Texto e coerência*. 7. ed. São Paulo: Cortez, 2000. p. 27-28.

Aquelíneo: de linhas, traços, formas líquidas (neologismo composto pelas palavras *água* + *linha*).

Responda oralmente às questões a seguir.

1 Embora o poema de Bocage seja composto por palavras muito diferentes, há nele uma coerência interna. Observe atentamente cada um dos versos e explique que tipo de relação pode ser estabelecida entre as palavras que os compõem e entre eles.

2 Retome o que você aprendeu no capítulo 5 sobre mote e glosa e explique que inovação propõe Bocage em seu poema.

3 A respeito do poema de Affonso Romano de Sant'Anna, responda:
a) Que relação as palavras que o compõem estabelecem entre si?
b) Que palavra quebra o paralelismo que constrói o poema?
c) Que efeito de sentido a inserção dessa palavra garante ao texto?

4 O que diferencia o poema do século XVII do poema do século XX?

PARA LEMBRAR

Mote: motivo prévio, tema inicial composto de poucos versos. Pode ser uma cantiga popular, um poema, um provérbio, um trocadilho ou mesmo uma criação original do próprio poeta.

Glosa: estrofe que retoma e desenvolve o mote.

O QUE VOCÊ APRENDEU NO PERCURSO DESTE CAPÍTULO

- O pano de fundo do Arcadismo europeu é o Iluminismo, movimento que valorizava as ciências, o racionalismo, a investigação científica, o progresso e o espírito enciclopédico.
- A Arcádia Lusitana (1756-1774) serviu para difundir os ideais neoclássicos em Portugal: culto da razão; *inutilia truncat*; *locus amoenus*; *fugere urbem*; *carpe diem*; *aurea mediocritas*; adoção de pseudônimos ("fingimento poético"); uso de referências da mitologia clássica; uso de versos curtos (redondilhas), de recursos sonoros e abolição da rima; crença no estoicismo; repúdio aos exageros barrocos.
- Bocage é o principal poeta setecentista português. Cultivou uma poesia tipicamente neoclássica, além de textos pré-românticos, piadas eróticas e pornográficas, poemas satíricos e produções utilizando motes e glosas, típicos da tradição lusitana.

CAPÍTULO

12

Arcadismo no Brasil: lirismo, convenção e inovação

PERCURSO DO CAPÍTULO

- O ouro das Minas Gerais
- Os poetas da Inconfidência Mineira
- Cláudio Manuel da Costa: traços barrocos e neoclássicos
- Tomás Antônio Gonzaga: simplicidade e naturalidade
- *Marília de Dirceu* e *Cartas chilenas*

GIRAUDON/THE BRIDGEMAN ART LIBRARY/GRUPO KEYSTONE – BIBLIOTECA NACIONAL, RIO DE JANEIRO, BRASIL

JULIÃO, Carlos. *Mulher da nobreza transportada por dois escravos.* Uma das 43 aquarelas em que o autor retrata cenas do dia a dia do Brasil do século XVIII, contexto do nosso Arcadismo.

Introdução

No século XVIII, muitos estudantes, filhos das famílias que enriqueceram com o ouro extraído das cidades mineiras, planejavam estudar na metrópole. Ao chegar à Europa, esses jovens se deparariam com as ideias iluministas e liberais e com a poesia árcade. O projeto de resgate renascentista e greco-latino dominou os poetas brasileiros que se formaram na Europa e retornaram à colônia em plena febre do ouro, tempo marcado também pelas perversas relações escravistas. Estudar os poetas árcades de nosso país significa entrar em contato com o início, ainda que tímido, de uma expressão literária genuinamente nacional.

Prólogo, prefácio ou prelúdio é um texto que tem como objetivo introduzir uma obra a seus leitores. O texto a seguir pertence a esse gênero e foi publicado em 1768 como abertura do livro *Obras poéticas*, coletânea de poemas de Cláudio Manuel da Costa que inaugurou o Arcadismo no Brasil. Em seu prefácio, o autor mineiro apresenta aos poucos brasileiros letrados de seu tempo seus propósitos como poeta árcade, assume as influências europeias (estudou Direito em Coimbra, Portugal) e a formação barroca e busca retornar poeticamente à sua terra natal.

O prólogo de Cláudio Manuel da Costa pode apresentar algumas dificuldades de leitura para um estudante do século XXI, mas entendê-lo é importante para termos noção do que pensava um poeta do Arcadismo brasileiro. Aceite o desafio!

Prólogo ao leitor

[...]

Não permitiu o Céu que alguns **influxos**, que devi às águas do **Mondego**, se **prosperassem** por muito tempo: e destinado a buscar a Pátria, que por espaço de cinco anos havia deixado, aqui entre a grosseria dos seus gênios, que menos pudera eu fazer que entregar-me ao ócio, e sepultar-me na ignorância! Que menos, do que abandonar as fingidas Ninfas destes rios e no centro deles adorar a preciosidade daqueles metais, que têm atraído a este clima os corações de toda a Europa! Não são estas as **venturosas** praias da Arcádia, onde o som das águas inspirava a harmonia dos versos. Turva, e feia, a corrente destes ribeiros, primeiro que arrebate as ideias de um Poeta, deixa **ponderar** a ambiciosa fadiga de minerar a terra, que lhes tem **pervertido** as cores.

A desconsolação de não poder **substabelecer** aqui as delícias do Tejo, do **Lima** e do Mondego me fez entorpecer o **engenho** dentro do meu berço, mas nada bastou para deixar de confessar a seu respeito a maior paixão. [...]

Influxos: estímulos; inspirações.

Mondego: rio português que corta Coimbra.

Prosperassem: desenvolvessem.

Venturosas: afortunadas, felizes.

Ponderar: avaliar.

Pervertido: alterado, mudado.

Substabelecer: transferir.

Lima: outro rio de Portugal.

Engenho: criatividade, talento.

Bem creio que te não faltará que censurar nas minhas *Obras*, principalmente nas Pastoris onde, preocupado da comum opinião, te não há de agradar a elegância de que são ornadas. Sem te **apartares** deste mesmo volume, encontrarás alguns lugares que te darão a conhecer como talvez me não é estranho o estilo simples, e que sei avaliar as melhores passagens de **Teócrito, Virgílio, Sanazaro** e dos nossos Miranda, Bernardes, Lobo, Camões etc. Pudera desculpar-me, dizendo que o gênio me fez **propender** mais para o sublime: mas, temendo que ainda neste me condenes o muito uso das metáforas, bastará, para te satisfazer, o lembrar-te que a maior parte destas *Obras* foram compostas ou em Coimbra, ou pouco depois, nos meus primeiros anos, tempo em que Portugal apenas principiava a melhorar de gosto nas belas letras. A lição dos Gregos, Franceses e Italianos, sim, me fizeram conhecer a diferença sensível dos nossos estudos e dos primeiros Mestres da Poesia. É infelicidade que haja de confessar que vejo e aprovo o melhor, mas sigo o contrário na execução.

[...]

COSTA, Cláudio Manuel da. In: CANDIDO, Antonio; CASTELLO, José Aderaldo. *Presença da literatura brasileira*: das origens ao realismo. 13. ed. Rio de Janeiro: Bertrand Brasil, 2008. p. 87-88. (Fragmento).

Apartares: separares.

Teócrito, Virgílio, Sanazaro: escritores do Renascimento e da Antiguidade clássica.

Propender: ter gosto ou tendência.

Responda no caderno às questões a seguir.

1 No primeiro parágrafo do prólogo, o autor mineiro explica ao leitor que decidiu deixar Portugal, onde havia estudado Direito, e voltar para o Brasil. Que palavras-chave ou expressões sugerem essa ideia?

2 Tendo como base o contexto histórico do Arcadismo brasileiro, explique a seguinte passagem, retirada desse mesmo parágrafo.

"[...] e no centro deles [dos rios] adorar a preciosidade daqueles metais, que têm atraído a este clima os corações de toda a Europa!"

3 Embora, no terceiro parágrafo, Cláudio Manuel da Costa mostre ao leitor suas fontes de inspiração árcades (Teócrito, Virgílio, Sanazaro, Miranda, Bernardes, Lobo, Camões), bem como sua admiração pelos "Gregos, Franceses e Italianos" e pelo "estilo simples", ele reconhece suas influências barrocas.

a) Transcreva os fragmentos em que essa marca barroca é citada.

b) Que razões o autor utiliza para justificar os possíveis barroquismos em alguns de seus poemas?

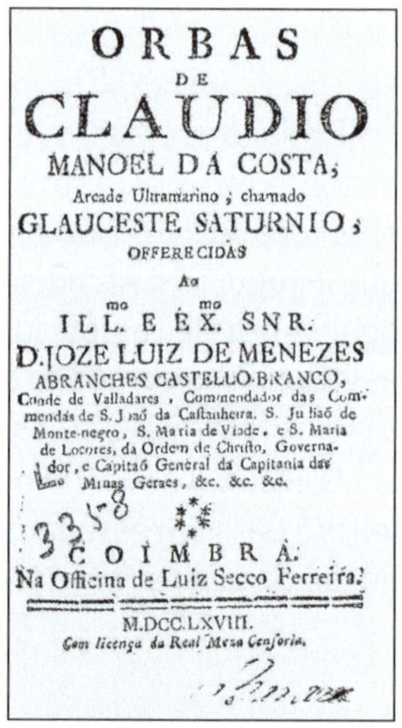
ORBAS
DE
CLAUDIO
MANOEL DA COSTA;
Arcade Ultramarino; chamado
GLAUCESTE SATURNIO;
OFFERECIDAS
Ao
ILL.mo E EX.mo SNR.
D. JOZE LUIZ DE MENEZES
ABRANCHES CASTELLO-BRANCO,
Conde de Valladares, Commendador das Commendas de S. João da Castanheira, S. Julião de Monte-negro, S. Maria de Viade, e S. Maria de Locores, da Ordem de Christo, Governador, e Capitaõ General da Capitania das Minas Geraes, &c. &c. &c.
COIMBRA:
Na Officina de Luiz Secco Ferreira.
M.DCC.LXVIII.
Com licença da Real Meza Censoria.

Frontispício da primeira edição de *Obras*, de Cláudio Manuel da Costa (com as letras trocadas, no título).

O prólogo que você analisou apresenta alguns aspectos importantes do nosso Arcadismo: o contexto do desenvolvimento das cidades mineiras, garantido pela extração do ouro, a influência das ideias europeias e a dificuldade de escrever uma poesia neoclássica com alguma marca realmente brasileira.

O Arcadismo no Brasil, assunto deste capítulo, contou com os autores da chamada "escola mineira": Cláudio Manuel da Costa, Tomás Antônio Gonzaga (poetas líricos que estudaremos neste capítulo), Santa Rita Durão e Basílio da Gama (poetas épicos que veremos no capítulo 13), além de outros como Alvarenga Peixoto, Silva Alvarenga e Domingos Caldas Barbosa.

Ouro, revolta, escravidão e poesia

Em seu *Romanceiro da Inconfidência*, obra publicada em 1953 e que tematiza a Inconfidência Mineira, a poeta modernista Cecília Meireles (1901-1964) escreve que o ouro representa "prestígio, poder, engenho", mas "turva tudo: honra, amor e pensamento". Foi o que ocorreu no Brasil com a descoberta desse metal precioso. Milhares de pessoas se deslocaram para a região das minas, abandonando vilarejos e povoados. Além disso, aproximadamente seiscentos mil portugueses saíram da metrópole para se lançar na febril aventura em busca de fortuna. Os lotes compostos de jazidas de ouro eram rigorosamente distribuídos pelo governo português, de acordo com o número de escravos que se tinha. Para extrair o ouro, era preciso mão de obra escrava e máquinas hidráulicas.

Surgia na colônia um requintado ambiente urbano formado por mineradores que faziam questão de exibir seu poder por meio de joias, de escravos, considerados mercadorias preciosas, e do *status* representado, entre outras coisas, pela possibilidade de enviar filhos para estudar na Europa.

A corte controlava com mão de ferro a instável atividade mineradora e cobrava impostos cada vez mais abusivos dos colonos. Como consequência, surgiram no Brasil os movimentos emancipacionistas, inspirados pela Independência dos Estados Unidos (1776) e pela Revolução Francesa (1789): a Inconfidência Mineira (1789), a Conjuração do Rio de Janeiro (1794), a Revolta dos Alfaiates (1798), na Bahia, e a Revolução Pernambucana (1817). Desses quatro, interessa-nos especialmente o movimento mineiro, não pela relevância política, mas por contar, entre seus membros, com alguns dos mais expressivos poetas árcades.

Libertas quae sera tamen

A Inconfidência Mineira foi a primeira tentativa organizada de rompimento com Portugal. Homens letrados, proprietários de terra e de minas e membros da administração uniram-se com o intuito de tornar Minas Gerais uma república independente. A bandeira, composta por um triângulo vermelho (alusão à santíssima trindade) e a citação em latim do poeta romano Virgílio (que, em português, significa: "Liberdade, ainda que tardia"), seria adotada, conforme o propósito dos inconfidentes, após a independência do Brasil. Desde 1963, ela é a bandeira do Estado de Minas Gerais.

REPRODUÇÃO

⊙ "Árcades sem arcádia"

Você viu que as arcádias foram fundamentais para a consolidação do Neoclassicismo europeu, pois nessas instituições divulgavam-se as produções poéticas dos artistas e pregavam-se as convenções e os pressupostos do movimento setecentista.

E no Brasil colônia, havia centros desse tipo? É certo que o movimento neoclássico brasileiro seguiu, de maneira geral, as regras defendidas nas arcádias europeias, mas não houve por aqui, como lá, agremiações desse tipo. Daí a expressão "árcades sem arcádia", utilizada pelo filólogo Alberto Faria (1869-1925). Basílio da Gama foi o único poeta setecentista do Brasil filiado a uma agremiação literária, a Arcádia Romana, na Itália. Apesar disso, Vila Rica (hoje Ouro Preto) ofereceu condições mais do que favoráveis para o surgimento de um grupo de intelectuais relevantes, responsáveis pela inauguração de uma poesia lírica brasileira.

NAVEGUE

Conheça os detalhes sobre a fundação da cidade de Vila Rica em: <http://www.ouropreto.org.br/port/historia.asp>.

Cláudio Manuel da Costa: o pastor Glauceste Satúrnio

Retornar à colônia depois de ter vivido na Europa entre universitários iluministas não deve ter sido fácil para os jovens artistas que se formavam fora do Brasil no século XVIII. Nosso primeiro poeta neoclássico, Cláudio Manuel da Costa (1729-1789), escreveu a maior parte de sua produção tendo como base os cenários portugueses, mas com algumas tentativas de adaptar seus poemas ao ambiente brasileiro, como no poema épico "Vila Rica", que trata das aventuras dos bandeirantes nos sertões, da descoberta das minas e da fundação da atual cidade de Ouro Preto.

MUSEU DA INCONFIDÊNCIA, OURO PRETO, MG

PALLIÈRE, Armand. *Vila Rica*. c. 1820. Óleo sobre tela, 36,5 x 96,8 cm.

No poema épico "Fábula do Ribeirão do Carmo", inspirado no episódio camoniano do Gigante Adamastor, Cláudio Manuel da Costa homenageia o rio de sua cidade natal (hoje Mariana). Observe no trecho a seguir que o eu lírico do poema é o ribeirão.

[...]
Competir não pretendo
Contigo, ó cristalino
Tejo, que mansamente vais correndo:
Meu ingrato destino
Me nega a prateada majestade,
Que os muros banha da maior cidade.
[...]

COSTA, Cláudio Manuel da. *Fábula do Ribeirão do Carmo*. Disponível em: <http://www.dominiopublico.gov.br/download/texto/fs000040.pdf>. (Fragmento). Acesso em: 11 out. 2012.

Responda oralmente às questões a seguir.

1 Relembre o que você já aprendeu sobre figuras de linguagem e identifique que recurso Cláudio Manuel da Costa empregou ao fazer do ribeirão o eu lírico do poema.

2 Na sua opinião, com que intenção o poeta utilizou essa figura de linguagem?

Cláudio Manuel da Costa veio de uma família ligada à lucrativa extração de ouro em Minas Gerais, o que lhe garantiu boa educação em escolas jesuítas do Rio de Janeiro e formação universitária em Coimbra. De volta a Vila Rica, o ferrenho defensor das ações pombalinas e dos ideários iluministas cuidou dos bens da família e atuou como advogado. Levado por interesses particulares e por sua formação intelectual, participou da Inconfidência Mineira, cuja consequência foi sua prisão e morte, dada oficialmente como suicídio (o poeta foi encontrado sem vida na cela).

⊙ O pastor sofredor

Embora no "Prólogo" que abre este capítulo o poeta mineiro afirme que o cultismo barroco influenciou sua obra, percebemos em seus poemas uma evidente presença dos greco-latinos, de renascentistas clássicos e das convenções árcades.

Observe como, no soneto a seguir, o *locus amoenus* tipicamente árcade opõe-se à vida na cidade. Leia-o e responda no caderno às questões propostas.

XIV

Quem deixa o trato pastoril amado
Pela ingrata, **civil correspondência**,
Ou desconhece o rosto da violência,
Ou do retiro a paz não tem provado.

Que bem é ver nos campos **transladado**
No gênio do pastor, o da inocência!
E que mal é no trato, e na aparência
Ver sempre o **cortesão dissimulado**!

Ali respira amor sinceridade;
Aqui sempre a traição seu rosto encobre;
Um só trata a mentira, outro a verdade.

Ali não há fortuna, que **soçobre**;
Aqui quanto se observa, é variedade:
Oh **ventura** do rico! Oh bem do pobre!

COSTA, Cláudio Manuel da. Soneto XIV. Disponível em: <http://www.dominiopublico.gov.br/download/texto/fs000040.pdf>. Acesso em: 11 out. 2012.

Civil correspondência: referência à vida na cidade.
Transladado: transposto.
Cortesão: habitante da cidade.
Dissimulado: falso, fingido.
Soçobre: acabe.
Ventura: sorte, destino.

1 No soneto lido, forma e conteúdo harmonizam-se perfeitamente. Observe como, no primeiro quarteto, os versos se relacionam sonoramente.

"Quem deixa o trato pastoril amado
Pela ingrata, civil correspondência,
Ou desconhece o rosto da violência,
Ou do retiro a paz não tem provado."

a) Qual é o esquema de rimas desse primeiro quarteto?
b) Observe o sentido dos versos que rimam entre si. Que relação podemos estabelecer entre eles?

2 Explique de que maneira, no segundo quarteto, o poeta dá continuidade à oposição entre o campo e a cidade.

3 Após comparar o campo e a cidade nos dois quartetos, o poeta trabalha com a alternância das características desses espaços nos dois tercetos.

a) Qual é o esquema de rimas presente nos tercetos?

b) Levando em conta sua compreensão integral do poema, a que se referem os advérbios *ali* e *aqui*, o artigo *um* e o pronome *outro*, presentes no primeiro terceto?

c) Os elementos a que se referem os advérbios *ali* e *aqui* se mantêm no segundo terceto? Explique.

Observe como, no poema que você acabou de ler, Cláudio Manuel da Costa cria uma engenhosa relação entre as rimas dos tercetos e o sentido dos versos, compondo um estreito casamento entre som e sentido:

Ali respira amor sincerid**ade**;
Aqui sempre a traição seu rosto enc**obre**;
Um só trata a mentira, outro a verd**ade**.

Ali não há fortuna, que soç**obre**;
Aqui quanto se observa, é varied**ade**:
Oh ventura do rico! Oh bem do p**obre**!"

Vimos que o eu lírico caracteriza a cidade como um lugar violento, dissimulado, em que predomina a mentira. O ambiente pastoril, em contrapartida, seria um retiro de paz, de amor, de sinceridade e de verdade, um local perfeito. Esse espaço árcade, idealizado, convencional, ou seja, criado artificialmente, é repetido em vários poemas neoclássicos europeus e brasileiros. Não há entre ele e o real ambiente campestre qualquer correspondência efetiva. O mesmo se dá em relação aos sentimentos amorosos expressos na poesia bucólica neoclássica. Nela pratica-se a chamada **delegação poética**.

Delegação poética: ficção amorosa

A delegação poética é um recurso bastante presente na poesia clássica. O substantivo *delegação* vem do verbo *delegar*, que tem, entre outras acepções, "transmitir, transferir poderes" ou "incumbir alguém de algo". Dessa forma, o poeta (homem real) transfere o sentimento amoroso a um pastor irreal, inventado, que vive em um ambiente perfeito (como aquele descrito no soneto XIV) e ama sua pastora respeitando determinadas convenções (regras). É como se o árcade não amasse de verdade e delegasse esse ato de amar ao pastor. Daí o fato de a poesia neoclássica dar a sensação, às vezes, de ser excessivamente artificial.

Leia este outro soneto de Cláudio Manuel da Costa.

XVII

Deixa, que por um pouco aquele monte
Escute a glória, que a meu peito **assiste**:
Porque nem sempre **lastimoso**, e triste
Hei de chorar à margem desta fonte.

Assiste: acompanha, socorre.

Lastimoso: choroso, lamentoso.

Agora, que nem sombra há no horizonte,
Nem o **álamo** ao **zéfiro** resiste,
Aquela hora **ditosa**, em que me viste
Na posse de meu bem, deixa, que conte.

Mas que modo, que acento, que harmonia
Bastante pode ser, gentil pastora,
Para explicar afetos de alegria!

Que hei de dizer, se esta alma, que te adora,
Só costumada às vozes da agonia,
A frase do prazer ainda ignora!

COSTA, Cláudio Manuel da. Soneto XVII.
Disponível em: <http://www.dominiopublico.gov.br/download/texto/fs000040.pdf>. Acesso em: 11 out. 2012.

Álamo: espécie de árvore de grande porte.

Zéfiro: personificação mitológica do vento oeste.

Ditosa: feliz, bem-aventurada.

Responda oralmente às questões a seguir.

1 O que desencadeou os "afetos de alegria" no pastor do soneto?

2 Que versos presentes no soneto sugerem que essa sensação é rara na vida do pastor?

Você percebeu, no soneto XVII, que o pastor dá a entender que seus encontros amorosos são raros e por isso precisam ser registrados e comemorados? Em grande parte dos sonetos de Cláudio Manuel da Costa, é constante o tema dos sofrimentos decorrentes da não correspondência amorosa. Veja como isso também se apresenta no soneto XLVII.

XLVII

Que inflexível se mostra, que constante
Se vê este penhasco! já ferido
Do **proceloso** vento, e já batido
Do mar, que nele quebra a cada instante!

Não vi; nem hei de ver mais semelhante
Retrato dessa ingrata, a que o gemido
Jamais pode fazer, que **enternecido**
Seu peito atenda às queixas de um amante.

Tal és, ingrata Nise: a rebeldia,
Que vês nesse penhasco, essa dureza
Há de ceder aos golpes algum dia:

Mas que diversa é tua natureza!
Dos contínuos excessos da **porfia**,
Recobras novo estímulo à **fereza**.

COSTA, Cláudio Manuel da. Soneto XLVII.
Disponível em: <http://www.dominiopublico.gov.br/download/texto/fs000040.pdf>. Acesso em: 11 out. 2012.

Proceloso: tormentoso, tempestuoso.

Enternecido: comovido, compadecido.

Porfia: teimosia.

Fereza: crueldade.

Responda no caderno às questões propostas.

1 Nise e Eulina são as musas a quem Cláudio Manuel da Costa dedica muitos de seus poemas. Que elemento metafórico (de comparação por semelhança) o poeta utiliza para tratar da recusa de sua pastora a amá-lo?

2 Segundo o eu lírico, qual seria a diferença entre esse elemento metafórico e a postura de Nise?

Como é possível perceber pela leitura dos sonetos, em muitos poemas de Cláudio Manuel da Costa predomina o sofrimento amoroso sobre qualquer outro tipo de dor, inquietação ou conflito. O pastor presente nesses textos ignora outras grandes questões humanas e mobiliza todos os elementos da natureza (tempestades, penhascos, ventos, raios, etc.) para falar de sua dor amorosa e de suas desilusões com a amada.

O Arcadismo de Cláudio Manuel da Costa não difere muito daquele praticado pelos poetas membros das arcádias europeias, ainda que tenha feito tímidas tentativas de adequar as convenções neoclássicas ao ambiente brasileiro. Nesse sentido, Tomás Antônio Gonzaga, outro importante poeta lírico das letras nacionais, foi mais ousado, como veremos adiante.

Um pouco do Arcadismo no século XXI

Em um mundo tão tecnológico como o nosso — marcado pelo contato eletrônico das redes sociais, pela urgência da informação — não parece haver tanto espaço para os ideais árcades setecentistas. Entretanto, alguns grupos têm reagido e proposto alternativas mais simples no modo de viver. Um desses grupos é a organização internacional Slow Food (algo como "comer devagar", em contraposição ao *fast food*), fundada em 1986 pelo italiano Carlo Petrini com o propósito inicial de apoiar e defender a boa comida e um ritmo mais lento no dia a dia. Mais tarde, os objetivos da organização passaram a incluir também a qualidade de vida e a própria sobrevivência do planeta. Atualmente ela conta com mais de cem mil membros e tem representantes na Itália, Alemanha, Suíça, Estados Unidos, França, Japão e Reino Unido e apoiadores em 150 países.

REPRODUÇÃO/SLOW FOOD INTERNATIONAL ASSOCIATION

Logotipo da organização internacional Slow Food.

O movimento Slow Food Brasil criou um manual de livre acesso para os internautas. Saiba mais em: <http://www.slowfood.com/about_us/img_sito/pdf/Companion08_POR.pdf>.

Tomás Antônio Gonzaga: o Dirceu de Marília

Um pastor maduro e com algumas posses chamado Dirceu apaixona-se perdidamente por uma jovem e rica pastora de nome Marília, mas ambos são impedidos de viver esse amor com plenitude na perfeita Arcádia porque ele, por razões políticas, é exilado em um país longínquo onde permanece triste e só.

Essa história — parte real, parte ficção —, digna de um romance romântico ou quase um intertexto de *Romeu e Julieta*, de Shakespeare, constitui um dos desencontros amorosos mais conhecidos da literatura brasileira e está ligada à vida real do poeta inconfidente Tomás Antônio Gonzaga (1744-1810).

Gonzaga nasceu na cidade do Porto, em Portugal, e com oito anos de idade veio para o Brasil estudar no Colégio dos Jesuítas, em Salvador (Bahia). Mais tarde, como era comum entre os jovens abastados de seu tempo, retornou à terra natal para estudar Direito em Coimbra, seguindo a trilha do pai e do avô, importantes magistrados brasileiros. Em 1782, de volta ao Brasil, exerceu a função de ouvidor em Vila Rica, onde manteve uma relação conturbada com as autoridades locais. Apaixonou-se pela jovem de família rica Maria Joaquina Doroteia de Seixas, a Marília cantada em suas "Liras", com quem pretendia se casar e viver na Bahia após ser nomeado desembargador.

Esses planos foram bruscamente interrompidos em 1789 porque o autor foi acusado de fazer parte da Inconfidência Mineira. Preso, foi posteriormente exilado, na condição de degredado, para Moçambique, na África. Naquele continente, alcançou posição burocrática de prestígio e se casou com Juliana Mascarenhas, de uma rica família de mercadores de escravos.

Retrato de Tomás Antônio Gonzaga, por Fernando Cristóvão, conforme reprodução em *Marília de Dirceu* (Lisboa: Temas Portugueses, 1981). Fascinados pela história de amor de Marília e Dirceu, os escritores do Romantismo brasileiro (século XIX) deram à biografia de Tomás Antônio Gonzaga uma aura de tristeza e solidão que não correspondeu à vida do poeta no desterro.

⊙ O poeta da simplicidade

Diferentemente de Cláudio Manuel da Costa, cuja poesia teve, inicialmente, influência cultista, Gonzaga cultivou, desde o início, o "estilo árcade" da simplicidade. Não há no poeta uma só marca barroca. Em sua poesia lírica, os versos de tom coloquial entram no lugar das metáforas complexas, do excesso de referências mitológicas, das comparações. Observe o estilo simples e a naturalidade dos versos que compõem a "Lira XXIII", de *Marília de Dirceu*.

Num sítio ameno
Cheio de rosas,
De brancos lírios,
Murtas viçosas;

Dos seus amores
Na companhia
Dirceu passava
Alegre o dia.

Em tom de graça
Ao terno amante
Manda Marília
Que toque, e cante.

Pega na lira,
Sem que a tempere,
A voz levanta,
E as cordas fere.
[...]

GONZAGA, Tomás Antônio. *Marília de Dirceu*. Rio de Janeiro: Ediouro; São Paulo: Publifolha, 1997. p. 68-69. (Biblioteca Folha, 12). (Fragmento).

Murta: planta ornamental cultivada principalmente nos países europeus para confecção de grinaldas de noivas.

Responda oralmente:

- Que elementos no poema garantem o clima ameno cultuado pelos poetas árcades?

⊙ *Marília de Dirceu*: fingir e não fingir

NAVEGUE

Leia na íntegra a obra *Marília de Dirceu* acessando: <http://www.dominiopublico.gov.br/download/texto/bv000301.pdf>.

Como era comum na poesia neoclássica, Tomás Antônio Gonzaga faz uso da delegação poética quando se apresenta como o pastor Dirceu apaixonado pela bela Marília; contudo, muito do que o leitor testemunha ao ler os poemas de amor dos pastores representa expressões de conflitos reais vividos por Gonzaga. A contrariedade da família de Doroteia em aceitar a relação, a diferença de idade e de condição social dos amantes, os planos incertos de futuro e a prisão do autor estão presentes nos versos que compõem *Marília de Dirceu*. Em suas confissões poéticas, Gonzaga foge do artificialismo típico do Arcadismo propondo ao leitor uma espécie de jogo de fingimento e realidade, máscara e rosto. É como se o poeta fizesse uso dos versos para organizar o seu caos, na expressão de Antonio Candido.

Estabelecendo um paralelo entre a vida de Tomás Antônio Gonzaga e sua obra lírica, podemos diferenciar três fases no processo amoroso apresentado em *Marília de Dirceu*, conforme descrevemos a seguir.

I. Liras que abordam a intensa paixão pela musa Marília logo que o poeta a conhece

Observe como, nos decassílabos da "Lira I" (Parte I), o pastor se descreve para sua amada. Leia os versos e responda às questões no caderno.

Eu, Marília, não sou algum vaqueiro,
Que viva de guardar alheio gado;
De tosco trato, d'expressões grosseiro,
Dos frios gelos, e dos sóis queimado.
Tenho próprio **casal**, e nele **assisto**;
Dá-me vinho, legume, fruta, azeite;
Das brancas ovelhinhas tiro o leite,
E mais as finas lãs, de que me visto.
Graças, Marília bela,
Graças à minha Estrela!

Eu vi o meu semblante numa fonte,
Dos anos inda não está cortado:
Os Pastores, que habitam este monte,
Respeitam o poder do meu cajado:
Com tal destreza toco a sanfoninha,
Que inveja até me tem o próprio **Alceste**:
Ao som dela concerto a voz celeste;
Nem canto letra, que não seja minha.
Graças, Marília bela.
Graças à minha Estrela!

Mas tendo tantos dotes da **ventura**,
Só **apreço** lhes dou, gentil Pastora,
Depois que teu afeto me segura,
Que queres do que tenho ser senhora.
É bom, minha Marília, é bom ser dono
De um rebanho, que cubra monte, e prado;
Porém, gentil Pastora, o teu agrado
Vale mais q'um rebanho, e mais q'um trono.
Graças, Marília bela,
Graças à minha Estrela!

GONZAGA, Tomás Antônio. *Marília de Dirceu*. Rio de Janeiro: Ediouro; São Paulo: Publifolha, 1997. p. 17-19. (Biblioteca Folha, 12). (Fragmento).

1 Na estrofe que abre a obra *Marília de Dirceu*, o pastor se apresenta para sua amada dizendo *aquilo que ele não é*, e não *o que ele é*.
a) Retire do poema as expressões que designam o que Dirceu não é.
b) O que sugerem essas negações em relação ao perfil do pastor Dirceu?
c) Explique como a afirmação do que o pastor *não é* reforça a imagem que ele quer passar para sua Marília.

2 Em outra estrofe que compõe a "Lira I", Dirceu associa elementos sentimentais aos aspectos materiais mencionados na primeira estrofe. Por que essa outra estrofe é iniciada pela conjunção adversativa *mas*? Utilize fragmentos do texto para justificar sua resposta.

Casal: pequena propriedade rústica.
Assisto: resido, moro.
Alceste: referência a Glauceste (Cláudio Manuel da Costa).
Ventura: boa sorte.
Apreço: estima; admiração.

3 Nas estrofes que você leu, o autor faz uso de um refrão.

a) Transcreva-o.

b) Que efeito de sentido tem esse refrão no texto?

II. Liras compostas de versos que cantam o amor correspondido por Marília e a possibilidade real do casamento, apesar da diferença social existente entre os amantes (dado real)

Leia a "Lira VIII" e a "Lira XXII", Parte I, e responda às questões no caderno.

Lira VIII

Marília, de que te queixas?
De que te roubou Dirceu
O sincero coração?
Não te deu também o seu?
E tu, Marília, primeiro
Não lhe lançaste o **grilhão**?
Todos amam: só Marília
Desta Lei da Natureza
Queria ter isenção?

Em torno das castas pombas,
Não **rulam** ternos pombinhos?
E rulam, Marília, em vão?
Não se afagam c'os biquinhos?
E a prova de mais ternura
Não os arrasta a paixão?
Todos amam: só Marília
Desta Lei da Natureza
Queria ter isenção?

Já viste, minha Marília,
Avezinhas, que não façam
Os seus ninhos no verão?
Aquelas, com quem se enlaçam,
Não vão cantar-lhes defronte
Do mole pouso, em que estão?
Todos amam: só Marília
Desta Lei da Natureza
Queria ter isenção?

Se os peixes, Marília, geram
Nos bravos mares, e rios,
Tudo efeitos de Amor são.
Amam os brutos **ímpios**,
A serpente venenosa,
A onça, o tigre, o leão.
Todos amam: só Marília
Desta Lei da Natureza
Queria ter isenção?

As grandes Deusas do Céu
Sentem a seta tirana
Da amorosa inclinação.
Diana, com ser Diana,
Não se abrasa, não suspira
Pelo amor de **Endimião**?
Todos amam: só Marília
Desta Lei da Natureza
Queria ter isenção?

Desiste, Marília bela,
De uma queixa sustentada
Só na altiva opinião.
Esta chama é inspirada
Pelo Céu; pois nela assenta
A nossa conservação.
Todos amam: só Marília
Desta Lei da Natureza
Não deve ter isenção.

GONZAGA, Tomás Antônio. *Marília de Dirceu*. Rio de Janeiro: Ediouro; São Paulo: Publifolha, 1997. p. 33-34. (Biblioteca Folha, 12).

Grilhão: em sentido figurado, elo ou corrente invisível que aprisiona; laço.

Rulam: referência ao som produzido pelas pombas.

Ímpios: descrentes.

Diana: na cultura latina, a deusa da lua e da caça.

Endimião: pastor por quem Diana se apaixonou. Por ele ser mortal e, portanto, estar fadado ao envelhecimento e à morte, a deusa o fez dormir para sempre, a fim de que seu amor fosse eternamente jovem.

1 Com o objetivo de apresentar argumentos, Dirceu faz três perguntas a Marília como resposta à queixa feita por ela na primeira estrofe. Transforme-as em afirmações na 1ª pessoa e mantenha o vocativo *Marília* no início de cada frase.

2 A quais argumentos Dirceu recorre para convencer Marília de que o amor é uma "Lei da Natureza" da qual não se pode fugir?

Leia os versos a seguir e responda às questões no caderno.

Lira XXII

[...]

Tu não habitarás palácios grandes,
Nem andarás nos **coches** voadores;
Porém terás um **Vate**, que te preze,
Que cante os teus louvores.

O tempo não respeita a formosura;
E da pálida morte a mão tirana
Arrasa os edifícios dos **Augustos**,
E arrasa a **vil choupana**.
[...]

Se não houvesse **Tasso**, nem Petrarca,
Por mais que qualquer delas fosse linda,
Já não sabia o mundo, se existiram
Nem **Laura**, nem **Clorinda**.

É melhor, minha Bela, ser lembrada
Por quantos hão de vir sábios humanos,
Que ter **urcos**, ter coches, e tesouros,
Que morrem com os anos.

GONZAGA, Tomás Antônio. *Marília de Dirceu*. Rio de Janeiro: Ediouro; São Paulo: Publifolha, 1997. p. 67-68. (Biblioteca Folha, 12). (Fragmento).

Coches: carruagens.
Vate: poeta.
Augustos: referência aos imperadores da Roma antiga.
Vil choupana: casa humilde e de pouco valor.
Tasso: Torquato Tasso, poeta romano do século XVI.
Laura: musa do poeta italiano Francesco Petrarca.
Clorinda: personagem do poema épico "Jerusalém libertada", de Torquato Tasso.
Urcos: cavalos fortes e corpulentos.

1 Dirceu tem consciência de que, embora seja "dono de um rebanho", não poderá dar à sua Marília "palácios grandes" ou "coches voadores". O que tem ele a oferecer, de acordo com a primeira estrofe da "Lira XXII"?

2 O que se pode inferir, com base na leitura das outras estrofes da "Lira XXII", sobre a importância da presença de um poeta na vida de Marília e a respeito da posse de "urcos", "coches", "tesouros" e "formosura"?

III. Liras sobre a dolorosa separação de Marília e Dirceu, motivada por um "ideal" de libertação da "pátria adotiva" (Gonzaga era português), que levou o poeta à prisão na ilha das Cobras, no Rio de Janeiro, e depois ao desterro na África (dados reais)

Observe, nos versos das liras a seguir (Parte II), que o poeta prende seu pastor em uma masmorra e revela sua extrema tristeza.

Texto 1

Lira XIX

Nesta triste **masmorra**,
De um semivivo corpo sepultura,
Inda, Marília, adoro
A tua formosura.
Amor na minha ideia te retrata;
Busca extremoso, que eu assim resista
À dor imensa, que me cerca, e mata.
[...]

GONZAGA, Tomás Antônio. *Marília de Dirceu*. Rio de Janeiro: Ediouro; São Paulo: Publifolha, 1997. p. 123. (Biblioteca Folha, 12). (Fragmento).

Masmorra: tipo de prisão subterrânea.

Texto 2

Lira XXI

Que diversas que são, Marília, as horas,
Que passo na masmorra imunda, e feia,
Dessas horas felizes, já passadas
Na tua pátria aldeia!

Então eu me ajuntava com **Glauceste**;
E à sombra de alto Cedro na campina
Eu versos te compunha, e ele os compunha
À sua cara **Eulina**.
[...]

GONZAGA, Tomás Antônio. *Marília de Dirceu*. Rio de Janeiro: Ediouro; São Paulo: Publifolha, 1997. p. 127. (Biblioteca Folha, 12). (Fragmento).

Glauceste: referência a Glauceste Satúrnio (Cláudio Manuel da Costa).

Eulina: musa de Glauceste Satúrnio.

Responda oralmente:

- **Nas estrofes que você leu, há dois planos temporais e a mescla de convenções árcades e de realidade. Explique essa afirmativa com base em seus conhecimentos sobre os modelos neoclássicos e a vida de Gonzaga.**

⊙ O humor das *Cartas chilenas*

Além das liras dedicadas a Marília, é atribuída a Gonzaga uma série de versos decassílabos satíricos denominados *Cartas chilenas*. Esse longo poema, incompleto e anônimo, composto provavelmente em 1788-1789, critica os desmandos e as imoralidades administrativas de Luís da Cunha Meneses, governador da Capitania das Minas de 1783 a 1788. Nas divertidas cartas, Meneses é jocosamente comparado a Sancho, fiel escudeiro de D. Quixote, e ao perverso imperador romano Nero. Nos versos, o autor ainda condena algumas práticas realizadas contra os negros por "senhores desumanos", mas reconhece legítimo o direito dos proprietários de castigar seus escravos.

Em *Marília de Dirceu*, Gonzaga usou várias formas poéticas: versos de quatro sílabas, redondilhas menores e maiores e decassílabos.

Sabendo do risco que corria, numa época em que não havia liberdade de expressão, o autor das *Cartas* se autodenomina Critilo; ao destinatário, chama de Doroteu, e a Meneses, de Fanfarrão Minésio. *Chilenas* é um disfarce literário para "mineiras". Entre as doze cartas, conheça um fragmento da Carta Segunda, intitulada "Em que se mostra a piedade que Fanfarrão fingiu no princípio do seu governo, para chamar a si todos os negócios".

Aquele, Doroteu, que não é santo,
mas quer fingir-se santo aos outros homens
pratica muito mais do que pratica
quem segue os sãos caminhos da verdade.
Mal se põe nas igrejas, de joelhos,
abre os braços em cruz, a terra beija,
entorta o seu pescoço, fecha os olhos,
faz que chora, suspira, fere o peito
e executa outras muitas macaquices,
estando em parte onde o mundo as veja.
Assim o nosso chefe, que procura
mostrar-se **compassivo**, não descansa
com estas poucas obras: passa a dar-nos
da sua compaixão maiores provas.

GONZAGA, Tomás Antônio. Cartas chilenas — Carta Segunda. In: CANDIDO, Antonio; CASTELLO, José Aderaldo. *Presença da literatura brasileira*: das origens ao Realismo. 13. ed. Rio de Janeiro: Bertrand Brasil, 2008. p. 130. (Fragmento).

Compassivo: que revela compaixão, que se compadece.

Responda no caderno às questões propostas.

1 A palavra *pratica* aparece no início e no fim do terceiro verso. Qual é a diferença de sentido entre uma menção e outra?

2 Releia os versos.

"Mal se põe nas igrejas, de joelhos,
abre os braços em cruz, a terra beija,
entorta o seu pescoço, fecha os olhos,
faz que chora, suspira, fere o peito
e executa outras muitas macaquices,
estando em parte onde o mundo as veja."

a) Quem Meneses está macaqueando?
b) Que propósito, segundo Doroteu, teria Meneses com essa macaquice?

Atividades: Entre textos

O soneto a seguir é de Basílio da Gama, escritor do Arcadismo cuja obra estudaremos no capítulo 13. Embora esse autor tenha ficado bastante conhecido por sua faceta épica, ele também escreveu poemas líricos como o que você irá ler.

Soneto
A uma senhora natural do Rio de Janeiro onde se achava então o autor

Já, Marfiza cruel, me não maltrata
Saber que usas comigo de cautelas,
Qu'inda te espero ver, por causa delas,
Arrependida de ter sido ingrata.

Com o tempo, que tudo desbarata,
Teus olhos deixarão de ser estrelas;
Verás murchar no rosto as faces belas,
E as tranças d'oiro converter-se em prata.

Pois se sabes que a tua formosura
Por força há de sofrer da idade os danos,
Por que me negas hoje esta ventura?

Guarda para seu tempo os desenganos,
Gozemo-nos agora, enquanto dura,
Já que dura tão pouco a flor dos anos.

GAMA, Basílio da. In: CANDIDO, Antonio; CASTELLO, José Aderaldo. *Presença da literatura brasileira*: das origens ao Romantismo. 13. ed. Rio de Janeiro: Bertrand Brasil, 2008. p. 119.

Registre as respostas no caderno.

1 Os dois quartetos do poema são estruturados a partir de uma figura de linguagem, o eufemismo. Transcreva duas delas, explicando o efeito de sentido produzido no soneto.

2 Depois de ler os dois quartetos, é possível compreender a pergunta que o eu lírico faz para Marfiza no primeiro terceto. Explique essa afirmação.

PARA LEMBRAR

Eufemismo: substituição de uma palavra ou expressão rude, ofensiva, chocante ou desagradável por outra, que representa a mesma realidade, mas de forma atenuada.

3 Que preceito tipicamente árcade está presente de maneira direta no último terceto do soneto?

Leia agora o poema de Paulo Henriques Britto, retirado da coletânea *Macau*, publicada em 2003, e responda no caderno ao que se pede.

Nunca não ser ninguém nem nada,
porém deixar-se estar no tempo
como se a vida fosse água,

como quem boia à flor da água
sem rumo, sem remo, sem nada
além de sono, tédio e tempo,

senhor de todo o espaço e o tempo,
munido só de pão e água
e, sem precisar de mais nada,

beber sua água enquanto é tempo.
E, depois, nada.

BRITTO, Paulo Henriques. *Macau*. São Paulo: Companhia das Letras, 2003. p. 25.

NAVEGUE

Conheça o *site* do autor Paulo Henriques Britto: <http://www.phbritto.org/>.

4 O primeiro verso do poema é construído a partir de uma negação. Transforme-o em um conselho ou recomendação ao leitor. Para isso, suprima o advérbio *não* e inicie sua frase com o antônimo de *nunca*.

5 Que sentido tem a conjunção adversativa *porém* (segundo verso) em relação ao que é dito pelo eu lírico no primeiro verso?

6 A rima não é o único recurso sonoro presente em um poema. Repetições de palavras, de frases e de versos — denominadas **recorrências** — também são recursos comuns nesse gênero textual.

a) Identifique palavras que se repetem no poema de Britto.

b) Você observa alguma regularidade nessas recorrências?

c) Que função têm essas recorrências para a construção dos sentidos do poema?

7 Mesmo separados pelo tempo, os poemas se aproximam tematicamente. Você concorda com essa afirmativa? Justifique sua resposta.

O QUE VOCÊ APRENDEU NO PERCURSO DESTE CAPÍTULO

- O Arcadismo brasileiro está associado ao contexto do enriquecimento das cidades mineiras devido à extração do ouro.
- Cláudio Manuel da Costa (Glauceste Satúrnio): predomina em sua poesia uma profunda marca neoclássica; fez tentativas de adequar seus poemas ao ambiente brasileiro; como outros árcades, fez uso da delegação poética; predomínio da temática do sofrimento amoroso.
- Tomás Antônio Gonzaga (Dirceu): cultivou o "estilo simples" e a "naturalidade" neoclássica; em *Marília de Dirceu*, concilia as convenções árcades (como a delegação poética e o *locus amoenus*) à expressão de conflitos reais vividos pelo poeta.
- A obra *Marília de Dirceu* pode ser dividida em três fases (intensa paixão pela musa; amor correspondido por Marília e possibilidade real de casamento; separação de Marília e Dirceu, motivada pela prisão de Gonzaga).
- *Cartas chilenas* são um poema satírico, incompleto e anônimo atribuído a Gonzaga; nele, são feitas críticas a Luís da Cunha Meneses, governador da Capitania das Minas.

CAPÍTULO

13

A poesia épica árcade no Brasil: entre nativos, padres e portugueses

PERCURSO DO CAPÍTULO

- A presença do indígena na literatura árcade brasileira
- *Caramuru*, de Santa Rita Durão: nativismo e defesa dos jesuítas
- *O Uraguai*, de Basílio da Gama: ataque aos jesuítas e defesa dos povos indígenas

SERGIO RANALLI/PULSAR IMAGENS

Embora seja um dos focos principais do movimento romântico (século XIX), o indígena já aparece na produção épica árcade brasileira. A foto da menina Kalapalo, uma das várias etnias que vivem no Parque Indígena do Xingu (MT), foi tirada em 2011.

Introdução

O desaparecimento de um grande número de línguas indígenas faladas no nosso país (segundo estimativas da Fundação Nacional do Índio, eram mais de mil quando os portugueses aqui desembarcaram; hoje são aproximadamente 180) explicita o gradativo processo de destruição que os povos nativos vêm sofrendo desde o século XVI. Foi o Arcadismo que levou o indígena para a literatura, ora idealizando-o, ora retratando-o como bárbaro. Neste capítulo, você vai conhecer as duas facetas exploradas pelos autores de tendência épica neoclássica.

Os versos a seguir foram escritos por frei José de Santa Rita Durão e compõem o poema épico *Caramuru*, publicado pela primeira vez em Lisboa, em 1781. Essa epopeia árcade conta como o português Diogo Álvares Correia sobreviveu a um naufrágio na costa da Bahia e foi acolhido pelos Tupinambá. Unindo fatos históricos e lendários, Santa Rita Durão aborda o processo de colonização do Brasil, a catequização do índio e sua cultura, além de exaltar a fauna e a flora nacionais em versos altamente descritivos.

Leia as estrofes finais da epopeia, retiradas do canto X de *Caramuru*, e observe de que maneira o autor caracteriza os nativos e os padres catequizadores.

LV

São desta espécie os Operários santos,
Que com **fadiga** dura, intenção **reta**,
Padecem pela Fé trabalhos tantos;
O Nóbrega famoso, o claro Anchieta:
Por meio de perigos, e de espantos,
Sem temer do **Gentio** a cruel seta,
Todo o vasto Sertão tem penetrado,
E a Fé com mil trabalhos propagado.

LVI

Muitos destes ali, velando **pios**,
Dentro às tocas das árvores ocultos,
Sofrem riscos, trabalhos, fomes, frios,
Sem recear os bárbaros insultos:
Penetram matos, atravessam rios,
Buscando nos terrenos mais incultos
Com imensa fadiga, e pio ganho
Esse perdido mísero rebanho.

SANTA RITA DURÃO, Frei José de. *Caramuru*. Disponível em: <http://www.dominiopublico.gov.br/download/texto/bn000099.pdf>. Acesso em: 16 out. 2012.

Fadiga: trabalho cansativo.
Reta: justa, íntegra.
Gentio: não civilizado; selvagem.
Pios: devotos, religiosos.

Responda no caderno às questões propostas.

1 Acione os conhecimentos obtidos ao longo deste ano (e que estão ajudando você a compor a sua "biblioteca cultural") e, em relação à forma dos versos lidos, responda:

a) Que tipo de versos, estrofes e rimas caracterizam o poema? (Faça a escansão dos versos para chegar à resposta.)

b) A que outra obra épica você pode associar os versos de *Caramuru*?

2 No texto de Santa Rita Durão, a voz épica opõe dois grupos.

a) Que grupos são esses?

b) Que palavras, expressões e perífrases o autor utiliza para caracterizar esses grupos oponentes?

c) Utilize sua resposta aos itens anteriores para explicar o objetivo da voz épica nos versos transcritos.

3 Releia.

"São desta espécie os Operários santos,"

a) Reescreva o verso, desfazendo o hipérbato que há nele.

b) Converse com seus colegas e, tomando por base o verso lido, deduza o sentido da expressão "desta espécie".

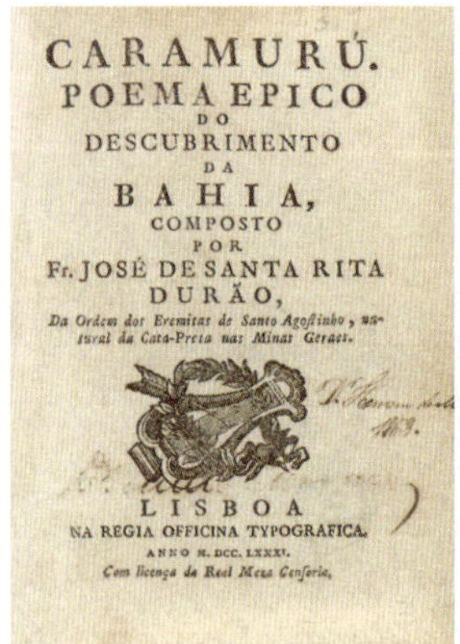

Fac-símile do frontispício da primeira edição (1781) do poema épico de Santa Rita Durão.

PARA LEMBRAR

Perífrase: figura de linguagem que consiste na substituição de uma palavra por uma série de outras, de forma que estas se refiram àquela de modo indireto.

Hipérbato: figura de linguagem que consiste na inversão dos termos da oração ou dos períodos.

No ensaio "Civilização partida", que compõe a coletânea *Civilização e barbárie*, a psicanalista paulista Maria Rita Kehl escreve:

[...] Vou qualificar então de "tradição da dúvida" a tradição moderna que considero civilizada: aberta para o diferente, criativa e pouco autoritária. E de "tradição da certeza" a corrente moderna que busca as grandes totalizações políticas e científicas, a abolição da diversidade, a imposição autoritária de um pensamento único e consequentemente a intolerância para com o estranho. No início da modernidade, podemos pensar o florescimento das artes e das ciências na Renascença como característicos de um período "civilizado"; na mesma época, consideramos "bárbaras" as práticas punitivas dos tribunais católicos da Inquisição, ou a destruição das culturas indígenas da América pelos colonizadores.

KEHL, Maria Rita. A civilização partida. In: NOVAES, Adauto (Org.). *Civilização e barbárie*. São Paulo: Companhia das Letras, 2004. p. 105. (Fragmento).

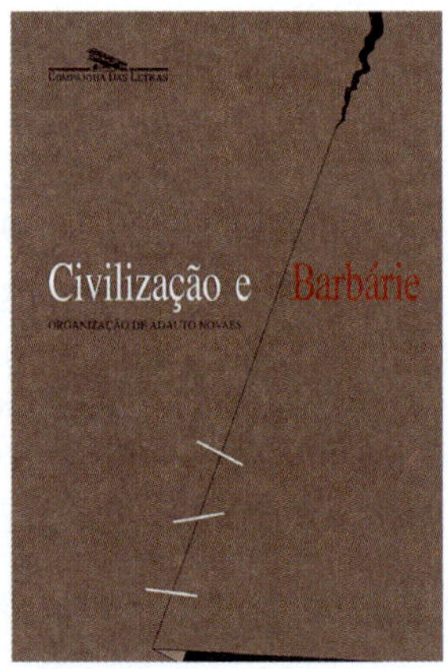

No livro *Civilização e barbárie*, vários autores discutem o conceito de "civilizado".

4 Explique, com suas palavras, o que você entendeu a respeito da "tradição da dúvida", referida pela autora.

5 O que seria a "tradição da certeza"?

6 Na sua opinião, os versos transcritos de *Caramuru* — criados no contexto do Iluminismo — estão mais ligados à "tradição da dúvida" ou à "tradição da certeza"? Justifique sua resposta.

ProvocAÇÃO

Tendo em vista o texto de Maria Rita Kehl, a análise que você fez dos versos de *Caramuru* e seus estudos sobre o Quinhentismo (no capítulo 8), qual a sua opinião sobre o conceito de "civilizado"?

NAVEGUE

Leia o artigo de Maria Rita Kehl na íntegra: <http://www.mariaritakehl.psc.br/conteudo.php?id=71>.

Os versos de frei José de Santa Rita Durão revelam uma das facetas temáticas da poesia épica brasileira cultivada durante o Arcadismo: a do missionário jesuíta visto como herói catequizador de gentios bárbaros e sanguinários. Outra faceta, expressa no poema épico *O Uraguai* (1769), de Basílio da Gama, atribuirá ao jesuíta o papel de vilão.

Neste capítulo, retomaremos o percurso da presença do índio em nossa literatura e estudaremos Durão e Gama e suas propostas estéticas sobre um Brasil que começava a buscar sua identidade.

Nossos indígenas nas letras

Em nosso estudo sobre o Quinhentismo, vimos que a prosa informativo-descritiva de Staden, Caminha e Gandavo foi responsável por divulgar a imagem sobre a terra recém-descoberta e seus habitantes, vistos ora como canibais a serem domados pelo europeu civilizado, ora como um povo pacífico que necessitava de um Deus cristão que os amparasse. Os padres Nóbrega e Anchieta — citados como heróis nos versos transcritos de *Caramuru* — justificaram suas ações jesuíticas com base nessa segunda premissa.

No século XVIII, o indígena retorna à cena literária, em primeiro plano, novamente como contraponto ao europeu, vivendo em meio à exuberante natureza brasileira. Durante o Arcadismo, já passados os séculos iniciais da colonização, os autores puderam analisar, por meio de suas obras literárias e de acordo com suas ideologias, o confronto estabelecido entre duas culturas.

Mais tarde, essa retomada da figura dos habitantes originais do Brasil continuou no Romantismo, movimento contemporâneo ao processo de nossa Independência (1822) que elevou os indígenas à categoria de heróis da nação, embora descaracterizando-os e distanciando-os da realidade.

No século XX, mais próximo de nós, os artistas da escola modernista revisarão o papel do indígena, procurando restituir-lhe as características culturais originais, isto é, o que eles eram antes da chegada dos portugueses ao Brasil.

Os irmãos Villas-Bôas

O cinema também tem discutido a questão indígena no país, como nesta produção sobre a trajetória dos irmãos Villas-Bôas, jovens que, nos anos 1940, conseguem a proeza de fundar o maior parque indígena do mundo, o Parque Nacional do Xingu.

A saga de Orlando, Cláudio e Leonardo se inicia com a travessia do Rio das Mortes, quando eles se tornam líderes da empreitada, envolvendo-se na defesa dos povos indígenas e registrando tudo num diário batizado de "A marcha para o Oeste".

REPRODUÇÃO

Cartaz do filme *Xingu*, de Cao Hamburger. Brasil, 2012.

Santa Rita Durão: voz isolada na "escola mineira"

Frei José de Santa Rita Durão (1722-1784) teve formação jesuítica no Rio de Janeiro e, aos nove anos, mudou-se para Portugal para estudar teologia e filosofia, tornando-se religioso aos 16 anos. Por ocasião da expulsão dos jesuítas, promovida pelo Marquês de Pombal em Portugal, e devido a uma série de conflitos em que se envolveu, Santa Rita Durão transferiu-se para a Espanha, depois para a França e a Itália. Em 1777, retornou às terras lusitanas como professor de teologia, em Coimbra, e deu continuidade à escritura de seu *Caramuru*, obra recebida com certa indiferença pelos acadêmicos da época.

NAVEGUE

Saiba mais detalhes sobre o herói Diogo Álvares Correia, figura histórica que serviu de base para a epopeia de Durão, em: <http://www.casadatorre.org.br/caramuru500.htm>.

⊙ *Caramuru*: "Os *brasilíadas*"

Ao contrário de outros poetas brasileiros que estudaram em Coimbra no século XVIII, o frei não frequentou círculos literários ligados às arcádias, daí sua obra não apresentar significativas marcas estilísticas neoclássicas. Santa Rita Durão mostra-se um homem de seu tempo quando resgata, a seu modo, a tradição épica, principalmente camoniana. Não por acaso, o historiador Francisco Adolfo de Varnhagen (1816-1878) se refere a *Caramuru* como "Os brasilíadas de Durão" em clara referência a *Os lusíadas*.

Esse diálogo com Camões pode ser comprovado pela leitura do prefácio de *Caramuru*, intitulado "Reflexões prévias", onde se lê: "Os sucessos do Brasil não mereciam menos um poema que os da Índia. Incitou-me a escrever este o amor da Pátria".

A estrutura do poema épico de Santa Rita Durão é outro elemento que explicita a identificação dele com o maior poeta do Classicismo português. De forma semelhante ao seu hipotexto, *Caramuru* é estruturado em dez cantos com estrofes em oitava-rima e versos decassílabos. Cada parte do poema remete à estrutura que você já estudou no capítulo 7 sobre *Os lusíadas*: uma proposição, a invocação (a Deus), uma dedicatória (a D. José I), a narração propriamente dita e o epílogo.

Assim como o poema camoniano, e a *Eneida*, de Virgílio, *Caramuru* é uma **epopeia artificial** ou **de imitação**, pois não teve origem espontânea baseada na tradição popular.

Na obra de Santa Rita Durão, Diogo Álvares Correia, após ter sobrevivido a um naufrágio, ganha o respeito dos índios ao assustá-los com os disparos de uma espingarda, recebendo, em decorrência, o apelido de Caramuru ("deus do trovão"). O herói passa a viver entre os Tupinambá e envolve-se, ao lado deles, em sangrentas batalhas contra a tribo dos Caeté. Depois de ajudar a derrotar seus oponentes, Diogo parte para a Europa em companhia da índia Paraguaçu, por quem se apaixonara.

Em 2001, foi lançado o filme *Caramuru — a invenção do Brasil*, de Guel Arraes e Jorge Furtado. Trata-se de uma versão satírica dos acontecimentos históricos que compõem a obra de Santa Rita Durão.

No embarque, dá-se um dos episódios mais conhecidos do poema, quando a índia Moema, também apaixonada pelo europeu, lança-se ao mar e morre afogada. Na Europa, na corte dos Médicis, Diogo descreve a fauna e a flora brasileiras a pedido de Henrique II da França. Na viagem de volta ao Brasil, Paraguaçu pressagia episódios importantes da história do país, como as lutas contra os franceses, as vitórias de Mem e Estácio de Sá e as batalhas contra os holandeses em Pernambuco. Ao final, Diogo e Paraguaçu são nomeados rei e rainha da Bahia, mas cedem o título a D. João III.

MEIRELES, Vítor. *Moema*. 1866. Óleo sobre tela, 129 × 190 cm. A tela do pintor catarinense (1832-1903) retrata a morte da personagem de Santa Rita Durão.

MUSEU DE ARTE DE SÃO PAULO, BRASIL

⊙ Nativismo: novamente um Brasil paradisíaco

Observe como, no canto VII de *Caramuru*, a pedido de Henrique II, Diogo descreve o Brasil.

XXI

Depois (disse o **Monarca**) que informado
De meus Ministros tenho a História ouvido,
Como foste das ondas agitado,
Como da Gente bárbara temido:
Sabendo que os Sertões tens visitado,
E o centro do Brasil reconhecido,
Quero das terras, dos viventes, plantas,
Que a História contes de Províncias tantas.

XXIII

Mil e cinquenta e seis léguas de costa,
De vales, e arvoredos revestida,
Tem a terra Brasílica composta
De montes de grandeza desmedida:
Os Guararapes, Borborema posta
Sobre as nuvens na **cima** recrescida,
A serra de Aimorés, que ao polo é **raia**,
As de Iboticatu, e Itatiaia.

XXVI

O mais rico, e importante vegetável
É a doce cana, donde o açúcar brota,
Em pouco às nossas canas comparável;
Mas nas do milho proporção se nota:
Com manobra **expedita**, e praticável,
Espremido em moenda o suco bota,
Que acaso a antiguidade imaginava,
Quando o néctar, e **ambrosia** celebrava.

XXX

Ervilhas, feijão, favas, milho, e trigo,
Tudo a Terra produz, se se **transplanta**;
Fruta também, o **pomo**, a pera, o figo
Com **bífera** colheita, e em cópia tanta:
Que mais que no País que o dera antigo,
No Brasil frutifica qualquer planta;
Assim nos deu a Pérsia, e Líbia ardente,
Os que a nós transplantamos de outra Gente.

SANTA RITA DURÃO, Frei José de. *Caramuru*. Disponível em: <http://www.dominiopublico.gov.br/download/texto/bn000099.pdf>.Acesso em: 16 out. 2012. (Fragmento).

Monarca: rei, imperador, soberano.

Cima: cume, topo.

Raia: limite, fronteira.

Expedita: rápida.

Ambrosia: alimento dos deuses do Olimpo, que concedia e mantinha a imortalidade.

Transplanta: transfere.

Pomo: maçã.

Bífera: que floresce e frutifica duas vezes por ano.

Responda no caderno às questões propostas.

1 Como você já estudou, em *Os lusíadas* há uma passagem na qual Vasco da Gama aporta em Melinde (retome o capítulo 7, se achar necessário).

a) Explique como, nas estrofes transcritas, a estratégia de Durão se assemelha à de Camões.

b) Que efeito expressivo esse recurso dá à narrativa épica?

2 Que elementos naturais são descritos por Diogo Álvares Correia nas estrofes em análise?

3 Na estrofe XXX, Diogo identifica um atributo especial do Brasil. Qual é ele? Ilustre sua resposta com elementos textuais.

NAVEGUE

Assista a um vídeo sobre a presença dos jesuítas nas terras brasileiras em <http://univesptv.cmais.com.br/os-primeiros-tempos-a-educacao-pelos-jesuitas-1-2>.

Ao criar uma epopeia em que um herói português, Diogo Álvares Correia, relata a um nobre europeu francês, Henrique II, as riquezas naturais do Brasil, Santa Rita Durão dialoga — guardadas as diferenças de tempo histórico e de interesse — com autores como Pero Vaz de Caminha e Pero de Magalhães de Gandavo. A leitura de determinados fragmentos do poema de Durão sugere a existência de um paraíso tropical com alto potencial de exploração de recursos naturais.

Para alguns críticos literários, *Caramuru* seria resposta a uma obra publicada doze anos antes, marcada por enfática crítica aos projetos jesuíticos. Trata-se de *O Uraguai*, de Basílio da Gama, nosso próximo estudo.

LUIS SALVATORE/PULSAR IMAGENS

Ainda nos dias de hoje é forte, entre europeus e norte-americanos, a imagem de um Brasil paradisíaco. Baía dos Porcos, arquipélago de Fernando de Noronha (PE). Foto de 2010.

Basílio da Gama: pombalismo e poesia

A história da literatura tem mostrado que, muitas vezes, a defesa de ideais políticos tem maior eficácia quando veiculada em textos de gêneros não literários (como manifestos e artigos de opinião). Por outro lado, não são poucos os poemas, romances, contos que servem de verdadeiros porta-vozes de ideias revolucionárias. Basílio da Gama conseguiu um feito raro: transformou suas convicções políticas em poesia.

José Basílio da Gama (1741-1795) formou-se no Colégio dos Jesuítas no Rio de Janeiro. Com a expulsão dos jesuítas portugueses em 1759, viajou para Roma, onde mais tarde foi aceito na Arcádia Romana, sob o pseudônimo pastoral de Termindo Sipílio. Mudou-se para Portugal e, em 1768, foi julgado por suspeita de ligação com os jesuítas. Livrou-se da prisão escrevendo o "Epitalâmio da Excelentíssima Senhora D. Maria Amália", poema em homenagem às núpcias da filha do Marquês de Pombal, político que se tornaria seu protetor e mecenas. A fidelidade do poeta mineiro a Pombal se concretiza com a publicação de um poema de clara tendência antijesuítica, *O Uraguai*, em 1769.

⊙ *O Uraguai*: ruptura com o modelo camoniano

Diferentemente de *Caramuru*, *O Uraguai* apresenta algumas mudanças significativas em relação à epopeia *Os lusíadas*, de Camões.

A obra estrutura-se em cinco cantos, sem divisão de estrofes, e os versos são decassílabos brancos (isto é, não rimados). A estrutura segue mais ou menos a de outros poemas épicos com a proposição, a invocação à Musa (uma convenção árcade), a dedicatória (no caso, a Francisco Xavier de Mendonça Furtado, irmão do futuro Marquês de Pombal), a narração e o epílogo.

MAURICIO SIMONETTI/PULSAR IMAGENS

Ruínas da catedral de São Miguel das Missões (RS). Foto de 2008.

O Uraguai trata do episódio real da destruição da missão jesuítica dos Sete Povos das Missões, no sul do Brasil, no contexto da execução do Tratado de Madri. No poema, narram-se os conflitos entre jesuítas, indígenas e tropas luso-castelhanas, os quais tiveram como consequência a morte de centenas de guaranis, a posse da Colônia de Sacramento pelos portugueses e a expulsão dos jesuítas.

Observe como nos versos a seguir, pertencentes ao canto II de *O Uraguai*, se dá o diálogo entre o líder indígena Cacambo e o general português Gomes Freire de Andrade.

SAIBA MAIS!

O Tratado de Madri (1750) estabelecia que Portugal deveria ceder à Espanha a Colônia de Sacramento, recebendo em troca a região de Sete Povos das Missões. Como os índios e os jesuítas que habitavam esse território recusaram o domínio português, as Coroas ibéricas, com a finalidade de efetivar o acordo, enviaram ao local suas tropas sob o comando do general português Gomes Freire de Andrade.

[...]
E [Cacambo] começou: "Ó General famoso,
[...]
Eu, desarmado e só, buscar-te venho.
Tanto espero de ti. E enquanto as armas
Dão lugar à razão, senhor, vejamos
Se se pode salvar a vida e o sangue
De tantos desgraçados.
[...]
As campinas que vês e a nossa terra
Sem o nosso suor e os nossos braços,
De que serve ao teu rei? Aqui não temos
Nem altas minas, nem **caudalosos**
Rios de areias de ouro. Essa riqueza
Que cobre os templos dos benditos padres,
Fruto da sua indústria e do comércio
Da folha e peles, é riqueza sua.
Com o **arbítrio** dos corpos e das almas
O céu **lha** deu em sorte. A nós somente
Nos toca arar e cultivar a terra,
Sem outra paga mais que o repartido
Por mãos escassas mísero sustento.
Pobres choupanas, e algodões tecidos,
E o arco, e as setas, e as vistosas penas
São as nossas fantásticas riquezas.
[...]
Acabou de falar; e assim responde
O ilustre General: "Ó alma grande,

Caudalosos: volumosos.
Arbítrio: domínio, poder.
Lha: a ela (refere-se à riqueza).

[...]
Fez-vos livres o céu, mas se o ser livres
Era viver **errantes** e **dispersos**,
Sem companheiros, sem amigos, sempre
Com as armas na mão em dura guerra,
Ter por justiça a força, e pelos bosques
Viver do acaso, eu julgo que inda fora
Melhor a escravidão que a liberdade.
Mas nem a escravidão, nem a miséria
Quer o **benigno** rei que o fruto seja
Da sua proteção. Esse absoluto
Império ilimitado, que exercitam
Em vós os padres, como vós, **vassalos**,
É império tirânico, que **usurpam**.
Nem são senhores, nem vós sois escravos.
O rei é vosso pai: quer-vos felizes.
[...]"

BASÍLIO DA GAMA, José. *O Uraguai*. Disponível em: <http://www.dominiopublico.gov.br/downloadtexto/bn00094a.pdf>. Acesso em: 17 out. 2012. (Fragmento).

Errantes: sem residência fixa, a vagar.

Dispersos: espalhados, debandados.

Benigno: de bom caráter, boa índole.

Vassalos: súditos, subordinados.

Usurpam: roubam, tomam à força.

Responda no caderno às questões propostas.

1 Qual o tratamento dispensado por Cacambo ao General, e vice-versa? Dê exemplos comprovando sua resposta.

2 Releia os seis versos iniciais e explique de que modo se poderia relacionar a fala do índio Cacambo aos ideais do século XVIII.

3 Que argumento o índio Cacambo utiliza para defender o despropósito da invasão portuguesa às suas terras?

4 No final do fragmento transcrito, o General recorre a metáforas como "Império ilimitado", "vassalos", "senhores", "escravos" e "pai". Que sentido elas trazem para o texto?

Diferentemente da visão proposta na epopeia *Caramuru*, em *O Uraguai* o nativo não é mostrado como selvagem, bárbaro e canibal, mas como um homem naturalmente bom, vítima das ações perpetradas pela Companhia de Jesus. A forma como Gama construiu sua obra faz com que o leitor — sobretudo o de hoje — posicione-se a favor do indígena, cuja causa parece mais legítima e defensável do que a do português.

NAVEGUE

Em outros países latino-americanos, o choque cultural entre europeus e indígenas também levou à derrocada dos povos nativos. É sobre isso a música da cantora argentina Mercedes Sosa, "Canción del derrumbe índio", que pode ser ouvida neste vídeo (em espanhol): <http://tvcultura.cmais.com.br/ensaio/cancion-del-derrumbe-indio-por-mercedes-sosa>.

Atividades: Leitura de texto

Para facilitar nosso estudo, dividimos os versos a seguir em dois grupos. Ambos pertencem ao canto IV de *O Uraguai*, em que as tropas portuguesas posicionam-se no alto de uma montanha e veem uma paisagem deslumbrante. Nesse canto, narra-se também uma das passagens mais comoventes da literatura brasileira: após perder seu amado Cacambo e ver-se obrigada a unir-se a Baldetta, Lindoia opta pela morte.

Texto 1

Que alegre cena para os olhos! Podem
Daquela altura, por espaço imenso,
Ver as longas campinas retalhadas
De trêmulos **ribeiros**, claras fontes
E lagos cristalinos, onde molha
As leves asas o **lascivo** vento.
Engraçados **outeiros**, fundos vales
E arvoredos **copados** e confusos,
Verde teatro, onde se admira quanto
Produziu a **supérflua** Natureza.
A terra sofredora de cultura
Mostra o rasgado seio; e as várias plantas,
Dando as mãos entre si, tecem compridas
Ruas, por onde a vista saudosa
Se estende e perde. O vagaroso gado
Mal se move no campo, e se divisam
Por entre as sombras da verdura, ao longe,
As casas branquejando e os altos templos.

Ribeiros: riachos, córregos.

Lascivo: voluptuoso, sensual, luxurioso.

Outeiros: pequenas elevações, montes.

Copados: com copas densas e abundantes.

Supérflua: superabundante; exuberante.

Texto 2

Cansados de esperar, ao seu retiro
Vão muitos impacientes a buscá-la [Lindoia].
[...]
Um frio susto corre pelas veias
De Caitutu, que deixa os seus no campo;
E a irmã por entre as sombras do arvoredo
Busca co'a vista, e teme de encontrá-la.
Entram enfim na mais remota e interna
Parte de antigo bosque, escuro e negro,
Onde ao pé de uma **lapa** cavernosa
Cobre uma rouca fonte, que murmura,
Curva **latada** de jasmins e rosas.
Este lugar delicioso e triste,
Cansada de viver, tinha escolhido
Para morrer a mísera Lindoia.
Lá reclinada, como que dormia,
Na branda relva e nas mimosas flores,
Tinha a face na mão, e a mão no tronco
De um fúnebre cipreste, que espalhava
Melancólica sombra. Mais de perto
Descobrem que se enrola no seu corpo
Verde serpente, e lhe passeia, e **cinge**
Pescoço e braços, e lhe lambe o seio.
Fogem de a ver assim, sobressaltados,
E param cheios de temor ao longe;
E nem se atrevem a chamá-la, e temem

Lapa: cavidade em rochedo.

Latada: abrigo improvisado; caramanchão rústico.

Cinge: contorna, rodeia, circunda.

Que desperte assustada, e irrite o monstro,
E fuja, e apresse no fugir a morte.
Porém o **destro** Caitutu, que treme
Do perigo da irmã, sem mais demora
Dobrou as pontas do arco, e quis três vezes
Soltar o tiro, e vacilou três vezes
Entre a ira e o temor. Enfim sacode
O arco e faz voar a aguda seta,
Que toca o peito de Lindoia, e fere
A serpente na testa, e a boca e os dentes
Deixou cravados no vizinho tronco.
Açouta o campo co'a ligeira cauda
O irado monstro, e em tortuosos giros
Se enrosca no cipreste, e **verte** envolto
Em negro sangue o **lívido** veneno.
Leva nos braços a infeliz Lindoia
O desgraçado irmão, que ao despertá-la
Conhece, com que dor! no frio rosto
Os sinais do veneno, e vê ferido
Pelo dente sutil o brando peito.
[...]
Nos olhos Caitutu não sofre o pranto,
E rompe em profundíssimos suspiros,
Lendo na testa da fronteira gruta
De sua mão já trêmula gravado
O alheio crime e a voluntária morte.

BASÍLIO DA GAMA, José. *O Uraguai*. Disponível em: <http://www.dominiopublico.gov.br/download/texto/bn00094a.pdf>. Acesso em: 17 out. 2012. (Fragmento).

Destro: rápido, expedito.
Açouta: açoita, fustiga.
Verte: derrama, despeja.
Lívido: muito pálido ou de tom azulado.

1 Que diferenças os trechos, embora pertençam ao mesmo canto, exibem em relação à apresentação dos espaços neles descritos?

2 No texto 1, Basílio da Gama procurou descrever as paisagens dos pampas gaúchos, onde se passa sua narrativa. Explique de que maneira essa descrição, mesmo tendo como referência um espaço real, dialoga com as propostas dos árcades tradicionais. Use elementos do texto para elaborar sua resposta.

3 Relacione o espaço descrito no texto 2 ao momento de tensão que caracteriza a narração da morte voluntária de Lindoia.

O QUE VOCÊ APRENDEU NO PERCURSO DESTE CAPÍTULO

- É forte a presença do indígena na literatura árcade épica do Brasil do século XVIII.
- A principal obra de Santa Rita Durão, a epopeia *Caramuru*, é baseada em *Os lusíadas*, de Camões, e tem como personagem central o herói Diogo Álvares Correia. Em *Caramuru*, os jesuítas são retratados como salvadores de um povo bárbaro e incivilizado.
- Em *O Uraguai*, Basílio da Gama rompe com o modelo camoniano e trata dos conflitos entre jesuítas e indígenas e das disputas luso-castelhanas no contexto do Tratado de Madri. Em *O Uraguai*, o indígena é mostrado como naturalmente bom, corrompido pelos padres jesuítas.

Expressões

Nesta unidade, por meio do estudo do Arcadismo, você foi convidado a refletir sobre o que é essencial na vida. Do que realmente precisamos para levar uma vida satisfatória?

SANNAH KVIST

Foto da série *All I own*, da fotógrafa sueca Sannah Kvist. 2012.

O ponto de partida para essa reflexão, proposta a você na abertura da unidade, foi uma das fotos da série *All I own* ("tudo o que eu tenho"), de onde também retiramos a imagem acima. Perguntamos se era possível que todas as suas coisas coubessem em uma única foto. O que você respondeu?

Agora, propomos o seguinte desafio: montar uma exposição semelhante à da fotógrafa sueca Sannah Kvist sobre o seguinte tema: "Tudo de que eu *não* preciso".

Para a realização dessa proposta, siga os passos a seguir:

- Separe, entre os seus pertences, aqueles que você considera supérfluos, não essenciais ao seu cotidiano.
- Faça com esses objetos uma composição interessante (pode ser no quarto, na garagem ou em qualquer outro lugar da sua casa) e fotografe-se, ou deixe-se fotografar, com eles.
- Ao lado da fotografia, escreva um parágrafo explicando suas escolhas.
- Junte sua foto com as de seus colegas e proponham ideias para um texto de apresentação da mostra. Escolham um colega para finalizá-lo.
- Montem a exposição na sala ou no *blog* da turma.

Leitura puxa leitura

Comece sua leitura por:

Marília de Dirceu (1792), de Tomás Antônio Gonzaga

Por que ler: Ao buscar os ideais da poesia lírica clássica e, ao mesmo tempo, apresentar um dos desencontros amorosos mais conhecidos da literatura brasileira, os versos do pastor Dirceu dedicados à sua amada Marília transformaram-se no ponto alto da poesia do inconfidente Tomás Antônio Gonzaga.

Obras de Horácio

Por que ler: Influenciado pelo filósofo grego Epicuro, o poeta latino Horácio escreveu diversos poemas líricos nos quais transmite muitos dos conceitos fundamentais para os poetas árcades, como *carpe diem*, *fugere urbem* e *locus amoenus*.

Será o Benedito! (1939), de Mário de Andrade

Por que ler: Ao estilo *fugere urbem*, o escritor modernista Mário de Andrade conta a história de uma visita ao campo, onde se encontra com o matuto Benedito, que lhe proporcionará uma reflexão sobre os males da cidade grande para a alma humana.

Cartas chilenas (c. 1788-1789), atribuídas a Tomás Antônio Gonzaga

Por que ler: Ainda que sua autoria não seja comprovada, muitos críticos veem nessa obra satírica a vertente literária de cunho político do inconfidente Gonzaga, que critica as imoralidades administrativas de Luís da Cunha Meneses, governador da capitania de Minas entre 1783 e 1788.

RUBENS CHAVES/ PULSAR IMAGENS

Museu da Inconfidência, em Ouro Preto

Por que visitar: Criado em 1938, o museu abriga, entre outras peças, objetos e documentos associados a eventos da Inconfidência Mineira.

REPRODUÇÃO

Dirceu e Marília (2007), de Nelson Cruz

Por que ler: Baseado no desencontro amoroso de Gonzaga e Maria Doroteia, esse romance preenche, com muito lirismo, as lacunas existentes em relação ao que se sabe sobre a história real desse amor.

Obras de Ricardo Reis

Por que ler: Ricardo Reis é um dos heterônimos criados por Fernando Pessoa, o maior poeta português do século XX. Claramente influenciada pela poesia de Horácio, sua obra retoma diversas temáticas da lírica clássica trabalhadas também pelos poetas árcades.

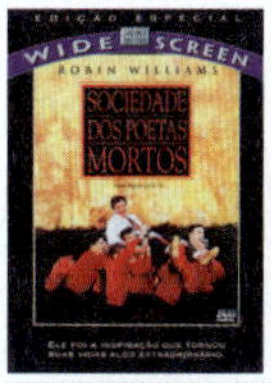

Sociedade dos poetas mortos (1989), de Peter Weir

Por que assistir: Um professor de literatura inicia o ano letivo provocando seus alunos — por meio da poesia — a refletir sobre o que estão fazendo de suas vidas, se a estão vivendo plenamente. A temática do *carpe diem*, cara à poesia árcade, é a mola propulsora do discurso do professor para que seus alunos repensem a própria existência.

A página do relâmpago elétrico (1977), de Beto Guedes

Por que ouvir: Nesse disco, o músico mineiro traz sonoridade e letras com a força lírica da simplicidade da vida, que se relacionam indiretamente com temas árcades, como o *aurea mediocritas*, o *locus amoenus* e o *carpe diem*. Destaque para a faixa título e para as canções "Maria Solidária", "Lumiar" e "Chapéu de Sol".

Menino do mato (2010), de Manoel de Barros

Por que ler: O poeta mato-grossense é expoente da poesia contemporânea brasileira e consegue, em toda a sua obra, transformar de forma ímpar a simplicidade da natureza em um lirismo "sem pecado", como sugere o nome de outro de seus livros.

Viagens de Gulliver (1726), de Jonathan Swift

Por que ler: Nesse romance satírico, Swift usa a viagem de Gulliver a terras fantásticas como Lilliput e Brobdingnag para criticar políticos, nobres e juízes, responsáveis pela corrupção e mediocridade da sociedade inglesa da época.

Os Bruzundangas (1923), de Lima Barreto

Por que ler: Na mesma linha de Gonzaga e Swift, o escritor pré-modernista Lima Barreto usa Bruzundanga, um país fictício claramente associado ao Brasil, para criticar a corrupção e os desmandos dos poderosos em nosso país.

Romanceiro da Inconfidência (1953), de Cecília Meireles

Por que ler: Nessa obra, a poeta modernista Cecília Meireles reúne um conjunto de poemas que retratam com lirismo e crítica a história da Inconfidência Mineira.

Os inconfidentes (1972), de Joaquim Pedro de Andrade

Por que assistir: Baseado nos poemas dos inconfidentes, no *Romanceiro da Inconfidência* e em documentos oficiais da época, esse drama histórico conta a história da Inconfidência Mineira desde seu início até a execução de Tiradentes, passando pelo exílio dos demais inconfidentes.

Arena conta Tiradentes (1967), de Gianfrancesco Guarnieri e Augusto Boal

Por que ler: Concebido e encenado pelo histórico Teatro de Arena, referencial do teatro político nos repressivos anos 1960, essa peça tem na figura de Tiradentes o ideal de herói revolucionário e mescla a história da Inconfidência com personagens e eventos anteriores e posteriores ao golpe militar de 1964.

UNIDADE 6

ROMANTISMO: A SUPREMACIA DO "EU"

A escultura que abre esta unidade é de autoria do britânico Antony Gormley e faz parte da exposição *Corpos presentes*, que esteve no Brasil em 2012.

Que sensação você tem ao olhar para essa obra de arte? O que ela lhe sugere? Solidão? Poder? Que relação a obra mantém com o espaço em que está inserida?

Para construir suas esculturas, Gormley utiliza como molde o próprio corpo — criando um inquietante efeito de espelhamento — e espalha-as nas mais diferentes paisagens do mundo, despertando no público diversas reações.

Esse tipo de obra de arte, em que o "eu" se transforma no centro do universo e o artista contempla a si próprio, dialoga com um dos mais importantes movimentos literários da história do Ocidente, o Romantismo. A estética romântica libertou os artistas da obrigação com as referências neoclássicas, privilegiou o individualismo e transformou a natureza em um espaço de acolhimento da alma solitária dos poetas.

Exibidas em topos de prédios de cidades brasileiras, 31 esculturas em tamanho natural, como a da foto, feitas de ferro fundido e fibra de vidro, fizeram parte da exposição *Corpos presentes*, de Antony Gormley (São Paulo, 2012).

Para início de conversa

O conto a seguir faz parte da coletânea *Estórias abensonhadas* (1994), do moçambicano Mia Couto. Nele o autor apresenta a "estória" de Justino e de sua mulher, Glória, e nos revela que o amor, muitas vezes, não morre, pois permanece guardado em velhos frascos dentro de nós.

O perfume

— *Hoje vamos ao baile!*

Justino assim se anunciou, estendendo em suas mãos um embrulho cor de presente. Glória, sua esposa, nem soube receber. Foi ele quem desatou os nós e fez despontar do papel colorido um vestido não menos colorido. A mulher, subvivente, somava tanta espera que já esquecera o que esperava. Justino guardava ferrovias, seu tempo se amalgava, fumo dos fumos, ponteiro encravado em seu coração. Entre marido e mulher o tempo metera a colher, rançoso roubador de espantos. Sobrara o pasto dos cansaços, desnamoros, **ramerrames**. O amor, afinal, que utilidade tem?

De onde o espanto de Glória, deixando esparramejar o vestido sobre seu colo. Que esperava ela, por que não se arranjava? O marido, parecia ter ensaiado brincadeira. Que lhe acontecera? O homem sempre dela se ciumara, quase ela nem podia **assomar** à janela, quanto mais. Glória se levantou, ela e o vestido se arrastaram mutuamente para o quarto. Incrédula e sonambulenta, arrastou o pente pelo cabelo. Em vão. O desleixo se antecipara fazendo definitivas tranças. Lembrou as palavras de sua mãe: mulher preta livre é a que sabe o que fazer com o seu próprio cabelo. *Mas eu, mãe: primeiro, sou mulata. Segundo, nunca soube o que é isso de liberdade.* E riu-se: livre? Era palavra que parecia de outra língua. Só de a soletrar sentia vergonha, o mesmo embaraço que experimentava em vestir a roupa que o marido lhe trouxera. Abriu a gaveta, venceu a emperrada madeira. E segurou o frasco de perfume, antigo, ainda embalado. Estava leve, o líquido havia já evaporado. Justino lhe havia dado o frasco, em inauguração de namoro, ainda ela meninava. Em toda a vida, aquele fora o único presente. Só agora se somava o vestido. Espremeu o vidro do cheiro, a ordenhar as últimas gotas. *Perfumei o quê com isto*, se perguntou lançando o frasco no vazio da janela.

— *Nem sei o gosto de um cheiro.*

Ramerrames: (palavra onomatopaica) rotinas, repetições fastidiosas.

Assomar: aparecer, surgir.

Escutou o velho vidro se estilhaçar no passeio. Voltou à sala, o vestido se desencontrando com o corpo. As bainhas do pano namoriscavam os sapatos. Temia o comentário do marido sempre lhe apontando ousadias. Desta vez, porém, ele lhe olhou de modo estranho, sem parecer crer. Puxou-a para si e lhe ajeitou as formas, arrebitando o pano, avespando-lhe a cintura. Depois, perguntou:

— *Então não passa um arranjo no rosto?*

— *Um arranjo?*

— *Sim, uma cor, uma tinta.*

Ela se assombrou. Virou costas e entrou na **casa de banho**, embasbocada. Que doença súbita dera nele? Onde diabo parava esse *bâton*, havia anos que poeirava naquela prateleira? Encontrou-o, minúsculo, gasto nas brincadeiras dos **miúdos**. Passou o lápis sobre os lábios. Leve, uma penumbra de cor. *Carregue mais, faça valer os vermelhos*. Era o marido, no espelho. Ela ergueu o rosto, desconhecida.

— *Vamos ao baile, sim. Você não costumava dançar, antes?*

— *E os meninos?*

— *Já organizei com o vizinho, não se preocupa.*

E foram. Justino ainda teve que **tchovar** a **carrinha**. Ela, como sempre, desceu para ajudar. Mas o marido recusou: desta vez, não. Ele sozinho empurrava, onde é que se vira?

Chegaram. Glória parecia não dar conta da realidade. Se deixou no assento da velha carrinha. Justino cavalheirou, mão pronta, gesto **presto** abrindo portas. O baile estava concorrido, cheio pelas costuras. A música transpirava pelo salão, em tonturas de casais. Os dois se sentaram numa mesa. Os olhos de Glória não exerciam. Apenas sombreavam pela mesa, pré-colegiais.

Então, se aproximou um homem, em boa postura, pedindo ao **guarda-freio** lhe desse a licença de sua esposa para um passo respeitoso. Os olhos aterrados dela esperaram cair a tempestade. Mas não. Justino contemplou o moço e lhe fez amplo sinal de **anuência**. A esposa **arguiu**:

— *Mas eu preferia dançar primeiro com meu marido.*

— *Você sabe que eu não danço...*

E como ela ainda hesitasse ele lhe ordenou quase em sigilo de ternura: *Vá Glorinha, se divirta!*

E ela lá foi, vagarosa, espantalhada. Enquanto rodava ela fixava o seu homem, sentado na mesa. Olhou fundo os seus olhos e viu neles um abandono sem nome, como esse vapor que restara de seu perfume. Então, entendeu: o marido estava a oferecê-la ao mundo. O baile, aquele convite, eram uma despedida. Seu peito confirmou a suspeita quando viu o marido se levantar e aprontar saída. Ela interrompeu a dança e correu para Justino:

— *Onde vai, marido?*

— *Um amigo me chamou, lá fora. Já volto.*

— *Vou consigo, Justino.*

— *Aquilo lá fora não é lugar das mulheres. Fique, dance com o moço. Eu já venho.*

Glória não voltou à dança. Sentada na reservada mesa, levantou o copo do marido e nele deixou a marca de seu *bâton*. E ficou a ver Justino se afastando entre a fumarada do salão, tudo se comportando longe. Vezes sem conta ela vira esse afastamento, o marido anonimado entre as neblinas dos **comboios**. Desta vez, porém, seu peito se agitou, em balanço de soluço. No limiar da porta, Justino ainda virou o rosto e demorou nela um último olhar. Com surpresa, ele viu a inédita lágrima, cintilando na face que ela ocultava. A lágrima é água e só a água lava tristeza. Justino sentiu o tropeço no peito, cinza virando brasa em seu coração. E fechou a noite, a porta decepando aquela breve desordem. Glória colheu a lágrima com dobra do próprio vestido. De quem, dentro dela mesma, ela se despedia?

Casa de banho: banheiro.

Miúdos: crianças.

Tchovar: empurrar.

Carrinha: carro utilitário (caminhonete, perua).

Presto: rápido.

Guarda-freio: funcionário da estrada de ferro que checa e manobra os freios do trem.

Anuência: aprovação.

Arguiu: retrucou.

Comboios: no contexto, conjuntos de pessoas.

Saiu do baile, foi de encontro às trevas. Ainda procurou a velha carrinha. Ansiou que ela ainda ali estivesse, necessitada de um empurro. Mas de Justino não restava vestígio. Voltou a casa, sob o crepitar dos grilos. A meio do carreiro se descalçou e seus pés receberam a carícia da areia quente. Olhou o estrelejo nos céus. As estrelas são os olhos de quem morreu de amor. Ficam nos contemplando de cima, a mostrar que só o amor concede eternidades.

Chegou a casa, cansada a ponto de nem sentir cansaços. Por instantes, pensou encontrar sinais de Justino. Mas o marido, se passara por ali, levara seu rasto. A Glória não lhe **apeteceu** a casa, magoava-lhe o lar como retrato de ente falecido. Adormeceu nos degraus da escada.

Acordou nas primeiras horas da manhã, tonteando entre sono e sonho. Porque, dentro dela, em olfatos só da alma, ela sentiu o perfume. Seria o quê? **Eflúvios** do velho frasco? Não, só podia ser um novo presente, dádiva da paixão que regressava.

— *Justino?!*

Em sobressalto, correu para dentro de casa. Foi quando pisou os vidros, estilhaçados no sopé de sua janela. Ainda hoje restam, no soalho da sala, **indeléveis** pegadas de quando Glória estreou o sangue de sua felicidade.

COUTO, Mia. *Estórias abensonhadas*. São Paulo: Companhia das Letras, 2012. p. 31-35.

Apeteceu: agradou.
Eflúvios: aromas.
Indeléveis: que não podem ser apagados.

Responda no caderno às questões a seguir.

1 O que chamou sua atenção na linguagem utilizada por Mia Couto?

2 O conto compõe a coletânea intitulada *Estórias abensonhadas*. Alguns escritores diferenciam *estória* (narrativa ficcional) de *história* (narrativa não ficcional). Relacione essa diferença ao neologismo *abensonhada* e explique o título dessa coletânea de Mia Couto.

3 O perfume é peça importante para a construção do sentido do texto.
a) Relacione as ações de Glória aos momentos em que ele é citado.
b) Que sentido metafórico o perfume tem em cada uma das passagens?
c) Explique como é possível Glória sentir o cheiro do perfume mesmo depois de evaporado seu líquido e estilhaçado seu frasco.

Embora pertença ao século XX, "O perfume" dialoga com elementos românticos da literatura da primeira metade do século XIX: a paixão que regressa, a inesperada transformação de um homem, a natureza como cúmplice de quem "morreu de amor", a dor de existir.

No final do século XVIII, o homem iluminista vê-se num impasse: seu pensamento racional idealiza um universo justo e perfeito, mas a experiência prática insere-o em uma realidade perversa e injusta. É quando o "Século das Luzes" cede espaço para o subjetivismo e o irracionalismo típicos do Romantismo, movimento situado no contexto de grandes revoluções e da ascensão da burguesia, que exige uma arte que a represente.

Nesta unidade, você conhecerá um movimento de muitas faces, marcado pelo mergulho do artista em seu caos interior e no contraditório desejo de vida e morte, um estilo de época que tem a rebeldia e a juventude como motores.

REPRODUÇÃO
Capa do livro *Camões*, de Almeida Garrett.

Marcos literários

O Romantismo português é inaugurado em 1825, com a publicação do poema *Camões*, de Almeida Garrett. Seu término se dá em 1865, com o advento do Realismo.

CAPÍTULO 14

Romantismo: vários movimentos em um

PERCURSO DO CAPÍTULO

- Origens do Romantismo europeu
- Ossianismo, Byronismo e Sturm und Drang
- Romance: gênero do Romantismo
- Facetas do Romantismo

Objeto educacional digital (animação)
- *A jangada do Medusa*

THE BRIDGEMAN ART LIBRARY/GRUPO KEYSTONE - MUSEU DO LOUVRE, PARIS

GÉRICAULT, Théodore. *A jangada do Medusa*. 1818. Óleo sobre tela, 491 × 716 cm. Na tela romântica, o naufrágio real do navio francês *Medusa* é retratado de maneira dramática: a força da natureza aparece grandiosa diante da fragilidade humana.

Introdução

Na primeira metade do século XIX, um novo grupo social conquistou o poder: a burguesia. A literatura feita por e para esse grupo foi denominada Romantismo. A obra de arte romântica é marcada pela supremacia da emoção. O romântico se relaciona com a realidade sempre com espanto, como se estivesse tendo seu primeiro contato com a experiência de viver. Neste capítulo, veremos de que modo artistas do século XIX, muitos deles jovens como você, transformaram em arte seus sentimentos.

O texto a seguir é um trecho do romance *Emma*, de Jane Austen (1775-1817), uma das autoras mais populares do Romantismo inglês. A protagonista da história, Emma Woodhouse, diferentemente de outras mulheres de sua época, não tem o casamento como seu projeto de vida. Entretanto, ocupa-se em organizar a vida amorosa de outras pessoas do vilarejo onde mora, como a jovem Harriet, que ela acaba de conhecer.

[...]

Logo se estabeleceu a intimidade de Harriet Smith em Hartfield. Com seu jeito rápido e decidido, Emma não perdeu tempo em convidá-la, encorajá-la, dizer-lhe que fosse visitá-la sempre. E, à medida que se conheciam melhor, ficavam cada vez mais satisfeitas uma com a outra. Emma já havia previsto que encontraria nela uma excelente companheira para passeios. [...] Harriet Smith, que se mostrava disposta a passear a qualquer momento, seria uma valiosa adição aos seus privilégios. Na verdade, quanto mais conhecia Harriet, mais a aprovava em todos os aspectos e confirmava que a jovem era adequada a seu bem-intencionado plano.

Harriet certamente não era muito inteligente, porém tinha um temperamento meigo, dócil e agradável, era totalmente livre de presunção e queria muito ser orientada por alguém a quem admirasse. Sua imediata afeição por Emma era tocante; a inclinação por boas companhias e a capacidade de apreciar o que era elegante e valioso demonstravam que não lhe faltava bom gosto, embora não se pudesse esperar dela grande capacidade de entendimento. De qualquer modo, Emma estava convencida de que Harriet Smith era a jovem amiga que queria, exatamente o que precisava ter em casa.

[...]

A Sra. Goddard, as professoras, as meninas e as atividades na escola em geral constituíam boa parte das conversas de Harriet e, se não fosse a amizade que tinha com os Martin da Fazenda Abbey-Mill, isso seria tudo. Mas os Martin ocupavam bastante os pensamentos da moça. Passara dois meses felizes com eles e adorava falar sobre as coisas boas da visita, descrever o grande conforto e as muitas maravilhas da fazenda. Emma a encorajava a falar, divertindo-se com o quadro de um grupo diferente de pessoas, apreciando a ingênua simplicidade com que Harriet contava, cheia de admiração, que a Sra. Martin tinha "*duas* salas, duas salas muito boas mesmo; uma delas, inclusive, tão grande quanto a sala de estar da Sra. Goddard; tinha uma ótima criada que estava com a família havia vinte e cinco anos; e eles tinham oito vacas, duas delas Alderney e uma Welch, uma linda vaquinha Welch, sem dúvida alguma; a Sra. Martin tinha dito que, como ela gostara muito dessa vaquinha, podia chamá-la de *sua* vaca; tinham uma bonita casa de verão no imenso pomar onde iriam todos tomar chá no ano que vem... uma casa de verão realmente muito boa, grande o bastante para doze pessoas".

Durante algum tempo Emma se divertiu, sem pensar em nada além da sua causa imediata; mas, quando começou a compreender melhor a família, surgiram algumas preocupações. Havia se deixado levar por uma ideia errada, supondo que se tratava de mãe e filha, um filho e a esposa do filho, todos morando juntos. Mas então percebeu que o Sr. Martin — que ocupava papel importante nas narrativas e era sempre mencionado com elogios sobre sua boa natureza ao fazer uma coisa ou outra — era um homem solteiro, que não havia nenhuma jovem Sra. Martin, nenhuma esposa no caso, e Emma desconfiou do perigo a que sua pobre amiga estava se expondo diante de toda aquela hospitalidade e atenção; compreendeu que se Harriet não fosse retirada logo desse ambiente, arriscava-se a afundar para sempre.

Seguindo sua inspiradora intuição, Emma redobrou e aprofundou as perguntas, levando a jovem a falar especialmente mais do Sr. Martin. Ficou evidente que gostava dele. [...]

— Suponho que o Sr. Martin não tenha uma educação que vá além de seu próprio trabalho. Ele costuma ler?

— Oh, sim! Quero dizer, não... Não sei... Acredito que ele leia bastante, mas nada que a senhorita achasse interessante. Costuma ler o *Boletim Agrícola* e alguns livros que ficam no peitoril de uma das janelas... Claro, ele os lê *todos* para si mesmo. Mas algumas noites, antes de jogarmos cartas, ele lia em voz alta alguns trechos do *Excertos elegantes*... Era muito interessante. E fiquei sabendo que estava lendo *O vigário de Wakefield*. Não leu o *Romance da floresta*, nem *As crianças da abadia*. Jamais ouvira falar nesses livros antes que eu os mencionasse, porém está determinado a lê-los assim que puder.

A pergunta seguinte foi:

— Como é o Sr. Martin?

— Oh! Ele não é bonito... Não é nada bonito. No começo achei-o muito comum, mas agora não o considero tanto assim. Depois de algum tempo não se acha mais... A senhorita nunca o viu? Ele vem a Highbury de vez em quando e passa a cavalo na estrada para Kingston uma vez por semana. Já passou por aqui muitas vezes.

— Pode ser que eu o tenha visto umas cinquenta vezes, mas sem ter ideia de quem pudesse ser. Um jovem fazendeiro, a cavalo ou a pé, seria a última pessoa a despertar minha curiosidade. Os camponeses são exatamente o tipo de gente com que nada tenho a ver. Pessoas um grau ou dois mais abaixo e de boa aparência poderiam fazer com que me interessasse, pois eu poderia ser útil para famílias desse nível, de um modo ou de outro. Mas um fazendeiro não precisa da minha ajuda e neste sentido está acima da minha preocupação, assim como em todos os outros está abaixo dela.

— Com certeza... Oh, sim! Apesar de a senhorita jamais ter prestado atenção nele, o Sr. Martin a conhece bem... De vista, quero dizer.

— Não tenho dúvida de que seja um jovem muito respeitável. Aliás, sei que é e isso só pode ser muito bom para ele. Quantos anos acha que tem?

— Fez vinte e quatro no dia oito de junho passado e meu aniversário é no dia vinte e três... Justamente uma quinzena depois, o que é muito curioso!

MATCHMAKER FILMS/ALBUM CINEMA/LATINSTOCK

A atriz Gwyneth Paltrow como Emma, em filme homônimo dirigido por Douglas McGrath (1996).

NAVEGUE

Tenha acesso a algumas obras, em inglês, de Jane Austen: <http://www.dominiopublico.gov.br/pesquisa/PesquisaObraForm.do?select_action=&co_autor=191>.

BETTMANN/CORBIS/LATINSTOCK

Jane Austen (1775-1817), importante escritora inglesa, explorou em suas obras a burguesia e a aristocracia aburguesada. *Razão e sensibilidade* e *Orgulho e preconceito* são alguns de seus romances adaptados para o cinema.

— Apenas vinte e quatro anos... É jovem demais para se casar. A mãe dele tem razão em dizer que não há pressa. Eles parecem muito bem como estão e se ela se empenhasse em casá-lo já, provavelmente iria arrepender-se. O ideal seria que ele se casasse daqui a uns seis anos, se conseguisse encontrar uma boa moça com um pouco de dinheiro e da mesma classe social dele.

— Daqui a seis anos?! Querida Srta. Woodhouse, então ele estaria com trinta anos!

— Bem, essa é a idade em que a maioria dos homens que não nasceram independentes tem condições de se casar. Imagino que o Sr. Martin ainda precise construir sua fortuna... Ele não pode antecipar-se à vida. Seja qual for o dinheiro que tenha recebido quando o pai morreu, seja qual for a parte dele na propriedade da família, mesmo que esteja sem dívidas, que tenha algum dinheiro, que não tenha tido medo de trabalhar e que tenha sido protegido pela boa sorte, ele poderá ser rico um dia. Mas, por enquanto, ainda tem muito a realizar.

— Sem dúvida, isso é verdade. [...]

— Espero que você não se coloque numa enrascada quando o Sr. Martin se casar, Harriet... Quero dizer, que não se relacione com a mulher dele. Ainda que as irmãs, que têm educação superior, não sejam um grande problema, não significa que a pessoa com quem ele se casar será digna de sua atenção. As circunstâncias difíceis do seu nascimento devem fazer com que seja muito cuidadosa em relação às pessoas com que se relaciona, Harriet. Não há a menor dúvida de que é filha de um cavalheiro e deve lutar por sua posição com tudo que estiver a seu alcance, caso contrário haverá uma porção de gente que terá prazer em rebaixá-la.

[...]

AUSTEN, Jane. *Emma*. Trad. Therezinha Monteiro Deutsch. Rio de Janeiro: BestBolso, 2011. p. 28-38. (Edições BestBolso). (Fragmento).

Responda em seu caderno às questões propostas.

1 No segundo parágrafo, ao descrever a afeição que Harriet demonstra por Emma, o narrador explicita um valor moral, defendido pela burguesia inglesa do século XIX, relacionado ao que ele considera "bom gosto". Explique essa afirmação com base em sua compreensão do parágrafo mencionado.

2 Ao longo do texto, Emma demonstra sentir-se diferente das pessoas pertencentes a grupos sociais menos privilegiados que o dela.

a) Que passagem do texto nos permite chegar a essa conclusão?

b) Mesmo assumindo textualmente o que pensa sobre essas pessoas, Emma mostra-se bastante interessada nas histórias de Harriet. Por quê?

3 Depois de se divertir com as histórias relacionadas à família Martin, Emma passa a ter algumas preocupações.

a) Que "perigo" os Martin poderiam oferecer a Harriet, no ponto de vista de Emma?

b) Explique o que o temor demonstrado por Emma revela sobre a moral vigente no início do século XIX.

Certa vez, falando sobre seus romances, Jane Austen escreveu em uma carta que "três ou quatro famílias num vilarejo do interior são a melhor coisa para se trabalhar". O fragmento analisado nos revela que o "trabalho" a que a escritora romântica inglesa se refere consiste em tecer um minucioso painel de uma sociedade burguesa com seus méritos e vícios.

Você estudará agora alguns aspectos importantes do movimento romântico e de um gênero literário muito cultivado pelos artistas do século XIX, o romance.

Muitos romantismos: as origens de um movimento

Quantas canções, poemas, filmes, peças de teatro, romances de amor você conhece? Certamente inúmeras produções, das mais belas às mais banais. Você se considera romântico? Que espaço o amor tem em sua vida?

É muito comum confundir a noção de *romantismo* — substantivo habitualmente associado ao amor — com o movimento literário que, embora tenha como mote as paixões arrebatadoras, abrange também uma série de outros temas, como as grandes causas sociais, a morte, o patriotismo, o gosto pelo grotesco e pela morbidez, a religiosidade, a fuga para outros tempos e espaços, o sentimento de solidão.

A consolidação do Romantismo como sucessor do Arcadismo está ligada, principalmente, a países como Inglaterra e Alemanha, mas foi a Escócia uma das nações que primeiro negaram o Neoclassicismo francês que chegava aos seus artistas pelas mãos dos intelectuais ingleses. Recusando o estilo imitativo dos neoclássicos, os artistas escoceses passaram a valorizar sua antiga (e rica) literatura oral, composta de lendas, canções, poemas, etc., em lugar dos cânones da Antiguidade greco-latina.

Conjunto de obras e autores considerados representativos de uma época.

Do Arcadismo para o Romantismo

No século XVIII, começaram a surgir artistas com uma atitude bastante diversa daquela exigida pelas rígidas normas impostas pelos poetas-pastores do Arcadismo. A esse momento de transição, parte da crítica denomina **Pré-romantismo**, pelo fato de ainda não haver grupos coesos com força suficiente para promover o completo desfecho da estética neoclássica. Entretanto, outros tempos se anunciam, e uma nova classe artística, sensível às radicais mudanças no contexto europeu, se impõe.

Ossianismo: farsa que deu bons frutos

Entre 1760 e 1763, o jovem escocês James MacPherson (1736-1796) publicou traduções em prosa de poemas atribuídos ao seu conterrâneo Ossian, velho trovador cego do século III, as quais tiveram imediata aceitação. Os textos ossiânicos diferiam muito da tradição clássica, pois resgatavam uma arte livre da categorização por gêneros e, em geral, caracterizavam-se por um espírito espontâneo, simples e sentimental; pela apresentação de uma Idade Média misteriosa e aventureira; por uma abordagem primitiva de temas como o amor e a natureza; pela apresentação de heróis e guerreiros esquecidos; por donzelas virgens.

JOHN MCKENNA/ALAMY/GLOW IMAGES

Castelo de Doune, construído no final do século XIV na Escócia. Os poemas ossiânicos resgataram uma Escócia medieval. (Foto de 2010.)

Essas obras viraram moda entre os estudantes, espalharam-se rapidamente pela Escócia e por toda a Europa, e serviram de inspiração para muitos poetas que fizeram dos textos de Ossian uma verdadeira corrente literária, denominada **Ossianismo**. Mais tarde, descobriu-se que o próprio MacPherson fazia intervenções e até mesmo criava os poemas atribuídos a Ossian, o que não impediu que essa corrente influenciasse escritores de todas as nacionalidades e abrisse caminho para o Romantismo na Europa e nas Américas.

Originais ou não, os textos de Ossian foram ao encontro do espírito que se instalava na Europa no século XIX, pois forneceram a países como Inglaterra, Alemanha, Escócia, etc. uma tradição literária diferente da greco-latina e reforçaram a ideia de uma literatura genuinamente nacional.

SAIBA MAIS!

- Durante o Romantismo europeu, estabeleceu-se uma nova relação entre os autores e o público. Desapareceu quase por completo a figura do mecenas, financiador das artes, o escritor profissionalizou-se e os leitores passaram a pagar para desfrutar das obras escritas pelos autores.

Românticos ingleses: o Byronismo

O poder econômico conquistado por um grupo social pode interferir na literatura que ele produz e lê? Foi o que ocorreu na Inglaterra durante o processo de enriquecimento da burguesia e da decadência da nobreza.

Desde o início do século XVIII, surgiram, na Inglaterra, artistas insatisfeitos com o racionalismo clássico vigente nas artes. Os tempos eram outros, e a burguesia, impulsionada pelo liberalismo político e pela Revolução Industrial, ascendeu economicamente. Com isso, esse grupo passou a ter influência sobre setores importantes da atividade social e cultural da Inglaterra. As artes, que antes privilegiavam a nobreza — pois os artistas não respeitavam o burguês, concebendo-o apenas como figura digna de povoar comédias —, passaram a focalizar os hábitos, anseios e códigos morais da burguesia, nova detentora do poder econômico.

Na literatura produzida nesse período, destacou-se a produção de **Lord Byron** (1788-1824), um dos autores mais importantes do Romantismo inglês. Esse poeta influenciou artistas de muitos países, inclusive do Brasil, a ponto de seu nome designar um movimento dentro do movimento romântico, o **Byronismo**.

Muitas aventuras envolvem a vida de Byron. Em 1809, junto com dois amigos, o poeta lançou-se numa viagem por Portugal, Espanha, Grécia, Albânia, Malta e Turquia. Chocado com o conservadorismo lusitano, iniciou a escrita de uma de suas obras mais importantes, *A peregrinação de Childe Harold*, extenso poema em que narra os amores e desencantos de um herói. O sucesso imediato dessa obra chamou a atenção da crítica e do público para outras obras do autor, como *O corsário e Lara* (1814) e *O cerco de Corinto* (1816).

Leia a estância CXIII do canto III de *A peregrinação de Childe Harold* e atente para o descompasso confesso entre o eu lírico e o mundo:

[...]
O mundo não amei, nem ele amou-me.
Nunca **adulei** seu hálito corrupto,
Nem a seus ídolos ajoelhei submisso.
Na minha face não **cunhei** sorrisos,
Jamais gritei p'ra prestar culto a um eco;
Na **turba**, ninguém dela julgar-me-ia.
No meio deles, mas sem ser um deles,
As minhas opiniões suas não eram,
E hoje ainda fora assim, se eu não **limasse**
Minha razão havendo-a **subjugado**.
[...]

BYRON, Lord. A peregrinação de Childe Harold. *As trevas e outros poemas*: Lord Byron. Trad. Pinheiro Guimarães. São Paulo: Saraiva, 2007. p. 81. (Clássicos Saraiva). (Fragmento).

Adulei: bajulei.
Cunhei: marquei, estampei.
Turba: multidão.
Limasse: desgastasse, corroesse.
Subjugado: submetido, dominado.

Responda oralmente, a respeito dos versos lidos:

- **Como o eu lírico se sente em relação ao mundo? Justifique sua resposta.**

Harold, Conrado, Lara, Manfredo... não foram poucos os personagens extravagantes e sedutores que Byron criou, situados à margem da sociedade. Muitos vampiros que habitam a literatura inglesa da época ou os macabros personagens concebidos pelo romântico brasileiro Álvares de Azevedo (que você estudará no capítulo 18) foram inspirados nesses heróis byronianos.

O Byronismo contaminou a Europa e as Américas e constituiu um dos fenômenos literários mais complexos e importantes do Romantismo. Entre suas temáticas, destacam-se:

- o culto ao amor impossível;
- o gosto pelo estranho e pelo exótico;
- o culto à liberdade e à insubmissão e o repúdio à tirania;
- a exagerada confidência romântica;
- a melancolia;
- o desgosto e o desânimo em relação à vida;
- o culto à morte.

THE ART ARCHIVE/ALAMY/GLOW IMAGES

Retrato de Lord Byron (século XIX) por artista desconhecido. O poeta era famoso pelo poder de sedução e pela irreverência.

Alemanha em tempestade: *Sturm und Drang*

Em nossos estudos sobre as origens da literatura brasileira, no chamado Quinhentismo, vimos o quanto uma cultura pode, em determinadas circunstâncias, sobrepor-se a outra a ponto de descaracterizá-la, como ocorreu com os povos indígenas americanos e com os nativos africanos no contexto da colonização europeia. Entretanto, isso nem sempre é uma regra. Na Alemanha do século XVIII, fragmentada em vários estados independentes, prevalecia a esmagadora influência cultural da França. Buscando sua identidade, os jovens intelectuais alemães lutaram pelo direito de pensar livremente. Esses pensadores ultrapassaram barreiras, como as diferenças regionais e linguísticas de seu território, o despotismo esclarecido vigente, a existência de uma classe média fraca e a carência de uma Revolução Industrial, e se rebelaram contra a forte tradição clássica, em busca de um espírito nacionalista, livre e original. Esse movimento, desenvolvido entre 1770 e 1785, foi denominado *Sturm und Drang* ("Tempestade e ímpeto"), título retirado de uma peça teatral homônima, escrita por F. M. Klinger e publicada em 1776.

NAVEGUE

Sturm und Drang é também o nome de uma banda finlandesa. Conheça-a no *site*: <http://palcoprincipal.sapo.pt/bandasMain/sturm_und_drang/video/iHbVeJBdN7Q>.

Os escritores do *Sturm und Drang* inspiraram-se no Romantismo inglês — principalmente nos poemas do Ossianismo e no teatro shakespeariano —, opuseram-se à disciplina iluminista importada da França e defenderam, entre outras coisas:

- a liberdade de criação, baseada na expressão individual;
- a espontaneidade e a simplicidade;
- o resgate do passado germânico;
- o combate às regras clássicas impostas pelo Neoclassicismo;
- o retorno do irracionalismo e da emoção, em oposição ao racionalismo iluminista e à impessoalidade do Arcadismo;
- o sentimentalismo;

- a valorização de uma natureza "bruta", livre do contato com o "civilizado" (influência das ideias de Rousseau).

Essas propostas acabaram por influenciar escritores românticos para além dos domínios germânicos.

Schiller (1759-1805), com peças teatrais como *Os bandoleiros* (1781) e *Intriga e amor* (1784), e **Goethe** (1749-1832), com o romance *Os sofrimentos do jovem Werther* (1774), foram grandes representantes do *Sturm und Drang*.

Goethe foi um dos mais ilustres expoentes do Romantismo alemão, atuando como poeta, romancista, novelista, dramaturgo e estudioso de ciências. Em 1774, com apenas 24 anos de idade, o alemão apresentou ao mundo a história de Werther, um rapaz perdidamente apaixonado, mas não correspondido por sua amada Charlotte (Lotte). Estruturado em cartas, o romance epistolar *Os sofrimentos do jovem Werther* comoveu uma geração e expressou uma época, constituindo o primeiro *best-seller* da literatura ocidental. Até mesmo a vestimenta do personagem — casaca, colete e calções — virou moda entre os jovens leitores do século XVIII.

A obra trata de uma paixão vivida até a completa destruição de um homem. Só resta ao jovem Werther, com sua concepção romântica do amor, o consolo da morte. O que diferencia essa história de amor de outras de mesma temática — como *Romeu e Julieta* e *Tristão e Isolda* — é a dúvida sobre os sentimentos femininos. Até o final da narrativa, não se sabe se Lotte realmente ama Werther e renuncia a esse sentimento em nome da moral ligada ao fato de ser casada com Robert. Na seção **Atividades**, você lerá trechos das cartas de Werther.

França: o Iluminismo em ação

Vimos que o Romantismo foi um movimento burguês, baseado no princípio do indivíduo (e não mais Deus ou o rei) como centro do universo. A **Revolução Francesa** teve papel decisivo no fortalecimento da burguesia.

Imagine centenas de camponeses famintos compartilhando a cama com vários familiares; crianças condenadas ao trabalho, como se fossem adultos; altos impostos pagos ao rei e à Igreja. Ao mesmo tempo, os nobres da corte de Luís XVI ocupavam cargos importantes no clero, no exército e no governo e eram isentos do pagamento de grande parte dos impostos. Essa era a situação da França na segunda metade do século XVIII.

Em 14 de julho de 1789, influenciados pelas ideias iluministas de liberdade e igualdade jurídica, e apoiados pela população parisiense e dos campos do entorno, os burgueses tomaram a Bastilha, prisão-símbolo do Absolutismo francês e, em 4 de agosto de 1789, foram oficialmente abolidos os privilégios dos nobres, transformados em cidadãos comuns. Em 26 de agosto, foi aprovada a *Declaração dos Direitos do Homem e do Cidadão*, os franceses tornaram-se cidadãos iguais perante a lei — algo inédito —, e a burguesia, que liderou a Revolução, assumiu o total controle do Estado.

LUC-OLIVIER MERSON/GOSSELIN

"O Corcunda de Notre-Dame", em ilustração de 1831, feita por Luc-Olivier Merson para a primeira edição do romance *Notre-Dame de Paris*, de Victor Hugo.

Da França, surgiram nomes importantes do Romantismo mundial, como Madame de Staël (1766-1817) e Chateaubriand (1768-1848). Destaca-se ainda Victor Hugo (1802-1885), autor de poemas, peças de teatro e de *Notre-Dame de Paris* (1831), romance histórico ambientado no século XV e que imortalizou o personagem Quasímodo, conhecido como "O Corcunda de Notre-Dame".

SAIBA MAIS!

- A França foi o berço do Iluminismo e, por consequência, do Neoclassicismo, o que talvez explique o fato de o país não ter tido uma atuação tão direta na passagem do Arcadismo para o Romantismo. Entretanto, é inegável a influência de pensadores franceses como Rousseau na formação de um pensamento romântico baseado na liberdade individual e na força da Natureza.

Um movimento de muitas faces

Os textos românticos possuem características bastante variadas e uma grande pluralidade temática. A seguir, apresentaremos algumas faces da arte romântica.

1. "Mal do século" e escapismo

O mergulho dos românticos em seu caótico mundo interior, na solidão, na tristeza, na melancolia e no tédio transformou-os em verdadeiros cultores do sofrimento. Esse sentimento de angústia e, por vezes, de desespero, que marcou a literatura oitocentista, é denominado "Mal do século". Diante do caos sentimental, só resta ao artista, geralmente jovem, escapar:

Material complementar
- Amplie seus conhecimentos: A doença do século XIX

- pela via da **morte** (como Werther, personagem de Goethe); pela entrega do artista a uma rotina boêmia e desregrada ou ainda sucumbindo à mortal tuberculose;
- pela defesa de **ideais patrióticos** e sociais de liberdade, igualdade e fraternidade (ideais da Revolução Francesa) para o povo e para os burgueses;
- pela descrição de **terras exóticas**, distantes de sua frustrante realidade, em busca de **povos pitorescos** ("bons selvagens"), de ruínas e **velhas civilizações**;
- pelo viés de uma **infância** idealizada e feliz;
- pela entrega a obscuras **forças ocultas**, à **loucura**, a **visões fantasmagóricas**, a sonhos estranhos e aos mistérios da noite. Vampiros, fantasmas, seres monstruosos habitam uma faceta bastante popular do Romantismo, a chamada literatura gótica (que veremos adiante).

ProvocAÇÃO

Nas palavras do filósofo contemporâneo Lipovetsky, nossa época é marcada pela solidão, pelo vazio e pela dificuldade de sentir. Você concorda com essa análise?

2. A Natureza como confidente

Do descompasso entre o sujeito e o mundo, surge a necessidade do artista romântico de buscar um confidente fiel que compreenda suas dores de amores. A Natureza cumpre esse papel; não como simples pano de fundo, um espaço bucólico e harmonioso, um *locus amoenus* árcade, mas como um ser personificado que dialoga com o estado espiritual do poeta: ora alegre, ora triste, ora serena, ora tempestuosa. Trata-se de uma Natureza que atua como "reflexo do eu".

UNIVERSAL IMAGES GROUP/GETTY IMAGES - STATE RUSSIAN MUSEUM, ST. PETERSBURG

AIVAZOVSKY, Ivan. *A nona onda*. 1850. Óleo sobre tela, 221 × 332 cm. Mar e céu, em fúria, impõem-se sobre a força humana. Para o artista romântico, a natureza em caos representa o sublime diante da pequenez humana.

3. A grandiosidade do sublime

Os românticos associaram o sublime à nossa reação diante de grandes fenômenos naturais, como tempestades, extensões infinitas, penhascos e abismos, e diante do terror, sofrimento e assombro provocados pelas trevas da noite, pela morte, pelos monstros e fantasmas. O sublime, cultuado pelos autores, corresponderia a algo grandioso, hiperbólico, sem parâmetro de comparação.

Expressão poética de grandes e devastadoras paixões humanas.

4. O fim das regras

Os românticos se colocaram frontalmente contra a rígida divisão dos gêneros literários, proposta por Aristóteles em sua *Poética*. As leis, regras, modelos, os gêneros literários ditos "puros" (separados em categorias) — tão cultuados pelos clássicos — foram repudiados pelos românticos, que buscavam a total **liberdade** artística. O que guiou os autores não foram mais as normas, mas o que melhor caberia à expressão das razões do coração.

PARA LEMBRAR

Segundo o filósofo grego, existiam dois gêneros literários, o épico e o dramático (mais tarde, incluiu-se nessa divisão o gênero lírico).

5. A religiosidade

Na Idade Média retratada nos romances — habitada por cavaleiros honrados, damas puras, castelos —, valoriza-se intensamente a religiosidade cristã monoteísta, considerada *autêntica* pelos românticos. Ganha força o culto à espiritualidade e à eternidade, elementos típicos do Cristianismo.

6. A supervalorização do eu

Chamar alguém de egocêntrico, hoje, pode soar como uma ofensa. No Romantismo, entretanto, essa supervalorização do "eu" (*ego* em latim) constituiu uma mudança de mentalidade em relação à percepção que o homem tinha dele mesmo até então. A estética romântica representou uma verdadeira revolução cultural, baseada nos princípios da liberdade e da individualidade. Com isso, o indivíduo passou a ser o centro do Universo, fato que teve como consequências o interesse do artista pelos mistérios de sua alma e, ao mesmo tempo, a sensação de uma profunda solidão. Esse mergulho na interioridade e na emoção levou os românticos à descoberta de que a riqueza de sua imaginação não poderia corresponder à dureza do mundo real, o que explica o sentimento de frustração de muitos poetas.

O egocentrismo motivou os artistas à busca quase obsessiva da originalidade em suas obras.

7. O retorno à Idade Média

Diferentemente dos árcades, muitos românticos cantaram concretamente seu povo e sua terra natal, buscando resgatar as verdadeiras raízes de sua pátria. Foi na Idade Média que muitos dos países europeus começaram a se afirmar como nações, e o período — considerado puro, místico, espiritual, nobre, cavaleiresco e cristão — apresentava-se como contraponto ideal ao mundo greco-latino, tão valorizado no Classicismo e no Arcadismo.

8. A cor local

Para os românticos, a beleza residia justamente no que era *característico*, e não nos elementos gerais, por isso era preciso buscar, nos romances e poemas, a "cor local" do que era retratado, ou seja, as particularidades de uma região, o pitoresco de uma paisagem, a descrição de costumes ou da língua de certas comunidades. Essa expressão, advinda da pintura, tomou sentido literário durante o Romantismo e se referia ao *exclusivo, individual, marcante*; em oposição, estaria o comum, o trivial, que deveria ser evitado pelos bons autores.

9. A beleza da feiura: o grotesco

Retome mentalmente os movimentos literários que você estudou até agora. Que relação o Trovadorismo, o Classicismo, o Barroco e o Arcadismo mantiveram com a beleza? Em consonância com os barrocos e em oposição aos classicistas (e aos árcades), os românticos questionaram a noção clássica do *belo* e elevaram o grotesco a uma categoria estética a ser cultivada, e não desprezada. Victor Hugo acreditava que uma das maiores contribuições que o Romantismo havia dado para a arte era o fato de ter unido o sublime ao grotesco. Foram os românticos que quebraram a noção de beleza como uma ideia dominante na arte.

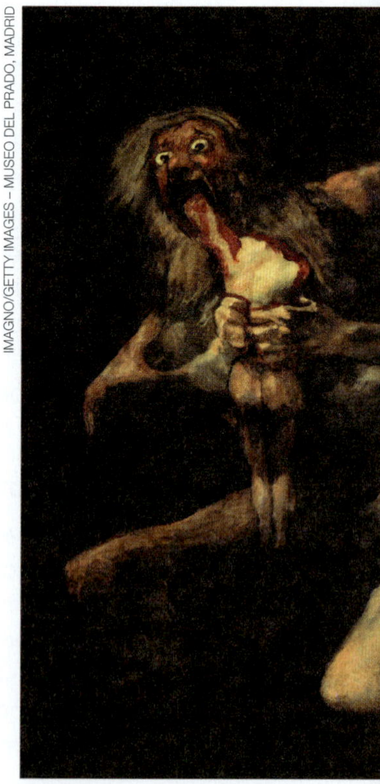

IMAGNO/GETTY IMAGES – MUSEO DEL PRADO, MADRID

GOYA, Francisco de. *Saturno devorando um de seus filhos*. 1820-1823. Óleo sobre reboco trasladado a tela, 146 × 83 cm.

10. O fascinante terror

Você aprecia filmes e livros de terror? Por que esse gênero atrai tantas pessoas em todo o mundo? Schiller defende, em seu livro *Sobre a arte trágica* (1792), que não é somente o belo que nos fascina, mas também o triste, o terrível, o horrendo, o doloroso. Foram os românticos os responsáveis pela popularização do **romance gótico**. Nesse gênero — que tem como cenários castelos, construções em ruínas e monastérios —, fantasmas, corpos esfacelados, monstros e crimes são motivos comuns. Em obras inglesas como *O castelo de Otranto* (1764), de Horace Walpole, *Mistérios de Udolpho* (1794), de Ann Radcliffe, e no clássico *Frankenstein* (1818), de Mary Shelley, o feio toma primeiro plano.

11. A crítica à realidade

Essa tendência de combate e crítica à realidade está relacionada às revoluções que marcaram a queda do Absolutismo e a busca de uma sociedade mais justa. São muitas as obras românticas ligadas às causas sociais. Na França, Victor Hugo publicou *Os miseráveis*, romance que trata da luta apaixonada do personagem Jean Valjean, preso por dezenove anos por roubar um pão para alimentar a família; já no Brasil, a literatura de Castro Alves inspirou a luta pela libertação dos escravos.

THE PICTURE DESK/THE KOBAL COLLECTION/AFP PHOTO

Cena da versão cinematográfica de *Os miseráveis*, dirigida por Tom Hooper (Reino Unido, 2012).

O romance: expressão de um grupo social

Somente no século XVII, *romance* passou a ter o significado próximo do que tem hoje: gênero literário em prosa que narra uma história de grande extensão envolvendo personagens num determinado tempo e espaço. São precursores desse gênero, na França, Madame de Lafayette, com *A princesa de Clèves* (1678), e, na Inglaterra, Daniel Defoe, com *Robinson Crusoé* (1719), e Henry Fielding, com *A história de Tom Jones* (1749).

Pense na epopeia *Os lusíadas*, estudada no capítulo 7, no contexto do Classicismo português, e no romance *Emma*, que abre este capítulo. Qual a diferença entre a forma como Camões apresenta Vasco da Gama e Jane Austen, Emma? Qual é o objetivo das duas obras? Que gênero literário você considera que melhor expressaria as expectativas, os sonhos, os amores, as desilusões do problemático homem burguês dos séculos XVIII e XIX? A epopeia, em que se faz uma narração versificada de fatos grandiosos ligados à coletividade por meio de um herói superior, glorificado e múltiplo (esse personagem não existe sem o povo que representa), ou o romance, que focaliza sua ação em um personagem individual?

O romance não surgiu no contexto do Romantismo, mas esse gênero literário ocupou, entre os escritores românticos, o espaço que era da epopeia, assumindo a função de espelho de um novo grupo social e de um mundo. Assim, o romance romântico tornou-se, ao mesmo tempo, porta-voz da burguesia em ascensão, com o advento da Revolução Francesa e da Revolução Industrial, e entretenimento dessa classe social emergente.

PETER HORREE/ALAMY/GLOW IMAGES

Azulejos representando Dom Quixote e Sancho Pança. Para muitos críticos, *Dom Quixote de La Mancha* (1605) marca o nascimento do romance moderno.

Ficção e verdade

Assim como o conto, a novela e a fábula, o gênero romance trabalha com o universo da ficção, palavra que provém do latim *fictio*, *fingere* ("modelar, compor, imaginar, fingir"). O termo *ficção*, que designa as histórias inventadas, normalmente se relaciona às narrativas em prosa.

A você, pode causar estranhamento o fato de seus romances preferidos emocionarem justamente porque tratam de temas muito reais, ligados a sua vida e não à ficção. O que fascina no romance é que, mesmo partindo de um universo ficcional, ele mantém um estreito vínculo com a realidade.

Para Pablo Picasso "a arte é uma mentira que nos faz perceber a verdade".

Em 1949, por exemplo, o escritor e jornalista inglês George Orwell (1903-1950) publicou o romance *1984*, em que Winston, protagonista da história, vive em Oceania, sociedade dominada pelo ditador GI. Nesse Estado totalitário, as pessoas são constantemente vigiadas por "teletelas" (câmeras) e são lembradas desse controle por meio de mensagens como "O Grande Irmão está observando você". O "Big Brother", cuja existência é apenas sugerida, tornou-se um dos personagens mais importantes do século XXI, servindo de referência até para um popular *reality show*. Não foram poucos os leitores dos anos 1950 que viram na ficção de Orwell uma reflexão crítica sobre o totalitarismo nazifascista. E, se pensarmos nas novas noções de privacidade a partir do surgimento da internet, o romance de Orwell poderá discutir outros aspectos da realidade do século XXI.

NAVEGUE

REPRODUÇÃO

Leia um capítulo do livro *1984* em: <http://www.companhiadasletras.com.br/trecho.php?codigo=12562>.

Atividades: Produção e leitura dramatizada de uma carta de amor

No romance epistolar alemão *Os sofrimentos do jovem Werther*, Goethe imortalizou a ideia romântica de um amor que jamais poderá ser esquecido e da morte como refúgio. Conheça a seguir algumas cartas escritas pelo personagem Werther. Observe como os sentimentos dele começam a se transformar e o amor cede lugar à agonia.

Texto 1

10 de julho

Você devia ver a cara de bobo que faço quando alguém num grupo fala dela! E quando me perguntam se ela me agrada? Agrada! Odeio esta palavra até a morte. Que tipo de pessoa é essa, a quem Lotte agrada e a quem ela não tenha preenchido todos os sentidos e todos os sentimentos? Agrada! Recentemente me perguntaram se Ossian me agradava! [...]

19 de julho

"Vou vê-la!", exclamo de manhã quando acordo e contemplo com alegria a beleza do sol. "Vou vê-la!" E durante o dia, não tenho nenhum outro desejo. Tudo, tudo se entrelaça nesta esperança. [...]

21 de agosto

Num piscar de olhos, tudo mudou em mim. Às vezes, volta a brilhar um intenso clarão de vida, ah, mas apenas por um momento! Quando me perco em sonhos, não consigo resistir a esta ideia: e se Albert morresse? Você seria, sim, ela seria...! então, persigo esta **quimera** até chegar à beira de abismos, diante dos quais estremeço e recuo.

Quimera: sonho, fantasia.

Quando atravesso o portão e chego no caminho que percorri pela primeira vez, para levar Lotte ao baile... tudo está tão diferente! Tudo, tudo ficou para trás! Nem sinal daquele mundo, nem um pulsar de meus sentimentos de outrora. É como se eu fosse um espírito que regressasse ao seu castelo, construído quando ainda era um próspero príncipe e **ornamentado** com todos os requintes de magnificência, encontrando-o destruído pelo fogo, depois de tê-lo legado, cheio de esperanças, ao seu querido filho. [...]

Ornamentado: enfeitado.

6 de setembro

Custou-me muito a resolução de não vestir mais a simples casaca azul que usava quando dancei com Lotte pela primeira vez, afinal já estava com mau aspecto. Também mandei fazer outra igual a esta, colarinho e faixa, assim como o colete e os calções amarelos.

O efeito não é exatamente o mesmo. Não sei... acho que com o tempo também vou me afeiçoar a esta.

27 de outubro

Gostaria de rasgar o peito e partir o crânio, ao ver que significamos tão pouco um para o outro. Ah, o amor, a alegria, o fervor e o prazer que não desfruto, o outro não me dará e, com o coração repleto de felicidade, não farei feliz esse outro, frio e sem forças diante de mim.

27 de outubro, à noite

Tenho tanta coisa, e o meu sentimento por ela devora tudo; tenho tanta coisa e sem ela tudo se reduz a nada.

GOETHE, Johann Wolfgang von. *Os sofrimentos do jovem Werther*. Trad. Erlon José Paschoal. São Paulo: Estação Liberdade, 2009. p. 53, 58, 109, 113, 119, 120. (Fragmentos).

A intensidade do amor de Werther deixou herdeiros — diretos e indiretos — na literatura, no cinema, no teatro, na ópera, na pintura de todos os tempos. Em 2006, com mais de oitenta anos, o filósofo e jornalista austro-francês André Gorz (1923-2007), um dos mais relevantes intelectuais do século XX, escreveu, em forma de carta à esposa Dorine, sobre os quase sessenta anos de casamento. Surpreendido pela notícia de que a mulher estava condenada a uma doença degenerativa, ele abandona a carreira para se dedicar a ela.

Você lerá trechos da obra *Carta a D.: história de um amor*. Observe como Gorz descreve seu amor à primeira vista por Dorine e como conclui que não suportará a ausência da amada.

DANIEL MORDZINSKI/EFE

O filósofo André Gorz, em foto de 1998.

Texto 2

[...]

Nossa história começou maravilhosamente, quase um amor à primeira vista. No dia em que nos encontramos, você estava acompanhada de três homens que pretendiam jogar pôquer com você. Você tinha cabelos ***auburn*** abundantes, a pele **nacarada** e a voz aguda das inglesas. Tinha acabado de chegar da Inglaterra, e cada um dos três homens tentava, num inglês sofrível, captar a sua atenção. Você se mantinha soberana, intraduzivelmente ***witty***, bela feito um sonho. Quando nossos olhares se cruzaram, eu pensei: "Não tenho chance nenhuma com ela". E logo soube que o nosso anfitrião já a havia prevenido: "*He is an Austrian Jew. Totally devoid of interest*".

Auburn: ruivo-acastanhados.

Nacarada: cor de nácar; rosada.

Witty: espirituosa.

"Ele é um judeu austríaco. Inteiramente desprovido de interesse."

Um mês depois cruzei com você na rua, fascinado por seus passos de dançarina. Depois, numa noite, por acaso, eu a vi de longe, saindo do trabalho e descendo a rua. Corri para alcançá-la. Você andava rápido. Tinha nevado. O chuvisco fazia cachos nos seus cabelos. Sem pôr muita fé, eu a convidei para dançar. Você simplesmente disse sim, ***why not***. Era 23 de outubro de 1947.

Why not: por que não?

[...]

Você acabou de fazer oitenta e dois anos. Continua bela, graciosa e desejável. Faz cinquenta e oito anos que vivemos juntos, e eu amo você mais do que nunca. Recentemente, eu me apaixonei por você mais uma vez, e sinto em mim, de novo, um vazio devorador, que só o seu corpo estreitado contra o meu pode preencher. À noite eu vejo, às vezes, a silhueta de um homem que, numa estrada vazia e numa paisagem deserta, anda atrás de um carro fúnebre. Eu sou esse homem. É você que esse carro leva. Não quero assistir à sua cremação; nem quero receber a urna com as suas cinzas. Ouço a voz de Kathleen Ferrier cantando: *"Die Welt ist leer, Ich will nichtlebenmehr"*, e desperto. Eu vigio a sua respiração, minha mão toca você. Nós desejaríamos não sobreviver um à morte do outro. Dissemo-nos sempre, por impossível que seja, que, se tivéssemos uma segunda vida, iríamos querer passá-la juntos.

Do alemão, "O mundo está vazio. Não quero mais viver".

[...]

GORZ, André. *Carta a D.*: história de um amor. Trad. Celso Azzan Jr. São Paulo: Annablume/Cosac Naify, 2008. p. 6-7; 71. (Fragmentos).

Escolha uma das cartas — a de Werther, endereçada ao amigo Wilhelm, ou a de Gorz, endereçada a Dorine — e, em uma folha avulsa, responda como se fosse o interlocutor.

1. Escreva à mão. Pense na personalidade desse interlocutor, o que ele diria, de que maneira isso seria dito, que linguagem utilizaria.
2. Entregue sua carta a um amigo, que deverá respondê-la novamente, como se fosse Werther ou Gorz.
3. Organize um *blog* com a turma, reunindo as cartas originais e as respostas.
4. Outra opção é fazer, no pátio da escola, uma leitura dramática ou uma "intervenção", em que leem suas cartas de surpresa. Usem adereços e recorram a uma trilha sonora de fundo para criar um "clima" durante a leitura. Ensaiem até ficarem satisfeitos com o resultado... e boa apresentação!

NAVEGUE

Navegue pelo *site* especial da obra *Carta a D.*, de André Gorz: <http://editora.cosacnaify.com.br/legacy/gorz/>.

O QUE VOCÊ APRENDEU NO PERCURSO DESTE CAPÍTULO

- Ossianismo: simplicidade e sentimentalismo; Idade Média misteriosa e aventureira; abordagem primitiva do amor e da natureza.
- Byronismo: culto ao amor impossível, à Morte, à liberdade; gosto pelo exótico; desgosto e desânimo em relação à vida.
- *Sturm und Drang*: liberdade de criação; espontaneidade; resgate do passado germânico; combate às regras clássicas; irracionalismo e emoção; valorização de uma natureza "bruta".
- Principais facetas do Romantismo: egocentrismo; busca da originalidade; ilogismo; "Mal do século"; escapismo; Natureza como reflexo do "eu"; retorno à Idade Média; valorização do Cristianismo; busca da cor local; liberdade de criação; busca do sublime; valorização do grotesco e do terrorífico; ideais reformistas.

CAPÍTULO

15

Romantismo em Portugal: o primeiro momento

PERCURSO DO CAPÍTULO

- Contexto histórico do Romantismo português
- Almeida Garrett: poesia e teatro
- Alexandre Herculano: o romance histórico

O Palácio Nacional da Pena, em Sintra (Portugal), é o mais completo exemplar da arquitetura portuguesa do Romantismo, e sua edificação, a quinhentos metros de altitude, data de 1839. (Foto de 2011.)

ZIMAGES/ALAMY/GLOW IMAGES

Introdução

Portugal do início do século XIX é um país agitado por crises e movimentos políticos de toda ordem. O Romantismo português traduz esse conturbado cenário. A Idade Média ressurge na literatura e em outras formas de arte com suas cores e magia. Neste capítulo, você conhecerá autores do primeiro momento romântico português e compartilhará amores impossíveis, semelhantes àqueles com os quais você teve contato no capítulo 4, quando estudou o Trovadorismo.

O texto transcrito a seguir é a primeira parte do prefácio à primeira edição de *Camões*, de Almeida Garrett, considerada a obra inaugural do Romantismo português. Em 1823, o autor exilou-se na Inglaterra, onde teve contato com a literatura de Byron, Walter Scott e Shakespeare. Em 1824, transferiu-se para a França, onde iniciou a produção desse poema narrativo dividido em 10 cantos, compostos de decassílabos brancos, que trata da vida e da obra de um dos maiores poetas de Portugal.

Por mares nunca de antes navegados

Conheço que ele [o poema *Camões*] está fora das regras; e que se pelos princípios clássicos o quiserem julgar, não encontrarão aí senão irregularidades e defeitos. Porém declaro desde já que não olhei a regras nem a princípios, que não consultei Horácio nem Aristóteles, mas fui insensivelmente **depós** o coração e os sentimentos da natureza, que não pelos cálculos da arte e operações combinadas do espírito. Também o não fiz por imitar o estilo de Byron, que tão ridiculamente aqui *macaqueiam* hoje os franceses a torto e a direito, sem se lembrarem que para tomar as liberdades de Byron, e cometer impunemente seus atrevimentos, é **mister** haver um tal engenho e talento que, com um só **lampejo** de sua luz, ofusca todos os descuidos e impede a vista deslumbrada de notar qualquer imperfeição. Não sou clássico nem romântico; de mim digo que não tenho seita nem partido em poesia (assim como em coisa nenhuma); e por isso me deixo ir por onde me levam minhas ideias boas ou más, e nem procuro converter as dos outros, nem inverter as minhas nas deles; isso é para literatos de outra **polpa**, amigos de disputas e questões que eu aborreço.

[...]

GARRETT, Almeida. *Camões*. Porto: Lello & Irmão, 1963. v. I, p. 293-294. (Fragmento).

Depós: após.

Mister: necessário.

Lampejo: clarão, brilho momentâneo.

Polpa: importância.

Responda oralmente.

• **Baseando-se no que você já conhece sobre o Romantismo, Garrett é coerente ou incoerente ao não se considerar romântico? Justifique.**

O prefácio de Almeida Garrett aborda algumas posturas típicas do Romantismo: o nacionalismo, a opção por um herói cuja vida é marcada pela aventura e por amores conturbados, a busca da originalidade, a recusa às regras clássicas e o individualismo.

Assim como em outros países da Europa, o Romantismo manifestou-se em Portugal na primeira metade do século XIX e deixou marcas profundas.

Um país em mudança

Em 1807, para fugir dos exércitos de Napoleão Bonaparte, o príncipe D. João VI reuniu sua corte e embarcou rumo ao Brasil, aportando aqui em 1808. Esse deslocamento de poder teve consequências: os portos brasileiros foram abertos a outras nações, propiciando a livre entrada de produtos estrangeiros na colônia; centenas de comerciantes ingleses se mudaram para o Rio de Janeiro, interessados no mercado brasileiro; e a América Portuguesa foi elevada à condição de Reino Unido de Portugal e Algarve, adquirindo nova posição política.

Investigue em
• História
• Sociologia

Que impactos — culturais, econômicos, sociais e políticos — a chegada da Corte portuguesa trouxe para o Brasil?

Em 1816, com a morte de sua mãe, D. Maria I, D. João VI adquiriu plenos poderes, mas não retornou imediatamente a Portugal, ainda que o país estivesse há cinco anos livre de Napoleão. Em 1820, na cidade do Porto, revoltosos — indignados com a ausência do rei e com o domínio comercial e político inglês sobre Portugal — iniciaram um movimento, que ganhou adesão de Lisboa e do resto do país. Pressionado, D. João VI retornou a Portugal, onde foi obrigado a assinar a primeira constituição do país, e deixou seu filho D. Pedro como regente do Brasil. Era o início da queda definitiva do Antigo Regime em Portugal.

Os anos seguintes foram turbulentos para os portugueses, com várias revoltas, além da disputa pelo trono. Com a morte de D. João VI, em 1826, seus filhos, D. Pedro e D. Miguel, que representavam as tendências liberal e monarquista, respectivamente, passaram a lutar pelo poder. A vitória final foi do projeto constitucionalista de D. Pedro I e de sua filha D. Maria II, o que colocou Portugal definitivamente na rota do desenvolvimento do liberalismo. Em 1847, o escritor Alexandre Herculano liderou o movimento denominado **Regeneração**, que procurou conciliar os interesses da alta burguesia com os das camadas rurais e da pequena e média burguesias.

Nesse cenário conturbado floresceu o Romantismo português.

LALO DE ALMEIDA/FOLHAPRESS

Comissão de frente da escola de samba carioca Mocidade Independente de Padre Miguel apresenta enredo sobre a chegada da Corte portuguesa ao Brasil. Rio de Janeiro, Carnaval de 2008.

Romantismo português: um movimento em três momentos

Se ainda hoje, no século XXI, é forte a herança clássica em Portugal, imagine no final do século XVIII. Influenciados pelos conservadores intelectuais, os primeiros românticos portugueses inauguraram o novo movimento ainda impregnados da tradição clássica.

Apesar de a crítica assinalar 1825 — data da publicação de *Camões*, de Almeida Garrett — como o marco do início do Romantismo em Portugal, teve mais relevância para a consolidação do movimento o ano de 1836, quando foi publicada *A voz do profeta*, obra panfletária de Alexandre Herculano. Artigos publicados por esse mesmo autor no *Repositório literário* (1834-1835) e em jornais como *Panorama* (1837) foram também fundamentais para a divulgação da estética romântica em terras lusitanas.

Uma obra panfletária tem não só objetivos estéticos, artísticos, mas também políticos, ou seja, defende determinadas ideias do autor e tenta persuadir o leitor de sua veracidade.

O Romantismo português pode ser dividido em três momentos. Neste capítulo, estudaremos o primeiro deles, representado, entre outros, pelos autores Almeida Garrett e Alexandre Herculano.

Garrett: poesia e teatro

Exílios, engajamento político, amores, defesa do teatro nacional, carreira pública. Que espaço para a literatura haveria na vida de um dândi sedutor, elegante no vestir, delicado no trato com as mulheres, envolvido em aventuras de toda ordem?

Dândi: Burguês intelectual, de hábitos sofisticados.

Leia o poema a seguir, retirado da coletânea *Folhas caídas*, última obra lírica publicada por Garrett, em 1853. Seus versos, inspirados na paixão do poeta por Rosa de Montúfar, viscondessa da Luz, são considerados a melhor produção lírica romântica do autor.

Almeida Garrett, em litografia de Pedro Augusto Guglielmi, 1844.

Estudante de Direito em Coimbra, **Almeida Garrett** (1799-1854) teve formação clássica, o que explica seu início árcade com *O retrato de Vênus* (1821) e *Lírica de João Mínimo* (1829). Foi somente com a publicação de *Camões* que o escritor enveredou para a estética romântica.

Este inferno de amar

Este inferno de amar — como eu amo! —
Quem mo pôs aqui n'alma... quem foi?
Esta chama que **alenta** e consome,
Que é a vida — e que a vida destrói —
Como é que se veio a atear,
Quando — ai quando se há de ela apagar?

Eu não sei, não me lembra: o passado,
A outra vida que **dantes** vivi
Era um sonho talvez... — foi um sonho —
Em que paz tão serena a dormi!
Oh! que doce era aquele sonhar...
Quem me veio, ai de mim! despertar?

Só me lembra que um dia formoso
Eu passei... dava o Sol tanta luz!
E os meus olhos, que vagos giravam,
Em seus olhos ardentes os pus.
Que fez ela? eu que fiz? — não no sei;
Mas nessa hora a viver comecei...

GARRETT, Almeida. In: MOISÉS, Massaud. *A literatura portuguesa através dos textos*. 30. ed. São Paulo: Cultrix, 2006. p. 252.

Alenta: encoraja.
Dantes: antes, outrora.

Responda, no caderno, às questões a seguir.

1 Com que metáfora Garrett trabalha na primeira estrofe do poema?

2 Acione sua biblioteca cultural sobre o Classicismo português e relacione o poema em estudo ao soneto de um autor bastante conhecido que emprega uma metáfora semelhante.

3 Explique com que propósito os dois autores recorrem a essa metáfora.

4 A metáfora construída por Garrett na primeira estrofe desdobra-se em outra figura de linguagem, o paradoxo.

a) Comprove essa afirmativa citando versos do poema.

b) Explique a função dessa figura de linguagem no texto.

5 O eu lírico faz uma oposição entre dois tempos vividos por ele: o passado e o presente. Explique essa oposição tendo em vista as metáforas construídas para caracterizar cada um desses tempos.

PARA LEMBRAR

Paradoxo: figura de linguagem que consiste na associação de palavras ou expressões de significados inconciliáveis, contraditórios em um mesmo referente.

Embora caracterize o amor como um "inferno" com chamas que o consomem, o eu lírico assume, no último verso do poema, que é esse sentimento que o mantém vivo.

Na poesia lírica de Almeida Garrett, predomina o tema do "amor-paixão", dirigido a uma mulher que quase não se mostra no texto. Seguindo a tendência de sua época, o poeta trabalha com linguagem coloquial (atente para as perguntas feitas ao longo do poema e as repetições), além de optar pelos versos em redondilhas. Os textos líricos de Garrett espelham um individualismo exagerado, em que o desejo, a confidência, o ciúme, a saudade e a dor da separação são constantes.

O teatro garrettiano: tradição e ousadia

Um dos esforços pessoais de Garrett foi em prol da criação de um teatro nacional português. Entre outras peças, escreveu: *Um auto de Gil Vicente* (1842), *O alfageme de Santarém* (1842), *Frei Luís de Sousa* (1844), sua grande obra, e *D. Filipa de Vilhena* (1846).

Embora *Frei Luís de Sousa* represente o que de melhor o teatro romântico português produziu, foge do típico drama romântico. Influenciado pelos clássicos franceses e italianos e pelas tragédias gregas antigas, Garrett escreveu uma peça sustentada por um conflito: a liberdade de amar *versus* o sentimento religioso de culpa, tema que retrata o "drama real do individualismo burguês".

SAIBA MAIS!

- O drama romântico, ao contrário do clássico, teve o tempo alongado e o espaço multiplicado, proporcionando uma ação mais livre. Valorizou, ainda, a "cor local", o resgate histórico e a diversidade humana.

Material complementar
- Amplie seus conhecimentos: O drama romântico por Victor Hugo

Frei Luís de Sousa: drama e morte

Frei Luís de Sousa, a obra-prima do teatro garrettiano, escrita em prosa e dividida em três atos, narra o drama de uma família em "princípios do século XVII". Após aguardar por sete longos anos o retorno do marido — D. João de Portugal, que acompanhara D. Sebastião na batalha de Alcácer-Quibir —, D. Madalena de Vilhena, julgando-se viúva, casa-se com D. Manuel de Sousa Coutinho, e com ele tem uma filha,

Maria. Mas eis que, disfarçado como romeiro, D. João reaparece após vinte anos de ausência. Percebendo-se "em pecado", uma vez que Madalena continuava casada, o casal ingressa na vida religiosa para salvar-se. D. Manuel adota o nome eclesiástico de Frei Luís de Sousa e ela, o de Sóror Madalena. Maria, a filha de ambos, morre na igreja no momento em que seus pais professam os votos.

Ao contrário do que era esperado de um drama romântico, em *Frei Luís de Sousa* não há cenas cômicas, nem tipos engraçados e tampouco grotescos. A narrativa é situada apenas em dois solares e uma igreja contígua a um deles, em Almada, e no período curto de uma semana. Esses elementos espaciais e temporais também aproximam a peça de Garrett do teatro clássico mais do que do drama romântico.

O teatro clássico

Para o filósofo Aristóteles, uma tragédia deveria tratar de assuntos nobres, ser verossímil, manter uma unidade de ação (todos os fatos narrados se organizando em torno de uma história principal) e não durar mais do que vinte e quatro horas (unidade de tempo). Com base em Aristóteles e em outros antigos, alguns teóricos do Renascimento incluíram, entre os elementos que caracterizariam uma tragédia clássica, uma regra não mencionada diretamente pelo filósofo: a tragédia deveria transcorrer num só lugar ou não poderia exceder os limites de uma cidade (unidade de espaço).

Outro elemento clássico presente em *Frei Luís de Sousa* é a representação de uma ação humana dolorosa, determinada por um destino (*fatum*) que conduz um herói a uma fatalidade: o fato de D. João de Portugal estar vivo faz desmoronar toda a aparente estrutura "sólida" construída a partir do casamento de D. Madalena com Manuel de Sousa Coutinho, o qual gerou uma filha, agora ilegítima. O passado vem à tona sem que os personagens tenham controle sobre seus destinos, como em uma tragédia grega.

Na seção **Atividade**, faremos a leitura dramática de um trecho da obra.

Alexandre Herculano: iniciador de um gênero

Alexandre Herculano é considerado o introdutor do romance histórico em Portugal. Consagrado pelo escocês Walter Scott (1771-1832), esse gênero foi explorado por Herculano em romances como *O bobo* (1843), *Eurico, o presbítero* (1844) e *O monge de Cister* (1848), entre outros. Para produzir suas narrativas, o autor mergulhou em documentos históricos, buscando alcançar uma união entre o universo ficcional e o real.

Reflexões morais e religiosas, como a culpa; personagens polarizados (o divino *versus* o demoníaco); a quase obsessão pela reconstituição minuciosa de roupas, interiores, arquiteturas, cerimônias, etc.; a descrição de cenários vagos, lendários e imaginários; o culto dos valores cavaleirescos medievais, atribuídos aos heróis idealizados; vilões grotescos; paixões; explicações didáticas histórico-sociais caracterizam os romances históricos de Herculano.

⊙ *Eurico, o presbítero*: o celibato em questão

A obra *Eurico, o presbítero* é considerada a principal realização de Herculano no gênero *romance histórico*. Nela, o autor problematiza o celibato clerical, ou seja, a proibição de os padres manterem relações sexuais ou de se casarem.

Retrato de Alexandre Herculano, s. d.

Advindo de uma família sem posses, **Alexandre Herculano** (1810-1877) foi quase um autodidata e, ainda que não tivesse frequentado a universidade, cursou Diplomacia na Torre do Tombo. Embora tenha escrito poemas líricos, destacou-se mesmo como romancista e historiador. Em 1846, publicou o primeiro volume de *História de Portugal*, em que analisa os fatos históricos do país a partir do ponto de vista político-militar, procurando desfazer mitos seculares.

A ação do romance transcorre no século VIII, durante a invasão dos mouros e a consequente queda do governo dos visigodos na península Ibérica. Nesse contexto, o jovem Eurico apaixona-se por Hermengarda; entretanto, Fávila (duque de Cantábria), pai da moça, opõe-se ao casamento. Para esquecer seu grande amor, Eurico torna-se presbítero (padre) na pequena Carteia, localizada nas proximidades do estreito de Gibraltar. Além disso, engaja-se na luta contra os mouros, transformando-se no misterioso e popular Cavaleiro Negro. Os portugueses são derrotados no conflito, mas Eurico não desiste da luta, incorporando-se a um grupo de resistência chefiado por Pelágio (primeiro soberano da monarquia asturiana), irmão de Hermengarda. Na fuga para as Astúrias em companhia dos últimos cristãos resistentes, Hermengarda é aprisionada pelos árabes, mas acaba sendo salva pelo Cavaleiro Negro. Reencontra então sua antiga paixão, Eurico, que não pode ceder ao amor em razão do voto de castidade feito a Deus. O desfecho trágico se dá com o Cavaleiro Negro lançando-se numa batalha suicida contra os mouros e o enlouquecimento de Hermengarda ao saber que jamais terá seu amado.

Leia, a seguir, um trecho do segundo capítulo do romance *Eurico, o presbítero*.

Baseada no romance de Alexandre Herculano, a peça teatral *A paixão segundo Eurico* foi apresentada em Portugal, em 2011-2012.

[...]

O presbítero Eurico era o pastor da pobre paróquia de Carteia. Descendente de uma antiga família bárbara, **gardingo** na corte de Vítiza, depois de ter sido **tufado** ou milenário do exército visigótico vivera os ligeiros dias da mocidade no meio dos deleites da opulenta **Toletum**. Rico, poderoso, gentil, o amor viera, apesar disso, quebrar a cadeia brilhante da sua felicidade. Namorado de Hermengarda, filha de Fávila, duque de Cantábria, e irmã do valoroso e depois tão célebre Pelágio, o seu amor fora infeliz. O orgulhoso Fávila não consentira que o menos nobre gardingo pusesse tão alto a mira dos seus desejos. Depois de mil provas de um afeto imenso, de uma paixão ardente, o moço guerreiro vira submergir todas as suas esperanças. Eurico era uma destas almas ricas de sublime poesia a que o mundo deu o nome de imaginações desregradas, porque não é para o mundo entendê-las. Desventurado, o seu coração de fogo queimou-lhe o viço da existência ao despertar dos sonhos do amor que o tinham embalado. A ingratidão de Hermengarda, que parecera ceder sem resistência à vontade de seu pai, e o orgulho insultuoso do velho **prócer** deram em terra com aquele ânimo, que o aspecto da morte não seria capaz de abater. A melancolia que o devorava, consumindo-lhe as forças, fê-lo cair em longa e perigosa enfermidade, e, quando a energia de uma constituição vigorosa o arrancou das bordas do túmulo, semelhante ao anjo rebelde, os toques belos e puros do seu gesto formoso e varonil transpareciam-lhe a custo através do véu de muda tristeza que lhe **entenebrecia** a fronte. O cedro pendia fulminado pelo fogo do céu.

Uma destas revoluções morais que as grandes crises produzem no espírito humano se operou então no moço Eurico. Educado na crença viva daqueles tempos; naturalmente religioso porque poeta, foi procurar abrigo e consolações aos pés d'Aquele cujos braços estão sempre abertos para receber o desgraçado que neles vai buscar o derradeiro refúgio. Ao cabo das grandezas cortesãs o pobre gardingo encontrara a morte do espírito, o desengano do mundo. Ao cabo da estreita **senda** da cruz acharia ele, porventura, a vida e o repouso íntimos? Era este problema, no qual se resumia todo o seu futuro, que tentava resolver o pastor do pobre presbitério da velha cidade do Calpe.

Depois de passar pelos diferentes graus do sacerdócio, Eurico recebera ainda de **Siseberto**, o predecessor de Opas na sé de Híspalis, o encargo de pastorear esse diminuto rebanho da povoação fenícia. O moço presbítero, legando à catedral

NAVEGUE

Leia, na íntegra, *Eurico, o presbítero* em: <http://www.dominiopublico.gov.br/pesquisa/DetalheObraForm.do?select_action=&co_obra=16521>.

Gardingo: cortesão ou nobre.

Tufado: chefe de tropa.

Toletum: nome latino da atual cidade espanhola de Toledo.

Prócer: indivíduo importante, influente.

Entenebrecia: entristecia.

Senda: caminho; rumo.

Siseberto: autoridade clerical que viveu na segunda metade do século VII.

uma porção dos **senhorios** que herdara juntamente com a espada conquistadora de seus avós, havia reservado apenas uma parte das próprias riquezas. Era esta a herança dos miseráveis, que ele sabia não escassearem na quase solitária e meio arruinada Carteia.

Senhorios: domínios, posses, propriedades.

A nova existência de Eurico tinha modificado, porém não destruído o seu brilhante caráter. A maior das humanas desventuras, a viuvez do espírito, abrandara, pela melancolia, as impetuosas paixões do mancebo e apagara nos seus lábios o riso do contentamento, mas não pudera desvanecer no coração do sacerdote os generosos afetos do guerreiro, nem as inspirações do poeta. O templo havia santificado aqueles, moldando-os pelo evangelho, e tornado estas mais solenes, alimentando-as com as imagens e sentimentos sublimes estampados nas páginas sacrossantas da Bíblia. O entusiasmo e o amor tinham ressurgido naquele coração que parecera morto, mas transformados: o entusiasmo em entusiasmo pela virtude; o amor em amor dos homens. E a esperança? Oh, a esperança, essa é que não renascera!

HERCULANO, Alexandre. *Eurico, o presbítero*. Belém: Universidade da Amazônia (Unama). NEAD — Núcleo de Educação a Distância. p. 5-7. (Fragmento). Disponível em: <http://www.dominiopublico.gov.br/download/texto/ua00010a.pdf>. Acesso em: 31 jul. 2012.

No caderno, responda ao que se pede.

1 Sabemos que escritores românticos valorizaram a religiosidade cristã. Isso se confirma no trecho lido? Justifique sua resposta.

2 Releia o último parágrafo e explique o final:

"E a esperança? Oh, a esperança, essa é que não renascera!"

DIANA PASSY

Túmulo do escritor português Alexandre Herculano (Mosteiro dos Jerônimos, Lisboa, 2010).

Como você viu, em *Eurico, o presbítero* Herculano dialoga com o ideário romântico: o romance se passa num ambiente medieval, retratado em detalhes; o herói luta por um ideal político-religioso e é um ser atormentado, dividido entre o amor terreno e a obrigação com o divino; Hermengarda, por sua vez, vive o drama do amor impossível.

Atividade: Leitura dramática

Leia silenciosamente o fragmento transcrito a seguir, retirado das cenas XIV e XV do ato II da peça teatral *Frei Luís de Sousa*, de Almeida Garrett. Observe como o clímax vai sendo construído à medida que D. Madalena descobre que seu marido está vivo e que, portanto, viveu treze anos em pecado, segundo o catolicismo.

Cena XIV

[...]

JORGE (*cortando a conversação*) — Bom velho, dissestes trazer um recado a esta dama: dai-lho já, que havereis mister de ir descansar...

ROMEIRO (*sorrindo amargamente*) — Quereis lembrar-me que estou abusando da paciência com que me têm ouvido? Fizestes bem, padre: eu ia-me esquecendo... talvez me esquecesse de todo da mensagem a que vim... estou tão velho e mudado do que fui!

MADALENA — Deixai, deixai, não importa, eu **folgo** de vos ouvir: dir-me-eis vosso recado quando quiserdes... logo, amanhã...

ROMEIRO — Hoje há-de ser. Há três dias que não durmo nem descanso, nem pousei esta cabeça, nem pararam estes pés dia nem noite, para chegar aqui hoje, para vos dar meu recado... e morrer depois... ainda que morresse depois; porque jurei... faz hoje um ano... quando me libertaram, dei juramento sobre a pedra santa do Sepulcro de Cristo...

MADALENA — Pois éreis **cativo** em Jerusalém?

ROMEIRO — Era; não vos disse que vivi lá vinte anos?

MADALENA — Sim, mas...

ROMEIRO — Mas o juramento que dei foi que, antes de um ano cumprido, estaria diante de vós, e vos daria da parte de quem me mandou...

MADALENA (***aterrada***) — E quem vos mandou, homem?

ROMEIRO — Um homem foi, e um honrado homem... a quem unicamente devi a liberdade... a ninguém mais. Jurei fazer-lhe a vontade, e vim.

HUGO RODRIGUES/ARTE-FACTOS.NET

Ainda hoje, *Frei Luís de Sousa* é encenada em Portugal, como nessa montagem, apresentada em 2012 no Teatro Nacional D. Maria II, em Lisboa.

MADALENA — Como se chama?

ROMEIRO — O seu nome, nem o da sua gente nunca o disse a ninguém no cativeiro.

MADALENA — Mas, enfim, dizei vós...

ROMEIRO — As suas palavras, trago-as escritas no coração com as lágrimas de sangue que lhe vi chorar, que muitas vezes me caíram nestas mãos, que me correram por estas faces. Ninguém o consolava senão eu... e Deus! Vede se me esqueceriam as suas palavras.

JORGE — Homem, acabai!

ROMEIRO — Agora acabo; sofrei, que ele também sofreu muito. Aqui estão as suas palavras: "Ide a D. Madalena de Vilhena, e dizei-lhe que um homem que muito bem lhe quis... aqui está vivo... por seu mal... e daqui não pode sair nem mandar-lhe novas suas, de há vinte anos que o trouxeram cativo".

MADALENA (*na maior ansiedade*) — Deus tenha misericórdia de mim! E esse homem, esse homem... Jesus! esse homem era... esse homem tinha sido... levaram-no aí de donde?... de África?

ROMEIRO — Levaram.

MADALENA — Cativo?

ROMEIRO — Sim.

MADALENA — Português!... cativo da batalha de?...

ROMEIRO — De Alcácer-Quibir.

MADALENA (***espavorida***) — Meu Deus, meu Deus! Que se não abre a terra debaixo de meus pés... Que não caem estas paredes, que me não sepultam já aqui?...

JORGE — Calai-vos, D. Madalena! A misericórdia de Deus é infinita. Esperai. Eu duvido, eu não creio... estas não são cousas para se crerem de leve. (*Reflecte, e logo como por uma ideia que lhe acudiu de repente.*) Ó! inspiração divina... (*chegando ao romeiro*). Conheceis bem esse homem, romeiro, não é assim?

ROMEIRO — Como a mim mesmo.

Folgo: tenho prazer.
Cativo: prisioneiro.
Aterrada: aterrorizada.
Espavorida: apavorada.

JORGE — Se o víreis... ainda que fora noutros **trajos**... com menos anos, pintado, digamos, conhecê-lo-eis?

ROMEIRO — Como se me visse a mim mesmo num espelho.

JORGE — Procurai nesses retratos, e dizei-me se algum deles pode ser.

ROMEIRO (*sem procurar, e apontando logo para o retrato de D. João*) — É aquele.

MADALENA (*com um grito espantoso*) — Minha filha, minha filha, minha filha!... (*Em tom **cavo** e profundo.*) Estou... estás... perdidas, desonradas... infames! (*Com outro grito do coração.*) Oh! minha filha, minha filha!... (*Foge espavorida e neste gritar*).

Cena XV

*JORGE e o ROMEIRO, que seguiu MADALENA com os olhos, e está **alçado** no meio da casa, com aspecto severo e tremendo*

JORGE — Romeiro, romeiro, quem és tu?

ROMEIRO (*apontando com o **bordão** para o retrato de D. João de Portugal*) — Ninguém!

(*Frei Jorge cai **prostrado** no chão, com os braços estendidos diante da **tribuna**. O pano desce lentamente.*)

GARRETT, Almeida. Frei Luís de Sousa. In: MOISÉS, Massaud. *A literatura portuguesa através dos textos*. 30. ed. São Paulo: Cultrix, 2006. p. 258-261. (Fragmento).

Trajos: trajes.

Cavo: rouco.

Alçado: levantado; em pé.

Bordão: cajado.

Prostrado: abatido, derrubado.

Tribuna: numa igreja, lugar de onde falam os pregadores; púlpito.

Agora, você e seus colegas farão uma **leitura dramática** do texto. Para isso, reúnam-se em grupo e adotem as seguintes estratégias:

1. Releiam o texto silenciosamente.
2. Elaborem uma síntese escrita com as seguintes informações: **quem** são os personagens presentes nas cenas (descrevam os aspectos físicos e psicológicos); **o que** ocorre nas cenas; **onde** elas se passam.
3. Cada integrante do grupo escolherá um personagem da peça para interpretar. Não se esqueçam de que um aluno deverá ficar encarregado de ler as ações dos personagens (rubricas), indicadas entre parênteses.
4. Pensem nas características que cada personagem teria se fosse transposto para o palco. Como seriam a voz, a entonação, o jeito de ser, etc.?
5. Discutam o que cada aluno pensou sobre seu personagem.
6. Iniciem a leitura em voz alta, respeitando as falas dos outros personagens e estabelecendo os diálogos.
7. Apresentem sua leitura dramática para os demais grupos da classe. Se possível, usem música de fundo e improvisem o figurino.

O QUE VOCÊ APRENDEU NO PERCURSO DESTE CAPÍTULO

- Principais temas da poesia de Almeida Garrett: "amor-paixão", individualismo exagerado, desejo, confidência, ciúme, saudade e dor da separação, expressos em redondilhas e linguagem coloquial.
- Garrett trabalhou na criação do teatro nacional português. Destaca-se em sua produção *Frei Luís de Sousa*.
- Alexandre Herculano é considerado o pai do romance histórico português. Seus textos em prosa caracterizam-se por reflexões morais e religiosas; personagens polarizados; reconstituição minuciosa; descrição de cenários vagos; culto dos valores cavaleirescos medievais; vilões grotescos; paixões; explicações histórico-sociais didáticas. Em *Eurico, o presbítero*, o autor trabalha com o tema do celibato clerical.

CAPÍTULO

16

Romantismo em Portugal: segundo e terceiro momentos

PERCURSO DO CAPÍTULO

- O Ultrarromantismo
- Camilo Castelo Branco e o gênero novela
- João de Deus: poesia sóbria
- Júlio Dinis: o romance campesino — As pupilas do senhor reitor

BURSTEIN COLLECTION/CORBIS/LATINSTOCK – TRETYAKOV GALLERY, MOSCOU, RÚSSIA

CHAGALL, Marc. *Sobre a cidade*. 1918. Óleo sobre tela, 45 × 56 cm. Nesse quadro, o pintor bielorrusso faz um casal de amantes voar sensualmente pelos céus de um pequeno vilarejo. De forma semelhante, romance e fantasia habitaram o universo dos românticos portugueses.

Introdução

É no segundo momento que o Romantismo português alcançará seu auge. Amores trágicos, amores que desafiam as convenções sociais, amores realizados e não realizados serão motes de poemas, novelas e romances. Esse sentimentalismo exacerbado perderá força no terceiro momento, quando o movimento entra em declínio. Neste capítulo, morte, vida, amores e algum equilíbrio serão focos de nossos estudos literários.

Você acredita em amor eterno? Os versos a seguir, publicados em 1855 na coletânea *Poesia*, do português Soares de Passos (1826-1860), tratam do amor entre duas pessoas que já morreram e se encontram na "mansão da morte" para selar sua união. "O noivado do sepulcro" tornou-se um dos poemas mais populares da língua portuguesa e inspirou paródias de todos os tipos. Leia-o e responda no caderno às questões propostas.

O noivado do sepulcro

Balada

Vai alta a lua! na mansão da morte
Já meia-noite com vagar soou;
Que paz tranquila; dos vaivéns da sorte
Só tem descanso quem ali baixou.

Que paz tranquila!... mas eis longe, ao longe
Funérea **campa** com **fragor** rangeu;
Branco fantasma semelhante a um monge,
D'entre os sepulcros a cabeça ergueu.

Ergueu-se, ergueu-se!... na amplidão celeste
Campeia a lua com sinistra luz;
O vento geme no **feral cipreste**,
O **mocho** pia na marmórea cruz.

Ergueu-se, ergueu-se!... com sombrio espanto
Olhou em roda... não achou ninguém...
Por entre as campas, arrastando o manto,
Com lentos passos caminhou além.

WARNER BROTHERS/EVERETT COLLECTION/LATINSTOCK

Cena de *A noiva-cadáver*, de Tim Burton. EUA, 2005. No filme, um jovem se vê acidentalmente ligado a uma noiva que, na verdade, está morta.

Campa: *sepultura.*
Fragor: *estrondo.*
Campeia: *exibe-se nas alturas.*
Feral: *fúnebre, sinistro.*
Cipreste: *árvore relacionada ao luto e à tristeza.*
Mocho: *coruja.*

Chegando perto duma cruz alçada,
Que entre ciprestes **alvejava** ao fim,
Parou, sentou-se e com a voz magoada
Os ecos tristes acordou assim:

"Mulher formosa, que adorei na vida,
"E que na tumba não cessei de amar,
"Por que atraiçoas, desleal, mentida,
"O amor eterno que te ouvi jurar?

"Amor! engano que na campa finda,
"Que a morte despe da ilusão **falaz**:
"Quem dentre os vivos se lembrara ainda
"Do pobre morto que na terra jaz?

"Abandonado neste chão repousa
"Há já três dias, e não vens aqui...
"Ai, quão pesada me tem sido a **lousa**
"Sobre este peito que bateu por ti!

"Ai, quão pesada me tem sido!" e em meio,
A **fronte** exausta lhe pendeu na mão,
E entre soluços arrancou do seio
Fundo suspiro de cruel paixão.

"Talvez que rindo dos protestos nossos,
"Gozes com outro d'infernal prazer;
"E o **olvido** cobrirá meus ossos
"Na fria terra sem vingança ter!

— "Oh nunca, nunca!" de saudade **infinda**
Responde um eco suspirando além...
— "Oh nunca, nunca!" repetiu ainda
Formosa virgem que em seus braços tem.

Cobrem-lhe as formas divinas, **airosas**,
Longas roupagens de nevada cor;
Singela c'roa de virgíneas rosas
Lhe cerca a fronte dum mortal **palor**.

"Não, não perdeste meu amor jurado:
"Vês este peito? reina a morte aqui...
"É já sem forças, ai de mim, gelado,
"Mas inda pulsa com amor por ti.

"Feliz que pude acompanhar-te ao fundo
"Da sepultura, sucumbindo à dor:
"Deixei a vida... que importava o mundo,
"O mundo em trevas sem a luz do amor?

"Saudosa ao longe vês no céu a lua?
— "Oh vejo sim... recordação fatal!
— "Foi à luz dela que jurei ser tua
"Durante a vida, e na mansão final.

"Oh vem! se nunca te **cingi** ao peito,
"Hoje o sepulcro nos reúne enfim...
"Quero o repouso de teu frio leito,
"Quero-te unido para sempre a mim!"

E ao som dos pios do cantor funéreo,
E à luz da lua de sinistro **alvor**,
Junto ao **cruzeiro**, sepulcral mistério
Foi celebrada, d'infeliz amor.

Quando risonho despontava o dia,
Já desse drama nada havia então,
Mais que uma tumba funeral vazia,
Quebrada a lousa por **ignota** mão.

Porém mais tarde, quando foi **volvido**
Das sepulturas o gelado pó,
Dois esqueletos, um ao outro unido,
Foram achados num sepulcro só.

PASSOS, Soares de. In: MOISÉS, Massaud. *Presença da literatura brasileira*: Romantismo-Realismo. 7. ed. Rio de Janeiro: Bertrand Brasil, 1998. p. 94-97.

Alvejava: tornava-se branca.
Falaz: enganadora.
Lousa: lápide funerária.
Fronte: testa.
Olvido: esquecimento.
Infinda: infinita, sem fim.
Airosas: delicadas.
Palor: palidez.
Cingi: apertei.
Alvor: brilho, fulgor.
Cruzeiro: cruz.
Ignota: desconhecida.
Volvido: revolvido, remexido.

1 No poema de Soares de Passos é apresentado um "drama" ao leitor, como se afirma na penúltima quadra. Faça uma síntese desse "drama".

2 Logo após o título do poema, lê-se a palavra *balada*. Observe, a seguir, a conceituação desse termo.

[...] Cantar de feição narrativa, girava ao redor de um único episódio, de assunto melancólico, histórico, fantástico ou sobrenatural. Na verdade, trata-se de "forma literária mista, pois reúne elementos de poesia dramática e lírica bem como de narrativa. [...] O processo dramático de pergunta-resposta, ou diálogo, é geralmente utilizado para desenvolver a fabulação, e a chave do seu desenlace frequentemente se adia até próximo do fim.

MOISÉS, Massaud. *Dicionário de termos literários*. 12. ed. rev. e ampl. São Paulo: Cultrix, 2004. p. 49-50. (Fragmento).

Com base nessas informações, quais as características que fazem do poema uma balada?

O poema-balada "O noivado do sepulcro" integra a série de textos que compuseram o segundo momento romântico em Portugal, fase que se estendeu de 1838 a 1860. Nesse período, as influências árcades escassearam, cedendo espaço para um Romantismo exacerbado e intenso. A supremacia do amor, a morbidez de inspiração byronista, os ambientes medievais, o tédio, a melancolia, o aspecto fúnebre e a morte serviram de temas para uma produção expressa em linguagem simples e acessível ao público leitor.

Tais características justificam a denominação **Ultrarromantismo**, dada a esse segundo momento, que teve em Camilo Castelo Branco seu principal expoente.

NAVEGUE

Conheça a obra completa de Soares de Passos em: <http://purl.pt/index/livro/aut/PT/59690.html>.

Camilo Castelo Branco: um mestre do gênero novela

A vida de **Camilo Castelo Branco** (1825-1890) assemelha-se à ficção que ele escreveu. Com apenas 10 anos, já era órfão de pai e mãe. Sob os cuidados de parentes, recebeu uma educação irregular. Envolveu-se com várias mulheres, casou-se mais de uma vez. Em 1858, já escritor, escandalizou a conservadora sociedade portuguesa, quando sua amante deixou o marido para viver com ele. Em 1862, publicou *Amor de perdição*, um de seus maiores sucessos. Debilitado em consequência da sífilis, foi perdendo a visão progressivamente. Estafado e em crise, suicidou-se em São Miguel de Seide, na quinta onde vivia com a mulher.

JOÃO XAVIER DA MOTA/PROJETO GUTEMBERG

Retrato de Camilo Castelo Branco, s. d.

Além da vida conturbada, o que mais chama atenção em Camilo Castelo Branco é sua impressionante capacidade de produção. O autor escreveu inúmeros romances, poemas, cartas, peças de teatro, crítica literária, textos jornalísticos, folhetins, historiografia e contos, destacando-se especialmente nas novelas, gênero bastante prestigiado durante o Romantismo.

JOSE PEDRO FERNANDES/ALAMY/GLOW IMAGES

Casa da Rua da Rosa, em Lisboa, onde nasceu Camilo Castelo Branco.

⊙ Novela: gênero literário de difícil classificação

A novela, diferentemente do romance — caracterizado pela narrativa extensa —, é marcada pela brevidade e agilidade do relato. Em geral apresenta as seguintes características estruturais:

- ação central focada em um acontecimento particular, único, em torno do qual se organiza a narração, subdividida em várias células dramáticas (estruturadas em conflitos com começo, meio e fim);
- elementos que surpreendem o leitor em cada célula narrativa e no desfecho da história;
- numerosos personagens, principalmente coadjuvantes (secundários), explorados sem muita densidade. Mesmo os protagonistas são, com algumas exceções, carentes de profundidade psicológica;
- encurtamento na descrição de espaços e personagens;
- espaço plural, embora alguns lugares sejam apenas mencionados;
- tempo do relato restrito, ou seja, ligado ao "aqui-agora" dos personagens (em geral, o passado é rapidamente rememorado apenas para justificar ações do presente);
- tentativa de representar o mundo de maneira fiel;
- narrador, utilizando linguagem simples, "orienta" o leitor por meio de explicações, resumos, sínteses dos acontecimentos, etc.

Apesar de ter se aventurado por vários subgêneros de novelas — históricas, de aventuras, satíricas, de mistério e terror —, foi com as passionais que o escritor ganhou popularidade. Embora suas narrativas apresentem os mais variados enredos, sempre partem da mesma temática: o amor impossível.

Os personagens das novelas camilianas — geralmente urbanas — lutam contra todas as impossibilidades sociais e se lançam violentamente em suas aventuras amorosas.

Ainda que muitas das novelas escritas por Camilo Castelo Branco sejam consideradas de qualidade duvidosa — já que o autor era obrigado a escrever incessantemente para garantir sua sobrevivência —, ele sabia cativar seus leitores (principalmente as mulheres), criando enredos recheados de situações dramáticas e de reviravoltas surpreendentes, que atendiam ao gosto romântico médio. Além disso, dois outros aspectos contribuíram para a sedução dos interlocutores de Camilo: o domínio absoluto sobre sua ferramenta de trabalho (uma língua portuguesa acessível, coloquial, direta e espontânea) e a presença de narradores que opinam sobre seus relatos, criticam, tecem elogios, dialogando diretamente com o leitor, procedimento metalinguístico bastante moderno para a época.

⊙ *Amor de perdição*: a novela passional de Camilo

Uma das obras de Camilo Castelo Branco mais respeitadas pela crítica e admiradas pelo público é *Amor de perdição* (1862). A história se passa em Portugal, no século XIX, época em que Albuquerques e Botelhos, duas famílias importantes da cidade de Viseu, mantêm ódio mútuo. De temperamento agressivo e intempestivo, Simão, um dos cinco filhos do corregedor Domingos Botelho, é estudante de Coimbra e protagonista da novela. Em razão de suas inúmeras confusões, o rapaz é obrigado a ficar por algum tempo em Viseu, o suficiente para apaixonar-se por Teresa, filha de Tadeu Albuquerque, inimigo de seu pai.

NAVEGUE

O espaço cultural Casa de Camilo, situado em Portugal, mantém um *blog* com informações sobre o autor e os eventos que o local abriga. Confira em: <http://casadecamilo.wordpress.com/>.

Cena de *Amor de perdição*, adaptação cinematográfica da obra de Camilo Castelo Branco, dirigida por Manoel de Oliveira (Portugal, 1979).

Regenerado, o jovem de 17 anos deseja se casar com a amada, de 15, mas o pai dela proíbe o relacionamento. Diante disso, só restam a Teresa duas alternativas: casar-se contra a vontade com o primo Baltasar Coutinho ou ir para o convento de Monchique. Separados, os jovens se correspondem clandestinamente. Para isso, são auxiliados por uma mendiga e pela jovem Mariana, filha do modesto ferreiro João da Cruz e também apaixonada por Simão.

Assassinato, suicídio, fidelidade e honra extremas, doenças de amor, degredo são os ingredientes que popularizaram *Amor de perdição*, novela que levou ao auge a ideia de um sentimento amoroso que a todos destrói. Você lerá um trecho dessa obra na seção **Atividades** deste capítulo.

Além de *Amor de perdição*, destacam-se, na vasta produção de Camilo, a novela histórica *O judeu* (1866), a novela satírica *A queda dum anjo* (1886) e, principalmente, as novelas passionais *Carlota Ângela* (1858), *Estrelas funestas* (1862), *Amor de salvação* (1864) e *A doida do Candal* (1867). O autor escreveu, ainda, romances como *Eusébio Macário* (1879), em diálogo com o Realismo/Naturalismo, movimento que sucedeu o Romantismo.

O terceiro momento romântico: pluralidade

A análise da extensa obra escrita por Camilo Castelo Branco mostra que o autor foi um observador atento da sociedade burguesa do século XIX. Paulatinamente, seus romances transitaram do Ultrarromantismo exagerado para as novas tendências que começaram a se prenunciar na Europa da segunda metade do século XIX, constituindo aquilo que mais tarde seria chamado de literatura realista-naturalista. Entretanto, nesse final de movimento, Portugal ainda testemunhou uma produção literária romântica considerável.

Após 1860, esse Romantismo tardio, que corresponde ao terceiro momento do movimento português, caracterizou-se pela pluralidade. Poetas como Pinheiro Chagas, avessos a um novo contexto que surgia, persistiram nas intensidades ultrarromânticas; outros, como João de Deus, desenvolveram uma poesia mais sóbria, comedida e sem excessos, e Júlio Dinis acabou revelando-se uma espécie de precursor do Realismo.

⊙ João de Deus: equilíbrio e resgate

Embora João de Deus (1830-1896) tenha escrito textos em prosa, foi com os versos que o poeta se notabilizou, alcançando prestígio inclusive entre os artistas antirromânticos do Realismo português. Publicou poemas satíricos, mas destacou-se mesmo com sua faceta lírico-amorosa (compilada por Teófilo Braga em 1893, sob o título *Campo de flores*), marcada pela exaltação absoluta do amor, cantado sem os exageros ultrarromânticos. De maneira singular e natural, João de Deus conseguiu resgatar o espírito da tradição lírica medieval trovadoresca lusitana e a poesia lírico-amorosa de Camões, sem perder marcas românticas como a liberdade e a contemplação.

O poema a seguir, "Um beijo", compõe *Flores do campo*, obra com a qual o autor estreou na poesia, em 1869.

NAVEGUE

Leia *Flores do campo*, de João de Deus, acessando <http://www.gutenberg.org/files/27599/27599-h/27599-h.htm>.

Um beijo

Seria o beijo
Que te pedi,
Dize, a razão
(Outra não vejo)
Por que perdi
Tanta afeição?

Fiz mal, confesso;
Mas esse excesso,
Se o cometi,
Foi por paixão,
Sim, por amor
De quem?... de ti!
Tu pensas, flor,
Que a mulher basta
Que seja **casta**,
Unicamente?
Não basta tal.
Cumpre ser boa,
Ser **indulgente**.
Fiz-te algum mal?
Pois bem: perdoa!

É tão suave
Ao coração
Mesmo o perdão
D'ofensa grave!
Se o alcançasse,
Se o conseguisse,
Quisera então
Beijar-te a mão,
Beijar-te a face...
Beijar? que disse!
(Que indiscrição...)
Perdão! perdão!

DEUS, João de. *Flores do campo*. Disponível em: <http://www.gutenberg.org/files/27599/27599-h/27599-h.htm>. Acesso em: 7 ago. 2012.

Casta: pura, inocente.

Indulgente: tolerante, que perdoa.

DEA/G. NIMATALLAH/DE AGOSTINI/GETTY IMAGES/BIRMINGHAM MUSEUMS AND ART GALLERY, INGLATERRA.

BURNE-JONES, Sir Edward. *Rei Cophetua e a jovem mendiga*. Século XIX. Aquarela, 296 × 40 cm. Em sua poesia, João de Deus resgata a Idade Média das cantigas de amor, dedicadas a donzelas inatingíveis como a representada no quadro.

Responda no caderno às questões propostas.

1 Releia o texto (se possível, em voz alta) com um colega e em seguida:
a) faça um estudo da forma do poema.
b) estabeleça uma relação entre a forma do poema e seu conteúdo.

2 O poema é organizado a partir de perguntas que o eu lírico faz à amada, seguidas de respostas dadas por ele mesmo. Analise as respostas e explique com que intenção o eu lírico adota esse procedimento.

3 Sabendo que, na terceira estrofe do poema, há uma quebra com o paralelismo que caracterizou as duas primeiras estâncias, explique:
a) em que consiste essa quebra.
b) qual a função expressiva desse recurso.

4 Para garantir a progressão textual, há no poema perguntas e respostas, seguidas, na terceira estrofe, de uma afirmação e de seis versos finais que estabelecem certa circularidade temática, responsável pela graça do texto. Por meio dos versos, conseguimos inferir por que a amada castiga o eu lírico e se recusa a perdoá-lo. Explique essa afirmação.

De forma espontânea, o poema "Um beijo", de João de Deus, resgata a tradição dos trovadores medievais lusitanos. Além de trabalhar com paralelismos, versos marcados pela musicalidade, sofrimento do eu lírico (*coita de amor*), valores como a castidade feminina e a ideia de uma mulher superior que tem o poder de perdoar ou de desprezar o amante, o poeta insere em seus versos elementos "modernos" (em meio ao tom medievalista): a sensualidade, garantida pelas reticências no final do poema, e o humor.

NAVEGUE

Ouça Marisa Monte, cantando o ato amoroso de beijar, em "Beija eu": <http://www.marisamonte.com.br/pt/musica/mais/letra/beija-eu>.

⊙ Júlio Dinis: o retorno ao campo

Mesmo acometido pela doença do "Mal do século", a tuberculose, Júlio Dinis — pseudônimo de Joaquim Guilherme Gomes Coelho (1839-1871) — conseguiu dedicar-se ao teatro, à crítica literária, à poesia, ao conto e ao romance no curto espaço de tempo em que viveu.

Dinis destacou-se na produção de romances de temática amorosa, a exemplo de Camilo Castelo Branco e de outros autores oitocentistas. Com exceção de *Uma família inglesa* (1868), todos os outros romances do autor têm como espaço o campo. Influenciado por Horácio e Rousseau, ele insere em suas narrativas uma Natureza intocada pelo homem, em meio à qual personagens vivem uma existência calma, sem grandes ambições. É nessa paisagem que se desenvolvem casos de amor de todo tipo, sem, entretanto, os exageros típicos do Ultrarromantismo camiliano. O amor, nos romances de Júlio Dinis, não desencadeia desespero e morte; ao contrário, é mostrado de forma espontânea e pura, vivido por personagens que se guiam por princípios morais e éticos.

Investigue em Filosofia

De que maneira os filósofos Horácio e Rousseau abordam a natureza em suas obras?

Atento observador da realidade que o cerca, Dinis mostra-se romântico quando concebe a mulher como um ser pleno de virtudes, capaz de transformar os homens à sua volta. Nesse sentido, sua literatura, ao acreditar na melhora dos seres humanos, busca "ensinar" os leitores, daí a crítica atribuir aos romances desse autor um caráter pedagógico.

Entre as produções de Júlio Dinis, destacam-se os romances *A morgadinha dos canaviais* (1868), publicado originalmente em folhetim no *Diário do Porto*, e *As pupilas do senhor reitor* (1867), sua obra mais popular.

As pupilas do senhor reitor: um romance de aldeia

Em *As pupilas do senhor reitor*, narra-se a história do lavrador José das Dornas e de seus dois filhos, Pedro e Daniel, homens de temperamentos opostos. Enquanto o primeiro, o filho mais velho, parece talhado para a vida rústica do campo, o segundo mostra-se, desde pequeno, uma figura muito frágil. O reitor (padre) aconselha o pai deles a enviar Daniel à cidade para estudar Medicina. Com o passar dos anos, Pedro torna-se noivo de Clara e algo inusitado ocorre. Daniel retorna para o campo e envolve-se com a noiva do irmão, motivando comentários maldosos na aldeia e uma série de confusões. Margarida, irmã de Clara e ex-namorada de Daniel, e o reitor intervêm e resolvem o caso. Depois de idas e vindas, em um final feliz tipicamente romântico, Pedro casa-se com Clara, e Daniel, com Margarida. No fragmento a seguir, retirado do capítulo I, o narrador, em 3ª pessoa, apresenta os personagens José das Dornas, Pedro, Daniel e o reitor.

José das Dornas era um lavrador **abastado**, sadio e de uma tão feliz disposição de gênio, que tudo levava a rir; mas desse rir natural, sincero e despreocupado, que lhe fazia bem, e não do rir forçado, desconsolador, que é mil vezes pior do que o chorar.

[...] Apesar dos seus sessenta anos, desafiava em robustez e atividade qualquer rapaz de vinte. Era-lhe familiar o canto matinal do galo, e o amanhecer já não tinha para ele segredos não revelados. O sol encontrava-o sempre de pé, e em pé o deixava ao esconder-se.

Estas qualidades, juntas a uma longa experiência adquirida à custa de muito sol e muita chuva em campo descoberto, faziam dele um lavrador **consumado**, o que, diga-se a verdade, era confessado por todos, sem esforço de **malquerenças** e **murmurações**.

Abastado: rico, bem de vida.
Consumado: experiente.
Malquerenças: inimizades.
Murmurações: falatório.

[...]

Como homem de família, não havia também que pôr a boca em José das Dornas. Em perfeita e exemplar harmonia vivera vinte anos com sua mulher, e então, como depois que viuvara, manifestou sempre pelos filhos uma **solicitude**, não revelada por meiguices — que lhe não estavam no gênio — mas que, nas ocasiões, se denunciava por sacrifícios de fazerem hesitar os mais extremosos.

Eram dois estes filhos — Pedro e Daniel. Pedro, que era o mais velho, não podia negar a paternidade. Ver o pai era vê-lo a ele; a mesma expressão de franqueza no rosto, a mesma robustez de **compleição**, a mesma excelência de musculatura, o mesmo tipo, apenas um pouco mais elegante, porque a idade não viera ainda exagerar a curvatura de certos contornos e ampliar-lhe as dimensões transversais, como já no pai acontecia. Conservava-se ainda correto aquele vivo exemplar do Hércules escultural.

Pedro era, de fato, o tipo de beleza masculina, como a compreendiam os antigos. O gosto moderno tem-se modificado, ao que parece, exigindo nos seus tipos de adoção o que quer que seja de franzino e delicado, que não foi por certo o característico dos mais perfeitos homens de outras eras.

A organização talhara Pedro para a vida de lavrador, e parecia apontá-lo para suceder ao pai no **amanho** das terras e na direção dos trabalhos agrícolas.

[...]

Daniel já tinha condições físicas e morais muito diferentes. Era o avesso do irmão e por isso incapaz de tomar o mesmo rumo de vida.

Possuía uma constituição quase de mulher. Era alvo e louro, de voz efeminada, mãos estreitas e saúde vacilante.

O sangue materno girava-lhe mais abundante nas veias, do que o sangue cheio de força e vida, ao qual José das Dornas e Pedro deviam aquela invejável construção.

Votar Daniel à vida dos campos seria sacrificá-lo. Apertava-se o coração do pobre pai, ao lembrar-se que os sóis ardentes de julho ou os tufões regelados de dezembro haviam de encontrar sem abrigo aquela **débil** criança, que mais se dissera nascida e criada em berços almofadados e sob cortinados de **cambraia**, do que no leito de pinho e na grosseira **enxerga** aldeã.

E desde então, desde que pensou nisto, uma ideia fixa principiou a **laborar** no cérebro daquele pai extremoso e a **monopolizar**-lhe as poucas horas que o trabalho não absorvia.

De vez em quando o encontravam os amigos deveras preocupado, o que, sendo nele para estranhar, excitava curiosidades e receio e desafiava interrogações.

O reitor foi um dos que mais se importou com a preocupação do nosso homem.

Era este reitor um padre velho e dado, que há muito conseguira na paróquia transformar em amigos todos os **fregueses**. [...]

DINIS, Júlio. *As pupilas do senhor reitor*. Rio de Janeiro: Ediouro; São Paulo: Publifolha, 1997. p. 13-15. (Biblioteca Folha; 11). (Fragmento).

BEATRIZ ALBUQUERQUE/ABRIL COMUNICAÇÕES S/A

A atriz Luciana Braga, em cena da novela *As pupilas do senhor reitor*, produzida em 1994 pelo SBT.

NAVEGUE

Leia, na íntegra, *As pupilas do senhor reitor*: <http://www.dominiopublico.gov.br/download/texto/ua00148a.pdf>.

Solicitude: zelo, dedicação.
Compleição: constituição física.
Amanho: cultivo, lavragem.
Débil: frágil.
Cambraia: tecido de algodão ou de linho.
Enxerga: cama pobre, rústica.
Laborar: trabalhar.
Monopolizar: ocupar.
Fregueses: paroquianos.

Responda oralmente à questão a seguir.

- Uma das inovações da obra *As pupilas do senhor reitor* é a objetividade, em que o narrador limita-se a relatar sua história, sem grandes interferências e juízos de valor. Apesar dessa inovação em relação à típica literatura romântica, o autor dialoga com determinados padrões bem rígidos de sua época. Explique essa afirmação.

Atividades: Entre textos

Você lerá a seguir um trecho de *Amor de perdição*, de Camilo Castelo Branco, e logo depois um fragmento da cena V do primeiro ato de *Romeu e Julieta*, de Shakespeare.

A peça foi encenada pela primeira vez em 1594 por um elenco masculino.

Texto 1

No trecho da novela de Camilo Castelo Branco, narra-se a surpreendente mudança por que passou Simão Botelho depois de apaixonar-se por Teresa de Albuquerque. Atente para a linguagem simples, para a posição que assume o narrador e para a descrição do amor de Simão por Teresa.

[...]

No espaço de três meses fez-se maravilhosa mudança nos costumes de Simão. As companhias da ralé desprezou-as. Saía de casa raras vezes, ou só, ou com a irmã mais nova, sua predileta. O campo, as árvores e os sítios mais sombrios e **ermos** eram o seu recreio. Nas doces noites de estio demorava-se por fora até ao **repontar da alva**. Aqueles que assim o viam admiravam-lhe o ar **cismador** e o recolhimento que o sequestrava da vida vulgar. Em casa encerrava-se no seu quarto, e saía quando o chamavam para a mesa.

D. Rita pasmava da **transfiguração**, e o marido, bem convencido dela, ao fim de cinco meses, consentiu que seu filho lhe dirigisse a palavra.

Simão Botelho amava. Aí está uma palavra única, explicando o que parecia absurda reforma aos dezessete anos.

Amava Simão uma sua vizinha, menina de quinze anos, rica herdeira, regularmente bonita e bem-nascida. Da janela do seu quarto é que ele a vira pela primeira vez, para amá-la sempre. Não ficara ela **incólume** da ferida que fizera no coração do vizinho: amou-o também, e com mais seriedade que a usual nos seus anos.

Os poetas cansam-nos a paciência a falarem do amor da mulher aos quinze anos, como paixão perigosa, única e inflexível. Alguns prosadores de romances dizem o mesmo. Enganam-se ambos.

O amor dos quinze anos é uma brincadeira; é a última manifestação do amor às bonecas; é a tentativa da avezinha que ensaia o voo fora do ninho, sempre com os olhos fitos na ave-mãe, que a está de fronte próxima chamando: tanto sabe a primeira o que é amar muito, como a segunda o que é voar para longe.

Teresa de Albuquerque devia ser, porventura, uma exceção no seu amor.

O **magistrado** e sua família eram odiosos ao pai de Teresa, por motivo de **litígios**, em que Domingos Botelho lhe deu sentenças contra. Afora isso, ainda no ano anterior dois criados de Tadeu de Albuquerque tinham sido feridos na celebrada pancadaria da fonte. É, pois, evidente que o amor de Teresa, declinando de si o dever de **obtemperar** e sacrificar-se ao justo azedume de seu pai, era verdadeiro e forte.

E este amor era singularmente discreto e cauteloso. Viram-se e falaram-se três meses, sem darem rebate à vizinhança e nem sequer suspeitas às duas famílias. O destino que ambos se prometiam era o mais honesto: ele ia formar-se para poder sustentá-la, se não tivessem outros recursos; ela esperava que seu velho pai falecesse para, senhora sua, lhe dar, com o coração, o seu grande patrimônio.

Espanta discrição tamanha na índole de Simão Botelho, e na presumível ignorância de Teresa em coisas materiais da vida, como são um patrimônio!

Ermos: desertos.

Repontar da alva: amanhecer.

Cismador: pensativo.

Transfiguração: mudança.

Incólume: livre, ilesa, intocada.

Magistrado: autoridade judiciária; juiz.

Litígios: ações judiciais relacionadas a conflitos de interesse.

Obtemperar: argumentar com humildade e moderação.

Na véspera da sua ida para Coimbra, estava Simão Botelho despedindo-se da suspirosa menina, quando subitamente ela foi arrancada da janela. O alucinado moço ouviu gemidos daquela voz que, um momento antes, soluçava comovida por lágrimas de saudade. Ferveu-lhe o sangue na cabeça; contorceu-se no seu quarto como o tigre contra as grades inflexíveis da jaula. Teve tentações de se matar, na impotência de socorrê-la. As restantes horas daquela noite passou--as em raivas e projetos de vingança. Com o amanhecer esfriou-lhe o sangue, e renasceu a esperança com os cálculos.

IMAGES.COM/CORBIS/LATINSTOCK

Quando o chamaram para partir para Coimbra, lançou-se do leito de tal modo transfigurado, que sua mãe, avisada do rosto amargurado dele, foi ao quarto interrogá-lo e **despersuadi-lo** de ir enquanto assim estivesse febril. Simão, porém, entre mil projetos, achara melhor o de ir para Coimbra, esperar lá notícias de Teresa, e vir a ocultar a Viseu falar com ela. Ajuizadamente discorrera ele; que a sua demora agravaria a situação de Teresa.

Descera o **acadêmico** ao pátio, depois de abraçar a mãe e irmãs, e beijar a mão do pai, que para esta hora reservara uma **admoestação** severa, a ponto de lhe asseverar que de todo o abandonaria se ele caísse em novas extravagâncias.

Quando metia o pé no **estribo**, viu a seu lado uma velha mendiga, estendeu-lhe a mão aberta como quem pede esmola, e, na palma da mão, um pequeno papel.

Sobressaltou-se o moço; e, a poucos passos distante de sua casa, leu estas linhas:

"Meu pai diz que me vai **encerrar** num convento por tua causa. Sofrerei tudo por amor de ti. Não me esqueças tu, e achar-me-ás no convento, ou no céu, sempre tua do coração, e sempre leal. Parte para Coimbra. Lá irão dar as minhas cartas; e na primeira te direi em que nome hás de responder à tua pobre Teresa".

A mudança do estudante maravilhou a **academia**. Se o não viam nas aulas, em parte nenhuma o viam. [...]. Estudava com fervor, como quem já dali formava as bases do futuro renome e da posição por ele merecida, bastante a sustentar dignamente a esposa. A ninguém confiava o seu segredo, senão às cartas que enviava a Teresa, longas cartas em que folgava o espírito da tarefa da ciência. A apaixonada menina escrevia-lhe **a miúdo**, e já dizia que a ameaça do convento fora mero terror de que já não tinha medo, porque seu pai não podia viver sem ela.

Isto **afervorou**-lhe para mais o amor ao estudo. Simão, chamado em pontos difíceis das matérias do primeiro ano, tal conta deu de si, que os **lentes** e os **condiscípulos** o houveram como primeiro premiado.

A este tempo, Manuel Botelho, cadete em Bragança, destacado no Porto, licenciou-se para estudar na Universidade as matemáticas. Animou-o a notícia do reviramento que se dera em seu irmão. Foi viver com ele; achou-o quieto, mas **alheado** numa ideia que o tornava **misantropo** e intratável noutro gênero. Pouco tempo conviveram, sendo a causa da separação um desgraçado amor de Manuel Botelho a uma **açoriana** casada com um acadêmico. A esposa apaixonada perdeu-se nas ilusões do cego amante. Deixou o marido e fugiu com ele para Lisboa, e daí para Espanha. Em outro relanço desta narrativa darei conta do remate deste episódio.

No mês de fevereiro de 1803 recebeu Simão Botelho uma carta de Teresa.

No seguinte capítulo se diz minuciosamente a peripécia que forçara a filha de Tadeu de Albuquerque a escrever aquela carta de **pungentíssima** surpresa para o acadêmico, convertido aos deveres, à honra, à sociedade e a Deus pelo amor.

CASTELO BRANCO, Camilo. *Amor de perdição*. Rio de Janeiro: Ediouro; São Paulo: Publifolha, 1997. p. 28-30. (Fragmento). (Biblioteca Folha; 8).

Despersuadi-lo: fazê-lo desistir.

Acadêmico: estudante universitário.

Admoestação: advertência, reprimenda.

Estribo: instrumento usado como apoio para o pé do cavaleiro.

Encerrar: trancar, prender.

Academia: universidade.

A miúdo: com frequência.

Afervorou: intensificou.

Lentes: professores.

Condiscípulos: companheiros de estudos; colegas.

Alheado: absorto em pensamentos.

Misantropo: sem vida social; solitário; melancólico.

Açoriana: mulher nascida no arquipélago português dos Açores.

Pungentíssima: muito comovente.

Registre suas respostas no caderno.

1 Releia o trecho a seguir.

"No espaço de três meses fez-se maravilhosa mudança nos costumes de Simão. As companhias da ralé desprezou-as. Saía de casa raras vezes, ou só, ou com a irmã mais nova, sua predileta. O campo, as árvores e os sítios mais sombrios e ermos eram o seu recreio. Nas doces noites de estio demorava-se por fora até ao repontar da alva. Aqueles que assim o viam admiravam-lhe o ar cismador e o recolhimento que o sequestrava da vida vulgar. Em casa encerrava-se no quarto, e saía quando o chamavam para a mesa."

a) Explique a razão da "maravilhosa mudança nos costumes de Simão".

b) Relacione o motivo da "absurda reforma aos dezessete anos", de Simão Botelho, ao projeto literário dos autores românticos.

2 Você estudou neste capítulo que o excelente manejo da língua portuguesa e o tipo de narrador criado por Camilo Castelo Branco contribuíram para sua popularidade e para a sedução de seus inúmeros leitores e, principalmente, leitoras do século XIX.

a) Essa afirmação se aplica ao trecho lido? Justifique sua resposta.

b) Em sua opinião, essas estratégias continuam a seduzir os leitores do século XXI, como você?

3 O narrador que faz o relato em *Amor de perdição* apresenta, ao longo do texto, elementos que o identificam com os valores típicos da classe burguesa, principal leitora das novelas de Camilo Castelo Branco. Você concorda com essa afirmação ou discorda dela? Justifique sua resposta recorrendo a fragmentos do texto.

4 Como já vimos, em uma novela há diversas células dramáticas que, juntas, compõem um todo ligado à unidade de ação central. No capítulo transcrito, apresenta-se uma dessas células e anuncia-se que ela será explorada em outra oportunidade.

a) Identifique essa célula.

b) Mesmo não tendo lido o livro todo, é possível inferir que importância a célula dramática tem para a construção de um universo coeso e uno. Explique essa afirmação.

Texto 2

Na cena de *Romeu e Julieta* apresentada a seguir, os protagonistas se veem pela primeira vez em um baile de máscaras e se apaixonam perdidamente.

Várias são as histórias inspiradas nesse drama shakespeariano. No cinema brasileiro, destaca-se o filme *Era uma vez*, de Breno Silveira.

Cena V — Um salão na casa de Capuleto. Músicos estão esperando. [...]

Entram CAPULETO e companhia, com os Convidados e os Mascarados.

CAPULETO — Bem-vindos, cavalheiros! As damas que têm seus dedinhos dos pés livres de calos vão dançar com os senhores. — Ah, minhas senhoras! Qual de vós irá agora negar-se a dar uma volta pelo salão? [...] Bem-vindos, cavalheiros! Já se foram os dias em que eu podia usar uma máscara e sussurrar uma história qualquer aos ouvidos de uma linda dama, uma história que agradasse. Mas esse tempo já se foi. Se foi. Sois bem-vindos, cavalheiros. Vamos lá, meus músicos, toquem. Para o meio do salão, abram espaço, façam espaço! Senhoritas, agora é dançar!

(Toca-se a música, e eles dançam.)

[...]

ROMEU — Que dama é aquela que enfeita a mão daquele cavalheiro?

CRIADO — Não sei, senhor.

ROMEU — Ah, ela ensina as tochas a brilhar! Parece estar suspensa na face da noite, tal qual joia rara na orelha de uma etíope; beleza incalculável, cara demais para ser usada, por demais preciosa para uso terreno! Assim como se apresenta alva pomba em meio a gralhas, apresenta-se aquela dama em meio a suas amigas. Depois desta dança, verifico onde ela se posiciona, e terei sua mão sobre minha rude mão, que será assim abençoada. Meu coração amou antes de agora? Esta visão rejeita tal pensamento, pois nunca tinha eu visto a verdadeira beleza antes.

FREDERIC JEAN/FOLHAPRESS

Inspirado em Guimarães Rosa o grupo teatral mineiro Galpão fez sua versão da história de amor mais conhecida de todos os tempos: *Romeu e Julieta*. (Foto de 1996.)

TEOBALDO — Esse, pela voz, deve ser um Montéquio. Busca meu espadim, rapaz. — Como ousa, esse escravo, vir até aqui, escondido atrás dessa máscara estúpida, para rir e debochar de nossa festividade? Ora, pela estirpe e pela honra de minha família, matá-lo hoje não há de ser pecado.

CAPULETO — Meu parente! Aonde vais, e por que tão agitado?

TEOBALDO — Meu tio, esse é um Montéquio, nosso inimigo; um bandido, que aqui veio por despeito, para rir desta noite, para debochar de nossa festividade?

CAPULETO — Não é o jovem Romeu?

TEOBALDO — Ele mesmo, o bandido, Romeu.

CAPULETO — Contém tua fúria, gentil primo, e deixa-o em paz. Ele está portando como um perfeito cavalheiro, e, para dizer a verdade, Verona gaba-se dele, por ser jovem cheio de virtudes e bom senso. Nem por toda riqueza da cidade ia querer eu que ele fosse insultado aqui em minha casa. Portanto, peço-te paciência: ignora-o. Esta é minha vontade; se vais respeitá-la, mostra-te cortês e desenruga a testa, pois tua fisionomia assim não combina com uma festa.

TEOBALDO — Combina quando um bandido é um dos convidados; não vou aturá-lo aqui.

CAPULETO — Mas ele vai ser aturado aqui. Ora, por favor, meu rapaz! Eu estou mandando. Põe-te no teu lugar: o amo aqui sou eu ou és tu? Põe-te no teu lugar. Pois sim que não vais aturá-lo aqui! — Que Deus me ajude, criarias um motim entre meus convidados! Queres dar uma de galo? Não sejas presunçoso!

TEOBALDO — Mas, meu tio, esta situação é vergonhosa.

CAPULETO — Pela última vez, põe-te no teu lugar. És um rapaz insolente. Então a situação é vergonhosa, hã? Isso ainda pode te custar caro... Já sei. Precisas me contrariar! Ora, pois então é chegado o momento. — Muito bem dito, amigos! — Não passas de um frangote. Vai-te. Cala-te, ou... — Mais luz, mais luz! — Que vergonha! Sei o que fazer para calar-te. — Ora... Alegria, meus amigos.

TEOBALDO — Paciência forçada, junto com uma cólera obstinada, faz minhas carnes tremerem, dada tamanha ambivalência. Prefiro me retirar. Mas essa invasão, que agora lhe parece divertida e doce, tornar-se-á amarga, puro fel.

(Sai.)

ROMEU — Se com minha mão indigna profano este rico santuário, é esta a gentil multa que me disponho a pagar:

(Dirigindo-se a Julieta.)

Meus lábios, dois envergonhados peregrinos, encontram-se prontos para suavizar esse toque rude com um beijo terno.

JULIETA — Bom peregrino, subestimas tua mão e a ela não fazes jus, que assim demonstrou respeitosa devoção. Pois os santos têm mãos que se deixam tocar pelas mãos dos peregrinos, e o beijo do romeiro dá-se palma com palma.

ROMEU — Mas os santos têm lábios, os romeiros também.

JULIETA — Sim, peregrino, lábios que eles devem usar.

ROMEU — Ah, então, minha santa criatura, permite que os lábios façam o que as mãos fazem; tens de concordar comigo em que elas se unem em prece, para que a fé não se transforme em desespero.

JULIETA — Os santos não se movem, tens de concordar comigo, em consideração aos fiéis.

ROMEU — Então não te movas enquanto minha prece eu executo. Assim desde meus lábios, através dos teus, meu pecado é absolvido.

(Beijando-a.)

JULIETA — Então meus lábios agora têm o pecado que tiraram de ti.

ROMEU — Pecado tirado de meus lábios? Ah, violação com doçura instigada. Devolve a mim meu pecado.

JULIETA — Beijas tão bem!

AMA — Senhorita, sua mãe gostaria de ter uma palavrinha consigo.

ROMEU — Quem é a mãe dela?

AMA — Ora, meu rapaz, a mãe dela é a dona da casa, e uma grande dama, sábia e virtuosa. Quanto a mim, amamentei-lhe a filha, essa com quem conversavas. E digo mais: aquele que conseguir agarrá-la enche os bolsos de metal sonante.

ROMEU — Ela é uma Capuleto? Que preço alto a pagar! Agora minha vida é dívida que tenho com meu inimigo.

BENVÓLIO — Embora, vamos andando; a festa está no auge.

ROMEU — Sim, é isso que temo: o mais é meu desassossego.

[...]

(Saem todos, menos JULIETA e a AMA.)

JULIETA — Vem cá, ama. Quem é aquele cavalheiro?

AMA — O filho e herdeiro do velho Tibério.

JULIETA — E quem é aquele que agora está saindo?

AMA — Ora, aquele acho que o jovem Petrúquio.

JULIETA — E aquele que segue mais atrás, aquele que não dançou?

AMA — Não sei.

JULIETA — Vai, pergunta-lhe o nome. Se for casado, meu leito de núpcias será meu túmulo.

AMA — Seu nome é Romeu, e é um Montéquio: filho único de seu grande inimigo.

JULIETA — Meu único amor, nascido de meu único ódio! Cedo demais o vi, ignorando-lhe o nome, e tarde demais fiquei sabendo quem é. Monstruoso para mim é o nascedouro desse amor, que me faz amar tão odiado inimigo.

COURTESY OF JULIAN HARTNOLL/THE BRIDGEMAN ART LIBRARY/ GRUPO KEYSTONE - PRIVATE COLLECTION, EUA

WILLIAM, John. *Julieta*. 1898. Óleo sobre tela, 46,5 × 70 cm.

AMA — Mas o que é isso? O que é isso?

JULIETA — Um poema que aprendi agora há pouco, com um rapaz com quem estive dançando.

(Alguém de dentro chama "Julieta!")

AMA — Num instante! Já vamos. — Vamos embora. As visitas já se foram.

(Saem.)

(Entra o Coro.)

CORO — Agora o antigo desejo em seu leito de morte jaz, e a nova afeição já se oferece para ocupar seu lugar. Aquela beleza por quem padecia o jovem amoroso, por quem ele se dispunha a morrer, agora nem mesmo bela lhe parece quando comparada a Julieta. Agora Romeu é amado e ama mais uma vez, enfeitiçados os dois pelo encanto da beleza de suas juventudes. Mas à sua suposta inimiga ele vai se queixar; e ela vai morder a doce isca do amor de terríveis anzóis. Tido como inimigo, a ele está interditado sussurrar as juras que os amantes costumam trocar; e ela, tão apaixonada quanto ele, também não encontra meios de encontrar seu novo amado, fosse onde fosse. Mas a paixão lhes dá forças, e eles encontram o tempo para temperar extremo amargor com extrema doçura.

(Saem.)

SHAKESPEARE, William. *Romeu e Julieta*. Trad. Beatriz Viégas-Faria. Porto Alegre: L&PM, 1998. p. 37-45. (Coleção L&PM Pocket). (Fragmento).

5 No início da peça *Romeu e Julieta*, ficamos sabendo que Romeu é apaixonado por Rosalinda. A cena que você leu mostra que os sentimentos do personagem mudam assim que ele vê Julieta pela primeira vez no baile. Que atributos Romeu relaciona a Julieta e que evidenciam que ela é uma moça especial?

6 Que reação tem Julieta quando vê Romeu?

7 A abordagem que Shakespeare faz do amor em *Romeu e Julieta* pode explicar por que os românticos retomaram a dramaturgia desse autor inglês no século XIX. Você concorda com essa afirmativa? Por quê?

8 Que elementos aproximam e distanciam os textos que você leu?

Investigue em Arte

Em que momento da história do teatro a personagem Julieta passou a ser interpretada por uma atriz?

O QUE VOCÊ APRENDEU NO PERCURSO DESTE CAPÍTULO

- O Ultrarromantismo português caracterizou-se pela supremacia do amor, morbidez de inspiração byronista, ambientes medievais, tédio, melancolia, presença do fúnebre e morte.
- O artista mais importante do segundo momento romântico português é Camilo Castelo Branco, mestre das novelas passionais urbanas, centradas nos temas: amor impossível, ódio, remorso, vingança, interesses financeiros, poder monetário e exploração dos mais fracos.
- No terceiro momento romântico português, destacaram-se João de Deus, com sua poesia comedida e sem excessos, e Júlio Dinis, romancista precursor do Realismo.
- João de Deus resgatou as cantigas trovadorescas medievais e a poesia lírico-amorosa de Camões para cantar um amor sem os exageros ultrarromânticos.
- Júlio Dinis, considerado um autor de transição, destacou-se na produção de romances de temática amorosa ambientados no campo.

Expressões

Nesta unidade, iniciamos o estudo sobre o movimento em que o "eu" se transforma em senhor absoluto: o Romantismo. Agora, propomos que você, como um romântico, se expresse escrevendo uma carta de amor rasgado! Antes, conheça a campanha do jornalista Xico Sá.

http://xicosa.folha.blog.uol.com.br/arch2011-07-24_2011-07-30.html

PAULO MANZI

Campanha permanente pela carta de amor

THE MARVELETTES: GILLES PETARD/REDFERNS/GETTY IMAGES; CAPA: REPRODUÇÃO/GRT COLLECTION; DISCO: TAMLA/BRIANBERT

The Marvelettes, grupo vocal norte-americano, formado na década de 1960, o primeiro a gravar a canção "Please, Mr. Postman".

Amy morreu e nós, os muito românticos, não estamos passando muito bem.

A próxima vítima é a letra de mão. A caligrafia. Nos EUA, caminha para o fim. Pelo menos nas escolas já é quase uma defunta. [...]

Não, não me venha com essa de velho nostálgico. A parada é outra. Não confunda nostalgia com romantismo.

A defesa, nesta taverna virtual, é a do discurso amoroso. Seja escrito no *tablet* ou no papiro.

Mas... como o carteiro acaba de me entregar uma **missiva** escrita à mão de moça, com direito a beijo de batom junto da assinatura — que boca grande e linda, meu Deus! — não posso deixar de repetir, ***ad infinitum***, uma das minhas campanhas permanentes.

Ô, ***mr. Postman***, pela volta da carta de amor. Urgentemente. A carta escrita à mão, com local de origem, data, saudações, motivos, papel fininho e pautado.

Amy: Amy Winehouse, cantora britânica morta em 2011.

Missiva: carta.

Ad infinitum: do latim, "até o infinito".

Mr. Postman: referência à canção "Please, Mr. Postman".

Debruce a munheca sobre o papiro e faça da tinta da caneta o seu próprio sangue. Agora.

Não temas a breguice, o romantismo, como já disse o velho **Pessoa**, travestido de **Álvaro de Campos**, todas cartas de amor são ridículas, e não seriam de amor se ridículas não fossem.

A carta, mesmo com todas as modernidades e invencionices, ainda é o melhor veículo para declarar-se, comunicar afinidades e iniciar um feitio de orações. O meio é a mensagem.

O que você está esperando, vá ali na esquina, compre um belo papel e envelopes, e se devote.

Se tiver alguma **rusga**, peça perdão por escrito, pois perdão por escrito vale como documento de cartório.

Se o namoro ainda não tiver começado, largue a mão dessas cantadas baratas e curtições *facebookianas* e atire a garrafa aos mares.

Uma boa carta de amor é irresistível. Vale até copiar aqueles modelos que vêm nos livros. Sele o envelope com a língua, como nas antigas, lamba os selos com devoção, esse pré-beijo de todos os lábios da futura amada.

[...]

Escrito por Xico Sá às 11h20.

http://xicosa.folha.blog.uol.com.br/arch2011-07-24_2011-07-30.html

PAULO MANZI

Pessoa: Fernando Pessoa, poeta português.

Álvaro de Campos: uma das personalidades poéticas de Pessoa.

Rusga: briga.

Participe da campanha de Xico Sá e escreva a sua carta de amor. Capriche na apresentação, na "intensidade" e, se for possível, entregue-a ao destinatário.

Aqui vão algumas "dicas" sobre a estrutura da carta pessoal:

- faça um rascunho do seu texto;
- indique o lugar e a data;
- lembre-se do vocativo e das saudações de despedida;
- promova a interlocução no decorrer da mensagem;
- verifique se o texto não apresenta problemas de ortografia, concordância ou pontuação;
- assine sua correspondência.

ALFREDO DAGLI ORTI/THE ART ARCHIVE/CORBIS/LATINSTOCK – PINACOTECA DI BRERA, MILÃO, ITÁLIA

HAYEZ, Francesco. *O beijo*. 1859. Óleo sobre tela, 110 × 88 cm.

ERICH LESSING/ALBUM ART/LATINSTOCK – GALERIE IM BELVEDERE, VIENA, ÁUSTRIA

KLIMT, Gustave. *O beijo*. 1907-8. Óleo sobre tela, 180 × 180 cm.

Leitura puxa leitura

Comece sua leitura por:

Os sofrimentos do jovem Werther (1774), de Johann W. Goethe

Por que ler: Representante da estética do *Sturm und Drang*, o romance é organizado a partir das cartas enviadas por Werther a um amigo. O jovem remetente está perdidamente apaixonado por Lotte. Comova-se com uma obra que é considerada o primeiro *best-seller* da literatura ocidental.

Frankenstein (1818), de Mary Shelley

Por que ler: Além do grotesco, a relação entre criatura e criador é um destaque desse clássico que dialoga com a religião (criação do homem), a mitologia (mito de Prometeu), além de propor uma discussão sobre a ética.

REPRODUÇÃO

Minha amada imortal (1994), de Bernard Rose

Por que assistir: Inspirado na vida e na obra de Beethoven, um dos maiores gênios musicais do Romantismo, o filme apresenta alguns aspectos fundamentais da estética oitocentista.

Obras de Lord Byron

Por que ler: Para conhecer a obra poética de um dos autores mais importantes e influentes da literatura romântica mundial.

Romeu e Julieta (1597), de William Shakespeare

Por que ler: A paixão e a tragédia amorosa do jovem casal apresentadas por Shakespeare acabou se tornando um ícone do imaginário romântico e sua estética.

Greatest hits (2001), de The Cure

Por que ouvir: Expoente do *rock* gótico, a banda inglesa é conhecida por canções com sujeitos poéticos de alma atormentada e emoções transbordantes, características tipicamente românticas.

Edward, mãos de tesoura (1990), de Tim Burton

Por que assistir: Nesse filme, Edward é uma criatura grotesca, charmosa e solitária. Extremamente inocente, ele terá de se submeter à preconceituosa opinião humana.

Contos de Edgar Allan Poe

Por que ler: Um dos grandes autores norte-americanos do século XIX, Poe se destacou por suas narrativas cheias de tensão, terror e suspense.

O iluminado (1977), de Stephen King

Por que ler: King é um dos mais importantes autores de terror da literatura contemporânea e esse romance é uma de suas obras-primas.

O iluminado (1980), de Stanley Kubrick

Por que assistir: Ao fazer a adaptação cinematográfica da obra de Stephen King, Kubrick criou um dos maiores clássicos de suspense e terror do cinema.

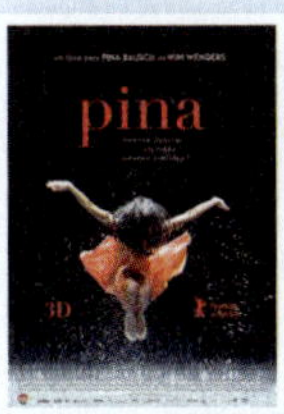

Pina (2011), de Wim Wenders

Por que assistir: Esse documentário homenageia Pina Bausch, coreógrafa alemã cuja obra aborda alguns temas caros aos românticos, como a paixão, o medo e a ânsia relacionados ao amor.

A tempestade (1996), de Legião Urbana

Por que ouvir: Nesse álbum da banda brasiliense, as letras e a sonoridade são marcadas pela introspecção e impregnadas de um lirismo tipicamente romântico.

Los Hermanos (1999), de Los Hermanos

Por que ouvir: Histórias de amor rasgado, traições, juras eternas e amarguras constituem a principal matéria das letras das canções que compõem o disco de estreia da banda carioca.

UNIDADE 7

ROMANTISMO: A REDESCOBERTA DO BRASIL

As fotografias que abrem esta unidade não são apenas retratos de famílias, mas do próprio Brasil, país de muitas cores e tons, de culturas variadas, de línguas e paisagens plurais. Em pleno século das discussões sobre cotas para negros nas universidades, sobre a preservação da cultura indígena, da busca da cidadania europeia por brasileiros descendentes de italianos, portugueses, espanhóis, etc., o tema da identidade nacional não nos parece novidade. Entretanto, há menos de duzentos anos, a discussão acerca do que era ser brasileiro praticamente não existia.

No Brasil, foram os artistas do Romantismo, no contexto da Independência, que buscaram retomar — ainda que de forma idealizada — nossas origens, nossa paisagem, nossa(s) língua(s) portuguesa(s), nossa gente. O Romantismo brasileiro do primeiro momento confunde-se com a própria noção de nacionalismo.

Imagens da exposição *Origem: retratos de família no Brasil* (São Paulo, 2009), de Fifi Tong, fotógrafa gaúcha descendente de chineses. Nesse projeto, a identidade do brasileiro é investigada por meio dos diversos rostos que compõem as famílias de nosso país.

FOTOS: FIFI TONG

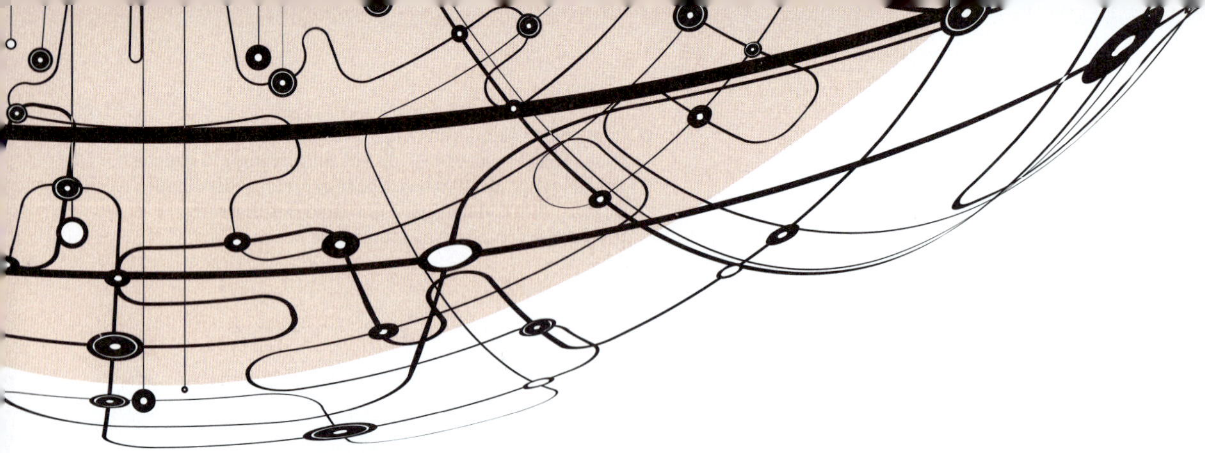

Para início de conversa

O que é ser brasileiro? De que maneira essa identidade se manifesta em você? Muitos são os estereótipos divulgados sobre o Brasil no exterior. Mas, afinal, que marcas são características do nosso povo? Ou você acha que isso não existe?

Leia a letra de canção "Inclassificáveis", de Arnaldo Antunes, e conheça a visão desse artista paulistano sobre o Brasil.

Inclassificáveis

que preto, que branco, que índio o quê?
que branco, que índio, que preto o quê?
que índio, que preto, que branco o quê?

que preto branco índio o quê?
branco índio preto o quê?
índio preto branco o quê?

aqui somos mestiços mulatos
cafuzos pardos mamelucos sararás
crilouros guaranisseis e judárabes

orientupis orientupis
ameriquítalos luso nipo caboclos
orientupis orientupis
iberibárbaros indo ciganagôs

somos o que somos
inclassificáveis

não tem um, tem dois,
não tem dois, tem três,
não tem lei, tem leis,
não tem vez, tem vezes,
não tem deus, tem deuses,

não há sol a sós

aqui somos mestiços mulatos
cafuzos pardos tapuias tupinamboclos
americarataís yorubárbaros

somos o que somos
inclassificáveis

que preto, que branco, que índio o quê?
que branco, que índio, que preto o quê?
que índio, que preto, que branco o quê?

não tem um, tem dois,
não tem dois, tem três,
não tem lei, tem leis,
não tem vez, tem vezes,
não tem deus, tem deuses,
não tem cor, tem cores,

não há sol a sós

egipciganos tupinamboclos
yorubárbaros carataís
caribocarijós orientapuias
mamemulatos tropicaburés
chibarrosados mesticigenados
oxigenados debaixo do sol

ANTUNES, Arnaldo. Inclassificáveis. Disponível em: <http://www.arnaldoantunes.com.br/new/sec_discografia_todas.php>. Acesso em: 23 out. 2012.

Responda às questões no caderno.

1 Além de compositor de canções, Arnaldo Antunes é um importante poeta visual, o que explica sua especial preocupação com a forma de seus textos. Releia "Inclassificáveis" e responda o que chamou sua atenção na composição formal dos versos.

2 Anáfora é uma figura de linguagem que consiste na repetição de uma mesma palavra ou construção no início de períodos, frases, orações ou versos.

a) Transcreva no caderno os versos em que o poeta se vale desse recurso.

b) Que efeito de sentido tem a anáfora no texto?

c) Na primeira estrofe da canção, os substantivos *preto*, *branco* e *índio* aparecem separados por vírgulas. Já na segunda eles são apresentados sem nenhum sinal de pontuação. Relacione esse recurso ao sentido construído na terceira estrofe.

3 Na canção "Inclassificáveis", Arnaldo Antunes cria uma série de neologismos.

a) Cite alguns deles e explique suas origens.

b) Tendo em vista sua visão integral do texto, explique a função dos neologismos para a construção do ponto de vista defendido pelo autor de "Inclassificáveis".

4 Tomando por base os versos que antecedem os monósticos "não há sol a sós", explique a função do jogo sonoro feito pelo poeta em "sol" / "sós" e por que se estabelece uma quebra no paralelismo.

NAVEGUE

Ouça a canção de Arnaldo Antunes, acessando: <http://www.arnaldoantunes.com.br/new/sec_discografia_todas.php?page=3>.

PARA LEMBRAR

Neologismo: criação de palavras novas, ou a atribuição de novos sentidos a palavras já existentes, com a finalidade de satisfazer novas necessidades de expressão.

Monóstico: Estrofe de um único verso.

ProvocAÇÃO

Você concorda com as ideias defendidas na letra da canção? Como brasileiro, você se considera "inclassificável"?

A canção "Inclassificáveis", de Arnaldo Antunes, não separa negros, brancos e índios — matriz clássica da formação do povo brasileiro. Ele prefere conceber o Brasil como um país marcado pela diversidade, em que esses grupos étnicos se fundem para criar novas e ricas composições.

A primeira metade do século XIX apresentou ao mundo um Brasil plural e independente, o que obrigou os brasileiros a repensar sua identidade. Após 1822, com a Independência, o novo país precisava criar-se, estabelecer-se como nação, justificar sua existência — em resumo, inventar-se. A literatura romântica foi decisiva nesse processo.

Nesta unidade, estudaremos o Romantismo, movimento que, assim como na Europa, adquiriu em nosso país muitas faces e formas de expressão.

REPRODUÇÃO

A revista *Niterói* foi um marco importante para o Romantismo.

Marcos literários

O Romantismo brasileiro iniciou-se em 1836, data da publicação de *Suspiros poéticos e saudades*, de Gonçalves de Magalhães, e perdurou até 1881, quando a publicação de *O mulato*, de Aluísio Azevedo, e de *Memórias póstumas de Brás Cubas*, de Machado de Assis, inaugurou o Realismo/Naturalismo.

CAPÍTULO 17

Primeira geração romântica: a busca das origens

PERCURSO DO CAPÍTULO

- A relação entre o Romantismo brasileiro e a Independência
- O indianismo
- A poesia épica de Gonçalves Dias
- A poesia lírica de Gonçalves Dias

Cena do espetáculo *A lenda da Água Grande*, pelo Balé Nacional de Cuba (São Paulo, 2011). Tendo como base uma lenda guarani, o balé conta a história do surgimento das Cataratas do Iguaçu (*i* = água, *guaçu* = grande).

GABO MORALES/FOLHAPRESS

Introdução

Você sabe de que etnias é descendente? Seus ancestrais são negros, índios, brancos? Foi essa pergunta que muitos brasileiros se fizeram na primeira metade do século XIX, no contexto do Romantismo, movimento que teve como pano de fundo a Independência. Neste capítulo, você iniciará os estudos do Romantismo no Brasil, com ênfase na primeira fase dessa escola, período em que o índio foi elevado à categoria de herói.

O texto a seguir é fragmento de uma carta escrita em 1874 pelo cearense José de Alencar (1829-1877). Dirigida ao jornalista e político Joaquim Serra (1838-1888) e publicada posteriormente na obra *O nosso cancioneiro*, a carta é uma resposta de Alencar às críticas que vinha recebendo pelo uso, em seus romances, de uma suposta "língua nacional", considerada inadequada por intelectuais conservadores da época.

[...]

Desde a primeira ocupação que os povoadores do Brasil, e após eles seus descendentes, estão criando por todo este vasto império um vocabulário novo, à proporção das necessidades de sua vida americana, tão outra da vida europeia.

Nós, os escritores nacionais, se quisermos ser entendidos de nosso povo, havemos de falar-lhe em sua língua, com os termos ou locuções que ele entende, e que lhe traduzem os usos e sentimentos.

Não é somente no vocabulário, mas também na sintaxe da língua, que o nosso povo exerce o seu **inauferível** direito de imprimir o cunho de sua individualidade, abrasileirando o instrumento das ideias.

Entre vários exemplos recordo-me agora principalmente de um muito para notar.

Falei-lhe há pouco da excentricidade de certos aumentativos. Usa-se no Ceará um gracioso e especial diminutivo, que talvez seja empregado em outras províncias; mas com certeza se há de generalizar, apenas se vulgarize.

Não permite certamente a rotina **etimológica** aplicar o diminutivo ao verbo. Pois em minha província o povo teve a lembrança de sujeitar o **particípio presente** a esta fórmula gramatical, e criou de tal sorte uma expressão cheia de encanto.

A mãe diz do filho que acalentou ao colo: "Está dormindinho". Que riqueza de expressão nesta frase tão simples e concisa! O mimo e ternura do afeto materno, a delicadeza da criança e sutileza do seu sono de passarinho, até o receio de acordá-la com uma palavra menos doce; tudo aí está nesse diminutivo verbal.

Entretanto, meu ilustre colega, suponha que em algum romance eu empregasse aquele **idiotismo** a meu ver mais elegante do que muita roupa velha com que os puristas **repimpam** suas ideias.

Inauferível: próprio; peculiar.
Etimológica: que trata da origem da palavra.
Particípio presente: um dos três tipos de particípio.
Idiotismo: palavras ou expressões exclusivas de uma língua.
Repimpam: enchem muito, empanturram.

Não faltariam, como de outras vezes tem acontecido, críticos de orelha, que, depois de medido o livro pela sua **bitola**, escrevessem com importância magistral: "Este sujeito não sabe gramática". E têm razão; gramática para eles é a artinha que aprenderam na escola, ou por outra, uma meia dúzia de regras que se afogam nas exceções.

[...]

ALENCAR, José de. O nosso cancioneiro. In: ALENCAR, José de. *Obra completa*. Rio de Janeiro: J. Aguilar, 1960. v. 4. p. 965-966. (Fragmento).

Bitola: largura; formato.

Registre no caderno as respostas às questões a seguir.

1 Em sua carta, Alencar fala em nome de quem?

2 Logo no início, o autor deixa claro que existe uma separação entre a vida americana (no caso, brasileira) e a europeia. Levando isso em consideração, explique a posição defendida por ele na carta.

3 Que exemplo o escritor cearense utiliza para defender o uso da "língua do povo"? Justifique com trechos da carta.

ProvocAÇÃO

Você concorda com a posição de José de Alencar sobre a necessária adequação dos escritores nacionais à "língua do povo"? Discuta com sua turma se há outras palavras ou expressões presentes no cotidiano do povo que sejam ricas como as exemplificadas por Alencar em sua carta.

Em seu texto, José de Alencar deixa transparecer um forte sentimento nacionalista e defende que existe uma identidade específica do povo "americano" que difere em muito da europeia.

Estudaremos a seguir os primórdios do Romantismo no Brasil e sua ligação com o processo de Independência do país, começando pela primeira fase do período nacional, que se estende do Romantismo ao Simbolismo.

O Romantismo e o surgimento de um novo Brasil

O Brasil tinha aproximadamente cinquenta mil habitantes em 1808, quando a família real portuguesa desembarcou no Rio de Janeiro, acompanhada de uma comitiva de cerca de quinze mil pessoas, o que fez duplicar instantaneamente a população da cidade.

A permanência de Dom João VI em terras brasileiras (de 1808 a 1821) teve como consequência o acelerado desenvolvimento cultural e intelectual de nosso país. Fundação de bibliotecas, museus e escolas superiores, intercâmbio de intelectuais estrangeiros e a criação de tipografias foram algumas das mudanças que ocorreram no período e que modificaram significativamente nosso painel cultural.

REPRODUÇÃO

O filme *Carlota Joaquina*, dirigido por Carla Camurati em 1995, retrata o cotidiano do Brasil no período de chegada da família real ao Rio de Janeiro.

Franceses entre nós

No início do século XIX, acredita-se que por iniciativa de D. João VI, um grupo de artistas franceses deslocou-se para a Colônia. A **Missão Francesa**, como ficou conhecida, recebeu duas tarefas principais: a primeira delas, que nunca foi plenamente realizada, era formar artistas profissionais na América; a segunda, retratar a corte portuguesa que havia emigrado para a colônia brasileira. Vieram para cá pintores como Jean-Baptiste Debret e Nicolas-Antoine Taunay, além de escultores, arquitetos e vários artífices. Nesse período, produziu-se uma vasta coleção de obras de arte cujo estudo é fundamental para compreender o início do século XIX em nosso país e a consolidação do Império do Brasil pós-Independência.

Objeto educacional digital (animação)
- Missão Francesa no Brasil

⊙ Independência política e literária

Após a Independência, em 1822, uma questão começou a inquietar os habitantes de um Brasil que passara a ser ex-colônia de Portugal: o que significava ser brasileiro? Éramos europeus, ainda filhos da metrópole portuguesa? Indígenas? Africanos? Se a Independência representava o ganho de uma inédita autonomia, também trazia consigo a perda de uma identidade, de certa forma segura, para os brasileiros.

Aos poucos, influenciados pelo advento da Independência, os escritores brasileiros começaram a buscar, também, uma autonomia literária. A exuberante e rica natureza brasileira passou a ser um tema que refletia o crescente — e necessário — sentimento de orgulho nacional. Os mitológicos deuses pagãos convencionais que habitavam os textos árcades cederam espaço para uma intensa e viva religiosidade cristã. No contexto da Independência, o Arcadismo passou a representar o símbolo do dominador que os brasileiros queriam esquecer. Assim o Romantismo surgiu como movimento ideal para a expressão de uma nação nova que necessitava de uma literatura própria, original.

⊙ A busca de um novo Brasil em Paris

Empolgados com a Independência, um grupo de jovens estudantes brasileiros que viviam em Paris, liderados pelo escritor Gonçalves de Magalhães (1811-1882), começaram a pensar em uma literatura nova que refletisse, nas artes, o novo panorama político do Brasil.

Foi assim que, em 1836, o grupo publicou textos sobre o novo nacionalismo literário brasileiro na *Niterói — Revista Brasiliense de Ciências, Letras e Artes*, veículo que teve apenas duas edições e é considerado um dos marcos fundadores do Romantismo no Brasil.

PEDRO H. BERNARDO/FOLHAPRESS

Em 1827, foram criados os cursos de Direito de Olinda e de São Paulo, onde atuaram pensadores essenciais para o desenvolvimento de um movimento romântico autenticamente brasileiro. (Foto da Faculdade de Olinda, 2010.)

Ao longo de seu desenvolvimento, o nosso Romantismo alternou a descrição de paisagens, costumes, fatos, sentimentos e outros elementos tipicamente brasileiros com ambientes enevoados, castelos sombrios, criaturas assustadoras e mulheres brancas e pálidas, motivos retirados diretamente da literatura europeia de Byron, Victor Hugo e até mesmo de Shakespeare.

Ao buscar uma "cor local", os escritores brasileiros empreenderam um retorno ao passado de nossa nação, representado pela figura do índio, símbolo do elemento formador original do Brasil. O indígena retratado — principalmente nos romances de José de Alencar (como você verá nos próximos capítulos) —, entretanto, estava bem longe do real. De forma semelhante aos heroicos, nobres e valentes cavaleiros medievais, o índio incorporou valores e códigos mais europeus do que brasileiros.

O teatro nacional do Romantismo

Assumindo a missão de reformar a sociedade, o teatro romântico voltou-se para a discussão das grandes questões humanas, propondo uma ação vinculada a um momento relevante da história e à "cor local".

Gonçalves de Magalhães, pioneiro no teatro moderno, estreou no Rio de Janeiro, em 1838, sua peça *Antônio José ou O poeta e a Inquisição*, encenada pela companhia do prestigiado ator João Caetano (1808-1863). Também merecem destaque no panorama do Romantismo brasileiro a peça histórica *Leonor de Mendonça*, de Gonçalves Dias — que trata do assassinato de Leonor por seu marido, D. Jaime, em Portugal, no século XVI —, e a comédia de costumes *O juiz de paz na roça*, de Martins Pena (1815-1848).

Gonçalves Dias: a poesia épica

Se levarmos em conta as discussões acaloradas oitocentistas sobre o que era ser brasileiro, o maranhense Gonçalves Dias (1823-1864) já chamaria a atenção, dada sua origem multiétnica. Filho de um português com uma cafuza, dizia-se descendente das três raças que formaram a etnia brasileira: a branca, a negra e a indígena. Estudou Direito em Coimbra, onde conheceu a poesia romântico-nacionalista de Garrett e de Herculano, e, de volta ao Brasil, em 1845, entrou em contato com o grupo de Gonçalves de Magalhães, alcançando prestígio rapidamente.

Em 1846, estreou com *Primeiros cantos*, apresentando ao leitor, entre outros temas, poemas indianistas de reconhecido valor estético. Nessa verdadeira "poesia americana", a paisagem, as lendas e os indígenas fundem-se, criando imagens de singular beleza.

Gonçalves Dias abordou o indígena sob uma perspectiva inovadora, partindo da premissa de que, como esse povo não havia sido contaminado pela civilização, estaria mais autorizado a julgar o branco, e não o contrário. Em poemas como "Canto do Piaga", do qual estudaremos um trecho na seção **Atividades**, o poeta assume a perspectiva do nativo.

A apresentação de um outro olhar sobre o indígena não se dá somente em "Canto do Piaga". No poema "Marabá", que pertence à coletânea *Últimos cantos* (1851), Gonçalves Dias apresenta o drama de uma moça mestiça. Leia os versos do poema e responda oralmente à questão proposta.

Gonçalves Dias em retrato de 1860.

Dias deu esse nome ao seu núcleo poético indianista.

Eu vivo sozinha, ninguém me procura!
Acaso feitura
Não sou de Tupá?!
Se algum dentre os homens de mim não se esconde:
— "Tu és", me responde,
"Tu és **Marabá**!"

— Meus olhos são **garços**, são cor das safiras,
— Têm luz das estrelas, têm meigo brilhar;
— Imitam as nuvens de um céu **anilado**,
— As cores imitam das vagas do mar!

Se algum dos guerreiros não foge a meus passos:
"Teus olhos são garços",
Responde **anojado**, "mas és Marabá:
"Quero antes uns olhos bem pretos, luzentes,
Uns olhos fulgentes,
Bem pretos, retintos, não cor d'**anajá**!"

Marabá: o nome da índia significa "mistura".

Garços: esverdeados ou verde-azulados.

Anilado: de cor azul-anil.

Anojado: enojado, com nojo.

Anajá: grupo indígena que teria habitado a ilha de Marajó, no Pará.

— É alvo meu rosto da alvura dos lírios,
— Da cor das areias batidas do mar;
— As aves mais brancas, as conchas mais puras
— Não têm mais alvura, não têm mais brilhar.

[...]

DIAS, Gonçalves. Últimos cantos. In: BUENO, Alexei (Org.). *Gonçalves Dias*: poesia e prosa completas. Rio de Janeiro: Nova Aguilar, 1998. p. 392-393. (Fragmento).

- Que drama vive a jovem do poema?

"I-Juca Pirama": pequeno épico de grandes proporções

O indianismo de Gonçalves Dias constitui o ponto alto de sua produção, porque não houve autor brasileiro que, como ele, elevasse o mito do bom selvagem, presente desde o Arcadismo, à categoria de arte.

O poema épico "I-Juca Pirama" (que significa "aquele que há de ser morto e que é digno de ser morto") é composto de dez cantos. Nele, um ancião da tribo Timbira narra a história de um guerreiro, último descendente dos Tupi, que cuidava do pai já idoso e cego. Capturado pelos Timbira para ser devorado num ritual antropofágico — dada a sua reconhecida valentia —, esse jovem índio, na iminência da morte, chora e pede ao chefe inimigo que o deixe vivo para que possa voltar a cuidar do pai, prometendo, entretanto, que retornaria a fim de completar o ritual quando o pai morresse. Diante do lamento do herói, o chefe Timbira se recusa a devorar a carne do índio Tupi e afirma: "E tu choraste!... parte; não queremos / Com carne vil enfraquecer os fortes". Liberto após ser humilhado, o herói reencontra o pai, mas este descobre que o filho fora aprisionado e que chorara diante dos inimigos. Essa atitude é vista como um ato de extrema e imperdoável covardia. O guerreiro, não suportando o desprezo paterno, resolve atacar toda a tribo Timbira com o intuito de resgatar sua dignidade e a de seu povo.

Além da qualidade da narrativa, o que torna esse poema singular é a adoção moderna de ritmos variados, ao longo dos cantos (de acordo com o conteúdo de cada um deles), garantidos pela metrificação.

No canto IV, do qual extraímos o trecho a seguir, o guerreiro está preso ao ritual antropofágico quando o chefe Timbira lhe ordena: "Dize-me quem és, teus feitos canta". Atendendo à ordem do inimigo, o jovem Tupi profere seu "canto de morte". Observe como os versos curtos de cinco sílabas garantem um ritmo acelerado que sugere o ar ofegante do guerreiro Tupi.

I-Juca Pirama

IV

Meu canto de morte,
Guerreiros, ouvi:
Sou filho das selvas,
Nas selvas cresci;
Guerreiros, descendo
Da tribo Tupi.

Da tribo **pujante**,
Que agora anda errante
Por **fado** inconstante,
Guerreiros, nasci:
Sou bravo, sou forte,
Sou filho do Norte;
Meu canto de morte,
Guerreiros, ouvi.

[...]

Pujante: poderosa.
Fado: sorte, destino.

Andei longes terras,
Lidei cruas guerras,
Vaguei pelas serras
Dos **vis** Aimorés;
Vi lutas de bravos,
Vi fortes — escravos!
De estranhos **ignavos**
Calcados aos pés.
[...]

Meu pai a meu lado
Já cego e quebrado,
De penas ralado,
Firmava-se em mi:
Nós ambos, mesquinhos,
Por **ínvios** caminhos,
Cobertos d'espinhos
Chegamos aqui!

O velho no entanto
Sofrendo já tanto
De fome e **quebranto**,
Só qu'ria morrer!
Não mais me contenho,
Nas matas me embrenho,
Das frechas que tenho
Me quero valer.

Então, forasteiro,
Caí prisioneiro
De um **troço** guerreiro
Com que me encontrei:
O cru dessossego
Do pai fraco e cego,
Enquanto não chego,
Qual seja, — dizei!

Eu era o seu guia
Na noite sombria,
A só alegria
Que Deus lhe deixou:
Em mim se apoiava,
Em mim se firmava,
Em mim descansava,
Que filho lhe sou.

Ao velho coitado
De penas ralado,
Já cego e quebrado,
Que resta? — Morrer.
Enquanto descreve
O giro tão breve
Da vida que teve,
Deixai-me viver!

[...]

DIAS, Gonçalves. Últimos cantos. In: BUENO, Alexei (Org.). *Gonçalves Dias*: poesia e prosa completas. Rio de Janeiro: Nova Aguilar, 1998. p. 382-384. (Fragmento).

NAVEGUE

Leia "I-Juca Pirama" na íntegra. Acesse: <http://objdigital.bn.br/Acervo_Digital/Livros_eletronicos/jucapirama.pdf>.

Vis: infames, desprezíveis.
Ignavos: covardes, fracos.
Ínvios: intransitáveis.
Quebranto: cansaço, torpor.
Troço: (ô) corpo de tropa.

Responda às questões no caderno.

1 Explique de que modo o guerreiro Tupi se apresenta aos Timbira.

2 Na sua opinião, há uma contradição entre a forma como o guerreiro Tupi se apresenta e o pedido que faz aos índios Timbira? O Tupi diminui sua força como herói guerreiro? Por quê?

3 Em seus estudos sobre a antropofagia, os historiadores norte-americanos Daniel Diehl e Mark P. Donnelly afirmam:

[...] Existe uma variedade de razões básicas que explicam por que uma sociedade praticaria o canibalismo. Pode ser parte de uma cerimônia que honra os mortos; pode ser uma celebração pós-batalha, na qual a bravura de um inimigo é absorvida pelo vencedor; pode ser um meio de infligir um último insulto a um inimigo derrotado; pode ser um meio desesperado de defender-se da fome extrema [...].

DIEHL, Daniel; DONNELLY, Mark P. *Devorando o vizinho*: uma história do canibalismo. São Paulo: Globo, 2007. p. 31-32. (Fragmento).

a) Considerando a leitura do trecho lido, que razão teriam os Timbira para devorar o guerreiro Tupi em um ritual de antropofagia?

b) Com base no que você leu na página 277, por que o chefe Timbira não finalizou o ritual de antropofagia e acabou libertando o prisioneiro Tupi?

4 Na penúltima estrofe do canto IV, ocorre uma figura de linguagem, a anáfora.

a) Transcreva-a.

b) Qual o efeito expressivo desse recurso linguístico na argumentação que o guerreiro Tupi desenvolve a fim de permanecer vivo?

JAIME ACIOLI / MUSEU NACIONAL DE BELAS ARTES, RIO DE JANEIRO, RJ

PINHEIRO, Chaves. *Índio, figura alegórica do Império brasileiro*. 1872. Escultura em terracota, 192 × 75 × 31 cm. Seguindo a tendência do Romantismo universal, o indígena brasileiro foi retratado como um nobre guerreiro.

Poesia lírica: o outro lado de Gonçalves Dias

Além de sua faceta indianista, o poeta abordou em seus versos líricos a natureza associada à presença de Deus, a solidão, o saudosismo ligado à pátria e à mulher amada, o amor e a morte, entre outros temas.

Um dos poemas mais conhecidos da língua portuguesa, "Canção do exílio", pertence à faceta lírica de Gonçalves Dias.

Veja no poema "Seus olhos", a seguir, como Gonçalves Dias se expressa para falar dos olhos da amada.

Seus olhos

Seus olhos tão negros, tão belos, tão puros,
De vivo **luzir**,
Estrelas incertas, que as águas dormentes
Do mar vão ferir;
Seus olhos tão negros, tão belos, tão puros,
Têm meiga expressão,
Mais doce que a brisa, — mais doce que o **nauta**
De noite cantando, — mais doce que a **frauta**
Quebrando a so[l]idão.

Seus olhos tão negros, tão belos, tão puros,
De vivo luzir,
São meigos infantes, gentis, engraçados
Brincando a sorrir.

São meigos infantes, brincando, saltando
Em jogo infantil,
Inquietos, travessos; — causando tormento,
Com beijos nos pagam a dor de um momento,
Com modo gentil.
[...]

DIAS, Gonçalves. Primeiros cantos. In: BUENO, Alexei. (Org.). *Gonçalves Dias*: poesia e prosa completas. Rio de Janeiro: Nova Aguilar, 1998. p. 131. (Fragmento).

Luzir: brilho.
Nauta: navegante.
Frauta: flauta.

Responda oralmente à questão proposta a seguir.

- Que imagens o eu lírico utiliza para traduzir a beleza e a intensidade do olhar de sua amada?

Atividades: Entre textos

Você vai ler dois textos. O primeiro é um trecho da Parte III do poema "Canto do Piaga", em que o pajé tem uma visão sobre a esquadra portuguesa, que ameaça a tribo. O outro é a letra de canção "Chegança", do artista pernambucano Antônio Nóbrega, em que um indígena relata — a exemplo do Piaga de Gonçalves Dias — seu ponto de vista sobre a chegada dos europeus ao Brasil.

Texto 1

III

Pelas ondas do mar sem limites
Basta selva, sem folhas, **i** vem;
Hartos troncos, robustos, gigantes;
Vossas matas tais monstros contêm.

Traz **embira** dos **cimos** pendente
— **Brenha** espessa de vário cipó —
Dessas brenhas contêm vossas matas,
Tais e quais, mas com folhas; é só!

Negro monstro os sustenta por baixo,
Brancas asas abrindo ao tufão,
Como um bando de cândidas garças,
Que nos ares pairando — lá vão.

Oh! quem foi das entranhas das águas,
O **marinho arcabouço** arrancar?
Nossas terras **demanda**, fareja...
Esse monstro... — o que vem cá buscar?

Não sabeis o que o monstro procura?
Não sabeis a que vem, o que quer?
Vem matar vossos bravos guerreiros,
Vem roubar-vos a filha, a mulher!

[...]

DIAS, Gonçalves. In: BUENO, Alexei (Org.). *Gonçalves Dias*: poesia e prosa completas. Rio de Janeiro: Nova Aguilar, 1998. (Fragmento).

Basta: cerrada, fechada.
I: aí.
Hartos: fortes.
Embira: corda, cipó.
Cimos: cumes, picos.
Brenha: mata cerrada.
Negro monstro: o casco das naus.
Brancas asas: as velas dos navios.
Marinho arcabouço: estrutura dos navios.
Demanda: procura.

Responda às questões no caderno.

1 Com o objetivo de demonstrar o impacto sobre os índios da chegada dos portugueses, o poeta faz uso de uma imagem, expressa por uma visão do Piaga.

a) Que imagem é descrita pelo pajé?

b) A imagem descrita representa uma metáfora para as consequências do contato dos europeus com os indígenas. Explique essa afirmação.

2 Explique o que, segundo Piaga, ocorrerá com os índios após a chegada dos europeus.

Texto 2

Chegança

Sou Pataxó,
sou Xavante e Cariri,
Ianomâmi, sou Tupi
Guarani, sou Carajá.
Sou Pancararu,
Carijó, Tupinajé,
Potiguar, sou Caeté,
Ful-ni-ô, Tupinambá.

Depois que os mares dividiram
[os continentes
quis ver terras diferentes.
Eu pensei: "vou procurar
um mundo novo,
lá depois do horizonte,
levo a rede balançante
pra no sol me espreguiçar".

Eu atraquei
num porto muito seguro,
céu azul, paz e ar puro...
botei as pernas pro ar.
Logo sonhei
que estava no paraíso,
onde nem era preciso
dormir para se sonhar.

Mas de repente
me acordei com a surpresa:
uma esquadra portuguesa
veio na praia atracar.
De grande-nau,
um branco de barba escura,
vestindo uma armadura
me apontou pra me pegar.

E assustado
dei um pulo da rede,
pressenti a fome, a sede,
eu pensei: "vão me acabar".
Me levantei de borduna já na mão.
Ai, senti no coração,
o Brasil vai começar.

NÓBREGA, Antônio; FREIRE, Wilson. Chegança. Intérprete: Antônio Nóbrega.
In: NÓBREGA, Antônio. *Madeira que cupim não rói*. São Paulo: Eldorado, 1997. 1 CD, faixa 3.
Disponível em: <http://www.antonionobrega.com.br/>. Acesso em: 8 jul. 2012.

Converse com seus colegas e responda às questões oralmente.

3 Infira: com que intenção o eu lírico afirma ser vários povos indígenas?

4 "Chegança" dialoga com duas visões: a de Pero Vaz de Caminha em sua *Carta* e a de Gonçalves Dias em "Canto do Piaga". Demonstre, por meio dos versos, a verdade dessa afirmação.

5 Embora bem-humorada, a canção de Nóbrega apresenta um ponto de vista bastante crítico em relação ao Brasil. Você concorda com essa afirmação? Justifique sua posição.

O QUE VOCÊ APRENDEU NO PERCURSO DESTE CAPÍTULO

- A presença da corte portuguesa acelerou o desenvolvimento da cultura brasileira na primeira metade do século XIX.
- A Independência do Brasil influenciou diretamente o Romantismo, movimento associado ao nacionalismo e à construção da identidade brasileira.
- De acordo com a tendência romântica universal de retomada dos valentes cavaleiros medievais, o índio foi retratado como um nobre guerreiro.
- No teatro, o drama romântico discute as grandes questões humanas. A principal realização do período é a peça histórica *Leonor de Mendonça*, de Gonçalves Dias.
- Destacam-se, na produção de Gonçalves Dias: a poesia indianista, na qual se inverte o ponto de vista acerca do estereótipo do índio como bárbaro e selvagem; e a poesia lírica, cujos temas são típicos do Romantismo (Deus, solidão, saudosismo ligado à pátria e à mulher amada, amor e morte, entre outros).

CAPÍTULO

18

Segunda e terceira gerações românticas: o "eu" e o social

PERCURSO DO CAPÍTULO

- Segunda geração romântica: byronismo e "Mal do século"
- Álvares de Azevedo: o poeta das contradições
- Casimiro de Abreu: o romântico popular
- Terceira geração romântica: temas sociais
- Castro Alves: a poesia pública e privada

Em *O último adeus*, de Alfredo Oliani (Cemitério São Paulo, 2013), a ideia do derradeiro beijo dado por dois amantes intensifica o aspecto romântico da escultura. Na segunda geração do Romantismo brasileiro, convivem os temas do amor e da morte.

EDUARDO SANTALIESTRA/ESTÚDIO PAULISTA

Introdução

Depois de a primeira geração ter explorado os temas nacionalidade, pátria e índio, os poetas românticos brasileiros da segunda geração mergulharam em si mesmos, influenciados pelo byronismo e pelo "Mal do século". Uma terceira geração, porém, voltou seu olhar para a escravidão e dedicou-se a combatê-la por meio de versos. Neste capítulo, você estudará o que de mais intenso o movimento romântico produziu na poesia voltada para o eu e para o social.

Leia a seguir as seis quadras iniciais do poema "Morte (Hora de delírio)", escrito pelo poeta Junqueira Freire, representante do Ultrarromantismo brasileiro (segunda geração).

Morte (Hora de delírio)

Pensamento gentil de paz eterna,
Amiga morte, vem. Tu és o termo
De dois fantasmas que a existência formam,
— Dessa alma vã e desse corpo enfermo.

Pensamento gentil de paz eterna,
Amiga morte, vem. Tu és o nada,
Tu és a ausência das **moções** da vida,
Do prazer que nos custa a dor passada.

Pensamento gentil de paz eterna,
Amiga morte, vem. Tu és apenas
A visão mais real das que nos cercam,
Que nos extingues as visões terrenas.

Nunca temi tua **destra**,
Não sou o **vulgo profano**:
Nunca pensei que teu braço
Brande um punhal sobr'humano.

Nunca julguei-te em meus sonhos
Um esqueleto mirrado;
Nunca dei-te, p'ra voares,
Terrível **ginete** alado.

Nunca te dei uma foice
Dura, fina e recurvada;
Nunca chamei-te inimiga,
Ímpia, cruel, ou culpada.
[...]

FREIRE, Junqueira. Morte (Hora de delírio). In: MOISÉS, Massaud. *A literatura brasileira através dos textos*. 2. ed. São Paulo: Cultrix, 1973. p. 158-159. (Fragmento).

Moções: movimentos.
Destra: mão direita.
Vulgo profano: conhecido como mundano.
Ginete: cavalo de boa raça.
Ímpia: que não tem fé.

Responda às questões em seu caderno.

1 A quem se dirige o eu lírico do poema?

2 Dos poetas da segunda geração romântica, Junqueira Freire foi o que mais recorreu aos padrões formais do Neoclassicismo de tradição portuguesa.
a) Como se estruturam as quadras do poema que você leu?

b) Relacione a métrica (forma) das estrofes 1 a 6 ao conteúdo explorado pelo poeta nos versos que as compõem. Atente para elementos presentes no poema, como refrões, paralelismos (repetições temáticas) e anáforas (repetições de uma mesma palavra ou construção no início de períodos).

3 Explique de que maneira o poema de Junqueira Freire quebra o clichê relacionado à representação da figura da morte.

ACADEMIA BRASILEIRA DE LETRAS

Junqueira Freire, por autor desconhecido.

Para fugir de uma vida familiar infeliz, o poeta baiano **Junqueira Freire** (1832-1855) tornou-se padre aos 20 anos. Um ano depois, abandonou a vida religiosa e, aos 23, morreu em consequência de uma doença cardíaca. Deixou apenas uma publicação literária, *Inspirações do claustro* (1855).

Na unidade 5, você estudou que os poetas árcades usavam da delegação poética em seus textos, transferindo seus sentimentos para um pastor ou pastora convencionais. No Romantismo, essa transferência não se deu: a distância entre o eu lírico e o eu real do poeta é muito pequena, ou seja, confundem-se facilmente essas duas instâncias. No caso de Junqueira Freire, essa quase fusão é ainda mais aguda. O poeta escreveu versos para confessar seus dramas pessoais: a obsessão pela ideia da morte (como lemos nas quadras transcritas), a revolta contra o mundo e a rejeição à ideia de celibato clerical, entre outros.

Estudaremos a segunda geração romântica, caracterizada pelo subjetivismo extremo. Além de Junqueira Freire, fizeram parte dela Casimiro de Abreu, Fagundes Varela e Álvares de Azevedo. Também veremos que a terceira geração, na qual se destaca o poeta Castro Alves, abandonou o egocentrismo exagerado para se fixar no abolicionismo e em outras questões sociais.

Segunda geração: um tempo de intensidade

Uma das facetas do Romantismo, como já vimos, foi o mergulho dos artistas em seu caótico mundo interior, cultuando solidão, tristeza, melancolia, tédio, saudade e sofrimento. A esse sentimento de angústia denominou-se "Mal do século", e uma das figuras mais representativas dessa corrente foi o poeta inglês Lord Byron.

Objeto educacional digital (animação)
- *167 de uma só vez!*

O "Mal do século" representou um período de extrema insatisfação. O mundo urbano-burguês que se apresentou após as revoluções Industrial e Francesa mostrou-se bastante diverso daquele imaginado pelos artistas mais sensíveis. Originalidade, liberdade e singularidade — elementos tão valorizados durante o oitocentismo — não puderam ser vividos plenamente por todas as pessoas, daí o estabelecimento de um conflito. A infelicidade e o desajuste presentes nos artistas ultrarromânticos aparecem como consequências da cisão (divisão) entre os anseios de um espírito inquieto e aquilo que o mundo real de fato lhes poderia oferecer.

No Brasil, o chamado byronismo ou "Mal do século" caracterizou a segunda fase de nosso movimento romântico, após a década de 1840. Essa corrente teve como principal representante Álvares de Azevedo, poeta que estudaremos a seguir.

COLEÇÃO FREDERICO MENDES DE MORAES

GOELDI, Oswaldo. *167 de uma só vez!*. Da série *Balada da morte*. 1944. Nessa ilustração para a revista *Clima*, a morte, um dos temas prediletos da segunda geração romântica, contempla as vítimas do naufrágio.

Álvares de Azevedo: o poeta dos contrastes

Álvares de Azevedo (1831-1852) foi um poeta típico do Ultrarromantismo. Estudante de Direito do Largo São Francisco, em São Paulo, boêmio e seguidor dos modismos românticos, mostrou-se um artista sensível e leitor voraz de Byron, Musset, Victor Hugo e Shakespeare. Morreu precocemente em consequência da tuberculose, e suas obras foram publicadas postumamente.

ACERVO FACULDADE DE DIREITO DO LARGO SÃO FRANCISCO, SP

Álvares de Azevedo, 1850.

A poesia romântica, como vimos, inovou ao abranger, além da idealização e da beleza, o cotidiano, o feio, o mórbido, o cômico, o sarcástico. A literatura de Álvares de Azevedo dialoga com essa visão mais ampla sobre a arte literária. Observe como esse contraste se apresenta no poema a seguir, que compõe a segunda parte da coletânea *Lira dos vinte anos*.

É ela! É ela! É ela! É ela!

É ela! é ela! — murmurei tremendo,
E o eco ao longe murmurou — é ela!
Eu a vi minha fada aérea e pura —
A minha lavadeira na janela!

Dessas **águas-furtadas** onde eu moro
Eu a vejo estendendo no telhado
Os vestidos de **chita**, as saias brancas;
Eu a vejo e suspiro enamorado!

Esta noite eu ousei mais atrevido
Nas telhas que estalavam nos meus passos
Ir espiar seu **venturoso** sono,
Vê-la mais bela de **Morfeu** nos braços!

Como dormia! que profundo sono!...
Tinha na mão o **ferro do engomado**...
Como roncava **maviosa** e pura!...
Quase caí na rua desmaiado!

Afastei a janela, entrei medroso:
Palpitava-lhe o seio adormecido...
Fui beijá-la... roubei do seio dela
Um bilhete que estava ali metido...

Oh! De certo... (pensei) é doce página
Onde a alma derramou gentis amores;
São versos dela... que amanhã decerto
Ela me enviará cheios de flores...

Trem de febre! Venturosa folha!
Quem pousasse contigo neste seio!
Como Otelo beijando a sua esposa,
Eu beijei-a a tremer de devaneio...

É ela! é ela! — repeti tremendo;
Mas cantou nesse instante uma coruja...
Abri **cioso** a página secreta...
Oh! meu Deus! era um **rol** de roupa suja!

Mas se Werther morreu por ver Carlota
Dando pão com manteiga às criancinhas,
Se achou-a assim mais bela, — eu mais te adoro
Sonhando-te a lavar as camisinhas!

É ela! é ela! meu amor, minh'alma,
A Laura, a Beatriz que o céu revela...
É ela! é ela! — murmurei tremendo,
E o eco ao longe suspirou — é ela!

AZEVEDO, Álvares de. É ela! É ela! É ela! É ela! Lira dos vinte anos. In: BUENO, Alexei (Org.). *Álvares de Azevedo*: obra completa. Rio de Janeiro: Nova Aguilar, 2000. p. 237-238.

Águas-furtadas: espécie de sótão habitável.
Chita: algodão colorido.
Venturoso: afortunado, feliz.
Morfeu: deus grego dos sonhos.
Ferro do engomado: ferro de passar roupa.
Maviosa: delicada, graciosa.
Cioso: cuidadoso; com zelo.
Rol: lista, relação.

Responda às questões em seu caderno.

1 Que característica romântica apresentam os três primeiros versos do poema?

2 Explique por que o quarto verso quebra a expectativa do leitor.

3 Na terceira quadra, o eu lírico realiza outra ação típica nos poemas românticos marcados pela idealização do amor e da mulher. Em seguida, na quarta quadra, realiza uma nova quebra. Explique essa afirmação.

4 Da quinta à oitava quadras, os contrastes são ampliados com a narração de um episódio envolvendo um bilhete roubado do seio da amada do eu lírico. Sintetize essa passagem, enfatizando a oposição entre os elementos idealizados e os realistas que constroem o poema.

5 A partir da quadra 7, o poema estabelece intertextualidade com algumas obras e personagens que já compõem sua biblioteca cultural desde o início do Ensino Médio. Que efeito esse recurso traz ao sentido construído no poema?

Note que o poema de Álvares de Azevedo explora o contraste entre a descrição de uma "fada aérea" e a revelação do que ela é realmente: uma lavadeira por quem o eu lírico suspira "enamorado". A diferença entre o tom elevado do poema e o elemento realista (a paixão por uma moça do povo) garante aos seus versos um efeito cômico inesperado. Essa união entre práticas poéticas tão diferentes é uma das principais inovações presentes na poesia de Álvares de Azevedo.

Em movimentos anteriores isso não ocorre. No Barroco, por exemplo, há três Gregórios de Matos: um cômico, um lírico e outro religioso, isto é, as facetas dele não se misturam.

De maneira geral, a abordagem que o autor faz da figura feminina é marcada pelo dualismo. Idealizada, ora ela é um ser virginal, distante e inacessível, ora é uma prostituta impura, colocada à margem da sociedade, descrita entre cálices de vinho e tochas. Os poemas que compõem a primeira parte da *Lira dos vinte anos* abordam uma donzela, pálida, divinizada, e não há presença da realização amorosa terrena. Só existe espaço para o amor sublime.

Leia as três primeiras estrofes deste poema e responda às questões oralmente:

Quando à noite no leito perfumado
Lânguida fronte no sonhar reclinas,
No vapor da ilusão por que te **orvalha**
Pranto de amor as pálpebras divinas?

E, quando eu te contemplo adormecida
Solto o cabelo no suave leito,
Por que um suspiro **tépido ressona**
E desmaia suavíssimo em teu peito?

Virgem do meu amor, o beijo a furto
Que pouso em tua face adormecida
Não te lembra no peito os meus amores
E a febre do sonhar de minha vida?
[...]

AZEVEDO, Álvares de. Quando à noite no leito perfumado. Lira dos vinte anos.
In: BUENO, Alexei (Org.). *Álvares de Azevedo*: obra completa.
Rio de Janeiro: Nova Aguilar, 2000. p. 133. (Fragmento).

Lânguida: terna, suave.
Fronte: rosto, face.
Orvalha: umedece.
Tépido: fraco, sem força.
Ressona: respira regularmente no sono.

1 Como a experiência amorosa é caracterizada no poema?

2 Por que a visão da mulher adormecida perturba o eu lírico?

3 Que elementos presentes no poema tornam a mulher impalpável e irreal?

O mundo noturno e fantasmagórico de *Macário* e *Noite na taverna*

ANA OTTONI/FOLHAPRESS

Caio Blat em cena da peça *Macário*, 2000.

Não houve no Brasil autor tão influenciado pelo "Mal do século" como Álvares de Azevedo. A tendência byronista do poeta revela-se mais bem realizada na segunda parte da *Lira dos vinte anos* — em que ele exercita a ironia, o humor e o sarcasmo — e em duas de suas obras mais inquietantes: o texto dramático *Macário* e a coletânea de contos *Noite na taverna*.

Em *Macário*, obra de difícil classificação, o autor mistura os gêneros teatro e diário íntimo. Nela, o personagem Macário conversa com um desconhecido que, mais tarde, se revela o próprio diabo. A peça é finalizada com o protagonista sendo levado por Satã a uma orgia em um bar.

A cena final de *Macário* servirá de abertura para os contos de *Noite na taverna*, em que jovens viajantes narram suas aventuras eróticas, repletas de violência e traição.

Casimiro de Abreu: a poética da doçura

Além da morte, da ironia, da morbidez, dos exageros sentimentais e do contraste entre o sublime e o grotesco, que caracterizaram a segunda geração romântica brasileira, houve espaço também para a simples expressão de uma doçura e de um lirismo despretensiosos. O representante mais fiel dessa tendência é Casimiro de Abreu.

A poesia de Casimiro gira em torno de temas como saudade, ternura, amor, natureza, desejo, etc., os quais conquistaram quase imediatamente um grande público, principalmente o feminino, e o transformaram no autor mais popular da segunda geração romântica brasileira.

O poema a seguir foi retirado de *As primaveras*. Observe como a linguagem simples e a temática acessível seduzem o leitor.

O que é — simpatia (A uma menina)

Simpatia — é o sentimento
Que nasce num só momento
Sincero, no coração;
São dois olhares acesos
Bem juntos, unidos, presos
Numa mágica atração.

Simpatia — são dois galhos
Banhados de bons orvalhos
Nas mangueiras do jardim;
Bem longo às vezes nascidos,
Mas que se juntam crescidos
E que se abraçam por fim.

São duas almas bem gêmeas
Que riem no mesmo riso,
Que choram nos mesmos ais;
São vozes de dois amantes,
Duas liras semelhantes,
Ou dois poemas iguais.

Simpatia — meu anjinho,
É o canto do passarinho,
É o doce aroma da flor;
São nuvens dum céu d'Agosto,
É o que m'inspira teu rosto...
— Simpatia — é — quase amor!

ABREU, Casimiro de. O que é — simpatia (A uma menina). *As primaveras*. Disponível em: <http://www.dominiopublico.gov.br/download/texto/bn000163.pdf>. Acesso em: 13 nov. 2012.

ACADEMIA BRASILEIRA DE LETRAS

Casimiro de Abreu, s.d.

Assim como Álvares de Azevedo, o carioca **Casimiro de Abreu** (1839-1860) integrou o grupo de poetas românticos vitimados pela tuberculose. Em viagem para Lisboa, descobriu a doença e iniciou sua produção literária. De volta ao Brasil, publicou *As primaveras* (1859), sua obra mais importante.

Responda às questões oralmente.

1 Quanto à forma, como se estrutura o poema da página 287?

2 Explique de que maneira a forma contribui para facilitar a leitura do poema e, consequentemente, conquistar os leitores.

3 O eu lírico dirige-se a uma mulher, chamada por ele de "meu anjinho", e define o que é "simpatia". Explique que definição é dada no poema para esse termo e levante hipóteses que justifiquem a popularidade desse tipo de texto, principalmente entre as leitoras do século XIX.

NAVEGUE

Leia *As primaveras* na íntegra em: <http://www.dominiopublico.gov.br/download/texto/bn000163.pdf>.

ProvocAÇÃO

Você considera que o poema "O que é — simpatia (A uma menina)", de alguma maneira, ainda está ligado aos anseios das jovens do século XXI? Se não, que poemas, canções, filmes, séries de TV, etc. dialogariam mais com a mulher atual?

SAIBA MAIS!

- Além de Junqueira Freire, Álvares de Azevedo e Casimiro de Abreu, compõe a segunda geração romântica o poeta **Fagundes Varela** (1841-1875). Sua poesia apresentou elementos byronistas (boemia, viagens, bebidas, intensidade, amores não convencionais) e, em *Vozes da América* (1864), estão presentes temas diferentes dos habituais dessa geração: o escravo, a liberdade e as injustiças sociais. O aspecto temático e as inovações no campo da forma serão responsáveis pelo enquadramento de Varela como um poeta de transição da segunda para a terceira geração.

Terceira geração: o olhar para fora

AMMIT JACK/SHUTTERSTOCK

Condor dos Andes.

Entre as muitas transformações que marcaram os anos de 1800, a abolição da escravatura, já extinta em praticamente todas as colônias e ex-colônias europeias, foi um processo gradual e doloroso para o povo africano e seus descendentes brasileiros. A campanha abolicionista era praticada em meios intelectuais, clubes, associações e jornais. Grupos radicais auxiliavam a fuga de escravos para os quilombos. Em um contexto tão complexo, começava a perder sentido uma poesia voltada para o "eu" atormentado dos poetas. Eram outros tempos, que exigiam outras literaturas.

Os autores da terceira geração poética romântica — Castro Alves, Tobias Barreto (1839-1889), Pedro Luís (1839-1884) e Pedro Calasãs (1837-1874), entre outros — filiaram-se a uma corrente denominada condoreira ou hugoana. A expressão "condoreira" está associada à imagem do condor dos Andes, pássaro que representa a liberdade da América. Já a palavra "hugoana" é referência ao escritor francês Victor Hugo, autor de obras de cunho social, como o romance *Os miseráveis*.

Castro Alves: o poeta dos escravos

A entrega aos ideais, à vida e ao amor marcou Castro Alves, um dos mais populares poetas brasileiros, que conseguiu criar uma poesia forte abordando o "eu" e o social.

Você já viu que o índio serviu aos românticos como símbolo dos primórdios da nação e como ser humano não corrompido pela vida urbana. O negro, por sua vez, era associado à degradante escravidão e a uma ideia preconceituosa de inferioridade, daí a dificuldade de sua inserção como motivo literário em poemas, contos e romances.

Castro Alves consolidou-se como um pioneiro porque atribuiu ao negro um papel inédito em sua história no Brasil: o de herói humano, real — que ama, chora, ri, sofre. Foi com ele que o negro passou a ter seus sentimentos revelados na poesia, como podemos atestar nos poemas idílicos (pastoris, bucólicos) de *A cachoeira de Paulo Afonso*, nos quais é apresentado o amor entre os escravos Lucas e Maria, em meio à natureza exuberante do sertão.

Conheça o poema que trata da escrava Maria.

Maria

Onde vais à tardezinha,
Mucama tão bonitinha,
Morena flor do sertão?
A grama um beijo te furta
Por baixo da saia curta,
Que a perna te esconde em vão...

Mimosa flor das escravas!
O bando das rolas bravas
Voou com medo de ti!...
Levas hoje algum segredo...
Pois te voltaste com medo
Ao grito do bem-te-vi!

Serão amores deveras?
Ah! Quem dessas primaveras
Pudesse a flor apanhar!
E contigo, ao tom d'**aragem**,
Sonhar na rede selvagem...
À sombra do azul **palmar**!

Bem feliz quem na viola
Te ouvisse a moda espanhola
Da lua ao frouxo clarão...
Com a luz dos astros — por **círios**,
Por leito — um leito de lírios...
E por tenda — a solidão!

ALVES, Castro. Maria. In: GOMES, Eugênio. (Org.). *Castro Alves*: obra completa. Rio de Janeiro: Nova Aguilar, 1997. p. 315.

COLEÇÃO G. ERMAKOFF

Castro Alves, s.d.

O baiano **Castro Alves** (1847-1871) ingressou na Faculdade de Direito do Recife, no contexto das lutas abolicionistas, quando deu início à obra *Os escravos*. Além da poesia social, compôs poemas líricos marcados pelo erotismo. Apaixonado pela atriz portuguesa Eugênia Câmara, escreveu o drama *Gonzaga ou A Revolução de Minas* especialmente para ela. Morreu aos 24 anos em decorrência da tuberculose.

Material complementar
- Atividade: "Lucas", Castro Alves

Mucama: escrava.
Aragem: brisa.
Palmar: palmeiral.
Círios: velas grandes.

Responda às questões em seu caderno.

1 Como a escrava Maria é caracterizada, física e psicologicamente, no poema que leva seu nome?

2 Em que Maria difere, por exemplo, das figuras femininas descritas nos poemas ultrarromânticos de Álvares de Azevedo?

3 Apresente elementos tipicamente românticos no poema "Maria". Atente para aspectos como natureza, idealização dos heróis, etc.

NAVEGUE

Leia todos os poemas de *A cachoeira de Paulo Afonso* em: <http://www.dominiopublico.gov.br/download/texto/jp000015.pdf>.

O poeta da praça

Castro Alves representou para o negro o papel que Gonçalves Dias teve para o índio na primeira geração. O autor baiano compartilhava com os intelectuais de sua época um sentimento humanitário em relação aos sofrimentos dos escravos. Em seus populares poemas abolicionistas, o poeta se coloca na posição de orador grandiloquente, verdadeiro porta-voz de um povo mártir e sofredor. Para isso, lança mão de recursos como hipérboles, exclamações, longos apostos explicativos, reticências, personificações, antíteses e metáforas relacionadas quase sempre a uma natureza grandiosa (astros, espaços, oceano, sertão, universo, tufão, Andes, águia, condor, Himalaia, etc.).

Os poemas "O navio negreiro" e "Vozes d'África", ambos presentes na coletânea *Os escravos*, são os mais representativos dessa faceta social de Castro Alves. No primeiro, misturam-se os tons épico e lírico para abordar o desumano transporte dos negros nos navios. O segundo é um apelo da África ao criador ("Deus! ó Deus! onde estás que não respondes? / Em que mundo, em qu'estrela tu t'escondes / Embuçado nos céus?") e um questionamento desse continente, personificado, sobre a exploração de uma América que se alimenta do sangue dos milhares de escravos africanos ("Hoje em meu sangue a América se nutre").

Leia, a seguir, a parte IV do poema "O navio negreiro".

JUCA MARTINS/PULSAR IMAGENS

Praça Castro Alves, Salvador, Bahia. Foto de 2001.

Era um sonho dantesco... O tombadilho
Que das luzernas avermelha o brilho,
Em sangue a se banhar.
Tinir de ferros... estalar do açoite...
Legiões de homens negros como a noite,
Horrendos a dançar...

Negras mulheres, suspendendo às tetas
Magras crianças, cujas bocas pretas
Rega o sangue das mães:
Outras, moças... mas nuas, espantadas,
No turbilhão de espectros arrastadas,
Em ânsia e mágoa vãs.

E ri-se a orquestra irônica, estridente...
E da roda fantástica a serpente
Faz doudas espirais...
Se o velho arqueja... se no chão resvala,
Ouvem-se gritos... o chicote estala.
E voam mais e mais...

Presa nos elos de uma só cadeia,
A multidão faminta cambaleia,
E chora e dança ali!
....

Um de raiva delira, outro enlouquece...
Outro, que de martírios embrutece,
Cantando, geme e ri!

No entanto o capitão manda a manobra
E após, fitando o céu que se desdobra
Tão puro sobre o mar,
Diz do fumo entre os densos nevoeiros:
"Vibrai rijo o chicote, marinheiros!
Fazei-os mais dançar!..."

E ri-se a orquestra irônica, estridente...
E da roda fantástica a serpente
Faz doudas espirais!
Qual um sonho dantesco as sombras voam...
Gritos, ais, maldições, preces ressoam!
E ri-se Satanás!...

ALVES, Castro. O navio negreiro. In: GOMES, Eugênio (Org.). *Castro Alves*: obra completa. Rio de Janeiro: Nova Aguilar, 1997. p. 280-281. (Fragmento).

Depois de realizada uma primeira leitura individual do texto, releia-o em voz alta antes de responder às questões em seu caderno.

1 Ouvindo a leitura do poema, o que você identificou em relação ao ritmo, à cadência dos versos, à pontuação, etc.? Leve em conta apenas sua percepção sonora do texto.

2 O poema que você leu é construído a partir de uma imagem: a do navio negreiro apresentado como uma "orquestra irônica".

a) Essa imagem, apesar de fantasiosa, remete o leitor à discussão crítica de um aspecto da realidade. Explique essa afirmação.

b) Explique a metáfora do navio negreiro como uma orquestra.

c) Por que no poema a orquestra é caracterizada como "irônica"?

NAVEGUE

Assista a uma reportagem sobre releitura de "O navio negreiro" permeada pela música *rap*: <http://tvcultura.cmais.com.br/manoseminas/literatura-manos-anelis-cmais>.

O poeta das mulheres reais

PARA LEMBRAR

Ironia: linguagem que consiste em afirmar o contrário do que se pensa, mas deixando que o pensamento fique subentendido.

A poesia lírico-amorosa de Castro Alves propõe uma nova concepção do amor; seus versos, em geral, são habitados por mulheres reais, dotadas de corpos sensuais e almas intensas. Observe como, nas quadras iniciais de "Adormecida" — poema que compõe a única obra publicada em vida por Castro Alves, *Espumas flutuantes* (1870) —, a sensualidade feminina aparece em primeiro plano.

Adormecida

Uma noite, eu me lembro... Ela dormia
Numa rede encostada molemente...
Quase aberto o roupão... solto o cabelo
E o pé descalço do tapete rente.

'Stava aberta a janela. Um cheiro agreste
Exalavam as **silvas** da campina...
E ao longe, num pedaço do horizonte,
Via-se a noite **plácida** e divina.

De um jasmineiro os galhos encurvados,
Indiscretos entravam pela sala,
E de leve oscilando ao tom das **auras**,
Iam na face trêmulos — beijá-la.

Era um quadro celeste!... A cada afago
Mesmo em sonhos a moça estremecia...
Quando ela serenava... a flor beijava-a...
Quando ela ia beijar-lhe... a flor fugia...
[...]

ALVES, Castro. Adormecida. In: GOMES, Eugênio (Org.). *Castro Alves*: obra completa. Rio de Janeiro: Nova Aguilar, 1997. p. 124. (Fragmento).

Silvas: arbustos da família das rosáceas.
Plácida: calma, tranquila.
Auras: brisas, aragens.

Responda oralmente à seguinte questão:

- Retome o poema "Quando à noite no leito perfumado", de Álvares de Azevedo, e aponte as diferenças entre a abordagem de Azevedo e a apresentada por Castro Alves em "Adormecida".

Sousândrade, um escritor fora do tempo

Autor de difícil enquadramento, o maranhense Joaquim de Sousa Andrade, mais conhecido como Sousândrade (1833-1902), merece destaque entre os românticos por sua originalidade. A longa permanência nos Estados Unidos despertou no poeta uma sensibilidade para a percepção do mundo capitalista industrial que tomava corpo. Sousândrade retratou o crescimento alucinante de Nova York e o poder avassalador do dinheiro no poema incompleto *O guesa errante*, escrito ao longo de dez anos e narrado em linguagem ousada para o século XIX. Nele estão presentes criações sintáticas e neologismos, mistura de palavras de vários idiomas na mesma estrofe e hipérbatos, entre outros procedimentos hoje considerados de vanguarda.

UNIVERSIDADE DE SORBONNE, FRANÇA

Sousândrade, c. 1875.

Atividades: Entre textos

Você lerá dois textos. O primeiro é o fragmento de um dos poemas mais populares de Casimiro de Abreu. O segundo é do moçambicano Rui Knopfli (1932-1997).

Texto 1

Meus oito anos

Oh! que saudades que tenho
Da aurora da minha vida,
Da minha infância querida
Que os anos não trazem mais!
Que amor, que sonhos, que flores.
Naquelas tardes fagueiras
À sombra das bananeiras,
Debaixo dos laranjais!

Como são belos os dias
Do despontar da existência!
— Respira a alma inocência
Como perfumes a flor;
O mar é — lago sereno,
O céu — um manto azulado,
O mundo — um sonho dourado,
A vida — um hino d'amor!

Que auroras, que sol, que vida,
Que noites de melodia
Naquela doce alegria,
Naquele ingênuo folgar!
O céu bordado d'estrelas,
A terra de aromas cheia,
As ondas beijando a areia
E a lua beijando o mar!

Oh! dias da minha infância!
Oh! meu céu de primavera
Que doce a vida não era
Nessa risonha manhã!
Em vez das mágoas de agora,
Eu tinha nessas delícias
De minha mãe as carícias
E beijos de minha irmã!

[...]

Oh! que saudades que tenho
Da aurora da minha vida,
Da minha infância querida
Que os anos não trazem mais!
— Que amor, que sonhos, que flores,
Naquelas tardes fagueiras
À sombra das bananeiras,
Debaixo dos laranjais!

[...]

ABREU, Casimiro de. Meus oito anos. *As primaveras*. Disponível em: <http://www.dominiopublico.gov.br/download/texto/bn000163.pdf>. Acesso em: 13 nov. 2012. (Fragmento).

Texto 2

Mangas verdes com sal

Sabor longínquo, sabor **acre**
da infância a canivete repartida
ao largo semicírculo da amizade.

Sabor lento, alegria reconstituída
no instante desprevenido, na maré baixa,
no minuto da suprema humilhação.

Sabor insinuante que retorna devagar
ao **palato** amargo, à boca ardida,
à **crista** do tempo, ao meio da vida.

KNOPFLI, Rui. Mangas verdes com sal.
In: DÁSKALOS, Maria Alexandre; APA, Lívia; BARBEIROS, Arlindo.
Poesia africana de língua portuguesa: antologia.
Rio de Janeiro: Lacerda Editores, 2003. p. 86.

Acre: azedo.
Palato: o "céu da boca".
Crista: o ponto mais alto.

Responda às questões em seu caderno.

1 Em "Meus oito anos" está presente um mecanismo utilizado pelos artistas românticos: a fuga para uma infância idealizada. Explique de que maneira o eu lírico caracteriza esse período de sua vida.

2 Em "Mangas verdes com sal", o que faz o eu lírico lembrar a infância?

3 Por meio de uma anáfora, o poeta reforça a importância do "sabor" para o retorno da infância do eu lírico "ao meio da vida". Explique que relação há entre esse "sabor" e a infância no poema.

4 Que semelhança e diferença há na abordagem da infância em ambos os poemas?

PARA LEMBRAR

Anáfora: figura de linguagem que consiste na repetição de uma palavra ou construção no início de frases ou versos com a intenção de enfatizar uma ideia e provocar outros efeitos estilísticos.

O QUE VOCÊ APRENDEU NO PERCURSO DESTE CAPÍTULO

- A segunda geração romântica ("Mal do século", byronismo) foi caracterizada pelo culto à solidão, amor, tristeza, melancolia, tédio, saudade e sofrimento.
- Na poesia de Álvares de Azevedo, convivem a idealização, a beleza, o amor sublime e o cotidiano, o feio, o mórbido, o cômico e o sarcástico. A mulher é idealizada (virginal, distante, inacessível) ou vista como impura e marginalizada. Suas principais realizações byronistas estão na segunda parte da coletânea de poemas *Lira dos vinte anos*, no texto dramático *Macário* e na coletânea de contos *Noite na taverna*.
- Casimiro de Abreu popularizou-se pela exploração de temas caros aos leitores, como saudade, natureza, amor, infância e desejo quase infantil por mulheres idealizadas.
- A terceira geração romântica (condoreira ou hugoana) caracterizou-se pela temática relacionada à abolição da escravatura.
- Castro Alves desenvolveu uma poesia pública, em que os negros escravos tinham papel central. Na poesia privada, o autor propunha uma nova concepção do amor e das mulheres (dotadas de sensualidade e vida).

CAPÍTULO

19

A prosa romântica no Brasil

PERCURSO DO CAPÍTULO

- Romance romântico: projeto nacional
- Tendências do romance romântico
- José de Alencar: um prosador múltiplo
- Visconde de Taunay: o romance regionalista romântico
- Manuel Antônio de Almeida: um autor de transição

Os românticos inauguraram a literatura regionalista brasileira, gênero que será retomado no século XX pelos modernistas. (Foto tirada no município de Sátiro Dias, Bahia, 1987.)

STEPHANIE MAZE/CORBIS/LATINSTOCK

Introdução

A prosa romântica desenvolveu-se no Brasil com base nos lugares (aspecto espacial) focalizados nos enredos. Os primeiros romances do Romantismo surgiram retratando os ambientes da corte, depois passaram a focar um Brasil fora do eixo urbano, um país sertanejo, provinciano, desconhecido de muitos dos leitores cariocas, ávidos por tramas autorreferentes e de fácil digestão.

O texto a seguir é parte da autobiografia *Como e por que sou romancista*, de José de Alencar, escrita em 1873. No trecho, o autor comenta, de maneira bem-humorada, o novo hábito adquirido por alguns setores da sociedade brasileira no século XIX.

Parte III

[...] a sala do fundo era a estação habitual da família.

Não havendo visitas de cerimônia, sentava-se minha boa mãe e sua irmã, D. Florinda, com os amigos que apareciam, ao redor de uma mesa redonda de jacarandá, no centro da qual havia um candeeiro.

Minha mãe e minha tia se ocupavam com trabalhos de costuras, e as amigas para não ficarem ociosas as ajudavam. Dados os primeiros momentos à conversação, passava-se à leitura e era eu chamado ao lugar de honra.

Muitas vezes, confesso, essa honra me arrancava bem a contragosto de um sono começado ou de um **folguedo** querido; já naquela idade a reputação é um fardo e bem pesado.

Lia-se até a hora do chá, e tópicos havia tão interessantes que eu era obrigado à repetição. Compensavam esse excesso, as pausas para dar lugar às **expansões** do auditório, o qual desfazia-se em recriminações contra algum mau personagem, ou acompanhava de seus votos e simpatias o herói perseguido.

Uma noite, daquelas em que eu estava mais possuído do livro, lia com expressão uma das páginas mais comoventes da nossa biblioteca. As senhoras, de cabeça baixa, levavam o lenço ao rosto, e poucos momentos depois não puderam conter os soluços que rompiam-lhes o seio.

Com a voz afogada pela comoção e a vista empanada pelas lágrimas, eu também, cerrando ao peito o livro aberto, disparei em pranto, e respondia com palavras de consolo às lamentações de minha mãe e suas amigas.

Nesse instante **assomava** à porta um parente nosso, o Revd.º Padre Carlos Peixoto de Alencar, já assustado com o choro que ouvira ao entrar. Vendo-nos a todos naquele estado de aflição, ainda mais perturbou-se:

— Que aconteceu? Alguma desgraça? Perguntou arrebatadamente.

NAVEGUE

Leia a íntegra do texto *Como e por que sou romancista* em: <http://www.dominiopublico.gov.br/download/texto/bv000311.pdf>.

Folguedo: divertimento, brincadeira.

Expansões: manifestações de opiniões, sentimentos.

Assomava: surgia.

As senhoras, escondendo o rosto no lenço para ocultar do Padre Carlos o pranto e evitar seus **remoques**, não proferiram palavra. Tomei eu a mim responder:

— Foi o pai de **Amanda** que morreu! Disse, mostrando-lhe o livro aberto.

Compreendeu o Padre Carlos e soltou uma gargalhada, como ele as sabia dar, verdadeira gargalhada homérica, que mais parecia uma salva de sinos a repicarem do que riso humano. E após esta, outra e outra, que era ele inesgotável, quando ria de abundância de coração, com o gênio prazenteiro de que a natureza o dotara.

Foi essa leitura contínua e repetida de novelas e romances que primeiro imprimiu em meu espírito a tendência para essa forma literária que é entre todas a de minha predileção?

Não me animo a resolver esta questão psicológica, mas creio que ninguém contestará a influência das primeiras impressões.

Disponível em: <http://www.dominiopublico.gov.br/download/texto/bv000311.pdf>. Acesso em: 12 dez. 2012.

Remoques: gozações, zombarias.

Amanda: personagem do romance gótico *Amanda e Oscar, ou história da família de Dunreath* (1796), sucesso em seu tempo.

Responda às questões em seu caderno.

1 Você já aprendeu que todo texto revela, direta ou indiretamente, marcas históricas (valores, hábitos, linguagem, etc.) ligadas à época em que foi escrito. Em relação ao trecho da autobiografia lida:

a) Quem compunha o grupo de amigos recebidos pela mãe do escritor nas ocasiões em que não havia "visitas de cerimônia" na casa? Comprove sua resposta com passagens do texto.

b) Que hábitos femininos típicos do século XIX são revelados no texto?

2 A que conclusão Alencar chega sobre suas motivações para se tornar um autor de romances e novelas?

ProvocAÇÃO

A situação narrada por José de Alencar em sua autobiografia se assemelha ao hábito que as pessoas têm hoje de discutir as telenovelas. Na sua opinião, esse gênero televisivo afasta ou aproxima as pessoas do debate de temas sociais relevantes?

Embora seja inquestionável a força do gênero lírico em nosso Romantismo, o romance exerceu papel importante na consolidação desse movimento literário. O texto de Alencar, que você acabou de ler, revela dois aspectos importantes sobre a popular prosa romântica brasileira: o surgimento, no século XIX, de um grupo receptivo aos romances e novelas e a predominância feminina desse público. É o que veremos neste capítulo.

Romance romântico: um projeto nacionalista

No Brasil-colônia, nem o Barroco nem o Arcadismo viram surgir uma prosa de ficção tão significativa quanto a produzida ao longo do Romantismo.

Por volta de 1830, os folhetins franceses e ingleses tornaram-se populares. Pouco a pouco, porém, os textos estrangeiros cederam lugar às narrativas românticas centradas em espaços brasileiros, nas quais os escritores procuraram resgatar a "cor local", enfatizando a força e o lirismo de nossa paisagem tropical, bastante familiar aos leitores, diversa daquela presente nos romances europeus.

NAVEGUE

Leia uma crônica de Eliane Brum sobre a relação entre o gênero romance e a vida cotidiana das pessoas: <http://novo.itaucultural.org.br/materiacontinuum/abril-maio-2010-minha-vida-da-um-romance>.

Após a Independência, os romancistas brasileiros dedicaram-se a um verdadeiro "projeto de construção" de uma identidade nacional. Mas, apesar de ter como objetivo retratar uma nação recém-independente (aspecto realista), nossos romancistas exploraram em seus livros enredos por vezes fantásticos, mágicos, situados num Brasil bastante diverso do real (aspecto romântico).

LUCIO MARREIRO/EDITORA ABRIL IMAGENS

Muitos romances românticos foram adaptados para a TV no formato de telenovelas, como *A Moreninha*, veiculada entre 1975 e 1976.

José de Alencar: a escrita abrangente

Será que um escritor planeja todas as obras que vai escrever? Elas surgem naturalmente ou são fruto de uma reflexão mais ampla? Analisando a obra integral de José de Alencar e os textos em que o autor fala de sua literatura, temos a impressão de que ele organizou, conscientemente, um verdadeiro painel literário do Brasil.

Considerado pela crítica o principal prosador do Romantismo Brasileiro, Alencar recebeu influência de escritores estrangeiros como Chateaubriand, Vigny, Balzac, Victor Hugo e Alexandre Dumas.

ACADEMIA BRASILEIRA DE LETRAS

José de Alencar, por autor desconhecido (1873).

O cearense **José de Alencar** (1829-1877) adveio de uma família influente na política. Formou-se pela Faculdade de Direito do Largo São Francisco, em São Paulo, mas iniciou a carreira de advogado na capital fluminense, chegando a deputado e ministro da Justiça.

Em vinte anos de trajetória literária, mapeou o Brasil em seus folhetins, devorados principalmente por mulheres e grupos de estudantes, que, muitas vezes, os liam coletivamente. Além de escrever romances, aventurou-se também pelo teatro. São de sua autoria *Demônio familiar* (1857), *Verso e reverso* (1857) e *As asas de um anjo* (1860), entre outras peças.

NAVEGUE

Leia mais sobre José de Alencar e acesse várias de suas obras: <http://www.brasiliana.usp.br/node/416>.

As diversas tendências

De maneira geral, a crítica literária estabelece uma divisão da prosa romântica a partir das tendências apresentadas pelos escritores em suas obras.

- **Romance indianista**: caracteriza-se por apresentar o indígena de forma idealizada, como representante autêntico de um Brasil primitivo, dada sua valentia e nobreza.
- **Romance regionalista**: sua ênfase está em registrar hábitos, paisagens e costumes de um Brasil distante da então capital do país, Rio de Janeiro. Com raras exceções, obras dessa tendência são marcadas pelo artificialismo.
- **Romance urbano**: destaca os costumes da sociedade carioca do Segundo Reinado (1840-1889). Por retratarem um cotidiano bastante conhecido dos leitores burgueses, sobretudo por apresentarem situações lírico-amorosas vividas e idealizadas, esses romances eram muito populares e prestigiados.
- **Romance histórico**: seguindo a tendência de valorização da identidade nacional, enfatiza o relato de episódios históricos — reconstituídos de forma idealizada — ocorridos, principalmente, no período colonial.

Todas essas tendências estão contempladas na extensa obra do escritor cearense. Em seus **romances regionalistas**, por exemplo, Alencar buscou retratar um homem puro, leal, altivo, desvinculado de uma vida baseada na supremacia do dinheiro, típica da sociedade urbana do Segundo Reinado. Estão presentes nessa tendência as obras *O gaúcho* (1870), *O tronco do ipê* (1871), *Til* (1872) e *O sertanejo* (1875).

Nos **romances urbanos**, além de criar enredos marcados por intrigas amorosas, amores impossíveis, surpresas reveladoras e desfechos felizes, o autor realiza uma análise crítica consistente da (falsa) moral burguesa de sua época. Em três romances — *Lucíola* (1862), *Diva* (1864) e *Senhora* (1875) —, constrói o que denominou "perfis de mulher", apresentando ao leitor três heroínas fortes, inseridas em uma sociedade imperial europeizada, patriarcal e pautada em aparências. Na seção **Atividades**, você lerá um fragmento de *Senhora*.

O casamento por interesse em *Senhora*

Senhora, um dos romances mais importantes de José de Alencar, retrata o casamento burguês do século XIX, motivado muitas vezes pelo interesse financeiro. Nele, a órfã Aurélia Camargo, antes sem recursos, recebe uma herança e ascende socialmente. Para vingar-se do ex-namorado Fernando Seixas, que a trocara por outra pretendente, decide oferecer-lhe um alto dote para casar-se com ele. A obra é dividida em quatro partes. Na primeira, "O preço", Aurélia negocia seu noivado com o jovem Fernando sem que este saiba a identidade da futura esposa. Na segunda, "Quitação", o leitor fica sabendo das razões do ódio de Aurélia. "Posse" é a terceira parte e, nela, retorna-se ao quarto do casal, onde Fernando mostra-se envergonhado e silencioso. Na última parte, "Resgate", o romantismo se impõe: o marido comprado abre mão dos luxos de sua esposa e busca negociar com ela a retomada de sua dignidade por meio do pagamento do dinheiro relativo ao dote recebido por ele. Aurélia, porém, considera o gesto de Fernando uma prova de sua regeneração e, como nunca havia deixado de amá-lo, entrega-lhe a chave de seu quarto e consuma o casamento.

Os **romances históricos** de José de Alencar enfocam o Brasil-colônia: a aventura dos bandeirantes está em *As minas da prata* (1865) e os conflitos entre Recife e Olinda, ocorridos no início do século XVIII, são tema de *A guerra dos mascates* (1874).

Entre tantos painéis que traçou sobre o Brasil, Alencar também tratou da relação entre índios e colonizadores, conforme veremos mais detidamente a seguir.

⊙ O romance indianista

A existência do que José de Alencar chamou de "consórcio" benéfico entre o povo indígena (fornecedor de um solo bom e de uma natureza intocada) e o invasor (colonizador europeu, fornecedor da "civilidade", da "cultura" e da religião) foi defendida pelo autor em sua trilogia indianista, composta pelos romances *O Guarani*, *Iracema* e *Ubirajara*. Em *O Guarani* (1857), Ceci, filha de um fidalgo português, envolve-se amorosamente com Peri, da tribo Goitacá, protagonista da história, que tem como pano de fundo a colonização do Vale do Paraíba, no século XVI. Já na narrativa poética *Iracema* (1865), Alencar criou uma lenda — em que a jovem indígena Iracema se une ao colonizador europeu Martim — para narrar as origens da América. Por fim, no romance *Ubirajara* (1874), enfocam-se a cultura e os hábitos indígenas anteriores à chegada dos colonizadores ao Brasil.

Montagem da ópera *O Guarani*, por Roberto Duarte. Teatro São Pedro, 2011.

ADRIANO ESCANHUELA

***O Guarani*, a ópera**

Carlos Gomes (1836-1896), principal compositor do Brasil no século XIX, escreveu dez óperas. Dessas, a mais conhecida é *Il Guarany* ou *O Guarani* (suas óperas eram compostas em italiano), baseada no romance de Alencar. O espetáculo estreou em Milão, em 19 de março de 1870.

Os acordes iniciais da obra são amplamente conhecidos por constituírem a abertura de *A voz do Brasil*, o quase centenário programa público radiofônico de notícias.

Iracema: lenda que não é lenda

MUSEU DE ARTE DE SÃO PAULO, SP

PARREIRAS, Antônio. *Iracema*. 1909. Óleo sobre tela, 61 × 92 cm.

Alencar chamou seu romance *Iracema* de "lenda cearense". Dividida em 33 capítulos curtos, a obra narra o início da civilização brasileira (segundo o ponto de vista romântico do autor), resultado do encontro da raça branca com a indígena. Ele partiu de um argumento histórico para criar sua ficção — personagens como o protagonista Moacir e o indígena Poti, por exemplo, realmente existiram e lhe serviram de inspiração.

Na história, o guerreiro português Martim perde-se na mata e é recebido como amigo por Araquém, pajé da tribo Tabajara. A filha deste, a bela Iracema, apaixona-se pelo europeu e foge com ele, mas, segundo a tradição de seu povo, precisa manter-se virgem porque guarda o segredo da jurema (é de sua mão que se fabrica a bebida mágica do deus Tupã). Na floresta, o casal, com auxílio do fiel companheiro Poti, pertencente a uma tribo oponente, os Pitiguara, vive em meio a uma natureza exuberante. Entre fugas e conflitos tribais, Iracema dá à luz Moacir e morre em seguida. A criança, cujo nome significa "filho do sofrimento", simboliza o nascimento de um povo mestiço, o brasileiro.

Leia a seguir o capítulo 2 do romance, que narra o primeiro contato de Martim com Iracema.

Além, muito além daquela serra, que ainda azula no horizonte, nasceu Iracema.

Iracema, a virgem dos lábios de mel, que tinha os cabelos mais negros que a asa da **graúna** e mais longos que seu **talhe** de palmeira.

O favo da **jati** não era doce como seu sorriso; nem a baunilha recendia no bosque como seu hálito perfumado.

Mais rápida que a ema selvagem, a morena virgem corria o sertão e as matas do **Ipu**, onde campeava sua guerreira tribo da grande nação tabajara. O pé grácil e nu, mal roçando, alisava apenas a verde pelúcia que vestia a terra com as primeiras águas.

Um dia, ao pino do sol, ela repousava em um claro da floresta. Banhava-lhe o corpo a sombra da **oiticica**, mais fresca do que o orvalho da noite. Os ramos da **acácia** silvestre **esparziam** flores sobre os úmidos cabelos. Escondidos na folhagem os pássaros ameigavam o canto.

Iracema saiu do banho; o **aljôfar** d'água ainda a **roreja**, como à doce mangaba que corou em manhã de chuva. Enquanto repousa, empluma das penas do **gará** as flechas de seu arco, e concerta com o sabiá da mata, pousado no galho próximo, o canto agreste.

A graciosa **ará**, sua companheira e amiga, brinca junto dela. Às vezes sobe aos ramos da árvore e de lá chama a virgem pelo nome; outras remexe o **uru** de palha matizada, onde traz a selvagem seus perfumes, os alvos fios do **crautá**, as agulhas da **juçara** com que tece a renda, e as tintas de que matiza o algodão.

Rumor suspeito quebra a doce harmonia da sesta. Ergue a virgem os olhos, que o sol não deslumbra; sua vista perturba-se.

Diante dela e todo a contemplá-la, está um guerreiro estranho, se é guerreiro e não algum mau espírito da floresta. Tem nas faces o branco das areias que bordam o mar; nos olhos o azul triste das águas profundas. **Ignotas** armas e tecidos ignotos cobrem-lhe o corpo.

Graúna: pássaro todo preto.

Talhe: corte, talho.

Jati: tipo de abelha.

Ipu: certo tipo de terra fértil, que forma grandes coroas ou ilhas.

Oiticica: árvore rosácea.

Acácia: árvore de flores perfumadas, brancas ou amarelas.

Esparziam: espalhavam.

Aljôfar: orvalho da manhã.

Roreja: banha.

Gará: tipo de pássaro; guará.

Ará: arara.

Uru: cestinho que servia para as índias guardarem seus objetos de estimação.

Crautá: bromélia de que se tiram fibras finas.

Juçara: palmeira de grandes espinhos, utilizados para dividir os fios de renda.

Ignotas: desconhecidas.

Foi rápido, como o olhar, o gesto de Iracema. A flecha embebida no arco partiu. Gotas de sangue borbulham na face do desconhecido.

De primeiro ímpeto, a mão **lesta** caiu sobre a cruz da espada, mas logo sorriu. O moço guerreiro aprendeu na religião de sua mãe, onde a mulher é símbolo de ternura e amor. Sofreu mais d'alma que da ferida.

O sentimento que ele pôs nos olhos e no rosto, não o sei eu. Porém a virgem lançou de si o arco e a **uiraçaba**, e correu para o guerreiro, sentida da mágoa que causara.

A mão que rápida ferira, estancou mais rápida e compassiva o sangue que gotejava. Depois Iracema quebrou a flecha homicida: deu a haste ao desconhecido, guardando consigo a ponta farpada.

O guerreiro falou:

— Quebras comigo a flecha da paz?

— Quem te ensinou, guerreiro branco, a linguagem de meus irmãos? Donde vieste a estas matas, que nunca viram outro guerreiro como tu?

— Venho de bem longe, filha das florestas. Venho das terras que teus irmãos já possuíram, e hoje têm os meus.

— Bem-vindo seja o estrangeiro aos campos dos tabajaras, senhores das aldeias, e à cabana de Araquém, pai de Iracema.

ALENCAR, José de. *Iracema*. 20. ed. São Paulo: Ática, 1991. p. 14-16. (Bom Livro). (Fragmento).

Lesta: ágil, rápida.
Uiraçaba: flecha.

Responda às questões em seu caderno.

1 Um dos elementos responsáveis pelo tom lendário do romance de Alencar é a inserção, em alguns momentos, de espaços míticos, indeterminados. Explique essa afirmação com base no capítulo lido.

2 Embora os personagens presentes no capítulo pertençam a universos culturais bastante diferentes, o narrador os apresenta igualmente como figuras elevadas, nobres. Justifique essa afirmação com base no texto.

3 Releia do segundo ao sexto parágrafos do capítulo e explique as relações que o narrador estabelece entre Iracema e a natureza na qual ela está inserida.

4 Embora seja uma narração em terceira pessoa, é possível deduzir que, assim que Iracema vê o homem branco pela primeira vez, compara-o a elementos naturais. Que elementos são esses?

5 Explique a diferença cultural revelada no seguinte parágrafo:

"De primeiro ímpeto, a mão lesta caiu sobre a cruz da espada, mas logo sorriu. O moço guerreiro aprendeu na religião de sua mãe, onde a mulher é símbolo de ternura e amor. Sofreu mais d'alma que da ferida."

O romance regionalista romântico

Embora a literatura regionalista brasileira só tenha alcançado um alto grau de sofisticação formal e temática com os escritores modernistas de 1930, foi no Romantismo que essa tendência surgiu. Nela se destacam Bernardo Guimarães (Sudeste e Centro-Oeste), Visconde de Taunay (Centro-Oeste), José de Alencar (Sul) e Franklin Távora (Nordeste).

⊙ Visconde de Taunay: *Inocência*, um Brasil muito maior

Taunay mostrou-se observador atento de um Brasil distante do Rio de Janeiro em que nasceu. *Inocência* (1872), o romance mais importante do regionalismo romântico, revelou ao leitor da corte os costumes, a língua, a cultura, a rusticidade e o rigoroso código moral dos habitantes da província de Mato Grosso.

A história trata do amor impossível entre Cirino, prático de farmácia que se apresenta como médico, e Inocência, a bela e delicada filha de Pereira, homem que a prometeu em casamento a Manecão Doca, bruto e rude fazendeiro local. Estabelece-se, portanto, um triângulo amoroso que durará até o final do romance.

A paixão entre Inocência e Cirino é impossibilitada pelo rígido código de ética do sertão oitocentista, em que a mulher, sem poder de escolha, se submete à autoridade paterna. Só o amor daria força à jovem para romper com esse código, mas o sentimento acabará derrotado. Não resta outra saída que não a da tragédia: Inocência morre.

Leia parte do capítulo 26, "Recepção cordial", em que Pereira recebe o futuro marido de sua filha, Manecão Doca:

MUSEU IMPERIAL DE PETRÓPOLIS, RJ

Retrato póstumo do autor de *Inocência* (detalhe). s. d.

Alfredo d'Escragnolle Taunay (1843-1899) participou da Guerra do Paraguai, mas deixou o exército para dedicar-se à política. A carreira militar possibilitou ao carioca uma série de viagens pelo país, o que o aproximou da realidade sertaneja e o motivou a escrever sua obra mais significativa: *Inocência*.

Em breve chegara Manecão à casa do futuro sogro.

[...]

Acolheu-o Pereira com verdadeira explosão de alegria.

— Viva! viva! exclamou de longe acenando com os braços, seja bem-vindo neste rancho... Ora, até que afinal!... Faltam *rojões* para festejar a sua chegada... Que demora!... Pensei que não topava mais com o caminho da casa... *Nocência* vai pular de contente...

Enquanto o mineiro enfiava estas palavras quase em gritos, **apeou-se** o sertanista que, de chapéu na mão, veio pedir-lhe a bênção.

— Deus o faça um santo, disse Pereira abençoando-o com fervor. Você não queria chegar...

— Como vai a dona? perguntou Manecão.

— Agora, muito bem. Teve **sezões**, mas já está de todo boa...

— E lembrou-se de mim?

— Olhe, que *enjoado*... Pois se ele enfeitiça a gente... Eu mesmo só pensava em você... Quando estará por cá aquele *marreco*? dizia eu comigo mesmo:... e botava uns olhos compridos por essa estrada afora... quanto mais, mulher! Isto é um não acabar nunca de saudades. Mas, observou ele, estamos a bater língua e não o faço entrar... *Agorinha* mesmo, *Nocência* foi para o córrego... **Desencilhe** o *pingo* e deixe-o por aí...

Fez Manecão o que disse Pereira. Tirou os **arreios**, não de súbito, mas com cautela e lentidão para que o animal, encalmado como estava, não ficasse ***airado***; deixou sobre o lombo a manta e, apanhando um sabugo de milho, esfregou devagar a **anca** e o pescoço.

Apeou-se: desceu do cavalo.

Sezões: febres intermitentes, que ocorrem a intervalos de tempo.

Desencilhe: retire os arreios de.

Arreios: peças utilizadas para preparar o cavalo a ser montado.

Airado: arredio, bravo.

Anca: parte traseira mais alta do cavalo.

Depois de **dar termo** àqueles cuidados, penetrou na casa fazendo soar ruidosamente as esporas, que pelas dimensões desproporcionadas o obrigavam a caminhar firmado nos dedos do pé e com a planta levantada.

O mineiro não cabia em si de contente.

— Então, está tudo arranjado? perguntou alegremente.

— Tudo. Os papéis já foram tirados... Tive que ir até Uberaba, e foi o que me atrasou... Quando **mecê** queira... botamo-nos de partida para a Senhora Sant'Ana... Amanhã cá chegam os cavalos que comprei... Está falado o Lata... o vigário avisado; só... falta o dia...

— Nestes casos, quanto mais depressa melhor... Não acha?

— Certo que sim...

— Então, se quiser, daqui a dois domingos...

— Como queira... Eu, cá por mim... Bem sabe, isto de *casórios*, o que custa é... tomar resolução... depois... deve-se *pegar* na carreira... A rapariga está pronta?...

— Não sei... há de estar... Vejo-a sempre **cosendo**... Quero ficar bem certo do dia, porque mando chamar a gente do Roberto... Afinal, é preciso matar a porcada e mandar buscar ***restilo***. Quando se casa uma filha e... filha única, as **algibeiras** devem ficar ***veleiras***. Já estão todos combinados... é só dar o sinal... Tudo se arma logo... Aqui, em frente da casa, faz-se um grande rancho... A latada para a *janta* há de ser no oitão direito... Já encomendei de Sant'Ana alguns rojões, e o mestre Trabuco prometeu-me uns que deitam lágrimas... Depois, tiros de **bacamarte** e ***ronqueiras*** hão de **troar**...

— Eu, interrompeu Manecão, mandei com a sua licença vir da *cidade* duas dúzias de garrafas de vinho da casa do major...

— Olaré! Você meteu-se em gastos!... Duas dúzias de garrafas de vinho?

[...]

— Mas, perguntou Manecão, qu'é de sua filha?

Riu-se Pereira.

— **Maganão**! não pensa noutra coisa, hem? Também fui *ansim*... cada qual tem o seu tempo... Isto é regra de Nosso Senhor Jesus Cristo.

[...]

TAUNAY, Visconde de. *Inocência*. 16. ed. São Paulo: Ática, 1998. p. 107-109. (Série Bom Livro). (Fragmento).

Dar termo: terminar.
Mecê: você.
Cosendo: costurando.
Restilo: aguardente destilada.
Algibeiras: bolsos.
Veleiras: fáceis de abrir.
Bacamarte: arma de fogo antiga de cano largo.
Ronqueiras: pequenos canhões; instrumentos que disparam fogos de artifício.
Troar: fazer grande estrondo.
Maganão: malandro.

Leia o comentário de Domício Proença Filho e responda às questões no caderno.

"[...] Taunay é ainda o primeiro romancista brasileiro a trazer para a literatura o aproveitamento literal do registro da fala brasileira sertaneja."

PROENÇA FILHO, Domício. A narrativa romântica brasileira. In: *História da literatura brasileira*. Lisboa: Publicações Alfa, 1999. p. 120. (Fragmento).

1 O capítulo lido dialoga com a posição do crítico? Justifique.

2 Que efeito expressivo tem esse registro para a construção do texto?

3 Compare a linguagem utilizada para registrar as falas de Pereira e Manecão com aquela usada por José de Alencar no diálogo entre Iracema e Martim, que você leu neste capítulo.

ProvocAÇÃO

Nesse capítulo de *Inocência*, fica clara a submissão da jovem à vontade do pai. A discussão sobre os detalhes do casamento sugere que a filha não poderia opinar sobre nada. Você acha que esse código ainda impera nos dias de hoje em algumas comunidades no Brasil? Explique seu ponto de vista.

Outros autores regionalistas

Franklin Távora (1842-1888) lutou pela afirmação de uma voz literária nordestina distinta daquela que chamou de típica da "literatura do Sul". Sua obra mais importante é *O Cabeleira* (1876), na qual tratou de temas como a fome, a seca e a miséria, entre outros.

Bernardo Guimarães (1825-1884) teve como principais referências ficcionais as histórias colhidas das narrativas orais advindas de Minas Gerais e Goiás. No entanto, na tentativa de apresentar ao leitor urbano um espaço que nem ele conhecia bem, acabou por reforçar estereótipos sobre o interior do Brasil. Suas obras mais populares são *A escrava Isaura* (1875) e *O seminarista* (1872), esta última considerada sua melhor realização e de temática semelhante à do romance histórico português *Eurico, o presbítero* (1844), de Alexandre Herculano, já estudado por você.

Manuel Antônio de Almeida: o criador do malandro brasileiro

Manuel Antônio de Almeida é considerado uma voz particular no panorama da prosa romântica brasileira, por focalizar em sua narrativa um ambiente nada sofisticado: as ruas e os casebres modestos do Rio de Janeiro de sua época.

Sua obra mais significativa é *Memórias de um sargento de milícias* (1854), publicada em folhetim no jornal *Correio Mercantil* e assinada sob o pseudônimo "Um Brasileiro". Nesse romance, o autor utiliza uma linguagem coloquial, bastante influenciada pela crônica jornalística, para narrar as aventuras de um personagem central, Leonardo, construído com pinceladas picarescas. O protagonista é um anti-herói malandro e simpático, e não há grandes idealizações do amor nem das figuras femininas. A ironia perpassa toda a obra.

Picaresco é o romance que tem por protagonista o chamado pícaro, herói de baixa condição social cuja sobrevivência depende de sua astúcia e de suas trapaças.

Com olhar sarcástico, o autor focaliza a época de D. João VI no Brasil: um mundo em que vadios, famílias, malandros, procissões religiosas, festas populares, danças, influências e favores convivem de maneira caótica e particular.

A história se inicia quando o português Leonardo Pataca, em viagem de navio ao Brasil, conhece Maria das Hortaliças, quitandeira das praças de Lisboa, e a engravida. Nasce o protagonista Leonardo, abandonado muito cedo pelos pais e criado, sem nenhum limite, por um barbeiro e uma parteira, seus padrinhos.

No capítulo 18, "Amores", reproduzido a seguir, Leonardo (filho) entra na adolescência e apaixona-se por Luisinha, filha adotiva de D. Maria, senhora rica e amiga do barbeiro que criava o rapaz.

ACADEMIA BRASILEIRA DE LETRAS

Manuel Antônio de Almeida, em retrato de 1862.

O carioca **Manuel Antônio de Almeida** (1831-1861) ficou órfão de pai aos 11 anos. Formado em Medicina, jamais exerceu a profissão. Foi jornalista, professor e funcionário público. Quando, aos 30 anos, decidiu abraçar a carreira política, morreu num naufrágio na costa fluminense.

Os leitores devem já estar fatigados de histórias de travessuras de criança; já conhecem suficientemente o que foi o nosso memorando em sua meninice, as esperanças que deu e o futuro que prometeu. Agora vamos saltar por cima de alguns anos, e vamos ver realizadas algumas dessas esperanças. Agora começam histórias, se não mais importantes, pelo menos um pouco mais sisudas.

Como sempre acontece a quem tem muito onde escolher, o pequeno, a quem o padrinho queria fazer clérigo mandando-o a Coimbra, a quem a madrinha queria fazer artista metendo-o na Conceição, a quem D. Maria queria fazer **rábula** arranjando-o em algum cartório, e a quem enfim cada conhecido ou amigo queria dar um destino que julgava mais conveniente às inclinações que nele descobria, o pequeno, dizemos, tendo tantas coisas boas, escolheu a pior possível: nem foi para Coimbra, nem para a Conceição, nem para cartório algum; não fez nenhuma destas coisas, nem também outra qualquer: constituiu-se um completo vadio, vadio-mestre, vadio-tipo.

O padrinho desesperava com isso vinte vezes em cada dia por ver frustrado seu belo sonho, porém não se animava mais a contrariar o afilhado, e deixava-o ir à sua vontade.

[...]

D. Maria envelhecera sofrivelmente, porém não perdera de modo nenhum a sua mania favorita das **demandas**: a última que tivera foi talvez a mais razoável de todas. Teve por causa a tutoria de uma sua sobrinha que ficara órfã por morte de um seu irmão. Este irmão tinha um compadre que não gozava de boa reputação: ora, tendo a órfã ficado senhora de alguns mil cruzados que deixara seu pai, ainda que este não tivesse feito testamento, por ser ela filha única e legítima, o compadre apresentou-se pretendendo ser seu tutor.

D. Maria, percebendo o caso, apresentou-se também, e afinal venceu: foi nomeada tutora, e veio-lhe a sobrinha para casa: ela estimou isso, tanto mais que a sua idade já a fazia precisar, ainda não de um apoio, porém de uma companhia.

As mais personagens continuaram no mesmo estado.

Daqui em diante trataremos o nosso memorando pelo seu nome de batismo: não nos ocorre se já dissemos que ele tinha o nome do pai; mas se o não dissemos, fique agora dito. E para que se possa saber quando falamos do pai e quando do filho, daremos a este o nome de Leonardo, e acrescentaremos o apelido de pataca, já muito vulgarizado nesse tempo, quando quisermos tratar daquele.

Leonardo havia pois chegado à época em que os rapazes começam a notar que o seu coração palpita mais forte e mais apressado, em certas ocasiões, quando se encontra com certa pessoa, com quem, sem saber por quê, se sonha umas poucas de noites seguidas, e cujo nome se acode continuadamente a fazer cócegas nos lábios.

Já dissemos que D. Maria tinha agora em casa sua sobrinha: o compadre, como a própria D. Maria lhe pedira, continuou a visitá-la, e nessas visitas passavam longo tempo em conversas particulares. Leonardo acompanhava sempre o seu padrinho e fazia diabruras pela casa enquanto estava em idade disso, e depois que lhes perdeu o gosto, sentava-se em um canto e dormia de aborrecimento.

Disso resultou que detestava profundamente as visitas, e que só se sujeitava a elas obrigado pelo padrinho.

Em uma das últimas vezes que foram à casa de D. Maria, esta, assim que os viu entrar, dirigiu-se ao compadre e disse-lhe muito contente:

— Ora, afinal venci a minha campanha... veio ontem para o meu poder a menina... O tal velhaco do compadre de meu irmão não levou a sua avante.

— Muitos parabéns, muitos parabéns! respondeu o compadre.

Leonardo deu pouca atenção a isso; há muito tempo que ouvia falar da tal sobrinha; sentou-se a um canto, e começou a bocejar como de costume.

Depois de mais algumas palavras trocadas entre os dois, D. Maria chamou por sua sobrinha, e esta apareceu. Leonardo lançou-lhe os olhos, e a custo conteve o riso. Era a sobrinha de D. Maria já muito desenvolvida, porém

Rábula: advogado sem formação em Direito.

Demandas: ações judiciais propostas e disputadas em litígio (conflito).

que, tendo perdido as graças de menina, ainda não tinha adquirido a beleza de moça: era alta, magra, pálida: andava com o queixo enterrado no peito, trazia as pálpebras sempre baixas, e olhava a furto; tinha os braços finos e compridos; o cabelo, cortado, dava-lhe apenas até o pescoço, e como andava mal penteada e trazia a cabeça sempre baixa, uma grande porção lhe caía sobre a testa e olhos, como uma viseira. Trajava nesse dia um vestido de chita roxa muito comprido, quase sem roda, e de cintura muito curta; tinha ao pescoço um lenço encarnado de Alcobaça.

Por mais que o compadre a questionasse, apenas murmurou algumas frases ininteligíveis com voz rouca e sumida. Mal a deixaram livre, desapareceu sem olhar para ninguém. Vendo-a ir-se, Leonardo tornou a rir-se interiormente.

Quando se retiraram, riu-se ele pelo caminho à sua vontade. O padrinho indagou a causa da sua hilaridade; respondeu-lhe que não se podia lembrar da menina sem rir-se.

— Então lembras-te dela muito **a miúdo**, porque muito a miúdo te ris.

Leonardo viu que esta observação era verdadeira.

Durante alguns dias umas poucas vezes falou na sobrinha da D. Maria; e apenas o padrinho lhe anunciou que teriam de fazer a visita do costume, sem saber por quê, pulou de contente, e, ao contrário dos outros dias, foi o primeiro a vestir-se e dar-se por pronto.

Saíram e encaminharam-se para o seu destino.

ALMEIDA, Manuel Antônio de. *Memórias de um sargento de milícias*. São Paulo: Saraiva, 2006. p. 89-92. (Clássicos Saraiva). (Fragmento).

A miúdo: com frequência; amiúde.

NAVEGUE

Leia a obra de Manuel Antônio de Almeida na íntegra em: <http://www.dominiopublico.gov.br/pesquisa/DetalheObraForm.do?select_action=&co_obra=16987>.

Responda às questões no caderno.

1 O narrador do romance parece bem próximo do leitor. Explique a estratégia que o autor utiliza para criar esse efeito de proximidade.

2 A partir do segundo parágrafo, o narrador fala das expectativas que os outros personagens tinham sobre o futuro de Leonardo.

a) Que planos eram feitos para ele?

b) Leonardo corresponde às expectativas desses personagens?

c) O que o rapaz escolheu como carreira?

d) Analise os destinos sugeridos pelo padrinho, pela madrinha e por D. Maria, compare-os àquele seguido pelo protagonista e relacione a opção de vida de Leonardo com os ideais românticos.

Embora a obra de Almeida ainda não se configure como um romance realista típico, já apresenta marcas desse movimento literário, além de ser precursora de romances publicados posteriormente, como *Memórias póstumas de Brás Cubas*, de Machado de Assis, *Memórias sentimentais de João Miramar*, de Oswald de Andrade, e *Macunaíma*, de Mário de Andrade, textos que estudaremos ao longo do Ensino Médio.

Macedo: retrato de um país perfeito

Joaquim Manuel de Macedo (1820-1882) foi um autor popular entre os leitores urbanos do romance romântico. Em seus romances retratou um Brasil convencional, sem grandes conflitos, por onde circulam personagens da classe burguesa. Suas histórias são marcadas pelo humor, pelos desfechos-surpresa, pela apologia ao casamento, pelo sentimentalismo fácil, pelo tema do amor impossível. De sua extensa produção, destaca-se *A Moreninha* (1844).

Atividades: Leitura de texto

No capítulo 12 de *Senhora*, Aurélia e Fernando estão sozinhos na "câmara nupcial", onde uma incômoda verdade será revelada. O trecho a seguir narra a difícil conversa entre os recém-casados. Leia-o e responda às questões no caderno.

Retome o boxe informativo sobre *Senhora*, na página 298.

Ergueu-se; deu algumas voltas pela câmara nupcial acariciando com os olhos todos estes móveis e adereços, que ela escolhera para ornarem o **regaço** de sua felicidade, e nos quais tinha como que esculpido suas mais queridas esperanças.

Depois que assim repassou-se das reminiscências que lhe acordavam esses objetos, foi rever-se no espelho, e enviou à sua feiticeira imagem reproduzida no **cristal**, um sorriso de indefinível expressão.

Dirigiu-se então à porta, onde pouco antes escutara; deu volta à chave, e afastou uma das bandas. Pouco depois, Seixas **roçagou** a cortina, e **cingindo** o **talhe** de sua mulher, foi sentá-la em uma das cadeiras.

— Como tardaste, Aurélia! disse ele queixoso.

— Tinha um voto a cumprir; quis emancipar-me logo de uma vez para pertencer toda a meu único senhor; respondeu a moça galanteando.

— Não me mates de felicidade, Aurélia! Que posso eu mais desejar neste mundo do que viver a teus pés, adorando-te, pois que és a minha divindade na terra.

Seixas ajoelhou aos pés da noiva; tomou-lhe as mãos que ela não retirava; e **modulou** o seu canto de amor, essa ode sublime do coração, que só as mulheres entendem, como somente as mães percebem o balbuciar do filho.

[...]

— É então verdade que me ama?

— Pois duvida, Aurélia?

— E amou-me sempre, desde o primeiro dia que nos vimos?

— Não lho disse já?

— Então nunca amou a outra?

— Eu lhe juro, Aurélia. Estes lábios nunca tocaram a face de outra mulher, que não fosse minha mãe. O meu primeiro beijo de amor, guardei-o para minha esposa, para ti...

Soerguendo-se para alcançar-lhe a face, não viu Seixas a súbita mutação que se havia operado na fisionomia de sua noiva.

Aurélia estava **lívida**, e a sua beleza, radiante há pouco, se marmorizara.

— Ou de outra mais rica!... disse ela retraindo-se para fugir ao beijo do marido, e afastando-o com a ponta dos dedos.

A voz da moça tomara o timbre cristalino, eco da rispidez e aspereza do sentimento que lhe **sublevava** o seio, e que parecia **ringir**-lhe nos lábios como aço.

— Aurélia! Que significa isto?

— Representamos uma comédia, na qual ambos desempenhamos o nosso papel com **perícia consumada**. Podemos ter este orgulho, que os melhores atores não nos excederiam. Mas é tempo de pôr termo a esta cruel **mistificação**, com que nos estamos **escarnecendo** mutuamente, senhor. Entremos na realidade por mais triste que ela seja; e **resigne-se** cada um ao que é; eu, uma mulher traída; o senhor, um homem vendido.

— Vendido! exclamou Seixas ferido dentro d'alma.

— Vendido, sim: não tem outro nome. Sou rica, muito rica; sou milionária; precisava de um marido, traste indispensável às mulheres honestas. O senhor estava no mercado; comprei-o. Custou-me cem contos de réis, foi barato; não se fez valer. Eu daria o dobro, o triplo, toda a minha riqueza por este momento.

Regaço: abrigo, aconchego.
Cristal: espelho.
Roçagou: roçou, tocou.
Cingindo: envolvendo.
Talhe: tronco, torso.
Modulou: cantou com harmonia.
Lívida: muito pálida.
Sublevava: erguia, elevava.
Ringir: ranger, trincar.
Perícia: habilidade.
Consumada: perfeita.
Mistificação: farsa.
Escarnecendo: zombando.
Resigne-se: conforme-se.

Aurélia proferiu estas palavras desdobrando um papel, no qual Seixas reconheceu a obrigação por ele passada ao Lemos.

Não se pode exprimir o sarcasmo que salpicava dos lábios da moça; nem a indignação que vazava dessa alma profundamente revolta, no olhar implacável com que ela **flagelava** o semblante do marido.

Seixas, trespassado pelo cruel insulto, arremessado do êxtase da felicidade a esse abismo de humilhação, a princípio ficara atônito. Depois quando os **assomos** da irritação vinham sublevando-lhe a alma, **recalcou**-os esse poderoso sentimento do respeito à mulher, que raro abandona o homem de fina educação.

Penetrado da impossibilidade de retribuir o **ultraje** à senhora a quem havia amado, escutava imóvel, cogitando no que lhe cumpria fazer; se matá-la a ela, matar-se a si, ou matar a ambos.

Aurélia como se lhe adivinhasse o pensamento, esteve por algum tempo afrontando-o com **inexorável** desprezo.

— Agora, meu marido, se quer saber a razão por que o comprei de preferência a qualquer outro, vou dizê-la; e peço-lhe que me não interrompa. Deixe-me vazar o que tenho dentro desta alma, e que há um ano a está amargurando e consumindo.

A moça apontou a Seixas uma cadeira próxima.

— Sente-se, meu marido.

Com que tom **acerbo** e **excruciante** lançou a moça esta frase *meu marido*, que nos seus lábios ríspidos **acerava**-se como um dardo **ervado** de **cáustica** ironia!

Seixas sentou-se.

Dominava-o a estranha fascinação dessa mulher, e ainda mais a situação incrível a que fora arrastado.

[...]

ALENCAR, José de. Senhora. In: PROENÇA, Manuel Cavalcanti (Org.). *José de Alencar*: obra completa. Rio de Janeiro: J. Aguilar, 1960. v. 4, p. 965-966. (Fragmento).

Flagelava: atormentava, afligia.
Assomos: impulsos, ímpetos.
Recalcou: reprimiu.
Ultraje: grande ofensa.
Inexorável: implacável.
Acerbo: amargo; cruel.
Excruciante: aflitivo.
Acerava: afiava.
Ervado: envenenado.
Cáustica: corrosiva.

1 Faça uma síntese do texto atentando para os seguintes itens:
- Personagens que participam direta ou indiretamente do texto.
- Onde estão e o que estão fazendo?
- Que situação quebra a expectativa de um deles?

2 O texto alterna elementos que remetem a um universo idealizado e romântico, de certa forma exagerados e artificiais, com elementos realistas, ligados a determinadas exigências sociais do século XIX. Explique essa afirmação com base na leitura do fragmento.

Material complementar
- Atividade: A caracterização feminina romântica

O QUE VOCÊ APRENDEU NO PERCURSO DESTE CAPÍTULO

- Os romancistas românticos brasileiros criaram um painel abrangente do Brasil.
- José de Alencar mapeou o país com seus romances. Na tendência indianista, defendeu a existência de um "consórcio" benéfico entre o povo indígena e o colonizador europeu. Nos romances urbanos, fez uma análise da moral burguesa de sua época. Nos romances regionalistas, buscou retratar um homem puro, leal, altivo, desvinculado de uma vida baseada na supremacia do dinheiro, típica da sociedade urbana do Segundo Império. Na tendência histórica, enfocou de forma idealizada acontecimentos do Brasil colonial.
- O romance regionalista destacou-se graças à atuação de Visconde de Taunay, Bernardo Guimarães e Franklin Távora.
- Manuel Antônio de Almeida é um autor de transição do Romantismo para o Realismo.

Expressões

Vimos nesta unidade que, entre as muitas facetas do Romantismo, estão o patriotismo e a saudade, além do egocentrismo, uma certa morbidez e a valorização da "cor local". É com base nelas que propomos as atividades a seguir.

PROPOSTA 1

Leia o poema mais popular do maranhense Gonçalves Dias:

Canção do exílio

Minha terra tem palmeiras,
Onde canta o Sabiá;
As aves, que aqui gorjeiam,
Não gorjeiam como lá.

Nosso céu tem mais estrelas,
Nossas várzeas têm mais flores,
Nossos bosques têm mais vida,
Nossa vida mais amores.

Em cismar, sozinho, à noite,
Mais prazer encontro eu lá;
Minha terra tem palmeiras,
Onde canta o Sabiá.

Minha terra tem primores,
Que tais não encontro eu cá;
Em cismar — sozinho, à noite —
Mais prazer encontro eu lá;
Minha terra tem palmeiras,
Onde canta o Sabiá.

Não permita Deus que eu morra,
Sem que eu volte para lá;
Sem que desfrute os primores
Que não encontro por cá;
Sem qu'inda aviste as palmeiras,
Onde canta o Sabiá.

BENELUX/CORBIS/LATINSTOCK

Coimbra, julho 1843.

DIAS, Gonçalves. Canção do exílio. In: *Poemas*. Rio de Janeiro: Ediouro; São Paulo: Publifolha, 1997. p. 27-28. (Biblioteca Folha;15).

O encanto da "Canção do exílio" reside em sua simplicidade. Possui apenas três quadras e duas sextilhas; seus versos, em redondilha maior (medida popular), são compostos de um vocabulário simples: os advérbios "lá" e "cá"; os substantivos "palmeiras", "Sabiá", "céu", "estrelas", "flores", etc. Não há no texto um adjetivo sequer.

Existem dezenas de estudos acadêmicos sobre a "Canção do exílio" nas universidades brasileiras. O poema de Dias serviu também de inspiração para inúmeros intertextos, em forma de homenagens, sátiras, etc.

Agora, você e seus colegas vão organizar uma exposição de poemas, canções, textos em prosa, etc., inspirada na "Canção do exílio". O ideal é que cada um pesquise um intertexto.

Siga estas orientações:

1. Pesquise os intertextos na internet (em *sites* seguros, organizados pelos autores, herdeiros, editoras, pesquisadores, etc.), em coletâneas impressas de poemas ou em livros dos próprios autores.
2. Transcreva em uma folha o intertexto escolhido. Você poderá digitar, manuscrever, recortar letras ou palavras de revistas para montar o texto, utilizar folha colorida ou com formato diferente como suporte, etc.
3. Escreva a referência bibliográfica ao final do texto.
4. Redija um comentário com a sua interpretação acerca do intertexto escolhido.
5. Com a supervisão do professor, você e seus colegas podem montar a exposição em um grande painel no pátio da escola para que todos os alunos tenham acesso ao material. Vocês podem também organizar um livro com todos os intertextos e disponibilizá-lo na biblioteca ou, ainda, espalhar os intertextos pelas paredes da escola. Qualquer que seja a escolha de vocês, não se esqueçam de escrever um texto explicativo sobre a exposição.

Algumas dicas de intertextos para você pesquisar:

- *Hino nacional do Brasil*, de Joaquim Osório Duque Estrada e Francisco Manuel da Silva
- *Canto de regresso à Pátria*, de Oswald de Andrade
- *Canção do expedicionário*, de Guilherme de Almeida
- *Canção de exílio facilitada*, de José Paulo Paes
- *Terra das palmeiras*, de Taiguara
- *Nova canção do exílio*, de Carlos Drummond de Andrade
- *Nova canção do exílio*, de Ferreira Gullar
- *Canção do exílio*, de Murilo Mendes
- *Uma canção*, de Mário Quintana
- *Sabiá*, de Chico Buarque e Tom Jobim
- *Pátria minha*, de Vinicius de Moraes
- *Canção do exílio às avessas*, de Jô Soares
- *4 graus*, de Raimundo Fagner
- *Jogos florais I e II*, de Antonio Carlos de Britow

PROPOSTA 2

Como você sabe, entre outros ganhos, a internet foi responsável pela popularização rápida de bandas que, sem o auxílio das ágeis e baratas ferramentas eletrônicas disponíveis, dificilmente chegariam ao seu público. É o caso da banda O Terno, que se utilizou da rede para divulgar seu trabalho e lançar um álbum.

A banda é composta de jovens como você: Tim Bernardes, Guilherme Peixe e Victor Chaves. A letra de canção a seguir integra o álbum *66*. Nela, com irreverência e humor, o eu lírico narra seu caso amoroso com uma garota, tendo como cenário as ruas do bairro onde mora, Pinheiros (zona oeste da cidade de São Paulo).

Modão de Pinheiros ou "É por isso que as pessoas mudam de bairro"

Foi no bairro de Pinheiros
Que eu me entreguei por inteiro
Para uma linda moça
Que descia a Rebouças
Ela entrou na Henrique Schauman
Eu logo perdi a calma
Virando na Teodoro
Eu falei: "eu te adoro"
Respondeu-me "deixa disso!"
Na Benedito Calixto
E eu fiquei chorando à toa
Na calçada da rua Lisboa
Mas a sorte foi bacana
E na Cristiano Viana
Vi alguém descer contente
Desde a Capote Valente
Era a moça que se fora
Que voltava da João Moura
Nós ficamos apaixonados
Fomos pra a Dr. Arnaldo
Ela então falou "vem cá que o caso é sério,
Vem aqui comigo para o cemitério"
Eu disse "minha pequena
Comigo não tem esquema
Ou nós vamos pro cinema
Ou pra a **Vila Madalena**"
Ela então sumiu e me deixou mal
Eu desci correndo a rua Cardeal
Fui me arrastando a pé...
E emboquei na Sumaré
Aí eu fui pro **Itaim**
E nunca mais se ouviu falar em mim
E é por isso que as pessoas mudam de bairro.

PEREIRA, Maurício. Modão de Pinheiros. Intérprete: O Terno. In: O TERNO. *66*. São Paulo: Estúdio DVMúsica, 2011. 1 CD. Faixa 7.

Capa do álbum *66*, da banda O Terno (2011).

Vila Madalena: bairro localizado nas proximidades de Pinheiros, zona oeste de São Paulo.

Itaim: bairro da zona sul de São Paulo.

Agora é com você. Reúna-se em duplas ou trios para compor uma canção em que as ruas da cidade ou do bairro onde moram sejam o cenário de um encontro (ou desencontro) amoroso.

Sigam estes passos para a criação da canção:

1. Escolham um bairro da sua cidade.
2. Elaborem uma lista com os nomes de ruas e praças que servirão de cenário para o encontro / desencontro amoroso.
3. Criem uma história de amor envolvendo dois personagens.
4. Façam esses personagens circularem pelas ruas do bairro.
5. Pensem em um desfecho mórbido ou tragicômico para a história de amor, como na letra de canção da banda O Terno.
6. Procurem criar rimas a partir dos nomes das ruas e dos personagens.
7. Pensem em elementos típicos de sua cidade (ou bairro) — praças, hábitos, programas que os jovens costumam fazer, etc. — e insiram-nos na canção.
8. Vocês podem criar uma melodia ou fazer uma paródia, inserindo a letra em uma música já conhecida (*rock*, samba, por exemplo).
9. Elejam um componente do grupo para ser o revisor e corrigir os erros ortográficos, as incoerências, os problemas de coesão, etc.
10. Se vocês se animarem, poderão também criar um clipe ou curta-metragem com sua canção.
11. Ensaiem várias vezes e, quando estiverem satisfeitos com o resultado, mostrem-no para os outros grupos.
12. Acertem com o professor e a direção da escola o melhor dia e horário para que funcionários e alunos possam assistir às apresentações.
13. No dia combinado, tragam instrumentos, se possível, e usem adereços (chapéu, óculos, lenço, etc.).
14. Por fim... soltem a voz e divirtam-se!

NAVEGUE

O *site* http://www.telabr.com.br/oficinas-virtuais apresenta várias oficinas sobre o ensino da arte visual. Acesse-o e aprenda a fazer um curta ou um clipe sobre a sua criação.

Leitura puxa leitura

Comece sua leitura por:

O Guarani (1857), de José de Alencar

Por que ler: Uma das obras referenciais da literatura e da cultura brasileiras, esse romance de Alencar idealiza a formação do nosso povo por meio de um herói encarnado na figura do índio Peri. Embora ainda marcado por uma visão europeia estereotipada, trata-se de um dos primeiros olhares literários feitos por um autor nacional sobre nossas origens.

Memórias de um sargento de milícias (1854), de Manuel Antônio de Almeida

Por que ler: Longe do idealismo de Alencar, essa obra se destaca por representar traços típicos do brasileiro por meio de Leonardo, uma espécie de herói torto ou anti-herói.

Macunaíma (1928), de Mário de Andrade

Por que ler: Além de ser um herói amoral, "sem nenhum caráter" definido, Macunaíma é um índio que desconstrói a imagem romântica de Peri e sintetiza a pluralidade étnica brasileira.

Obras de Gonçalves Dias

Por que ler: Gonçalves Dias é o consolidador do Romantismo brasileiro. O lirismo, o olhar sobre a natureza e o indianismo são elementos que se destacam em sua produção poética.

Iracema (1865), de José de Alencar

Por que ler: Nesse romance poético, Alencar cria a trágica história de amor entre a índia Iracema e o colonizador Martim. Trata-se de uma lenda inventada sobre a origem do povo brasileiro.

Era no tempo do rei (2007), de Ruy Castro

Por que ler: Inspirado na obra de Manuel A. de Almeida, esse romance mescla história e ficção para contar as desventuras dos jovens D. Pedro I e Leonardo.

O Chalaça (1999), de José Roberto Torero

Por que ler: Com muito humor, Torero apresenta, nesse romance, as memórias e peripécias de Francisco Gomes da Silva, o Chalaça, secretário particular de D. Pedro I.

EVERETT/GRUPO KEYSTONE

Histórias de Zé Carioca

Por que ler: Criado por Walt Disney em 1942 para a animação *Alô amigos*, o papagaio já protagonizou diversas histórias em quadrinhos nas quais demonstra muitas semelhanças com Leonardo.

Malagueta, Perus e Bacanaço (1963), de João Antônio

Por que ler: Nas narrativas presentes nessa obra, João Antônio apresenta um retrato fiel e comovente da malandragem paulistana dos anos 1960.

Chico Buarque: O malandro (1994), de Chico Buarque

Por que ouvir: Nessa coletânea, estão reunidas diversas canções de Chico Buarque relacionadas ao universo da malandragem.

Raízes do samba (1999), de Cartola

Por que ouvir: A musicalidade-símbolo dos malandros, o samba, encontra um fino lirismo romântico nas canções de Cartola reunidas nessa coletânea.

Lira dos vinte anos (1853), de Álvares de Azevedo

Por que ler: Divididos entre as faces de Ariel e Calibã, os poemas dessa obra representam o apreço romântico pelos contrastes.

O cheiro do ralo (2002), de Lourenço Mutarelli

Por que assistir: Em seu romance de estreia, Mutarelli faz um retrato da alma humana, de maneira cínica, mas bem-humorada.

O Novo Mundo (2005), de Terrence Malick

Por que assistir: Tendo como pano de fundo a colonização norte-americana, o filme narra a história da índia Pocahontas e do capitão inglês John Smith.

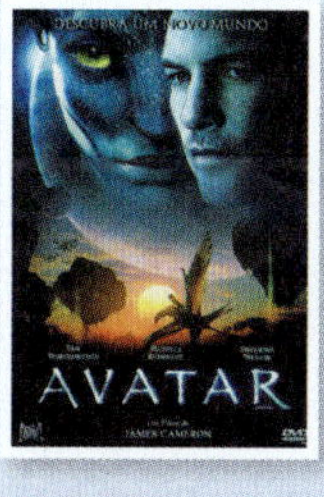

Avatar (2009), de James Cameron

Por que assistir: Mesclando aventura e ficção científica, esse filme apresenta uma história de amor em meio às tensões e choques entre dois povos bem distintos.

FOTOS: REPRODUÇÃO

UNIDADE 8

REALISMO-NATURALISMO: COMBATE E REFORMA SOCIAL

Na obra reproduzida na página ao lado, ao mergulhar (literalmente) um ônibus no universo mágico da pintura, o artista paulistano Apolo Torres discute a realidade de milhares de pessoas, vítimas dos rotineiros alagamentos e enchentes que ocorrem no Brasil em determinadas épocas do ano. Recriando o real, a arte, nesse caso, parece querer chamar a atenção para o absurdo da vida convidando-nos a refletir sobre um grave problema.

De modo análogo, reagindo contra o egocentrismo romântico, o movimento realista-naturalista, desenvolvido em fins do século XIX, procurou analisar criticamente a realidade, guiando-se pelo racionalismo em lugar da emoção.

Nesta unidade, você conhecerá uma escola literária que se ocupou de observar, analisar, experimentar e criticar a realidade para, eventualmente, transformá-la.

TORRES, Apolo. *São Paulo das enchentes*. 2010. As obras do pintor e ilustrador Apolo Torres dialogam com o espaço urbano, misturando arte e realidade.

APOLO TORRES

Para início de conversa

De que tipo de literatura você mais gosta? Daquela que o faz viajar para outros mundos? Ou sua predileção é por uma literatura crítica, que o convide a perceber e a transformar a realidade?

Neste conto da paulistana Beatriz Bracher, o real invade a ficção e perturba o leitor, como você verá a seguir.

Ficção

Resisti ao carro blindado. Fumo, tenho **claustrofobia**, é **ideologicamente nefasto**, uma provocação perigosa. Enfim, a coisa piorou e passou a ser arrogante e irresponsável deixar-me morrer abrindo mão das defesas de que disponho. Tenho filhos, exerço uma liderança produtiva na sociedade, pesquiso as origens de nossa desarmonia social. Tenho pânico. E o pânico de ser atacada, machucada, humilhada e morta minava meu raciocínio. Cedi ao carro blindado.

A energia que gasto andando em um é equivalente à que gastava andando em um não. Exige a mesma dose de **alienação**. Se desprotegida, qualquer pedestre é um assassino, quebraram-se os códigos morais capazes de deter sua ação **predadora**, o nosso fracasso. O medo dirige e transforma em hostilidade todo o humano, torno-me uma idiota. Se protegida, blindada, perco o contato. Sem medo não há vida, afastado o mal, o bem se vai, não faço parte, torno-me uma idiota.

A rua é um espaço vazio que percorro no vácuo. O vazio não existe, é desejo vão. Tudo deixa sua marca. As artérias permanecem cheias e pulsantes, e o oco não existe. Se o sangue para de correr, seca e entope, os vermes alimentam-se, sempre haverá matéria viva a ocupar os corredores estreitos da cidade.

Estava parada em um engarrafamento, no final de um dia poluído. O homem surgiu e bateu na janela com uma arma preta. O movimento de sua boca berrava e a voz chegava baixa. Passa o dinheiro, passa o dinheiro ou vai morrer. Agora, abre a janela, agora, agora, ou vai morrer, ou vai morrer. Olhava louco para mim, olhava louco para mim. Ou vai morrer, ou vai morrer. Olhava sua boca, seus olhos, a arma preta, a aflição e a raiva e me convencia que era cinema. Não tentei explicar-lhe, ele entenderia. O vidro blindado transformava sua ação, eu podia olhar, observar os detalhes de sua roupa, a língua escura e o tamanho pequeno das mãos agarrando a arma preta. A arma preta apontada contra meus

Claustrofobia: medo exagerado de estar em lugares fechados.

Ideologicamente: refere-se, no contexto, ao conjunto de valores da personagem.

Nefasto: de mau agouro; funesto.

Alienação: distanciamento, indiferença.

Predadora: destrutiva, violenta.

olhos, o canal oco da arma preta tremendo, argumento claro, abre, sua vaca, eu vou atirar. Minha curiosidade apática minava sua decisão, o argumento oscilava.

O rapaz entendeu sua impossibilidade, **titubeou**, apoiou as mãos no vidro, uma fechada na arma, aproximou o rosto e cuspiu minha morte mais uma vez. Eram de um animal os olhos, a palma da mão suada e a saliva. Furioso, enjaulado, um fila brasileiro latindo e pulando atrás das grades enquanto caminhamos na calçada. Ele segurou a arma com as duas mãos e mirou em meu rosto. Eu mirava calma e hipnotizada, intrigada com o fim.

Um frio monstruoso me sobe do estômago e para meu coração. Hoje é dia de **rodízio**, eu não estou no blindado. Meus olhos pulam de horror, as mãos **crispadas** na boca aberta e **hirta**, sem qualquer possibilidade de voz, pedi piedade. Ele entendeu e riu. Num só golpe, quebrou o vidro com a mão da arma, esmurrou meu rosto e sumiu deixando o revólver de brinquedo no meu colo manchado com nosso sangue.

BRACHER, Beatriz. Ficção. *Meu amor.* São Paulo: Editora 34, 2009. p. 51-52.

Titubeou: *hesitou, vacilou.*

Rodízio: *restrição na circulação de carros.*

Crispadas: *contraídas.*

Hirta: *rígida.*

Responda às questões no caderno.

1 No primeiro parágrafo do conto, quais são as justificativas da narradora para ter resistido, durante algum tempo, à compra de um carro blindado?

2 Nesse mesmo parágrafo, ela apresenta motivos para ter cedido ao desejo de adquirir um veículo blindado. Transcreva do texto os trechos que evidenciam suas razões.

3 No segundo parágrafo, a narradora fala sobre o que ela denomina "o nosso fracasso".

a) Explique o que seria esse fracasso.

b) Por que ela utiliza o pronome *nosso* e não *meu*?

4 Por que o carro blindado *idiotiza* a narradora?

5 Em geral, o discurso direto é indicado de duas maneiras no texto: pelo uso do travessão ou das aspas.

a) De que forma esse tipo de discurso é indicado no conto?

b) Explique que efeito tem no texto a forma como o discurso direto é apresentado.

6 Por que a narradora se convenceu de que aquilo que ela estava vivendo era "cinema"? Apresente elementos do texto que justifiquem essa metáfora.

7 A metáfora do cinema transforma-se, no penúltimo parágrafo, em outra metáfora, a do "animal enjaulado". Explique essa figura de linguagem e sua função expressiva no texto.

8 Explique a inversão de papéis entre a narradora e o assaltante no parágrafo que serve de desfecho para o conto.

9 Explique de que maneira a expressão *nosso sangue*, que encerra o conto, estabelece uma relação entre personagens de classes sociais tão distintas.

NAVEGUE

Leia entrevista em que Bracher fala da reivenção da literatura por meio do banal e do clichê: <http://revistacult.uol.com.br/home/tag/beatriz-bracher/>.

ProvocAÇÃO

Por que o conto de Beatriz Bracher é intitulado "Ficção"? Você concorda com a adequação desse título ao conteúdo da narrativa? Discuta com seus colegas.

O conto "Ficção" trata do encontro de duas pessoas que representam realidades distintas no Brasil. O resultado é um confronto que gera uma situação de extrema violência. Ainda que o texto tenha sido publicado no século XXI, nele a autora assume uma postura de crítica semelhante à adotada pelos escritores do movimento literário que sucedeu o Romantismo em fins do século XIX, o Realismo.

No contexto do Realismo, a Europa vivia a Segunda Revolução Industrial, marcada pela participação da ciência no aperfeiçoamento de máquinas e técnicas de produção. As principais teorias científicas e intelectuais nascidas no Velho Mundo, na primeira metade do século XIX, se tornavam cada vez mais relevantes e influentes, como o materialismo histórico proposto por Marx e Engels; o evolucionismo de Charles Darwin; o positivismo de Auguste Comte. À medida que o século XIX avançava, as explicações científicas e o racionalismo dominavam a visão do homem a respeito do mundo. O desenvolvimento industrial se acelerou e exigiu novos mercados fornecedores de matérias-primas e mercados consumidores. Por isso, países como Inglaterra, França, Rússia, Holanda, Bélgica, Portugal, Espanha, Itália e Alemanha voltaram seus olhos principalmente para a África e para a Ásia, em busca de novos locais para explorar. Foi o início do neocolonialismo e do imperialismo, processos que levaram à dominação europeia sobre países livres dentro desses dois continentes.

A invenção da lâmpada incandescente por Thomas Edison, em 1879, por exemplo, revolucionou a vida social e contribuiu para o crescimento das indústrias.

Nesta unidade, conheceremos o Realismo, movimento que defendeu um programa estético baseado na união entre a arte, a ciência e a filosofia e que se ocupou em analisar racionalmente o universo exterior ao "eu". Nessa escola literária, guiados pelo sonho de investigar o mundo de forma objetiva, os artistas reagiram violentamente contra o pensamento romântico, interessando-se pela realidade "nua e crua".

Em Portugal, a literatura realista refletia todos esses eventos e transformações. O país vinha de um período de dominação estrangeira; em 1890, recebeu um ultimato da Inglaterra, que exigia que os portugueses retirassem suas tropas dos territórios entre Moçambique e Angola, na África. Portugal cedeu, o que revoltou os republicanos e levou à derrubada do governo do país. O final do século XIX representou um momento de tentativa de restabelecimento da cultura nacional. Os jovens lisboetas se deram conta de que a literatura romântica europeia estava sendo superada por novas correntes de pensamento. Era necessário tratar diretamente dos desafios propostos pela realidade e acompanhar o ritmo do resto da Europa; ou seja, abrir o país para a incorporação definitiva do liberalismo, que tinha como principais valores o individualismo, a liberdade e a propriedade privada e que fez do século XIX o século de ouro da burguesia.

Marcos literários

A Questão Coimbrã (1865) marca o início do Realismo português, cujo término se dá por volta de 1890, quando Eugênio de Castro publica *Oaristos*, obra que inaugura o Simbolismo.

BIBLIOTECA NACIONAL DE PORTUGAL

O Cassino Lisbonense foi um importante espaço de discussão dos autores realistas portugueses (postal ilustrado, s.d.).

CAPÍTULO

20

Realismo-Naturalismo: literatura crítica em diálogo com a ciência

PERCURSO DO CAPÍTULO

- Origens do Realismo
- Marxismo, positivismo, determinismo e darwinismo
- Principais características do Realismo
- Naturalismo: tendência do Realismo

WORLD HISTORY ARCHIVE/OTHER IMAGES

VAN GOGH, Vincent. *Os comedores de batatas*. 1885. Óleo sobre tela, 82 × 114 cm. Nesse quadro, o pintor holandês retratou com impressionante realismo a pobreza e a humildade dos trabalhadores da terra.

Introdução

A segunda metade do século XIX foi marcada por um grande avanço nas ciências naturais, na filosofia, na política e na economia. Não havia mais espaço para as idealizações românticas, razão por que a literatura do período procurou expressar objetivamente a realidade, descrevendo o mundo de maneira distanciada e racional.

Você lerá, a seguir, um fragmento da novela *A morte de Olivier Bécaille*, do francês Émile Zola, publicada na segunda metade do século XIX, no contexto do movimento realista-naturalista.

Na história, o frágil narrador-personagem, Olivier Bécaille, conta que morreu "num sábado, às seis horas da manhã", em Paris, num hotel barato onde vivia pobremente com a mulher, Marguerite. Estranhamente, ele consegue ouvir tudo o que se passa próximo ao seu corpo. Ouve sua amada esposa chorando inconsolável; ouve a vizinha de quarto, senhora Gabin, e sua filha Dédé, tentando ajudar Marguerite.

Aos poucos, Olivier vai percebendo que, na verdade, não havia morrido, mas entrado em estado de catalepsia — um distúrbio que impede os movimentos, tornando a pessoa rígida e com aparência de morta. No capítulo 4 dessa novela, o personagem narra sua aflição ao descobrir-se enterrado vivo.

BETTMANN/CORBIS/LATINSTOCK

O escritor Émile Zola, em retrato de 1870.

O francês **Émile Zola** (1840-1902) é considerado o fundador do Naturalismo. A partir de 1871, dedicou-se a produzir uma série de romances, *Os Rougon-Macquart*, buscando produzir um extenso e crítico painel social.

[...] Aos poucos, confusamente, voltou-me a consciência de ser. Continuava dormindo, mas comecei a sonhar. Um pesadelo destacou-se do fundo negro que barrava meu horizonte. E esse meu sonho era uma imaginação estranha que em outros tempos muitas vezes me atormentara de olhos abertos quando, com minha predisposição natural para invenções terríveis, saboreava o prazer atroz de criar catástrofes para mim.

Imaginei portanto que minha mulher estava me esperando em algum lugar em **Guérande**, acho, e que eu tomara o trem para ir juntar-me a ela. Quando o trem passou sob um túnel, de repente, um barulho pavoroso ribombou como um estrondo de trovão. Um desabamento duplo acabara de acontecer. Nosso trem não recebera uma única pedra, os vagões permaneciam intactos; só que nas duas extremidades do túnel, à nossa frente e atrás de nós, a **abóboda** desabara e encontrávamo-nos desse modo no centro de uma montanha, murados por blocos de rocha. Iniciava-se então uma agonia longa e pavorosa. Nenhuma esperança de socorro; seria preciso um mês para desobstruir o túnel; e ainda esse trabalho exigia infinitas precauções, máquinas poderosas. Éramos prisioneiros em uma espécie de adega sem saída. A morte de todos nós era apenas uma questão de horas.

Guérande: cidade medieval no oeste da França.

Abóboda: teto curvilíneo; abóbada.

Muitas vezes, repito, minha imaginação trabalhara com esse dado terrível. Eu variava o drama até o infinito. Meus atores eram homens, mulheres, crianças, mais de cem pessoas, toda uma multidão que me fornecia novos episódios incessantemente. Bem que havia algumas **provisões** no trem; mas logo a comida vinha a faltar e, sem chegar a se comer uns aos outros, os miseráveis famintos lutavam, ferozes, pelo último pedaço de pão. Empurravam um velho a socos, e ele agonizava; uma mãe combatia como uma loba para defender os três ou quatro bocados reservados a seu filho. Em meu vagão, dois recém-casados grunhiam nos braços um de outro, sem esperança, deixavam de se mexer. A via estava desobstruída, as pessoas desciam, rondavam em torno do trem como feras soltas em busca de uma presa. Todas as classes misturavam-se, um homem muito rico, um alto funcionário, diziam, chorava no ombro de um operário, tratando-o com familiaridade. Desde as primeiras horas, o combustível das lâmpadas esgotara-se, as luzes da locomotiva acabaram por se apagar. Quando se passava de um vagão para outro, tateava-se as rodas com a mão para não haver trombadas e assim chegava-se à locomotiva que se reconhecia pela sua biela fria, pelos seus enormes **flancos** adormecidos, força inútil, muda e imóvel na sombra. Nada era mais assustador do que esse trem, murado daquela forma por inteiro sob a terra, como um enterrado vivo, com seus viajantes que morriam um a um.

[...]

[...] Onde estava? Decerto ainda no túnel. Eu estava completamente deitado e sentia à direita e à esquerda as paredes duras que me apertavam os flancos. Quis erguer-me, mas batia o crânio com violência. A rocha envolvia-me por todos os lados. [...] Continuava a sufocar, batia os dentes, presa de um arrepio.

De repente, lembrei-me. O horror eriçou meus cabelos e senti a pavorosa verdade fluir dentro de mim, dos pés à cabeça, como um gelo. Saíra finalmente daquela **síncope** que me atingira por longas horas com a rigidez de um cadáver? Sim, eu estava me mexendo, minhas mãos tocavam as tábuas do caixão. Restava-me fazer um último teste: abri a boca, falei, chamando Marguerite, instintivamente. Eu urrava, e minha voz naquela caixa de pinho adquirira um som rouco tão apavorante que eu mesmo me assustei. Meu Deus! Então era verdade? Podia andar, gritar que estava vivo, e minha voz não seria ouvida, eu estava encerrado, esmagado sob a terra!

[...]

Ah, como desejei a morte naquele momento! Durante toda a minha vida, tremera diante do nada; e eu o queria, o exigia, jamais seria tão negro. Que infantilidade temer aquele sono sem sonho, aquela eternidade de silêncio e trevas! A morte só era boa porque suprimia o ser de uma só vez, para sempre. Oh, dormir como as pedras, voltar à argila, deixar de ser!

Minhas mãos, tateando, continuavam maquinalmente a passear pela madeira. De repente piquei meu polegar esquerdo, e a dor leve arrancou-me do torpor. O que seria? Procurei de novo, reconheci um prego, um prego que os papa-defuntos haviam enfiado obliquamente e que não alcançara a borda do caixão. Era muito longo, muito pontudo. A sua cabeça estava presa na tampa, mas senti que se mexia. A partir daquele instante, fui tomado por uma única ideia: pegar aquele prego. Passei a mão direita sobre minha barriga, comecei a abalá-lo. Ele não cedia, daria um enorme trabalho. Muitas vezes mudava de mão, pois a mão esquerda, mal colocada, se cansava depressa. Enquanto eu insistia daquela forma, todo um plano desenvolvera-se na minha cabeça. Aquele prego tornara-se a salvação. Eu precisava dela de qualquer jeito. Mas será que ainda daria tempo? A fome me torturava, tive de parar, presa de uma vertigem que deixava minhas mãos moles,

HUGH SHURLEY/CORBIS/LATINSTOCK

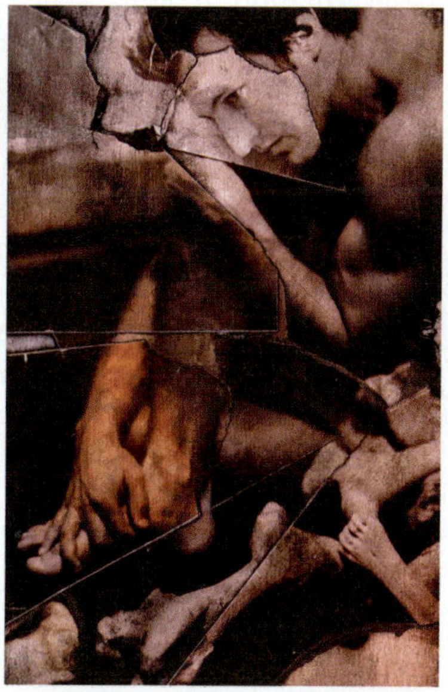

Montagem do fotógrafo Hugh Shurley (1999).

Provisões: reservas de alimentos.

Flancos: lados.

Síncope: perda dos sentidos; desmaio.

a mente vacilante. Sugara as gotas que escorriam da picada em meu polegar. Então mordi meu braço, bebi meu sangue, esporeado pela dor, reanimado por aquele vinho morno e acre que me molhava a boca. E, voltando ao prego com as duas mãos, consegui arrancá-lo.

Naquele momento, acreditei no sucesso. Meu plano era simples. Enfiei a ponta do prego na tampa e tracei uma linha reta, a mais longa possível, por onde passei o prego de modo a fazer um entalhe. Minhas mãos estavam enrijecendo, eu insistia com fúria. Quando achei ter feito incisões suficientes na madeira, tive a ideia de me virar, de deitar de bruços e, em seguida, erguendo-me nos joelhos e nos cotovelos, empurrar com a cintura. Porém, embora a tampa tivesse estalado, ainda não se quebrara. O entalhe não fora profundo o suficiente. Tive de voltar a deitar de costas e retomar a tarefa, o que me custou muito. Finalmente, fiz mais um esforço e, desta feita, a tampa rebentou de uma ponta a outra.

É verdade que eu ainda não estava salvo, mas a esperança inundou meu coração. Parara de empurrar, de me mexer, com medo de provocar algum desmoronamento que pudesse me enterrar. Meu plano era usar a tampa como escudo, ao mesmo tempo que tentaria escavar uma espécie de poço na argila. Infelizmente esse trabalho apresentava grandes dificuldades: torrões densos que se soltavam obstruíam as tábuas que eu não conseguia manobrar; jamais chegaria ao chão, alguns desmoronamentos parciais já me dobravam a espinha e enterravam meu rosto na terra. O medo voltava a tomar conta de mim quando, deitando-me para encontrar um ponto de apoio, acreditei estar sentindo que a tábua que fechava o caixão, nos pés, cedia sob a pressão. Então bati com vigor os calcanhares, calculando que poderia haver naquele lugar uma fossa que estariam escavando.

De repente meus pés se enfiaram no vazio. A previsão fora correta: ali havia uma fossa recém-aberta. Só tinha de atravessar uma fina divisória de terra para rolar para aquela fossa. Meu Deus! Estava salvo!

Por um instante fiquei de costas, os olhos voltados para cima, no fundo do buraco. Era noite. No céu, as estrelas brilhavam num azulado de veludo. De vez em quando, uma brisa que se erguia trazia-me a tepidez da primavera, o odor das árvores. Meu Deus! Estava salvo, respirava, estava aquecido, e chorava, e balbuciava, as mãos devotamente estendidas para o espaço. Oh, como era bom viver!

[...]

ZOLA, Émile. *A morte de Olivier Bécaille*. Trad. Marina Appenzeller. Porto Alegre: L&PM, 2011. p. 22-38. (L&PM Pocket; v. 73). (Fragmento).

Responda às questões no caderno.

1 No início do capítulo 4 da novela de Émile Zola, Olivier narra um sonho (ou pesadelo) recorrente em sua vida.

a) Que sonho é esse?

b) Relacione os acontecimentos do sonho ao drama real vivido pelo narrador.

2 Na narração feita por Olivier, em mais de uma passagem, as ações humanas são comparadas às de animais selvagens.

a) Explique essa afirmação com base na leitura integral do texto de Zola.

b) Em que situações da novela as pessoas perdem a racionalidade e se igualam a animais selvagens?

Em *A morte de Olivier Bécaille*, o autor, em lugar de focalizar as ricas e elegantes famílias francesas, tão presentes nos romances românticos, prefere as menos privilegiadas economicamente. Os personagens, submetidos a condições extremas, comportam-se como animais irracionais. Essas são algumas das características que marcaram a literatura naturalista, uma das tendências do movimento realista europeu, assunto deste capítulo, que teve em Émile Zola um dos seus iniciadores.

Realismo: a busca da "verdade verdadeira"

Segundo o pintor francês Gustave Courbet (1819-1877), o objetivo de um artista deveria ser atingir "a verdade verdadeira". Observe a seguir um dos quadros desse artista e responda oralmente às questões.

COURBET, Gustave. *Enterro em Ornans*. 1850. Óleo sobre tela, 315 × 668 cm.

Material complementar
• Amplie seus conhecimentos: A Exposição Universal de Paris

1 O que está representado na tela de Courbet?

2 Em que lugar se passa a cena?

3 Que tipo de pessoas estão retratadas na tela?

4 Observe que o quadro, apesar da triste cena representada, mostra vivacidade e movimento. De que modo o pintor conseguiu esse efeito?

5 Essa pintura é de grandes dimensões (315 x 668 cm), e a representação dos modelos é feita em escala natural. Que efeito tem essa opção para a retratação da cena?

NAVEGUE

Visualize outras obras de Courbet, com detalhes, em: <http://g.co/artproject/dcfe>.

Courbet defendia que o artista deveria retratar as pessoas como elas são "de verdade". Na tela analisada, o pintor apresenta, de maneira objetiva, sem exageros, um acontecimento do cotidiano, em sua aldeia natal. As figuras aparecem na tela em tamanho natural, e as diferentes expressões de seus rostos garantem certa individualidade a elas. Esse quadro inovador escandalizou os meios acadêmicos conservadores europeus da época, ao propor que as pessoas comuns eram dignas de serem representadas, do mesmo modo que os heróis históricos, mitológicos, bíblicos ou literários, tão presentes na pintura de todos os tempos.

Outros tempos, outros pensamentos

Haveria espaço para uma literatura romântica em um mundo onde operários trabalhavam quase dezesseis horas diárias, crianças ficavam confinadas em fábricas e não frequentavam escolas, multidões passavam fome, e a ciência, a tecnologia e a sociologia avançavam a passos largos?

O Realismo foi um movimento de crítica à sociedade, sobretudo a burguesa. Conheça algumas das correntes que ocuparam a cabeça dos grandes pensadores da segunda metade do século XIX.

1. Marxismo: a luta de classes

THE ART ARCHIVE/ALAMY/GLOW IMAGES

VELTEN, Johann. *Political meeting in Trier*. 1848. Esta tela documenta um encontro político em Trier, cidade da Alemanha, berço de Karl Marx, ocorrido em 1848, ano em que ele e Friedrich Engels publicaram o *Manifesto comunista*.

Vimos que o Romantismo foi um movimento que valorizou o nacionalismo. Contra essa tendência, foi publicado, em 1848, o *Manifesto comunista*, dos filósofos alemães Karl Marx (1818-1895) e Friedrich Engels (1820-1895), que proclamava: "Operários de todo o mundo, uni-vos!". Segundo essa nova visão, a classe operária deveria se perceber como internacional, de modo a promover uma revolução mundial e não apenas local.

Marx defendia que a história da humanidade fora marcada pela luta de classes, ou seja, pelo confronto entre grupos sociais cujos interesses (econômicos e políticos) eram opostos. Para esse teórico, a revolução socialista deveria ser liderada pelos operários, com o intuito de criar uma nova sociedade, fundamentada na ideia de propriedade coletiva, na qual não haveria exploradores nem explorados.

O marxismo era baseado na concepção de que a história humana era governada por leis científicas, daí a rejeição às interpretações religiosas. O que moveria a História seriam os fatores econômicos, materiais. A teoria criada por Karl Marx foi batizada de "materialismo histórico".

2. Positivismo: a ciência como religião

O pensador francês Auguste Comte (1798-1857) utilizou a expressão "positivismo" para designar uma concepção que teve grande influência sobre a história do Ocidente na segunda metade do século XIX e início do XX. O positivismo está diretamente ligado à organização técnico-industrial do mundo moderno e baseia-se na defesa absoluta da ciência, responsável pela reformulação da sociedade e pela obtenção da ordem e do progresso.

Comte propôs a substituição da teologia e da metafísica pela análise empírica na interpretação dos fatos, na qual "como" é mais importante do que "por quê".

3. Determinismo: as leis inflexíveis

Elaborado pelo crítico e historiador francês Hippolyte Taine (1828-1893), o determinismo baseia-se na ideia de que o comportamento humano é determinado por três grandes forças: o meio, a herança (raça) e o momento. A soma dessas "leis inflexíveis" definiria o homem como um ser que é fruto de um meio geográfico e social específico, de uma herança racial e de determinado tempo histórico. Essa corrente de pensamento estabeleceu uma ligação necessária entre uma causa e seu efeito (lei da causalidade).

4. Darwinismo: o homem perde seu *status*

Em 1859, o naturalista inglês Charles Darwin (1809-1882) publicou sua polêmica obra *A Origem das espécies*. Para ele, todos os seres vivos seriam o resultado de um processo evolutivo em que a natureza selecionaria os mais aptos a sobreviver em determinado ambiente, o que tornaria aquela espécie mais forte e com maiores chances de deixar descendentes. Essa teoria darwiniana da seleção natural inovou (e chocou a sociedade) ao propor que o homem não seria uma criação divina.

POODLESROCK/CORBIS/LATINSTOCK

Caricatura de Charles Darwin como um macaco, litografia de autor desconhecido publicado na revista inglesa *The Hornet* (1871).

⊙ A análise do real

Diferentemente dos artistas românticos, que viam no "eu" a principal motivação para suas obras, os realistas deslocaram seu olhar para a realidade objetiva, para as massas famintas em crescimento acelerado e desordenado. Dessa forma, o passado histórico que inspirou o Romantismo foi substituído pelo tempo contemporâneo, o "agora" dos autores, e pelo cotidiano das pessoas comuns (como vimos na pintura de Courbet). O cristianismo, incorporado à arte pelos românticos, cedeu espaço para um sentimento anticlerical e cientificista.

Conheça algumas características da arte realista.

NAVEGUE

Conheça algumas obras de Auguste Rodin (1840-1917), principal nome da escultura realista: <http://www.musee-rodin.fr/en/collections>.

- **Postura antirromântica**

  Interessados no "objeto" externo, no "não eu", os realistas reagiram contra tudo o que fosse considerado romântico, subjetivo, sentimental e egocêntrico. Para eles, mais importante do que a imaginação era a observação distanciada da realidade.

O Realismo nas artes plásticas

Contrapondo-se ao Romantismo e ao Neoclassicismo, estéticas consideradas de grande artificialismo, as artes plásticas do Realismo, tanto na pintura quanto na arquitetura ou na escultura, possuem características semelhantes àquelas presentes na literatura dessa mesma escola, como o cientificismo, a sobriedade e o gosto pela expressão objetiva do mundo exterior.

Mais específica da pintura, a questão social — com denúncia às mazelas das classes menos favorecidas — será uma importante temática, assim como para os autores literários alinhados a essa estética. Além de Gustave Courbet, destacam-se os pintores Jean-François Millet e Jean-Baptiste-Camille Corot.

CORBIS/LATINSTOCK

MILLET, Jean-François. *As respigadoras*. 1857. Óleo sobre tela, 83 × 110 cm.

ProvocAÇÃO

Estabelecendo um paralelo com a pintura realista, você diria que o grafite exerce, nos dias atuais, o papel de crítica social? Discuta com os seus colegas e o professor.

- **Racionalismo**

  No Realismo a razão predominou sobre a emoção. Por isso, visões teológicas e metafísicas foram substituídas pela objetividade científica, baseada naquilo que poderia ser observado, analisado, experimentado e documentado.

- **O homem submetido às leis da natureza**

  Diferentemente dos românticos, que viam o "eu" como centro do universo, para os realistas o homem estava submetido às leis que regem a natureza. Dessa forma, não haveria diferença entre o ser humano e os animais irracionais, vegetais e minerais, pois todos representariam peças de uma grande engrenagem.

- **Universalismo**

Os realistas buscaram representar um homem que fosse universal, e não particular. Dessa forma, evitaram ideias como a "cor local", defendida pelos românticos. Como cientistas, que buscam utilizar modelos gerais para explicar os fenômenos da natureza, os realistas construíram personagens para retratar determinados segmentos sociais.

- **Natureza indiferente**

As grandes paisagens, que extasiavam os românticos, responsáveis pelo sublime, são, em geral, substituídas pelos ambientes urbanos nos romances realistas. Diferentemente dos românticos, os realistas não relacionam a natureza à alma humana.

- **A literatura a serviço da sociedade**

Para os realistas, a literatura deveria funcionar como instrumento de reforma da sociedade, ou seja, os autores teriam de engajar-se numa luta social e utilizar seus livros como "arma de combate" e de exemplo para seus leitores. Com base nesse pensamento, caberia à ciência, e também à literatura, a solução dos grandes problemas humanos. Para atingir seu objetivo, o autor realista procurou escrever sua obra numa linguagem acessível a qualquer público leitor.

ProvocAÇÃO

Em 1948, o filósofo francês Jean-Paul Sartre (1905-1980) defendeu em seu livro, *O que é literatura?*, que esta deveria engajar-se na luta social pela igualdade e contra as injustiças. Você concorda que a literatura tenha a obrigação de transformar o mundo? Já leu obras que, mesmo sem ter a intenção, transformaram seu mundo particular?

- **Romance como espelho**

A literatura deveria ter como função evidenciar os defeitos da burguesia. Isso explica por que os escritores realistas privilegiaram em suas obras o retrato de personagens patológicos, de modo a mostrar uma sociedade doente. No entanto, esses autores acabaram por contradizer seus próprios princípios, uma vez que, selecionando determinados *tipos*, pareciam focalizar mais as exceções do que a média da população.

- **Ataque à família burguesa e à Igreja**

Para atacar a sociedade burguesa, os realistas partiram de sua principal célula, a família. São constantes nos romances esposas adúlteras, maridos traídos, amantes, etc. para comprovar a suposta falência da família.

Como posição anticlerical, os autores mostraram em seus romances padres desonestos, corruptos, hipócritas e traidores de seus votos de castidade.

AMALEDA FILMS/ALBUM CINEMA/LATINSTOCK

No filme *O crime do padre Amaro* (2002), de Carlos Carrera, baseado no romance homônimo de Eça de Queirós, um sacerdote seduz a ingênua Amélia e destrói a vida da moça.

Protesto e engajamento nas canções

A exemplo da literatura, também na música muitos artistas usaram suas produções como meio de protesto, denúncia e instrumento de transformação.

Na década de 1960, por exemplo, bandas britânicas como os Beatles e os Rolling Stones valeram-se do *rock* para, em muitas de suas canções, criticar a realidade. Em 1964, no Brasil, a repressão instaurada pelo golpe militar contribuiu para o surgimento de movimentos musicais que viam nas canções uma forma contundente de protesto. Caetano Veloso, Gilberto Gil, Geraldo Vandré, Chico Buarque, Tom Zé, entre outros, usaram suas composições para criticar tempos sombrios.

Nos anos de 1970, o *punk rock* dos Ramones, Sex Pistols e The Clash criticou a Guerra Fria. Na mesma época, surgia outro gênero musical de protesto, o *reggae*, na Jamaica.

Nas décadas de 1980 e 1990, foi a vez de a banda irlandesa U2 protestar contra a intolerância religiosa.

Entre nós, nos anos de 1980, bandas como Legião Urbana, Titãs, Plebe Rude, Paralamas do Sucesso e Capital Inicial deram sua opinião crítica sobre o Brasil. Atualmente, Nação Zumbi, O Rappa, Skank, Sepultura, Ratos de Porão, entre outros nomes da cena musical brasileira, vêm fazendo de sua música um instrumento de protesto.

REPRODUÇÃO

Capa do álbum *Abbey Road*, do grupo inglês The Beatles, gravado em 1969.

ProvocAÇÃO

Que outras canções de protesto você conhece? Você acredita que uma canção deve ter esse papel?

NAVEGUE

Acesse a página do "Memorial Chico Science" e conheça mais sobre o compositor pernambucano: <http://www.recife.pe.gov.br/chicoscience/>

Naturalismo: um tipo especial de Realismo

Até quase o último quarto do século XIX, o nome que se dava à literatura produzida na Europa era Realismo. Em 1867, com a publicação de *Thérèse Raquin*, de Émile Zola, surgiu a denominação Naturalismo, relacionada a um determinado tipo de obra.

Alguns teóricos defendem que o Realismo é uma tendência artística ampla, e o Naturalismo, uma forma particular de literatura realista, associada principalmente a Émile Zola, autor de *O romance experimental*, livro teórico de 1880 que, entre outras coisas, explica a literatura naturalista. Veja como o escritor francês definiu o que chamou de "romancista experimentador".

[...] romancista experimentador é, portanto, aquele que aceita os fatos provados, que mostra, no homem e na sociedade, o mecanismo dos fenômenos que a ciência domina, e que faz o seu sentimento pessoal intervir apenas nos fenômenos cujo determinismo ainda não está de forma alguma fixado, procurando controlar o mais que puder este sentimento pessoal, esta ideia *a priori*, pela observação e pela experiência.

ZOLA, Émile. *O romance experimental e o Naturalismo no teatro.* Trad. Ítalo Caroni e Célia Berrettini. São Paulo: Perspectiva, 1982. p. 75. (Fragmento).

Influenciado pela *Introdução ao estudo da medicina experimental* (1865), de Claude Bernard (1813-1878), Zola defendeu um tratamento científico para a narrativa de ficção. Segundo ele, como nas ciências, o romance possibilitaria um exercício de experimentação, ou seja, em uma história, um autor poderia inserir uma série de elementos, a partir de um desenvolvimento lógico, e chegar a conclusões sobre hereditariedade, influência do meio sobre os indivíduos, etc. Em outras palavras, ele pretendia que a literatura naturalista comprovasse, por meio de uma narrativa verossímil, determinados pressupostos científicos de sua época.

ALBUM CINEMA/LATINSTOCK

O filme *Germinal* (direção de Claude Berri, 1993), baseado no romance homônimo de Émile Zola, de 1881, retrata a miséria e a degradação dos mineiros de uma vila.

SAIBA MAIS!

- Com o Naturalismo, surgiram os **romances de tese**, em que o autor — tal qual um cientista — demonstra que o comportamento de um personagem é determinado pelo meio em que ele vive, pelas circunstâncias às quais é submetido e por sua herança genética.

Retome o texto de Zola, que abre este capítulo, e responda oralmente às questões a seguir.

1 Metáforas, comparações biológicas (associando personagens a animais irracionais) e o descritivismo em linguagem crua estão presentes nos textos naturalistas. Em que passagem de *A morte de Olivier Bécaille*, de Émile Zola, você identifica esses procedimentos?

2 Na sua opinião, com que intenção o autor fez essas opções em sua narrativa?

O Realismo no teatro

O caráter fantasioso e a liberdade formal e temática marcaram o teatro na época do Romantismo. Já o Realismo surge na geração seguinte para cortar as asas românticas da imaginação: o escritor teatral agora se reconhece entre iguais, homens comuns. Com isso, o núcleo dramático dos espetáculos transfere-se da grandiosidade da nação para a concretude da família, base da sociedade burguesa. Frequentemente, as peças realistas possuem não mais do que três atos e dispensam grandes transições de cenário.

SHAMUKOV RUSLAN/ITAR-TASS PHOTO/CORBIS/LATINSTOCK

Cena da peça *A gaivota*, de Anton Tchekhov, em montagem da companhia de teatro-*clown* Licedei, da Rússia (São Petersburgo, 2010).

Em cena, avultam-se os adereços: salas de família minuciosamente caracterizadas, das cômodas às mesinhas de centro, tornam-se o principal espaço para o transcorrer da história. A interpretação também sofre mudanças: atores deixam de falar mais diretamente ao público, chegando mesmo a ignorá-lo, e voltam suas falas para o centro do palco, onde transcorre a maior parte da ação.

Alguns dos principais títulos da estética realista no teatro: *Casa de bonecas*, de Henrik Ibsen, *A gaivota*, *As três irmãs* e *Tio Vânia*, de Anton Tchekhov, e *O inspetor geral*, de Nikolai Gogol.

NAVEGUE

Combine uma leitura dramática de *A gaivota*, peça de Tchekhov. Acesse: <https://www1.esec.pt/curso/te/wp-content/uploads/2010/07/a-gaivota.pdf>.

Atividades: Leitura de texto

Madame Bovary (1856), de Gustave Flaubert, escandalizou a sociedade francesa ao abordar o tema da mulher que trai o marido. Emma Bovary se vê prisioneira de um casamento morno, distante daqueles descritos nos romances que a encantavam. Insatisfeita, todos os dias se perguntava se não encontraria um outro homem para com ele viver suas fantasias românticas.

No texto a seguir, retirado do capítulo VIII, da primeira parte do livro, Emma é convidada para ir a um baile em Vaubyessard, luxuoso castelo do marquês d'Andervilliers.

ALBUM CINEMA/LATINSTOCK

No filme de 1991, dirigido por Claude Chabrol, a atriz francesa Isabelle Huppert interpreta a polêmica Emma Bovary.

[...]

Às três horas da manhã, começou o **cotilhão**. Emma não sabia valsar. Todo mundo valsava, inclusive a senhorita d'Andervilliers e a marquesa; ficaram apenas os hóspedes do castelo, uma dúzia de pessoas mais ou menos.

Nesse momento, um dos que valsavam, chamado coloquialmente de visconde, e cujo colete, bastante aberto, parecia esculpido sobre o peito, veio pela segunda vez convidar a senhora Bovary para dançar, assegurando-lhe que a guiaria e que ela se sairia bem.

Começaram lentamente, depois aceleraram. Rodopiavam: tudo girava em torno deles, as lâmpadas, os móveis, os **lambris** e a pista, como se fosse um disco sobre um eixo. Ao passar perto das portas, a cauda do vestido de Emma roçava-se nas calças de seu par; as pernas de um e de outro se cruzavam; ele baixava seus olhos para ela, e ela levantava os seus para ele; quando um **torpor** tomou conta dela, parou. Recomeçaram; e, com um movimento mais rápido, o visconde, arrastando-a, escondeu-se com ela no fundo da galeria, onde, ofegante, ela quase caiu, apoiando por um instante a cabeça contra o peito dele. Depois, rodopiando ainda, mas com mais suavidade, ele reconduziu-a ao seu lugar; ela voltou-se para a parede e pôs a mão diante dos olhos.

Quando os abriu outra vez, no meio do salão, uma senhora sentada em um banquinho tinha diante dela três pretendentes para a valsa ajoelhados. Escolheu o visconde, e o violino recomeçou.

Todos os olhavam. Iam e vinham, ela tinha o corpo imóvel e o queixo baixo, e ele mantinha sempre a mesma pose, a cintura arqueada, o cotovelo arredondado, a boca para frente. Aquela ali, sim, sabia valsar! Continuaram durante muito tempo e cansaram todo mundo.

Conversaram ainda alguns minutos e, depois das despedidas, ou melhor, dos bons-dias, os hóspedes do castelo foram deitar-se.

Charles arrastava-se no corrimão, seus joelhos não aguentavam mais o peso do corpo. Passara cinco horas seguidas de pé diante das mesas, vendo jogarem ***whist*** sem nada entender. Então soltou um grande suspiro de satisfação quando tirou as botas.

Emma pôs um xale sobre os ombros, abriu a janela e se apoiou nos cotovelos.

A noite estava escura. Chuviscava. Ela respirava a brisa úmida que refrescava suas pálpebras. A música do baile ainda ressoava em seus ouvidos, e ela esforçava-se para manter-se acordada, a fim de prolongar a ilusão daquela vida luxuosa que em breve teria de abandonar.

O dia clareava. Olhou as janelas do castelo, demoradamente, tentando adivinhar quais eram os quartos de todos que vira na véspera. Gostaria de saber mais de suas vidas, penetrá-las, confundir-se com elas.

Mas ela tremia de frio. Tirou a roupa e refugiou-se nos lençóis, encostando-se em Charles, que dormia.

[...]

FLAUBERT, Gustave. *Madame Bovary*. Trad. Ilana Heineberg. Porto Alegre: L&PM, 2011. p. 60-61. (L&PM Pocket; v. 328). (Fragmento).

Cotilhão: contradança de salão semelhante à quadrilha.

Lambris: revestimentos internos das paredes, feitos de mármore ou de madeira.

Torpor: indolência, moleza.

***Whist*:** jogo de cartas de origem inglesa.

Responda às questões no caderno.

1 Que classe social você acha que está sendo focalizada no trecho do romance de Flaubert?

2 O fato de Emma não saber valsar pode indicar algo a respeito de sua posição social? Levante hipóteses.

3 Uma das características da literatura realista é o descritivismo. Esse recurso pode ter uma série de funções na narrativa. Releia o segundo e terceiro parágrafos e explique o objetivo do narrador ao descrever detalhes da roupa do visconde e da dança dele com Emma.

4 Releia este fragmento:

"Charles arrastava-se no corrimão, seus joelhos não aguentavam mais o peso do corpo. Passara cinco horas seguidas de pé diante das mesas, vendo jogarem *whist* sem nada entender. Então soltou um grande suspiro de satisfação quando tirou as botas."

a) O que a descrição das ações de Charles sugere sobre ele?

b) Explique de que maneira a caracterização do marido de Emma serve como oposição ao clima romântico-fantasioso vivido por ela no castelo do marquês d'Andervilliers.

5 Reflita sobre o comportamento de Emma no baile e releia a seguinte passagem:

"A música do baile ainda ressoava em seus ouvidos, e ela esforçava-se para manter-se acordada, a fim de prolongar a ilusão daquela vida luxuosa que em breve teria de abandonar."

O que esse fragmento revela sobre a personalidade de Emma Bovary e seus anseios?

NAVEGUE

Leia reportagem sobre o poder da fantasia a partir da análise de Emma Bovary: <http://www2.uol.com.br/vivermente/reportagens/emma_bovary_e_a_realidade_paralela.html>.

O QUE VOCÊ APRENDEU NO PERCURSO DESTE CAPÍTULO

- Originado na França, o Realismo foi um movimento de crítica à sociedade burguesa.
- Marxismo, positivismo, determinismo e darwinismo marcaram a segunda metade do século XIX e influenciaram os romancistas realistas.
- Para os realistas, mais importante do que a imaginação era a observação distanciada da realidade.
- Principais características do Realismo: postura antirromântica, racionalismo, impessoalidade, neutralidade, visão do homem como ser submetido às mesmas leis que regem a natureza, universalismo, literatura como arma de combate (engajamento); romance como espelho da burguesia; crítica à família burguesa e à Igreja.
- O Naturalismo constituiu-se numa forma particular de literatura realista, em que se defendia um tratamento científico para a narrativa de ficção.

CAPÍTULO

21

Realismo em Portugal: um movimento polêmico

PERCURSO DO CAPÍTULO

- A "Questão Coimbrã"
- As Conferências do Cassino Lisbonense e a Geração de 70
- Antero de Quental: rebeldia e pessimismo
- Cesário Verde: a poesia do cotidiano
- Eça de Queirós: o grande romance realista

MUSEU DO CHIADO, LISBOA

PINHEIRO, Columbano Bordalon. *O Grupo do Leão*. 1885. Óleo sobre tela, 200 × 380 cm. Esse grupo — formado por artistas portugueses que se reuniam na Cervejaria Leão de Ouro, em Lisboa — defendia que a natureza deveria ser observada e pintada diretamente, ao ar livre, de forma naturalista, distante das idealizações românticas.

Introdução

Um acalorado conflito entre românticos e realistas serviu de estopim para o início de um novo movimento em Portugal. A Universidade de Coimbra foi palco de uma revolução, baseada nas novas ideias que se propagavam pela Europa e agitavam os jovens estudantes. Neste capítulo, você estudará o Realismo em Portugal e conhecerá a poesia metafísica e a cotidiana, além do romance, gênero-símbolo do ataque à sociedade burguesa e à Igreja.

"Hino à razão" compõe a coletânea *Sonetos completos*, publicada por Antero de Quental em 1886. O poeta foi porta-voz de uma geração para a qual a poesia deveria servir de veículo revolucionário e de arma de combate.

Hino à razão

Razão, irmã do Amor e da Justiça,
Mais uma vez escuta a minha prece.
É a voz dum coração que te **apetece**,
Duma alma livre só a ti submissa.

Por ti é que a poeira movediça
De astros, sóis e mundos permanece;
E é por ti que a **virtude** prevalece,
E a flor do heroísmo **medra** e **viça**.

Por ti, na arena trágica, as nações
buscam a liberdade entre clarões;
e os que olham o futuro e cismam, mudos,

Por ti podem sofrer e não se abatem,
Mãe de filhos robustos que combatem
Tendo o teu nome escrito em seus
[escudos!

QUENTAL, Antero de. Hino à razão. In: MOISÉS, Massaud. *A literatura portuguesa através dos textos*. 30. ed. São Paulo: Cultrix, 2006. p. 352.

Apetece: agrada.
Virtude: qualidade do que é correto, digno.
Medra: cresce.
Viça: tem força, exuberância.

Registre as respostas no caderno.

1 A quem o eu lírico se dirige?

2 Na primeira estrofe do soneto, o eu lírico afirma estar fazendo uma prece. Sabendo que o poeta que escreveu "Hino à razão" é um dos principais responsáveis pela defesa da arte realista em Portugal e que o Realismo foi marcado por tendências antirreligiosas, como poderíamos explicar, nesse contexto, o uso de uma oração, manifestação tão típica de quem tem fé?

3 Tendo em vista sua compreensão integral do poema, explique o seguinte paradoxo: "Duma alma **livre**, só a ti **submissa**".

PARA LEMBRAR

Paradoxo: figura de linguagem que consiste na associação de palavras ou expressões de significados inconciliáveis, contraditórios, em um mesmo referente.

4 Segundo o poema, quem conduziria o mundo para a virtude e para a liberdade?

"Hino à razão" é um exemplo do espírito revolucionário dos jovens estudantes portugueses de Coimbra na segunda metade do século XIX. A década de 1860, em Portugal, contou com uma geração ligada aos novos tempos, marcados pelo marxismo, pelo positivismo e por outras correntes do pensamento já vistas por você.

NAVEGUE

Leia mais poemas de Antero de Quental em: <http://users.isr.ist.utl.pt/~cfb/VdS/quental.html>.

A Questão Coimbrã e a morte do Romantismo

Você acredita que os movimentos estudantis tenham força para promover mudanças efetivas? No caso do Realismo português, o papel dos estudantes foi decisivo.

A segunda metade do século XIX trouxe o declínio do Romantismo, movimento que não correspondia mais aos anseios de uma geração em sintonia com os novos pensamentos que circulavam pela Europa.

A força dos poemas realistas e das novas ideias divulgadas nos meios universitários entrou em choque com as vozes românticas conservadoras, e, como resultado desse conflito, o Realismo marcou posição e se firmou como movimento. Os expoentes da polêmica foram Antero de Quental (representante da nova corrente) e o ultrarromântico Feliciano de Castilho.

Tudo começou quando este último, em posição conservadora, provocou os jovens estudantes de Coimbra ao dizer que eles estariam condenados "às trevas próximas do limbo". Considerando que Castilho criticava a liberdade e os novos tempos, Quental publicou um texto denominado *Bom-senso e bom gosto* (1865), atacando duramente o romântico. Essa polêmica, que entre os anos de 1865 e 1866 envolveu os românticos, liderados por Castilho, e os jovens realistas, capitaneados por Quental, ficou conhecida como **Questão Coimbrã**.

Já formados, os estudantes de Coimbra dispersaram-se, mas voltaram, em 1868, a se reunir sob o nome de *Cenáculo*, grupo realista composto de nomes como Antero de Quental, Eça de Queirós, Ramalho Ortigão e José Eduardo Lobo da Costa, entre outros. Mais tarde, em 1871, esses escritores organizaram um ciclo de conferências públicas no bar Cassino Lisbonense, localizado no efervescente e boêmio bairro do Chiado, em Lisboa. As chamadas *Conferências do Cassino Lisbonense* procuraram inserir Portugal nas novas correntes do pensamento europeu. Mesmo proibidas, por serem consideradas ofensivas à religião e ao Estado português, elas espalharam o novo espírito revolucionário e deram voz à chamada **Geração de 70** (ou **Geração Coimbrã**), consolidando o Realismo lusitano.

NAVEGUE

Leia na íntegra o texto *Bom-senso e bom gosto*, em: <http://www.gutenberg.org/files/30070/30070-h/30070-h.htm>.

ANDERS BLOMQVIST/LONELY PLANET IMAGES/GETTY IMAGES

Bairro do Chiado, Lisboa, em 2009.

Um movimento de muitos gêneros

Entre os gêneros cultivados pelos realistas, destacam-se o poema, o conto e o romance. Na poesia, à altura do que produziram Camões, no Classicismo, e Bocage, no Arcadismo, surgiram autores dedicados a poemas realistas, cotidianos e metafísicos. Sobressaem, entre outros, Guerra Junqueiro, Gomes Leal, Cesário Verde e Antero de Quental.

O romance e o conto realistas portugueses têm caráter antiburguês, anticlerical e antimonárquico. O casamento (a instituição burguesa por excelência) é o principal alvo dos prosadores, sobretudo dos romancistas, que fazem do adultério um tema recorrente. Destacam-se, entre outros, Abel Botelho, Trindade Coelho, Teixeira de Queirós, Fialho de Almeida e, principalmente, Eça de Queirós, autor mais importante do Realismo português.

Antero de Quental: a poesia revolucionária

"Quem sou eu?", "De onde vim?", "Para onde vou?", "O que é a morte?". Você já fez a si mesmo perguntas como essas? Muitos escritores aventuraram-se na busca de respostas para essas questões metafísicas, que sempre inquietaram o homem. No Realismo, Antero de Quental foi o representante mais significativo dessa linha poética.

A primeira fase de Quental, das *Odes modernas*, corresponde à sua negação do catolicismo e do tradicionalismo, tão presentes em sua formação anterior a Coimbra. Seus poemas apresentam clara tendência libertária e revolucionária. O poeta transforma seus versos entusiasmados em armas a favor da liberdade, influenciado pelo socialismo e pelo cientificismo.

Os versos a seguir, do poema "Vida", compõem as *Odes modernas*. Leia-os e observe o tom revolucionário que assumem.

BIBLIOTECA NACIONAL DE PORTUGAL

Antero de Quental, retratado em 1864.

Antero de Quental (1842-1891) publicou, em 1865, *Odes modernas*, durante a chamada Questão Coimbrã. Em 1868, dirigiu o grupo *Cenáculo* e, em 1871, participou das *Conferências do Cassino Lisbonense*. Mais tarde, frustrou-se com a tentativa de instalar o pensamento socialista em Portugal. Deprimido, suicidou-se em 1891.

Vida

[...]
Oh! a vida é um abismo! mas **fecundo**!
Mas imenso! tem luz — e luz que cegue.
Inda a **águia de Pátmos** — e tem sombras
E tem negrumes, como o **antigo Caos**:
Tem harmonias, que parecem sonhos
De algum anjo dormido; e tem horrores
Que os nem sonha o delírio!

É imensa a vida,
Homens! não disputeis um raio escasso
Que vem daquele sol; a **tênue nota**,
Que vos chega daquelas **harmonias**;
A penumbra, que escapa àquelas sombras;
O tremor, que vos vem desses horrores.
Sol e sombras, horror e harmonias
De quem é isto, se não é do homem?!
Não disputeis, curvado o corpo todo,
As migalhas da mesa do banquete:
Erguei-vos! e tomai lugar à mesa...
Que há lugar no banquete para todos
[...]

QUENTAL, Antero de. Vida (a uns políticos). *Odes modernas*. Coimbra: Imprensa da Universidade, 1865. p. 27. Disponível em: <http://books.google.com.br/>. Acesso em: 10 jan. 2013. (Fragmento).

Fecundo: fértil.
Águia de Pátmos: referência a João de Pátmos, autor do Apocalipse do *Novo Testamento*.
Antigo Caos: trevas.
Tênue nota: frágil acorde.
Harmonias: músicas.

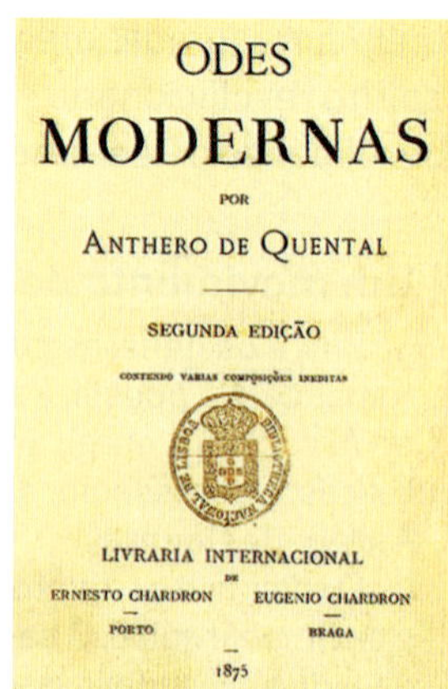

ODES
MODERNAS
POR
ANTHERO DE QUENTAL
SEGUNDA EDIÇÃO
LIVRARIA INTERNACIONAL
ERNESTO CHARDRON — EUGENIO CHARDRON
PORTO — BRAGA
1875

BIBLIOTECA NACIONAL DE PORTUGAL

Com a publicação de *Odes Modernas* (1865), Antero de Quental lançou-se oficialmente contra o Romantismo.

Por meio de uma série de metáforas, o eu lírico define a vida na primeira estrofe. Responda às questões oralmente.

1 Com suas palavras, explique o que seria a vida segundo ele.

2 Mesmo definindo a vida como um "abismo", o eu lírico demonstra otimismo em relação a ela. Você concorda com essa afirmativa? Justifique sua resposta.

A poesia metafísica

Passada a fase revolucionária, a poesia de Quental tornou-se mais intimista, complexa e pessimista. Nos *Sonetos completos*, o autor utiliza seus versos para investigar as grandes verdades humanas e para, inutilmente, tentar conciliar elementos opostos de seu espírito (a antiga fé em Deus e o racionalismo).

SAIBA MAIS!

Temas como Deus, alma, sentido da vida e da morte não são suscetíveis de análise científica, pois não se trata de fatos observáveis empiricamente. A área da Filosofia denominada **metafísica** utiliza a razão (e não a religião) para buscar respostas a questões cujo objeto são realidades imateriais. O termo tem origem grega (*meta*: "além de"; *física/physis*: "natureza ou físico").

O poema a seguir foi publicado em 1886 em *Sonetos completos*.

A Germano Meireles

Só males são reais, só dor existe:
Prazeres só os gera a fantasia;
Em nada, um imaginar, o bem consiste,
Anda o mal em cada hora e instante e dia.

Se buscamos o que é, o que devia
Por natureza ser não nos **assiste**;
Se **fiamos** num bem, que a mente cria,
Que outro remédio há aí senão ser triste?

Oh! Quem tanto pudera que passasse
A vida em sonhos só. E nada vira...
Mas, no que se não vê, **labor** perdido!

Quem fora tão **ditoso** que **olvidasse**...
Mas nem seu mal com ele então dormira,
Que sempre o mal pior é ter nascido!

QUENTAL, Antero de. A Germano Meireles. In: MOISÉS, Massaud. *A literatura portuguesa através dos textos*. 30. ed. São Paulo: Cultrix, 2006. p. 348.

Assiste: cabe, compete.
Fiamos: confiamos.
Labor: trabalho, esforço.
Ditoso: feliz.
Olvidasse: esquecesse.

Responda às questões em seu caderno.

1 Já sabemos que as figuras de linguagem são importantes recursos de construção textual. Quando um autor as utiliza, ele o faz com uma intenção específica, ligada à construção de sentido do texto. O soneto "A Germano Meireles" estrutura-se, principalmente, a partir de uma delas.

a) Que figura de linguagem o autor emprega?

b) Justifique sua resposta com elementos extraídos do texto.

c) Explique o efeito expressivo que a figura garante ao poema.

2 No soneto, o eu lírico busca uma solução para sua tristeza e dor.

a) Que solução é essa?

b) O que ele conclui sobre essa solução?

Em muitos de seus poemas metafísicos, Antero de Quental busca um Deus pelo viés intelectual e racional, mas a única coisa que encontra é o Nada. Para escapar desse estado de pessimismo, o poeta refugia-se na morte.

Cesário Verde: a poesia do cotidiano

MONET, Claude. *Impressão: nascer do sol*. 1872. Óleo sobre tela, 48 × 63 cm. Na literatura, a influência impressionista manifestou-se por meio de descrições ricas em detalhes e cores, como se os escritores estivessem pintando, com palavras, uma tela.

Que temas seriam dignos de aparecer em um poema? Haveria limites para o que pode se transformar em poesia? Ligada ao Realismo, surgiu em Portugal a poesia do cotidiano, cujo precursor é Cesário Verde.

Cesário foi iniciador, em Portugal, de uma tradição poética ligada ao prosaico, isto é, uma poesia de exploração dos aspectos simples presentes na realidade concreta: ruas, peixes, gás, pessoas, rolhas, rio, etc. Em lugar de preocupar-se com objetivos revolucionários ou com grandes temas de amor, por exemplo, a poesia do cotidiano foca-se nas impressões que os elementos externos provocam no mundo interior do poeta. Assim, a realidade objetiva mistura-se à subjetiva. Por essa razão, alguns estudiosos associam a obra de Cesário a um movimento que surgia no final do século XIX, o Impressionismo.

Cesário recusa a poesia lírico-amorosa — tão presente na tradição portuguesa — para voltar-se a uma arte que procura fixar plasticamente o instante a partir do contato direto do poeta com a realidade.

No extenso poema "O sentimento dum ocidental", formado por quatro partes ("Ave-Marias", "Noite fechada", "Ao gás" e "Horas mortas"), o eu lírico percorre o cais junto ao rio Tejo e as ruas estreitas de Lisboa. À medida que vai passeando, testemunha o anoitecer. As estrofes a seguir pertencem à primeira parte do poema, "Ave-Marias".

Cesário Verde, em 1880.

Filho de lavradores, o lisboeta **Cesário Verde** (1855-1886) chegou a trabalhar como agricultor. Ingressou na Faculdade de Letras, período em que publicou alguns de seus versos em periódico. Morreu aos 31 anos sem reconhecimento. Sua obra foi publicada em 1887 numa coletânea intitulada *O livro de Cesário Verde*.

O sentimento dum ocidental

I. Ave-Marias

Nas nossas ruas, ao anoitecer,
Há tal **soturnidade**, há tal melancolia,
Que as sombras, o **bulício**, o Tejo, a maresia
Despertam-me um desejo absurdo de sofrer.

O céu parece baixo e de neblina,
O gás extravasado enjoa-me, perturba;
E os edifícios, com as chaminés, e a **turba**
Toldam-se duma cor monótona e londrina.

Batem os **carros de aluguer**, ao fundo,
Levando à via-férrea os que se vão. Felizes!
Ocorrem-me em revista exposições, países;
Madri, Paris, Berlim, S. Petersburgo, o mundo!

Semelham-se a gaiolas, com viveiros,
As edificações somente emadeiradas:
Como morcegos, ao cair das badaladas,
Saltam de viga os mestres carpinteiros.

Soturnidade: tristeza.
Bulício: movimentação intensa.
Turba: multidão.
Carros de aluguer: coches, carruagens.

Voltam os **calafates**, aos **magotes**,
De jaquetão ao ombro, **enfarruscados**, secos;
Embrenho-me, a cismar, por **boqueirões**, por becos,
Ou erro pelos cais a que se atracam botes.

E evoco, então, as crônicas navais:
Mouros, **baixéis**, heróis, tudo ressuscitado!
Luta Camões no Sul, salvando um livro a nado!
Singram soberbas naus que eu não verei jamais!

E o fim de tarde inspira-me; e incomoda!
De um **couraçado** inglês **vogam** os **escaleres**;
E em terra num tinir de louças e talheres
Flamejam, ao jantar, alguns hotéis da moda.

Num trem de praça **arengam** dois dentistas;
Um **trôpego** arlequim braceja numas andas;
Os **querubins** do lar flutuam nas varandas;
Às portas, em cabelo, enfadam-se os lojistas!

[...]

VERDE, Cesário. O sentimento dum ocidental. In: MOISÉS, Massaud. *Presença da literatura portuguesa*: Romantismo e Realismo. 7. ed. Rio de Janeiro: Bertrand Brasil, 1998. p. 182-183. (Fragmento).

Calafates: operários.
Magotes: ajuntamentos de pessoas.
Enfarruscados: sujos de carvão ou fuligem.
Boqueirões: ruas que levam a rios.
Baixéis: embarcações de pequeno porte.
Singram: navegam.
Couraçado: tipo de navio de guerra de grande porte.
Vogam: navegam.
Escaleres: embarcações pequenas que serviam como meio de transporte.
Flamejam: brilham.
Arengam: conversam.
Trôpego: cambaleante.
Querubins: anjos.

Responda às questões em seu caderno.

1 Em "O sentimento dum ocidental", o eu lírico enfoca aspectos espaciais, humanos e sensoriais.

a) Faça um levantamento dos aspectos espaciais.
b) Levante os aspectos humanos citados pelo eu lírico.
c) Que referências a sentimentos e sensações vividas pelo sujeito poético estão presentes nas estrofes?
d) Você acha que o principal foco do eu lírico é a descrição objetiva do que vê? Explique.

Material complementar
• Atividade: Produção de poema

2 Releia os versos a seguir:

"Que as sombras, o **bulício**, o Tejo, a maresia" (estrofe 1)
"O **gás extravasado enjoa-me**, perturba" (estrofe 2)
"Toldam-se duma **cor monótona e londrina**" (estrofe 2)

a) A que sentidos humanos estão relacionados os fragmentos destacados?
b) Que efeito de sentido tem essa mistura de sensações no poema?

Chama-se **sinestesia** a figura de linguagem que consiste em aproximar sensações percebidas por diferentes órgãos dos sentidos humanos.

3 Apesar de partir das percepções de seu "hoje", o eu lírico discorre sobre outros tempos. Explique essa afirmativa.

Eça de Queirós: a palavra posta em ação

Eça de Queirós é considerado um dos mais importantes prosadores da literatura portuguesa. Escreveu romances, contos, literatura de viagens, textos jornalísticos, etc. Analisando a obra do autor, podemos dividi-la em três fases:

- **Primeira fase:** momento de clara influência romântica. Eça dedicou-se a produções de mistério e fantasia. O romance policial, *O mistério da estrada de Sintra* (1871), reúne ingredientes típicos do Romantismo, como a paixão enlouquecida, o terror, o suspense e o desfecho improvável.
- **Segunda fase:** momento realista, iniciado com a publicação do romance *O crime do padre Amaro* (1875). Atacou a monarquia, a hipocrisia da família burguesa lusitana e a Igreja. Influenciado pela literatura de Flaubert e Balzac, compôs com ironia e sutileza um painel da sociedade portuguesa de sua época. Fazem parte dessa fase obras como *O primo Basílio* (1878), *A relíquia* (1887) e *Os Maias* (1888).
- **Terceira fase:** momento idealista, em que Eça abandona a ironia e o cientificismo e transforma-se em um memorialista que investiga o sentido da vida humana numa linguagem mais poética e menos objetiva. Pertencem a esse momento os romances *A ilustre casa de Ramires* (1900), *A cidade e as serras* (1901), *O mandarim* (1879), os contos "Singularidades de uma rapariga loura", "Perfeição" e "Suave milagre", entre outras obras.

BIBLIOTECA NACIONAL DE PORTUGAL

O escritor Eça de Queirós em 1882.

Eça de Queirós (1845-1900) iniciou sua carreira escrevendo folhetins. Embora não tenha se envolvido na Questão Coimbrã, participou das *Conferências do Cassino Lisbonense*.

Leia mais sobre a biografia desse autor em: <http://www.vidaslusofonas.pt/eca_de_queiros.htm>.

Romancista francês do Realismo, autor de *A comédia humana*, série de histórias divididas em romances, novelas e contos, cujos protagonistas se distribuem por todas as classes sociais.

O primo Basílio: o dever do combate

No contexto do lançamento de *O primo Basílio*, em 28 de fevereiro de 1878, Eça de Queirós escreveu uma carta para Teófilo Braga a fim de explicar que seu novo romance tinha como dever atacar a burguesia lisboeta, uma sociedade estruturada em "falsas bases", segundo ele. Com essa obra, o autor português deu continuidade a seu projeto iniciado com *O crime do padre Amaro*, segundo o qual o romance deveria constituir uma "arma de combate".

Baseando-se no princípio naturalista da defesa de uma tese social — no caso, a traição inevitável, motivada pela falta de ocupação de uma mulher "arrasada de romance", "lírica" e "nervosa pela falta de exercício e disciplina moral" —, Eça criou um romance que não trata de uma mulher específica, mas de qualquer mulher que vivesse nos moldes da protagonista do romance, Luísa.

O primo Basílio desenrola-se em um lar burguês de Lisboa, aparentemente feliz e estável. No romance, Luísa é uma moça superficial que, assim como Emma Bovary, vive rodeada de ilusões românticas, reforçadas pelos livros açucarados que lê, distantes de sua vida monótona.

Quando o marido, Jorge, com quem está casada há três anos, precisa afastar-se de casa para uma viagem de negócios ao Alentejo, Luísa encanta-se com o sedutor Basílio, seu primo, que chegara de uma longa viagem pela Europa buscando apenas "amor grátis". A futilidade de Luísa, a ausência do marido e a chegada de Basílio são os ingredientes perfeitos que praticamente *determinam* o adultério.

A amarga e sofrida criada Juliana verá na situação da traição uma oportunidade para vingar-se de sua patroa, chantageando-a depois de roubar algumas cartas de amor comprometedoras, trocadas entre Luísa e Basílio. Para completar o quadro social burguês lisboeta, gravitam em torno do lar hipócrita de Luísa e Jorge figuras que beiram o grotesco.

NAVEGUE

Leia "Singularidades de uma rapariga loura" em: <http://www.dominiopublico.gov.br/download/texto/ua00088a.pdf>.

Atividades: Leitura de texto

O texto a seguir foi retirado de uma das partes que compõem o capítulo 3 do romance *O primo Basílio*. Essa passagem sucede o momento do reencontro entre Basílio e sua prima Luísa, que se encanta com a presença do antigo namorado de infância.

Luísa, quando o sentiu embaixo fechar a porta da rua, entrou no quarto, atirou o chapéu para a ***causeuse***, e foi-se logo ver ao espelho. Que felicidade estar vestida! Se ele a tivesse apanhado em roupão, ou mal penteada!... Achou-se muito afogueada, cobriu-se de pó de arroz. Foi à janela, olhou um momento a rua, o sol que batia ainda nas casas fronteiras. Sentia-se cansada. Àquelas horas Leopoldina estava a jantar já, decerto... Pensou em escrever a Jorge "para matar o tempo", mas veio-lhe uma preguiça; estava tanto calor! Depois não tinha que lhe dizer! Começou então a despir-se devagar diante do espelho, olhando-se muito, gostando de se ver branca, acariciando a finura da pele, com bocejos lânguidos de um cansaço feliz. — Havia sete anos que não via o primo Basílio! Estava mais **trigueiro**, mais queimado; mas ia-lhe bem!

E depois de jantar ficou junto à janela, estendida na ***voltaire***, com um livro esquecido no regaço. [...]

— Que vida interessante a do primo Basílio! — pensava. — O que ele tinha visto! Se ela pudesse também fazer as suas malas, partir, admirar aspectos novos e desconhecidos, a neve nos montes, cascatas reluzentes! Como desejaria visitar os países que conhecia dos romances — a Escócia e os seus lagos **taciturnos**, Veneza e os seus palácios trágicos; aportar às baías, onde um mar luminoso e faiscante morre na areia fulva; e das cabanas dos pescadores de teto chato, onde vivem as Grazielas, ver azularem-se ao longe as ilhas de nomes sonoros! E ir a Paris! Paris sobretudo! Mas, qual! Nunca viajaria decerto; eram pobres; Jorge era caseiro, tão lisboeta!

Como seria o **patriarca** de Jerusalém? Imaginava-o de longas barbas brancas, recamado de ouro, entre **instrumentações** solenes e rolos de incenso! E a Princesa de **La Tour d'Auvergne**? Devia ser bela, de uma estatura real, vivia cercada de pajens, namorara-se de Basílio. — A noite escurecia, outras estrelas luziam. — Mas de que servia viajar, enjoar nos **paquetes**, bocejar nos vagões, e, numa **diligência** muito sacudida, cabecear de sono pela serra nas madrugadas frias? Não era melhor viver num bom conforto, com um marido terno, uma casinha abrigada, colchões macios, uma noite de teatro às vezes, e um bom almoço nas manhãs claras quando os canários **chalram**? Era o que ela tinha. Era bem feliz. Então veio-lhe uma saudade de Jorge; desejaria abraçá-lo, tê-lo ali, ou quando descesse ir encontrá-lo fumando o seu cachimbo no escritório, com o seu jaquetão de veludo. Tinha tudo, ele, para fazer uma mulher feliz e orgulhosa: era belo, com uns olhos magníficos, terno, fiel. Não gostaria de um marido com uma vida sedentária e **caturra**; mas a profissão de Jorge era interessante; descia aos tenebrosos das minas; um dia apertara as pistolas contra uma **malta** revoltada; era valente; tinha talento! Involuntariamente, porém, o primo Basílio fazendo flutuar o seu ***bornous*** branco pelas planícies da Terra Santa, ou em Paris, direito na almofada, governando tranquilamente os seus cavalos inquietos — davam-lhe a ideia de uma outra existência mais poética, mais própria para os episódios do sentimento.

OSCAR CABRAL/ABRIL COMUNICAÇÕES S/A

A atriz Giulia Gam, como Luísa, em cena da minissérie *O primo Basílio* (1988).

Causeuse: espécie de sofá de dois lugares.

Trigueiro: moreno, da cor do trigo maduro.

Voltaire: tipo de poltrona.

Taciturnos: tristes, melancólicos.

Patriarca: arcebispo.

Instrumentações: músicas.

La Tour d'Auvergne: cidade francesa.

Paquetes: navios de passageiros.

Diligência: carruagem.

Chalram: cantam.

Caturra: boba.

Malta: grupo de pessoas; bando.

Bornous: vestimenta tradicional usada por árabes e bérberes.

Do céu estrelado caía uma luz difusa; janelas alumiadas sobressaíam ao longe, abertas à noite abafada; voos de morcegos passavam diante da vidraça.

— A senhora não quer luz? — perguntou à porta a voz fatigada de Juliana.

— Ponha-a no quarto.

Desceu. Bocejava muito; sentia-se quebrada.

— É trovoada — pensou.

Foi à sala, sentou-se ao piano, tocou ao acaso bocados da **Lúcia**, da **Sonâmbula**, o **Fado**; e parando, os dedos pousados de leve sobre o teclado, pôs-se a pensar que Basílio devia vir no dia seguinte; vestiria o roupão novo de *foulard* cor de castanho! Recomeçou o *Fado*, mas os olhos cerravam-se-lhe.

Foi para o quarto.

Juliana trouxe o **rol** e a lamparina. Vinha arrastando as chinelas, com um **casabeque** pelos ombros, encolhida e **lúgubre**. Aquela figura com um ar de enfermaria irritou Luísa:

— Credo, mulher! Você parece a imagem da morte!

Juliana não respondeu. Pousou a lamparina; apanhou, placa a placa, sobre a cômoda, o dinheiro das compras; e com os olhos baixos:

— A senhora não precisa mais nada, não?

— Vá-se, mulher, vá!

QUEIRÓS, Eça de. *O primo Basílio*. Rio de Janeiro: Ediouro; São Paulo: Publifolha, 1997. p. 63-65. (Biblioteca Folha; 2). (Fragmento).

"Lúcia" e "A Sonâmbula": óperas do italiano Vincenzo Bellini.

Fado: canção popular portuguesa.

Rol: saco de roupas sujas.

Casabeque: casaco feminino, pequeno e leve.

Lúgubre: fúnebre.

Responda às questões em seu caderno.

1 Em um texto crítico, Eça de Queirós caracterizou Luísa como uma "senhora sentimental", "arrasada de romance", "lírica" e ociosa. Justifique essa afirmação.

2 Releia o quarto parágrafo.

a) Explique por que a maneira como Luísa imagina as viagens feitas por seu primo está relacionada a uma visão romântica da vida.

b) Na sua opinião, como Luísa encara a profissão do marido?

3 Explique por que a criada Juliana apresenta-se como contraponto realista ao universo romântico imaginado pela patroa.

NAVEGUE

Leia o romance *O primo Basílio* e a carta completa de Eça de Queirós a Teófilo Braga em: <http://www.dominiopublico.gov.br/download/texto/ph000227.pdf>.

O QUE VOCÊ APRENDEU NO PERCURSO DESTE CAPÍTULO

- Na "Questão Coimbrã", românticos e realistas debateram calorosamente os rumos da literatura portuguesa.
- As *Conferências do Cassino Lisbonense* foram responsáveis pela consolidação do Realismo em Portugal.
- Na primeira fase de sua poesia, nas *Odes modernas*, Antero de Quental foi influenciado pelo socialismo e pelo cientificismo. Na segunda fase, sua poesia tornou-se mais intimista, complexa e pessimista.
- Cesário Verde foi responsável por inaugurar a poesia do cotidiano em Portugal.
- Eça de Queirós foi o principal romancista do Realismo português. Primeira fase: influência romântica. Segunda fase: momento realista. Terceira fase: otimismo e idealismo.

Expressões

Nesta unidade, você leu um texto extraído de uma das partes que compõem a novela *A morte de Olivier Bécaille*, de Émile Zola, precursor da tendência naturalista. Agora propomos a você transformar o texto lido em uma história em quadrinhos (HQ). Divirta-se!

A novela de Zola é rica em descrições e detalhes. Aproveite essa característica para colocar sua criatividade em ação. Se você tiver habilidade com desenhos, será uma excelente oportunidade para exercitá-la; caso contrário, use colagens, desenhos mais simples ou baseie-se em trabalhos de artistas de sua predileção. Uma boa opção é realizar essa proposta em grupo, com cada componente se responsabilizando por uma tarefa: divisão do texto, criação e adaptação de falas, seleção de eventos significativos e possíveis de se tranformarem em desenhos, pintura, escrita das falas nos balões, etc.

Antes de pensar na adaptação do texto literário, retome alguns aspectos típicos da linguagem da HQ, gênero bastante popular no mundo todo e com o qual, provavelmente, você já tem contato desde criança.

1. O **quadrinho** é a menor unidade narrativa de uma tira ou HQ.
2. Os quadrinhos apresentam **eventos** captados de uma história (de qualquer extensão) que se pretende contar a um leitor.
3. Diferentemente de um texto literário, na HQ uma **seleção de eventos** está disposta em quadrinhos, sendo função do leitor "preencher" as **lacunas** relacionadas às ações que não foram desenhadas, mas que são facilmente pressupostas. Por exemplo, você não precisa desenhar inúmeros quadrinhos para expressar a agonia de Olivier quando ele se percebe vivo e preso em um caixão. Bastam algumas sequências bem escolhidas para indicar esse sentimento, pois o leitor imagina o que poderia ter acontecido entre um quadrinho e outro.
4. Em grande parte das HQs, a história contada conjuga **imagens** e **diálogos** dos personagens.
5. As falas e os pensamentos dos personagens aparecem dentro de **balões**. O balão arredondado e do qual sai um "rabicho" indica fala. Aquele do qual saem bolinhas indica pensamento, imaginação ou mesmo sonho.

6. O narrador se comunica com o leitor por meio de um **balão quadrado**, localizado, em geral, na parte superior do quadrinho.
7. No texto dos balões utiliza-se, em geral, letra de forma, maiúscula, desenhada ou escrita à mão.

Em relação à novela de Zola:

- Faça uma lista contendo os eventos mais importantes — e possíveis de se transformarem em HQ — da novela (o sonho, por exemplo).
- Liste os cenários e os personagens ligados a esses eventos.
- Você pode construir sua releitura de *A morte de Olivier Bécaille* em quadrinhos sem falas. Se optar por incluir falas, escreva quais serão essenciais (as do narrador e/ou dos personagens) para contar a história de Olivier. Lembre-se: um balão é um espaço limitado, diferentemente do que ocorre com um conto.

Depois de pronta sua HQ, exponha-a na sala de aula para que seus colegas possam ter acesso a ela.

Leitura puxa leitura

Comece sua leitura por:

A cidade e as serras (1901), de Eça de Queirós

Por que ler: O último romance de Eça de Queirós mostra uma fase mais poética e idealista do autor, em que são criticados o progresso técnico, crescente em fins do século XIX e início do XX, e a limitação da vida burguesa na cidade.

O livro do Cesário Verde (1887), de Cesário Verde

Por que ler: O poeta português testemunhou e expressou em sua poesia um país em transformação, em que as áreas urbanas e sua população cresciam rapidamente, acompanhadas, contudo, pela proliferação da miséria.

Germinal (1885), de Émile Zola

Por que ler: Retratando as agruras da classe trabalhadora francesa, o romance de Zola constitui um marco da literatura naturalista.

Ilusões perdidas (1836), de Honoré de Balzac

Por que ler: O sonho, a decepção, o amor, a vingança, a força do dinheiro e as ambições desmedidas compõem o turbilhão que move a trajetória do jovem poeta Lucien Chardon, que deixa o interior da França em direção a Paris.

O primo Basílio (1878), de Eça de Queirós

Por que ler: Em um de seus maiores clássicos, Eça de Queirós parte do adultério de Luísa para traçar um perfil crítico da sociedade portuguesa do século XIX.

Capitães da areia (1937), de Jorge Amado

Por que ler: Na Salvador do início do século XX, um grupo de meninos de rua tenta encontrar maneiras de sobreviver à marginalização que lhes foi imposta por uma sociedade desigual.

O senhor das moscas (1954), de William Golding

Por que ler: Após um acidente aéreo, um grupo de crianças se vê isolado numa ilha. Golding consegue, no estabelecimento das relações entre os meninos, provocar discussões profundas sobre a natureza humana.

9 luas (1996), de Os Paralamas do Sucesso

Por que ouvir: Nesse álbum da banda, várias canções apresentam a temática da opressão da vida moderna e do caos urbano. Destaque para as canções "Busca vida", "Capitão de indústria" e "O caroço da cabeça".

Tio Vânia (1889), de Anton Tchekhov

Por que ler: Uma das obras mais relevantes da literatura universal, a peça tem como tema central a desilusão e a consequente necessidade de o homem se repensar e encarar o futuro.

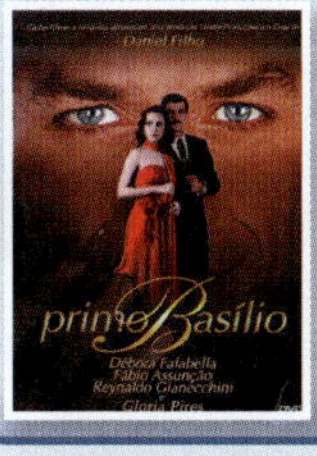

Primo Basílio (2007), de Daniel Filho

Por que assistir: Nessa adaptação nacional, a trama de Eça de Queirós é transportada para a alta sociedade de São Paulo no fim da década de 1950.

Crianças invisíveis (2005), de vários diretores

Por que assistir: Composta de curtas--metragens de renomados diretores, essa obra apresenta os dramas de crianças nas mais diversas localidades e nos leva a pensar sobre a situação da infância no mundo atual.

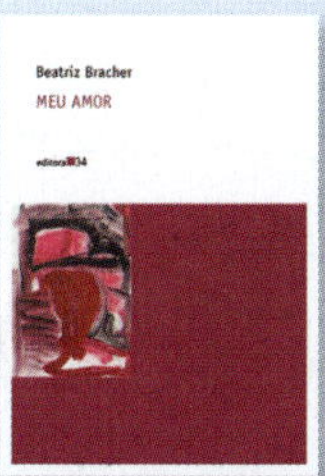

Meu amor (2009), de Beatriz Bracher

Por que ler: Nos contos dessa coletânea, um angustiante realismo invade a ficção e perturba o leitor.

Boca do inferno (1957), de Otto Lara Resende

Por que ler: Os contos dessa obra de Otto Lara Resende chocam pelo realismo e pela naturalidade extremos com que os personagens reagem diante do medo e da morte.

Madame Bovary (1857), de Gustav Flaubert

Por que ler: Inspiração para *O primo Basílio*, esse romance narra a história de Emma Bovary, que, para fugir do tédio do seu casamento, se envolve em casos amorosos proibidos, desastrosos e destrutivos para ela e sua família.

As pontes de Madison (1995), de Clint Eastwood

Por que assistir: A proprietária rural Francesca Johnson vive uma intensa e proibida história de amor a partir da qual temas como a felicidade, a paixão, a estabilidade e a fidelidade são problematizados.

FOTOS: REPRODUÇÃO

UNIDADE

9

REALISMO-NATURALISMO E PARNASIANISMO NO BRASIL: CRÍTICA E PRAZER ESTÉTICO

SEBASTIÃO SALGADO/AMAZONAS IMAGES

Na fotografia que abre esta unidade, chama a atenção o olhar perplexo dos trabalhadores do garimpo diante de uma cena de extrema violência, em que duas forças antagônicas — e desiguais — estão prestes a entrar em confronto. Tornamo-nos, também, testemunhas da ação retratada.

Guardadas as diferenças, o realismo da fotografia de Sebastião Salgado pode ser associado ao dos prosadores realistas-naturalistas brasileiros do final do século XIX, que tomaram para si a tarefa de desvendar as verdades de seus personagens. Inspirados pelas várias teorias científicas da época, os autores buscaram certa impessoalidade e objetividade em seus retratos do Brasil. Burgueses, trabalhadores, religiosos, escravos... ninguém escapou ao rigoroso olhar dos realistas-naturalistas.

Concomitantemente ao Realismo-Naturalismo, desenvolveu-se, no Brasil, uma tendência poética denominada Parnasianismo, baseada no culto à forma, na descrição precisa, no racionalismo e na valorização da beleza e perfeição dos versos.

Objeto educacional digital (animação)
• *Trabalhadores*

A fotografia dos trabalhadores do garimpo de Serra Pelada, no Pará, feita por Sebastião Salgado e que compõe a série *Trabalhadores* (1992), é um dos retratos mais duros e realistas do Brasil.

Para início de conversa

O conto "Lá no morro" foi escrito pelo belo-horizontino Wander Piroli (1931-2006) e publicado, originalmente, na coletânea *A mãe e o filho da mãe*, em 1966.

Faça uma leitura atenta do fragmento a seguir e perceba como, de maneira direta e objetiva, o escritor aborda um drama social.

Lá no morro

Avistei-o subindo o morro. Mamãe estava junto ao fogareiro. Corri alarmado para avisá-la: "Papai envém aí". Ela me espetou os olhos apagados e os lábios se moveram lentamente. Não disse nada.

Papai atravessou a porta em silêncio e ao invés de chutar o **tamborete arredou**-o de leve. Observou-me num relance. Depois olhou mamãe que estava de costas, e deixou-se cair no tamborete. A cabeça pendeu sobre o caixote como se se tivesse desprendido do corpo. [...] Surpreendi-me avançando na sua direção. Parei perto do caixote com as pernas trêmulas, e antes que eu percebesse meus dedos já tocavam o ombro de papai.

Mamãe permanecia imóvel junto ao fogareiro, como se esperasse que a mão pesada a atingisse a qualquer momento. Angustiava-me um sentimento doloroso por papai: era como se o estivesse descobrindo sob a camada de violência, e agora ali restasse não apenas meu pai, mas a própria criatura humana na sua dimensão essencial e indestrutível. Olhei para mamãe. E gritei-lhe desesperadamente "Mamãe!" sem que ao menos tivesse necessidade de abrir a boca.

Afinal mamãe se voltou com o prato de comida e viu minha mão pousada no ombro de papai. Colocou o prato no caixote, perto da cabeça de papai. Ele continuou quieto, a respiração funda e descompassada. Mamãe acendeu a lamparina, e a claridade arredou as primeiras sombras da tarde para os cantos do cômodo. Em seguida, mamãe preparou a minha marmita e por último o seu prato e ambos nos sentamos, eu no chão e ela no outro tamborete.

O arfar intenso de papai doía no silêncio. Olhei mamãe. Mamãe me olhou e disse:

— Come.

Depois fitou papai, **de esguelha**, e levou até à boca uma pequena porção de arroz. Mas teve logo que deixar o garfo de lado para conter o acesso de tosse

Tamborete: pequeno banco.
Arredou: afastou.
De esguelha: de lado.

com a mão. Papai então levantou a cabeça, encarou-a com os lábios abertos. Seu rosto estava molhado de suor. Abaixou os olhos para mim, fungando, e deixou a cabeça pender novamente sobre o caixote.

Ouvimos passos no quintal. Três homens saltaram dentro do barraco e um deles arrancou a cortina que dividia o cômodo. Antes que o coração me socasse o peito e mamãe imobilizasse o garfo e papai erguesse a cabeça, tiraram-no do tamborete, torcendo-lhe os braços.

Papai não tentou reagir, sequer parecia surpreso. Era como se já estivesse esperando aquele momento. Nem ao menos olhou para os homens que o subjugavam. Fitava apenas mamãe, imóvel e fria do outro lado do caixote. Um dos homens levantou o punho e bateu-lhe seguidamente na cara. Com a boca ensanguentada, recebia as pancadas sem tirar os olhos de mamãe.

Levaram-no, os braços presos às costas. Os socos continuavam no quintal e eram mais nítidos quando pegavam na cara de papai. As batidas foram-se distanciando. Mamãe estava com a cabeça quase dentro do prato e as lágrimas escorrendo de seu rosto pingavam sobre o resto da comida. A marmita ainda tremia em minhas mãos e eu comecei a vomitar.

PIROLI, Wander. Lá no morro. In: TUFANO, Douglas (Org.). *Antologia do conto brasileiro*: do Romantismo ao Modernismo. São Paulo: Moderna, 1994. p. 110-111. (Coleção Travessias). (Fragmento).

Responda às questões no caderno.

1 No conto de Wander Piroli predomina o silêncio.

a) Explique essa afirmativa tendo em vista sua leitura integral do texto.

b) Analise as relações estabelecidas entre os personagens e explique o que pode significar o silêncio predominante no conto.

2 Pela leitura do conto, podemos inferir que o comportamento do pai, quando chega à sua casa, é diferente do habitual; ou seja, ele mostra-se menos violento e hostil.

a) Que passagens nos permitem fazer essa inferência?

b) Que sinais de fragilidade você conclui que o pai do narrador-personagem apresenta ao entrar na casa? Justifique sua resposta com trechos do texto.

c) Que consequência física e psicológica tem no narrador a mudança de comportamento apresentada pelo pai?

3 O conto "Lá no morro" se passa durante o jantar de uma família. O tempo todo, o narrador menciona o "fogareiro", o "prato de comida", a "marmita", a "porção de arroz", "o garfo", etc. Explique de que maneira esses elementos são retomados no último parágrafo e servem para intensificar a experiência dramática vivida por esses personagens no barraco.

4 Quase no desfecho do conto, o narrador-personagem informa que sua mãe, diante da violência extrema à qual foi submetido o pai, permanece "imóvel e fria do outro lado do caixote". Embora o conto não explicite as razões que levam a mulher a ter essa reação, é possível levantar algumas hipóteses. Reúna-se com seus colegas e procurem explicar isso.

NAVEGUE

Leia um suplemento literário especial sobre Wander Piroli, com contos, dados biográficos e análises sobre sua obra: <http://www.cultura.mg.gov.br/files/2011-novembro-especial.pdf>.

BIA CORRÊA DO LAGO E PEDRO CORRÊA DO LAGO/ COLEÇÃO PRINCESA ISABEL

Sessão do Senado brasileiro na qual foi aprovada a Lei Áurea (1888).

Como você viu, o conto "Lá no morro" não trabalha com heróis idealizados nem com ambientes refinados, tampouco tem um desfecho feliz, em que os personagens se redimem de suas falhas e vivem plenos de felicidade. O autor, ao contrário disso, opta por focalizar um ambiente simples e humilde, em que cômodos são divididos com cortinas, pessoas se alimentam de arroz em marmitas e são iluminadas apenas por lamparinas. Sem grandes arroubos sentimentais, o texto de Piroli enfatiza a violência que parece espreitar os personagens, sempre pronta para explodir e lançá-los em um mundo real e hostil.

Embora date de 1966, o texto de Piroli apresenta um tom realista, que foi inaugurado no Brasil com o Realismo-Naturalismo no final do século XIX, período em que o país passava por significativas transformações políticas e sociais.

O Brasil era um país em ebulição na década de 1880. Com o crescimento da campanha abolicionista e as ações de D. Pedro II para abolir gradativamente o trabalho escravo no país, a monarquia foi perdendo apoio dos latifundiários donos de escravos, grupo social que sustentou o Império durante o Segundo Reinado.

A partir de 1883, enquanto cresciam os desentendimentos entre o governo e os militares, fortalecia-se o movimento republicano, aliando civis e militares.

Em 15 de novembro de 1889, o marechal Deodoro da Fonseca liderou um golpe contra o Império. D. Pedro II, já muito doente, não teve meios de resistir. A queda da monarquia era definitiva.

Na literatura, distantes do sentimentalismo romântico — expresso em temas como o amor-fatalidade, o herói idealizado, a pátria, a nação, a tradição, etc. —, os escritores realistas buscaram a objetividade e a crítica na retratação do mundo. Os que seguiram as tendências do Naturalismo submeteram seus personagens à força das leis naturais, com base nos estudos desenvolvidos pelas ciências da segunda metade do século XIX. A poesia que se estabeleceu durante o Realismo-Naturalismo — chamada de Parnasianismo — buscou ser antirromântica e baseou-se na objetividade e na supervalorização da forma.

Nesta unidade, nos estudos sobre o Realismo-Naturalismo e o Parnasianismo brasileiros, você conhecerá aquele que muitos críticos consideram o mais importante romancista de nosso país: Machado de Assis.

Marcos literários

O Realismo-Naturalismo inicia-se em 1881, com a publicação de *O mulato*, de Aluísio Azevedo, e *Memórias póstumas de Brás Cubas*, de Machado de Assis. Em 1902, a publicação de *Os sertões*, de Euclides da Cunha, e *Canaã*, de Graça Aranha, marca o surgimento de novas tendências literárias no Brasil.

O Parnasianismo é inaugurado com a publicação da coletânea *Fanfarras* (1882), de Teófilo Dias, e finaliza-se com a consolidação do Modernismo no Brasil (a partir da Semana de Arte Moderna, em 1922).

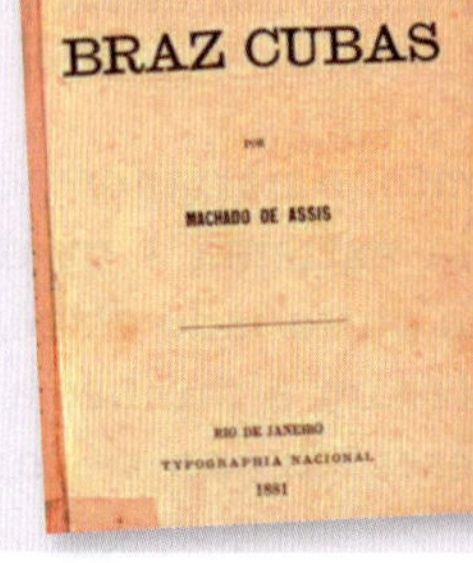

REPRODUÇÃO

CAPÍTULO 22

Realismo-Naturalismo no Brasil: a literatura de Machado de Assis

PERCURSO DO CAPÍTULO

- Contexto do Realismo--Naturalismo brasileiro
- Machado de Assis: o brasileiro universal
- Fases de Machado de Assis
- Análise de Memórias póstumas de Brás Cubas
- Análise de Dom Casmurro

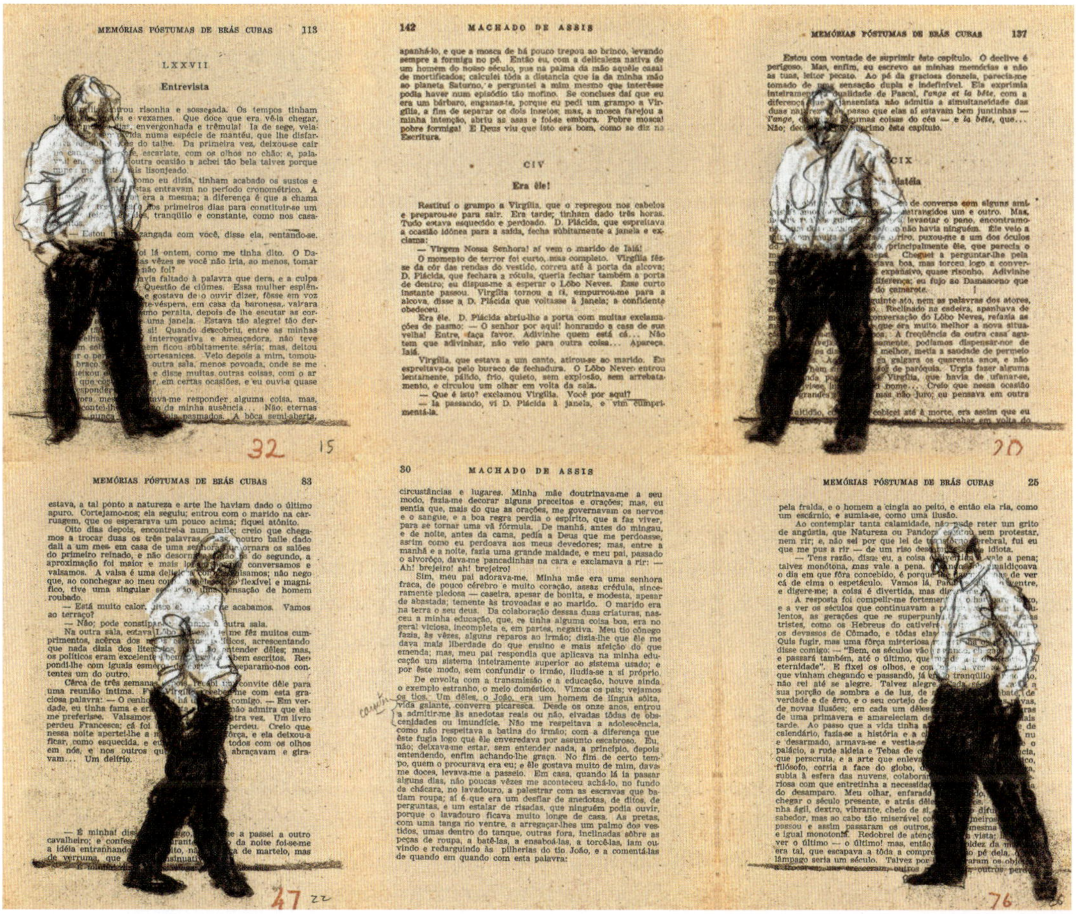

WILLIAM KENTRIDGE

Na publicação *De como não fui ministro d'Estado* (2012), o artista sul-africano William Kentridge imprimiu a própria imagem sobre páginas de uma edição de 1946 do romance *Memórias póstumas de Brás Cubas*, de Machado de Assis, e transformou-as em animação.

Introdução

Abolição da escravatura, instauração da República, entrada de imigrantes europeus, positivismo, determinismo, marxismo, evolucionismo, desigualdade social, favoritismo... que tipo de literatura poderia ser feita nesse contexto tão diverso? Neste capítulo, você iniciará seus estudos do Realismo-Naturalismo brasileiro, conhecendo a obra de Machado de Assis, escritor-síntese do Brasil da segunda metade do século XIX.

A crônica a seguir foi publicada originalmente em 19 de maio de 1888 (poucos dias depois da assinatura da Lei Áurea). Nela, em tom irônico, Machado de Assis mostrou ao leitor brasileiro da segunda metade do século XIX que a libertação dos escravos não garantiu, de fato, meios concretos que pudessem inserir dignamente os negros na sociedade.

Eu pertenço a uma família de profetas *après coup, post factum*, depois do gato morto, ou como melhor nome tenha em holandês. Por isso digo, e juro se necessário for, que toda a história desta lei de 13 de maio estava por mim prevista, tanto que na segunda-feira, antes mesmo dos debates, tratei de **alforriar** um molecote que tinha, pessoa de seus dezoito anos, mais ou menos. Alforriá-lo era nada; entendi que, perdido por mil, perdido por mil e quinhentos, e dei um jantar.

"Depois dos fatos."

Neste jantar, a que meus amigos deram o nome de banquete, em falta de outro melhor, reuni umas cinco pessoas, **conquanto** as notícias dissessem trinta e três (anos de Cristo), no intuito de lhe dar um aspecto simbólico.

No golpe do meio (*coup du milieu*, mas eu prefiro falar a minha língua), levantei-me eu com a taça de champanha e declarei que acompanhando as ideias pregadas por Cristo, há dezoito séculos, restituía a liberdade ao meu escravo Pancrácio; que entendia que a nação inteira devia acompanhar as mesmas ideias e imitar o meu exemplo; finalmente, que a liberdade era um dom de Deus, que os homens não podiam roubar sem pecado.

Pancrácio, que estava à espreita, entrou na sala, como um furacão, e veio abraçar-me os pés. Um dos meus amigos (creio que é ainda meu sobrinho) pegou de outra taça, e pediu à ilustre assembleia que correspondesse ao ato que acabava de publicar, brindando ao primeiro dos cariocas. Ouvi cabisbaixo; fiz outro discurso agradecendo, e entreguei a carta ao molecote. Todos os lenços comovidos apanharam as lágrimas de admiração. Caí na cadeira e não vi mais nada. De noite, recebi muitos cartões. Creio que estão pintando o meu retrato, e suponho que a óleo.

No dia seguinte, chamei o Pancrácio e disse-lhe com rara franqueza:

— Tu és livre, podes ir para onde quiseres. Aqui tens casa amiga, já conhecida e tens mais um ordenado, um ordenado que...

— Oh! meu senhô! fico.

Alforriar: libertar.
Conquanto: embora.

— ... Um ordenado pequeno, mas que há de crescer. Tudo cresce neste mundo; tu cresceste imensamente. Quando nasceste, eras um pirralho deste tamanho; hoje estás mais alto que eu. Deixa ver; olha, és mais alto quatro dedos...

— Artura não qué dizê nada, não, senhô...

— Pequeno ordenado, repito, uns seis **mil-réis**; mas é de grão em grão que a galinha enche o seu papo. Tu vales muito mais que uma galinha.

— Justamente. Pois seis mil-réis. No fim de um ano, se andares bem, conta com oito. Oito ou sete.

Pancrácio aceitou tudo; aceitou até um peteleco que lhe dei no dia seguinte, por me não escovar bem as botas; efeitos da liberdade. Mas eu expliquei-lhe que o peteleco, sendo um impulso natural, não podia anular o direito civil adquirido por um título que lhe dei. Ele continuava livre, eu de mau humor; eram dois estados naturais, quase divinos.

Tudo compreendeu o meu bom Pancrácio; daí para cá, tenho-lhe despedido alguns pontapés, um ou outro puxão de orelhas, e chamo-lhe besta quando lhe não chamo filho do diabo; cousas todas que ele recebe humildemente, e (Deus me perdoe!) creio que até alegre.

O meu plano está feito; quero ser deputado, e, na circular que mandarei aos meus eleitores, direi que, antes, muito antes de abolição legal, já eu, em casa, na modéstia da família, libertava um escravo, ato que comoveu a toda a gente que dele teve notícia; que esse escravo tendo aprendido a ler, escrever e contar, (simples suposição) é então professor de filosofia no Rio das Cobras; que os homens puros, grandes e verdadeiramente políticos, não são os que obedecem à lei, mas os que se antecipam a ela, dizendo ao escravo: *és livre*, antes que o digam os poderes públicos, sempre retardatários, **trôpegos** e incapazes de restaurar a justiça na terra, para satisfação do céu.

Boas noites.

ASSIS, Machado de. In: COUTINHO, Afrânio (Org.). *Machado de Assis*: obra completa. Rio de Janeiro: Nova Aguilar, 1992. v. 3, p. 489-491. (Biblioteca Luso-Brasileira — Série Brasileira).

GILBERTO MARCHI

Ilustração *Alegria de Machado de Assis*, de Gilberto Marchi.

Mil-réis: unidade monetária brasileira antes de 1940.

Trôpegos: que têm dificuldade de locomoção.

Responda às questões em seu caderno.

1 A crônica de Machado de Assis trabalha com a ideia de que o narrador, de alguma forma, já havia antecipado a Lei Áurea, assinada em 13 de maio de 1888 pela princesa Isabel. Que providência tomada pelo narrador comprovaria que ele "profetizou" a abolição da escravatura no Brasil?

2 O que podemos inferir sobre a situação de Pancrácio antes e depois de o narrador tê-lo alforriado?

3 Explique a justificativa dada pelo narrador no trecho destacado em negrito.

"Pancrácio aceitou tudo: aceitou até um peteleco que lhe dei no dia seguinte, por me não escovar bem as botas; efeitos da liberdade. **Mas eu expliquei-lhe que o peteleco, sendo um impulso natural, não podia anular o direito civil adquirido por um título que lhe dei.** Ele continuava livre, eu de mau humor; eram dois estados naturais, quase divinos."

REPRODUÇÃO

Declara extincta a escravidão no Brasil

A Lei Áurea foi sancionada pela princesa Isabel, filha do Imperador D. Pedro II.

4 Em seu *Dicionário de termos literários*, Massaud Moisés faz um extenso exame do termo *ironia*, do qual destacamos algumas ideias:

[...] a ironia consiste em dizer o contrário do que se pensa, mas dando-o a entender; a ironia resulta do inteligente emprego do contraste, com vistas a perturbar o interlocutor; a ironia é uma forma de humor, ou desencadeia-o, acompanhado de um sorriso; a ironia depende do contexto; fora dele, o seu efeito desaparece.

MOISÉS, Massaud. *Dicionário de termos literários*. 12. ed. São Paulo: Cultrix, 2004. p. 245-249. (Fragmento).

Não são poucos os críticos que relacionam a literatura de Machado de Assis a essa figura de linguagem. Tendo em vista o trecho acima, você considera a crônica de Machado irônica?

REPRODUÇÃO

Versão em quadrinhos de um dos contos mais populares de Machado de Assis.

ProvocAÇÃO

Em sua crônica, Machado de Assis aborda — indiretamente — de que forma a sociedade brasileira do século XIX recebeu os ex-escravos. Veja como o historiador Boris Fausto trata o assunto:

[A abolição] representou um avanço, mas também deixou muitos problemas, porque não levou em conta a inclusão do negro, como cidadão na sociedade brasileira. Os grandes fazendeiros de café optaram pelo imigrante europeu, e o negro [...] ficou relegado às atividades marginais, em situações de subemprego, vítima de um pesado preconceito e sem a oportunidade de acesso à escola. Nesse processo, o preconceito contra o negro persiste até hoje.

Entrevista concedida à TV Escola, programa da Secretaria da Educação a Distância, do Ministério da Educação.

Você concorda com a análise proposta pelo historiador? Discuta com os colegas e o professor e aponte soluções para esse problema.

NAVEGUE

Conheça o *site* da Academia Brasileira de Letras dedicado a Machado de Assis: <http://www.machadodeassis.org.br>.

NAVEGUE

Veja mais imagens relacionadas a Machado de Assis e seu universo em: <http:veja.abril.com.br/idade/exclusivo/machado_assis/galeria.html>.

Machado de Assis, conhecido como "Bruxo do Cosme Velho", é considerado (ao lado de José de Alencar) o escritor brasileiro mais relevante do século XIX. Na crônica que você leu, são encontradas algumas marcas muito características desse autor carioca: irreverência, crítica ao paternalismo, senso crítico aguçado, humor, ironia, perspicácia e, acima de tudo, capacidade de investigar e desvendar as reais intenções contidas nas ações humanas, das mais banais às mais sublimes.

Vamos conhecer agora um pouco mais da obra desse que é um dos principais expoentes do movimento realista-naturalista brasileiro.

ACERVO ICONOGRAPHIA

Casa na rua do Cosme Velho, 18, Rio de Janeiro (RJ), onde Machado de Assis viveu parte de sua vida.

Literatura oficial num país em transformação

ACERVO ICONOGRAPHIA

Família de imigrantes alemães, c. 1900.

Vimos que o Brasil da segunda metade do século XIX estava em intensa transformação. Crescia a campanha abolicionista, empreendida por associações, clubes e jornais que lutavam contra o regime escravocrata, verdadeiro alicerce da produção cafeeira, concentrada no Centro-Sul do país. Desde 1850, algumas medidas contra a escravidão vinham sendo implementadas, como a proibição do tráfico internacional de escravos, a Lei do Ventre Livre e a Lei dos Sexagenários. Ao mesmo tempo, intensificava-se a entrada da mão de obra europeia no Brasil — a partir de 1871, o governo de São Paulo liberaria recursos para a vinda de imigrantes na região.

Em 1888, após quase quatro séculos de escravidão, foi oficializada a libertação dos negros no Brasil, último país do mundo ocidental a abolir a escravatura. Com a Lei Áurea, precipitou-se a queda do Império. Em novembro de 1889, D. Pedro II foi deposto por oficiais do exército, apoiados pelos cafeicultores paulistas. Sem revoluções ou movimentos populares, instaurava-se no Brasil uma República atendendo aos interesses das classes dominantes.

Como o observador mais agudo desse panorama conturbado, surge o escritor Machado de Assis, figura-chave do que se poderia chamar de período de "oficialização da literatura".

Após a Independência, com o desenvolvimento das cidades e a criação de cursos universitários, os escritores ganharam muito mais *status* entre as classes dominantes. A fundação da Academia Brasileira de Letras (ABL), em 1897, contribuiu de certo modo para "oficializar" a literatura nacional. Se, por um lado, esse caráter oficial garantiu maior espaço para a publicação de livros e para a projeção de alguns autores, por outro, afastou do grande mercado — e do público leitor — escritores à margem do que as classes dominantes e os intelectuais consideravam "boa literatura".

Essa fase de oficialização da literatura brasileira foi marcada pelo surgimento de intelectuais que se ocuparam de pensar criticamente a realidade do país. Figuras como Rui Barbosa (1849-1923), o jornalista José do Patrocínio (1854-1905), o historiador Joaquim Nabuco (1849-1910) e os críticos literários Sílvio Romero (1851-1914) e José Veríssimo (1857-1916) foram fundamentais para a implementação de diversos estudos sobre o Brasil, nesse momento marcados pelo positivismo, determinismo e evolucionismo.

NAVEGUE

Visite o *site* da Academia Brasileira de Letras em: <http://www.academia.org.br/>.

SAIBA MAIS!

- Na segunda metade do século XIX, a tiragem média de romances no Brasil era de seiscentos a mil exemplares, o que mostra o quanto o público leitor era restrito.

Machado de Assis: um homem crítico

Há pessoas que contrariam todas as expectativas e os limites impostos pela realidade em que estão inseridas e conseguem alcançar uma posição improvável (e notável) na sociedade. Esse é o caso de Machado de Assis (1839-1908).

Nascido no Morro do Livramento, filho de um pintor mulato e de uma lavadeira açoriana, cedo ficou órfão e já manifestava uma saúde frágil em razão de suas constantes crises de epilepsia. Tímido, reservado e gago, "Machadinho" — como era conhecido — aprendeu francês e latim com um padre, mas alcançou uma vasta cultura graças a seus próprios esforços.

Machado de Assis e sua mulher, Carolina. Rio de Janeiro, s.d.

Ainda adolescente, começou a trabalhar, primeiro como aprendiz de tipógrafo da Imprensa Nacional, depois em uma editora e no jornal *Correio Mercantil*. Circulou nos mesmos meios intelectuais de autores românticos como Joaquim Manuel de Macedo e Casimiro de Abreu. Na década de 1860, aventurou-se na escrita de textos dramáticos e na produção de poemas, publicados na coletânea *Crisálidas* (1864).

Casou-se, aos trinta anos, com a portuguesa Carolina Xavier de Novais. Alcançou prestígio em sua carreira burocrática no *Diário Oficial* e na Secretaria da Agricultura e, principalmente, como grande autor e pensador de seu tempo e de sua gente. Machado foi um dos fundadores e o primeiro presidente da ABL e tornou-se um mestre nos gêneros romance, crônica e conto.

O gênero conto alcançou grande destaque no Realismo e teve como representantes, além de Machado de Assis, Artur Azevedo (1855-1908), Garcia Redondo (1854--1918) e Simões Lopes Neto (1865-1916), entre outros.

O realismo particular de Machado

Em relação à proposta realista-naturalista de fazer da literatura quase um documentário científico — frio e objetivo — da sociedade oitocentista, Machado de Assis foi além, buscando escrever romances baseados no "estudo das paixões humanas", expressão cunhada por ele próprio. Dessa forma, inovou (em relação aos românticos e até mesmo aos realistas) ao focalizar profunda e criticamente a realidade interior do homem. Seus romances estão centrados não em um conjunto de ações, mas nos próprios personagens, característica que explica por que Machado de Assis é chamado de **escritor-filósofo** ou **escritor-psicólogo**. Nesse tipo de literatura, a sociedade é vista através do homem — e não o contrário, como era comum nos romances do século XIX.

Esse homem presente nos romances de Machado é um espelho da sociedade brasileira da segunda metade do século XIX, estruturada basicamente em três classes sociais: o latifundiário, o escravo e o homem "livre". O latifundiário detinha o poder financeiro; o escravo era propriedade do latifundiário, que podia dispor dele como bem quisesse; o homem livre, por sua vez, estava submetido ao poder dos mais ricos e, portanto, era dependente. Dessa forma, havia no país uma grande massa populacional, formada por todo tipo de profissionais (médicos, operários, trabalhadores da terra, tipógrafos, gente do comércio, indústria, etc.), cuja sobrevivência material dependia — em maior ou menor grau — dos "favores" (diretos ou indiretos) das classes mais abastadas. Na literatura machadiana, é comum a presença de uma espécie de caricatura desse homem livre, o **agregado**, figura dependente da política do favor.

Além desse caráter mais "local", preocupado com a investigação do "homem brasileiro", a literatura machadiana pode ser considerada universal porque constitui um mergulho na alma humana, desvendando seus segredos ligados ao egoísmo, mesquinhez, desonestidade, infidelidade, amor e glória.

Tradicionalmente, a crítica tem apontado a existência de duas fases distintas na obra de Machado de Assis — antes e depois da publicação do romance de ruptura *Memórias póstumas de Brás Cubas*, em 1881.

O "primeiro Machado": conciliação entre o amor e a glória

Os romances publicados na década de 1870 — *Ressurreição* (1872), *A mão e a luva* (1874), *Helena* (1876) e *Iaiá Garcia* (1878) — tratam de dramas familiares domésticos (numa sociedade patriarcal), da desigualdade social, do casamento burguês, dos interesses materiais, da ascensão social e do paternalismo, e apresentam, em geral, uma preocupação com a preservação da integridade moral e dos ideais amorosos, atendendo ao gosto do público leitor romântico, acostumado, por exemplo, com a faceta urbana de um José de Alencar que buscava aliar amor e glória (sucesso, prestígio). Essas obras, ainda que de maneira tímida, mas gradual, já mostram as "máscaras" e aparências atrás das quais os personagens se escondem em defesa de seus interesses pessoais, tema bastante explorado no "segundo Machado".

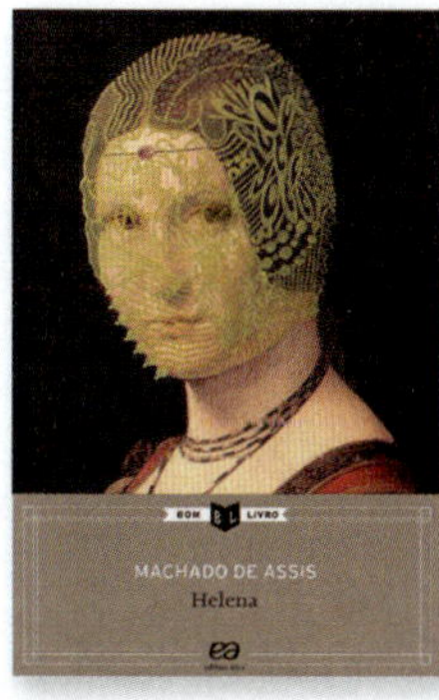

REPRODUÇÃO

Em obras como *Helena*, Machado procurava cativar o leitor romântico.

O "segundo Machado": confronto entre o amor e a glória

Com *Memórias póstumas de Brás Cubas*, o autor carioca inaugura seu segundo momento como escritor. Nessa fase, predomina o tema da sedução que a glória (o poder) exerce sobre o homem e o deslocamento do amor para o segundo plano nas relações entre as pessoas. Machado investiga de que forma as máscaras (aparências) são construídas em nome da riqueza, do poder, da ascensão social, dos prazeres e dos luxos, e mostra a prevalência dos interesses pessoais sobre os coletivos.

Quincas Borba (1891), *Dom Casmurro* (1899), *Esaú e Jacó* (1904) e *Memorial de Aires* (1908) são os outros romances que compõem o segundo momento machadiano e em que estão presentes temas como a ascensão da classe burguesa no Brasil, a manipulação de pessoas e situações em benefício próprio, o instinto competitivo humano, o confronto entre amor e glória (com a vitória da segunda) e a solidão humana numa sociedade em que predomina o poder do dinheiro. Essas obras inovam ao propor uma ruptura da ordem cronológica da narrativa e apresentar diversas digressões feitas pelo narrador. O humor, a ironia e o pessimismo são marcas machadianas que se acentuam nessa segunda fase.

Recursos em que o narrador divaga, afastando-se do seu tema principal.

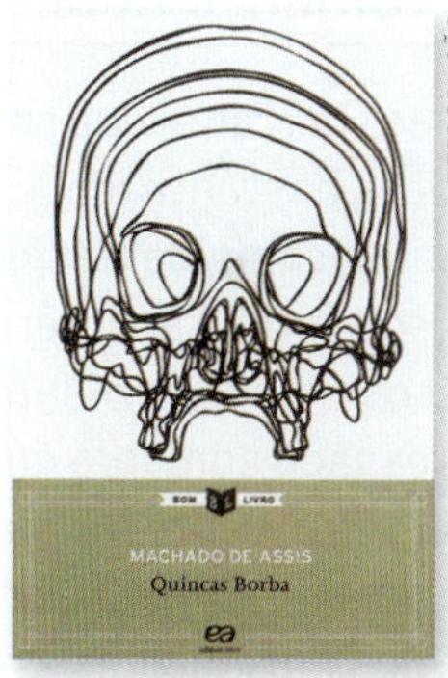

REPRODUÇÃO

Quincas Borba é um dos romances representativos do segundo momento machadiano.

Memórias póstumas de Brás Cubas: ruptura e inovação

Se um morto tivesse a possibilidade de narrar sua própria vida, do início ao fim, de que forma o faria? Respeitaria as convenções, aparências, as opiniões alheias sobre seus atos, falaria tudo o que pensa? Partindo desse pressuposto fantástico, Machado de Assis escreveu um romance realista que inovou as letras brasileiras.

Em *Memórias póstumas*, o aristocrata Brás Cubas morre solteiro aos 64 anos, "às duas horas da tarde de uma sexta-feira do mês de agosto de 1869". Depois de morto, o narrador resolve contar suas aventuras a nós, leitores. Fala de seu primeiro amor pela interesseira Marcela, com quem gastara sua mocidade e parte de sua pequena fortuna; de sua namorada do início da juventude, Eugênia, moça bonita e "coxa"; e de seu caso extraconjugal com Virgília, filha do conselheiro Dutra e esposa do ambicioso político Lobo Neves. Narra sua insignificante carreira de deputado que não chega a ministro e seu encontro com um antigo companheiro de colégio, Quincas Borba, filósofo lunático que defende a teoria do humanitismo, uma espécie de sátira de Machado de Assis às rígidas teorias positivistas de sua época. Brás Cubas também conta ao leitor sobre sua ambição de lançar um emplasto de propriedades supostamente milagrosas, que o tornaria famoso, fato que nunca ocorreu.

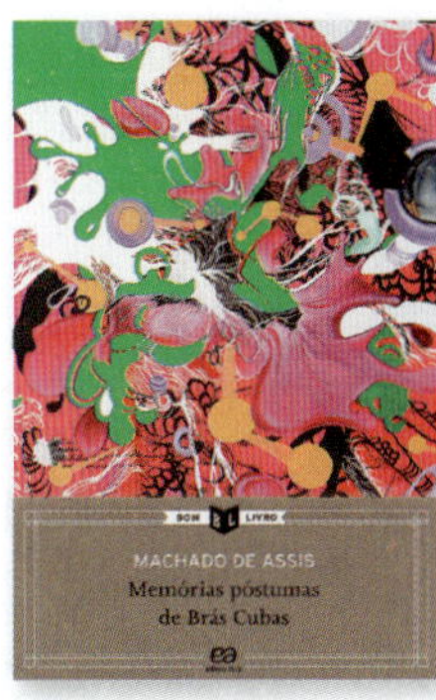

REPRODUÇÃO

Memórias póstumas de Brás Cubas figura em todas as listas de obras essenciais da literatura brasileira.

Brás Cubas no cinema

Memórias póstumas de Brás Cubas ganhou duas adaptações para o cinema. A primeira, em 1985, dirigida por Júlio Bressane, com Luis Fernando Guimarães, Bia Nunes, Regina Casé e Renato Borghi no elenco.

Em 2001, André Klotzel dirigiu uma nova adaptação com Reginaldo Faria (Brás Cubas adulto), Petrônio Gontijo (Brás Cubas jovem), Marcos Caruso (Quincas Borba), Sônia Braga (Marcela) e Walmor Chagas (Dr. Vilaça). Você pode assistir ao *trailer* desta versão no *link*: <http://www.brasfilmes.com.br/memoriaspostumas/trailer.htm#>.

ANDRÉ KLOTZEL/BRAS FILMES

Cena do filme *Memórias póstumas*, de André Klotzel (2001).

Um romance nada linear

Para narrar a vida sem grandes aventuras de Brás Cubas, Machado recorreu a técnicas bastante modernas: os capítulos curtos não têm uma sequência temporal cronológica rígida (assemelhando-se à memória não linear que temos dos fatos da vida); os fatos são intercalados por comentários ora cínicos, ora pessimistas, ora irônicos do defunto-autor. Por exemplo, para sugerir que Marcela era uma mulher interessada somente em seu dinheiro, Brás Cubas afirma, a certa altura: "Marcela amou-me durante quinze meses e onze contos de réis, nada menos"; para provar ao leitor que o caráter de um homem se constrói desde criança e justificar suas próprias atitudes mesquinhas e egoístas como responsabilidade da criação de seus pais (e não dele mesmo), intitula o capítulo 11 como "O menino é o pai do homem" e relata fatos de sua infância, ligados aos mimos concedidos pelo pai, homem que não dava limites a Brás Cubas, e a fraqueza da mãe.

NAVEGUE

Não deixe de se divertir lendo *Memórias póstumas de Brás Cubas*: <http://www.dominiopublico.gov.br/download/texto/bn000167.pdf>.

Memórias póstumas de Brás Cubas inova também quando obriga o leitor a buscar um sentido para além da superfície dos fatos expostos. É preciso ficar atento para descobrir o que está "por baixo", subentendido no material narrado, por isso esse tipo de literatura — tão característica em tempos atuais — é um (saboroso) desafio para quem lê. Aos poucos, vamos descobrindo que Brás Cubas é um egoísta e manipulador do próprio leitor e que representa uma burguesia fútil, de aparências, e cheia de ambições mesquinhas e individualistas, seduzida unicamente pela glória.

O texto a seguir é o capítulo 2 dessa obra. Nele, o defunto-autor conta ao leitor sobre o surgimento da "ideia fixa" do emplasto e fala de suas intenções com o "medicamento sublime".

Capítulo II — O emplasto

Com efeito, um dia de manhã, estando a passear na chácara, pendurou-se-me uma ideia no trapézio que eu tinha no cérebro. Uma vez pendurada, entrou a bracejar, a pernear, a fazer as mais arrojadas **cabriolas de volatim**, que é possível crer. Eu deixei-me estar a contemplá-la. Súbito, deu um grande salto, estendeu os braços e as pernas, até tomar a forma de um X: decifra-me ou devoro-te.

Essa ideia era nada menos que a invenção de um medicamento sublime, um **emplasto anti-hipocondríaco**, destinado a aliviar a nossa melancólica humanidade.

Cabriolas de volatim: saltos como os de um equilibrista.

Emplasto: medicamento.

Anti-hipocondríaco: contra aquele que se preocupa excessivamente com a saúde.

Na **petição** de privilégio que então redigi, chamei a atenção do governo para esse resultado, verdadeiramente cristão. Todavia, não neguei aos amigos as vantagens **pecuniárias** que deviam resultar da distribuição de um produto de tamanhos e tão profundos efeitos. Agora, porém, que estou cá do outro lado da vida, posso confessar tudo: o que me influiu principalmente foi o gosto de ver impressas nos jornais, mostradores, folhetos, esquinas, e enfim nas caixinhas do remédio, estas três palavras: Emplasto Brás Cubas. Para que negá-lo? Eu tinha a paixão do **arruído**, do **cartaz**, do foguete de lágrimas. Talvez os modestos me **arguam** esse defeito; **fio**, porém, que esse talento me hão de reconhecer os hábeis. Assim, a minha ideia trazia duas faces, como as medalhas, uma virada para o público, outra para mim. De um lado, **filantropia** e lucro; de outro lado, sede de **nomeada**. Digamos: — amor da glória.

Um tio meu, **cônego de prebenda** inteira, costumava dizer que o amor da glória temporal era a perdição das almas, que só devem cobiçar a glória eterna. Ao que **retorquia** outro tio, oficial de um dos antigos **terços** de infantaria, que o amor da glória era a cousa mais verdadeiramente humana que há no homem, e, conseguintemente, a sua mais genuína feição.

Decida o leitor entre o militar e o cônego; eu volto ao emplasto.

ASSIS, Machado de. Memórias póstumas de Brás Cubas. In: COUTINHO, Afrânio (Org.). *Machado de Assis*: obra completa. Rio de Janeiro: Nova Aguilar, 1992. v. 1. p. 514-515. (Fragmento).

Petição: requerimento.
Pecuniárias: financeiras.
Arruído: sucesso.
Cartaz: fama, popularidade.
Arguam: repreendam, censurem.
Fio: afianço, garanto.
Filantropia: caridade.
Nomeada: prestígio, fama.
Cônego de prebenda: padre que administra uma igreja e vive da renda dessa instituição.
Retorquia: argumentava.
Terços: corpos de tropa; regimentos.

Responda às questões em seu caderno.

1 No segundo parágrafo do capítulo II de *Memórias póstumas*, o narrador fornece algumas justificativas para a criação de seu medicamento.

a) Segundo Brás Cubas, que benefícios traria a invenção do emplasto para a humanidade?

b) Que apelo o defunto-autor faz para justificar ao governo a importância do emplasto?

c) O que o narrador diz a seus amigos acerca do produto que gostaria de inventar e distribuir?

d) O que, finalmente, Brás Cubas confessa sobre os propósitos da criação do emplasto?

e) Entre a primeira e a última justificativas para a criação do emplasto, há uma **gradação**. Brás Cubas inicia seu discurso com argumentos ligados à aparência e termina-o com uma confissão sobre seus reais propósitos. Relacione essa confissão ao fato de o narrador ser um defunto-autor.

PARA LEMBRAR

Gradação: figura de linguagem que consiste na reunião de palavras ou expressões que se sucedem segundo uma determinada lógica de sentido.

2 Brás Cubas expõe as opiniões de seus dois tios sobre o "amor da glória", ou seja, o desejo humano de fama e poder.

a) Que opiniões são essas?

b) Que relação podemos estabelecer entre as profissões dos tios do narrador e as ideias que eles defendem?

ProvocAÇÃO

No último parágrafo do trecho de *Memórias póstumas*, Brás Cubas provoca o leitor pedindo que ele decida entre a opinião de seu tio militar e a do tio cônego. O que você responderia ao defunto-autor? Qual é sua opinião?

⊙ A narrativa engenhosa de *Dom Casmurro*

O que você faria se desconfiasse de que seu (sua) namorado(a) o(a) traiu com seu (sua) melhor amigo(a)? Tema de poemas, filmes, canções, peças de teatro, o ciúme pode transformar-se em um dos sentimentos mais perturbadores que um homem (ou uma mulher) pode vivenciar. Em *Dom Casmurro*, ele serve para discutir a manipulação, as diferenças sociais e os limites do amor e do controle sobre quem se ama.

Publicado dezoito anos após *Memórias póstumas de Brás Cubas*, *Dom Casmurro* (1899) se passa no Rio de Janeiro, entre a metade e o desfecho do século XIX. Nele, o narrador-personagem Bento Santiago, em capítulos curtos, faz um grande retrospecto de sua vida, seguindo uma ordem cronológica, diferentemente do que faz Brás Cubas em suas memórias. O narrador pretende, com isso, "atar as duas pontas da vida", ou seja, reviver o passado no presente.

O enredo enfoca a história de amor entre os pré-adolescentes Bento Santiago (Bentinho) e sua vizinha Capitolina (Capitu). A modesta condição financeira da menina — vista com desconfiança pela família do rapaz — e uma promessa de que Bentinho seria padre, feita pela mãe dele, a forte e rica D. Glória, são obstáculos que os dois terão de enfrentar para ficarem juntos. A astúcia e esperteza de Capitu, entretanto, conseguem vencer a resistência familiar e a promessa, e ocorre o casamento. Mais tarde, atendendo ao que se esperava de um jovem casal burguês, com situação financeira tranquila, eles têm um filho, Ezequiel. Bentinho tem como melhor amigo Escobar, um colega do tempo em que estivera internado no seminário, agora casado com Sancha, amiga de Capitu.

Os casais Bentinho/Capitu e Escobar/Sancha representam, aparentemente, ideais perfeitos de casamentos bem-sucedidos. Contudo, Escobar morre afogado na baía do Flamengo, e uma discreta lágrima vertida dos olhos de Capitu, diante do cadáver, desencadeia em Bentinho um processo obsessivo de ciúme da mulher e do falecido amigo. Uma suposta semelhança entre Ezequiel e Escobar aumenta a crise, culminando na separação do casal: Capitu é enviada com o filho para a Suíça, onde permanece até morrer. Bentinho fica só e dá início às suas memórias.

O que faz dessa história simples, até banal, de temática tão comum na literatura universal, uma das obras mais festejadas das letras brasileiras?

Primeiramente, a escolha do narrador. Temos acesso somente ao ponto de vista de um personagem, o marido de Capitu, ex-seminarista e advogado, e, como tal, dono de grande poder de persuasão e habilidade na manipulação das palavras. Além disso, ao narrar sua história, Bento é um senhor amargurado, sozinho, de "hábitos reclusos", chamado pelos vizinhos de "Dom Casmurro", por considerarem-no um "homem calado e metido consigo". Dessa forma, tudo o que sabemos sobre a história de Bentinho e Capitu vem desse homem.

Quando permite que Bentinho (Dom Casmurro) assuma a narrativa e julgue, subjetivamente, a conduta dos outros personagens — sobretudo de Capitu —, Machado de Assis rompe com a técnica realista de busca de uma verdade objetiva, descrita com distanciamento quase científico. É como se o autor carioca questionasse o próprio conceito de "realidade" e, dessa forma, o conceito de literatura realista.

Os olhos ambíguos de Capitu

A Capitu descrita pelo narrador é sedutora, dissimulada, calculista e ambígua. O capítulo 32, que você lerá a seguir, tem ligação direta com o 25, "No passeio público", em que, por sugestão (ou manipulação) de Capitu, Bentinho pede a José Dias que convença sua mãe de que ele não deve tornar-se padre. Já em "Olhos de ressaca", a moça cobra seu futuro marido sobre o "plano" de persuadir o agregado e D. Glória a deixar que o rapaz abandone o seminário. É também nele que Bentinho descobre o fascínio que tem pelos olhos de Capitu, assunto que retornará constantemente no romance.

Capítulo XXXII — Olhos de ressaca

Tudo era matéria às curiosidades de Capitu. Caso houve, porém, no qual não sei se aprendeu ou ensinou, ou se fez ambas as cousas, como eu. É o que contarei no outro capítulo. Neste direi somente que, passados alguns dias do ajuste com o agregado, fui ver a minha amiga; eram dez horas da manhã. D. Fortunata, que estava no quintal, nem esperou que eu lhe perguntasse pela filha.

— Está na sala penteando o cabelo, disse-me; vá devagarzinho para lhe pregar um susto.

Fui devagar, mas ou o pé ou o espelho traiu-me. Este pode ser que não fosse; era um espelhinho de pataca (perdoai a barateza), comprado a um mascate italiano, moldura tosca, argolinha de latão, pendente da parede, entre as duas janelas. Se não foi ele, foi o pé. Um ou outro, a verdade é que, apenas entrei na sala, pente, cabelos, toda ela voou pelos ares, e só lhe ouvi esta pergunta:

— Há alguma cousa?

— Não há nada, respondi; vim ver você antes que o Padre Cabral chegue para a lição. Como passou a noite?

— Eu bem. José Dias ainda não falou?

— Parece que não.

— Mas então quando fala?

— Disse-me que hoje ou amanhã pretende tocar no assunto; não vai logo de pancada, falará assim por alto e por longe, um toque. Depois, entrará em matéria. Quer primeiro ver se mamãe tem a resolução feita...

— Que tem, tem, interrompeu Capitu. E se não fosse preciso alguém para vencer já, e de todo, não se lhe falaria. Eu já nem sei se José Dias poderá influir tanto; acho que fará tudo, se sentir que você realmente não quer ser padre, mas poderá alcançar?... Ele é atendido; se, porém... É um inferno isto! Você teime com ele, Bentinho.

— Teimo; hoje mesmo ele há de falar.

— Você jura?

— Juro. Deixe ver os olhos, Capitu.

Tinha-me lembrado a definição que José Dias dera deles, "olhos de cigana oblíqua e dissimulada." Eu não sabia o que era oblíqua, mas dissimulada sabia, e queria ver se se podiam chamar assim. Capitu deixou-se fitar e examinar. Só me perguntava o que era, se nunca os vira, eu nada achei extraordinário; a cor e a doçura eram minhas conhecidas. A demora da contemplação creio que lhe deu outra ideia do meu intento; imaginou que era um pretexto para mirá-los mais de perto, com os meus olhos longos, constantes, enfiados neles, e a isto atribuo que entrassem a ficar crescidos, crescidos e sombrios, com tal expressão que...

Retórica dos namorados, dá-me uma comparação exata e poética para dizer o que foram aqueles olhos de Capitu. Não me acode imagem capaz de dizer, sem quebra da dignidade do estilo, o que eles foram e me fizeram. Olhos de ressaca? Vá, de ressaca. É o que me dá ideia daquela feição nova. Traziam não sei que fluido misterioso e enérgico, uma força que arrastava para dentro, como a vaga que se retira da praia, nos dias de ressaca. Para não ser arrastado, agarrei-me às outras partes vizinhas, às orelhas, aos braços, aos cabelos espalhados pelos ombros, mas tão depressa buscava as pupilas, a onda que saía delas vinha crescendo, cava e escura, ameaçando envolver-me, puxar-me e tragar-me. Quantos minutos gastamos naquele jogo? Só os relógios do céu terão marcado esse tempo infinito e breve. A eternidade tem as suas pêndulas; nem por não acabar nunca deixa de querer saber a duração das felicidades e dos suplícios. Há de dobrar o gozo aos bem-aventurados do céu conhecer a soma dos tormentos que já terão padecido no inferno os seus inimigos; assim também a quantidade das delícias que terão gozado no céu os seus desafetos aumentará as dores aos condenados do inferno. Este outro suplício escapou ao divino Dante; mas eu não estou aqui para emendar poetas. Estou para contar que, ao cabo de um tempo não marcado, agarrei-me definitivamente aos cabelos de Capitu, mas então com as mãos, e disse-lhe, — para dizer alguma cousa, — que era capaz de os pentear, se quisesse.

— Você?

— Eu mesmo.

— Vai embaraçar-me o cabelo todo, isso sim.

— Se embaraçar, você desembaraça depois.

— Vamos ver.

ASSIS, Machado de. Dom Casmurro. In: COUTINHO, Afrânio (Org.). *Machado de Assis*: obra completa. Rio de Janeiro: Nova Aguilar, 1992. v. 1. p. 842-843. (Fragmento).

NAVEGUE

Acesse as obras completas de Machado de Assis em: <http://machado.mec.gov.br/>.

Responda às questões em seu caderno.

1 Com um propósito bastante objetivo, o narrador estabelece uma relação entre a metonímia ("espelhinho de pataca", "comprado de um mascate italiano", de "moldura tosca", "argolinha de latão", etc.) e a condição social de Capitu e de sua família. Qual o interesse do narrador em revelar a condição econômica de Capitu?

PARA LEMBRAR

Metonímia: figura de linguagem que consiste na substituição de uma palavra por outra com a qual mantenha relação objetiva de continuidade ou afinidade.

2 A agressividade explícita contida na fala de Capitu, reproduzida a seguir, permite-nos inferir duas leituras sobre suas motivações para desejar tanto a saída de Bentinho do seminário.

"— Que tem, tem, interrompeu Capitu. E se não fosse preciso alguém para vencer já, e de todo, não se lhe falaria. Eu já nem sei se José Dias poderá influir tanto; acho que fará tudo, se sentir que você realmente não quer ser padre, mas poderá alcançar?... Ele é atendido; se, porém... É um inferno isto! Você teime com ele, Bentinho."

NAVEGUE

Conheça a série *Capitu*: <http://capitu.globo.com/Capitu/0,,16142,00.html>.

a) Qual seria a primeira leitura (a favor de Capitu)?

b) Qual seria a segunda leitura (contra ela)?

c) Explique de que maneira essas duas possibilidades de leitura reforçam a ambiguidade de Capitu.

3 Por que Bentinho se lembra de observar os olhos de Capitu justamente depois de ela pedir a ele para jurar que José Dias falará com D. Glória?

4 Uma das metáforas mais conhecidas da literatura brasileira, ligadas à caracterização dos olhos de uma mulher, está no capítulo que você acabou de ler.

a) Que comparação o narrador faz para construir sua metáfora?

b) Explique a metáfora utilizada por Bentinho ao falar dos olhos de Capitu.

O Machado contista

Além de crônicas, textos críticos, peças de teatro, romances, etc., Machado de Assis produziu contos. Destacam-se de sua vasta obra as narrativas curtas "O alienista", "O espelho", "A igreja do diabo", "Cantiga de esponsais", "Noite de almirante", "A cartomante", "Uns braços", "Um homem célebre", "A causa secreta" e "O enfermeiro", entre outras. Todas elas estão disponíveis na internet e podem ser acessadas gratuitamente.

REPRODUÇÃO

Capa do conto "O enfermeiro", em quadrinhos.

Atividades: Entre textos

Você lerá a seguir um dos últimos capítulos de *Dom Casmurro*, o de número 123, que retoma a metáfora construída por Bento Santiago sobre os mistérios de sua esposa. Nele, Bentinho/Dom Casmurro observa a reação de Capitu diante do cadáver de Escobar no momento de seu velório.

Capítulo CXXIII — Olhos de ressaca

Machado de Assis deu esse título a dois capítulos do livro: 32 (lido por você) e este, 123.

Enfim, chegou a hora da **encomendação** e da partida. Sancha quis despedir-se do marido, e o desespero daquele lance **consternou** a todos. Muitos homens choravam também, as mulheres todas. Só Capitu, amparando a viúva, parecia vencer-se a si mesma. Consolava a outra, queria arrancá-la dali. A confusão era geral. No meio dela, Capitu olhou alguns instantes para o cadáver tão fixa, tão apaixonadamente fixa, que não admira lhe saltassem algumas lágrimas poucas e caladas...

As minhas cessaram logo. Fiquei a ver as dela; Capitu enxugou-as depressa, olhando a furto para a gente que estava na sala. Redobrou de carícias para a amiga, e quis levá-la; mas o cadáver parece que a retinha também. Momento houve em que os olhos de Capitu fitaram o defunto, quais os da viúva, sem o pranto nem palavras desta, mas grandes e abertos, como a vaga do mar lá fora, como se quisesse tragar também o nadador da manhã.

ASSIS, Machado de. Dom Casmurro. In: COUTINHO, Afrânio (Org.). *Machado de Assis*: obra completa. Rio de Janeiro: Nova Aguilar, 1992. v. 1. p. 927. (Fragmento).

Encomendação: oração feita antes do sepultamento.
Consternou: emocionou.

Responda às questões em seu caderno.

1 A maneira como o narrador descreve o comportamento de Capitu diante do cadáver de Escobar parece comprovar a paixão de sua esposa pelo melhor amigo.

a) Que fatos justificam essa afirmativa?

b) Que marcas textuais põem em dúvida a afirmativa?

A letra de canção a seguir estabelece intertextualidade com o principal personagem feminino de *Dom Casmurro* e é de autoria do compositor Luiz Tatit. Leia-a e responda às questões seguintes no caderno.

NAVEGUE
Visite o *site* do artista Luiz Tatit: <www.luiztatit.com.br/>.

Capitu

De um lado
Vem você
Com seu jeitinho
Hábil, hábil, hábil
E pronto!
Me conquista
Com seu dom

De outro
Esse seu *site*
Petulante
WWW
Ponto
Poderosa
Ponto com

É esse o seu
Modo de ser ambíguo
Sábio, sábio
E todo encanto
Canto, canto
Raposa e sereia
Da terra e do mar
Na tela e no ar

Você é virtualmente
Amada amante
Você real é ainda
Mais tocante
Não há quem não se encante
Um método de agir
Que é tão astuto
Com jeitinho
Alcança tudo,
Tudo, tudo
É só se entregar
É não resistir
É capitular

Capitu
A ressaca dos mares
A sereia do sul
Captando os olhares
Nosso totem tabu
A mulher em milhares
Capitu
No *site*
O seu poder
Provoca o ócio, o ócio
Um passo para o vício
Vício, vício
É só navegar
É só te seguir
E então naufragar
Capitu
Feminino com arte
A traição atraente
Um capítulo à parte
Quase vírus ardente
Imperando no *site*
Capitu

Disponível em: <http://luiztatit.com.br/cd/?id=7/Rodopio.html>. Acesso em: 10 dez. 2012.

RICARDO AZOURY/PULSAR IMAGENS

Ressaca na praia do Leblon, Rio de Janeiro, 2009.

NAVEGUE

Ouça a canção de Luiz Tatit na interpretação da cantora Ná Ozzetti: <http://naozzetti.bandcamp.com/track/capitu>.

2 A canção "Capitu" dialoga com o personagem homônimo de Machado de Assis, ora aproximando-se, ora distanciando-se dele. Explique de que maneira o eu lírico caracteriza sua Capitu.

3 Na letra da canção de Tatit, que elementos textuais retomam a Capitu do romance do autor carioca?

4 Que elementos "atualizam" essa personagem para o nosso tempo?

Material complementar
- Atividade: Adaptação teatral do conto machadiano "Três tesouros perdidos"

O QUE VOCÊ APRENDEU NO PERCURSO DESTE CAPÍTULO

- No Brasil, a segunda metade do século XIX foi marcada pela abolição da escravatura, pela entrada da mão de obra europeia livre e pela instauração da República. Nesse contexto, surgiu uma "literatura oficial", ligada às elites.
- Machado de Assis é considerado um escritor-síntese do Brasil da segunda metade do século XIX. O escritor é "local" quando analisa criticamente a sociedade carioca do Segundo Reinado, formada por latifundiários, escravos e "homens livres", e "universal" quando investiga a alma humana (egoísmo, mesquinhez, desonestidade, infidelidade, amor e glória).
- *Memórias póstumas de Brás Cubas* faz uso de técnicas narrativas modernas (capítulos curtos sem sequência temporal cronológica, inserção de comentários cínicos, pessimistas, irônicos, de um narrador peculiar: um defunto-autor).
- Em *Dom Casmurro*, Machado de Assis inova ao trabalhar com um ponto de vista parcial sobre os fatos, evidenciando manipulações, diferenças sociais e os limites do amor e do controle sobre quem se ama.

CAPÍTULO

23

Realismo-Naturalismo no Brasil: Aluísio Azevedo e Raul Pompeia

PERCURSO DO CAPÍTULO

- Aspectos da ficção naturalista no Brasil
- Aluísio Azevedo: O cortiço, retrato da coletividade
- Raul Pompeia: O Ateneu, memória subjetiva

Muitos autores realistas-naturalistas privilegiaram o enfoque de cenários coletivos, como desta foto de Fabio Knoll, que retrata um cortiço em São Paulo (2009).

FABIO KNOLL/PULSAR IMAGENS

Introdução

Grandes agrupamentos humanos como condomínios residenciais, comunidades, bairros, empresas, cortiços, etc. podem ter uma identidade própria, como se fossem organismos vivos? Uma escola, com seus inúmeros estudantes, professores, coordenadores, serventes, diretores pode ser considerada uma metonímia do mundo real? Neste capítulo, você conhecerá dois autores brasileiros que produziram suas obras no contexto do Realismo-Naturalismo e que trabalharam essas temáticas: Aluísio Azevedo e Raul Pompeia.

Publicado em 1881, *O mulato*, de Aluísio Azevedo, inaugurou a tendência naturalista no romance brasileiro.

Na narrativa, Raimundo, o mulato do título, é filho de um português com uma negra, embora desconheça esse dado de sua biografia. Ainda pequeno, é mandado à Europa, onde recebe educação requintada e torna-se um doutor. A fim de retomar suas origens e descobrir a verdade sobre sua história, Raimundo retorna a São Luís, no Maranhão, e apaixona-se pela prima Ana Rosa, mas é proibido de casar-se com ela. Quando descobre a razão pela qual lhe é negada a mão da jovem — o fato de ser mestiço —, percebe concretamente o preconceito que o cerca.

No século XIX, em São Luís, ricos comerciantes portugueses viviam à custa da exploração de escravos nos campos de algodão.

O trecho que você vai ler foi retirado do capítulo 3 do livro. Atente para as descrições e caracterizações efetuadas pelo narrador.

[...]

Raimundo tinha vinte e seis anos e seria um tipo acabado de brasileiro se não fossem os grandes olhos azuis, que puxara do pai. Cabelos muito pretos, lustrosos e crespos; tez morena e amulatada, mas fina; dentes claros que reluziam sob a negrura do bigode; estatura alta e elegante; pescoço largo, nariz direito e fronte espaçosa. A parte mais característica da sua fisionomia eram os olhos — grandes, **ramalhudos**, cheios de sombras azuis; pestanas eriçadas e negras, pálpebras de um roxo vaporoso e úmido; as sobrancelhas, muito desenhadas no rosto, como a **nanquim**, faziam sobressair a frescura da epiderme, que, no lugar da barba raspada, lembrava os tons suaves e transparentes de uma aquarela sobre papel de arroz.

Tinha os gestos bem educados, sóbrios, despidos de pretensão, falava em voz baixa, distintamente, sem armar ao efeito; vestia-se com seriedade e bom gosto; amava as artes, as ciências, a literatura e, um pouco menos, a política.

Em toda a sua vida, sempre longe da pátria, entre povos diversos, cheia de impressões diferentes, tomada de preocupações de estudos, jamais conseguira chegar a uma dedução lógica e satisfatória a respeito da sua procedência.

Ramalhudos: com longas pestanas.

Nanquim: tinta preta para desenho.

Não sabia ao certo quais eram as circunstâncias em que viera ao mundo; não sabia a quem devia agradecer a vida e os bens de que dispunha. Lembrava-se, no entanto, de haver saído em pequeno do Brasil e podia jurar que nunca lhe faltara o necessário e até o **supérfluo**. [...].

"Sua mãe, porém, quem seria?..." Talvez alguma senhora culpada e receosa de patentear a sua vergonha!... "Seria boa? Seria virtuosa?..."

Raimundo perdia-se em conjeturas e, malgrado o seu desprendimento pelo passado, sentia alguma coisa a atraí-lo irresistivelmente para a pátria. "Quem sabia se aí não descobriria a ponta do enigma?... Ele, que sempre vivera órfão de afeições legítimas e duradouras, como então seria feliz!... Ah, se chegasse a saber quem era sua mãe, perdoar-lhe-ia tudo, tudo!"

O quinhão de ternura, que a ela pertencia, estava intacto no coração do filho. Era preciso entregá-lo a alguém! Era preciso desvendar as circunstâncias que determinaram o seu nascimento!

[...]

AZEVEDO, Aluísio. *O mulato*. São Paulo: Moderna, 1994. p. 42. (Coleção Travessias). (Fragmento).

Supérfluo: desnecessário.

Responda às questões oralmente.

1 **A descrição de Raimundo dialoga mais com a composição física e psicológica dos protagonistas das obras românticas do que das realistas. Explique essa afirmação com base no texto lido.**

A tela ao lado foi pintada por Candido Portinari (1903-1962) e levada a público, pela primeira vez, na *Exposição Portinari no Palace Hotel*, em 1934. Na ocasião, foram apresentados mais de trinta trabalhos do pintor, todos de temática social, em que se destacam aspectos da vida humilde dos morros cariocas e uma galeria de retratos.

JOÃO CANDIDO PORTINARI/PROJETO PORTINARI

PORTINARI, Candido. *O mestiço*. 1934. Óleo sobre tela, 81 × 61 cm.

2 **Levante os elementos que compõem a tela (tema, cores, luz e sombra, paisagem ao fundo, caracterização física do personagem retratado, etc.).**

3 **Tanto a caracterização que você leu, presente na obra *O mulato*, quanto aquela feita pelos pincéis de Portinari procuram reproduzir a imagem de um brasileiro mestiço. Que diferença há entre a maneira como essas composições são feitas? Observando as duas obras — o texto e a pintura —, que objetivos distintos dos artistas estariam por trás delas?**

O mulato configura-se como um romance de tese (na trilha de Émile Zola e Eça de Queirós), que objetiva denunciar o preconceito racial e a hipocrisia da sociedade maranhense do século XIX. Nele, a dificuldade de integração social do negro é evidenciada, a sociedade escravista é duramente criticada e o autor apresenta postura anticlerical representada pela figura inescrupulosa do padre Diogo. Além disso, paira na obra uma concepção determinista: Raimundo vê-se "condenado" ao sofrimento por sua origem étnica e pelo preconceito de uma classe alta que não suporta a ideia de um negro culto e defensor de ideias positivistas modernas como o progresso, a liberdade social e a supremacia da visão científica vivendo em seu meio.

A ficção naturalista no Brasil

As décadas de 1860 e 1870 representaram o apogeu, seguido do declínio, do Romantismo brasileiro. Concomitantemente, as novas correntes de ideias — formadoras do Realismo-Naturalismo — chegavam ao país e ganhavam adeptos.

Em 1878, dois romances de Eça de Queirós tiveram repercussão no Brasil: *O crime do padre Amaro* e *O primo Basílio*. Ambos suscitaram desprezo e paixão em autores e críticos brasileiros, principalmente Machado de Assis, que atacou *O primo Basílio* e ironizou um tipo de Realismo que, segundo ele, "só chegará à perfeição no dia em que nos disser o número exato dos fios de que se compõe um lenço de cambraia ou um esfregão de cozinha" e que exagera no "tom carregado das tintas".

O periódico literário *Revista Brasileira* (1879-1881), em sua segunda fase, teve também papel importante na divulgação do Realismo-Naturalismo no Brasil. Sílvio Romero, Artur Azevedo e Machado de Assis foram alguns dos nomes que contribuíram com a publicação.

Entre os escritores que praticaram os preceitos do Naturalismo na literatura brasileira, além de Aluísio Azevedo, destacam-se os romancistas Inglês de Sousa e Manuel de Oliveira Paiva, entre outros.

NAVEGUE

Leia, na íntegra, a crítica de Machado ao romance *O primo Basílio* em: <http://machado.mec.gov.br/images/stories/pdf/critica/mact27.pdf>.

Aluísio Azevedo: retratista de coletividades

No Brasil do século XIX, em geral, os escritores não conseguiam viver apenas de sua produção literária. O maranhense Aluísio Azevedo (1857-1913) foi um dos poucos autores que se arriscaram a fazê-lo. Após um período no Rio de Janeiro, onde trabalhou como caricaturista, voltou à cidade natal e envolveu-se na imprensa de oposição escrevendo crônicas que satirizavam a conservadora sociedade maranhense. Além de romances, como *O mulato*, escreveu contos, operetas, revistas teatrais e muitos folhetins. De sua extensa produção destacam-se, ainda, os romances *Casa de pensão* (1884) e *O cortiço* (1890).

ACERVO ICONOGRAPHIA

Autocaricatura de Aluísio Azevedo, publicada no jornal carioca *O Fígaro*, em 1876.

SAIBA MAIS!

- Em 1857, ano de nascimento de Aluísio Azevedo, são publicados *O Guarani*, de José de Alencar, e *Madame Bovary*, de Gustave Flaubert, romances fundamentais para o Romantismo brasileiro e o Realismo universal, respectivamente.

Seguindo o modelo de Émile Zola, que traçou um painel sobre o povo pobre e explorado na série de romances dos *Rougon-Macquart*, Aluísio Azevedo anuncia, em 1885, que pretende realizar um projeto denominado *Brasileiros antigos e modernos*, composto de cinco romances sobre o Brasil, abarcando de 1820 a 1887. Dessas obras prometidas, o autor produziu apenas uma, *O cortiço*, considerado o grande romance naturalista brasileiro.

⊙ *O cortiço*: o romance do coletivo

Principal romance de Aluísio Azevedo, *O cortiço* retrata um tempo e um espaço bem específicos: o Rio de Janeiro às vésperas da abolição da escravatura e da instauração da República. Aluísio atentou para um tipo de moradia que não parava de aumentar na cidade: o cortiço, com seus proprietários-exploradores, geralmente estrangeiros.

No romance narrado em terceira pessoa, o ambicioso e desonesto português João Romão, amante de uma escrava recém-fugida, a quitandeira Bertoleza, é proprietário de uma habitação coletiva, construída à custa da exploração humana. Aos poucos, esse homem adquire terrenos onde ergue precários cômodos e casebres miseráveis, habitados por famílias simples, cujos dramas são focalizados nos vinte e três capítulos da obra. Paralelamente, narra-se a história de um rico comerciante de tecidos, o português Miranda, que se muda para um confortável sobrado ao lado do cortiço, em um terreno mais elevado, com sua esposa Dona Estela, a filha Zulmirinha e agregados. Assim, configuram-se duas realidades opostas: a da *gente de cima* e a da *gente de baixo*. Não demora para João Romão e Miranda iniciarem uma disputa pelo poder.

ACERVO ICONOGRAPHIA

Cortiço no Morro da Conceição, Rio de Janeiro, 1902.

Duplo retrato: o coletivo e o singular

Em *O cortiço*, Aluísio Azevedo amplia o que já havia exercitado em *O mulato*: a opção por retratar grandes agrupamentos humanos. Nesse romance, têm destaque as cenas coletivas, e o cortiço transforma-se em verdadeiro personagem, como se pode ver no fragmento a seguir, retirado do capítulo I da obra:

[...]

Noventa e cinco casinhas comportou a imensa **estalagem**.

Prontas, João Romão mandou levantar na frente, nas vinte **braças** que separavam a venda do sobrado do Miranda, um grosso muro de dez palmos de altura, coroado de cacos de vidro e fundos de garrafa, e com um grande portão no centro, onde se dependurou uma lanterna de vidraças vermelhas, por cima de uma tabuleta amarela, em que se lia o seguinte, escrito a tinta **encarnada** e sem ortografia:

"Estalagem de São Romão. Alugam-se casinhas e tinas para lavadeiras".

As casinhas eram alugadas por mês e as tinas por dia; tudo pago adiantado. O preço de cada tina, metendo a água, quinhentos réis; sabão à parte. As moradoras do cortiço tinham preferência e não pagavam nada para lavar.

Graças à abundância da água que lá havia, como em nenhuma outra parte, e graças ao muito espaço de que se dispunha no cortiço para estender a roupa, a concorrência às tinas não se fez esperar; acudiram lavadeiras de todos os pontos da cidade, entre elas algumas vindas de bem longe. E, mal vagava uma das casinhas, ou um quarto, um canto onde coubesse um colchão, surgia uma nuvem de pretendentes a disputá-los.

Estalagem: cortiço.

Braça: tipo de medida que equivale à extensão de um punho ao outro.

Encarnada: vermelha.

E aquilo se foi constituindo numa grande lavanderia, agitada e barulhenta, com as suas cercas de varas, as suas hortaliças verdejantes e os seus jardinzinhos de três e quatro palmos, que apareciam como manchas alegres por entre a negrura das limosas tinas transbordantes e o **revérbero** das claras barracas de algodão cru, armadas sobre os lustrosos bancos de lavar. E os gotejantes **jiraus**, cobertos de roupa molhada, cintilavam ao sol, que nem lagos de metal branco.

E naquela terra encharcada e fumegante, naquela umidade quente e lodosa, começou a minhocar, a **esfervilhar**, a crescer, um mundo, uma coisa viva, uma geração, que parecia brotar espontânea, ali mesmo, daquele lameiro, e multiplicar-se como larvas no esterco.

[...]

AZEVEDO, Aluísio. *O cortiço*. São Paulo: Saraiva, 2008. p. 22-23. (Clássicos Saraiva). (Fragmento).

Revérbero: luminosidade intensa.

Jiraus: varais.

Esfervilhar: mexer-se de forma rápida.

Responda às questões oralmente.

1 O narrador sugere que o cortiço garantiu o enriquecimento de João Romão. Que elementos textuais permitem que o leitor chegue a essa conclusão?

2 No penúltimo parágrafo do trecho, o autor recorre à sinestesia.

a) Justifique essa afirmativa utilizando o referido parágrafo.

b) Que efeito expressivo a sinestesia produz no texto?

PARA LEMBRAR

Sinestesia: figura de linguagem que consiste em aproximar sensações percebidas por diferentes órgãos dos sentidos humanos.

3 Outro capítulo de *O cortiço*, o de número III, inicia-se da seguinte maneira:

Eram cinco horas da manhã e o cortiço acordava, abrindo, não os olhos, mas a sua infinidade de portas e janelas alinhadas.

Um acordar alegre e farto de quem dormiu de uma assentada sete horas de chumbo. Como que se sentiam ainda na **indolência** de neblina as derradeiras notas da última guitarra da noite antecedente, dissolvendo-se à luz loura e **tenra** da **aurora**, que nem um suspiro de saudade perdido em terra alheia [...].

AZEVEDO, Aluísio. *O cortiço*. São Paulo: Saraiva, 2008. p. 35. (Clássicos Saraiva). (Fragmento).

Indolência: preguiça.

Tenra: delicada.

Aurora: início da manhã.

a) Que figura de linguagem predomina nesse fragmento?

b) Que função expressiva tem essa figura de linguagem na construção de sentido do texto?

c) Relacione o início do capítulo III ao último parágrafo do capítulo I, que você leu antes.

Mesmo privilegiando-se a coletividade, em *O cortiço* não se perde a perspectiva da investigação individual, muitas vezes feita aos pares: o português João Romão e a escrava Bertoleza; o casal de portugueses Jerônimo e Piedade; os mestiços Rita Baiana e Firmo; o mulato Alexandre e a branca Augusta Carne-Mole; o ferreiro Bruno e a portuguesa Leocádia, entre outros. O autor também retrata uma vasta galeria de tipos humanos: Leandra, a "Machona"; a prostituta Léonie; Paula, a "Bruxa"; Marciana, a mulata sensual; Albino, o "sujeito afeminado"; os mascates italianos, Delporto, Pompeo, Francesco e Andréa, "armado cada qual com a sua grande caixa de bugigangas", etc. Esses tipos compõem a metonímia de um Brasil marcado pela mistura.

NAVEGUE

Leia na íntegra o romance mais importante do Naturalismo: <http://www.dominiopublico.gov.br/download/texto/bv000015.pdf>.

O cientificismo a serviço da literatura

Em *O cortiço*, Aluísio Azevedo utiliza-se de recursos que demonstram a influência sobre ele do pensamento cientificista no fim do século XIX. É recorrente, por exemplo, a referência a animais para caracterizar a "gentalha" (como o narrador se refere aos moradores da habitação coletiva): Leandra tem quadris "de animal do campo"; Romão e Bertoleza trabalham como se fossem uma "junta de bois"; Neném se parece com uma "enguia"; Paula tem "dente de cão". São os instintos dos personagens que os movem para a ação, e não sua racionalidade ou intuição. Dessa forma, o autor dialoga com a ideia de que o homem está condenado à sua natureza animal.

As concepções defendidas pelo inglês Herbert Spencer (1820-1903), principal representante do evolucionismo nas ciências humanas e autor da expressão "sobrevivência do mais apto", também surgem nas páginas desse romance de Aluísio Azevedo.

Spencer defendia que o processo de seleção natural se aplicava também à sociedade, o que pressupunha a eliminação dos indivíduos menos aptos e a supremacia dos mais fortes.

A visão determinista, herdada também de Émile Zola e Eça de Queirós, aparece de maneira explícita em passagens como esta, retirada do capítulo IX, que mostra a mudança que se dá no português Jerônimo:

[...]

Uma transformação, lenta e profunda, operava-se nele, dia a dia, hora a hora, **reviscerando-lhe** o corpo e **alando-lhe** os sentidos, num trabalho misterioso e surdo de **crisálida**. A sua energia afrouxava lentamente: fazia-se contemplativo e amoroso. A vida americana e a natureza do Brasil patenteavam-lhe agora aspectos imprevistos e sedutores que o comoviam; esquecia-se dos seus primitivos sonhos de ambição; para idealizar felicidades novas, picantes e violentas; tornava-se liberal, **imprevidente** e franco, mais amigo de gastar que de guardar; adquiria desejos, tomava gosto aos prazeres, e **volvia-se** preguiçoso resignando-se, vencido, às imposições do sol e do calor, muralha de fogo com que o espírito eternamente revoltado do último tamoio **entrincheirou** a pátria contra os conquistadores aventureiros.

E assim, pouco a pouco, se foram reformando todos os seus hábitos singelos de aldeão português: e Jerônimo abrasileirou-se. A sua casa perdeu aquele ar sombrio e concentrado que a entristecia; já apareciam por lá alguns companheiros de estalagem, para dar dois dedos de palestra nas horas de descanso, e aos domingos reunia-se gente para o jantar. A revolução afinal foi completa: a aguardente de cana substituiu o vinho; a farinha de mandioca sucedeu à broa; a carne-seca e o feijão-preto ao bacalhau com batatas e cebolas cozidas; a pimenta-malagueta e a pimenta-de-cheiro invadiram vitoriosamente a sua mesa; o caldo verde, a **açorda** e o **caldo de unto** foram repelidos pelos ruivos e gostosos quitutes baianos, pela moqueca, pelo vatapá e pelo caruru; a couve à mineira destronou a couve à portuguesa; o pirão de fubá ao **pão de rala**, e, desde que o café encheu a casa com o seu aroma quente, Jerônimo principiou a achar graça no cheiro do fumo e não tardou a fumar também com os amigos.

[...]

AZEVEDO, Aluísio. *O cortiço*. São Paulo: Saraiva, 2008. p. 99. (Clássicos Saraiva). (Fragmento).

Reviscerando-lhe: agitando-lhe profundamente.
Alando-lhe: aguçando-lhe.
Crisálida (sentido figurado): preparação
Imprevidente: descuidado.
Volvia-se: movia-se.
Entrincheirou: protegeu.
Açorda: tipo de caldo temperado, em alguns casos feito com miolo de pão.
Caldo de unto: caldo feito de gordura de porco.
Pão de rala: sobremesa portuguesa à base de ovos, açúcar e amêndoas.

Responda oralmente.

- Por que se pode afirmar que a visão determinista predomina na passagem acima?

O teatro no contexto do Realismo

O teatro realista europeu privilegiou enredos verossímeis inspirados no cotidiano com enfoque crítico sobre personagens. No Brasil popularizou-se, ao contrário, um divertido tipo de teatro musicado (composto de operetas, cancãs e óperas-bufas, inspirados em modelos parisienses), que combinava com a nascente vida boêmia carioca. Foi nesse período que chegou ao Rio de Janeiro, aos dezoito anos, Artur Azevedo (1855-1908), herdeiro direto das comédias de Martins Pena. Com textos como *A capital federal* e *O mambembe*, o irmão de Aluísio Azevedo imprimiu marca nova ao gênero.

Investigue em
- Artes
- História

O que figuras como Machado de Assis, Artur Azevedo e José de Alencar tiveram em comum no contexto do teatro feito durante o Realismo?

Raul Pompeia: realidade e ficção, memória e reinvenção

Até que ponto o que um autor escreve está relacionado à sua história pessoal? Personagens são mera ficção ou desdobramentos da personalidade de seus criadores? Pela forte ligação com a biografia de Raul Pompeia, a leitura de seu principal romance, *O Ateneu*, obriga-nos a fazer essas e outras perguntas sobre a gênese da criação literária.

Raul Pompeia (1863-1895) nasceu em Angra dos Reis, no Rio de Janeiro, e teve infância reclusa e solitária, passada na fazenda de cana-de-açúcar de seus pais. Aos dez anos, foi internado no tradicional Colégio Abílio, instituição que serviu de inspiração para *O Ateneu* e onde permaneceu por alguns anos. Formou-se em Direito e atuou no jornalismo e no magistério. Polêmico, o autor conquistou muitos inimigos ao longo de sua curta vida.

⊙ *O Ateneu*: memória histórica e memória subjetiva

O Ateneu é uma obra singular no panorama da nossa literatura, sobretudo por ter sido publicada no rígido contexto estético do Realismo-Naturalismo.

No romance de Raul Pompeia, o narrador é Sérgio, personagem que procura reconstruir, por meio da memória, um fragmento de seu passado: os terríveis anos vividos no Ateneu, internato de meninos, considerado uma instituição educacional de excelência. O colégio é dirigido com mãos de ferro pelo Dr. Aristarco Argolo de Ramos e é famoso por abrigar os filhos das famílias mais ricas do Rio de Janeiro.

O livro é uma justaposição de quadros que expõem as experiências de um menino ingênuo confinado em uma instituição comandada por um tirano e onde hipocrisia, egoísmo, injustiças, violência e desejos sexuais proibidos se misturam.

Veja, no capítulo 1, como Sérgio descreve o Dr. Aristarco.

O diretor Aristarco, em ilustração de Raul Pompeia, 1894.

[...]

Nas ocasiões de **aparato** é que se podia tomar o pulso ao homem. Não só as condecorações gritavam-lhe do peito como uma **couraça** de grilos: *Ateneu! Ateneu!* Aristarco todo era um anúncio. Os gestos, calmos, soberanos, eram de um rei — o **autocrata excelso** dos **silabários**; a pausa **hierática** do andar deixava sentir o esforço, a cada passo, que ele fazia para levar adiante, de empurrão, o progresso do ensino público; o olhar fulgurante, sob a **crispação** áspera dos supercílios de monstro japonês, penetrando de luz as almas circunstantes — era a educação da inteligência; o queixo, severamente **escanhoado**, de orelha a orelha, lembrava

Aparato: eventos, festas, solenidades.
Couraça: armadura.
Autocrata: governante com poder absoluto.
Excelso: admirável.
Silabários: cartilhas.
Hierática: solene, formal.
Crispação: contração.
Escanhoado: barbeado.

a lisura das consciências limpas — era a educação moral. A própria estatura, na imobilidade do gesto, na mudez do vulto, a simples estatura dizia dele: aqui está um grande homem... não veem os **côvados de Golias**?!... Retorça-se sobre tudo isto um par de bigodes, **volutas** maciças de fios alvos, torneadas a capricho, cobrindo os lábios, fecho de prata sobre o silêncio de ouro, que tão belamente impunha como o retraimento fecundo do seu espírito, — teremos esboçado, moralmente, materialmente, o perfil do ilustre diretor. Em suma, um personagem que, ao primeiro exame, produzia-nos a impressão de um enfermo, desta enfermidade atroz e estranha: a obsessão da própria estátua. Como tardasse a estátua, Aristarco **interinamente** satisfazia-se com a **afluência** dos estudantes ricos para o seu instituto. De fato, os educandos do Ateneu significavam a fina flor da mocidade brasileira.

[...]

POMPEIA, Raul. *O Ateneu*. Rio de Janeiro: O Globo/Klick, s.d. p. 13. (Fragmento).

Côvados de Golias: expressão que sugere grandes medidas, grandes proporções.

Volutas: refere-se ao formato em espiral do bigode.

Interinamente: provisoriamente.

Afluência: abundância.

Responda às questões em seu caderno.

1 Qual a intenção do narrador no parágrafo lido?

2 O que predomina no texto, a objetividade ou a subjetividade?

3 O narrador afirma, a certa altura, que esboçou "moralmente", "materialmente" o perfil do "ilustre diretor" do internato. Na posição de leitor, você concorda com ele?

4 O narrador, afinal, está elogiando ou criticando Aristarco? Justifique sua resposta recorrendo a fragmentos do texto.

A inovação impressionista

Como você deve ter observado no trecho que leu, o narrador descreve Aristarco de maneira irônica e grotesca. Ao longo do romance, Sérgio adota uma postura crítica em relação ao que considera antiético nos atos praticados pelos personagens. Além disso, procura "documentar" uma realidade específica, adotando, em alguns momentos, um tom moralista e de combate a um sistema.

Apesar desses aspectos, *O Ateneu* se mostra não só um romance realista e de viés naturalista, mas também **memorialista**. É por intermédio da memória — subjetiva — que Sérgio já adulto retomará uma parte de sua infância e adolescência. Essa característica afasta o livro da classificação rígida de romance naturalista porque, embora parta de uma memória histórica para narrar — a ação se passa no Brasil, durante o Segundo Império, em um colégio tradicional (o Ateneu), frequentado pela classe alta carioca —, Sérgio a reproduz a partir da memória subjetiva, poética que tem dos fatos.

Por conta desse aspecto, Raul Pompeia é considerado o iniciador da *prosa impressionista* em nossas letras. Como já vimos, no Impressionismo literário, as impressões, emoções e sentimentos do artista são registrados por meio dos sentidos, com descrições vívidas, como se o escritor estivesse pintando uma tela com palavras.

DEGAS, Edgar. *As coristas*. 1877. Óleo sobre tela, 32 × 27 cm.

ALBUM/AKG IMAGES/LATINSTOCK – MUSEU D'ORSY – PARIS

SAIBA MAIS!

- A mistura de Realismo e Impressionismo, inaugurada por Raul Pompeia, teve seguidores importantes no século XX, como Rachel de Queiroz (*As três Marias*) e José Lins do Rego (*Doidinho*).

Atividades: Leitura de texto

Leia o fragmento a seguir, extraído do capítulo XXIII de *O cortiço*. A cena em que Bertoleza é localizada pelos familiares de seus donos e compreende que não tem saída é considerada uma das mais tocantes das nossas letras.

[...]

Um **caixeiro** aproximou-se dele respeitosamente e fez-lhe várias perguntas relativas ao serviço do armazém, ao que João Romão respondia por monossílabos de capitalista; interrogou-o por sua vez e, como não havia novidade, tomou Botelho pelo braço e convidou-o a sair.

— Fique para jantar. São quatro e meia, segredou-lhe na escada.

Já não era preciso prevenir lá defronte porque agora o velho parasita comia muitas vezes em casa do vizinho.

O jantar correu frio e **contrafeito**; os dois sentiam-se ligeiramente dominados por um vago sobressalto. João Romão foi pouco além da sopa e quis logo a sobremesa.

Tomavam café, quando um empregado subiu para dizer que lá embaixo estava um senhor, acompanhado de duas **praças**, e que desejava falar ao dono da casa.

— Vou já, respondeu este. E acrescentou para o Botelho: — São eles!

— Deve ser, confirmou o velho.

E desceram logo.

— Quem me procura?... exclamou João Romão com disfarce, chegando ao armazém.

Um homem alto, com ar de **estroina**, adiantou-se e entregou-lhe uma folha de papel.

João Romão, um pouco trêmulo, abriu-a defronte dos olhos e leu-a demoradamente. Um silêncio formou-se em torno dele; os caixeiros pararam em meio do serviço, intimidados por aquela cena em que entrava a polícia.

— Está aqui com efeito... disse afinal o negociante. Pensei que fosse livre...

— É minha escrava, afirmou o outro. Quer entregar-ma?...

— Mas imediatamente.

— Onde está ela?

— Deve estar lá dentro. Tenha a bondade de entrar...

O sujeito fez sinal aos dois urbanos, que o acompanharam logo, e encaminharam-se todos para o interior da casa. Botelho, à frente deles, ensinava-lhes o caminho. João Romão ia atrás, pálido, com as mãos cruzadas nas costas.

Atravessaram o armazém, depois um pequeno corredor que dava para um pátio calçado, chegaram finalmente à cozinha. Bertoleza, que havia já feito subir o jantar dos caixeiros, estava de cócoras, no chão, escamando peixe, para a ceia do seu homem, quando viu parar defronte dela aquele grupo sinistro.

Caixeiro: comerciante que viaja para fazer seus negócios.

Contrafeito: constrangido; forçado.

Praças: policiais.

Estroina: leviano; irresponsável.

Reconheceu logo o filho mais velho do seu primitivo senhor, e um calafrio percorreu-lhe o corpo. Num relance de grande perigo compreendeu a situação; adivinhou tudo com a lucidez de quem se vê perdido para sempre: adivinhou que tinha sido enganada; que a sua carta de alforria era uma mentira, e que o seu amante, não tendo coragem para matá-la, restituía-a ao cativeiro.

Seu primeiro impulso foi de fugir. Mal, porém, **circunvagou** os olhos em torno de si, procurando **escapula**, o senhor adiantou-se dela e segurou-lhe o ombro.

— É esta! — disse aos soldados que, com um gesto, intimaram a desgraçada a segui-los. — Prendam-na! É escrava minha!

A negra, imóvel, cercada de escamas e tripas de peixe, com uma das mãos espalmada no chão e com a outra segurando a faca de cozinha, olhou aterrada para eles, sem pestanejar.

Os policiais, vendo que ela se não despachava, desembainharam os **sabres**. Bertoleza então, erguendo-se com ímpeto de anta bravia, recuou de um salto e, antes que alguém conseguisse alcançá-la, já de um só golpe certeiro e fundo rasgara o ventre de lado a lado.

E depois emborcou para a frente, rugindo e esfocinhando moribunda numa lameira de sangue.

João Romão fugira até ao canto mais escuro do armazém, tapando o rosto com as mãos.

Nesse momento parava à porta da rua uma carruagem. Era uma comissão de abolicionistas que vinha, de casaca, trazer-lhe respeitosamente o diploma de sócio **benemérito**.

Ele mandou que os conduzissem para a sala de visitas.

AZEVEDO, Aluísio. *O cortiço*. São Paulo: Saraiva, 2008. p. 250-251. (Clássicos Saraiva). (Fragmento).

Circunvagou: circulou, contornou.

Escapula: escape, fuga.

Sabres: armas de lâmina pontuda e afiada.

Benemérito: que merece honras por um ato ou serviço prestado.

Responda às questões em seu caderno.

1 Embora um dos pressupostos do Realismo-Naturalismo seja a objetividade, isto é, a imparcialidade do narrador diante dos fatos narrados, no texto lido nem sempre isso ocorre. Explique essa afirmação com trechos que exemplifiquem a posição do narrador diante do fato narrado.

2 Em *O cortiço* nem todos os personagens são guiados por seus instintos primários; alguns, ao contrário, manipulam o meio a seu favor. Como isso pode ser percebido no trecho que você leu?

3 Releia o seguinte fragmento:

> "Nesse momento parava à porta da rua uma carruagem. Era uma comissão de abolicionistas que vinha, de casaca, trazer-lhe respeitosamente o diploma de sócio benemérito.
>
> Ele mandou que os conduzissem para a sala de visitas".

a) Por que João Romão mereceria receber um diploma de sócio benemérito de uma comissão de abolicionistas?

b) Explique por que o fato narrado mostra a hipocrisia social.

NAVEGUE

Leia o conto "Pai contra mãe", de Machado de Assis, com temática semelhante à desse fragmento de *O cortiço*, em: <http://www.dominiopublico.gov.br/download/texto/bv000245.pdf>.

Agora, leia o fragmento a seguir, retirado do capítulo X de *O Ateneu*, em que Sérgio fala de maneira apaixonada de D. Ema, mulher de Aristarco, e veja como a ideia que sustenta o Impressionismo transfere-se para o texto literário.

Quando no dia do jantar subi para o dormitório com o Egbert, dançava-me no espírito, reduzida a miniatura, a imagem de Ema (era agradável suprimir o D.), pequenina como uma abelha de ouro, vibrante e incerta.

Sonhei: ela sentada na cama, eu no verniz do chão, de joelhos. Mostrava-me a mão, recortada em puro **jaspe**, unhas de rosa, como pétalas **incrustadas**. Eu fazia esforços para colher a mão e beijar; a mão fugia; chegava-se um pouco, escapava para mais alto; baixava de novo, fugia mais longe ainda, para o teto, para o céu, e eu a via inatingível na altura, clara, aberta como um astro.

Ela ria do meu desespero, mostrava-me o pé descalço, que a calçasse; não permitia mais. Calçar-lhe apenas o **arminho** que ali estava, o pequeno sapato, branco, **exânime**, voltando a sola, sem o conforto **cálido** do pé que o pisava, que o vivificava. Eu me inclinava, invejoso do arminho, sobre o **crivo** de seda da meia, milagre de indústria para o qual concorrera cada dia do século industrial com um esforço, tecido impalpável, de fibras vivas, filtrando a transparência branda do sangue, **invólucro** sutil de um mimo de joelho, de perna, de tornozelo irremediavelmente desfalcado do **espólio** glorioso da **estatuária pagã**. Calçá-la apenas! Mas eu a fazia torcer-se, calçando-a de dores numa tortura ardente de beijos, exalando eu próprio a alma toda em chama.

Que outra criatura eu era ao despertar! [...]

POMPEIA, Raul. *O Ateneu*.
Rio de Janeiro: O Globo/Klick, s.d. p. 123. (Fragmento).

NAVEGUE

Leia na íntegra *O Ateneu*: <www.dominiopublico.gov.br/download/texto/bn000005.pdf>.

Jaspe: tipo de pedra ornamental colorida.
Incrustadas: embutidas.
Arminho: sapato feito com a pele desse animal.
Exânime: que parece estar morto; desfalecido.
Cálido: quente.
Crivo: bordado.
Invólucro: revestimento.
Espólio: herança.
Estatuária: arte de fazer estátuas.
Pagã: ateia.

Responda às questões em seu caderno.

4 Explique por que o narrador afirma ser agradável "suprimir o D." do nome de Ema.

5 No Impressionismo literário, há a ênfase da captação do instantâneo, interpretado pelo espírito do artista. Além disso, não importam tanto os acontecimentos, mas a supremacia das sensações e emoções. Relacione essas características impressionistas ao texto lido.

O QUE VOCÊ APRENDEU NO PERCURSO DESTE CAPÍTULO

- Como precursor do Naturalismo, *O mulato*, de Aluísio Azevedo, denuncia o preconceito racial e a hipocrisia da sociedade burguesa maranhense no final do século XIX. A obra apresenta concepção determinista.
- Em *O cortiço*, Aluísio Azevedo faz um duplo retrato: o coletivo (grandes agrupamentos humanos) e o singular (investigação da individualidade dos personagens). Esse romance investiga a natureza animal do homem, os instintos, o determinismo e a força do capital.
- *O Ateneu* é uma obra singular no panorama literário do Brasil por abarcar a memória histórica e a memória subjetiva, poética dos fatos narrados. Raul Pompeia inova ao utilizar uma técnica impressionista na narração, com descrições baseadas nas sensações, e não nos objetos.

CAPÍTULO

24

Parnasianismo: a busca da beleza e da perfeição

PERCURSO DO CAPÍTULO

- Parnasianismo: movimento antirromântico
- Arte pela arte: uma discussão
- Alberto de Oliveira, o mestre
- Raimundo Correia: intensidade e negativismo
- Olavo Bilac: os versos populares

FUNKYSTOCK/AGE FOTOSTOCK/EASYPIX

Ruínas do Templo de Apolo (século IV a.C.), em Delfos, Grécia. O Parnasianismo é um movimento de inspiração clássica. Na mitologia grega, o monte Parnaso é a morada simbólica dos poetas. (Foto de 2010.)

Introdução

Como se dá o processo de criação de um poema? Versos são resultado de inspiração, emoção absoluta ou fruto de um trabalho intenso, artesanal? Concomitantemente à prosa realista-naturalista, desenvolveu-se no Brasil um movimento formado por poetas que acreditavam na supremacia da forma, na perfeição das rimas e na métrica como ideais poéticos, ainda que nem sempre conseguissem alcançá-los.

O poema a seguir foi escrito por Olavo Bilac e publicado na coletânea póstuma *Tarde*, em 1919. Atente para a forma e para a metalinguagem do texto.

Linguagem que trata do próprio código, isto é, fala sobre si mesma.

A um poeta

Longe do **estéril turbilhão** da rua,
Beneditino, escreve! No aconchego
Do **claustro**, na paciência e no sossego,
Trabalha, e teima, e **lima**, e sofre, e sua!

Mas que na forma se disfarce o emprego
Do esforço; e a trama viva se construa
De tal modo, que a imagem fique nua,
Rica mas sóbria, como um templo grego.

Não se mostre na fábrica o **suplício**
Do mestre. E, natural, o efeito agrade,
Sem lembrar os andaimes do edifício:

Porque a Beleza, gêmea da Verdade,
Arte pura, inimiga do artifício,
É a força e a graça na simplicidade.

Disponível em: <http://www.dominiopublico.gov.br/download/texto/bv000288.pdf>. Acesso em: 17 dez. 2012.

NAVEGUE

O Museu do Prado oferece, em espanhol, um audioguia e uma visão em detalhes da obra *O parnaso*, do pintor francês Nicolas Poussin. Acesse: <http://www.museodelprado.es/pradomedia/multimedia/el-parnaso>.

Estéril: que não dá frutos.
Turbilhão: agitação intensa.
Claustro: convento.
Lima: aprimora.
Suplício: sofrimento.

Responda às questões no caderno.

1 **Analise o poema de Olavo Bilac em relação à forma (métrica, rimas, tipos de estrofe, etc.).**

O título do poema nos informa quem é o interlocutor do eu lírico, a quem ele dirige suas palavras: um poeta, chamado, no segundo verso, de "beneditino". O *Dicionário Aurélio da língua portuguesa* traz as seguintes acepções para o termo:

beneditino [do antr. *Benedictus* (nome latino de *São Bento*) + *-ino*[1].] ***S. m.*** **1.** Monge da Ordem de São Bento. **2.** *Rel.* Religioso que vive segundo a regra de São Bento. **3.** *P. ext.* Homem erudito. • ***Adj.*** **4.** Pertencente ou relativo aos beneditinos. **5.** Referente aos, ou próprio dos beneditinos: *paciência beneditina*; "Foi um trabalho beneditino, exaustivo, ao mesmo tempo cheio de surpresas, de deslumbramentos" (José Maria d'Eça de Queirós, em Eça de Queirós, *A Capital*, p. IX).

FERREIRA, Aurélio Buarque de Holanda. *Dicionário Aurélio da língua portuguesa.* Coord. Marina Baird Ferreira, Margarida dos Anjos. 5. ed. Curitiba: Positivo, 2010. p. 302.

ARCHIVES CHARMET/THE BRIDGEMAN ART LIBRARY/GRUPO KEYSTONE – MUSÉE DE LA PRINCERIE, VERDUN, FRANCE

LEROUX, Louis Hector. *Safo*. 1888. Óleo sobre tela, 67,5 × 44,5 cm. A pintura representa a poetisa grega que viveu no século VII a.C. e é considerada a mais importante da Antiguidade.

2 **Tomando por base a leitura do verbete acima, que figura de linguagem foi construída, no poema, a partir do termo *beneditino*? Explique.**

3 **Qual a função expressiva dessa figura de linguagem para a construção de sentido do poema?**

4 **Que justificativa o eu lírico dá no último terceto para a posição defendida por ele ao longo do poema? Atente para o fato de as palavras "Beleza" e "Verdade" estarem com inicial maiúscula.**

No soneto "A um poeta", o eu lírico utiliza verbos no imperativo ("escreve", "trabalha") para fornecer uma verdadeira receita sobre a prática poética — que ele denomina "arte pura". Um poeta, segundo essa visão, deveria enclausurar-se como um monge beneditino e, pacientemente, "limar" seus versos, construindo-os à custa de muito trabalho e sofrimento. Entretanto, todo esse esforço e "suplício do mestre" deveriam ser "disfarçados" para que os apreciadores do poema não o percebessem. Engenhosamente, para ilustrar esse ponto de vista, o poeta apresenta sua própria produção. Utilizando-se do recurso da metalinguagem, Bilac expõe, ao mesmo tempo, uma ideia sobre o fazer poético e um exemplo do que seria essa "arte pura": seus próprios versos, marcados por uma métrica rígida, por rimas bem-construídas e por um vocabulário sofisticado e difícil.

Olavo Bilac não foi voz isolada. Esse tipo de concepção sobre a poesia, em que o culto à forma é colocado em primeiro plano, predominou no Brasil durante um período denominado Parnasianismo. Neste capítulo, estudaremos, além de Bilac, a poesia de Alberto de Oliveira e de Raimundo Correia, autores que compõem a chamada **tríade parnasiana**.

Um movimento antirromântico

Você já estudou que os últimos anos do século XIX foram marcados por um verdadeiro combate ao Romantismo. Essa postura de oposição aos sentimentalismos e idealizações românticas desdobrou-se em dois grandes grupos. Na prosa, com os integrantes do Realismo-Naturalismo; na poesia, com os adeptos do Parnasianismo, baseado no movimento francês de mesmo nome.

Embora o Parnasianismo no Brasil tenha como marco inicial a coletânea *Fanfarras*, de Teófilo Dias, publicada em 1882, esse movimento já tomava corpo algum tempo antes. No final da década de 1870, românticos "duelaram" com parnasianos e realistas nas páginas do *Diário do Rio de Janeiro*, em um episódio que ficou conhecido como **Batalha do Parnaso**.

ACERVO ICONOGRAPHIA

A "tríade parnasiana". Da esquerda para a direita: Alberto de Oliveira, Raimundo Correia e Olavo Bilac.

A arte pela arte

No final do século XIX, uma discussão dominava alguns círculos intelectuais: qual seria a função da arte? O texto a seguir é um fragmento do prefácio que abre o único romance de Oscar Wilde, *O retrato de Dorian Gray* (1891). Nele o escritor irlandês expõe sua visão sobre a arte, o artista e o crítico de arte.

O artista é o criador de coisas maravilhosas.

Revelar a arte, esconder o artista é a meta da arte.

O crítico é aquele capaz de traduzir para uma outra maneira, ou para um novo material, sua impressão das coisas maravilhosas.

Tanto a forma mais elevada como a forma mais baixa de crítica é um modo de autobiografia.

Os que descobrem significados feios nas coisas maravilhosas são corruptos deselegantes. Isto é um erro.

Os que descobrem significados maravilhosos em coisas maravilhosas são os ilustrados. Para estes, há esperança.

São os eleitos, para quem as coisas maravilhosas significam apenas beleza.

Não existe isso de livros morais ou imorais. Livros são coisas bem-escritas ou mal-escritas. É só.

WILDE, Oscar. *O retrato de Dorian Gray*. Trad. José Eduardo Ribeiro Moretzsohn. Porto Alegre: L&PM, 2002. p. 3. (L&PM Pocket, v. 239). (Fragmento).

UNIVERSAL HISTORY ARC/AGE FOTOSTOCK/EASYPIX

Retrato de Oscar Wilde, s.d.

Oscar Wilde (1854-1900) é considerado um dos maiores escritores da língua inglesa. Sua literatura tratou da arte, da vaidade e das manipulações humanas, com enfoque, sobretudo, no homem do século XIX. Autor completo, escreveu textos teatrais, poemas, novelas e ensaios.

Responda às questões no caderno.

1 Pela leitura do texto de Wilde, é possível inferir que a arte é autônoma, mais importante que o próprio artista que a criou. Que trechos do texto podem justificar essa ideia?

2 Sabendo que uma autobiografia é o relato da vida de uma pessoa escrito por ela própria, relacione as duas passagens a seguir.

"Tanto a forma mais elevada como a forma mais baixa de crítica é um modo de autobiografia."

"Os que descobrem significados feios nas coisas maravilhosas são corruptos deselegantes."

ProvocAÇÃO

Você concorda com a visão de Oscar Wilde, segundo a qual a arte serviria apenas para proporcionar prazer estético (beleza)? Ou acredita que ela deve discutir as grandes questões morais, políticas, filosóficas e sociais? Fundamente seu ponto de vista.

Essa discussão sobre o papel da arte remonta à Antiguidade. Pensadores como Aristóteles e Horácio refletiram a respeito, sem chegar a um consenso.

Bem mais tarde, durante o Romantismo, Goethe, Schiller e Victor Hugo, entre outros, também exploraram o tema. Em 1856, Théophile Gautier divulgou um manifesto na França que imortalizou a expressão "arte pela arte". Segundo ele, a arte seria autônoma, independente, e não deveria constituir um *meio*, mas um *fim* em si mesma. Em outras palavras, para o escritor francês, a arte não tinha obrigação de se ocupar de temas sociais, políticos, etc. — como defendiam os realistas-naturalistas —, mas de expressar o Belo, conquistado, no caso da poesia, à custa de um trabalho intenso com a palavra. No final do século XIX, Baudelaire, Oscar Wilde e Edgar Allan Poe aderiram a esse ideal, cultuando quase uma "religião da Beleza" na arte.

Inspirados na concepção da "arte pela arte" de Gautier, os parnasianos brasileiros pregaram os seguintes preceitos para a poesia:

"Chave de ouro" ou "fecho de ouro" é o nome que se dá ao último verso do soneto, porque encerra o conceito fundamental do poema.

1. Culto à forma

Como reação ao transbordamento emocional típico dos românticos e à liberdade formal defendida por esses artistas, os parnasianos defendem o culto clássico da Forma (grafada com inicial maiúscula), buscando inspiração na cultura greco-latina. Sonetos, fechados com chave de ouro, rimas ricas, vocabulário difícil e incomum e hipérbatos são comuns nos poemas parnasianos. Frequentemente, em poemas metalinguísticos, os poetas comparam seu ofício minucioso ao de um escultor, pintor, ourives, miniaturista, etc.

THE BRIDGEMAN ART LIBRARY /GRUPO KEYSTONE – GALLERIA DEGLI UFFIZI, FLORENCE, ITALY

BOTTICELLI, Sandro. *Primavera* (detalhe). c. 1478. Têmpera sobre painel de madeira, 203 × 314 cm. Assim como os renascentistas, os parnasianos inspiravam-se em temas da mitologia greco-romana.

2. Universalismo: a busca pelo geral

Nos poemas parnasianos, em lugar de temas antes tão valorizados pelos românticos (pátria, mulher amada, família, etc.), surgem outros mais universalistas, como mitologia greco-latina, conceitos abstratos, como Beleza e Verdade, e a própria poesia, apresentados de maneira fria e distanciada.

3. Descritivismo: combate à subjetividade

Para escapar à subjetividade romântica, o parnasiano limita-se a descrever, o mais objetivamente possível, objetos como vasos, leques chineses, flautas gregas, taças, estátuas tumulares e paisagens isentas de "cor local". Em outros momentos, há a descrição mais direta do corpo por meio de um vocabulário mais ousado do que aquele adotado pelos românticos.

4. Racionalismo: combate à emoção

Na poesia parnasiana, o sentimentalismo romântico — reforçado pela presença explícita de um "eu" que sofre, ama, odeia, lamenta — cede lugar ao racionalismo. É frequente o uso da terceira pessoa (em lugar da primeira), e o poeta coloca-se como um observador que apenas constata. Retome o poema de Bilac que abre este capítulo e atente para o fato de que nele se fala *de* (e *com*) um poeta (o "beneditino"), mas não há marcas efetivas de um "eu".

Nem sempre, porém, os poetas parnasianos foram bem-sucedidos em suas tentativas de criação do Belo a partir da total objetividade e do distanciamento. As referências à Antiguidade greco-latina, por exemplo, soam artificiais em muitos textos, e as meras descrições de objetos tornam, algumas vezes, o poema superficial.

Alberto de Oliveira: o príncipe dos poetas

É possível fazer uma poesia isenta de sentimentos? Pode-se fixar em palavras um momento ou um objeto? Essas eram algumas das ambições daquele que foi considerado o mestre dos parnasianos e eleito, em 1924, o príncipe dos poetas brasileiros.

Nascido no estado do Rio de Janeiro, Alberto de Oliveira (1859-1937) diplomou-se farmacêutico, mas dedicou-se a cargos públicos ligados à educação. Alcançou grande prestígio nos círculos literários e foi um dos membros-fundadores da Academia Brasileira de Letras.

Estreou sua carreira de escritor com uma obra romântica (*Canções românticas*), mas, a partir de sua segunda publicação, *Meridionais* (1884), ofereceu a seus fiéis leitores poemas marcados pelo culto da forma e pelo descritivismo, conforme você poderá constatar na leitura do poema "Vaso chinês", a seguir.

Alberto de Oliveira, em caricatura de Manohead (2013).

Vaso chinês

Estranho mimo, aquele vaso! Vi-o
Casualmente, uma vez, de um perfumado
Contador sobre o mármor **luzidio**
Entre um leque e o começo de um bordado.

Fino artista chinês, enamorado,
Nele pusera o coração doentio
Em rubras flores de um sutil **lavrado**
Na tinta ardente, de um calor sombrio.

Mas, talvez por contraste à **desventura** —
Quem o sabe? — de um velho **mandarim**
Também lá estava a singular figura.

Que arte em pintá-la! A gente acaso vendo-a
Sentia um não sei quê com aquele **chim**
De olhos cortados à feição de amêndoa.

Disponível em: <http://www.academia.org.br/abl/cgi/cgilua.exe/sys/start.htm?infoid=56&sid=135>. Acesso em: 17 dez. 2012.

NAVEGUE

Leia outros poemas de Alberto de Oliveira em: <http://www.academia.org.br/abl/cgi/cgilua.exe/sys/start.htm?infoid=56&sid=135>.

Contador: móvel antigo, espécie de armário com gavetinhas.

Luzidio: reluzente, brilhante.

Lavrado: esculpido.

Desventura: infortúnio, desgraça.

Mandarim: funcionário imperial pertencente à classe dos letrados.

Chim: chinês.

O poema que você acabou de ler foi publicado originalmente na terceira coletânea de Alberto de Oliveira, denominada *Sonetos e poemas* (1886), e mostra o esforço do poeta em manter-se nos padrões rígidos que ajudou a propagar.

Responda oralmente às questões.

1 Para descrever o objeto, o eu lírico cria logo na primeira estrofe uma ambientação sinestésica que torna o vaso mais real, vivo e palpável. Explique essa afirmativa.

2 Que elementos estão pintados no vaso descrito?

3 Que estratégia o poeta utiliza para intensificar e justificar o impacto visual que causa o vaso chinês no eu lírico?

PARA LEMBRAR

Sinestesia: figura de linguagem que consiste em aproximar sensações percebidas por diferentes órgãos dos sentidos humanos.

A exemplo do soneto que você leu, são comuns, nos poemas tipicamente parnasianos de Alberto de Oliveira, as descrições de objetos. Neles, o poeta busca, como um pintor, fixar suas impressões visuais e reproduzir vasos, estátuas, taças, etc. Entretanto, é quando escapa à objetividade, ao distanciamento e à frieza típicas do Parnasianismo que o autor obtém mais intensidade poética, como, por exemplo, nos textos em que trata da natureza. Isso pode ser visto nos versos a seguir, publicados em *Poesias, 2ª série* (1905). Neles, Oliveira focaliza uma natureza viva, que suscita no eu lírico o desejo de amar.

Alma em flor

Sei que um perfume intenso em tudo havia.
Era, enfeitada e nova, a laranjeira,
E o pomar verde pela vez primeira
Florido; era na **agreste serrania**,

Com os botões de ouro e a **espata** luzidia
Rachando ao sol, a tropical palmeira;
Era o sertão, era a floresta inteira
Que em **corimbos**, **festões** e luz se abria.

Sei que um **frêmito** de asas multicores
Se ouvia. Eram insetos aos **cardumes**
A **rebolir**, **fosforeando** no ar.

Era a Criação toda, aves e flores,
Flores e sol, e astros e vagalumes
A amar... a amar... E que ânsia em mim de amar!

OLIVEIRA, Alberto de. Alma em flor. In: CANDIDO, Antonio; CASTELLO, José Aderaldo. *Presença da literatura brasileira*: das origens ao Realismo (história e antologia). 13. ed. Rio de Janeiro: Bertrand Brasil, 2008. p. 367-368.

Agreste: silvestre.
Serrania: cordilheira.
Espata: folha que envolve a inflorescência da palmeira.
Corimbos: flores que se dispõem em um mesmo nível.
Festões: arranjos de flores e frutos entrelaçados.
Frêmito: leve tremor.
Cardumes: grandes quantidades.
Rebolir: mover-se rapidamente.
Fosforeando: brilhando como fósforo aceso.

ProvocAÇÃO

Em sua opinião, o que faz de "Alma em flor" um poema mais vivo e intenso do que "Vaso chinês", sendo ambos tão descritivos e sinestésicos?

Raimundo Correia: o poeta do desengano

Raimundo Correia estreou na literatura em 1879 com a obra *Primeiros sonhos*, da qual retiramos o poema a seguir, escrito quando o poeta era ainda um adolescente.

Retrato de Raimundo Correia, s. d.

O maranhense **Raimundo Correia** (1859-1911) diplomou-se em Direito em São Paulo, exercendo a magistratura durante quase toda a vida. De índole tímida e melancólica e saúde frágil, morreu na França, para onde viajou a fim de fazer um tratamento médico.

Olhos azuis

Teus olhos são dois desejos
da mais alta **aspiração**;
mostram, que tens sentimento,
Dizem, que tens coração.

São as estrelas da noite
punhado de olhos azuis,
que Deus formou, semelhantes
Aos olhos que tu possuis.

São filtros d'amor. Teus olhos
tão mágico brilho têm!
Quando sorriem teus lábios,
eles sorriem também —
mesmo em **lânguido** abandono,
nos momentos de amargor,
brilham molhados de pranto
em relâmpagos de amor!

Meu peito é lago: no fundo
mil pérolas a **fulgir**,
à flor d'água a luz da vida
vem pura se refletir;
e nas ondas de meu peito
reflete-se o teu olhar,
qual se reflete uma estrela
nas ondas verdes do mar.

Olhos azuis, pensativos,
olhos, que a **cisma** distrai,
sois dois **mórbidos** poetas,
tristes poetas cismai!
E jamais nublem as lágrimas
o vosso brilho sequer!...
Mulher! teus olhos divinos
Mudam-te em anjo — mulher!

Parece, que são formados
de dois átomos do céu —
que mundo d'amor e graças
e luz ali se escondeu!
Criança! Eu gosto dos olhos
da cor dos que tu possuis —
e só Deus sabe o que sofro
por esses olhos azuis!

CORREIA, Raimundo. Olhos azuis. In: FARACO, Sérgio (Org.). *Livro dos poemas — Livro do corpo*: uma antologia de poetas brasileiros e portugueses. Porto Alegre: L&PM, 2009. p. 150. (Série Ouro).

Aspiração: desejo, anseio.
Lânguido: fraco, sem forças.
Fulgir: brilhar, luzir.
Cisma: fantasia, devaneio.
Mórbidos: doentes.

Responda oralmente:

- O primeiro livro de Raimundo Correia, *Primeiros sonhos*,é considerado uma obra ainda bastante influenciada pelo Romantismo. Que elementos do poema "Olhos azuis" permitiriam chegar a essa conclusão?

Com *Sinfonias* (1883), seguida de *Versos e versões* (1887) e *Aleluias* (1891), Raimundo Correia transitou para uma poesia caracterizada pela musicalidade, por imagens fortes e pelo rigor formal na construção, principalmente, de sonetos — daí a identificação que se faz do poeta com o Parnasianismo; entretanto, produziu poemas marcados por uma forte intensidade emocional (herança romântica), o que o diferencia, por exemplo, de um poeta tipicamente parnasiano como Alberto de Oliveira.

Fugindo quase completamente às regras da escola parnasiana, Correia escreveu versos que investigam os mistérios da existência, a hipocrisia, o tédio, a crueldade e as máscaras, com alta carga de subjetividade e um forte negativismo. Toda essa densidade fez com que a crítica se referisse a ele como "poeta-filósofo" e o comparasse ao português Antero de Quental. Observe como, no soneto a seguir, o escritor trabalha o tema das ilusões humanas.

NAVEGUE

Leia mais poemas de Raimundo Correia em: <http://www.academia.org.br/abl/cgi/cgilua.exe/sys/start.htm?infoid=251&sid=111>.

As pombas

Vai-se a primeira pomba despertada...
Vai-se outra mais... mais outra... enfim dezenas
de pombas vão-se dos pombais, apenas
raia sanguínea e fresca a madrugada.

E à tarde, quando a rígida **nortada**
sopra, aos pombais, de novo elas, serenas,
ruflando as asas, sacudindo as penas,
voltam todas em bando e em revoada.

Também dos corações onde abotoam
os sonhos, um a um, **céleres** voam,
como voam as pombas dos pombais.

No azul da adolescência as asas soltam,
fogem... Mas aos pombais as pombas voltam,
E eles aos corações não voltam mais.

CORREIA, Raimundo. As pombas. Sinfonias. In: FARACO, Sérgio (Org.). *Livro dos poemas — Livro dos sonetos*: uma antologia de poetas brasileiros e portugueses. Porto Alegre: L&PM, 2009. p. 71. (Série Ouro).

JAN VERMEER/FOTO NATURA/MINDEN PICTURES/LATINSTOCK

O amanhecer (aurora) em zona rural europeia (2004).

Nortada: vento do norte, áspero e frio.

Céleres: rápidos, velozes.

Responda às questões em seu caderno.

1 Que elementos textuais colaboram, no primeiro quarteto do soneto, para a construção da imagem de pombas voando quando chega a aurora? Para elaborar sua resposta, observe repetições, pontuação, figuras sonoras, etc.

2 Com que imagem o poeta trabalha na segunda estrofe do poema?

3 Nos dois tercetos, há uma mudança temática, ligada à metáfora da revoada das pombas.

a) Em que consiste essa mudança?

b) Retome os quartetos e responda: a que fase da vida humana estariam associadas as imagens da madrugada (quando as pombas deixam os pombais) e da tarde (quando as pombas retornam)?

4 Que visão sobre a vida o poeta revela no último terceto?

Olavo Bilac: um homem célebre

Você considera a poesia uma arte popular, isto é, acessível às pessoas de qualquer classe social e apreciada por elas? Livros de poemas são realmente consumidos pelos brasileiros? No final do século XIX e início do XX, falar em poesia era falar em Olavo Bilac, um dos escritores mais populares e prestigiados que o Brasil já teve, eleito o "primeiro príncipe dos poetas brasileiros".

Olavo Bilac (1865-1918) não concluiu nenhum dos dois cursos universitários que iniciou (Medicina e Direito). Preferiu, antes, mergulhar em uma vida intensa e agitada: rodas boêmias na juventude, escrita literária incessante, jornalismo, palestras em

Caricatura de Olavo Bilac, por Manohead (2013).

todo o país, defesa ardorosa de ideais republicanos, do serviço militar obrigatório e da alfabetização. Notabilizou-se principalmente pela escrita de poemas, contos, artigos e crônicas. Tornou-se o mais popular poeta da tríade parnasiana.

Em 1888, Bilac publicou sua primeira obra, *Poesias*, de que faz parte o poema "Profissão de fé" (que você conhecerá na seção **Atividades**), por meio do qual o autor carioca pregou os ideais parnasianos de sua geração: um poeta deve imitar um ourives e fazer com que seu "verso de ouro" "saia da oficina / Sem um defeito". Essa defesa apaixonada da perfeição da Forma permitiu que Bilac conquistasse prestígio junto à elite intelectual apoiadora das rígidas normas impostas pelo Parnasianismo. Entretanto, o poema que realmente o popularizou, o soneto XIII da obra *Via Láctea*, data de 1886 e caracteriza-se por algumas marcas tipicamente românticas, ainda que apresente uma preocupação intensa com a forma:

"Ora (direis) ouvir estrelas! Certo
Perdeste o **senso**!" E eu vos direi, no entanto,
Que, para ouvi-las, muita vez desperto
E abro as janelas, pálido de espanto...

E conversamos toda a noite, enquanto
A Via Láctea, como um **pálio** aberto,
Cintila. E, ao vir do sol, saudoso e em pranto,
Inda as procuro pelo céu deserto.

Direis agora: "**Tresloucado** amigo!
Que conversas com elas? Que sentido
Tem o que dizem, quando estão contigo?"

E eu vos direi: "Amai para entendê-las!
Pois só quem ama pode ter ouvido
Capaz de ouvir e de entender estrelas."

BILAC, Olavo. Soneto XIII. Via Láctea. *Antologia poética*. Porto Alegre: L&PM, 2012. p. 28. (L&PM Pocket, v. 38).

NAVEGUE

A banda carioca Kid Abelha gravou a canção "Ouvir estrelas", baseada em versos do soneto XIII de *Via Láctea*. Para escutar um trecho, navegue pelo *site* do grupo, acessando a seção "Discos" e, em seguida, o disco *Autolove*: <http://www.kidabelha.com.br/lotus.html>.

Senso: juízo.
Pálio: manto.
Tresloucado: louco, desvairado.

Responda às questões oralmente.

1 No soneto há duas vozes que se pronunciam. Quais são elas?

2 Analise atentamente os "diálogos" estabelecidos entre essas vozes. O que cada uma delas representa? Compare-as e justifique sua resposta recorrendo aos diálogos presentes nesse soneto de Olavo Bilac.

Talvez o que explique a popularidade da poesia de Bilac — e sua permanência em certa medida — seja o fato de nela conviverem elementos da tradição clássica com versos cheios de imagens e sentimentos românticos, muitas vezes abordados de maneira superficial.

Em sua produção (lida, relida e memorizada por muitos estudantes brasileiros das primeiras décadas do século XX), o poeta carioca apresentou ao seu imenso público versos tipicamente parnasianos — como os que abrem este capítulo —, lírico-amorosos, de cunho patriótico (momentos épicos da história brasileira), sonetos ricos em imagens e marcados pelo amor sensual, além de poemas reflexivos e melancólicos.

Atividades: Entre textos

O texto 1 é um trecho do poema metalinguístico "Profissão de fé", do final do século XIX, em que, de maneira indireta, Olavo Bilac fornece uma "receita" sobre como fazer um poema parnasiano. O texto 2 pertence ao romeno Tristan Tzara (1896-1963), líder do Dadaísmo, movimento radical que surgiu em 1916, em Zurique, na Suíça, e que pregava, entre outras coisas, a rejeição aos valores burgueses, a ruptura com o passado, a negação à lógica da linguagem e a liberdade irrestrita. Leia-os e responda às questões seguintes no caderno.

Texto 1

[...]
Invejo o **ourives** quando escrevo:
Imito o amor
Com que ele, em ouro, o alto relevo
Faz de uma flor.

Imito-o. E, pois, nem de **Carrara**
A pedra firo:
O alvo cristal, a pedra rara,
O **ônix** prefiro.

Por isso, corre, por servir-me,
Sobre o papel
A pena, como em prata firme
Corre o **cinzel**.
Corre; desenha, enfeita a imagem,
A ideia veste:
Cinge-lhe ao corpo a ampla roupagem
Azul celeste.

Torce, aprimora, **alteia**, lima
A frase; e, enfim,
No verso de ouro **engasta** a rima,
Como um **rubim**.

Quero que a estrofe cristalina,
Dobrada ao jeito
Do ourives, saia da oficina
Sem um defeito:

E que o **lavor** do verso, acaso,
Por tão sutil,
Possa o lavor lembrar de um vaso
De **Becerril**.

E horas sem conta passo, mudo,
O olhar atento,
A trabalhar, longe de tudo
O pensamento.

Porque o escrever — tanta perícia,
Tanta requer,
Que ofício tal... nem há notícia
De outro qualquer.

Assim procedo. Minha pena
Segue esta norma,
Por te servir, Deusa serena,
Serena Forma!
[...]

Disponível em: <http://www.dominiopublico.gov.br/download/texto/bi000179.pdf>. Acesso em: 18 dez. 2012. (Fragmento).

Ourives: pessoa que trabalha com metais preciosos.
Carrara: tipo de mármore.
Ônix: pedra utilizada na fabricação de joias.
Cinzel: instrumento para esculpir ou gravar em madeira, metais ou pedras.
Cinge: envolve.
Alteia: aperfeiçoa.
Engasta: encaixa.
Rubim: rubi.
Lavor: trabalho que requer esforço intelectual.
Becerril [de la Sierra]: município da Espanha.

Texto 2

Para fazer um poema dadaísta

Pegue um jornal.
Pegue a tesoura.
Escolha no jornal um artigo do tamanho que você deseja dar a seu poema.

Recorte o artigo.

Recorte em seguida com atenção algumas palavras que formam esse artigo e meta-as num saco.

Agite suavemente.

Tire em seguida cada pedaço um após o outro.

Copie conscienciosamente na ordem em que elas são tiradas do saco.

O poema se parecerá com você.

E ei-lo um escritor infinitamente original e de uma sensibilidade graciosa, ainda que incompreendido do público.

TZARA, Tristan. Para fazer um poema dadaísta. In: TELES, Gilberto Mendonça. *Vanguarda europeia e modernismo brasileiro*. Petrópolis: Vozes, 1983. p. 132.

1 Na primeira estrofe do texto 1, o eu lírico identifica-se com um ourives. Dentro dessa concepção, a que corresponderia a "prata firme"? E o "cinzel"?

2 O eu lírico do texto 1 dá a entender que é possível, por meio de um trabalho árduo, transformar coisas impalpáveis em algo concreto. Explique essa afirmativa.

3 Ainda em relação ao poema de Olavo Bilac, o eu lírico afirma que a "estrofe cristalina" sairá de uma "oficina". Você acha que um autor romântico se referiria ao processo de criação poética dessa maneira? Justifique.

4 Mesmo que você não conheça o movimento ao qual o texto se refere, é possível, por meio da receita de Tristan Tzara, inferir algumas características do Dadaísmo. Quais seriam elas?

5 Que elementos são responsáveis pelo humor no texto de Tzara?

ProvocAÇÃO

Na sua opinião, como um poeta parnasiano — adepto das ideias defendidas em "Profissão de fé" — receberia a receita de Tzara?

O QUE VOCÊ APRENDEU NO PERCURSO DESTE CAPÍTULO

- O Parnasianismo tem origem francesa e é um movimento de inspiração clássica (greco-latina).
- Principais características do Parnasianismo: arte pela arte, culto à forma, universalismo, descritivismo e racionalismo.
- Alberto de Oliveira: considerado o mestre do movimento, com poemas tipicamente parnasianos (descritivismo e distanciamento) e intensidade poética nos textos sobre a natureza.
- Raimundo Correia: poesia caracterizada pela musicalidade e pelo rigor formal; versos que investigam os mistérios da existência, com alta carga de subjetividade e um forte negativismo.
- Olavo Bilac: poesia marcada pela convivência de elementos da tradição clássica com versos cheios de imagens e sentimentos românticos, muitas vezes abordados de maneira superficial.

Expressões

A esta altura do Ensino Médio, é provável que você já tenha estudado alguns gêneros jornalísticos: notícia, reportagem, artigo de opinião, entrevista e crônica. Mas, ainda que não tenha entrado formalmente em contato com eles, certamente os conhece em razão de sua experiência de leitor. Agora propomos a você e a seus colegas a produção de uma revista literária sobre o Realismo-Naturalismo brasileiro, tema desta unidade.

A crônica é também um gênero literário.

Para realizar esse trabalho, orientem-se pelas instruções a seguir.

Análise de revistas

- Levem algumas revistas para a sala e analisem em cada uma delas: a temática (é diversificada ou específica?); o público-alvo; os recursos usados na capa para chamar a atenção do leitor; os gêneros que constam da revista e como foram organizados; os principais assuntos explorados.
- Façam anotações e guardem-nas para a próxima etapa do trabalho.

Organização do material

- Produzam reportagens, entrevistas, crônicas e artigos de opinião ligados ao universo do Realismo-Naturalismo brasileiro (contexto histórico, Machado de Assis, Aluísio Azevedo, Raul Pompeia, suas obras, entrevista com especialista de uma universidade de sua cidade, etc.).
- Seu público-alvo serão os colegas de outras turmas.
- Em geral, as revistas trazem um número razoável de reportagens, apenas uma entrevista, dois ou três artigos de opinião (colunas) e uma crônica. Como se trata de uma revista literária, além dos gêneros jornalísticos, insira vários exemplos de contos, crônicas, fragmentos de romances dos autores realistas-naturalistas brasileiros. O ideal é que todos os alunos da classe contribuam com um texto (produzido em grupo ou individualmente).
- Organizem os textos em seções, como nas revistas que analisaram. Atribuam um nome para cada seção (por exemplo, a de entrevistas pode se chamar "Trocando ideias").
- Três itens devem ser obrigatoriamente inseridos na revista: o expediente — seção com o nome de todos os participantes e a indicação do que fizeram (redação, edição, diagramação, etc.) —, um meio de contato (*e-mail*) para que os leitores possam se comunicar com a revista e o sumário. Para compor esses itens, tomem como referência as revistas analisadas em sala.

Edição e montagem da revista

- Depois de organizados os textos, designem uma equipe para editá-los e outra para diagramá-los.
- A equipe de edição deve revisar os textos, fazendo não apenas aperfeiçoamentos, mas também adequações ao perfil da revista e a seu público-alvo, caso seja necessário. Essa equipe deve ainda selecionar imagens (fotos ou ilustrações) para cada texto e elaborar suas legendas.
- A equipe responsável pela diagramação deve utilizar um *software* adequado para diagramar os textos e as imagens, tomando como referência as revistas analisadas. Outra tarefa dessa equipe é compor a capa, que deve ficar bem atraente, tanto do ponto de vista visual como em relação ao(s) assunto(s) destacado(s).
- Toda a classe deve analisar o projeto final da revista e sugerir alterações, se for o caso. Quando tudo estiver aprovado, imprimam as páginas em folhas grandes (tamanho A3), dobrem-nas e depois as grampeiem no centro.
- Pronto! Agora é só colocar um ou mais exemplares da revista da turma na biblioteca, à disposição da comunidade escolar, e esperar os *e-mails* com as manifestações dos leitores. Para aumentar a procura, divulguem o lançamento da revista por meio de cartazes ou pelo *site* da escola.

Leitura puxa leitura

Comece sua leitura por:

Memórias póstumas de Brás Cubas (1881), de Machado de Assis

Por que ler: Clássico absoluto da literatura universal, o romance nos coloca diante da controversa (mas saborosa) figura do defunto-autor Brás Cubas, uma espécie de metonímia da elite brasileira em fins do século XIX.

O cortiço (1890), de Aluísio Azevedo

Por que ler: Tendo como cenário (e personagem central) uma habitação coletiva carioca, o romance de Azevedo é o mais representativo da prosa naturalista no Brasil.

A consciência de Zeno (1923), de Italo Svevo

Por que ler: O bem-sucedido Zeno vê sua vida como uma sequência de fracassos nesse romance que questiona a moralidade burguesa e a fronteira entre sanidade e loucura.

O alienista (1882), de Machado de Assis

Por que ler: Nessa novela, Machado mostra quão tênue é o limite entre a loucura e a lucidez que sustentam nossa noção de normalidade.

Dom Casmurro (1899), de Machado de Assis

Por que ler: Machado põe em xeque a noção de verdade e de realidade, dando voz a um narrador angustiado pela suspeita da infidelidade da mulher, Capitu.

Eles eram muitos cavalos (2001), de Luiz Rufatto

Por que ler: Os contos de Rufatto constroem um panorama da vida numa metrópole brasileira em seus mais diversos aspectos.

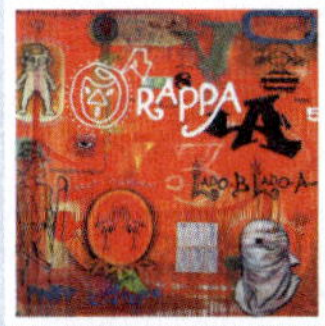

Lado B, Lado A (1999), de O Rappa

Por que ouvir: Um dos mais premiados trabalhos da banda carioca, esse disco é repleto de canções que denunciam e criticam problemas sociais brasileiros.

Linha de passe (2008), de Walter Salles

Por que assistir: O filme expõe a dura realidade em que sobrevivem os estratos menos privilegiados da sociedade brasileira.

Ladrões de bicicletas (1948), de Vittorio de Sica

Por que assistir: Obra-prima do cinema mundial, o filme mostra a angústia de um trabalhador muito pobre que tem sua bicicleta roubada.

Ensaio sobre a cegueira (1995), de José Saramago

Por que ler: Nesse romance, uma cegueira epidêmica expõe o caráter frágil e primitivo do ser humano e da sociedade em que vivemos.

O idiota (1869), de Fiodor Dostoievsky

Por que ler: Após anos em um sanatório, o príncipe Míchkin volta a uma São Petersburgo, obcecada por dinheiro e poder, onde bondade e compaixão não são bem-vistas.

Bicho de sete cabeças (2001), de Laís Bodanzky

Por que assistir: Neto é um adolescente complexo e rebelde como muitos outros, porém seus pais não o compreendem e decidem interná-lo em um manicômio.

Estudando o samba (1976), de Tom Zé

Por que ouvir: Incompreendida ainda hoje por muitos, a arte de Tom Zé é inventiva e irreverente, respeitada por músicos do mundo todo.

Otelo (c. 1603), de William Shakespeare.

Por que ler: A tragédia do ciumento Otelo é uma das obras mais célebres de Shakespeare e uma das referências para a escrita de *Dom Casmurro*.

Capitu (2008), de Luiz Fernando Carvalho

Por que assistir: A adaptação televisiva reinventa o romance machadiano e mistura gêneros como teatro e ópera.

UNIDADE 10

SIMBOLISMO: O RETORNO DA SUBJETIVIDADE

No século XXI, ninguém questiona o papel da ciência e da tecnologia no dia a dia das pessoas. Mas, no século XIX, quando muitos escritores realistas-naturalistas, influenciados pelo positivismo, defenderam em suas obras a supremacia da ciência e da objetividade, nasceu na França, por volta de 1880, um movimento de reação a essa postura cientificista. Esse movimento, denominado Simbolismo, abrangeu principalmente a música, a pintura e a literatura.

Na literatura, verificou-se o predomínio da poesia, por meio da qual os simbolistas buscaram expressar suas individualidades e inquietações em versos musicais, livres, sinestésicos, empregando aliterações e assonâncias e explorando a própria música como tema dos poemas. Para os simbolistas, por trás do mundo material havia um mundo espiritual oculto que precisava ser explorado e por isso deram ênfase à espiritualidade em contraponto ao racionalismo que imperava no final do século XIX.

MARTIN KLIMAS

Para aproximar a música da pintura, o fotógrafo alemão Martin Klimas trabalhou meses na captura do efeito do som nas tintas (foto de 2011). De forma semelhante, os artistas simbolistas tentaram aproximar a música da poesia.

Para início de conversa

Hereró, quicongo, umbundo, cuanhama e quimbundo são algumas das línguas faladas em Angola, embora o português seja a língua oficial desse país africano. O conto a seguir é de autoria do angolano José Eduardo Agualusa, um dos autores mais relevantes da cena literária da África.

Leia o conto e atente para a forte simbologia presente nele. "Passei por um sonho" foi publicado originalmente no *Manual prático de levitação*, obra de 2005.

ROBSON FERNANDES/ ESTADÃO CONTEÚDO

José Eduardo Agualusa, em 2007.

O escritor angolano **José Eduardo Agualusa**, nascido em 1960, tem livros traduzidos para mais de vinte idiomas e é autor de várias peças de teatro. Em 2006, fundou a editora brasileira Língua Geral, dedicada exclusivamente a autores de língua portuguesa.

Passei por um sonho

Começou com um sonho. Afinal, é como começa quase tudo. Justo Santana, enfermeiro de profissão, sonhou um pássaro.

— Passei por um sonho — disse à mulher quando esta acordou —, e vi um pássaro.

A mulher quis saber que espécie de pássaro, mas Justo Santana não foi capaz de precisar. Era um pássaro grande, **grave**, branco como um ferro incandescente, e com umas asas ainda mais brilhosas, que o dito pássaro usava sempre abertas, de tal maneira que fazia lembrar Jesus Cristo pregado na cruz.

— Fui sonhado por ti — disse-lhe o pássaro —, com o fim de esclarecer o espírito dos Homens e de trazer a liberdade a este pobre país.

O discurso do pássaro assustou o enfermeiro, homem simples, tímido, avesso a confrontos, e sem qualquer vocação para a política.

— Foi apenas um sonho — disse à mulher —, um sonho estúpido.

Na noite seguinte, porém, o pássaro voltou a aparecer-lhe. Estava ainda mais branco, mais trágico, e parecia aborrecido com o desinteresse do enfermeiro:

— Ordeno-te que vás por esse país fora e digas a todos os homens que se preparem para um mundo novo. Os brancos vão partir e os pretos ocuparão as casas, os palácios, as igrejas e os quartéis, e a liberdade há de reinar para sempre.

Dizendo isto sacudiu as asas e as suas penas espalharam-se pelo quarto:

— Com estas minhas penas hás-de curar os enfermos — disse o pássaro —, e assim até os mais incrédulos acreditarão em ti e seguirão os teus passos.

Quando Justo Santana despertou o quarto brilhava com o esplendor das penas. Na manhã desse mesmo dia o enfermeiro serviu-se de uma delas para curar um homem com **elefantíase** e à tardinha devolveu a vista a um cego.

Grave: notável.

Elefantíase: doença que atinge principalmente os membros inferiores.

Passado apenas um mês a sua fama de santo e milagreiro já se espalhara muito para além das margens do Rio Zaire e à porta da sua casa ia crescendo uma multidão de **padecentes**. Alguns tinham vindo de muito longe, a pé, ou em improvisadas **padiolas**, e chegavam cobertos por uma idêntica poeira vermelha — bonecos de barro à espera de um sopro divino.

Justo Santana colocava na boca dos enfermos uma pena do pássaro, como se fosse uma hóstia, e estes imediatamente ganhavam renovado **alento**. Enquanto fazia isto o enfermeiro repetia os discursos do pássaro, incapaz de compreender a fúria daquelas palavras e o alcance delas. Todas as noites sonhava com a ave e todas as noites esta o forçava a decorar um discurso novo, após o que sacudia as asas, espalhando pelo ar morto do quarto as penas milagrosas.

— Se esse pássaro continuar assim tão generoso — disse Justo Santana à mulher — ainda o veremos transformado numa alma despenada.

Isto durou um ano. Então, numa manhã de **cacimbo**, apareceram quatro soldados à porta da casa, afastaram com rancor a multidão de desvalidos, e levaram Justo Santana. O infeliz foi acusado de **fomentar** o terrorismo e a **sublevação**, e **desterrado** para uma praia remota, em pleno deserto do Namibe, onde passou a exercer o ofício de faroleiro.

Quando o encontrei, muitos anos depois, em Luanda, ele falou-me desse desterro com nostalgia:

— Foi a melhor época da minha vida.

Encontrei-o doente, estendido numa larga cama de ferro, sob lençóis muito brancos. No quarto havia apenas a cama e um pequeno crucifixo preso à parede. Na sala ao lado os devotos rezavam murmurosas ladainhas. Aquela era a sede da Igreja do Divino Espírito. Não tinha sido nada fácil chegar até junto do enfermeiro: os seus seguidores guardavam-no como a uma relíquia — na verdade mantinham-no preso ali, naquele quarto, quase isolado do mundo, desde 1975.

A melhor época da vida de Justo Santana terminou de forma trágica, numa noite de tempestade, quando um bando de aves migratórias caiu sobre o farol. Enlouquecidas pela luz, as avezinhas batiam contra o **cristal** até quebrarem as asas, sendo depois arrastadas pelo vento. Isto está sempre a acontecer. Milhares de aves migratórias morrem todos os anos traídas pelo **fulgor** dos faróis. Naquela noite, desrespeitando as normas, Justo Santana foi em socorro das aves e desligou o farol. Teve pouca sorte: um barco com tropas, de regresso à **metrópole**, perdeu-se na escuridão e encalhou na praia. Dessa vez o enfermeiro foi julgado, condenado a quinze anos de prisão, e enviado para o Tarrafal, em Cabo Verde. Foi solto com a Revolução de Abril e regressou a Angola.

Quando o visitei, antes de me ir embora, quis saber se o pássaro ainda lhe frequentava os sonhos. Ele olhou em redor para se certificar de que estávamos sozinhos:

— Estrangulei-o — segredou com um sorriso cúmplice —, mas enquanto eu for vivo não conte isto a ninguém.

AGUALUSA, José Eduardo. Passei por um sonho. In: CHAVES, Rita (Sel. e org.). *Contos africanos dos países de língua portuguesa*. São Paulo: Ática, 2009. p. 106-110. (Para Gostar de Ler, v. 44).

Padecentes: doentes.
Padiolas: camas de lona portáteis; macas.
Alento: vigor, entusiasmo.
Cacimbo: névoa ou garoa.
Fomentar: estimular.
Sublevação: revolta, rebeldia.
Desterrado: exilado.
Cristal: vidro.
Fulgor: brilho.
Metrópole: refere-se a Portugal.

IMAGES.COM/CORBIS/LATINSTOCK

A Revolução de Abril ou dos Cravos ocorreu em Portugal em 25 de abril de 1974, marcando o fim da ditadura de Antônio Salazar e iniciando o processo de descolonização das antigas colônias portuguesas da África.

Responda às questões em seu caderno.

1 Que sonho Justo Santana relata à esposa?

2 O que pretendia o pássaro do sonho do protagonista?

3 Em "Passei por um sonho", elementos ficcionais se misturam a elementos reais da história de Angola, país que foi colônia de Portugal até 1975. Ao longo do século XX, organizações como o Movimento Popular de Libertação de Angola (MPLA) e a União Nacional para a Independência Total de Angola (Unita) lutaram violentamente contra a metrópole europeia. Explique de que modo essa informação histórica pode ser relacionada à seguinte passagem do conto:

> "— Ordeno-te que vás por esse país fora e digas a todos os homens que se preparem para um mundo novo. Os brancos vão partir e os pretos ocuparão as casas, os palácios, as igrejas e os quartéis, e a liberdade há de reinar para sempre."

NAVEGUE

Leia outros dois textos de Agualusa que dialogam com o universo do sonho e do misticismo: <http://www.releituras.com/jeagualusa_menu.asp>.

4 Em sua opinião, o que simboliza o pássaro presente no sonho de Justo Santana?

5 Após ser acusado de "fomentar o terrorismo e a sublevação", Justo é mandado para uma praia remota, onde passa a exercer o ofício de faroleiro. Que relação pode ser estabelecida entre a situação vivida pelo protagonista no episódio do desligamento do farol e aquela experimentada por ele no sonho?

ProvocAÇÃO

O conto de Agualusa apresenta um final bastante simbólico, aberto a diferentes interpretações. Para você, por que Justo teria estrangulado o pássaro do sonho?

O narrador do conto que você leu inquieta o leitor desde o início, quando afirma que quase tudo na vida começa com um sonho. Depois nos faz entrar no universo mágico de uma figura messiânica cujo nome (Justo Santana) já simboliza sua trajetória. O processo de *santificação* do enfermeiro, homem *justo* e generoso, inicia-se com a visita — em sonho — de uma grande criatura alada, um pássaro místico. Aos poucos, o sonho penetra na realidade, e Agualusa, fugindo ao objetivismo típico dos autores ditos realistas, nos introduz em um mundo no qual um quarto brilha com o "esplendor de penas", um homem se santifica, milagres acontecem e, em meio a uma tempestade, um farol (localizado numa praia remota no deserto do Namibe) é apagado para garantir a sobrevivência das aves migratórias.

Esse universo de sonho e sugestão, de misticismo e subjetivismo e de evocações, presente no poético conto "Passei por um sonho", apresenta pontos de identificação com o Simbolismo, movimento literário que você conhecerá nesta unidade.

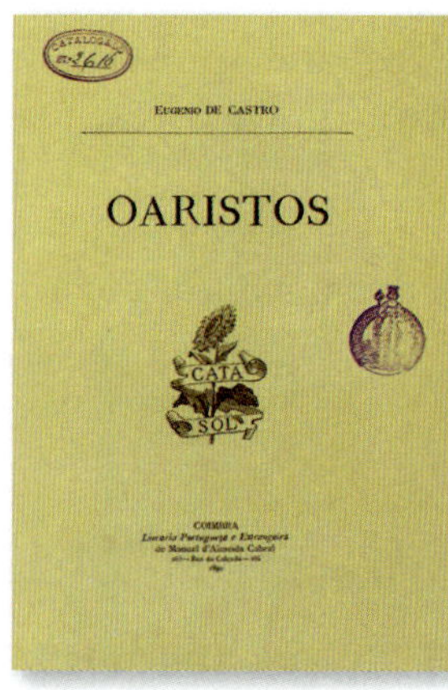

Página de rosto de *Oaristos*, de Eugênio de Castro.

Marcos literários do Simbolismo

Em Portugal, o Simbolismo teve suas origens ligadas às revistas *Os Insubmissos* e *Boêmia Nova*, fundadas por estudantes de Coimbra em 1889, e à publicação da coletânea *Oaristos* (1890), de Eugênio de Castro. O movimento estendeu-se até 1915, com a publicação da revista *Orpheu*, marco do Modernismo.

No Brasil, o movimento simbolista teve como marco a publicação, no ano de 1893, das obras *Missal* (poemas em prosa) e *Broquéis* (poemas em versos), de Cruz e Sousa. *Os sertões* (1902), de Euclides da Cunha, e *Canaã* (1902), de Graça Aranha, marcaram o fim do Simbolismo e o início do período denominado pela crítica como Pré-Modernismo.

CAPÍTULO

25

Simbolismo europeu: a busca do impalpável

PERCURSO DO CAPÍTULO

- Origens do Simbolismo europeu: o Decadentismo
- *As flores do mal*, de Charles Baudelaire
- Características do Simbolismo
- O Simbolismo português
- Camilo Pessanha

Objeto educacional digital (animação)
- *Autorretrato com máscaras*

ENSOR, James. *Autorretrato com máscaras* (detalhe). 1899. Óleo sobre tela, 120 × 80 cm. Em suas obras repletas de símbolos, James Ensor (1860-1949) revela, ironicamente, o amargor, a solidão, o desgosto e o grotesco por trás das máscaras humanas. Esse pintor belga decadentista foi um grande investigador do inconsciente.

Introdução

A ciência pode explicar todos os fenômenos humanos? Os simbolistas, um grupo de artistas do final do século XIX, em crise com os rumos da humanidade, defenderam que não. Poetas como Baudelaire, Mallarmé e Verlaine mergulharam no caótico universo interior do "eu", buscando uma poesia que transcendesse o mundo material. É o que estudaremos neste capítulo.

Você gosta de histórias de horror? Por que elas provocam tanto fascínio? O conto a seguir foi escrito em 1842 pelo norte-americano Edgar Allan Poe (1809-1849), considerado um dos mestres do gênero.

O retrato ovalado

O castelo no qual meu criado estava decidido a entrar à viva força, não consentindo que eu, ferido como estava, tivesse que passar a noite debaixo da chuvarada, era um grande edifício **senhorial** e melancólico, que durante muitos e muitos séculos fora grito de guerra nos montes Apeninos. Segundo nos disseram, tinha sido abandonado temporariamente por seus donos. Acomodamo-nos numa das salas menores, que era também a mais modestamente mobiliada. [...] Sobre as paredes caíam tapeçarias e troféus **heráldicos**, bem como grande quantidade de quadros modernos encerrados em molduras de ouro e madeiras finíssimas. Devido talvez ao delírio que me produzia a alta febre, senti crescer dentro de mim um grande amor por aqueles quadros que, como prodigioso e estranho museu, tinha diante dos olhos. Mandei o criado fechar as pesadas portas e as altas janelas, pois era noite cerrada, e acender o candelabro de sete braços que encontrara sobre a mesa. Descerrei em seguida os cortinados de cetim e veludo que rodeavam o **dossel** de minha cama. Queria, assim, se por acaso não chegasse a conciliar o sono, distrair-me ao menos na contemplação dos quadros e na leitura de um livro de **pergaminho** que havia encontrado sobre a almofada, o qual parecia conter a descrição e a história de todas as obras de arte que se achavam encerradas naquele castelo.

Passei quase toda a noite lendo. Naquele livro estava realmente a história dos quadros que me rodeavam. E as horas transcorreram rapidamente e, sem que eu percebesse, chegou a meia-noite. A luz do candelabro me feria os olhos e, sem que meu criado o notasse, coloquei-o de tal modo que somente projetasse seus tênues raios sobre a superfície escrita do livro.

[...] Os **resplendores** das numerosas velas projetaram-se então sobre um quadro da **alcova** que uma das colunas do leito até então tinha envolto numa sombra profunda. Era o retrato de uma jovem quase mulher. [...] Ao

Senhorial: elegante.

Heráldicos: pertencentes a uma família ao longo de gerações.

Dossel: armação ornamental elevada e cortinada sobre a cama.

Pergaminho: página feita com pele de cabra ou ovelha.

Resplendores: luzes, claridades.

Alcova: quarto de dormir.

cabo de alguns momentos, olhei de novo para o quadro, desta vez fixa e penetrantemente.

Já não podia duvidar, ainda que o quisesse, de que agora o via com muita clareza. [...]

O retrato era de uma jovem. Um busto; a cabeça e os ombros pintados nesse estilo que chamam, em linguagem técnica, **estilo de "vinheta"**; um tanto à maneira de **Sully** em suas **cabeças** prediletas. O seio, os braços e os cachos de cabelos radiantes fundiam-se imperceptivelmente na sombra que servia de fundo ao conjunto. A moldura era oval, dourada e trabalhada ao gosto moderno. Como obra de arte não se podia encontrar nada mais adorável do que a própria pintura. Mas pode ser que não fosse nem a execução da obra nem a beleza daquele semblante juvenil que me impressionou tão súbita e fortemente. Devia acreditar ainda menos que a minha imaginação, saindo de um sonho, tivesse tomado aquela mulher por uma pessoa viva. [...] Tinha adivinhado que o "encantamento" da pintura era uma expressão vital, absolutamente adequada à própria vida, que primeiro me tinha feito estremecer e que finalmente me **subjugara**, aterrorizado. Com um terror profundo e **insopitável**, coloquei de novo o candelabro na sua primitiva posição. Tendo ocultado assim a minha vista a causa dessa profunda agitação, procurei ansiosamente o livro que continha a análise do quadro e sua história. Fui em busca do número que designava o retrato oval e li o seguinte relato:

"Era uma jovem de rara beleza e não menos amável do que alegre. Maldita foi a hora em que viu e amou o artista, casando-se com ele! Ele, apaixonado, estudioso, amava, mais do que sua esposa, a sua Arte; ela, uma jovem de rara beleza e não menos amável do que alegre, nada mais do que luz e sorrisos, ágil como a lebre solta no campo, amando e acariciando todas as coisas, odiando apenas a Arte que era sua rival, não temendo mais do que a palheta e os pincéis. Foi uma coisa terrível para ela ouvir o pintor falar do desejo de pintar sua esposa. Mas ela era obediente, e sentou-se com doçura durante longas semanas no sombrio e alto ateliê da torre, onde a luz penetrava por uma **claraboia** de cristal. Ele, porém, o pintor, punha seu destino e sua glória no retrato, que avançava em cores de hora para hora e de dia para dia. Era um homem apaixonado e estranho, que se perdia em sonhos, tanto que *não queria* ver que a luz que filtrava tão **lugubremente** naquela torre afastada **extenuava** a saúde e a alma de sua mulher, que enfraquecia visivelmente aos olhos de todo o mundo, exceto aos dele. Contudo, ela sorria sempre, sem se queixar, porque via que o pintor sentia um prazer doido e ardente na sua tarefa e trabalhava noite e dia para pintar aquela que amava tanto, mas que se tornava de dia para dia mais abatida e mais débil. E, na verdade, os que contemplavam o retrato falavam em voz baixa da extrema semelhança do original como de uma prodigiosa maravilha e como de uma prova não menor do talento do pintor do que de seu profundo amor por aquela a quem pintava tão milagrosamente bem. Todavia, mais tarde, quando a tarefa se aproximava de seu fim, já ninguém podia visitar a torre: o pintor tinha enlouquecido com o ardor de seu trabalho e não tirava os olhos da tela senão para ver a fisionomia da mulher. E *não queria* ver que as cores que gravava na tela, ele as ia tirando das faces daquela que estava sentada à sua frente. E quando, decorridas muitas semanas, já faltava muito pouco trabalho – nada mais do que uma pincelada sobre os lábios e uma sombra sobre os olhos – o espírito da mulher palpitou como a chama próxima a extinguir-se palpita numa lâmpada; e então o pintor deu a pincelada sobre os lábios e a sombra sobre os olhos e, durante um momento, **quedou** em êxtase ante o trabalho que tinha realizado;

Estilo de "vinheta": técnica de pintura ou desenho sem contorno definido.

Sully: referência a Thomas Sully (1783-1872), pintor inglês radicado nos EUA.

Cabeças: referência aos retratos desse pintor, que se limitavam ao dorso do modelo.

Subjugara: rendera, sujeitara.

Insopitável: incontrolável.

Claraboia: abertura de vidro no teto para iluminar um cômodo da casa.

Lugubremente: de forma sombria.

Extenuava: debilitava, enfraquecia ao extremo.

Quedou: ficou, parou.

um minuto depois, quando o olhava extasiado, um estremecimento de terror percorreu seu corpo e começou a gritar com voz aguda e destemperada. 'É a vida, é a própria vida que eu aprisionei na tela!' E quando se voltou para contemplar sua esposa, viu que *ela estava morta*".

POE, Edgar Allan. O retrato ovalado. In: PAES, José Paulo (Sel., apres. e trad.). *Histórias extraordinárias*. São Paulo: Companhia das Letras, 2008. p. 254-257. (Fragmento).

NESTORE BUONAFEDE

Detalhe do cartaz do curta-metragem *Il ritratto ovale* (Itália, 2006).

Responda às questões em seu caderno.

1 Logo no primeiro parágrafo do conto, o narrador-protagonista "prepara" o leitor para a história de terror que vai contar.

a) Onde se passam os fatos que provocam emoção e medo no leitor?

b) Levante hipóteses: por que o autor optou por iniciar o conto com um parágrafo extenso, em lugar de separá-lo em duas ou três partes?

2 Alguns objetos e situações ampliam a curiosidade do leitor sobre um dos quadros do castelo. Quais são eles?

3 O que hipnotiza o narrador-protagonista no retrato da jovem?

4 Relacione o trecho a seguir ao estranho episódio da morte da mulher do pintor, revelado no clímax do conto, quando o narrador descobre a razão que tanto o perturbava na contemplação do quadro.

"Ele, apaixonado, estudioso, amava, mais do que sua esposa, a sua Arte [...]"

Como vimos em nossos estudos realizados na unidade 6, os românticos foram responsáveis pela popularização de histórias de terror que se passavam em castelos medievais, construções em ruínas, etc. Nessas narrativas, fantasmas, monstros e outros seres estranhos invadem a vida dos personagens "normais" e os aterrorizam. No conto de Edgar Allan Poe, um dos principais representantes desse gênero no Romantismo, um mundo misterioso se impõe. Esse elemento, característico da literatura do escritor, foi muito valorizado pelos artistas simbolistas do final do século XIX.

Poe foi a principal influência romântica dos simbolistas. Além da concepção de um mundo oculto por trás do real visível e da valorização da dimensão psíquica humana, tão presentes na prosa e na poesia do autor norte-americano, interessaram aos simbolistas outras ideias dele, como a valorização do sonho e da pureza da arte, a importância da música na poesia e o desprezo ao didatismo (a explicação clara e racional dos fenômenos).

Simbolismo: uma reação

As ciências, a produção em massa, a velocidade e o dito progresso fascinaram, como já vimos, os realistas-naturalistas. Esses artistas buscaram explicar o mundo por um viés racional e positivista. Contudo, a Revolução Industrial — fruto dos avanços científicos — trouxe uma série de prejuízos que não mais poderiam ser ignorados pela sensibilidade dos artistas. O operário viu-se na condição de mera peça de uma grande máquina desumana, as desigualdades sociais entre as classes se evidenciaram e a competição se acirrou, o que levou filósofos como Schopenhauer (1788-1860)

Schopenhauer cultuou o pessimismo e a dor existencial, tão presentes no Simbolismo.

a questionar a total validade do conhecimento científico, visto pelos positivistas como única possibilidade de leitura do real.

Conscientes dos prejuízos ocasionados pela Revolução Industrial e da ineficácia da explicação dos fenômenos humanos unicamente pela ciência e pela razão, jovens artistas, no início da década de 1880, viram-se em crise e reagiram a ela por meio da fuga do real, da indiferença ao mundo ou da criação de obras herméticas, inacessíveis ao público. A esse estado de espírito, marcado por uma sensação de mal-estar diante do mundo e revolta contra a sociedade burguesa, denominou-se **Decadentismo**, e sua faceta literária recebeu o nome de **Simbolismo**.

O primeiro a utilizar o termo Simbolismo, em substituição a Decadentismo, foi o poeta e ensaísta grego Jean Moréas (1856-1910).

A influência de Baudelaire

Publicada em 1857, a coletânea *As flores do mal*, de Charles Baudelaire, é considerada o marco inicial do movimento simbolista europeu. Leitor e tradutor de Edgar Allan Poe (de quem sofreu importante influência), Baudelaire revolucionou a poesia francesa propondo que o poeta seria, na verdade, não um criador, mas um *decifrador*. Dentro dessa concepção, a realidade representaria um grande "poema" que deveria ser *traduzido* pelo poeta.

Leia o soneto "Correspondências", um dos textos que compõem *As flores do mal*, coletânea que influenciou autores de todos os tempos:

STAPLETON COLLECTION/CORBIS/LATINSTOCK

Charles Baudelaire, em retrato de 1860.

O poeta francês **Charles Baudelaire** (1821-1867) é considerado um dos pioneiros da linguagem literária moderna. Causou escândalo nos meios artísticos conservadores ao publicar *As flores do mal*. Após uma vida de excessos, morreu aos 46 anos.

Correspondências

A natureza é um templo em que vivas pilastras
deixam sair às vezes obscuras palavras;
o homem a percorre através de florestas de símbolos
que o observam com olhares familiares.

Como longos ecos que de longe se confundem
numa tenebrosa e profunda unidade,
vasta como a noite e como a claridade,
os perfumes, as cores e os sons se correspondem.

Há perfumes saudáveis como carnes de crianças,
doces como os **oboés**, verdes como as campinas,
— e outros, corrompidos, ricos e triunfantes,

tendo a **efusão** das coisas infinitas,
como o **âmbar**, o **almíscar**, o **benjoim** e o incenso,
que cantam os êxtases do espírito e dos sentidos.

BAUDELAIRE, Charles. Correspondências. Trad. Gilberto Mendonça Teles. In: TELES, Gilberto Mendonça. *Vanguarda europeia e modernismo brasileiro*. 20. ed. Rio de Janeiro: José Olympio, 2012. p. 69.

Oboé: instrumento musical de sopro.
Efusão: escoamento.
Âmbar: cheiro suave.
Almíscar: substância de odor forte.
Benjoim: resina aromática.

Responda às questões em seu caderno.

1 O poema defende que o homem não compreende completamente a natureza que o rodeia. Ele a percorre, mas não é capaz de decifrar os símbolos contidos no mundo. Cite os versos em que essa ideia é apresentada de maneira mais direta.

Material complementar
• Amplie seus conhecimentos: "Correspondências", de Baudelaire

2 Como você já estudou, a sinestesia é uma figura de linguagem que consiste em aproximar sensações percebidas por diferentes órgãos dos sentidos humanos. Baudelaire explora com ênfase esse recurso. Que verso de "Correspondências", presente no segundo quarteto, faz referência à sinestesia? Explique como você chegou a essa conclusão.

3 Explique como a concepção de que as coisas do mundo concreto se correspondem e se fundem sinestesicamente é mostrada no primeiro terceto do soneto de Baudelaire.

NAVEGUE

Leia outros textos da obra *As flores do mal*, de Charles Baudelaire: <http://www.ufrgs.br/proin/versao_2/baudelaire/index.html>.

Baudelaire utiliza seu poema para chamar a atenção do homem de seu tempo, incapaz, segundo ele, de entender a linguagem da Natureza pelo fato de ter-se afastado dela e de ter reduzido sua experiência àquilo que a ciência poderia explicar (razão). Para retomar essa unidade perdida entre o ser e o Universo, o homem deveria permitir-se entrar em contato com a "efusão das coisas infinitas", ou seja, com as essências raras, que despertariam "os êxtases do espírito e dos sentidos", e deveria atentar para os símbolos presentes na Natureza.

O símbolo para os simbolistas

Muitos podem ser os sentidos do termo *símbolo*. Os poetas do final do século XIX o concebiam como uma palavra ou imagem (ou um conjunto delas) que remete a algo desconhecido ou que evoca um determinado estado de espírito. O símbolo constituiria um esforço para apreender o impalpável e caótico universo interno humano. Em seu "Manifesto simbolista", Jean Moréas atribuiu ao símbolo a função de "revestir a Ideia de uma forma sensível", ou seja, a palavra, grafada muitas vezes com letra maiúscula.

Stéphane Mallarmé (1842-1898), um dos nomes mais importantes do Simbolismo, afirmou: "Referir-se a um objeto pelo seu nome é suprimir três quartas partes da fruição do poema, que consiste na felicidade de adivinhar pouco a pouco; sugeri-lo, eis o que sonhamos. É o uso perfeito desse mistério que constitui o símbolo".

ACQUIRED 1925/THE BRIDGEMAN ART LIBRARY/GRUPO KEYSTONE – THE PHILLIPS COLLECTION, WASHINGTON, DC

REDON, Odilon. *Mistério*. c. 1910. Óleo sobre tela, 73 × 54 cm. A obra desse pintor francês é marcada pela sugestão, tão cara aos simbolistas.

Três ideias presentes — direta ou indiretamente — no poema de Baudelaire transformaram-se em importantes bases para os poetas simbolistas:

- as **correspondências** — as coisas materiais remetem às espirituais;
- as **sinestesias** — a fusão entre sensações diferentes permite ao homem mergulhar num rico campo de múltiplas associações;
- o **antipositivismo**, o **antinaturalismo** e o **anticientificismo** — a busca de uma consciência primitiva, anterior à razão, tão valorizada pelos realistas.

NAVEGUE

Leia poemas de Mallarmé: <http://www.ufrgs.br/proin/versao_2/mallarme/index.html>.

⊙ Uma complexa viagem interior

As ideias baudelairianas tiveram uma série de desdobramentos entre os artistas simbolistas, dos quais destacamos os seguintes:

1. O "eu" como objeto

Opondo-se ao culto realista da análise distanciada e fria do "objeto" externo, do "não eu", os simbolistas pregam o retorno ao egocentrismo, mas, diferentemente dos sentimentalistas românticos, almejam camadas mais profundas do inconsciente humano. Nessa investigação do "eu" profundo, interessou aos escritores o universo do sonho e da loucura.

Material complementar
• Amplie seus conhecimentos: Schopenhauer: o culto à dor

2. Busca de uma expressão original

Traduzir elementos caóticos e alógicos do inconsciente humano não era tarefa das mais simples, por isso em muitos poemas simbolistas é comum o uso de palavras novas (neologismos), hipérbatos, combinações inusitadas de vocábulos, palavras raras, vocabulário não coloquial e sofisticado.

3. Controle rigoroso da forma e da emoção

Diferentemente dos românticos, que defendiam uma livre criação, menos preocupada com o rigor formal e mais subordinada à emoção do artista, os simbolistas procuram controlar rigidamente sua criação poética e evitar os sentimentalismos. O que justifica esse rigor é o desejo racional de investigação de símbolos (palavras ou conjuntos de palavras) que pudessem apenas sugerir o mundo interior do artista.

4. Sugerir, mas não descrever

Partindo do pressuposto de que a realidade interior é impalpável, imprecisa, vaga e complexa, e de que a vida é misteriosa e inexplicável, os simbolistas defendem o uso da sugestão em sua obra literária. Dessa forma, as palavras que compõem os poemas devem *sugerir*, mas não definir os objetos; *evocar*, mas não descrevê-los. Os poetas devem tentar *simbolizar*, por meio de metáforas complexas, o conteúdo do vasto universo interior humano. Mais importante do que a expressão direta da *coisa em si* é o símbolo da *coisa*, daí o poeta simbolista optar por processos indiretos, associações de ideias, metáforas, etc. na composição de seus versos.

LIBRARY OF CONGRESS PRINTS AND PHOTOGRAPHS DIVISION WASHINGTON, DC

Vitral com símbolos relacionados à Virgem Maria: torre de marfim, rosa mística e flor-de-lis coroada. Igreja do Anjo da Guarda (Detroit, EUA).

De origem religiosa, a imagem dessa torre acabou sendo associada, no século XIX, à figura do artista alheio aos problemas concretos da sociedade.

5. Uma reconciliação com o universo místico e espiritual

Opondo-se ao racionalismo defendido pelo Realismo-Naturalismo e pelo Parnasianismo, os simbolistas buscaram o misticismo e o espiritualismo. Muitos poemas incorporam termos litúrgicos cristãos, ainda que os poetas não se reconheçam como adeptos do catolicismo ou do protestantismo. Religiões orientais, como o budismo, também são evocadas em alguns poemas simbolistas. A ideia da morte como possibilidade de transcendência e de integração ao infinito também é forte entre muitos simbolistas.

6. Uma poesia hermética

Todos os procedimentos adotados pelos simbolistas a fim de vasculhar o inconsciente humano e o lado místico da vida acabaram por tornar sua poesia hermética e, muitas vezes, inacessível. Avesso ao grande público, o poeta simbolista refugiou-se numa espécie de "torre de marfim" e recusou-se a transformar sua obra em mercadoria ou em panfleto político das tendências científicas e políticas do final do século XIX, como fizeram muitos realistas-naturalistas. Distanciando-se das questões práticas e imediatas da realidade, os simbolistas passaram a compartilhar o conceito de "arte pela arte".

7. A musicalidade acima de tudo

Os simbolistas defendem que a música é a mais sugestiva das artes, dada sua intensa subjetividade e seu não didatismo, por isso se esforçam por aproximá-la de sua poesia. Assim, em muitos versos estão presentes aliterações, assonâncias, rimas e outros mecanismos sonoros que os aproximam da música. São comuns também poemas simbolistas que fazem referência a instrumentos como violões, violinos, flautas, violas, etc. Dessa maneira, os poetas procuravam retomar o casamento perdido entre a música e a poesia. Entretanto, realizavam com palavras o que as notas musicais fazem na música.

O Simbolismo na pintura

Opondo-se ao apuro técnico de realistas como Gustave Courbet e à pura visualidade dos impressionistas, os pintores simbolistas buscaram representar, por meio de símbolos, uma realidade que escapa à consciência e ao mundo concreto. Valores transcendentes como o sagrado, o bem, o belo, a paixão, o sonho, a fantasia, a loucura, a morte e o mistério são frequentemente retratados pelos artistas simbolistas. Em sua pintura, Gustave Moreau (1826-1898) apresenta imagens místicas e sensuais. Inspirado por Edgar Allan Poe, Odilon Redon (1840-1916) explora o fantástico em seus desenhos e litografias. Destacam-se ainda nessa corrente Pierre Puvis de Chavannes (1824-1898) e Paul Gauguin (1848-1903).

MOREAU, Gustave. *A aparição*. 1874-1876. Óleo sobre tela, 142 × 103 cm.

GIRAUDON/THE BRIDGEMAN ART LIBRARY/GRUPO KEYSTONE – MUSÉE GUSTAVE MOREAU, PARIS

O Simbolismo português

Além de alguns textos das revistas *Os Insubmissos* e *Boêmia Nova*, fundadas por estudantes de Coimbra em 1889, são considerados precursores do Simbolismo português poetas como Cesário Verde, Antero de Quental — já estudados em capítulos anteriores — e, principalmente, Eugênio de Castro, que, em 1890, publicou aquela que é tida como a obra inicial do movimento: *Oaristos* (1890).

Em Portugal, poetas de várias tendências, por vezes antagônicas, passaram a ser considerados simbolistas, diferentemente do que ocorreu com o Realismo lusitano, que reuniu um grupo de autores mais coesos, afinados com diretrizes muito claras.

NAVEGUE

Veja outras obras de Gustave Moreau em detalhes: <http://www.googleartproject.com/pt-br/artist/gustave-moreau/4125258/>.

Poetas nas nuvens

Se no resto da Europa os autores de fim de século foram chamados de decadentistas e de simbolistas, em terras portuguesas eles receberam o apelido de **nefelibatas** (aqueles que andam ou vivem nas nuvens), por estarem em descompasso com os aspectos mais práticos da vida.

Mesmo alcançando a adesão de muitos autores, o Simbolismo português caminhou em paralelo com a literatura realista-naturalista até o início do século XX. Além disso, alguns escritores que se autointitulavam simbolistas cultivaram, na verdade, um Romantismo tardio (ou Neorromantismo).

São considerados importantes simbolistas portugueses Eugênio de Castro, Antônio Nobre e Camilo Pessanha; este último tem destaque nesse cenário por distanciar-se do Realismo e do Romantismo, inserindo-se verdadeiramente na corrente simbolista. Conheceremos a seguir alguns aspectos da obra desse poeta.

FURTADO & REIS/BIBLIOTECA NACIONAL DE PORTUGAL

Camilo Pessanha, em foto de 1916.

Camilo Pessanha (1867-1926) estudou Direito na Universidade de Coimbra e chegou a trabalhar como professor em Macau, na China. Como tinha o hábito de memorizar seus poemas, fez vir a público somente alguns deles, que causaram estranhamento aos leitores de seu tempo.

Camilo Pessanha: uma vida em descompasso

Pode um poeta, apenas com uma publicação póstuma, representar o que de melhor se produziu em um movimento literário em seu país?

Esse é o caso de Camilo Pessanha. Após sua morte, parte significativa de sua produção foi publicada na coletânea *Clepsidra* (1920), que revelou ao público um artista cuja intensidade poética destoa em muito de uma vida particular isenta de grandes acontecimentos.

Camilo Pessanha reuniu em sua poesia os elementos mais valorizados pelos simbolistas: a busca da sugestão, evocação e alusão (em lugar do descritivismo parnasiano), o símbolo, a valorização da música nos versos, o hermetismo, o sentido abstrato e o não didatismo.

O poeta simbolista Stéphane Mallarmé (1842-1898) criticava os parnasianos por restringirem-se à mera descrição de objetos.

Observe como, na parte I da série composta por três sonetos e intitulada "Caminho", o tema da dor existencial é apresentado:

Caminho

Tenho sonhos cruéis; n'alma doente
Sinto um vago receio prematuro.
Vou a medo na aresta do futuro,
Embebido em saudades do presente...

Saudades desta dor que em vão procuro
Do peito afugentar bem rudemente,
Devendo, ao desmaiar sobre o poente,
Cobrir-me o coração dum véu escuro!...

Porque a dor, esta falta d'harmonia,
Toda a luz **desgrenhada** que alumia
As almas doidamente, o céu d'agora,

Sem ela o coração é quase nada:
Um sol onde expirasse a madrugada,
Porque é só madrugada quando chora.

PESSANHA, Camilo. Caminho. *Clepsidra*. 2. ed.
Coimbra: Alma Azul, 2002. p. 11.

JUCA MARTINS/PULSAR IMAGEM

A palavra *clepsidra*, que dá nome ao livro de Camilo Pessanha, significa "relógio de água", como o da foto, tirada em um *shopping* paulistano, em 1994.

Desgrenhada: desordenada.

Responda às questões em seu caderno.

1 Os quartetos do soneto de Camilo Pessanha são construídos a partir de antíteses. Justifique essa afirmação.

2 Que paradoxo se apresenta a partir da segunda estrofe do soneto?

3 Como o eu lírico define a dor?

4 Essa definição de dor é objetiva, precisa? Explique.

5 Releia a última estrofe e responda: Qual é a justificativa do eu lírico para desejar a dor que o atormenta?

PARA LEMBRAR

Paradoxo: figura de linguagem que consiste na associação de palavras ou expressões de significados inconciliáveis, contraditórios, de um mesmo referente.

O soneto "Caminho" apresenta uma das marcas da poesia de Camilo Pessanha: a ambivalência de sentimentos (bipolaridade). Embora queira afugentar a dor que o atormenta, o poeta tem consciência de que ela é tudo o que possui, por isso precisa vivê-la.

Há na poesia de Camilo Pessanha um pessimismo — tipicamente decadentista — que, no entanto, está dissociado da angústia e da melancolia. A dor transforma-se em Dor (de existir), condição da qual o Homem não pode fugir.

Leia outro poema de Pessanha. Nesses versos, o autor traduz em imagens os efeitos quase mágicos de um arco deslizando sobre as cordas de um violoncelo.

NAVEGUE

Acesse uma exposição virtual baseada na obra *Clepsidra*, de Camilo Pessanha: <http://cvc.instituto-camoes.pt/conhecer/exposicoes-virtuais/a-clepsidra-de-camilo-pessanha.html>.

Violoncelo

Chorai, **arcadas**
Do violoncelo!
Convulsionadas,
Pontes aladas
De pesadelo...

De que esvoaçam,
Brancos, os arcos...
Por baixo passam,
Se despedaçam,
No rio, os barcos.

Fundas, soluçam
Caudais de choro...
Que ruínas, (ouçam)!
Se se debruçam,
Que **sorvedouro**!...

Trêmulos astros...
Soidões lacustres...
— **Lemes** e mastros...
E os **alabastros**
Dos **balaústres**!

Urnas quebradas!
Blocos de gelo...
— Chorai, arcadas,
Despedaçadas,
Do violoncelo.

PESSANHA, Camilo. Violoncelo. *Clepsidra*. 2. ed. Coimbra: Alma Azul, 2002. p. 54-55.

Arcadas: corridas do arco sobre as cordas de um instrumento.
Convulsionadas: com grande agitação, perturbadas.
Caudais: jorros abundantes.
Sorvedouro: turbilhão.
Soidões: solidões.
Lacustres: que se referem a lagos.
Lemes: peças que determinam a direção de navegações.
Alabastros: pedras utilizadas para fazer vasos e colunas.
Balaústres: pequenas colunas ligadas por um corrimão.

Responda às questões em seu caderno.

1 Faça um estudo da forma do poema. Reflita: que recursos fazem essa composição tão sonora?

2 Que tipo de música você acha que está saindo das cordas do violoncelo citado no poema?

3 O que a música provoca no eu lírico? Como você chegou a essa conclusão?

Atividades: Entre textos

Os textos 1 e 2, que você vai ler a seguir, foram escritos por representantes significativos do Simbolismo europeu. O primeiro é o parágrafo inicial de "Música e sugestão", de Charles Baudelaire. O segundo é composto das duas primeiras estrofes de "Arte poética", de Paul Verlaine (1844-1896), que trata da relação entre música e poesia. Analise-os e responda às questões no caderno.

Texto 1

Sempre ouvi dizer que a música não pode **vangloriar-se** de traduzir seja o que for com exatidão, como acontece com a palavra ou a pintura. Isso é verdadeiro até certo ponto, mas não inteiramente verdadeiro. Ela o traduz a seu modo, e com os meios que lhe são próprios. Na música, como na pintura e até mesmo na palavra escrita, que é no entanto a mais positiva das artes, há sempre uma lacuna a ser completada pela imaginação do ouvinte.

BAUDELAIRE, Charles. Música e sugestão. In: GOMES, Álvaro Cardoso. *A estética simbolista*: textos doutrinários comentados. 2. ed. São Paulo: Atlas, 1994. p. 47. (Fragmento).

Vangloriar-se: ter alta opinião de si mesma.

Texto 2

Antes de qualquer coisa, música
e, para isso, prefere o ímpar
mais vago e mais solúvel no ar,
sem nada que pese o que pouse.

É preciso também que não vás nunca
escolher tuas palavras sem ambiguidade:
nada mais caro que a canção cinzenta
onde o Indeciso se junta ao Preciso.
[...]

VERLAINE, Paul. Arte poética. Trad. Gilberto Mendonça Teles. In: TELES, Gilberto Mendonça. *Vanguarda europeia e modernismo brasileiro*. 20. ed. Rio de Janeiro: José Olympio, 2012. p. 77. (Fragmento).

GIRAUDON/THE BRIDGEMAN ART LIBRARY/GRUPO KEYSTONE - MUSÉE D' ORSAY, PARIS

CHAVANNES, Pierre Puvis de. *O sonho*. 1883. Óleo sobre tela, 82 × 102 cm. O universo onírico e o ambiente místico marcaram também a pintura simbolista.

1 Por que Baudelaire, no texto 1, afirma não ser inteiramente verdadeiro o fato de a música não traduzir "seja o que for com exatidão", como ocorre com a palavra ou a pintura? Você concorda com o poeta? Justifique.

2 No primeiro quarteto de "Arte poética" (texto 2), o eu lírico procura se comunicar com outros poetas.

a) Que palavra revela isso?

b) Como você chegou a essa conclusão?

3 Releia a primeira estrofe do poema (texto 2). Que características da música deveriam ser utilizadas pelos poetas, segundo o eu lírico?

4 O eu lírico do texto 2 aconselha os poetas a utilizarem palavras ambíguas em suas produções.

a) Qual a razão desse conselho?

b) Que relação esse conselho tem com a música?

No Brasil, é forte a tradição musical da canção, composição em versos feita para ser cantada. O texto 3, a seguir, é a letra de uma canção gravada pelo grupo mineiro Skank em 2010. Leia-a e responda no caderno ao que se pede.

Texto 3

Uma canção é pra isso

Uma canção é pra acender o Sol
No coração da pessoa
Pra fazer brilhar como um farol
O som depois que ressoa

Uma canção é pra trazer calor
Deixar a vida mais quente
Pra puxar o fio da paixão
No labirinto da gente

Pra consertar
Pra defender a cidadela
Pra celebrar
Pra reunir bairro e favela

Uma canção me veio sem querer
Naquela hora difícil
Joguei-a logo nesse iê iê iê
Por profissão ou por vício

Pra clarear a escuridão
Que o mundo encerra
Pra balançar
Pra reunir o céu e a terra

Uma canção é pra fazer o Sol
Nascer de novo
Pra cantar o que nos encantou
Na companhia do povo

Pra consertar
Pra defender a cidadela
Pra celebrar
Pra reunir bairro e favela

Uma canção é pra acender o Sol
No coração da pessoa
Pra fazer brilhar como um farol
O som depois que ressoa

Pra clarear a escuridão
Que o mundo encerra
Pra balançar
Pra reunir o céu e a terra

Capa do CD *Multishow ao vivo: Skank no Mineirão* (2010).

ROSA, Samuel; AMARAL, Chico. Uma canção é pra isso.
Multishow ao vivo — Skank no Mineirão, 2010.
Disponível em: <http://skank.uol.com.br/discografia/carrossel/uma-cancao-e-pra-isso/>.
Acesso em: 8 fev. 2013.

Nos dois primeiros textos que você analisou, Baudelaire e Verlaine não se referem a composições como a canção do grupo Skank, que une palavras (versos) à melodia; contudo, é possível relacionar essa composição popular às ideias defendidas pelos simbolistas franceses.

5 Releia a estrofe a seguir, observando as metáforas que ela contém:

"Pra clarear a escuridão
Que o mundo encerra
Pra balançar
Pra reunir o céu e a terra"

Relacione esses versos ao texto de Baudelaire, especialmente ao trecho: "Na música [...] há sempre uma lacuna a ser completada pela imaginação do ouvinte".

6 Que palavras, na letra de "Uma canção é pra isso", exemplificam a seguinte ideia de Verlaine: "o Indeciso se junta ao Preciso"?

O QUE VOCÊ APRENDEU NO PERCURSO DESTE CAPÍTULO

- Edgar Allan Poe influenciou decisivamente os simbolistas.
- Decadentismo é o nome dado ao estado de espírito dos jovens artistas do final do século XIX, marcado por uma sensação de mal-estar diante do mundo e pela revolta contra a sociedade burguesa. A faceta literária do Decadentismo é o Simbolismo.
- A coletânea *As flores do mal*, de Charles Baudelaire, marca o início do movimento simbolista europeu.
- Principais aspectos do Simbolismo: egocentrismo, ousadia formal, controle rigoroso da forma, antissentimentalismo, sugestão em lugar da descrição objetiva, hermetismo, aproximação da música e da poesia.
- Com *Clepsidra*, Camilo Pessanha destaca-se no Simbolismo português. Sua poesia foi marcada pela ambivalência de sentimentos e pela consciência da dor de existir.

CAPÍTULO

26

Simbolismo no Brasil: inovação e desprestígio

PERCURSO DO CAPÍTULO

- Simbolismo no Brasil: um movimento renegado
- Cruz e Sousa: o poeta mais expressivo do século XIX
- Alphonsus de Guimaraens: poeta de um tema

FUNDAÇÃO BIBLIOTECA NACIONAL, RJ

Na fotomontagem *Os trinta Valérios* (1890), todas as figuras que aparecem na sala têm o rosto do próprio fotógrafo, Valério Vieira (1862-1941). Assumindo postura semelhante, os poetas simbolistas pregaram o retorno ao egocentrismo e um mergulho total na subjetividade.

Introdução

Surgido no final do século XIX, desprestigiado por parte da crítica literária e ignorado pelo grande público, o Simbolismo brasileiro foi, em certa medida, rejeitado pelos realistas-naturalistas e pelos parnasianos. Neste capítulo, estudaremos os simbolistas Alphonsus de Guimaraens e Cruz e Sousa.

O poema a seguir é o mais popular de Alphonsus de Guimaraens e foi publicado pela primeira vez na coletânea póstuma *Pastoral aos crentes do amor e da morte* (1923). Acompanhe a busca da transcendência de Ismália.

Ismália

Quando Ismália enlouqueceu,
Pôs-se na torre a sonhar...
Viu uma lua no céu,
Viu outra lua no mar.

No sonho em que se perdeu,
Banhou-se toda em luar...
Queria subir ao céu,
Queria descer ao mar...

E, no **desvario** seu,
Na torre pôs-se a cantar...
Estava perto do céu,
Estava longe do mar...

E como um anjo **pendeu**
As asas para voar...
Queria a lua do céu,
Queria a lua do mar...

As asas que Deus lhe deu
Ruflaram de par em par...
Sua alma subiu ao céu,
Seu corpo desceu ao mar...

GUIMARAENS, Alphonsus de. Ismália.
In: MORICONI, Ítalo (Org.).
Os cem melhores poemas brasileiros do século.
Rio de Janeiro: Objetiva, 2001. p. 45-46.

Desvario: loucura, delírio.
Pendeu: pendurou, descaiu.
Ruflaram: agitaram-se, tremularam.

Registre as respostas em seu caderno.

1 Embora "Ismália" seja um poema lírico, há nele traços de narratividade. Que história é contada nos versos por Alphonsus de Guimaraens?

2 Reúna-se com um colega e leiam novamente "Ismália". Em seguida, analisem a forma do poema (considerem métrica, rimas, paralelismos, aliterações, pontuação, etc.).

3 Que informação sobre Ismália é sugerida nos dois últimos versos do poema?

4 Duas imagens são recorrentes ao longo de todo o poema.

a) Que imagens são essas?

b) Copie da segunda estrofe o verso que evidencia a junção das duas imagens.

c) O que sugere o verso transcrito na resposta anterior?

5 A reiteração das imagens identificadas na questão anterior acaba por simbolizar uma oposição. Como você interpretaria essa oposição?

6 No capítulo 25, pelo estudo do poema "Correspondências", de Charles Baudelaire, você viu que uma das buscas empreendidas pelos poetas simbolistas era a conexão entre os planos material e espiritual, criando assim uma grande unidade. Explique de que maneira essa ideia pode ser relacionada ao poema "Ismália".

NAVEGUE

Assista ao episódio, sobre o poema "Ismália", da série *Tudo que é sólido pode derreter*: <http://www3.tvcultura.com.br/tudooqueesolido/player.php?id=1538>.

Você observou que, no poema de Alphonsus de Guimaraens, aparecem em primeiro plano o sonho, a loucura, a morte, a correspondência entre o mundo material e o espiritual. Esses são temas caros ao Simbolismo, conforme veremos a seguir.

Um movimento estrangulado

Pelo fato de não abordar diretamente o contexto histórico brasileiro da mesma maneira que ocorreu com a literatura realista-naturalista, alguns especialistas defendem que nosso Simbolismo foi um movimento "importado" da França, desvinculado da realidade do Brasil (final do século XIX) e, por isso, alienado.

O Simbolismo brasileiro sofreu uma dupla oposição: dos grupos realistas-naturalistas, que acreditavam numa literatura conectada diretamente aos problemas do real, do mundo concreto; e dos prestigiados parnasianos, que defendiam a impessoalidade e o descritivismo em suas produções. Somente nas décadas iniciais do século XX é que o movimento teve sua importância reconhecida, principalmente entre os modernistas.

Cruz e Sousa: uma obra revolucionária

Pode um filho de escravos, vivendo em condições precárias e num ambiente preconceituoso, deixar como herança uma obra cuja originalidade é comparada à de simbolistas como os franceses Baudelaire, Rimbaud e Verlaine? Essa é a história de Cruz e Sousa.

A formação desse autor teve forte influência das tendências cientificistas que marcaram a segunda metade do século XIX e do movimento literário parnasiano. Em 1893, com a publicação de *Missal* (poemas em prosa) e *Broquéis* (poemas em versos), ele rompeu com uma série de convenções poéticas vigentes no Brasil desde o Arcadismo. Fugindo da lógica realista e parnasiana, o poeta desafiou seu leitor a entrar num universo misterioso, cheio de sons, símbolos, sensações, ambiguidades e sinestesias. Estava inaugurado o Simbolismo brasileiro.

ACERVO ICONOGRAPHIA

Retrato de Cruz e Sousa, s.d.

Filho de ex-escravos, o catarinense **Cruz e Sousa**, numa época de forte discriminação racial, teve educação formal graças a um protetor. Atuou na imprensa defendendo ideias socialistas e a causa abolicionista. Somente aos 30 anos aderiu ao Simbolismo, tornando-se seu principal representante. Morreu de tuberculose aos 36 anos.

⊙ A dor existencial

Grande parte da produção poética simbolista de Cruz e Sousa é marcada pelo profundo sentimento de angústia espiritual. E não foram poucas as dores sofridas por ele: preconceito racial, solidão, pobreza, doença da mulher, morte dos filhos. Mas nada disso influenciou tanto a presença da dor existencial do poeta quanto o pessimismo dos realistas de seu tempo.

Observe de que maneira esse tema é expresso no soneto a seguir.

Acrobata da dor

Gargalha, ri, num riso de tormenta,
Como um palhaço, que desengonçado,
Nervoso, ri, num riso absurdo, inflado
De uma ironia e de uma dor violenta.

Da gargalhada **atroz**, sanguinolenta,
Agita os guizos, e convulsionado
Salta, **gavroche**, salta ***clown***, varado
Pelo **estertor** dessa agonia lenta...

Pedem-se bis e um bis não se despreza!
Vamos! Retesa os músculos, retesa
Nessas macabras piruetas d'aço...

E embora caias sobre o chão, fremente,
Afogado em teu sangue **estuoso** e quente,
Ri! Coração, tristíssimo palhaço.

SOUSA, João da Cruz e. Acrobata da dor.
In: JUNKES, Lauro (Sel. e pref.).
Roteiro da poesia brasileira: Simbolismo.
São Paulo: Global, 2006. p. 24.

IMAGES.COM/CORBIS/LATINSTOCK

Atroz: cruel, desumana.
Gavroche: travesso.
Clown: palhaço.
Estertor: respiração ruidosa.
Estuoso: que jorra com força.

Registre as respostas em seu caderno.

1 Faça um estudo da forma do poema (métrica, rimas, etc.).

2 Em cada um dos tercetos há uma forma verbal no modo imperativo. Quais são essas formas verbais? O que elas sugerem no poema?

3 Para metaforizar a dor humana, o poeta parte da imagem do palhaço. Explique como essa opção fez do poema um grande paradoxo.

4 Que recurso o poeta usa para quebrar a imagem-clichê do palhaço?

PARA LEMBRAR

Paradoxo é a associação de palavras ou expressões de significados inconciliáveis, contraditórios, de um mesmo referente.

ProvocAÇÃO

Como você já estudou, os poemas simbolistas costumam ser herméticos e possibilitam várias interpretações. O que será que o poeta quer sugerir ao leitor quando, para designar a dor e a tristeza humanas, utiliza a figura de um palhaço manipulado por um público que assiste a ele?

Três aspectos merecem destaque no poema "Acrobata da dor":

- o rigor formal, que revela a influência do Parnasianismo sobre a poesia de Cruz e Sousa;
- a imagem do "tristíssimo palhaço" é apenas sugerida ao longo do soneto, característica bastante comum nas produções simbolistas;
- o poeta concebe o homem como um ser condenado à dor de existir e inserido num mundo de representação e encenação.

⊙ A obscuridade e o sonho

Outro aspecto importante na poesia de Cruz e Sousa é o caráter soturno e estranho que assumem alguns de seus versos. Nessa faceta, a morte, o culto das sombras da noite, a fusão do amor e da morte aparecem como temas. Esse universo obscuro é apresentado, muitas vezes, numa linguagem que lembra o sonho ou o caos do inconsciente humano, ou seja, numa lógica diferente daquela que rege o mundo real, concreto.

Leia o fragmento do poema "Olhos do sonho", publicado na obra póstuma *Faróis* (1900):

Olhos do sonho

Certa noite **soturna**, solitária,
Vi uns olhos estranhos que surgiam
Do fundo horror da terra funerária
Onde as visões sonâmbulas dormiam...

Nunca da terra neste leito raso
Com meus olhos mortais, alucinados...
Nunca tais olhos **divisei** acaso
Outros olhos eu vi transfigurados.

A luz que os revestia e alimentava
Tinha o **fulgor** das **ardentias vagas**,
Um demônio **noctâmbulo** espiava
De dentro deles como de **ígneas plagas**.

E os olhos caminhavam pela treva
Maravilhosos e fosforescentes...
Enquanto eu ia como um ser que leva
Pesadelos fantásticos, trementes.

Na treva só os olhos, muito abertos,
Seguiam para mim com majestade,
Um sentimento de cruéis desertos
Me apunhalava com atrocidade.

[...]

Disponível em: <http://www.dominiopublico.gov.br/download/texto/ua00079a.pdf>. Acesso em: 19 fev. 2013. (Fragmento).

Soturna: sombria.
Divisei: avistei, percebi.
Fulgor: brilho.
Ardentias: cintilantes.
Vagas: ondas.
Noctâmbulo: sonâmbulo.
Ígneas: ardentes.
Plagas: praias.

Responda às questões oralmente sob a orientação do professor.

1 Perpassa o poema a sugestão de um pesadelo.
a) Que aproximações há entre esse poema e um sonho ruim?
b) Que elementos garantem o tom sombrio do pesadelo?

2 Que sentimentos ambíguos os "olhos estranhos" suscitam no eu lírico?

3 Com qual movimento literário os quartetos de Cruz e Sousa dialogam? Justifique sua resposta.

As formas claras e cristalinas

São presenças constantes na poesia de Cruz e Sousa as referências à cor branca e aos objetos luminosos e translúcidos: luares, formas alvas, neve, lírios, formas vaporosas, espuma, luz, éter, névoa, sol, estrelas, ouro, cristais. Essa quase obsessão pelo branco e pela claridade perpassa a poesia do catarinense e funciona como uma espécie de busca da pureza da Forma e da essência das coisas.

A poesia da musicalidade

Como você já estudou, os simbolistas atribuíram grande valor à música. Para eles, essa arte expressaria, como nenhuma outra, o vago e o indefinido. De acordo com a concepção do compositor alemão Richard Wagner (1813-1883) — segundo a qual as duas necessidades básicas do homem seriam a **emoção** e a **ideia** —, os poetas simbolistas acreditavam que a música satisfaria a primeira necessidade, enquanto a literatura (arte das palavras) daria conta da segunda. Já a poesia, considerada uma arte global pelos simbolistas, teria o poder de unir a música e a palavra (emoção e ideia).

Em Cruz e Sousa, a busca da musicalidade nos versos atinge altos níveis de sofisticação, como se pode ver nos quartetos transcritos abaixo, retirados de um poema de 1897, publicado em *Faróis*.

NAVEGUE

Leia outros poemas de Cruz e Sousa em: <http://www.jornaldepoesia.jor.br/csousa.html>.

Violões que choram...

Ah! plangentes violões dormentes, mornos,
Soluços ao luar, choros ao vento...
Tristes perfis, os mais vagos contornos,
Bocas murmurejantes de lamento.

Noites de além, remotas, que eu recordo,
Noites da solidão, noites remotas
Que nos azuis da Fantasia bordo,
Vou **constelando** de visões **ignotas**.

Sutis palpitações à luz da lua,
Anseio dos momentos mais saudosos,
Quando lá choram na deserta rua
As cordas vivas dos violões chorosos.

Quando os sons dos violões vão soluçando,
Quando os sons dos violões nas cordas gemem,
E vão **dilacerando** e deliciando,
Rasgando as almas que nas sombras tremem.

Harmonias que **pungem**, que **laceram**,
Dedos nervosos e ágeis que percorrem
Cordas e um mundo de **dolências** geram,
Gemidos, prantos, que no espaço morrem...

E sons soturnos, suspiradas mágoas,
Mágoas amargas e melancolias,
No sussurro monótono das águas,
Noturnamente, entre ramagens frias.

BEBA/AISA/THE BRIDGEMAN ART LIBRARY - PRIVATE COLLECTION, MADRID

GRIS, Juan. *Violão sobre uma cadeira*. 1913. Óleo sobre tela, 100 × 65 cm.

Constelando: enfeitando.
Ignotas: desconhecidas.
Dilacerando: despedaçando.
Pungem: atormentam.
Laceram: despedaçam.
Dolências: dores.

Vozes **veladas**, veludosas vozes,
Volúpias dos violões, vozes veladas,
Vagam nos velhos **vórtices** velozes
Dos ventos, vivas, vãs, vulcanizadas.

Tudo nas cordas dos violões ecoa
E vibra e se contorce no ar, convulso...
Tudo na noite, tudo clama e voa
Sob a febril agitação de um pulso.

[...]

SOUSA, João da Cruz e. Violões que choram... In: JUNKES, Lauro (Sel. e pref.). *Roteiro da poesia brasileira*: Simbolismo. São Paulo: Global, 2006. p. 24-25. (Fragmento).

Veladas: disfarçadas.
Volúpias: prazeres.
Vórtices: turbilhões.

Responda às questões em seu caderno.

1 "Violões que choram...", como você notou, parte de uma personificação.

a) Explique como esse recurso linguístico é construído no poema. Dê exemplos.

b) Que efeito de sentido tem a personificação no texto?

2 Nesse poema de Cruz e Sousa está o exemplo de aliteração mais conhecido da poesia brasileira. Explique essa afirmação recorrendo aos versos do poema.

3 Releia as duas últimas estrofes do poema transcrito e relacione o aspecto fônico das aliterações ao semântico, isto é, procure desvendar as relações entre som e sentido.

PARA LEMBRAR

Prosopopeia ou **personificação:** figura de linguagem que consiste em humanizar seres não humanos (animais, plantas, objetos), atribuindo-lhes linguagem, sentimentos e ações humanas.

ProvocAÇÃO

Você viu anteriormente que, baseando-se na concepção de Richard Wagner, que considerava a emoção e a ideia as duas necessidades básicas do ser humano, os poetas simbolistas associavam a música à satisfação da primeira necessidade e a literatura à satisfação da segunda.

Para você, o poema "Violões que choram..." ilustra essa tese? Fundamente sua opinião e dê novos exemplos (de músicas e de poemas) que deem conta dessas necessidades humanas. Recorra, para isso, à sua biblioteca cultural.

O misticismo e a sensualidade

Na poesia de Cruz e Sousa, como na de outros simbolistas, o misticismo e o desejo de transcendência estão em primeiro plano. São comuns nos versos do poeta termos litúrgicos cristãos e referências à alma e a religiões orientais como o budismo. Essa religiosidade em Cruz e Sousa, entretanto, foge das bases católicas tradicionais ao defender que o encerramento da trajetória humana não é o encontro com o divino (Deus), mas com o fim da dor. A morte, dessa forma, representaria uma espécie de retorno ao "Nada", uma "Solidão radiante", conforme afirma o autor no poema "Êxtase búdico". Essas concepções estão presentes mais claramente nos poemas que compõem os *Últimos sonetos*, publicação póstuma de 1905. Todo esse desejo de elevação mística mescla-se, em algumas composições de Cruz e Sousa, a um sutil sensualismo, conforme você poderá observar lendo o poema a seguir.

Imortal atitude

Abre os olhos à Vida e fica mudo!
Oh! Basta crer indefinidamente
para ficar iluminado tudo
de uma luz imortal e transcendente.

Crer é sentir, como secreto escudo,
a alma risonha, lúcida, vidente...
E abandonar o sujo deus cornudo,
o **sátiro** da Carne **impenitente**.

Abandonar os **lânguidos** rugidos,
o infinito gemido dos gemidos
que vai no lodo a carne **chafurdando**.

Erguer os olhos, levantar os braços
Para o eterno Silêncio dos Espaços
E no Silêncio emudecer olhando.

Disponível em: <http://www.dominiopublico.gov.br/download/texto/bn000078.pdf>. Acesso em: 19 fev. 2013.

Sátiro: devasso, luxurioso.
Impenitente: pecador; vicioso.
Lânguidos: voluptuosos, sensuais.
Chafurdando: remexendo, revolvendo.

Responda às questões no caderno.

1 Você já viu que, no Simbolismo, é comum o uso de inicial maiúscula para atribuir valor absoluto e simbólico às palavras.

a) Transcreva do poema as palavras em que isso ocorre.

b) Que valores absolutos são atribuídos a essas palavras e que justificam sua grafia com inicial maiúscula?

2 No primeiro quarteto, o eu lírico dá um conselho ao seu interlocutor e depois defende um determinado ponto de vista.

a) Desfaça o hipérbato presente na primeira estrofe para facilitar sua compreensão do texto.

b) Que conselho é dado ao interlocutor?

c) Que ponto de vista é defendido no primeiro quarteto após o aconselhamento?

PARA LEMBRAR

Hipérbato: figura de linguagem em que o poeta, ao construir seus versos, inverte a ordem natural e direta dos termos da oração para obter um efeito estilístico.

3 No segundo quarteto, o eu lírico explica o que é "crer". Transcreva a definição que é dada para esse verbo.

4 Para responder às questões seguintes, relacione as informações do boxe abaixo ao conteúdo do poema.

Sátiro ou fauno

Sátiro é um ser mitológico, metade homem e metade animal, presente na cultura grega antiga. Com cabeça humana, chifres e patas de bode, costumava vagar pelos bosques com uma flauta, acompanhando o deus Dionísio (do vinho e das festas). Nos mitos gregos, é referido como um ser relacionado aos instintos sexuais. Na mitologia romana, é conhecido como fauno.

MAURICE AESCHIMANN/MAH PHOTO - MUSEU DE ARTE E HISTÓRIA, GENEBRA, SUÍÇA

SCHWABE, Carlos. *O fauno*. 1923. Giz, carvão e lápis de cor, 115 × 146 cm.

a) Segundo o eu lírico, o que o homem deve abandonar a fim de conseguir crer com plenitude?

b) No seu ponto de vista, por que o eu lírico pede esse tipo de renúncia ao seu interlocutor?

5 Depois de abrir os olhos para a "Vida", de emudecer e de abandonar os desejos carnais, para onde iria o homem, segundo o eu lírico?

"Antífona": profissão de fé simbolista

"Antífona" é considerado um dos poemas mais significativos da língua portuguesa. Nessa verdadeira profissão de fé simbolista, que abre a coletânea *Broquéis*, de 1893, Cruz e Sousa invoca "Infinitos espíritos dispersos, / Inefáveis, edênicos, aéreos" para fazer uma grande apologia das Formas alvas, do Amor, das Virgens e Santas vaporosas, da Dor, da sinestesia, da sugestão, do Sonho, da Morte e, acima de tudo, do próprio Mistério da poesia. Leia o poema na íntegra, acessando: <http://www.revista.agulha.nom.br/csousa.html#antifona>.

Material complementar
• Atividade: Leitura dramatizada de "Antífona"

Alphonsus de Guimaraens: amor e morte

Pode um amor trágico, cristalizar-se na poesia de um autor? De Alphonsus de Guimaraens, já se disse que foi poeta de um tema só: a morte de sua amada.

Retomando sua biblioteca cultural, você se lembrará de que Petrarca dedicou parte significativa de sua produção poética a cantar seu amor por Laura, jovem que conheceu aos 23 anos. De forma semelhante, Alphonsus de Guimaraens teve como motivo inspirador uma única mulher, sua prima Constança. Filha do romancista Bernardo Guimarães, ela morreu ainda na adolescência, vítima da tuberculose. Esse tema único desdobrou-se em muitos. Em seus versos, o poeta mineiro cantou, além do amor inextinguível, a natureza, a arte, o sonho místico, a morte e o macabro (de influência romântica). Destacou-se também pela poesia de forte tom espiritualista, religiosa, de viés católico.

O soneto a seguir, publicado na obra póstuma *Pastoral aos crentes do amor e da morte*, traz a presença de sua amada.

ACERVO ICONOGRAPHIA

Retrato de Alphonsus de Guimaraens, s.d.

O mineiro **Alphonsus de Guimaraens** (1870-1921) mal começara seus estudos de Engenharia em Ouro Preto (MG), quando, em 1888, morre sua amada Constança. Deixando a cidade e os estudos, passou a atuar como jornalista em São Paulo. Integrou um grupo simbolista e, no Rio de Janeiro, conheceu Cruz e Sousa. Diplomou-se advogado e levou uma vida discreta na companhia da mulher e de seus catorze filhos.

Hão de chorar por ela os cinamomos

Hão de chorar por ela os **cinamomos**,
Murchando as flores ao **tombar** do dia.
Dos laranjais hão de cair os **pomos**,
Lembrando-se daquela que os colhia.

As estrelas dirão: — "Ai! nada somos,
Pois ela se morreu **silente** e fria..."
E pondo os olhos nela como pomos,
Hão de chorar a irmã que lhes sorria.

A lua, que lhe foi mãe carinhosa,
Que a viu nascer e amar, há de envolvê-la
Entre lírios e pétalas de rosa.

Os meus sonhos de amor serão defuntos...
E os arcanjos dirão no azul ao vê-la,
Pensando em mim: — "Por que não vieram juntos?"

GUIMARAENS, Alphonsus de. Hão de chorar por ela os cinamomos. In: JUNKES, Lauro (Sel. e pref.). *Roteiro da poesia brasileira*: Simbolismo. São Paulo: Global, 2006. p. 24-25.

Cinamomo: espécie de árvore da qual se podem extrair essências.
Tombar: fim.
Pomos: frutos.
Silente: silenciosa.

Responda às questões em seu caderno.

1 As três primeiras estrofes do soneto são construídas a partir de elementos da natureza.

a) Quais são esses elementos?

b) A natureza mencionada nas estrofes aparece personificada. Explique essa afirmação.

2 Você já sabe que são comuns conexões entre movimentos literários. Na unidade 6, você estudou que o artista romântico vê na natureza uma cúmplice. Personificada, ela dialoga com o estado espiritual do poeta. Explique de que modo essa faceta romântica pode ser relacionada àquilo que você respondeu na questão 1.

3 No último terceto, há uma quebra do paralelismo temático.

a) Explique de que forma se dá essa quebra.

b) Que elemento religioso é inserido nesse terceto?

c) Relacione a presença desse elemento religioso à intensificação dos sentimentos vividos pelo eu lírico.

NAVEGUE

Conheça um museu dedicado a Guimaraens acessando: <http://www.cultura.mg.gov.br/museus/museu-casa-aphonsus-de-guimaraes>.

Os simbolistas foram responsáveis, entre outras coisas, pelo revolucionário verso livre, libertando definitivamente a poesia do rigor formal. Com os simbolistas, os versos puderam combinar diferentes metros, o ritmo tornou-se variável, houve a implosão da estrutura lógica do poema e os neologismos entraram em cena. Além disso, a ideia de que a agitação das grandes metrópoles deveria ser expressa pela literatura — tão cara ao Modernismo, movimento que estudaremos na próxima unidade — já aparece sugerida por Baudelaire em *As flores do mal*, marco inicial do Simbolismo.

Atividades: Entre textos

Imagine como o público leitor brasileiro do final do século XIX, familiarizado com os versos de Olavo Bilac e Alberto de Oliveira, recebeu um poema em prosa como "Ocaso no mar", publicado por Cruz e Sousa em *Missal*, que você lerá a seguir (texto 1). Esse tipo de poema podia ser uma novidade no Brasil, mas não na Europa, como poderemos comprovar pela leitura do texto 2, "Delírios II — Alquimia do verbo", de Arthur Rimbaud, poema em prosa que integra a obra *Uma temporada no inferno*. Em seu último livro, o poeta francês apresenta poeticamente a intensa e errante vida que levou ao lado do escritor Verlaine durante o ano de 1872.

Texto 1

Ocaso no mar

Num **fulgor** d'ouro velho o sol tranquilamente desce para o **ocaso**, no limite extremo do mar, d'águas calmas, serenas, dum espesso verde pesado, **glauco**, num tom de bronze.

No céu, de um desmaiado azul, ainda claro, há uma doce suavidade astral e religiosa.

Fulgor: brilho.

Ocaso: pôr do sol.

Glauco: verde-azulado.

Às derradeiras cintilações doiradas do nobre Astro do dia, os navios, com o maravilhoso aspecto das **mastreações**, na quietação das ondas, parecem estar em êxtase na tarde.

Num esmalte de gravura, os mastros, com as **vergas** altas, lembrando, na distância, esguios caracteres de música, pautam o fundo do horizonte límpido.

Os navios, assim armados, com a mastreação, as vergas dispostas por essa forma, estão como que a fazer-se de vela, prontos a arrancar do porto.

Um ritmo indefinível, como a errante, **etereal** expressão das forças originais e virgens, **inefavelmente** desce, na tarde que finda, por entre a nitidez já indecisa dos mastros...

Em pouco as sombras densas envolvem gradativamente o horizonte em torno, a vastidão das vagas.

Começa, então, no alto e profundo firmamento silencioso, o brilho frio e fino, aristocrático das estrelas.

Surgindo através de tufos escuros de folhagem, além, nos cimos montanhosos, uma lua amarela, de face chata de **chim**, verte um óleo luminoso e dormente em toda a amplidão da paisagem.

Disponível em: <http://www.dominiopublico.gov.br/download/texto/ua00080a.pdf>. Acesso em: 19 fev. 2013.

Mastreações: conjuntos de mastros.
Vergas: vigas.
Etereal: sublime, divina.
Inefavelmente: de forma indescritível.
Chim: chinês.

Texto 2

Delírios II
Alquimia do verbo

Para mim. A história das minhas loucuras.

Há muito me gabava de possuir todas as paisagens possíveis, e julgava **irrisórias** as celebridades da pintura e da poesia moderna.

Gostava das pinturas idiotas, em portas, decorações, telas circenses, placas, iluminuras populares; a literatura fora de moda, o latim da igreja, livros eróticos sem ortografia, romances de nossos antepassados, contos de fadas, pequenos livros infantis, velhas óperas, **estribilhos** ingênuos, ritmos ingênuos.

Sonhava com as cruzadas, viagens de descobertas de que não existem relatos, repúblicas sem histórias, guerras de religião esmagadas, revoluções de costumes, deslocamentos de raças e continentes: acreditava em todas as magias.

Inventava a cor das vogais! – *A* negro, *E* branco, *I* vermelho, *O* azul, *U* verde. Regulava a forma e o movimento de cada consoante, e, com ritmos instintivos, me vangloriava de ter inventado um verbo poético acessível, um dia ou outro, a todos os sentidos. Era comigo traduzi-los.

Foi primeiro um experimento. Escrevia silêncios, noites, anotava o inexprimível. Fixava vertigens.

[...]

RIMBAUD, Arthur. *Uma temporada no inferno*. Trad. Paulo Hecker Filho. 2. ed. (bilíngue). Porto Alegre: L&PM, 2007. p. 63-65. (L&PM Pocket; v. 35). (Fragmento).

O poeta Rimbaud, por autor desconhecido.

Arthur Rimbaud (1854-1891) é considerado um dos grandes poetas da França. Irreverente, ousado e talentoso, dedicou-se à literatura somente até os 21 anos de idade, mas produziu obras de peso, como o poema "O barco bêbado", *Uma temporada no inferno* (1873) e *Iluminações* (1874).

Irrisórias: insignificantes.
Estribilhos: refrões.

Registre as respostas no caderno.

1 Os poemas simbolistas caracterizam-se pelo uso de palavras incomuns, de um vocabulário não coloquial, sofisticado. Relacione essa afirmação ao poema "Ocaso no mar" e justifique sua resposta com exemplos.

2 Que fenômeno natural está sendo descrito no poema de Cruz e Sousa?

3 No capítulo 25, você aprendeu que os simbolistas valorizavam a ideia de sugestão. Encontre em "Ocaso no mar" exemplos que confirmam essa afirmação.

4 Que recursos utilizados por Cruz e Sousa intensificam a sonoridade do poema?

5 Releia o seguinte trecho do poema em prosa de Rimbaud:

> Gostava das pinturas idiotas, em portas, decorações, telas circenses, placas, iluminuras populares; a literatura fora de moda, o latim da igreja, livros eróticos sem ortografia, romances de nossos antepassados, contos de fadas, pequenos livros infantis, velhas óperas, estribilhos ingênuos, ritmos ingênuos.

A partir dessa leitura, o que se pode inferir sobre o eu lírico?

6 Ainda com relação ao poema de Rimbaud, que universo valorizado pelo eu lírico se identifica com os ideais defendidos pelos simbolistas?

7 Relacione o último parágrafo do poema de Rimbaud, transcrito a seguir, ao poema "Ocaso no mar", de Cruz e Sousa.

> Foi primeiro um experimento. Escrevia silêncios, noites, anotava o inexprimível. Fixava vertigens.

NAVEGUE

Uma das figuras de linguagem mais caras aos poetas simbolistas, a sinestesia, dá nome também a um curioso fenômeno mental. Leia reportagem a respeito em: <http://www2.uol.com.br/vivermente/reportagens/ouvindo_cores.html>.

NAVEGUE

Leia mais poemas de Rimbaud: <http://www.recantodasletras.com.br/resenhasdelivros/849964>.

O QUE VOCÊ APRENDEU NO PERCURSO DESTE CAPÍTULO

- Os poetas simbolistas brasileiros foram abafados pelos realistas-naturalistas e pelos parnasianos.
- Com *Missal* e *Broquéis*, Cruz e Sousa inaugurou o Simbolismo no Brasil. Destacam-se os seguintes aspectos na produção do poeta: sentimento de angústia espiritual (dor existencial); rigor formal, herança da influência parnasiana; caráter soturno; expressiva musicalidade; obsessão pelas formas claras, brancas e transparentes; misticismo e desejo de transcendência; sensualismo.
- Alphonsus de Guimaraens teve como motivo inspirador sua amada Constança, vítima de tuberculose ainda na adolescência. O tema do amor inextinguível teve desdobramentos: natureza, arte, sonho místico, morte e macabro (de influência romântica). O poeta destacou-se também pelos versos de forte tom espiritualista, religioso, de viés católico.

Expressões

Apresentamos nesta seção duas propostas para você exercitar sua criatividade. Escolha uma delas (ou as duas) e... expresse-se!

PROPOSTA 1

Você, certamente, já teve contato com o gênero textual conto, quer em seus estudos nos ensinos Fundamental e/ou Médio, quer como leitor. As mensagens eletrônicas (sms, *twitter*) trouxeram à tona uma variação desse gênero, os chamados microcontos ou nanocontos — narrativas curtas, concisas (com até 150 caracteres), em que os elementos narrativos, a seleção lexical e a pontuação instigam a imaginação do leitor. Esses textos curtos circulam em *blogs*, mensagens por celular, livros impressos, etc.

Um dos mais conhecidos microcontos é o do hondurenho Augusto Monterroso (1921-2003):

Quando acordou,
o dinossauro ainda estava lá.

In: FREIRE, Marcelino (Org.).
Os cem menores contos brasileiros do século.
Cotia: Ateliê Editorial, 2004.

Com 37 caracteres, o contista construiu uma história com narrador, personagens (o dinossauro e a pessoa que acordou), espaço ("lá", provavelmente um quarto), ações (acordar, estar), conflito (a presença do dinossauro) e os marcadores temporais ("quando" e "ainda"), que determinam a sucessão dos fatos ("o antes" e "o agora"). Cada palavra do texto foi cuidadosamente escolhida para provocar no leitor a sensação de perigo iminente, de estranhamento.

No Brasil, o escritor Marcelino Freire organizou uma coletânea intitulada *Os cem menores contos brasileiros do século*. Os autores participantes desse projeto enfrentaram o desafio de produzir contos com até 50 caracteres, excluindo-se o título. Observe dois exemplos de conto presentes na coletânea.

Terrores noturnos

Abriu os olhos, pulou da cama,
correu até a porta: trancada.

VIDAL, Paloma.
In: FREIRE, Marcelino, op. cit., p. 14.

No embalo da rede

Vou,
mas levo as crianças

LOPES, Carlos Herculano.
In: FREIRE, Marcelino, op. cit., p. 14.

Eis a proposta de trabalho: em grupos de três alunos, vocês vão produzir um microconto em que apareçam temas típicos do Simbolismo (como o misticismo, o sonho, o mistério, a morte, etc.) e animá-lo por meio de um *flipbook*, conforme as instruções a seguir.

- Cada membro do grupo deve escrever um microconto de até 100 caracteres, lembrando-se de que se trata de uma narrativa breve, que obriga o leitor a "preencher as lacunas" com a imaginação.
- Depois que todos tiverem produzido seus textos, o grupo deve analisar qual dos microcontos será animado.
- Escrevam, então, um pequeno roteiro, descrevendo, cena a cena, cada quadro e o cenário correspondente. Vejam um exemplo de como adaptar o microconto para a linguagem da animação:

Microconto	Roteiro da animação
Corpos se esbarram. Livros vão ao chão. — Deixa que eu pego. Na subida, olhares se cruzam.	*Cenário — corredor da escola* *Personagens — garoto e garota; ela carrega alguns livros* **Cena 1:** Os personagens caminham em direções opostas. **Cena 2:** Os personagens se esbarram e os livros caem. **Cena 3:** O garoto diz: "Deixa que eu pego". **Cena 4:** Ambos se abaixam. **Cena 5:** Enquanto se levantam, seus olhares se cruzam.

- O *flipbook* é um pequeno bloco em que os desenhos se repetem página a página, com alterações mínimas; ao folheá-lo rapidamente, o leitor tem a impressão de que as imagens se movimentam. Portanto, para dar vida ao roteiro, vocês terão de decompor cada "cena" em uma sequência de vários desenhos.

PROPOSTA 2

ODILON MORAES

O ilustrador Odilon Moraes fez um recorte interpretativo visual bastante simbolista do poema "Ismália", na publicação da editora Cosac Naify (2006).

O poema simbolista "Ismália", que você leu no capítulo 26, teve quatro versões até chegar à que conhecemos hoje. Nas três primeiras, seu título era "Ofélia", em referência à personagem da peça teatral *Hamlet*, de William Shakespeare, que enlouquece e morre afogada numa cena dramática. Na versão imortalizada do poema, Ofélia se torna Ismália, mas a loucura e o afogamento se mantêm.

Em 2006, a convite de uma editora, o artista plástico Odilon Moraes transformou em imagens os versos de Alphonsus de Guimaraens.

As ilustrações de Moraes foram inseridas em um pequeno livro de páginas sanfonadas, depositado em uma caixinha. Ao abrir o livro, o leitor mergulha em imagens organizadas quadro a quadro como se estivesse em um filme simbolista.

Tendo como inspiração o trabalho — simples e sugestivo — desse artista, crie quadros ilustrativos para o poema "Ismália". Utilize para isso o material que desejar: giz de cera, lápis de cor, caneta colorida, tinta, colagens, etc.

Ao final, cole cada um dos quadros e forme — a exemplo do que fez Odilon Moraes — uma sanfona composta de desenhos e versos manuscritos. Depois de pronto seu trabalho, presenteie um amigo com seu livro-poema.

- Coloquem o título do microconto na primeira folha do *flipbook*.
- Depois de testarem o *flipbook*, certificando-se de que ele permite o entendimento da animação, troquem-no com os outros grupos.
- Vocês também podem combinar com o professor e os demais grupos o envio dos *flipbooks* para outras turmas, a fim de que elas possam manuseá-los, apreciar as animações e, se possível, fazer comentários aos autores.
- Uma outra opção é fazer a animação do roteiro usando recursos digitais, como Adobe Flash, Corel Draw, Movie Maker, etc.

Leitura puxa leitura

Comece sua leitura por:

Missal e **Broquéis** (1893), de Cruz e Sousa

Por que ler: Como muitos negros nascidos no século XIX, Cruz e Sousa teve sua arte rebaixada em razão do preconceito. Sua obra, entretanto, ultrapassou a barreira da ignorância de uma época e mostrou-se uma das melhores poesias simbolistas já feitas. *Missal* e *Broquéis* romperam com diversas tradições e convenções, conduzindo a literatura nacional às portas da modernidade.

Cruz e Sousa: o poeta do desterro (2000), de Sylvio Black

Por que assistir: Composto por 34 estrofes visuais, esse filme apresenta fragmentos da obra do poeta em diálogo com sua triste vida.

Obras de Mallarmé

Por que ler: Um dos maiores expoentes do Simbolismo francês, Mallarmé levou sua poesia a um nível de experimentação estética e temática além da capacidade de compreensão de sua época.

As flores do mal (1857), de Charles Baudelaire

Por que ler: Essa coletânea é considerada o marco inicial do Simbolismo europeu e, em certa medida, um dos antecedentes do Modernismo.

Obras de Alphonsus de Guimaraens

Por que ler: A religiosidade e o misticismo imprimem aos poemas de Guimaraens um traço essencial aos simbolistas: a busca pelas ideias puras por trás da realidade mundana.

Aos vivos (1994), de Chico César

Por que ouvir: A reelaboração da linguagem em "A prosa impúrpura de Caicó" é muito próxima de alguns aspectos da produção de Mallarmé — poeta que é, inclusive, citado na canção.

Obras de Monet

Por que ver: Claude Monet é o grande pintor do Impressionismo, estética na qual, como no Simbolismo, os objetos eram representados de forma mais sugestiva.

Sonhos (2003), de Franz Kafka

Por que ler: Reunindo trechos de cartas e anotações de diários, essa obra apresenta relatos de Franz Kafka sobre seus sonhos, tema tão caro ao Simbolismo.

Ismália (2006), de Alphonsus de Guimaraens, com ilustrações de Odilon Moraes

Por que ler/ver: As ilustrações do artista Odilon Moraes conferem ao célebre poema simbolista um forte apelo sensorial.

Viagem, vaga música (1982), de Cecília Meireles

Por que ler: Herdeira da musicalidade e da cadência simbolistas, Cecília apresenta nessa obra diversos poemas que abordam a melancolia, o sonho e a saudade.

Os impressionistas (2006), da BBC

Por que assistir: Essa minissérie narra a história dos mais ilustres artistas impressionistas franceses e oferece uma representação fiel do contexto social da produção artística francesa no final do século XIX.

Sonhos (1990), de Akira Kurosawa

Por que assistir: Inspirados pelos sonhos, os oito episódios que compõem esse filme destacam mais o aspecto imagético e as sugestões sensoriais do que o encadeamento lógico e linear das narrativas.

A origem (2010), de Christopher Nolan

Por que assistir: Como os simbolistas, nesse filme, os personagens mergulham nos sonhos e no poderoso universo do inconsciente.

Macau (2003), de Paulo Henriques Britto

Por que ler: Nessa coletânea, poemas como "Súcubo", "*De vulgari eloquentia*" e "A escuridão começa pelas bordas" dialogam com a temática sonho/realidade.

UNIDADE 11

VANGUARDAS EUROPEIAS E MODERNISMO PORTUGUÊS

Não deve haver tela mais conhecida que a *Mona Lisa*, de Leonardo da Vinci. Os 23 milhões de manipulações digitais na internet comprovam que a pintura é um fenômeno da cultura de massa. Pensando nisso, o artista plástico paulistano Nelson Leirner resolveu "banalizar o banalizado", na instalação *Quadro a quadro: cem Monas* (2012), em que manipula artesanalmente a imagem mais *pop* da história da arte.

As "Monas Lisas" de Leirner, criadas a partir de acessórios comprados em barracas de camelôs, são menos arte do que a obra original do gênio renascentista? O que é uma obra de arte? Para o que ela serve? O que é um artista? O que é originalidade? Uma cópia manipulada é arte? Há obrigatória separação entre o que é literatura, artes plásticas, teatro, cinema? Perguntas como essas — para as quais os especialistas do século XXI não têm (e provavelmente jamais terão) respostas definitivas — inquietaram grupos de artistas de variadas tendências nas primeiras décadas do século XX. Adorada e odiada por muitos, a chamada arte de vanguarda teve desdobramentos importantes — entre os quais o Modernismo português — e influenciou decisivamente as obras literárias publicadas hoje.

LEIRNER, Nelson. *Quadro a quadro: cem Monas*. 2012. Técnica mista, 30 × 40 × 10 cm. Criadas artesanalmente por Nelson Leirner, as cem versões da clássica *Mona Lisa* propõem uma reflexão sobre a banalização da arte e sobre os abusos da tecnologia e das técnicas de edição de imagens. Nesta página, vemos quatro versões.

CORTESIA GALERIA SILVIA CINTRA/BOX 4

Objeto educacional digital (animação)
- *Quadro a quadro: cem Monas*

Para início de conversa

Observe a obra a seguir, que compõe as "Imagens fora de série", do livro *Vik Muniz: obra completa* (1987-2009). Esse artista plástico paulistano, nascido em 1961, vive nos Estados Unidos desde 1983, e seus mais de 1.200 trabalhos, produzidos com diversos materiais — terra, poeira, chocolate, açúcar, brinquedos, sucatas, lixo, etc. —, são reconhecidos internacionalmente.

Responda às questões no caderno.

1 Para produzir sua *Medusa Marinara*, Vik Muniz recorreu a materiais diferentes dos utilizados comumente em quadros.

a) Que material o artista usou para compor esse trabalho?

b) Com que intenção Muniz teria utilizado esse material na composição de sua obra?

NAVEGUE

Conheça outras obras de Vik Muniz em: <http://www.vikmuniz.net/>.

MUNIZ, Vik. *Medusa Marinara*. 1997. Cópia fotográfica por oxidação de corantes, 66 cm de diâmetro.

2 Retome sua biblioteca cultural: você deve ter percebido que o trabalho de Vik Muniz estabelece intertextualidade com uma obra do Barroco europeu, a *Medusa* (1595-1598), de Caravaggio, reproduzida abaixo.

THE BRIDGEMAN ART LIBRARY/GRUPO KEYSTONE - GALLERIA DEGLI UFFIZI, FLORENÇA

CARAVAGGIO, Michelangelo Merisi da. *Medusa*. 1595-1598.
Óleo sobre tela montada em madeira, 6 cm de diâmetro.

a) Levando em conta o material utilizado por Caravaggio, que diferença há entre essa obra e a de Muniz?

b) Você deve ter notado que o material utilizado por Vik Muniz é perecível, o que impossibilita a exposição da obra em museus e galerias de arte por longo período. Levante hipóteses: qual seria a solução encontrada pelo artista para lidar com essa limitação?

3 Que semelhanças há entre a obra de Caravaggio e a de Muniz?

4 Segundo os biógrafos de Caravaggio (1571-1610), o artista barroco italiano tinha o hábito de assistir a execuções públicas em Roma, o que teria favorecido sua assombrosa habilidade de retratar cabeças decepadas. Mesmo recorrendo a outras estratégias, Muniz também consegue obter um efeito de decapitação em sua obra.

a) Que elemento presente na obra de Vik Muniz e ausente no original de Caravaggio cria um significativo impacto visual?

b) Marinara é um molho de origem italiana feito à base de tomates. Que sensação você tem ao saber que a obra de Vik Muniz, *Medusa Marinara*, faz referência a um prato da culinária?

PARA LEMBRAR

Segundo a mitologia, antes de ser decapitada por Perseu, Medusa tinha o poder de transformar em pedra quem ousasse encontrar o olhar dela.

NAVEGUE

Veja a *Medusa* de Caravaggio em detalhes: <http://www.googleartproject.com/pt-br/collection/uffizi-gallery/artwork/medusa-caravaggio-merisi/327483/>.

ProvocAÇÃO

As duas *Medusas*, de Caravaggio e de Muniz, foram produzidas em épocas diferentes, com materiais distintos e destinadas originalmente a públicos específicos. Na sua opinião, o público dos séculos XVI e XVII classificaria a *Medusa Marinara* como obra de arte?

SAIBA MAIS!

- Vik Muniz conta como foi influenciado pelo artista barroco:

O que aprendi com Caravaggio

Vi Caravaggio pela primeira vez quando ainda era criança, em reproduções mal impressas de livros e enciclopédias. Para mim, ele foi e será sempre o artista dos artistas. Não consigo imaginar nenhuma forma artística até o modernismo sem resíduos de sua presença. Em 20 anos de carreira, eu ainda mal consegui entender aquilo que ele alcançou quatro séculos atrás.

MUNIZ, Vik. *Bravo!*, ano 14, n. 180, ago. 2012, p. 22.

MUNIZ, VIK/LICENCIADO POR AUTVIS, BRASIL, 2013 - ACERVO DO ARTISTA

MUNIZ, Vik. *Autorretrato.* 2003. Colagem, 237,7 × 182,8 cm.

É claro que você pode gostar ou desgostar de um trabalho como a *Medusa Marinara* e, com base em seus valores e predileções, considerá-lo uma obra de arte ou não — mas talvez mude de opinião, caso entenda como e por que esse tipo de obra surgiu e a partir de quando passou a ser visto como arte pelos especialistas e por parte do público apreciador.

Ainda no século XIX, nas letras, autores como Poe, Baudelaire e Rimbaud, entre outros, promoveram uma verdadeira ruptura na ideia que se tinha de arte literária. Essas novas concepções e realizações estéticas motivaram o surgimento de vários grupos no início do século XX. Em razão da força de seu movimento simbolista, Paris transformou-se no maior centro cultural da Europa. Inebriados, de um lado, pela euforia diante da modernidade e da ciência e, de outro, pelo pessimismo decadentista do fim do século, os artistas procuraram se expressar por meio de tendências (ou "-ismos") denominadas genericamente de *vanguardas*.

As vanguardas marcaram o cenário artístico das primeiras décadas do século XX, curto período que anunciou as grandes transformações pelas quais o mundo passaria. A corrida imperialista e o neocolonialismo do final do século XIX, aliados a uma intensa militarização, serão os fatores para a eclosão da Primeira Guerra Mundial (1914-1918), evento que, para além de suas proporções, surpreendeu por transformar os padrões bélicos do século XIX e deixar de ser uma guerra de movimento para tornar-se uma guerra de trincheiras, muito mais longa.

Uma grave crise econômica levou a uma transformação radical na Rússia: em fevereiro de 1917, a população rebelou-se; o czar Nicolau II abdicou em março do mesmo ano e o país foi declarado uma ditadura do proletariado, seguindo os preceitos do socialismo.

A Primeira Guerra Mundial acabou em 1918, com a assinatura do Tratado de Versalhes. Condições bastante severas foram impostas à Alemanha, responsabilizada moralmente pelo conflito.

Em Portugal, a certeza das agruras da guerra e as disputas pelas colônias da África reviveram o nacionalismo, fazendo saudosistas e integralistas lutarem pelo poder.

Nesta unidade, estudaremos o Futurismo, o Expressionismo e o Cubismo, "-ismos" europeus que surgiram antes da Primeira Grande Guerra, além do Dadaísmo e do Surrealismo, tendências que apareceram depois. Analisaremos também a repercussão dessas vanguardas no Modernismo literário português, com ênfase na figura do poeta Fernando Pessoa.

Bem-vindo à modernidade!

Capa do primeiro número da revista *Orpheu*.

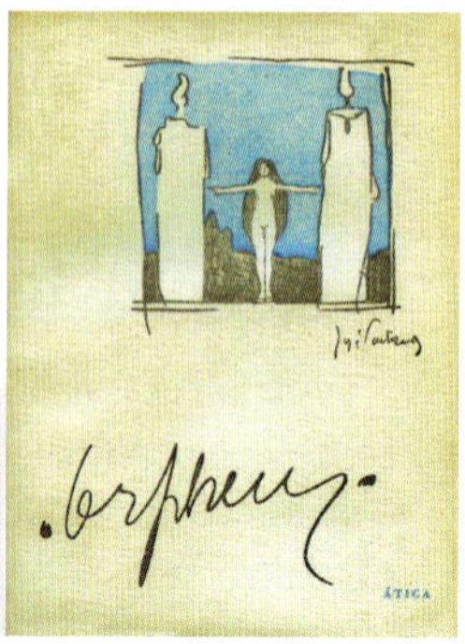

REPRODUÇÃO

Marcos literários

O Modernismo português tem início com a publicação da revista literária *Orpheu*, em 1915. Nesse mesmo ano, ocorre a exposição "Humoristas e Modernistas", na cidade do Porto.

CAPÍTULO 27

Vanguardas europeias: destruição e construção

PERCURSO DO CAPÍTULO

- A Belle Époque e as vanguardas
- Movimentos de destruição: Futurismo e Dadaísmo
- Movimentos de construção: Expressionismo e Cubismo
- Surrealismo: a arte do inconsciente

TIMOTHY A. CLARY/AFP PHOTO/GLOW IMAGES

ABRAMOVIC, Marina. *A casa com vista para o oceano*. 2002. Em *performances* polêmicas como essa, realizada na Sean Kelly Gallery de Nova York, durante a qual permaneceu em jejum por doze dias, a artista sérvia usa o corpo para testar os próprios limites, físicos e psicológicos, e os daqueles que participam de suas ações. A gênese desse tipo de arte está nas vanguardas europeias do início do século XX.

Introdução

Na Europa, a Belle Époque *dos cabarés, dos aeroplanos, dos automóveis, dos produtos em série, das discussões filosóficas e artísticas foi surpreendida com a eclosão da Primeira Guerra Mundial e suas devastadoras consequências. Neste capítulo, você estudará o Futurismo, o Dadaísmo, o Expressionismo, o Cubismo e o Surrealismo, principais movimentos artísticos de vanguarda que surgiram como novas formas de expressão artística num mundo estilhaçado.*

Os versos a seguir foram escritos pelo poeta chileno Vicente Huidobro (1893-1948) e compõem originalmente a coletânea *El espejo de agua* [O espelho d'água], publicada em 1916, em um difícil contexto para o Ocidente: a Primeira Guerra Mundial (ou Grande Guerra). Esse escritor teve importância fundamental nas vanguardas latino-americanas e fundou o Criacionismo, movimento que defendeu, entre outras, a ideia de que o poeta é criador absoluto.

Arte poética

Que o verso seja como uma chave
Que abra mil portas.
Uma folha cai; passa uma coisa **volátil**;
Que os olhos criem tudo quanto vejam,
E o ouvinte, alma trêmula, **vibrátil**.

Inventa mundos novos e atenta à palavra;
O adjetivo, se não dá vida, mata.

Estamos em pleno ciclo dos nervos.
O músculo pende,
Como lembrança, nos museus;
Nem por isso a força nos faleça:
O vigor verdadeiro
Reside na cabeça.

Por que cantar a rosa, ó Poetas!
Fazei-a florescer no poema;

Só para nós
Vivem todas as coisas sob o Sol.
O poeta é um pequeno Deus.

HUIDOBRO, Vicente. Arte poética. Trad. Haroldo de Campos. In: SCHWARTZ, Jorge. *Vanguardas latino-americanas*: polêmicas, manifestos e textos críticos. 2. ed. rev. e ampl. São Paulo: Edusp, 2008. p. 101-102.

Volátil: inconstante.
Vibrátil: que vibra.

Responda às questões no caderno.

1 Releia a primeira estrofe.
a) O que o eu lírico quer que seja o verso (a poesia)?
b) Sintetize em uma palavra qual seria o papel do poeta, sugerido na primeira estrofe.

2 Na segunda estrofe, que relação haveria entre os "mundos novos" e a "palavra"?

3 Na terceira estrofe, o eu lírico estabelece uma oposição entre duas capacidades humanas.

a) Explique essa afirmativa.

b) Qual das capacidades humanas do poeta sobressairia, segundo o eu lírico, "em pleno ciclo dos nervos", ou seja, no conturbado contexto da Primeira Guerra Mundial?

A "Arte poética", ou simplesmente "Poética", pode ser vista como um modo de entender poesia (ou a literatura de maneira geral), característico de um determinado escritor, época ou gênero literário. Há, por exemplo, uma poética típica de Castro Alves, outra do Simbolismo, outra do Arcadismo, etc. A "Poética" de Vicente Huidobro mostra uma concepção específica de poesia que o faz um precursor, na América Latina, da chamada arte de vanguarda. Ele defende que o poeta tem o poder de criar mundos, e não simplesmente de imitá-los. Para o autor chileno, "a primeira condição do poeta é criar; a segunda, criar; e a terceira, criar".

Esse tipo de pensamento dialoga com o que vinha sendo discutido por grupos de artistas europeus no início do século XX.

A *Belle Époque*: empolgação e demolição

Como você já estudou, na Europa do final do século XIX, conviveram várias tendências sociais, literárias, filosóficas e científicas, advindas do Realismo-Naturalismo. Esse período complexo, que se estende até o início da Primeira Guerra Mundial, denomina-se *Belle Époque*.

Imagine um mundo em que invenções — hoje banais — como o telefone, o rádio, o trem, o automóvel, o avião e o cinema passaram a integrar o cotidiano dos centros urbanos. Nesse novo mundo, os lucros acumulados pela produção em larga escala proporcionaram às classes dominantes uma sensação de segurança, conforto e otimismo em relação ao futuro nunca antes experimentada. Era a *Belle Époque*, tempo marcado pelas boêmias literárias, pela efervescência artística e pela vida noturna nos cabarés e bares parisienses. Essa época das novas tecnologias, do aprimoramento das técnicas de produção e de uma nova ideia de modernidade empolgou os mais ricos, mas deixou as classes trabalhadoras à margem desses recursos.

Material complementar
• Atividade: *Angelus Novus*, Paul Klee

Nos cafés e bulevares, artistas e intelectuais discutiam acaloradamente a poesia dos decadentistas, e depois simbolistas, Rimbaud, Verlaine, Baudelaire e Mallarmé, falavam sobre a necessidade de uma arte mais engajada socialmente e comentavam a iminência de uma desoladora guerra, que viria a enterrar definitivamente a agitada *Belle Époque*.

Outras formas de arte, como a pintura, também foram influenciadas pelo conflito que matou 9 milhões de pessoas e deixou 30 milhões de feridos. É o caso da tela ao lado, pintada pelo suíço-alemão Paul Klee (1879-1940).

CAROLE AND RONALD LAUDER, NEW YORK/THE BRIDGEMAN ART LIBRARY/GRUPO KEYSTONE – THE ISRAEL MUSEUM, JERUSALEM

KLEE, Paul. *Angelus Novus*. 1920. Nanquim e aquarela sobre papel, 32,2 × 24,2 cm. Formas modernas e conteúdo crítico exemplificam o espírito demolidor de muitos criadores das primeiras décadas do século XX, contexto da Grande Guerra.

As vanguardas

Originalmente, o termo *vanguarda* (do francês, *avant-garde*, e do inglês, *vanguard*) designava os agrupamentos armados que iam à frente dos exércitos nas guerras. Mais tarde, serviu para nomear, de maneira genérica, os movimentos artísticos que se desenvolveram nas primeiras décadas do século passado, opondo-se radicalmente aos valores de um novo tempo ou reafirmando-os.

Você vai conhecer agora o Futurismo e o Dadaísmo, movimentos vanguardistas de **destruição** dos valores artísticos até então consagrados; o Expressionismo e o Cubismo, movimentos de **construção** (recomposição simbólica do mundo e da arte); e o Surrealismo, vanguarda que dialogou com um novo saber revolucionário: a psicanálise de Freud. Todos esses grupos tinham em comum o fato de proporem uma renovação artística a partir de uma nova realidade, a modernidade imposta pelo século XX.

SAIBA MAIS!

- Grupos anarquistas e comunistas apropriaram-se do termo *vanguarda* como símbolo de transformação social. Nas artes, de maneira geral, essa palavra transformou-se em sinônimo de oposição ao passado e aos cânones artísticos impostos pela burguesia do século XIX e início do XX.

Futurismo: agressividade e movimento

Observe a tela a seguir, do pintor italiano Giacomo Balla, e responda oralmente ao que se pede.

Material complementar
- Amplie seus conhecimentos: Giacomo Balla e a cronofotografia

THE BRIDGEMAN ART LIBRARY/GRUPO KEYSTONE - COLEÇÃO PARTICULAR

BALLA, Giacomo. *Voo das andorinhas*. 1913. Têmpera sobre papel, 49,5 × 73,6 cm.

- **Com base no título do quadro, deduza: o que o pintor objetivava recriar? De que forma ele conseguiu o efeito desejado?**

A ideia de que a expressão do movimento de um corpo (como o dos pássaros da tela de Balla) e a velocidade eram temas dignos de figurar nas artes foi defendida com vigor pela vanguarda futurista.

Um movimento da modernidade

Quando você pensa em uma grande cidade, que imagens e sons lhe vêm à cabeça? E como seria representar esteticamente a velocidade, a agressividade das massas, o movimento das máquinas?

Fascinado por essas e outras questões, o escritor italiano Marinetti publicou uma série de manifestos que influenciariam grande parte das literaturas modernas.

E.O. HOPPE/CORBIS/LATINSTOCK

Filippo Tommaso Marinetti em 1913.

Filippo Tommaso Marinetti (1876-1944) é uma espécie de personificação do Futurismo. Quando chegou a Paris, aos dezessete anos, aproximou-se de decadentistas e de simbolistas e encantou-se com a teoria dos versos livres. Em 1909, o jornal francês *Le Figaro* publicou o "Manifesto do Futurismo", lançando o movimento de Marinetti, feito mais de manifestos do que de obras de arte.

Leia uma parte do polêmico "Manifesto do Futurismo":

Manifesto do Futurismo

1. Nós queremos cantar o amor ao perigo, o hábito à energia e à **temeridade**.
2. Os elementos essenciais de nossa poesia serão a coragem, a audácia e a revolta.
3. Tendo a literatura até aqui enaltecido a imobilidade pensativa, o êxtase e o sono, nós queremos exaltar o movimento agressivo, a insônia febril, o passo ginástico, o salto mortal, a bofetada e o soco.
4. Nós declaramos que o esplendor do mundo se enriqueceu com uma beleza nova: a beleza da velocidade. Um automóvel de corrida com seu cofre enfeitado de tubos grossos como serpentes de fôlego explosivo... um automóvel rugidor, que parece correr sobre a **metralha**, é mais belo que a *Vitória de Samotrácia*.

[...]

9. Nós queremos glorificar a guerra — única higiene do mundo — o militarismo, o patriotismo, o gesto destrutor dos anarquistas, as belas ideias que matam e o menosprezo à mulher.
10. Nós queremos demolir os museus, as bibliotecas, combater o moralismo, o feminismo e todas as covardias oportunistas e **utilitárias**.
11. Nós cantaremos as grandes multidões movimentadas pelo trabalho, pelo prazer ou pela revolta; [...]

[...]

MARINETTI, Filippo Tommaso. Manifesto do Futurismo. In: TELES, Gilberto Mendonça. *Vanguarda europeia & Modernismo brasileiro*: apresentação e crítica dos principais manifestos vanguardistas, de 1857 a 1972. 20. ed. Rio de Janeiro: José Olympio, 2012. p. 118-119. (Fragmento).

Temeridade: ousadia, imprudência.

Metralha: pedaços de ferro com que, antigamente, se carregavam os canhões.

Utilitárias: interesseiras.

Responda às questões no caderno.

1 Em seu "Manifesto do Futurismo", Marinetti defende uma literatura que dialogue com um novo tempo. Em que consistiria essa nova literatura?

2 Que tipos de literatura e de arte Marinetti considera ultrapassados e por isso devem ser combatidos?

3 Além de veicular novos valores sobre a literatura e a arte em geral, Marinetti defende ideias políticas conservadoras e preconceituosas que atentam contra os direitos humanos. Explique essa afirmação.

GIRAUDON/THE BRIDGEMAN ART LIBRARY/GRUPO KEYSTONE
MUSEU DO LOUVRE, PARIS

A *Vitória de Samotrácia*, esculpida provavelmente entre 220 e 190 a.C., representa a deusa grega Nice.

ProvocAÇÃO

Em seu "Manifesto", Marinetti defende que um produto industrial pode conter mais beleza do que uma obra de arte clássica. O que você pensa sobre isso? Concorda com o poeta italiano? Carros e esculturas podem ser comparados?

Como a leitura dos fragmentos do manifesto de Marinetti nos permite concluir, o Futurismo exaltou, entre outras coisas, a vida moderna, cultuou a máquina e a velocidade e defendeu a destruição do passado.

Uma das maiores contribuições do Futurismo para a contemporaneidade é a recusa de uma concepção sacralizada de arte. Para os futuristas, a arte estava intimamente relacionada à vida real, cotidiana.

Parole in libertà

No "Manifesto técnico da literatura futurista" (1912), Marinetti afirma seu desejo de libertar as palavras (*parole in libertà*), e, para tal, defende, por exemplo: a destruição da sintaxe; o uso do verso no infinitivo; a supressão do adjetivo, do advérbio e da pontuação; a inserção dos sinais matemáticos e dos elementos tipográficos nos poemas; a disposição desordenada de imagens; a abolição da ideia de eu lírico.

MOMA, NEW YORK

MARINETTI, F. Tommaso. *Vive la France*. 1914-1915. Tinta, lápis e colagem sobre papel, 30,9 × 32,6 cm. O conceito *parole in libertà* está representado nesse poema futurista.

Marinetti dedicou sua vida à defesa do movimento futurista. Realizou palestras, escreveu manifestos e proferiu conferências sobre o assunto em várias partes do mundo — inclusive no Brasil, onde esteve em 1930. Aos poucos, o poeta foi aproximando seus ideais artísticos do programa fascista e acabou por transformar o Futurismo em instrumento de propaganda política de Mussolini, o que afastou muitos artistas.

Dadaísmo: a antiarte

Para fugir da Grande Guerra, muitos artistas e intelectuais mudaram-se para Zurique, na Suíça, país que se manteve neutro durante o conflito. Figuras como o alemão Hugo Ball, o alsaciano Hans Arp, o francês Francis Picabia, o chileno Vicente Huidobro e o líder do grupo, o romeno Tristan Tzara, reuniam-se no Cabaret Voltaire — um pequeno teatro de variedades — às vésperas da Batalha de Verdun, a fim de discutir ideias como as de Marinetti e de Rimbaud. A cidade de Verdun-sur-Meuse, localizada no nordeste da França, foi palco de uma das mais sangrentas batalhas da Grande Guerra, na qual alemães e franceses estiveram em combate de 21 de fevereiro a 18 de dezembro de 1916.

Aterrorizados com a hipótese de que a Alemanha pudesse sair vitoriosa do combate e revoltados com sua condição de exilados, os integrantes do grupo dadaísta (ou Dadá) voltaram-se contra todos os valores culturais e divulgaram suas polêmicas ideias em manifestos. O objetivo dos dadaístas era expressar sua extrema decepção com o fracasso das ciências, da religião, da filosofia e da arte no impedimento de uma guerra de imensas proporções, como foi a de 1914.

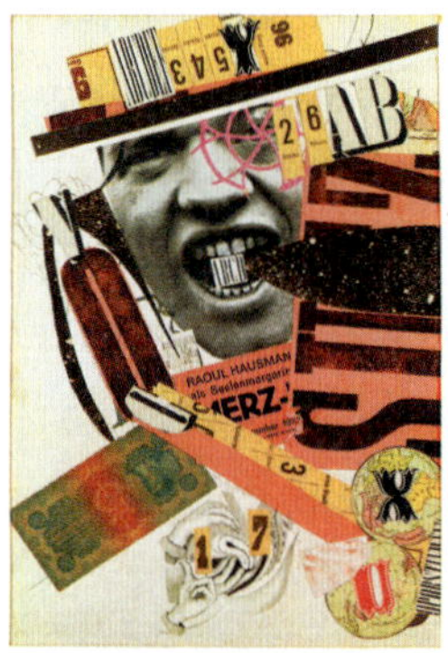

GIRAUDON/THE BRIDGEMAN ART LIBRARY/GRUPO KEYSTONE - COLEÇÃO PARTICULAR

O cartaz-poema (1918) do austríaco Raoul Hausmann (1886-1971) é um exemplo da transgressora literatura dadaísta.

Por que Dadá?

Há várias histórias que explicam a origem do nome desse "-ismo" europeu. Uma delas conta que a palavra *dadá* teria surgido ao acaso quando alguns artistas do grupo procuravam um apelido para uma cantora do Cabaret Voltaire. Consultando um dicionário francês-alemão, eles teriam se deparado com o verbete *dadá*, que, segundo o principal idealizador do movimento, Tristan Tzara, não significa nada. O romeno afirmou que a maior preocupação do grupo foi "criar uma palavra expressiva que, mediante sua magia, fechasse todas as portas à compreensão e não fosse um '-ismo' a mais".

Os dadaístas pregavam a espontaneidade, o irracionalismo, a escrita automática ou automatismo psíquico (sem reflexões prévias ou planejamentos), a busca e expressão de um mundo pré-lógico, a livre associação de ideias, a invenção de palavras sem sentido, o fim dos valores consagrados, a destruição da linguagem, a visão simultânea das coisas, a não unidade e a não coerência. Esse radicalismo todo fez com que os dadaístas fossem apreciados somente por um grupo restrito de iniciados.

Os festivais dadaístas (antiespetáculos) mesclavam teatro de cabaré, paródias e recitais, e objetivavam escandalizar e irritar o público. Porém, havia um seleto grupo que gostava desses eventos, os "iniciados".

Ready-made: um novo conceito de arte

Se os dadaístas sempre se colocaram em atitude combativa, se atacaram projetos e experiências formais do presente, do passado e do futuro, o que afinal eles propuseram, que os tornou tão importantes para a história da arte moderna?

Para responder a essa questão, sugerimos algumas reflexões a partir de uma das obras mais conhecidas do Dadaísmo. Observe o objeto ao lado e responda oralmente às questões propostas.

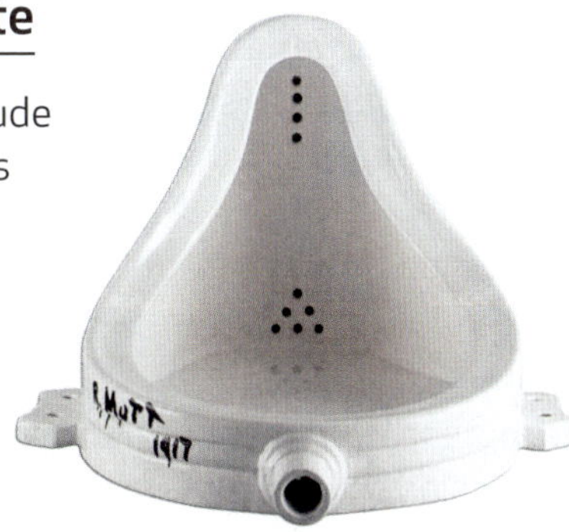

VERA & ARTURO SCHWARZ COLLECTION OF DADA AND SURREALIST ART/THE BRIDGEMAN ART LIBRARY/GRUPO KEYSTONE - THE ISRAEL MUSEUM, JERUSALEM

DUCHAMP, Marcel. *Fonte*. 1917. Urinol de porcelana invertido, 36 × 48 × 61 cm.

1 Você diria que esse objeto é uma obra de arte? Por quê?

2 Se você soubesse que esse mictório posicionado ao contrário (note que o objeto está invertido) é uma das peças mais expostas em museus no mundo todo, mudaria a sua opinião?

Em 1917, o artista francês Marcel Duchamp (1887-1968) comprou um mictório comum de porcelana de uma firma de materiais de encanamento. Depois, enviou a peça sanitária, assinada com o pseudônimo "R. Mutt", para o Salão dos Independentes, em Nova York, e a intitulou *Fonte*. Com atitudes como essa, Duchamp tirou a arte do terreno da mera visualidade e colocou-a no campo da ação, isto é, a própria ação do artista faria com que um objeto fosse considerado arte. No caso do mictório de Duchamp, isso se traduz em inverter a posição da peça sanitária, assiná-la como se fosse um quadro, inseri-la numa mostra competitiva de artes e provocar o público e os especialistas, obrigando-os a refletir criticamente se o conceito de arte seria mais importante do que a habilidade de esculpir, pintar, desenhar, etc. uma obra.

A *Fonte* é um *ready-made* (em tradução livre, "já pronto, já feito"), expressão criada por Marcel Duchamp para referir-se a objetos cotidianos, geralmente produzidos em massa, deslocados de suas funções para serem expostos como obras de arte em museus, galerias, etc. Os *ready-mades* acabaram se transformando em uma espécie de síntese daquilo que defendiam os dadaístas.

Os princípios críticos mobilizados pelos *ready-mades* podem também ser observados em algumas imagens fotográficas de Man Ray (1890-1976) e nas máquinas antifuncionais de Francis Picabia (1879-1953).

SAIBA MAIS!

A postura liberta dos artistas ligados ao Dadaísmo serviu de base para o surgimento de movimentos artísticos importantes como o Surrealismo, a Arte Conceitual, a *Pop Art* e o Expressionismo Abstrato.

NAVEGUE

Acesse um catálogo dos *ready-mades* de Duchamp encontrados no Museu de Arte Moderna de Nova York (*site* em inglês): <http://www.dada-companion.com/duchamp/readymades_catalogue.php>.

⊙ Expressionismo: uma reação ao Impressionismo

A tela reproduzida ao lado, *A boba*, é de Anita Malfatti e foi pintada entre 1915 e 1916, quando a artista paulistana estudava artes na conceituada Art Students League de Nova York. Responda oralmente:

- Muitos pintores partem de modelos vivos para criar suas telas. Você acha que a artista retratou fielmente a modelo que posava para ela? O que chama sua atenção na retratação da figura humana na tela?

MUSEU DE ARTE CONTEMPORÂNEA DA UNIVERSIDADE DE SÃO PAULO

MALFATTI, Anita. *A boba*. 1915-1916. Óleo sobre tela, 61 × 50,5 cm.

Antes de estudar nos Estados Unidos, Anita Malfatti morou em Berlim, na Alemanha, onde travou contato com o Expressionismo. A tela *A boba* sofreu grande influência dessa vanguarda.

O movimento expressionista representou uma espécie de reação à excessiva preocupação do Impressionismo com o registro exato, numa tela, de um momento passageiro (provocado pela constante mudança da luz e da cor), colocando os sentimentos humanos em segundo plano. Em suas obras de arte, artistas impressionistas como Claude Monet (1840-1926) partiam do registro da natureza, filtrado pelas sensações visuais imediatas. Os expressionistas, diferentemente, colocaram em primeiro plano as emoções humanas e a retratação das angústias que desnortearam os europeus no início do século XX. Nesse movimento de origem alemã e inspiração francesa, a expressão se projeta do artista para a realidade, e não o contrário.

O Expressionismo privilegiou uma construção simbólica da realidade, liberta da verossimilhança e expressa em cores fortes e formas distorcidas. A afirmação dessa vanguarda se deu com o grupo *Die Brücke* [A Ponte], criado em 1905 em Dresden, na Alemanha. Formado por artistas como Ernst Ludwig Kirchner (1880-1938) e Emil Nolde (1867-1956), esse grupo defendeu diretrizes importantes para o movimento: arte como crítica social; retratação de figuras deformadas e feias (barroquismo); uso de cores contrastantes e pinceladas vigorosas; adoção de artes gráficas, como a xilogravura; fuga da lógica; interesse pela arte primitiva (de maneira diversa dos artistas de outras vanguardas, como o Futurismo, os expressionistas alemães, principalmente, não romperam com a tradição cultural germânica).

O movimento expressionista alemão manifestou-se na literatura, na música, no teatro, nas artes plásticas, no cinema e na arquitetura. Diferentemente de outras vanguardas, esse movimento não se deixou seduzir pela modernidade.

O Romantismo alemão, o Pós-Impressionismo de Vincent van Gogh (1853-1890) e Paul Gauguin (1848-1903), as máscaras de James Ensor (1860-1949) — já vistas por você anteriormente — e o próprio movimento simbolista foram importantes referências para os artistas expressionistas.

O desaparecimento do Expressionismo se deu no contexto da repressão nazista, a partir de 1933. Destacaram-se Edvard Munch (na pintura) e Henrik Ibsen e Johan August Strindberg (na dramaturgia).

NAVEGUE

Veja com detalhes as pinceladas expressionistas de Munch em *O grito*: <http://www.googleartproject.com/pt-br/collection/the-munch-museum-oslo/artwork/the-scream-edvard-munch/809080/>.

HANDOUT/REUTERS/LATINSTOCK - NATIONAL GALLERY, OSLO

MUNCH, Edvard. *O grito*. 1893. Óleo e pastel sobre cartão, 91 × 73,5 cm. Nessa tela do pintor norueguês, uma figura disforme traduz a agonia humana numa composição de linhas sinuosas, pinceladas vigorosas e cores fortes.

⊙ Cubismo: todos os ângulos de visão

O Cubismo foi um movimento revolucionário. Antes de conhecer mais a respeito dessa vanguarda, observe o grande mural (349,3 × 776,6 cm) pintado em 1937 pelo espanhol Pablo Picasso (1881-1973), a *Guernica*:

ERICH LESSING/ALBUM ART/LATINSTOCK - MUSEO NACIONAL CENTRO DE ARTE REINA SOFÍA, MADRID

PICASSO, Pablo. *Guernica*. 1937. Óleo sobre tela, 349,3 × 776,6 cm.

Sabendo que Picasso produziu esse mural a partir de suas impressões sobre um intenso bombardeio sofrido pela cidade basca de Guernica, em 26 de abril de 1937, durante a guerra civil espanhola, responda oralmente às questões propostas.

1 Que palavras representam o que você sente quando observa o mural *Guernica*?

2 As forças aéreas do nazista Adolf Hitler, aliado do ditador espanhol Francisco Paulino Hermenegildo Teódulo Franco y Bahamonde, mais conhecido como Francisco Franco (1892-1975), destruíram a cidade espanhola de Guernica. Que elementos presentes no mural sugerem isso?

3 Que ideias evocam as cores do mural?

4 Embora *Guernica* não seja uma colagem, a disposição dos elementos no mural dá a impressão do uso dessa técnica. Você concorda com tal afirmação? Justifique sua resposta.

ProvocAÇÃO

Observe a fotografia da cidade de Guernica em 1937, que registra a destruição do local de forma realista, e o mural de Picasso. Que imagem você considera mais inquietante? Qual delas suscita mais reflexão sobre os dramas e as consequências da guerra?

ALBUM/AKG-IMAGES/LATINSTOCK

O mural que você analisou é uma obra cubista e expressa plasticamente a indignação de Picasso diante da morte de dezenas de civis — crianças, mulheres e trabalhadores — numa pequena cidade europeia. O Cubismo teve como inspirador o pintor francês pós-impressionista Paul Cézanne (1839-1906), que, em seus quadros, passou a representar a natureza utilizando estruturas cilíndricas, esféricas e cônicas. Baseados nesse novo modo de expressar a realidade, a partir do uso de formas geométricas, os cubistas passaram a retratar os objetos — num mesmo plano — como se estivessem desmontados. Empregando essa técnica, o grupo cubista acabou rompendo com algo que era muito valorizado pelos artistas renascentistas: a ilusão da **perspectiva** e das três dimensões dos objetos. A fim de transmitir a estrutura total de um objeto, os cubistas começaram a decompor as formas em vários planos geométricos e ângulos retos, proporcionando ao observador a visão da natureza sob diferentes pontos de vista.

Os cubistas recusavam a concepção de que a arte deveria imitar a natureza. George Braque, considerado um dos iniciadores do movimento ao lado de Pablo Picasso, afirmou certa vez que "Não se imita aquilo que se quer criar".

Inicialmente aplicado somente à pintura, o conceito cubista teve representantes significativos nas artes plásticas, como Pablo Picasso, Georges Braque, Francis Picabia, Fernand Léger, Piet Mondrian e Juan Gris, entre outros. Assimilando os preceitos defendidos pelos pintores e liderado pelo poeta Guillaume Apollinaire, o Cubismo literário contou com artistas como Max Jacob, Blaise Cendrars, André Salmon, Jean Cocteau, etc. e influenciou uma série de escritores do Ocidente. Para os autores cubistas, a realidade precisava ser desintegrada, a lógica e o intelectualismo, banidos, e o humor, a simultaneidade, o caos e a linguagem nominal (centrada no substantivo), valorizados.

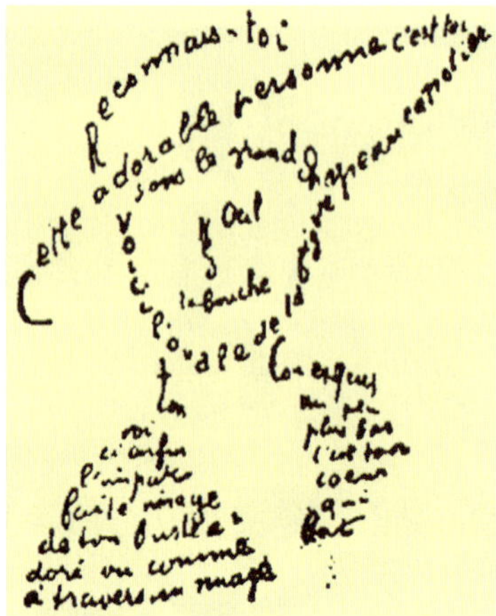

PERSEE REVUESS SCIENTIFIQUES

Em "Caligramas" (caligrafia + ideograma), de 1918, Guillaume Apollinaire publicou uma série de poemas visuais, marcados pelo humor, nos quais as palavras se organizam de modo a dar uma ideia do conteúdo. Com seus caligramas, Apollinaire reafirma a vocação das vanguardas de aproximar pintura e literatura.

Investigue em Arte

O que foram o Cubismo analítico e o Cubismo sintético?

NAVEGUE

Conheça a atividade de Picasso por diferentes países da Europa navegando por este mapa interativo: <http://www.picasso.fr/us/picasso_page_studios.php> (*site* em inglês).

Surrealismo: a arte do inconsciente

Você já ouviu falar em Sigmund Freud (1856-1939)? Já sonhou com coisas que parecem não fazer sentido? O texto a seguir, escrito pelo médico austríaco e publicado em 1899, trata disso.

Para a psicanálise, o inconsciente é um lugar desconhecido pela consciência. Freud também o chamou de "outra cena".

Suponhamos que eu tenha diante de mim um quebra-cabeça feito de figuras, um **rébus**. Ele retrata uma casa com um barco no telhado, uma letra solta do alfabeto, a figura de um homem correndo, com a cabeça misteriosamente desaparecida, e assim por diante. Ora, eu poderia ser erroneamente levado a fazer **objeções** e a declarar que o quadro como um todo, bem como suas partes integrantes, não fazem sentido. Um barco não tem nada que estar no telhado de uma casa e um homem sem cabeça não pode correr. Ademais, o homem é maior do que a casa e, se o quadro inteiro pretende representar uma paisagem, as letras do alfabeto estão deslocadas nele, pois esses objetos não ocorrem na natureza. Obviamente, porém, só podemos fazer um juízo adequado do quebra-cabeça se pusermos de lado essa crítica da composição inteira e de suas partes, e se, em vez disso, tentarmos substituir cada elemento isolado por uma sílaba ou palavra que possa ser representada por aquele elemento de um modo ou de outro. As palavras assim compostas já não deixarão de fazer sentido, podendo formar uma frase poética de extrema beleza e significado. O sonho é um quebra-cabeça **pictográfico** desse tipo, e nossos antecessores no campo da interpretação dos sonhos cometeram o erro de tratar o rébus como uma composição pictórica, e como tal, ela lhes pareceu absurda e sem valor.

FREUD, Sigmund. *A interpretação dos sonhos*. Trad. Walderedo Ismael de Oliveira. São Paulo: Imago, 2010. p. 160. (Coleção Folha: Livros que Mudaram o Mundo; v. 3). (Fragmento).

Rébus: tipo de enigma que procura exprimir palavras ou frases utilizando figuras e sinais.

Objeções: argumentos apresentados para contrapor uma tese.

Pictográfico: referente a imagens.

Responda às questões oralmente e em conjunto com os colegas.

1 Você costuma se lembrar de seus sonhos?

2 Por que Freud compara um sonho a um quebra-cabeça, um rébus?

3 Segundo o psicanalista austríaco, que estratégia seria eficaz para interpretar um sonho?

Em 1899, o idealizador da psicanálise, Sigmund Freud, publicou a obra *A interpretação dos sonhos*, por meio da qual propôs que o mundo onírico seria passível de ser interpretado — como fazemos com um texto. Transformando a pergunta *O que se sonha?* em *Por que se sonha?*, Freud deu um grande passo na investigação do inconsciente humano. A partir de 1916, o poeta francês André Breton (1896-1970) começou a estudar metodicamente as teorias freudianas e as transferiu para o campo das artes. Surgia, então, o Surrealismo, cronologicamente o último movimento da vanguarda europeia, oficializado em 1924 com a publicação do "Manifesto surrealista", de Breton. Influenciados pelas outras vanguardas, principalmente a dadaísta — da qual Breton fizera parte —, e pela psicanálise, os surrealistas pretenderam investigar outro sentido para aquilo que chamamos de realidade.

onírico: Relativo ao sonho.

Uma realidade mais ampla

Os surrealistas acreditavam que o universo situado no campo do inconsciente e do sonho era tão real e importante quando aquele vivido pelo homem em estado de consciência e de vigília. Para eles, a dimensão onírica da realidade era tamanha que, na porta do quarto do poeta francês Paul-Pierre Roux (1861-1940), havia uma placa afixada que dizia: "O poeta trabalha", referindo-se à realidade vivida pelos poetas também durante o sono, quando estavam sonhando.

CHRISTIE'S IMAGES/CORBIS/LATINSTOCK

DALÍ, Salvador. *Sono*. 1937. Óleo sobre tela, 50,8 × 78,2 cm. Nessa tela, o pintor espanhol sugere a fragilidade do sono ao apresentar uma figura precariamente sustentada por finas forquilhas. Caso alguma delas se rompa, o sono e o sonho serão bruscamente interrompidos.

O movimento surrealista defendia que os artistas deveriam fugir das amarras impostas pela lógica, pela razão, pela inteligência, emancipando-se também dos padrões morais e religiosos e da noção de pátria e família.

Rejeitando a radical proposta de negação a tudo, apregoada pelos dadaístas, os surrealistas buscaram a compreensão total do homem. Para isso, experimentaram a **escrita automática** na literatura (não controlada e não censurada pela consciência), favorecendo também a expressão poética daqueles que não eram escritores profissionais. O grupo surrealista, composto por Louis Aragon, Philippe Soupault, Artaud, Éluard e René Magritte, entre outros, e chefiado por Breton, contou com poetas e pintores que procuraram pesquisar o inconsciente, o sonho, o universo do maravilhoso e os mitos e símbolos.

Em 1930, Breton publicou o "Segundo manifesto do Surrealismo", convertendo o movimento em arma política de viés marxista. Nesse momento, o Surrealismo perdeu vários componentes, mas passou a contar com a adesão de figuras de peso como Luis Buñuel, Salvador Dalí e o dadaísta Tristan Tzara.

A pintura surrealista desenvolveu duas tendências: a **figurativa**, representada por Salvador Dalí (1904-1989) e Marc Chagall (1887-1985), entre outros, e a **abstrata**, representada por Joan Miró (1893-1983) e Max Ernest (1891-1976), entre outros.

Na pintura abstrata não há uma relação direta entre as formas e cores utilizadas pelo artista para compor suas telas e as formas e cores presentes na composição dos objetos reais. O pintor russo Wassily Kandinsky (1866-1944) é considerado o iniciador da pintura moderna abstrata.

Atividades: Leitura de imagem

A tela a seguir é considerada a obra-prima da mexicana Frida Kahlo (1907-1954) e explora um tema recorrente na pintura da artista: o autorretrato. Frida manteve um casamento conturbado com o muralista, também mexicano, Diego Rivera (1886-1957) e sofreu duramente as consequências de um acidente ocorrido na adolescência e que lhe trouxe uma série de sequelas físicas e psicológicas.

Ao longo de sua vida, Frida Kahlo negou o rótulo de pintora surrealista. Ela dizia:

Material complementar
- Atividade: *Les Demoiselles d'Avignon*, de Pablo Picasso, e a releitura de Vik Muniz

> [...] pensavam que eu era uma surrealista, mas eu não era. Nunca pintei sonhos. Pintava a minha própria realidade.
>
> KAHLO, Frida. *O diário de Frida Kahlo*: um autorretrato íntimo. Rio de Janeiro: José Olympio, 1996. p. 287. (Fragmento).

KAHLO, Frida. *As duas Fridas*. 1939. Óleo sobre tela, 172 × 173 cm.

DE AGOSTINI PICTURE LIBRARY/THE BRIDGEMAN ART LIBRARY /GRUPO KEYSTONE - MUSEO DE ARTE MODERNO, MEXICO CITY

1 Por que Frida não se considerava uma pintora surrealista?

2 Observando o quadro, por que, na sua opinião, a crítica associa a pintura da artista mexicana a essa vanguarda?

3 No quadro, por meio de um efeito de espelhamento, Frida apresenta duas facetas de si mesma. Explique essa afirmação com base nos elementos presentes no quadro.

O QUE VOCÊ APRENDEU NO PERCURSO DESTE CAPÍTULO

- Futurismo (Marinetti): versos livres; uso de recursos espacial-tipográficos; valorização da velocidade.
- Dadaísmo (Tristan Tzara): recusa dos valores culturais; criação de poemas aleatórios e uso do *ready-made*.
- Expressionismo: angústia do artista (tensão interna) diante da realidade; uso de cores fortes, contrastantes, pinceladas vigorosas; barroquismo.
- Cubismo (Apollinaire): utilização de planos geométricos para reconstrução das formas sob vários ângulos diferentes.
- Surrealismo (André Breton): representação do mundo dos sonhos e do inconsciente; livre associação de ideias (escrita automática).

NAVEGUE

Conheça o *site* oficial (em espanhol) da pintora mexicana Frida Kahlo: <http://www.fkahlo.com/>.

CAPÍTULO

28

Modernismo português: a multiplicidade de um poeta

PERCURSO DO CAPÍTULO

- As gerações modernistas portuguesas
- A poesia de Fernando Pessoa, ortônimo
- Os heterônimos: Alberto Caeiro, Ricardo Reis e Álvaro de Campos

Ilustração de Fernando Pessoa, feita por Índio San, para a revista *Bravo!* (n. 185, jan. 2013. Editora Abril). A multiplicidade de personalidades poéticas marcou a obra de um dos maiores poetas do século XX: Fernando Pessoa.

Introdução

Em 1915, a revista Orpheu *inaugurou o Modernismo português. Esse movimento sofreu influências importantes das correntes de vanguarda europeia e teve como figura central Fernando Pessoa, poeta múltiplo, criador de diferentes personalidades literárias. Neste capítulo, você terá acesso a um painel geral da literatura portuguesa no século XX e conhecerá um pouco do trabalho de um dos poetas mais relevantes da história da literatura.*

Você lerá versos de um longo poema escrito por Fernando Pessoa e atribuído por ele a Álvaro de Campos, um de seus heterônimos (adiante estudaremos o fenômeno da heteronímia). Esse poema foi publicado originalmente na primeira edição da revista literária *Orpheu*, em março de 1915.

Ode triunfal

À dolorosa luz das grandes lâmpadas elétricas da fábrica
Tenho febre e escrevo.
Escrevo rangendo os dentes, fera para a beleza disto,
Para a beleza disto totalmente desconhecida dos antigos.

Ó rodas, ó engrenagens, r-r-r-r-r-r eterno!
Forte espasmo retido dos maquinismos em fúria!
Em fúria fora e dentro de mim,
Por todos os meus nervos dissecados fora,
Por todas as **papilas** fora de tudo com que eu sinto!
Tenho os lábios secos, ó grandes ruídos modernos,
De vos ouvir demasiadamente de perto,
E arde-me a cabeça de vos querer cantar com um excesso
De expressão de todas as minhas sensações,
Com um excesso contemporâneo de vós, ó máquinas!

[...]

Ah, poder exprimir-me todo como um motor se exprime!
Ser completo como uma máquina!
Poder ir na vida triunfante como um automóvel último-modelo!
Poder ao menos penetrar-me fisicamente de tudo isto,
Rasgar-me todo, abrir-me completamente, tornar-me **passento**
A todos os perfumes de óleos e calores e carvões
Desta flora estupenda, negra, artificial e insaciável!

[...]

CAMPOS, Álvaro de. Ode triunfal. In: GALHOZ, Maria Aliete (Org.). *Fernando Pessoa*: obra poética. Rio de Janeiro: Nova Aguilar, 1999. p. 306. (Fragmento).

Papilas: pequenas saliências da pele.

Passento: que absorve líquidos facilmente.

Registre as respostas em seu caderno.

1 Você já estudou que ode é uma composição poética de tom solene por meio da qual se exaltam atributos de figuras ilustres. Quem ou o que está sendo exaltado nos versos de "Ode triunfal"?

2 Os versos de Álvaro de Campos podem ser claramente associados a um "-ismo" europeu que você estudou no capítulo 27.

a) A que vanguarda europeia os versos podem ser associados? Justifique sua resposta.

b) No primeiro verso da segunda estrofe, ocorre uma onomatopeia. Localize essa figura de linguagem e explique que efeito de sentido ela tem no texto, tendo em vista o que você respondeu acima.

3 No poema, há quase uma fusão entre o eu lírico e o que ele denomina "flora estupenda, negra, artificial e insaciável", ou seja, o ambiente da fábrica. Explique essa afirmação.

PARA LEMBRAR

Onomatopeia: figura de linguagem que consiste na representação de um ruído ou som por uma palavra ou conjunto de palavras.

Os longos versos livres e brancos de "Ode triunfal" mostram que os portugueses já viviam, nas primeiras décadas do século XX, um novo mundo, o dos "maquinismos em fúria". O eu lírico do poema que você leu deseja manifestar-se "como um motor se exprime", sugerindo que é necessário buscar novas formas de expressão, que dialoguem com a velocidade, os ruídos, as massas das grandes cidades. É o início do Modernismo português.

Estudaremos agora esse amplo movimento que marcou o século XX e sua principal expressão em Portugal: Fernando Pessoa.

As gerações modernistas portuguesas

Retome de sua biblioteca cultural a obra classicista *Os lusíadas*. Por meio dessa epopeia, Camões estabeleceu um diálogo direto com a mais alta tradição cultural greco-latina e chegou a superar essa referência cantando as glórias do povo lusitano, protagonista na expansão marítima europeia nos séculos XV e XVI. Agora, dê um salto no tempo e pense em Portugal no início do século XX.

Nas primeiras décadas do século passado, o país — naquele momento sem nenhum protagonismo na Europa — viveu uma série de dificuldades. O rei Carlos I foi assassinado em 1908, junto com o príncipe herdeiro, o que revoltou a Europa. Seu sucessor, D. Manuel II, foi derrubado por um golpe militar que, com apoio popular, instaurou a República no país em 1910. Seguiram-se anos de instabilidade política e enfraquecimento econômico. A iminência da guerra e as disputas pelas colônias africanas reforçaram o espírito nacionalista lusitano e geraram duas correntes políticas: a dos **saudosistas** e a dos **integralistas**.

Venceram os integralistas: em 1926, o exército tomou o poder, por meio de um outro golpe militar, e o país passou a ser comandado por Antônio de Oliveira Salazar (1889-1970), que instituiu um governo autoritário e de direita, finalizado somente em 1974, com a chamada Revolução dos Cravos.

JANSOONE, Georges. *A Proclamação da República Portugueza*. Alegoria. Com amplo apoio popular, o evento ocorreu em 5 de outubro de 1910.

GEORGES JANSOONE - CÂMARA MUNICIPAL, ESTREMOZ, PORTUGAL

O Saudosismo português

Águia foi uma revista publicada nas primeiras décadas do século XX, que divulgou as concepções dos **saudosistas**, grupo com ideias republicanas que almejava a "Renascença portuguesa", uma espécie de revitalização da pátria lusitana e de seu passado glorioso. Teixeira de Pascoaes e Leonardo Coimbra, entre outros, tiveram papel relevante no Saudosismo. Fernando Pessoa publicou seus primeiros poemas nessa revista em 1912. Conheça a revista contemporânea *Nova Águia*, que busca recriar o espírito da *Águia* original, em: <http://www.novaaguia.blogspot.com.br/>.

Capa da revista *Nova Águia*: revista de cultura para o século XXI.

⊙ A primeira vanguarda lusitana: o Orfismo (1915-1927)

Nesse contexto conturbado, mas estimulante, formou-se um importante grupo de intelectuais, composto, entre outros, por Fernando Pessoa (de formação inglesa, adquirida na África do Sul, onde passou sua adolescência) e Mário de Sá-Carneiro, Almada Negreiros e Santa-Rita Pintor (trio bastante influenciado pelas inovações vanguardistas francesas), responsável por uma verdadeira renovação poética no cenário português do século XX.

A partir de 1914, realizou-se em terras lusitanas uma série de discussões em torno do Futurismo de Marinetti. Um ano depois, foi publicada a revista *Orpheu*, considerada marco do Modernismo português. Os orfistas almejavam ser portugueses escrevendo para a Europa e tinham como proposta criar uma poesia "desnacionalizada", irreverente, indignada, original, anárquica e antiburguesa, em diálogo com os tempos modernos.

Embora a *Orpheu* tenha contado com nomes de peso para a poesia portuguesa, como Mário de Sá-Carneiro e Almada Negreiros, destaca-se nela a produção monumental de Fernando Pessoa, com seu desdobramento de personalidade criadora (o fenômeno da heteronímia, que estudaremos neste capítulo).

Mesmo com o fim da *Orpheu*, o Futurismo (com certa influência dadaísta) continuou ganhando espaço em Portugal. Com propósitos semelhantes, surgiram, nos anos seguintes à publicação da *Orpheu*, revistas literárias como *Centauro* (1916), *Portugal Futurista* (1917), *Athena* (1924-1925) e *Contemporânea* (1922-1923), entre outras.

Almada Negreiros em 1919.

⊙ Presencismo: a literatura artística (1927-1940)

O ano de 1927 marcou a publicação de *Presença — Folha de Arte e Crítica*, organizada por um grupo de estudantes (José Régio, João Gaspar Simões e Branquinho da Fonseca). Esse veículo teve vida longa; por ele passaram figuras importantes do Modernismo português, como Miguel Torga e Adolfo Casais Monteiro. Em torno da *Presença* criou-se um movimento que defendia que a obra deveria ter primordialmente uma "finalidade estética" e constituir uma "literatura artística". Em consonância com os artistas da *Orpheu*, os presencistas privilegiaram o individual (antepondo-o ao social), a intuição e a subjetividade (em lugar da razão e da objetividade) e a originalidade (em vez da cópia), além de divulgarem para os leitores portugueses autores estrangeiros como Marcel Proust, Guillaume Apollinaire, Paul Valéry e Jean Cocteau, entre outros.

Capa da revista *Presença* de dez. 1933, que divulgou entre os portugueses diversos escritores europeus contemporâneos ao Modernismo.

⊙ Neorrealismo: os antipresencistas (1940-1974)

Reagindo à concepção presencista da arte como puro objeto estético, surgiu, por volta de 1940, com a publicação do romance *Gaibéus*, de Alves Redol, o grupo neorrealista. Fortemente influenciados pelo viés social de romancistas norte-americanos como John Steinbeck e Ernest Hemingway e de autores brasileiros advindos da região Nordeste, como Jorge Amado, Graciliano Ramos e Rachel de Queiroz, entre outros, os neorrealistas voltaram-se à focalização dos mais humildes, dos injustiçados e dos marginalizados. Periódicos como o jornal *O Diabo* (1934-1940) e a revista *Sol Nascente* (1937-1940) também serviram de veículo para a publicação dos autores que se identificavam com o Neorrealismo. Buscando uma literatura ativa, engajada, o grupo defendeu a "humanização da arte" e a construção de obras que fossem "documentários humanos". Com isso, o escritor passaria a ter uma função política, de transformação social. Constituíram o grupo neorrealista, direta ou indiretamente, autores como Ferreira de Castro, Fernando Namora e Vergílio Ferreira, entre outros.

Gaibéus: Nome dado aos modestos trabalhadores do campo que atuam na região do Ribatejo, em Portugal.

⊙ Surrealismo: o retorno ao "eu profundo" (1947-1974)

Insatisfeito com uma arte estritamente ligada às questões sociais, após a Segunda Guerra Mundial, em 1947, surgiu em Portugal o Grupo Surrealista, liderado por Cândido da Costa Pinto. Um ano depois, intelectuais revoltosos, capitaneados por Mário Cesariny de Vasconcelos, fundaram o Grupo Surrealista de Lisboa, agremiação responsável por uma escandalosa exposição de arte surrealista, realizada em janeiro de 1949.

Esse Surrealismo tardio português perdurou até o ano de 1974. Calcados nas concepções expressas nos manifestos de André Breton e na psicanálise de Freud, os artistas buscaram uma arte que expressasse uma outra realidade, substituindo as questões sociais dos neorrealistas (que continuavam atuantes) pelo universo onírico e pela exploração do inconsciente.

Além dos artistas citados, destacaram-se no Surrealismo lusitano Antônio Pedro e Alexandre O'Neill, entre outros.

Investigue em Arte

Qual a importância da Exposição do Grupo Surrealista de Lisboa, realizada em 1949?

Fernando Pessoa: o "Super-Camões"?

Você já sabe o que as letras de Camões representaram para a cultura lusitana. Entretanto, Fernando Pessoa parecia ressentir-se do fato de a língua portuguesa não haver produzido em sua literatura um cânone que tivesse o alcance de um Dante Alighieri ou de um Shakespeare. Por isso profetizou, em um artigo publicado em 1910, que a poesia de Portugal caminhava para seu auge e aguardava a chegada de um "poeta máximo", de um "Super-Camões" que pudesse superar o poeta classicista e revitalizar a literatura do país, modernizando-a. Conheça os versos de Pessoa e opine: ele cumpriu esse papel?

MUSEU CALOUSTE GULBENKIAN, LISBOA, PORTUGAL

NEGREIROS, Almada. *Retrato de Fernando Pessoa*. 1954. Óleo sobre tela, 201 × 201 cm.

Fernando Pessoa "ele-mesmo"

A poesia ortônima — aquela assinada pelo próprio Fernando Pessoa — e escrita em língua portuguesa (o poeta publicou poemas também em inglês) apresenta um conjunto de características que permite sua divisão em duas categorias: saudosista-nacionalista e lírica.

Poesia saudosista-nacionalista

Grande parte da poesia saudosista-nacionalista de Fernando Pessoa está reunida em *Mensagem*. Nessa obra curta, composta de 44 poemas, predominam o "misticismo nacionalista" (fortalecido pelo contexto da crise republicana e da Renascença portuguesa) e a retomada do passado glorioso lusitano (a expansão marítima, o mar, o Sebastianismo, as grandes figuras históricas). Muitos dos poemas que compõem a coletânea apresentam tom épico, e alguns deles dialogam com *Os lusíadas*, de Camões.

"O mito é o nada que é tudo"

Fernando Pessoa defendia que seu Sebastianismo era "racional", ou seja, tinha consciência da "mentira" do mito sebastianista, feito para "levantar o moral" da nação lusitana. Seu Sebastianismo consistia em proclamar o surgimento de um "Super-Camões" (ele mesmo?) e de um "homem forte" que faria Portugal superar sua mediocridade e retomar sua importância econômica e política na Europa.

A coletânea *Mensagem* é dividida em três partes: a primeira, "Brasão", remonta aos primórdios da história portuguesa; a segunda, "Mar português", retoma os descobrimentos; a terceira, "O encoberto", remete ao futuro de Portugal. Leia o poema a seguir, que compõe a terceira parte da obra. Nele, Pessoa fala de um Portugal futuro, o glorioso "Quinto Império".

O Quinto Império

Triste de quem vive em casa,
Contente com o seu lar,
Sem que um sonho, no erguer de asa,
Faça até mais rubra a brasa
Da lareira a abandonar!

Triste de quem é feliz!
Vive porque a vida dura.
Nada na alma lhe diz
Mais que a lição da raiz —
Ter por vida a sepultura.

Eras sobre eras se somem
No tempo que em eras vêm.
Ser descontente é ser homem.
Que as forças cegas se domem
Pela visão que a alma tem!

E assim, passados os quatro
Tempos do ser que sonhou,
A terra será theatro
Do dia claro, que no **atro**
Da **erma** noite começou.

Grecia, Roma, Cristandade,
Europa — os quatro se vão
Para onde vae toda edade.
Quem vem viver a verdade
Que morreu D. Sebastião?

PESSOA, Fernando. O Quinto Império. In: GALHOZ, Maria Aliete (Org.). *Fernando Pessoa*: obra poética. Rio de Janeiro: Nova Aguilar, 1999. p. 84-85.

EFFIGIE/LEEMAGE/AFP PHOTO

Retrato do escritor, s.d.

Fernando Pessoa (1888-1935) nasceu em Lisboa, mas realizou seus primeiros estudos na África do Sul, onde a família fixou residência. Em 1905 voltou para Lisboa, como correspondente em língua inglesa e francesa. Mas o que lhe importava mesmo era escrever. Com amigos como o poeta Mário de Sá-Carneiro e o pintor e escritor Almada Negreiros, impulsionou o Modernismo português.

Grécia, Roma, a Cristandade e a Europa pós-renascentista seriam os outros quatro impérios, grandiosos por possuírem significativa força cultural e espiritual. O mito do "Quinto Império" foi assunto de *História do futuro*, obra de um dos expoentes do Barroco em língua portuguesa, o padre Antônio Vieira.

NAVEGUE

Em seu disco *Indivisível*, José Miguel Wisnik musicou, entre outros poemas, um de Fernando Pessoa: "Tenho dó das estrelas". Ouça a canção em: <http://zemiguelwisnik.bandcamp.com/album/--2>.

Atro: escuro.

Erma: solitária, deserta.

Reúna-se com seus colegas para a realização da atividade a seguir.

- **A partir da análise geral do poema, discutam a seguinte afirmação: A leitura de "O Quinto Império" nos permite interpretá-lo de duas maneiras: no âmbito individual, humano, desvinculado do objetivo geral de *Mensagem* e do contexto histórico português, e no âmbito histórico, coletivo, relacionado ao objetivo geral da coletânea e do contexto português da época de Fernando Pessoa.**

Observe como, em "O Quinto Império", o eu lírico defende que a imobilidade e o comodismo, sugeridos por versos como "Triste de quem vive em casa" e "Triste de quem é feliz! / Vive porque a vida dura", significam "Ter por vida a sepultura". Para o sujeito poético, é necessária a inquietude: "Ser descontente é ser homem". O rei D. Sebastião, citado no último verso, seria o homem que vive em desassossego em busca da construção do novo.

Poesia lírica

A poesia lírica de Fernando Pessoa está reunida nas obras póstumas *Quadras ao gosto popular* e *Cancioneiro* (título que remete às coletâneas de poemas medievais). Por meio dela, o poeta resgata ritmos e formas tradicionais do lirismo lusitano e explora a metalinguagem (investigação do próprio processo criativo) — de que é exemplo "Autopsicografia" (que será lido adiante) —, resgata a infância, apresenta um sentimento de estranheza diante da vida, é confessional e recorre ao **interseccionismo** para expressar-se.

Presente em muitos poemas do *Cancioneiro*, o interseccionismo é um princípio poético segundo o qual um poema deve representar, simultaneamente, "paisagens interiores" e "paisagens exteriores" do sujeito lírico, pois cada sensação vivida pelo homem é constituída de uma série de "sensações mescladas", e não isoladas.

Leia o poema a seguir:

Pobre velha música

Pobre velha música!
Não sei por que agrado,
Enche-se de lágrimas
Meu olhar parado.

Recordo outro ouvir-te,
Não sei se te ouvi
Nessa minha infância
Que me lembra em ti.

Com que ânsia tão raiva
Quero aquele outrora!
E eu era feliz? Não sei:
Fui-o outrora agora.

PESSOA, Fernando. Pobre velha música.
In: GALHOZ, Maria Aliete (Org.).
Fernando Pessoa: obra poética.
Rio de Janeiro: Nova Aguilar, 1999. p. 140-141.

Responda às questões em seu caderno.

1 Como você já sabe, forma e conteúdo são componentes que caminham juntos na construção de sentido de um poema.

a) Do ponto de vista da métrica, que tipo de versos há em "Pobre velha música"?

b) Agora, relacione a forma à referência que o eu lírico faz, logo no primeiro verso, à "velha música".

2 O que a música evoca no eu lírico e que constitui o tema central do poema?

3 Analise dois versos bastante conhecidos da poesia lírica de Pessoa, em que o poeta cria um efeito baseado no contraste entre presente e passado, felicidade e infelicidade. (Entre colchetes estão inseridos os elementos suprimidos pelo poeta.)

"E eu era feliz? Não sei:
[eu] Fui-o [feliz] outrora [na infância] agora [hoje]."

NAVEGUE

A Biblioteca Nacional de Portugal digitalizou os manuscritos de Pessoa e disponibilizou-os *on-line*. Navegue pelos poemas escritos na caligrafia própria do poeta em: <http://purl.pt/1000/1/>.

ProvocAÇÃO

No poema "Pobre velha música", há uma representação simultânea da "paisagem interior" (rememoração da infância) e da "exterior" (audição de uma música "pobre" e "velha"). Você acha que a música tem o poder de reviver passagens da vida e de transformá-las? Que música traz sua infância de volta e a faz parecer mágica e feliz?

Um poeta múltiplo

Retome o que você sabe sobre *Romeu e Julieta*. Habitam essa peça inglesa, além dos protagonistas, os senhores e as senhoras Capuleto e Montecchio, Teobaldo (primo de Julieta), a Ama (confidente de Julieta), Frei Lourenço, etc. Você acha que esses personagens representam diferentes facetas de seu autor, William Shakespeare? Agora, imagine se cada um desses seres ficcionais fosse real e pudesse escrever sua própria versão de *Romeu e Julieta*. Como ela seria? Certamente, haveria outros pontos de vista, estilos de escrita diversos e uso de gêneros diferentes para contar a famosa história de amor do casal de Verona. Fernando Pessoa exercitou essa possibilidade com a criação de seus heterônimos.

TPC – TEATRO POPULAR DE COMÉDIA – RIBEIRÃO PRETO, SP

O dramaturgo paulistano Samir Yazbek faz Fernando Pessoa dialogar com seus heterônimos na peça *O fingidor*. Espetáculo encenado em Ribeirão Preto (SP), em 2011.

Leia o poema a seguir e veja o que o autor fala sobre o fingimento poético:

Autopsicografia

O poeta é um fingidor.
Finge tão completamente
Que chega a fingir que é dor
A dor que **deveras** sente.

E os que leem o que escreve,
Na dor lida sentem bem,
Não as duas que ele teve,
Mas só a que eles não têm.

E assim nas **calhas** de roda
Gira, a entreter a razão,
Esse **comboio** de corda
Que se chama o coração.

PESSOA, Fernando. Autopsicografia. In: GALHOZ, Maria Aliete (Org.). *Fernando Pessoa*: obra poética. Rio de Janeiro: Nova Aguilar, 1999. p. 164-165.

Deveras: de fato, realmente.
Calhas: trilhos.
Comboio: brinquedo movido a corda, que aciona um determinado mecanismo.

Responda às questões no caderno.

1 Leia o boxe a seguir e explique o título do poema de Fernando Pessoa tendo em vista o sentido dos elementos que compõem a palavra *autopsicografia*.

SAIBA MAIS!

auto: do grego *autós*, "de si próprio"
psico: do grego *psyché*, "espírito", "alma"
grafia: do grego *graphein*, "escrever", "descrever"

2 Na sua opinião, o que o eu lírico quer dizer com "O poeta é um fingidor"?

3 Explique de que maneira você interpretaria a segunda estrofe. Observe que ela é estruturada a partir da supressão de algumas palavras, aqui inseridas entre colchetes.

"E os [leitores] que leem o que [o poeta] escreve,
Na dor lida sentem bem,
Não as duas [dores] que ele [poeta] teve,
Mas só a [dor] que eles [leitores] não têm."

Observe que Fernando Pessoa finaliza seu poema opondo razão e emoção. O eu lírico sugere que o coração — representado pelo brinquedo lúdico e infantil "comboio de corda" — tem como função entreter a razão — representada no poema pela rigidez mecânica dos trilhos, pelas "calhas de roda". Assim, o poeta retoma a discussão sobre o que é o sentimento real (emoção) e sua expressão escrita (razão).

A "biblioteca cultural" de Fernando Pessoa

Muitos foram os autores estrangeiros que compuseram a vasta "biblioteca cultural" de Fernando Pessoa: Shakespeare, Edgar Allan Poe, Nietzsche, Schopenhauer, entre tantos outros. Os mestres do poeta, no entanto, escreveram em português: padre Antônio Vieira, considerado pelo próprio Pessoa o "imperador da língua portuguesa"; Antero de Quental, que o ensinou a "pensar em ritmo"; Cesário Verde, que o fez "observar em verso"; Camilo Pessanha, com quem aprendeu a "sentir veladamente".

O que mais impressiona os leitores e críticos do poeta português mais importante do século XX é o fenômeno da **heteronímia**.

Como você já viu, embora tenha sido escrito por Fernando Pessoa, o poema que abre este capítulo tem outra assinatura: a de Álvaro de Campos, nome que não é simplesmente um pseudônimo usado por Pessoa para ocultar a autoria de um texto seu, mas um heterônimo.

Nome falso que alguém assume para ocultar sua verdadeira identidade.

Fernando Pessoa inventou personalidades dotadas de nomes, biografias, individualidades, estilos e características físicas próprias. Esses heterônimos não são personagens, já que também se expressam artisticamente escrevendo poemas, assim como seu criador (ortônimo).

Multiplicando-se em vários, o poeta português mergulha numa apreensão mais complexa da realidade, pois se permite investigar diferentes pontos de vista sobre o mundo, em lugar de apenas um.

Desse modo, "transbordando" em outras personalidades — o engenheiro, o estudioso da cultura clássica, o homem simples do campo, o guardador de livros... —, ele busca chegar a uma espécie de totalidade, de síntese obtida a partir da expressão de diversos "eus".

Ao longo de sua vida, Fernando Pessoa criou mais de setenta heterônimos, mas desenvolveu completamente apenas três: Alberto Caeiro, Ricardo Reis e Álvaro de Campos.

Você vai conhecer, a seguir, alguns aspectos da poesia dos três heterônimos. Atente para a descrição que o próprio poeta faz de suas criações na carta dirigida a Casais Monteiro.

Alberto Caeiro: o mestre sensacionista

Alberto Caeiro nasceu em 1889 e morreu em 1915; nasceu em Lisboa, mas viveu quase toda a sua vida no campo. Não teve profissão nem educação quase alguma. [...] Caeiro era de estatura média, e, embora realmente frágil (morreu tuberculoso), não parecia tão frágil como era. [...] o Caeiro [é] louro sem cor, olhos azuis; [...] morreram-lhe cedo o pai e a mãe, e deixou-se ficar em casa, vivendo de uns pequenos rendimentos. Vivia com uma tia velha, tia-avó.

PESSOA, Fernando. Carta a Adolfo Casais Monteiro, publicada na revista *Presença* n. 9, jun. 1937. Disponível em: <www.fpessoa.com.ar/carta.asp>. Acesso em: 20 fev. 2013.

Agora, leia um poema atribuído a Alberto Caeiro:

O guardador de rebanhos

IX

Sou um guardador de rebanhos
O rebanho é os meus pensamentos
E os meus pensamentos são todos sensações.
Penso com os olhos e com os ouvidos
E com as mãos e os pés
E com o nariz e a boca.

Pensar uma flor é vê-la e cheirá-la
E comer um fruto é saber-lhe o sentido.

Por isso quando num dia de calor
Me sinto triste de gozá-lo tanto,
E me deito ao comprido na erva,
E fecho os olhos quentes,
Sinto todo o meu corpo deitado na realidade,
Sei a verdade e sou feliz.

CAEIRO, Alberto. O guardador de rebanhos. In: GALHOZ, Maria Aliete (Org.). *Fernando Pessoa*: obra poética. Rio de Janeiro: Nova Aguilar, 1999. p. 212-213.

Desenho de Alberto Caeiro por Almada Negreiros. 1958.

Com o auxílio do professor, responda a esta questão oralmente.

- **No poema que você leu, o eu lírico expõe uma determinada concepção de realidade e de verdade. Atente para o percurso claro, simples e lógico presente no texto: primeiro o sujeito poético se apresenta (ele é um homem do campo, que tem como função guardar rebanhos); depois, explica o que são seus pensamentos e dá exemplos. Infira: o que seriam realidade e verdade para o eu lírico?**

Como você pôde constatar pela leitura do poema, Alberto Caeiro tem como princípio de vida a simplicidade e a valorização do contato (físico) com a natureza. Seu conhecimento advém das sensações captadas pelos sentidos, sobretudo pela visão (Caeiro almeja ter um olhar de criança, que a tudo vê de maneira inédita, como se fosse pela primeira vez). O mundo, portanto, é aquilo que Caeiro sente. Esse heterônimo guia-se por aquilo que Fernando Pessoa denominou **Sensacionismo**.

Movimento sensacionista

Fernando Pessoa explica os princípios que regem esse modo de interpretar o mundo, o Sensacionismo:

1. Todo o objeto é uma sensação nossa.
2. Toda a arte é a conversão duma sensação em objeto.
3. Portanto, toda a arte é a conversão duma sensação numa outra sensação.

Segundo Pessoa, o Sensacionismo foi esboçado por Cesário Verde, mas fundado por Caeiro, poeta que substituiu os pensamentos pelas sensações.

NAVEGUE

Leia um poema de Manoel de Barros que dialoga com a poesia de Alberto Caeiro em: <http://www.jornaldepoesia.jor.br/manu.html#aguas>.

Alberto Caeiro — considerado mestre do próprio Fernando Pessoa, de Ricardo Reis e de Álvaro de Campos — nega os questionamentos filosóficos e se expressa em versos livres e brancos, utilizando uma linguagem clara, como se estivesse conversando com o leitor.

A obra desse heterônimo é formada por três conjuntos de poemas: "O guardador de rebanhos" (de onde retiramos o poema que você leu), "O pastor amoroso" e "Poemas inconjuntos".

Ricardo Reis: o epicurista português

Ricardo Reis nasceu em 1887 (não me lembro do dia e mês, mas tenho-os algures), no Porto, é médico e está presentemente no Brasil. [...] é um pouco, mas muito pouco, mais baixo, mais forte, mas seco [que os outros heterônimos]. [...] Reis [é] de um vago moreno mate; [...] educado num colégio de jesuítas, é, como disse, médico; vive no Brasil desde 1919, pois se expatriou espontaneamente por ser monárquico. É um latinista por educação alheia, e um semi-helenista por educação própria.

PESSOA, Fernando. Carta a Adolfo Casais Monteiro, publicada na revista *Presença* n. 9, jun. 1937. Disponível em: <www.fpessoa.com.ar/carta.asp>. Acesso em: 20 fev. 2013.

MURAL FACULDADE DE LETRAS, LISBOA

Desenho de Ricardo Reis por Almada Negreiros. 1958.

Estudioso e defensor da cultura greco-latina, Ricardo Reis tem como princípio de vida a busca do equilíbrio e de uma existência vivida com plenitude. O poeta elege como um de seus mestres o filósofo grego Epicuro (341-270 a.C.), que pregava que o homem deveria satisfazer seus desejos naturais, procurando distanciar-se de tudo o que fosse excessivo (como as paixões arrebatadoras) para, assim, alcançar a verdadeira felicidade.

Observe como o epicurismo de Reis se radicaliza no poema a seguir:

Não só quem nos odeia ou nos inveja

Não só quem nos odeia ou nos inveja
Nos limita e oprime; quem nos ama
Não menos nos limita.
Que os deuses me concedam que, despido
De afetos, tenha a fria liberdade
Dos **píncaros** sem nada.
Quem quer pouco, tem tudo; quem quer nada
É livre; quem não tem, e não deseja,
Homem, é igual aos deuses.

REIS, Ricardo. Não só quem nos odeia ou nos inveja. In: GALHOZ, Maria Aliete (Org.). *Fernando Pessoa*: obra poética. Rio de Janeiro, Nova Aguilar, 1999. p. 285.

Píncaros: pontos mais elevados; cumes.

Responda à questão oralmente.

- Observe que, nesse poema, o eu lírico faz um pedido aos deuses. Que pedido é esse?

ProvocAÇÃO

No poema, "Não só quem nos odeia ou nos inveja", o eu lírico coloca no mesmo patamar o ódio, a inveja e o amor como sentimentos que aprisionam o homem. Você concorda com essa visão?

NAVEGUE

Assista a uma reportagem a respeito da exposição que o Museu da Língua Portuguesa realizou sobre Fernando Pessoa em 2010: <http://tvcultura.cmais.com.br/metropolis/fernando-pessoa-plural-como-o-universo>.

Note que Ricardo Reis cultua o paganismo greco-latino (os deuses da mitologia) e valoriza a forma, pois acredita que um pensamento claro — como o que ele almeja — deve ser traduzido por uma forma correspondente, isto é, cuidadosa.

Outro princípio clássico defendido por Reis é a valorização do momento presente (*carpe diem*). Para ele, são tão condenáveis os que olham para o passado vendo "o que não veem" quanto aqueles que se apegam ao futuro, "vendo o que não se pode ver". Por isso, argumenta ele, o homem precisa se apegar à "interminável hora", que é o presente.

Álvaro de Campos: o engenheiro sensacionista

Álvaro de Campos nasceu em Tavira, no dia 15 de outubro de 1890 (às 1,30 da tarde, diz-me o Ferreira Gomes; e é verdade, pois, feito o horóscopo para essa hora, está certo). Este, como sabe, é engenheiro naval (por Glasgow), mas agora está aqui em Lisboa em inatividade. [...] Álvaro de Campos é alto (1,75 m de altura, mais 2 cm do que eu), magro e um pouco tendente a curvar-se. [...] Campos [está] entre branco e moreno, tipo vagamente de judeu português, cabelo, porém, liso e normalmente apartado ao lado, monóculo. [...] Álvaro de Campos teve uma educação vulgar de liceu; depois foi mandado para a Escócia estudar engenharia, primeiro mecânica e depois naval.

PESSOA, Fernando. Carta a Adolfo Casais Monteiro, publicada na revista *Presença* n. 9, jun. 1937. Disponível em: <www.fpessoa.com.ar/carta.asp>. Acesso em: 20 fev. 2013.

MURAL FACULDADE DE LETRAS, LISBOA

Desenho de Álvaro de Campos por Almada Negreiros. 1958.

Os versos que você analisou na abertura deste capítulo, retirados de "Ode triunfal", apresentam, por si, um dos aspectos mais importantes da poesia de Álvaro de Campos: a exaltação do Futurismo.

Mas é também desse contato com a vida frenética que caracteriza a grande cidade que decorrem outras facetas de sua poesia: sensação de inadaptação diante do mundo, sensacionismo ("Sentir tudo de todas as maneiras"), melancolia, agressividade, pessimismo, frustração e uma quase obsessão do poeta pela construção de longos versos livres e brancos (Campos considerava a métrica e a rima "gaiolas").

SAIBA MAIS!

Uma das figuras que mais inspiraram Álvaro de Campos foi o autor norte-americano Walt Whitman (1819-1892), cuja obra poética é marcada por versos livres que procuram traduzir a vida moderna em imagens fortes e vibrantes.

A obra de Álvaro de Campos pode ser divida em três fases: a do "**engenheiro sensacionista**", ligada ao momento em que o poeta conhece Alberto Caeiro e escreve suas odes futuristas (guiadas pelas sensações); a do "**engenheiro metafísico**", em que ele passa a questionar-se sobre o que vê, afastando-se de Caeiro; e a do "**engenheiro aposentado**", período em que começa a envelhecer e se desencanta com a vida. Na seção **Atividades**, a seguir, você conhecerá outro poema desse heterônimo de Fernando Pessoa.

Atividades: Entre textos

O poema transcrito abaixo é de Álvaro de Campos. Primeiro, leia-o silenciosamente, observando a sinceridade ímpar contida em seus versos. Depois, divida-o em partes, distribua-as entre seus colegas e façam uma leitura em voz alta dos versos. Procurem imprimir à leitura a agressividade, a mágoa, a indignação e a ironia necessárias para reforçar seu sentido.

Poema em linha reta

Nunca conheci quem tivesse levado porrada.
Todos os meus conhecidos têm sido campeões em tudo.

E eu, tantas vezes reles, tantas vezes porco, tantas vezes **vil**,
Eu tantas vezes irrespondivelmente parasita,
Indesculpavelmente sujo,
Eu, que tantas vezes não tenho tido paciência para tomar banho,
Eu, que tantas vezes tenho sido ridículo, absurdo,
Que tenho enrolado os pés publicamente nos tapetes das etiquetas,
Que tenho sido grotesco, mesquinho, submisso e arrogante,
Que tenho sofrido **enxovalhos** e calado,
Que quando não tenho calado, tenho sido mais ridículo ainda;
Eu, que tenho sido cômico às criadas de hotel,
Eu, que tenho sentido o piscar de olhos dos moços de fretes,
Eu, que tenho feito vergonhas financeiras, pedido emprestado sem pagar,
Eu, que, quando a hora do soco surgiu, me tenho agachado
Para fora da possibilidade do soco;
Eu, que tenho sofrido a angústia das pequenas coisas ridículas,
Eu verifico que não tenho par nisto tudo neste mundo.

Toda a gente que eu conheço e que fala comigo
Nunca teve um ato ridículo, nunca sofreu enxovalho,
Nunca foi senão príncipe — todos eles príncipes — na vida...

Quem me dera ouvir de alguém a voz humana
Que confessasse não um pecado, mas uma **infâmia**;
Que contasse, não uma violência, mas uma **cobardia**!
Não, são todos o Ideal, se os **oiço** e me falam.
Quem há neste largo mundo que me confesse que uma vez foi vil?
Ó príncipes, meus irmãos,

NAVEGUE

Assista a um episódio do programa *Provocações* sobre Fernando Pessoa e sobre Portugal: <http://tvcultura.cmais.com.br/provocacoes/programa-046-com-antonio-abujamra-em-portugal-0107-2001-galeria>.

Vil: desprezível.
Enxovalhos: afronta.
Infâmia: ato vergonhoso.
Cobardia: covardia.
Oiço: ouço.

Arre, estou farto de semideuses!
Onde é que há gente no mundo?

Então sou só eu que é vil e errôneo nesta terra?

Poderão as mulheres não os terem amado,
Podem ter sido traídos — mas ridículos nunca!
E eu, que tenho sido ridículo sem ter sido traído,
Como posso eu falar com os meus superiores sem **titubear**?
Eu, que tenho sido vil, literalmente vil,
Vil no sentido mesquinho e infame da vileza.

CAMPOS, Álvaro de. Poema em linha reta. In: GALHOZ, Maria Aliete (Org.). *Fernando Pessoa*: obra poética. Rio de Janeiro: Nova Aguilar, 1999. p. 418-419.

Titubear: vacilar.

Responda às questões no caderno.

1 O poema todo é construído a partir da oposição eu (lírico) × os outros. Explique essa afirmativa.

2 Explique a estratégia usada pelo eu lírico para reconhecer e reforçar sua "vileza".

3 Ao relacionar os dois versos seguintes, o que podemos inferir sobre os sentimentos do eu lírico?

"Eu verifico que não tenho par nisto tudo neste mundo."
"Então sou só eu que é vil e errôneo nesta terra?"

4 Que ironia está implícita no "Poema em linha reta"?

A letra da canção a seguir integra o álbum *Ventura*, da banda Los Hermanos. Leia-a e responda ao que se pede.

O vencedor

Olha lá quem vem do lado oposto
e vem sem gosto de viver
Olha lá, que os bravos são escravos
sãos e salvos de sofrer
Olha lá quem acha que perder
é ser menor na vida

Olha lá quem sempre quer vitória
e perde a glória de chorar
Eu que já não quero mais ser um vencedor,
levo a vida devagar pra não faltar amor
Olha você e diz que não
vive a esconder o coração

REPRODUÇÃO

Capa do disco *Ventura*, da banda carioca Los Hermanos. Sony Music, 2003.

Não faz isso, amigo
Já se sabe que você
só procura abrigo
mas não deixa ninguém ver
Por que será?

Eu que já não sou assim
muito de ganhar
junto às mãos ao meu redor
Faço o melhor que sou capaz
só pra viver em paz.

CAMELO, Marcelo. O vencedor. In: LOS HERMANOS. *Ventura*. Sony Music, 2003. 1 CD. Faixa 2. Disponível em: <http://www2.uol.com.br/loshermanos/ventura/letras/ventura1.htm>. Acesso em: 6 mar. 2013.

IMAGES.COM/CORBIS/LATINSTOCK

5 Na letra da canção, o compositor subverte a ideia de que o vencedor tem sempre as coisas mais preciosas da vida. Você concorda com essa análise? Justifique sua resposta.

6 Sob quais aspectos é possível relacionar a canção contemporânea da banda carioca Los Hermanos ao "Poema em linha reta", de Álvaro de Campos?

O QUE VOCÊ APRENDEU NO PERCURSO DESTE CAPÍTULO

- A revista *Orpheu* é considerada o marco do Modernismo português. Os orfistas propuseram uma poesia "desnacionalizada", irreverente, indignada, original, anárquica e antiburguesa, em diálogo com os tempos modernos.
- Os presencistas defenderam uma arte com "finalidade estética" e privilegiaram o individual, a intuição, a subjetividade e a originalidade.
- O grupo neorrealista buscou uma literatura ativa e engajada.
- Os surrealistas portugueses buscaram uma arte que expressasse o universo onírico e o inconsciente.
- Fernando Pessoa, considerado o maior poeta do século XX, desenvolveu uma poesia saudosista-nacionalista ("misticismo nacionalista" e retomada do passado glorioso lusitano) e outra lírica (ritmos e formas tradicionais do lirismo lusitano, metalinguagem, interseccionismo).
- A coletânea *Mensagem* divide-se em três partes: "Brasão" (sobre os primórdios da história portuguesa), "Mar português" (sobre os descobrimentos) e "O encoberto" (sobre o futuro de Portugal).
- A obra de Pessoa é marcada pelo fenômeno da heteronímia.
- Alberto Caeiro, o mestre, prega a simplicidade, a valorização da natureza, o sensacionismo; nega a filosofia e se expressa em versos livres e brancos.
- Ricardo Reis é epicurista e tem como princípio a busca do equilíbrio. Cultua o paganismo greco-latino e valoriza a forma.
- Álvaro de Campos: a exaltação do Futurismo, a sensação de inadaptação diante do mundo, o sensacionismo, a melancolia, a agressividade, o pessimismo, a frustração são aspectos importantes de sua poesia. Opta pelos versos livres e brancos.

Expressões

Nesta unidade, por meio do estudo da literatura de Fernando Pessoa, você teve acesso não a um poeta, mas a quatro. Agora, terá a oportunidade de expressar-se artisticamente.

O poema a seguir foi escrito pelo paulista José Paulo Paes (1926-1998).

Falso diálogo entre Pessoa e Caeiro

Pessoa: A chuva me deixa triste...
Caeiro: A mim me deixa molhado.

Prosas, seguidas de odes mínimas.
São Paulo: Companhia das Letras, 1992.

Certa vez, Fernando Pessoa afirmou que era, na verdade, um dramaturgo. Observe como José Paulo Paes entra no universo teatral do poeta, imaginando um diálogo entre o português (poeta saudosista, melancólico, confessional) e Alberto Caeiro (heterônimo guiado pelos sentidos e pelo contato direto com a natureza). Agora, você também deverá entrar no jogo pessoano e propor diálogos entre o ortônimo e um heterônimo ou entre os heterônimos. Para isso, oriente-se pelos passos a seguir:

- Escolha quem participará de seu diálogo (Pessoa, Caeiro, Reis, Campos).
- Retome o capítulo 28 e atente para as características do poeta que você escolheu.
- Imagine que diálogo os poetas poderiam estabelecer (construa falas coerentes com a postura do poeta que escolheu).
- Faça um rascunho de seu diálogo e troque-o com um colega.
- Leia o diálogo escrito por seu colega, sugerindo ajustes, quando necessário. Observe a coerência entre o que os poetas falam e a postura deles em suas obras, além da ortografia e da coesão.
- Escreva em um papel seu "falso diálogo" e publique-o no mural da escola ou crie um *blog* para a divulgação dos trabalhos. Se possível, ilustre seu texto com desenhos dos poetas (a exemplo do que fez Almada Negreiros).

SYLVAIN SONNET/CORBIS/LATINSTOCK

Estátua de Fernando Pessoa, no bairro do Chiado, Lisboa, Portugal. (Foto de 2011.)

Leitura puxa leitura

Comece sua leitura por:

Mensagem (1934), de Fernando Pessoa

Por que ler: Único livro publicado em vida pelo poeta, essa coletânea de poemas apresenta um diálogo com a tradição literária, o passado histórico e os aspectos míticos e místicos de Portugal. Nesses planos, Pessoa apresenta reflexões e questionamentos que reinterpretam os grandes símbolos lusitanos — com destaque para o mar — enquanto projeta uma visão grandiosa para o destino de seu país e de seu povo.

Obras de Mário de Sá-Carneiro

Por que ler: Além de ser um grande amigo, Sá-Carneiro é quase um avesso de Pessoa. Em seus poemas, o eu lírico, em vez de se multiplicar em heterônimos, divide-se intimamente refletindo a angústia do sujeito moderno.

Obras de Alberto Caeiro

Por que ler: O "mestre" de todos os outros heterônimos e do próprio Fernando Pessoa tem em sua poesia a marca da simplicidade e da contemplação da natureza por meio dos sentidos, e não do pensamento.

Obras de Florbela Espanca

Por que ler: Poeta contemporânea de Pessoa, cuja alma ele considerou "irmã gêmea" da sua, Florbela traz em sua poesia a marca do sentimento feminino, do amor e da melancolia.

O livro do desassossego (1982), de Fernando Pessoa

Por que ler: Semi-heterônimo de Pessoa, Bernardo Soares apresenta em seu *Livro do desassossego* reflexões profundas sobre o estar no mundo.

REPRODUÇÃO

O livro das ignorãças (1993), de Manoel de Barros

Por que ler: Desconhecer para conhecer é o mote desse livro e da obra de Manoel de Barros, que, assim, se aproxima de Alberto Caeiro e da estética do sentir em detrimento da do pensar.

Obras de Álvaro de Campos

Por que ler: Heterônimo de maior intensidade, Campos traz em sua poesia a influência do Futurismo.

CLASSIC VISION/AGE FOTOSTOCK/EASYPIX

Folhas de relva (1855), de Walt Whitman

Por que ler: Além de fundar a poesia moderna norte-americana, essa obra é uma das principais referências poéticas de Álvaro de Campos.

Obras de Ricardo Reis

Por que ler: O médico criado por Pessoa tem em sua poesia a marca da tradição clássica.

O ano da morte de Ricardo Reis (1984), de José Saramago

Por que ler: Nesse romance, Saramago resgata a trajetória de Ricardo Reis e põe em xeque sua visão estoica e meramente contemplativa da vida.

REPRODUÇÃO

O sétimo selo (1957), de Ingmar Bergman

Por que assistir: O filme nos traz uma alegoria da eterna busca do homem pelo sentido da vida. Nele, um cavaleiro retorna das Cruzadas e vê sua vila devastada pela peste. Após um confronto com a Morte, ele terá algumas certezas diante de um mundo caótico, tal como ocorre com o Ricardo Reis de Saramago.

REPRODUÇÃO

O filme do desassossego (2010), de João Botelho

Por que assistir: Essa adaptação do cineasta português João Botelho se propõe à difícil tarefa de representar Bernardo Soares e seus questionamentos pela lente do cinema.

UNIDADE 12

MODERNISMO: A REINVENÇÃO DO BRASIL

Que conceito você tem de *moderno*? E de *antigo*? O que é modernidade? Como defini-la?

Você já parou para pensar que o antigo um dia foi moderno? Tome como exemplo o Romantismo. Naquela primeira metade do século XIX, os românticos eram a vanguarda, que rompia com o Neoclassicismo em defesa de uma arte livre e original. Com o passar do tempo, o que então era uma ideia ousada foi devidamente absorvida e aceita pela crítica e pelos apreciadores de arte. E o moderno acabou virando tradição. Os "antigos" românticos foram sucedidos pela "vanguarda" realista-naturalista, que, por sua vez, passou a ser questionada pelos simbolistas. E assim sucessivamente.

O conjunto de manifestações artísticas que surgiu na Europa em fins do século XIX foi genericamente denominado Modernismo. No Brasil, o movimento está ligado à Semana de Arte Moderna, evento realizado em 1922 por um grupo de artistas com o objetivo de rever a arte consagrada e propor uma nova forma de representar esteticamente o país.

A obra *Macunaíma* já virou filme, peça de teatro e, agora, CD. Em 2010, a cantora Iara Rennó lançou o disco *Macunaíma Ópera Tupi*, em que transformou a prosa da principal obra do momento mais radical do Modernismo em música.

Para início de conversa

O poema "Neighborhoods" foi escrito por Bruna Beber (1984), uma jovem poeta carioca, autora de três coletâneas: *A fila sem fim dos demônios descontentes* (2006), *Balés* (2009) e *Rapapés e apupos* (2012). O poema a seguir foi retirado da obra de estreia da poeta.

Neighborhoods

se o mundo não fosse
esse aterro de
máquinas
barbas
pilhas

débitos
prazos
e canetas
marca-texto

medos
dúvidas
e embalagens
tetrapak

se o mundo não fosse
um aterro de babacas
ou se o mundo não fosse
um abrangente
e resumido
aterro de sinônimos

e se essa rua
se essa rua
fosse tua
eu ia me mudar pra lá.

BEBER, Bruna. Neighborhoods. In: COHN, Sérgio (Org.). *Poesia.br*. Rio de Janeiro: Beco do Azougue, 2012. p. 39.

IMAGEZOO/CORBIS/LATINSTOCK

Neighborhoods: (inglês) bairro, vizinhança.

Responda às questões no caderno.

1 No poema, o eu lírico elenca uma série de elementos para caracterizar um mundo que ele recusa. Infira: que características teria esse mundo?

2 Que elemento da tradição o eu lírico utiliza para destacar seu amor em meio a um mundo que é um "resumido aterro de sinônimos"?

Em sua jovem poesia, Bruna Beber mescla bom humor, pedaços do cotidiano que compõem o mundo moderno — "pilhas", "débitos", "prazos", "canetas marca-texto", "medos", "dúvidas", "embalagens tetrapak", etc. — e uma pitada de tradição. Propondo-se a fazer uma poesia marcada pela irreverência, pelos versos livres e brancos, pelo diálogo com o mundo contemporâneo e pelos coloquialismos a autora mostra-se herdeira — direta ou indireta — do Modernismo.

As circunstâncias que propiciaram o surgimento do Modernismo no Brasil estão associadas às diversas transformações pelas quais passou o país no início do século XX, quando a República ainda engatinhava. Os civis haviam acabado de subir ao poder e as oligarquias de São Paulo, Minas Gerais e Rio Grande do Sul dominavam o cenário político.

Entre 1887 e 1930, estima-se que 3,8 milhões de imigrantes tenham se mudado para o Brasil. O crescimento urbano — principalmente de São Paulo, que se destacou como centro distribuidor de mercadorias, sede de bancos e local de investimento industrial — e as transformações sociais levaram ao desenvolvimento do operariado, composto na maioria por estrangeiros, que haviam trazido para cá as ideias socialistas e anarquistas e sua experiência na luta de classes.

Em 1917, iniciou-se no Rio de Janeiro e em São Paulo um período de greves que duraria até 1920. Nessa década, chegou ao Brasil a notícia do rompimento entre as correntes anarquistas e comunistas vitoriosas na Revolução Russa. Assim, nasceu em março de 1922 o Partido Comunista do Brasil — seus fundadores vinham majoritariamente do movimento anarquista —, que, em virtude da repressão, foi considerado ilegal durante quase toda a sua existência.

Em 1926, mantendo o rodízio de presidentes entre São Paulo e Minas Gerais, foi eleito o paulista Washington Luís. Porém, ao final de seu mandato, ao insistir na candidatura do também paulista Júlio Prestes para sua sucessão, ele rompeu a antiga aliança com os mineiros. Os políticos de Minas e do Rio Grande do Sul articularam-se e lançaram o nome do gaúcho Getúlio Vargas como candidato à presidência. Formava-se assim a Aliança Liberal, movimento que representava os interesses das classes dominantes regionais, afastadas da cafeicultura, e defendia também algumas leis de proteção aos trabalhadores, a anistia para os tenentes e a reforma política visando garantir a transparência do processo eleitoral.

Durante a campanha eleitoral, estourou a crise de 1929, com a queda da Bolsa de Valores de Nova York. O preço do café despencou no mercado internacional. Os fazendeiros apelaram para o governo, mas Washington Luís recusou-se a ajudar.

Ainda assim, as eleições de 1930 foram vencidas por Júlio Prestes. A ala mais jovem da Aliança Liberal juntou-se aos tenentes e, com o apoio do Exército, estourou em outubro daquele ano a revolução em Minas Gerais e no Rio Grande do Sul. A vitória foi rápida: um mês depois, Getúlio Vargas assumiu a presidência do país, selando o fim da Primeira República. Iniciava-se um novo governo, voltado para o desenvolvimento industrial e apoiado pelo Exército.

Nesse cenário de contradições sociais e políticas, surgiu o nosso Modernismo, propondo uma reflexão da realidade brasileira para, a partir dela, renovar a cultura do país. Esse será o assunto desta unidade.

Capa do programa do festival que inaugurou o Modernismo no Brasil.

REPRODUÇÃO

Marco literário

O Modernismo brasileiro é inaugurado oficialmente com a Semana de Arte Moderna, em 1922. A primeira fase do movimento estende-se, aproximadamente, dessa data até 1930. A obra que marca o início da segunda fase modernista é *A bagaceira* (1928), de José Américo de Almeida.

CAPÍTULO

29

Antecedentes do Modernismo: os pré-modernistas

PERCURSO DO CAPÍTULO

- O Pré-Modernismo: problematização do Brasil
- Euclides da Cunha: litoral × sertão
- Lima Barreto: literatura confessional
- Monteiro Lobato: ousadia e conservadorismo
- Augusto dos Anjos: singularidade literária

LENISE PINHEIRO/FOLHAPRESS

Em São Paulo, 2002, o diretor paulista José Celso Martinez Corrêa apresentou sua leitura teatral de *Os sertões* (1902), obra com a qual Euclides da Cunha iniciou o Pré-Modernismo no Brasil.

Introdução

Embora não constitua uma escola literária propriamente dita, o período de transição que antecede o Modernismo brasileiro foi marcado pelo surgimento de alguns escritores que utilizaram suas obras para problematizar o Brasil. Abordaremos neste capítulo aspectos da obra de Euclides da Cunha, Lima Barreto e Monteiro Lobato, além do poeta Augusto dos Anjos.

A crônica que você lerá a seguir, escrita por um autor que você já conhece, Olavo Bilac, data de outubro de 1897 e foi publicada originalmente no jornal *O Estado de S. Paulo*. A expressão que dá título ao texto — "cidadela maldita" — foi utilizada pelo então presidente da República, Prudente de Morais, para referir-se a Canudos, na Bahia. O episódio tratado por Bilac e conhecido como "Guerra de Canudos" durou quase um ano, até 5 de outubro de 1897, quando a população de Belo Monte (Canudos), liderada por um religioso de apelido Antônio Conselheiro, foi morta por quatro mil soldados do Exército.

Cidadela maldita

Enfim, arrasada a cidadela maldita! enfim, dominado o **antro** negro, cavado no centro do **adusto** sertão, onde o Profeta das longas barbas sujas concentrava a sua força diabólica, feita de fé e de patifaria, alimentada pela superstição e pela **rapinagem**!

Cinco horas da madrugada, hoje. Num sobressalto, acordo, ouvindo um clamor de clarins e um rufo acelerado de caixas de guerra. Corro à janela, que defronta o palácio do governo.

Uma escura massa de gente, na escuridão da antemanhã, está agrupada na rua. Calam-se os clarins e as caixas de guerra. Há um curto silêncio. E, logo, dos instrumentos de metal **estrompam**, e dos tambores que se esfalfam rufando, como corações atacados de **hipercinesia**, rompe, alto e vibrante, o Hino Nacional. É uma banda militar, que toca à alvorada, em frente do palácio, para celebrar ainda uma vez a grande nova, transmitida ontem à nossa ansiedade pelo telégrafo.

Todos os galos da vizinhança acordam, ajuntando o **estridor** de seu canto ao estridor das **trompas** da banda. Longe, um pedaço do céu, tocado de rosa e pérola, anuncia o dia.

Como é bom despertar assim, em pleno **júbilo**, já com o coração livre daqueles sustos dos dias passados — quando a gente abrindo os jornais, sentia o coração

Antro: local asqueroso.
Adusto: de temperatura muito elevada.
Rapinagem: roubo; ladroagem.
Estrompam: gastam-se, deterioram-se.
Hipercinesia: rapidez de movimentos mórbida, doentia.
Estridor: barulho desagradável; estrondo.
Trompas: instrumentos musicais de sopro.
Júbilo: alegria extrema; regozijo.

pressago, cheio de medo, temendo o horror de novas catástrofes, de novos morticínios, de novas derrotas!

Enfim, assaltada e vencida a **furna lôbrega**, onde a ignorância, ao mando da ambição, se **alapardava** perversa! Enfim, desmantelada a cidadela-igreja, onde o Bom Jesus **facínora**, como um **cura** Santa Cruz de nova espécie, oficiava, tendo sobre o espesso **burel** a coronha da pistola assassina!...

BILAC, Olavo. Cidadela maldita. In: DIMAS, Antônio (Org.). *Vossa insolência*: crônicas. São Paulo: Companhia das Letras, 1996. p. 4121-4123.

Pressago: que intui, pressente.

Furna lôbrega: caverna escura, sombria.

Alapardava(-se): escondia-se em posição de agachamento.

Facínora: criminoso cruel e perverso.

Cura: vigário.

Burel: tecido de vestimentas de certos religiosos ou penitentes.

Registre as respostas no caderno.

1 A crônica deixa transparecer a posição de Olavo Bilac sobre a derrocada de Canudos.

a) Qual é essa posição?

b) Que argumentos (implícitos) o autor parnasiano utiliza para sustentar sua posição?

c) Que palavras e expressões do texto permitem deduzir essa posição de Bilac?

2 Que antonomásias Bilac utiliza para referir-se ao líder de Canudos?

3 Imagine um indivíduo de 1897, com pouco acesso à informação e que nunca tivesse ouvido falar de Antônio Conselheiro. Ao ler a crônica de um escritor conceituado como Olavo Bilac, que visão esse brasileiro do final do século XIX teria sobre o líder de Canudos?

PARA LEMBRAR

Antonomásia: espécie de metonímia que consiste em substituir o nome de uma pessoa por uma característica, um atributo, um feito que a torna especial dentre as demais.

A crônica "Cidadela maldita", em que Olavo Bilac exalta a vitória do governo sobre Canudos, não expressa um pensamento isolado. Afinal, não eram poucos os intelectuais contemporâneos desse autor parnasiano que consideravam Canudos sinônimo de ignorância, horror, fanatismo cego e atraso. Na contramão desse tipo de pensamento, apareceu Euclides da Cunha, figura que, por meio da obra *Os sertões*, fez emergir não um simples relato sobre uma guerra ocorrida em uma região pouco conhecida de seus leitores, mas um verdadeiro painel literário crítico sobre nossa terra e nossa gente. Na esteira desse espírito inovador e/ou investigativo, surgiram ainda outros nomes como Monteiro Lobato, Lima Barreto e Augusto dos Anjos, autores que serão estudados neste capítulo.

Pré-Modernismo: um período de transição

O final do século XIX e o início do XX foram marcados, no Brasil, pelo sincretismo, ou seja, pela coexistência plural de uma literatura realista-naturalista (com ênfase na poesia parnasiana), de versos simbolistas (apreciados por um grupo mais restrito), de heranças românticas e de posições artísticas inovadoras.

Antes que a Semana de Arte Moderna "oficializasse", em 1922, nosso Modernismo, dois fatos já prenunciavam ares de modernidade no Brasil — do ponto de vista político, a extinção do trabalho escravo em 1889; e, da perspectiva literária, a publicação, em 1902, de três obras de autores preocupados com a análise crítica da realidade brasileira: a segunda edição (revista e aumentada) da *História da literatura brasileira*, de Sílvio Romero; *Canaã*, de Graça Aranha; e, principalmente, *Os sertões*, de Euclides da Cunha, livro que estudaremos adiante.

Os sertões, de Euclides da Cunha: literatura, história e jornalismo

Foto de Euclides da Cunha feita por J. Vollsack em 1904.

Você imaginaria que um livro de 637 páginas, baseado em uma série de reportagens a respeito de uma guerra, ocorrida cinco anos antes, poderia tornar-se sucesso de público e de crítica e transformar-se num dos ícones da cultura do país? Foi o que aconteceu com *Os sertões*, de Euclides da Cunha.

Nos artigos e reportagens que escreveu sobre Canudos como correspondente do jornal *O Estado de S. Paulo* — seguindo o exemplo da maioria dos jornalistas da época —, Euclides da Cunha (1866-1909) exaltou patrioticamente as ações do Exército e ocultou as atrocidades que testemunhou (como torturas e decapitações). Entretanto, em 1902, ele surgiu com uma obra, *Os sertões*, em que acusava Exército, Igreja e Governo de destruir a comunidade organizada por Antônio Conselheiro e fazia uma severa autocrítica aos textos patrióticos que publicara cinco anos antes.

A Guerra de Canudos inaugurou a cobertura jornalística diretamente no local dos acontecimentos, graças à instalação de linhas de telégrafo no sertão.

Escrita ao longo de quatro anos, a obra *Os sertões* analisa a Guerra de Canudos, aliando a ciência à arte. Influenciado pelo determinismo do filósofo francês Hippolyte Taine (1823-1893), segundo o qual o comportamento humano é determinado pelo meio, pela raça e pelo momento, Euclides dividiu sua obra em três partes: "A terra" (o meio), "O homem" (a raça) e "A luta" (o momento).

Os sertões, no entanto, não é apenas um livro esquemático de viés naturalista. Nas páginas da obra, o leitor se depara com uma narrativa marcada por tons trágicos, típicos do gênero dramático (teatral), em que o narrador assume o papel de uma espécie de coro de tragédia clássica, que opina, questiona, comenta, critica, acusa e lamenta as vítimas do massacre.

Para escrever sua obra mais conhecida, Euclides da Cunha inspirou-se nos grandes clássicos gregos, como Ésquilo, Eurípides e Sófocles, em Shakespeare e em escritores românticos, como o francês Victor Hugo e os brasileiros Castro Alves e Fagundes Varela.

PARA LEMBRAR

Tragédia: texto teatral que representa uma ação humana dolorosa, determinada por um destino que conduz um herói, contra sua vontade, à infelicidade ou à morte.

A Guerra de Canudos

Por volta de 1870, o cearense Antônio Vicente Mendes Maciel, conhecido como Antônio Conselheiro (1830-1897), iniciou suas pregações na Bahia e em Sergipe, prática que foi proibida pela Igreja em 1882. Com a proclamação da República, Conselheiro opôs-se a esse regime, criticando, entre outras práticas, a cobrança de novos impostos. Era adepto de um catolicismo baseado numa vida ascética (ligada à supremacia do espírito, ao sofrimento e ao desprezo do corpo e dos prazeres físicos) e piedosa. Além disso, defendia uma crença mística na Monarquia, tida como abençoada por Deus. Em 1893, Conselheiro fixou-se com seus seguidores em Belo Monte.

Os atritos do governo com Canudos iniciaram-se em 1896 e estenderam-se por quase um ano. Nesse período, quatro expedições militares foram enviadas à região, e o saldo do conflito foi a destruição de uma cidade de 5.200 casebres e uma população estimada entre 10 mil e 25 mil habitantes.

Oficialmente, o governo alegou estar defendendo o país de um fanático que liderava um enorme grupo antirrepublicano e monarquista. Hoje já se sabe que fatores políticos, a atuação da Igreja contra determinados pregadores e as pressões dos grandes proprietários de terras, que sentiam a escassez de mão de obra, foram os verdadeiros responsáveis por um dos maiores massacres já realizados no Brasil.

As ruínas da igreja de Canudos, antes submersas, vieram à tona em 1998 com a grande seca que atingiu a barragem. Foto de 2012.

⊙ "O homem": os protagonistas da tragédia

Na segunda parte de sua obra, o autor aborda as origens do homem americano, a formação racial do sertanejo e os supostos malefícios da mestiçagem. É também em "O homem" que ele caracteriza a figura do líder messiânico Antônio Conselheiro:

Tornou-se logo alguma coisa de fantástico ou mal-assombrado para aquelas gentes simples. Ao abeirar-se das rancharias dos tropeiros aquele velho singular, de pouco mais de trinta anos, fazia que cessassem os improvisos e as violas festivas.

CUNHA, Euclides da. *Os sertões*. ed. esp. Rio de Janeiro: Nova Fronteira, 2011. p. 163. (Saraiva de Bolso). (Fragmento).

ACERVO ICONOGRAPHIA /REMINISCÊNCIAS

Antônio Conselheiro. 1897. Litografia de autor desconhecido.

Como se apresentasse o protagonista de uma tragédia, em "O homem", Euclides da Cunha trata principalmente do sertanejo, particularizado na figura de Antônio Conselheiro. Sendo o homem do sertão uma vítima do ataque desproporcional das forças republicanas, ele acaba elevado pelo autor fluminense à categoria de **herói**. Nessa parte, também são apresentados personagens secundários, como chefes jagunços, coronéis, militares. Leia como Euclides apresenta o sertanejo numa das passagens mais conhecidas de *Os sertões*, a parte III de "O homem":

O sertanejo

O sertanejo é, antes de tudo, um forte. Não tem o **raquitismo** exaustivo dos mestiços **neurastênicos** do litoral.

A sua aparência, entretanto, ao primeiro lance de vista, revela o contrário. Falta-lhe a plástica impecável, o **desempeno**, a estrutura corretíssima das organizações atléticas.

É desgracioso, desengonçado, torto. Hércules-Quasímodo, reflete no aspecto a fealdade típica dos fracos. O andar sem firmeza, sem aprumo, quase gigante e sinuoso, aparenta a **translação** de membros desarticulados. Agrava-o a postura normalmente abatida, num manifestar de displicência que lhe dá um caráter de humildade deprimente. A pé, quando parado, recosta-se invariavelmente ao primeiro umbral ou parede que encontra; a cavalo, se **sofreia** o animal para trocar duas palavras com um conhecido, cai logo sobre um dos estribos, descansando sobre a **espenda** da sela. Caminhando, mesmo a passo rápido, não traça trajetória retilínea e firme. Avança **celeremente**, num bambolear característico, de que parecem ser o traço geométrico os **meandros** das trilhas sertanejas. E se na marcha estaca pelo motivo mais vulgar, para enrolar um cigarro, bater o isqueiro, ou travar ligeiramente conversa com um amigo, cai logo — cai é o termo — **de cócoras**, atravessando largo tempo numa posição de equilíbrio instável, em que todo o seu corpo fica suspenso pelos dedos grandes dos pés, sentado sobre os calcanhares, com uma simplicidade a um tempo ridícula e adorável.

É o homem permanentemente fatigado.

Reflete a preguiça invencível, a **atonia** muscular perene, em tudo: na palavra **remorada**, no gesto contrafeito, no andar desaprumado, na cadência **langorosa** das modinhas, na tendência constante à imobilidade e à quietude.

Entretanto, toda esta aparência de cansaço ilude.

[...]

CUNHA, Euclides da. *Os sertões*. ed. esp. Rio de Janeiro: Nova Fronteira, 2011. p. 118-119. (Saraiva de Bolso). (Fragmento).

Material complementar
- Atividade: *Os sertões* – "A terra"

Raquitismo: fraqueza óssea; "franzinice".

Neurastênicos: neuróticos; mal-humorados, irritadiços.

Desempeno: elegância; desenvoltura.

Translação: movimentação.

Sofreia: puxa ou retesa as rédeas de.

Espenda: parte da sela em que se encaixa a coxa do cavaleiro.

Celeremente: rapidamente.

Meandros: caminhos tortuosos.

De cócoras: agachado.

Atonia: inércia, fraqueza, debilidade.

Remorada: atrasada, demorada.

Langorosa: doce, meiga.

Responda às questões oralmente.

1 A fim de caracterizar o sertanejo, Euclides da Cunha parte de uma imagem. Para ele, o sertanejo seria um "Hércules-Quasímodo". Explique por que essa imagem constitui um paradoxo.

2 Partindo do texto, explique por que o autor de *Os sertões* recorre à figura monstruosa de um "Hércules-Quasímodo" para caracterizar o sertanejo.

Material complementar
- Atividade: *Os sertões* – "A luta"

Em "O homem", Euclides da Cunha mostra que seguia as teorias raciais (hoje ultrapassadas) baseadas na ideia de que a "mistura de raças mui diversas", "na maioria dos casos", era "prejudicial". Em sua obra, defendeu que na Guerra de Canudos havia o choque entre dois grupos de mestiços: os "curibocas" do sertão (brancos + índios) e os "mestiços" do litoral (brancos + negros), destacando a força dos primeiros, os quais não teriam "o raquitismo exaustivo dos mestiços neurastênicos do litoral", como você acabou de ler. Embora a possibilidade de adaptação a um meio hostil e a extrema resistência física do sertanejo fossem vistas por Euclides como elementos positivos, o fanatismo religioso, as superstições e um suposto atraso em relação àquilo que era tido como "progresso" da civilização foram severamente condenados pelo autor de *Os sertões*.

Para Euclides da Cunha, o sertanejo era mais forte porque reunia a bravura indígena e a ousadia dos bandeirantes paulistas.

SAIBA MAIS!

- Por meio do *link* <http://www.itaucultural.org.br/arqueologia/> é possível acessar o *site* da Arqueologia Brasileira (Itaú Cultural) para ver as escavações na região de Canudos e os restos das duas igrejas do povoado, além de trincheiras, barricadas e vestígios de acampamentos e habitações. As ruínas da comunidade foram cobertas em 1969 pelas águas do açude de Cocorobó e afloraram há três anos devido à seca que castigou a região.

Em *Os sertões*, Euclides da Cunha denuncia, pela primeira vez nas letras brasileiras, a existência de dois Brasis, o do litoral e o do sertão, embora identifique em ambos o mesmo mal: o fanatismo. Os seguidores de Antônio Conselheiro seriam tomados por um **fanatismo religioso**, esperando, inclusive, o retorno messiânico de D. Sebastião, que voltaria para liquidar as tropas republicanas. Os soldados, por sua vez, seriam dominados pelo **fanatismo político**, cultuando cegamente a memória do marechal Floriano Peixoto (que morrera dois anos antes), liderados pelo coronel Moreira César, considerado tão fanático quanto Conselheiro.

Conhecido como "Marechal de Ferro" e "Consolidador da República", foi presidente (1891-1894) após a renúncia do marechal Deodoro da Fonseca. Seu governo foi marcado por várias revoltas.

Lima Barreto: literatura da denúncia e do desabafo

ACERVO ICONOGRAPHIA/REMINISCÊNCIAS

Lima Barreto, por autor desconhecido.

No ano de 2010 foi publicada a primeira antologia completa de contos do escritor Lima Barreto. O que torna esse fato curioso é que o autor morreu em 1922, ou seja, a reunião de contos de um dos prosadores mais relevantes do século XX surgiu somente 88 anos após sua morte. Talvez a história do escritor carioca nos ajude a entender o porquê desse atraso.

Em Lima Barreto (1881-1922), biografia e ficção se misturam como em nenhum outro autor que você estudou até agora. Órfão de mãe, conseguiu estudar, graças a um padrinho rico, no prestigiado Liceu Popular Niteroiense, onde sentiu a discriminação dos colegas por sua negritude e pobreza. Ingressou na Escola Politécnica, mas abandonou os estudos para sustentar a família e cuidar do pai, que manifestava sinais de loucura e alcoolismo. O serviço público no Arsenal da Guerra garantiu-lhe a precária sobrevivência, vivida numa casa modesta no subúrbio carioca de Todos os Santos. Paralelamente, dedicou-se ao jornalismo.

Amargurado e frustrado, passou a beber e, assim como o pai, começou a apresentar sinais de loucura. Internado em hospícios, em 1918 aposentou-se definitivamente do serviço público por invalidez. De dândi elegante, passou a maltrapilho errante e bêbado, perambulando pelas ruas do Rio de Janeiro, então a capital federal. Quase ignorado, morreu deixando uma considerável obra e uma impressionante biblioteca particular que nos revela sua "intimidade bibliográfica" com autores como Machado de Assis, Raul Pompeia, Sílvio Romero e Jean-Jacques Rousseau, entre outros.

> **Material complementar**
> • Atividade: "O pecado", Lima Barreto

A crítica ao funcionalismo público e ao vício brasileiro do protecionismo aparece com frequência na boca dos personagens do autor; o subúrbio carioca é outra referência constante em suas narrativas. Fugindo ao formalismo literário da academia, Lima Barreto procurou construir uma literatura que privilegiasse o registro oral, a verdadeira fala do povo, procedimento que muitos críticos enxergaram como "descuido da linguagem".

A trajetória de Lima Barreto é prova concreta de que, no Brasil, o advento da República e da abolição da escravatura não proporcionou aos negros e mulatos (instruídos ou não) reais possibilidades de mobilidade social. Além disso, os discursos científicos raciais que chegavam ao país tentavam justificar as condições desumanas a que os negros eram submetidos, mesmo que legalmente livres.

Lima Barreto foi o primeiro autor brasileiro a reconhecer-se como um literato negro. Em seus textos, ele mostra claros ressentimentos com a exclusão, com as injustiças sociais e com a eugenia (ver boxe). Viveu sob o signo do não: a Academia Brasileira de Letras nunca o reconheceu como membro, grupos boêmios letrados não o convidavam à participação e suas publicações não eram prestigiadas como mereciam.

Eugenia: uma posição racista maquiada de ciência

O antropólogo inglês Francis Galton (1822-1911) cunhou o termo "eugenia" no final do século XIX, definindo-a como a "ciência" do melhoramento da hereditariedade humana. No Brasil, o movimento eugênico teve como líder o médico paulista Renato Kehl (1889-1974) e fascinou muitos intelectuais que entendiam que a eugenia seria importante para o progresso da nação. Assumindo um caráter autoritário e racista, muitos eugenistas defendiam a proibição dos imigrantes não brancos, o controle da miscigenação, a intervenção na reprodução humana e a esterilização de indivíduos considerados "inaptos".

Muitas das experiências vividas por Lima Barreto foram transformadas em ficção. De suas publicações, destacam-se *Recordações do escrivão Isaías Caminha* (1909), obra de caráter autobiográfico em que um personagem do interior sofre preconceitos no Rio de Janeiro; o romance inacabado *Clara dos Anjos* (1948), em que uma "mulatinha, filha de um carteiro", é seduzida por um malandro do subúrbio, Cassi Jones; e o romance mais importante do autor: *Triste fim de Policarpo Quaresma* (1915).

⊙ *Triste fim de Policarpo Quaresma*

Narrado em terceira pessoa, o romance *Triste fim de Policarpo Quaresma* conta, de maneira irônica e melancólica, a história de um personagem ingênuo, uma espécie de D. Quixote nacional. Policarpo Quaresma, major que vive no subúrbio e exerce a função de subsecretário no Arsenal da Guerra, é um patriota idealista, fanático e visionário, ridicularizado às escondidas pelos colegas. O livro divide-se em três partes, relacionadas aos projetos do protagonista.

- **Projeto nacionalista**

Quaresma empreende um estudo minucioso das tradições do Brasil, inclusive da cultura indígena. Por meio de um requerimento, solicita às autoridades que introduzam o tupi-guarani como língua oficial. Essas e outras extravagâncias (como a iniciativa de cumprimentar as pessoas chorando, como faziam os índios Tupinambá) levam-no a ser internado num hospício.

- **Projeto agrícola**

Quaresma adquire uma propriedade rural, o Sítio do Sossego, fracassa na tentativa de aplicar nas terras as teorias que aprendeu nos livros e, involuntariamente, envolve-se nas politicagens do interior.

- **Projeto político**

Policarpo engaja-se como voluntário nas tropas lideradas pelo "Marechal de Ferro", Floriano Peixoto, para lutar pelos ideais republicanos no episódio da Revolta da Armada. Na ilha das Enxadas, assume a função de carcereiro e testemunha a condenação ilegal e aleatória de presos políticos ao fuzilamento. Indignado, escreve uma carta em protesto e tem seu triste fim injustamente decretado por seu "ídolo político".

O texto a seguir, intitulado "A afilhada", foi retirado do último capítulo da terceira parte do romance *Triste fim de Policarpo Quaresma*. Nele, consciente do destino a que fora condenado por sua própria pátria, Policarpo reflete sobre suas escolhas:

NAVEGUE

Acesse um guia de leitura dessa obra de Lima Barreto em: <http://www.companhiadasletras.com.br/guia_leitura/85023.pdf>.

Conflito ocorrido em 1893, quando forças rebeldes da Marinha se voltaram contra o governo do marechal Floriano Peixoto.

Nesse capítulo, Olga (nome da afilhada) tenta encontrar o padrinho para salvá-lo da morte.

Como lhe parecia ilógico com ele mesmo estar ali metido naquele estreito calabouço. Pois ele, o Quaresma plácido, o Quaresma de tão profundos pensamentos patrióticos, merecia aquele triste fim? De que maneira sorrateira o Destino o arrastara até ali, sem que ele pudesse pressentir o seu extravagante propósito, tão aparentemente sem relação com o resto da sua vida? Teria sido ele com os seus atos passados, com as suas ações encadeadas no tempo, que fizera com que aquele velho deus docilmente o trouxesse até à execução de tal desígnio? Ou teriam sido os fatos externos que venceram a ele, Quaresma, e fizeram-no escravo da sentença da onipotente divindade? Ele não sabia, e, quando teimava em pensar, as duas cousas se baralhavam, se emaranhavam e a conclusão certa e exata lhe fugia.

Não estava ali há muitas horas. Fora preso pela manhã, logo ao erguer-se da cama; e, pelo cálculo aproximado do tempo, pois estava sem relógio e mesmo se o tivesse não poderia consultá-lo à fraca luz da masmorra, imaginava podiam ser onze horas.

REPRODUÇÃO

Cartaz do filme *Policarpo Quaresma, herói do Brasil*, adaptação cinematográfica da obra de Lima Barreto. Direção de Paulo Thiago. Brasil, 1998.

Por que estava preso? Ao certo não sabia; o oficial que o conduzira nada lhe quisera dizer; e, desde que saíra da ilha das Enxadas para a das Cobras, não trocara palavra com ninguém, não vira nenhum conhecido no caminho, nem o próprio Ricardo que lhe podia, com um olhar, com um gesto, trazer sossego às suas dúvidas. Entretanto, ele atribuía a prisão à carta que escrevera ao presidente, protestando contra a cena que presenciara na véspera.

Não se pudera conter. Aquela leva de desgraçados a sair assim, **a desoras**, escolhidos **a esmo**, para uma **carniçaria** distante, falara fundo a todos os seus sentimentos; pusera diante dos seus olhos todos os seus princípios morais; desafiara a sua coragem moral e a sua solidariedade humana; e ele escrevera a carta com **veemência**, com paixão, indignado. Nada omitiu do seu pensamento; falou claro, franca e nitidamente.

Devia ser por isso que ele estava ali naquela masmorra, engaiolado, trancafiado, isolado dos seus semelhantes como uma fera, como um criminoso, sepultado na treva, sofrendo umidade, misturado com os seus detritos, quase sem comer...

A desoras: fora de hora.
A esmo: sem rigor; ao acaso.
Carniçaria: grande massacre; carnificina.
Veemência: energia, vigor.

Como acabarei? Como acabarei? E a pergunta lhe vinha, no meio da revoada de pensamentos que aquela angústia provocava pensar. Não havia base para qualquer hipótese. Era de conduta tão irregular e incerta o Governo que tudo ele podia esperar: a liberdade ou a morte, mais esta que aquela.

O tempo estava de morte, de carnificina; todos tinham sede de matar, para afirmar mais a vitória e senti-la bem na consciência cousa sua, própria, e altamente honrosa.

Iria morrer, quem sabe se naquela noite mesmo? E que tinha ele feito de sua vida? Nada. Levara toda ela atrás da miragem de estudar a pátria, por amá-la e querê-la muito, no intuito de contribuir para a sua felicidade e prosperidade. Gastara sua mocidade nisso, a sua virilidade também; e, agora que estava na velhice, como ela o recompensava, como ela o premiava, como ela o condecorava? Matando-o. E o que não deixara de ver, de gozar, de fruir, na sua vida? Tudo. Não brincara, não **pandegara**, não amara — todo esse lado da existência que parece fugir um pouco à sua tristeza necessária, ele não vira, ele não provara, ele não experimentara.

Desde dezoito anos que o tal patriotismo lhe absorvia e por ele fizera a tolice de estudar inutilidades. Que lhe importavam os rios? Eram grandes? Pois que fossem... Em que lhe contribuiria para a felicidade saber o nome dos heróis do Brasil? Em nada... O importante é que ele tivesse sido feliz. Foi? Não. Lembrou-se das suas cousas de tupi, do *folk-lore*, das suas tentativas agrícolas... Restava disso tudo em sua alma uma satisfação? Nenhuma! Nenhuma!

O tupi encontrou a incredulidade geral, o riso, a **mofa**, o escárnio; e levou-o à loucura. Uma decepção. E a agricultura? Nada. As terras não eram **ferazes** e ela não era fácil como diziam os livros. Outra decepção. E, quando o seu patriotismo se fizera combatente, o que achara? Decepções. Onde estava a doçura de nossa gente? Pois ele não a viu combater como feras? Pois não a via matar prisioneiros, inúmeros? Outra decepção. A sua vida era uma decepção, uma série, melhor, um encadeamento de decepções.

A pátria que quisera ter era um mito; era um fantasma criado por ele no silêncio do seu gabinete. Nem a física, nem a moral, nem a intelectual, nem a política que julgava existir, havia. [...]

BARRETO, Lima. *Triste fim de Policarpo Quaresma*. São Paulo: Ática, 2003. p. 173-175. (Bom Livro). (Fragmento).

Pandegara: festejara.
Mofa: zombaria.
Ferazes: férteis.

Registre suas respostas no caderno.

1 Para responder às questões a seguir, relembre, ao lado, as três possibilidades de reprodução do discurso de um personagem nos textos narrativos.

a) Por qual modalidade Lima Barreto optou no trecho lido?

b) Que função expressiva tem esse tipo de discurso no texto que você acabou de ler?

2 Policarpo escreve a Floriano Peixoto uma carta indignada e veemente.

a) Que justificativa ele dá para o fato de ter escrito a carta?

b) Relacione as razões que motivaram a escritura da carta de Policarpo à seguinte passagem:

> "[...] Era de conduta tão irregular e incerta o Governo que tudo ele podia esperar [...]".

PARA LEMBRAR

Os três tipos de discurso

- **Discurso direto:** reprodução literal das palavras de uma pessoa (ou, em um texto ficcional, de um personagem). Normalmente aparece entre aspas ou precedido por travessão. Exemplo: Marcos avisou: **"Chegarei tarde"**.
- **Discurso indireto:** incorporação da fala de uma terceira pessoa (ou de um personagem) ao discurso de quem está falando. Exemplo: **Marcos avisou que chegaria tarde.**
- **Discurso indireto livre:** técnica narrativa em que as falas dos personagens se misturam às falas ou aos comentários do próprio narrador, sem aspas nem travessões. Exemplo: Marcos se esquecera de avisar que chegaria tarde. **Como podia ser tão desligado, meu Deus?**

3 A que conclusão chega Policarpo sobre sua trajetória?

Em *Triste fim de Policarpo Quaresma*, o nacionalismo do protagonista poderia ser lido como um símbolo do otimismo de muitos brasileiros nos primeiros anos da República. Entretanto, as melhorias que o sistema republicano garantiria ao país não se confirmaram para a maior parte da população, o que acabou por frustrar setores da classe média — de que é exemplo o personagem principal do romance de Lima Barreto — e das classes menos privilegiadas.

Monteiro Lobato: a escrita impiedosa

Narizinho, Pedrinho, Emília, Visconde de Sabugosa, Dona Benta são nomes familiares a você? Eles habitam o universo de muitos brasileiros que tiveram contato com a literatura infantil de Monteiro Lobato. Mas, além de escrever para crianças, o autor desenvolveu uma literatura inventiva e polêmica para adultos, da qual você conhecerá uma parte.

ACERVO ICONOGRAPHIA / REMINISCÊNCIAS

Monteiro Lobato em 1940.

Monteiro Lobato (1882-1948) nasceu em Taubaté (SP). Diplomado em Direito, atuou como promotor, mas abandonou a carreira para cuidar da fazenda da família. Dois artigos publicados no jornal *O Estado de S. Paulo* mudaram a trajetória de Lobato, que vendeu sua propriedade para dedicar-se definitivamente às letras. Foi autor, editor, crítico de arte, pintor amador, realizou campanhas nacionalistas polêmicas em favor da industrialização, do ferro e do petróleo e, por envolver-se em questões políticas, foi preso em 1941.

⊙ Jeca Tatu: "caboclismo" e redenção

Desde sua estreia como escritor, Lobato esteve envolvido em polêmicas. O texto que o tornou conhecido do grande público, o artigo "Uma velha praga", publicado em 1914, já prenunciava o tipo de autor que ele seria. Com base em sua experiência como fazendeiro, criticou o "caboclismo" como um desdobramento do idealizado indianismo romântico e denunciou o descaso das autoridades com as consequências do hábito caipira de queimar o mato para plantar.

No mesmo ano, publicou outro texto, de repercussão nacional, cujo título daria nome à sua obra de estreia: *Urupês*. Nele, o caboclo aparece representado de forma caricatural na figura de Jeca Tatu. Leia um trecho:

[...]

Morreu Peri, incomparável idealização dum homem natural como o sonhava Rousseau, protótipo de tantas perfeições humanas que no romance, ombro a ombro com altos tipos civilizados, a todos sobrelevava em beleza d'alma e corpo.

Contrapôs-lhe a cruel **etnologia** dos sertanistas modernos um selvagem real, feio e brutesco, anguloso e desinteressante, tão incapaz, muscularmente, de arrancar uma palmeira, como incapaz, moralmente, de amar Ceci.

[...]

Não morreu, todavia.

Evoluiu.

O indianismo está de novo a deitar copa, de nome mudado. Crismou-se de "caboclismo". O cocar de penas de arara passou a chapéu de palha rebatido à testa; a **ocara** virou rancho de sapé; o tacape afilou, criou gatilho, deitou ouvido e é hoje espingarda **troxada**; o **boré** descaiu lamentavelmente para **pio de inambu**; a tanga ascendeu a camisa aberta ao peito.

Mas o **substrato** psíquico não mudou: orgulho indomável, independência, fidalguia, coragem, virilidade heroica, todo o recheio em suma, sem faltar uma azeitona, dos Peris e Ubirajaras.

Este setembrino rebrotar duma arte morta inda se não **desbagoou** de todos os frutos. Terá o seu "I-Juca Pirama", o seu "Canto do Piaga" e talvez dê ópera lírica.

Mas, completado o ciclo, virão destroçar o inverno em flor da ilusão indianista

Etnologia: ciência que estuda as diversas etnias humanas.

Ocara: praça situada no interior de aldeia indígena.

Troxada: dotada de cano de aço muito resistente.

Boré: trombeta feita de bambu.

Pio de inambu: tipo de apito de madeira.

Substrato: essência.

Desbagoou: separou.

os **prosaicos** demolidores de ídolos — gente má e sem poesia. Irão os malvados **esgaravatar** o ícone com as **curetas** da ciência. E que feias se hão de entrever as caipirinhas cor de jambo de Fagundes Varela! E que **chambões** e **sornas** os Peris de calça, camisa e faca à cinta!

Isso, para o futuro. Hoje ainda há perigo em bulir no vespeiro: o caboclo é o "Ai Jesus!" nacional.

É de ver o orgulhoso **entono** com que respeitáveis figurões batem no peito exclamando com altivez: sou raça de caboclo!

Anos atrás o orgulho estava numa ascendência de tanga, **inçada** de penas de tucano, com dramas íntimos e flechaços de **curare**.

Dia virá em que os veremos, murchos de **prosápia**, confessar o verdadeiro avô: — um dos quatrocentos de Gedeão trazidos por Tomé de Sousa num barco daqueles tempos, nosso mui nobre e fecundo ***Mayflower***.

Porque a verdade nua manda dizer que entre as raças de variado matiz, formadoras da nacionalidade e metidas entre o estrangeiro recente e o **aborígene** de tabuinha no beiço, uma existe a vegetar de cócoras, incapaz de evolução, impenetrável ao progresso. Feia e sorna, nada a põe de pé.

Quando Pedro I lança aos ecos o seu grito histórico e o país desperta **estrouvinhado** à crise duma mudança de dono, o caboclo ergue-se, espia e acocora-se de novo.

Pelo 13 de Maio, mal esvoaça o florido decreto da Princesa e o negro exausto larga num uf! o cabo da enxada, o caboclo olha, coça a cabeça, 'magina e deixa que do velho mundo venha quem nele pegue de novo.

A 15 de Novembro troca-se um trono vitalício pela cadeira quadrienal. O país bestifica-se ante o **inopinado** da mudança. O caboclo não dá pela coisa.

[...]

Nada o esperta. Nenhuma **ferrotoada** o põe de pé. Social, como individualmente, em todos os atos da vida, Jeca, antes de agir, acocora-se.

Jeca Tatu é um **piraquara do Paraíba**, maravilhoso **epítome** de carne onde se resumem todas as características da espécie.

[...]

LOBATO, Monteiro. Urupês. In: SCHWARTZ, Jorge. *Vanguardas latino-americanas*: polêmicas, manifestos e textos críticos. 2. ed. rev. e ampl. São Paulo: Edusp, 2008. p. 619-620. (Fragmento).

Tomé de Sousa chegou ao Brasil, em 1549, com um grande grupo de degredados e jesuítas (os "quatrocentos de Gedeão").

Prosaicos: comuns.
Esgaravatar: esmiuçar, pulverizar.
Curetas: instrumentos cirúrgicos utilizados para raspagens.
Chambões: rudes, mal-educados.
Sornas: indolentes, preguiçosos.
Entono: orgulho, altivez.
Inçada: cheia, coberta.
Curare: tipo de veneno paralisante.
Prosápia: vaidade; arrogância.
***Mayflower*:** navio que, em 1620, transportou os peregrinos ingleses para os Estados Unidos.
Aborígene: nativo, primitivo.
Estrouvinhado: sonolento.
Inopinado: súbito, inesperado.
Ferrotoada: ferroada; cutucada.
Piraquara do Paraíba: designação dos moradores das margens do rio Paraíba do Sul, situado na região Sudeste do Brasil.
Epítome: síntese, resumo.

Responda às questões no caderno.

1 Nos dois primeiros parágrafos, Lobato fala de personagens opostos.

a) Explique de que maneira o autor define Peri, personagem do romance romântico *O Guarani*, de José de Alencar.

b) Que figura real representaria uma contraposição ao índio romântico?

2 Em *Urupês*, Monteiro Lobato afirma que o indianismo não morreu, "evoluiu" para o que ele chamou de "caboclismo".

a) Que diferenças haveria entre o indianismo e o caboclismo?

b) Que semelhanças haveria entre essas duas tendências?

3 O renascimento do indianismo na figura do caboclo geraria, segundo o texto, obras de qualidade, como aquelas escritas pelo romântico Gonçalves Dias. Entretanto, Lobato prevê um futuro nada otimista para o caboclismo. Sintetize em poucas palavras que futuro seria esse.

4 Lobato afirma que os brasileiros de sua época orgulham-se de ser da "raça de caboclo". Depois, segundo ele, esses "figurões" ficarão "murchos de prosápia" ao confessar sua real ascendência. Explique essa afirmação.

5 Com que intenção o autor cita fatos históricos como a proclamação da Independência, a libertação dos escravos e o advento da República?

6 Uma das acepções do verbete *acocorar* é "abaixar-se, agachar-se, encolher-se, pôr-se de cócoras", ato atribuído ao Jeca. Releia a passagem a seguir:

"Nada o esperta. Nenhuma ferrotoada o põe de pé. Social, como individualmente, em todos os atos da vida, Jeca, antes de agir, acocora-se".

Que sentido metafórico assume o termo *acocorar-se*? Que crítica Lobato faz ao Jeca utilizando essa imagem?

ACERVO ICONOGRAPHIA /REMINISCÊNCIAS

Jeca Tatu, personagem de Lobato, em ilustração de Belmonte, s. d.

Você deve ter observado que, em *Urupês*, Lobato utiliza a ironia para criticar um tipo de brasileiro que, na opinião dele, seria responsável pelo atraso da nação: o jeca.

Influenciado pelas teorias racistas de seu tempo, o autor atribui ao caboclo uma preguiça e negligência quase inatas que o tornariam passivo diante dos problemas individuais humanos ou dos sociais de seu país. Tudo isso é expresso num estilo seco e vigoroso, em que expressões sofisticadas, como "substrato psíquico" e "raças de variado matiz", misturam-se a expressões coloquiais, como "sem faltar uma azeitona" e "aborígene de tabuinha no beiço". Essa mescla de registros e o humor ácido fazem com que os textos do autor se aproximem de seu leitor como se este ouvisse uma história em lugar de lê-la.

Anos mais tarde, após ter acesso a estudos sobre saúde pública, Monteiro Lobato reformulou sua imagem do Jeca. Passou a defender que a indolência do caboclo não era inata, mas advinda da fome e da exclusão a que estava submetido havia gerações. Em 1947, o Jeca acocorado transformou-se em Zé Brasil, trabalhador sem terra que luta contra o latifúndio e busca a reforma agrária. Publicado como folhetim no jornal comunista *Tribuna popular*, o livreto de 24 páginas que narra as histórias desse brasileiro foi apreendido pelo governo Dutra (1946-1951) e censurado.

"A propósito da exposição Malfatti"

No dia 12 de dezembro de 1917, os paulistanos puderam apreciar 53 trabalhos da Exposição de Pintura Moderna Anita Malfatti. Inicialmente, a exposição foi um sucesso de público e de crítica.

Alguns dias depois, Monteiro Lobato surpreendeu seus leitores com um artigo denominado "A propósito da exposição Malfatti", publicado em 1919 na coletânea *As ideias de Jeca Tatu* sob o título "Paranoia ou mistificação". No artigo demolidor, Lobato não analisa as obras da exposição, mas as utiliza para atacar o que considera "extravagâncias de Picasso e companhia". Reconhece a inventividade e o talento da pintora, mas a acusa de deixar-se seduzir pela (falsa) arte "anormal" dos vanguardistas, considerada pelo escritor paulista uma "arte caricatural".

COLEÇÃO MÁRIO DE ANDRADE/ INSTITUTO DE ESTUDOS BRASILEIROS DA USP

MALFATTI, Anita. *O homem amarelo*. 1916. Óleo sobre tela, 61 × 51 cm.

Augusto dos Anjos: um artista sem classificação

Autor de um único livro, *Eu* (1912), o poeta pré-modernista Augusto dos Anjos destacou-se pela singularidade de seus versos, que revelam influências românticas, simbolistas, naturalistas e parnasianas. Decomposição, sofrimento, morte, podridão, metafísica (relacionada à temática da vida e da morte) estão presentes na curta produção desse escritor, que, instigado pelas ideias do biólogo alemão Ernst Haeckel (1834-1919), utilizou em sua produção termos científicos e escatológicos, motivo pelo qual é conhecido como o "poeta do mau gosto".

Leia o soneto a seguir e responda às questões no caderno.

ACERVO ICONOGRAPHIA /REMINISCÊNCIAS

O escritor Augusto dos Anjos, em 1912.

O paraibano **Augusto dos Anjos** (1884-1914) estudou na Faculdade de Direito do Recife e foi influenciado pelas teorias positivistas em voga nessa instituição. Dedicou-se ao magistério e à poesia. Faleceu na cidade mineira de Leopoldina, aos 31 anos, vítima de tuberculose.

Versos íntimos

Vês! Ninguém assistiu ao formidável
Enterro de tua última **quimera**.
Somente a Ingratidão — esta pantera —
Foi tua companheira inseparável!

Acostuma-te à lama que te espera!
O Homem, que, nesta terra miserável,
Mora, entre feras, sente inevitável
Necessidade de também ser fera.

Toma um fósforo. Acende teu cigarro!
O beijo, amigo, é a véspera do escarro,
A mão que afaga é a mesma que apedreja.

Se a alguém causa inda pena a tua **chaga**,
Apedreja essa mão vil que te afaga,
Escarra nessa boca que te beija!

ANJOS, Augusto dos. Versos íntimos. In: CALIXTO, Fabiano (Org.). *Eu*. São Paulo: Hedra, 2012. p. 153.

Quimera: fantasia, utopia.
Chaga: ferida aberta.

1 Que marcas linguísticas evidenciam que os versos são direcionados a um interlocutor?

2 Que imagem o eu lírico utiliza para reforçar a ideia de que os seres humanos são solitários?

3 No segundo quarteto, o eu lírico sugere que não há saída para a selvageria do homem. Você concorda com essa análise? Justifique.

4 Para traduzir uma determinada ideia sobre a conduta humana, o autor se vale de duas metáforas:

"O beijo, amigo, é a véspera do escarro, / A mão que afaga é a mesma que apedreja".

a) Releia-as e escreva sucintamente que ideia é essa.
b) Que conselho o eu lírico dá a seu interlocutor no último terceto?

Leia agora este outro soneto, em que o poeta utiliza o morcego como metáfora:

PARA LEMBRAR

Metáfora: figura de linguagem que se estrutura a partir da semelhança entre dois elementos.

O morcego

Meia-noite. Ao meu quarto me recolho.
Meu Deus! E este morcego! E, agora, vede:
Na bruta ardência orgânica da sede,
Morde-me a goela **ígneo** e escaldante molho.

"Vou mandar levantar outra parede..."
— Digo. Ergo-me a tremer. Fecho o ferrolho
E olho o teto. E vejo-o ainda, igual a um olho,
Circularmente sobre a minha rede!

Pego de um pau. Esforços faço. Chego
A tocá-lo. Minh'alma se concentra.
Que ventre produziu tão feio parto?!

A Consciência Humana é este morcego!
Por mais que a gente faça, à noite, ele entra
Imperceptivelmente em nosso quarto!

ANJOS, Augusto dos. O morcego.
In: CALIXTO, Fabiano (Org.).
Eu. São Paulo: Hedra, 2012. p. 71.

Ígneo: de fogo; ardente.

Responda às questões oralmente.

1 Explique a analogia entre "morcego" e "consciência humana" (1º verso do 2º terceto).

2 Em dado momento, o eu lírico se pergunta: "Que ventre produziu tão feio parto?!". Que resposta você daria a ele?

3 Depois de ler e analisar os sonetos "Versos íntimos" e "O morcego", você diria que concorda com aqueles que consideram Augusto dos Anjos "o poeta do mau gosto"?

Em Augusto dos Anjos, teorias como o evolucionismo, filosofias como a de Schopenhauer, a consciência da podridão humana, o reconhecimento do fracasso da civilização ocidental, o formalismo parnasiano e a violência convivem, muitas vezes, com um senso de humor particular que perturba o leitor e o obriga à reflexão.

PARA LEMBRAR

O filósofo alemão **Arthur Schopenhauer** (1788-1860) cultuou o pessimismo e a dor existencial, bastante abordados no Simbolismo.

Atividades: Leitura de texto

O texto a seguir é um dos sonetos mais conhecidos de Augusto dos Anjos. Nele, o eu lírico reconhece-se como aquele que sofreu, desde sempre, a "influência má dos signos do zodíaco".

Psicologia de um vencido

Eu, filho do carbono e do amoníaco,
Monstro de escuridão e **rutilância**,
Sofro, desde a **epigênesis** da infância,
A influência má dos signos do zodíaco.

Profundissimamente **hipocondríaco**,
Este ambiente me causa repugnância...
Sobe-me à boca uma ânsia **análoga** à ânsia
Que se escapa da boca de um cardíaco.

Já o verme — este operário das ruínas —
Que o sangue podre das carnificinas
Come, e à vida em geral declara guerra,

Anda a espreitar meus olhos para roê-los,
E há-de deixar-me apenas os cabelos,
Na frialdade inorgânica da terra!

ANJOS, Augusto dos. Psicologia de um vencido. In: CALIXTO, Fabiano (Org.). *Eu*. São Paulo: Hedra, 2012. p. 71.

Rutilância: esplendor.
Epigênesis: (sentido figurado) princípio.
Hipocondríaco: excessivamente preocupado com a saúde.
Análoga: parecida.

Responda às questões no caderno.

1 Por que podemos afirmar que o primeiro verso do soneto está relacionado às influências positivistas de Augusto dos Anjos?

2 O termo *ânsia*, que no texto tem a acepção de "conjunto de fenômenos que antecedem a morte", é importante para a construção do sentido do poema. Com base nessa afirmação:

a) analise as rimas que compõem os dois quartetos e localize palavras que dialoguem sonoramente com esse termo.

b) explique o efeito de sentido dessa repetição sonora no poema.

3 O verme aparece no poema como elemento de oposição à vida, uma vez que é a ela que ele "declara guerra".

a) O que você acha que o verme simboliza no soneto?

b) A expressão "há-de deixar-me" (penúltimo verso) sugere um desejo do eu lírico. O que, afinal, ele deseja? Utilize sua resposta ao item anterior para responder à questão.

O QUE VOCÊ APRENDEU NO PERCURSO DESTE CAPÍTULO

- Entre 1902 e 1922, houve nas letras brasileiras uma fase de transição denominada "Pré-Modernismo", caracterizada pela problematização da realidade social e cultural do país.
- Euclides da Cunha escreveu *Os sertões*, obra baseada em reportagens sobre a Guerra de Canudos.
- Influenciado pelo determinismo, Euclides dividiu o livro em três partes: "A terra", "O homem" e "A luta".
- Em "O homem", o autor seguiu teorias, hoje ultrapassadas, condenando a miscigenação.
- Em Lima Barreto, biografia e ficção se misturam. O autor abordou de maneira irônica em seus romances e contos o funcionalismo público e o subúrbio carioca e criticou o formalismo literário da academia.
- O principal romance de Lima Barreto, *Triste fim de Policarpo Quaresma*, divide-se em três partes baseadas nos projetos do protagonista quixotesco: nacionalista, agrícola e político.
- A faceta moderna de Monteiro Lobato é caracterizada pela análise crítica do Brasil.
- Em *Urupês*, Monteiro Lobato faz uma caricatura do caboclo, na figura do personagem Jeca Tatu.
- A coletânea *Eu*, de Augusto dos Anjos, revela um autor singular, com influências românticas, simbolistas, naturalistas e parnasianas.

CAPÍTULO

30

Modernismo no Brasil: os desvairistas da primeira fase

PERCURSO DO CAPÍTULO

- A Semana de Arte Moderna
- Fases do Modernismo brasileiro
- Mário de Andrade: artista-síntese
- Oswald de Andrade: destruição e construção
- Manuel Bandeira: tradição e modernidade na poesia do cotidiano

Na capa do disco *Estrangeiro* (1989), o cantor e compositor Caetano Veloso estampou uma foto da maquete do cenário de *O rei da vela*, peça de Oswald de Andrade montada em 1967 por José Celso Martinez Corrêa com o Teatro Oficina.

Introdução

O que é poesia? Há poesia no cotidiano? Que herói deve figurar em um romance? Quais personagens expressariam, de fato, a cultura brasileira? Entre 1922 e 1930, muitos foram os artistas que se dispuseram a fazer essas perguntas e buscar, por meio de sua arte, respostas para elas. A Semana de Arte Moderna sintetiza o espírito combativo instalado no Brasil no início do século XX, marcando nossa entrada na arte modernista.

Em 1927, um polêmico escritor paulistano publicou, em sua coletânea intitulada *Primeiro caderno do aluno de poesia Oswald de Andrade*, o poema a seguir. Procure lê-lo com "olhos livres".

amor

Humor

ANDRADE, Oswald de. amor. *Primeiro caderno do aluno de poesia Oswald de Andrade.* São Paulo: Globo, 2006. p. 45. (Obras Completas).

Registre suas respostas no caderno.

1 Em um de seus sonetos mais populares — e que você já analisou —, Camões defende, entre outras coisas, que amor "é um fogo que arde sem se ver". No poema "As sem razões do amor", o poeta mineiro Carlos Drummond de Andrade afirma que amor é "estado de graça" e que "é primo da morte", mas "da morte vencedor".

a) Tendo em vista sua leitura do poema "amor", estruturado a partir da paronomásia amor/humor, que visão você acha que Oswald de Andrade tem sobre esse sentimento?

b) Você concorda com essa visão?

2 Sobre a poesia de Oswald de Andrade, o poeta e crítico Haroldo de Campos (1929-2003) afirma que ela é marcada pela visualidade e pela síntese. No prefácio escrito em 1924 para a obra *Pau Brasil*, o ensaísta Paulo Prado (1869-1943) afirmou que ler os poemas de Oswald significava "Obter, em comprimidos, minutos de poesia". Lendo o poema "amor", você concorda com a opinião desses críticos? Justifique.

No poema-pílula (ou poema-comprimido) que você leu, Oswald de Andrade, de maneira irreverente, apresenta sua visão acerca de um sentimento que talvez seja o mais cantado pelos poetas de todos os tempos: o amor. Esse tipo de literatura, marcado pela radicalidade, pelo humor, pela atitude crítica do artista em relação à visão clássica da arte, pela negação dos cânones do passado, pela incorporação do cotidiano, que se convencionou chamar de Modernismo, será estudado neste capítulo.

PARA LEMBRAR

Paronomásia: figura sonora que consiste no uso de palavras parônimas (semelhantes no som, mas que se diferenciam em relação ao sentido).

ProvocAÇÃO

Até este momento de seus estudos, você certamente já teve contato com vários conceitos de poema. Com base em seus conhecimentos e opinião, discuta com os colegas se o texto "amor", de Oswald de Andrade, pode ser considerado um poema.

A Semana: três dias bem agitados

O início do Modernismo brasileiro foi marcado pela Semana de Arte Moderna, evento realizado em São Paulo de 13 a 17 de fevereiro de 1922.

Diferentemente do que ocorreu em outros países hispano-americanos, no Brasil o Modernismo foi chamado, inicialmente, e por vezes de maneira pejorativa, de "futurismo paulista", porque havia em São Paulo um grupo de jovens artistas simpatizantes sobretudo dos conceitos de valorização da metrópole, da máquina e da velocidade, propostos no *Manifesto Futurista* de Marinetti, como você já estudou.

Aos poucos, artistas mais nacionalistas, como o escritor paulistano Mário de Andrade, começaram a usar o termo *modernismo* no lugar de *futurismo* por considerarem mais abrangente essa denominação.

REPRODUÇÃO

Capa do catálogo da Semana de Arte Moderna. São Paulo, 13 a 17 de fevereiro de 1922.

Uma série de fatos antecederam a festa modernista de 1922 e serviram para preparar nosso novo espírito literário. Já vimos, por exemplo, que alguns anos antes foram publicadas no Brasil obras inovadoras, marcadas pela problematização das questões nacionais e/ou pela ruptura: *Os sertões* (1902), de Euclides da Cunha, *Urupês* (1918), de Monteiro Lobato, *Triste fim de Policarpo Quaresma* (1915), de Lima Barreto, e *Eu* (1912), de Augusto do Anjos. Vimos ainda que a exposição realizada por Anita Malfatti, em 1917, também serviu de motivador para o movimento modernista.

NAVEGUE

O principal nome da música presente na Semana de Arte Moderna foi o compositor carioca Heitor Villa-Lobos. Ouça um especial sobre ele em: <http://novo.itaucultural.org.br/canal-radio/estereo-saci-especial-villa-lobos-parte-1/>.

O dialeto macarrônico

Entre 1915 e 1925, Juó Bananére, pseudônimo de Alexandre Ribeiro Marcondes Machado, publicou nove edições de *La divina increnca*, coletânea de textos que se tornaram populares entre a comunidade ítalo-paulistana. Nela, Bananére brinca com a fusão da língua italiana com a portuguesa, chamando-a de "dialeto macarrônico". Os modernistas valorizavam a língua falada pelo povo.

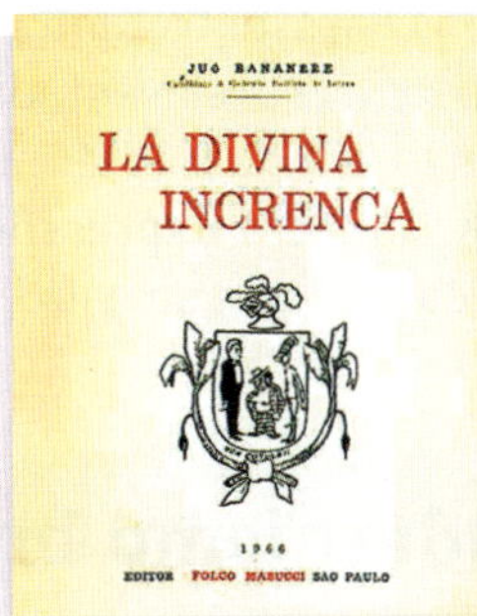

REPRODUÇÃO

Frontispício de uma das edições da obra.

Aproveitando o centenário da Independência do Brasil (1822) e inspirados pela Semaine de Fêtes de Deauville — evento de música, pintura, literatura e moda realizado na França —, Mário de Andrade, Oswald de Andrade e outros artistas organizaram uma semana de artes no Teatro Municipal de São Paulo.

A Semana foi uma espécie de síntese do espírito de ruptura e questionamento que já começava a dominar a arte brasileira desde os primeiros anos do século XX e que seria responsável pelo desenvolvimento do movimento modernista entre nós. A plateia — composta predominantemente pela elite paulistana e por autores (ou admiradores) de uma arte ainda ligada aos preceitos realistas-naturalistas e parnasianos — recebeu com perplexidade as três récitas apresentadas no Teatro Municipal de São Paulo.

Ironicamente, o evento organizado para "chocar a burguesia" não teria ocorrido sem o apoio financeiro dessa classe social.

Entre os dias 13 e 17 de fevereiro de 1922, o público pôde visitar uma exposição com aproximadamente 100 obras plásticas organizadas no saguão do teatro, além de ouvir música, discursos e trechos de obras modernistas.

RUBENS CHAVES/PULSAR IMAGENS

O Teatro Municipal de São Paulo, inaugurado em 1911, foi alugado como sede da Semana de 22 por 847 mil-réis — aproximadamente 20 mil reais em nossos dias. Foto de 2012.

Participantes ilustres da Semana de 22

Várias manifestações artísticas estiveram presentes na Semana de 22. O espanhol Antonio Garcia Moya e o polonês Georg Przyrembel representaram a arquitetura; o ítalo-brasileiro Victor Brecheret, o alemão Wilhelm Haarbert e o paulista Hidelgardo Velloso, a escultura; a pintura teve como representantes Anita Malfatti, o carioca Di Cavalcanti (autor da capa do programa da Semana), o suíço John Graz, o pernambucano Vicente do Rego Monteiro, a mineira Zina Aita, o carioca Alberto Martins Ribeiro, os paulistas Ferrignac (pseudônimo do caricaturista e ilustrador Inácio da Costa Ferreira) e Yan (pseudônimo do historiador e escritor Fernando de Almeida Prado) e o paulistano Antonio Paim Vieira.

FELIPE REIS/SAMBAPHOTO

BRECHERET, Victor. *Monumento às bandeiras*. Foto de 2012.

A Semana de Arte Moderna expôs ao público presente no Teatro Municipal uma amostra da nova arte que surgia no Brasil, atualizada em relação às vanguardas europeias. Inicialmente, essa arte modernista foi combatida por alguns artistas, pelo grande público e por parte da crítica, acostumados à sonoridade e beleza dos poemas parnasianos. Ao longo dos anos, entretanto, essa nova forma de expressar esteticamente o país foi sendo absorvida e reinventada pelos muitos grupos, revistas, romances, poemas, peças de teatro, músicas, artes plásticas que surgiram pelo país na primeira metade do século XX. Na seção **Expressões**, ao final desta unidade, você poderá conhecer algumas publicações que se espalharam pelo território nacional após a Semana de 22.

SAIBA MAIS!

Klaxon foi a primeira revista que surgiu após a Semana. Seus nove números, publicados entre 1922 e 1923, apresentaram ao público erudito de São Paulo, Rio Grande do Sul, Pernambuco e Rio de Janeiro a sistematização da arte que surgia. Oswald de Andrade, Rubens Borba de Morais, Mário de Andrade e Guilherme de Almeida foram alguns dos participantes do periódico.

Momentos do Modernismo brasileiro

Críticos literários como Antonio Candido e Alfredo Bosi observam pelo menos dois "momentos dinâmicos" ligados ao Modernismo brasileiro na literatura:

- **1ª fase (1922-1930)** — fase "heroica" ou "de guerra", marcada pela ruptura com os movimentos literários anteriores ao Modernismo, releitura do passado brasileiro e radicalismo na prosa e (principalmente) na poesia.
- **2ª fase (1930-1945)** — fase marcada pela consolidação das ideias propostas na 1ª fase modernista (agora considerados os "novos padrões" literários), pelo romance regionalista, pelo urbano (introspectivo, psicológico) e pelo amadurecimento da poesia (metafísica, social, espiritual), que se utiliza agora de versos livres e também de formas regulares.
- **Após 1945** — surge a "Geração de 45", denominação dada a um grupo de escritores que procurou retomar, na poesia, um rigor formal mais apurado. Entre o final dos anos 1950 e o início dos 1960, aparece o grupo concretista. A nova geração de escritores que surgiu após as "fases dinâmicas" do Modernismo é marcada, de maneira geral, pela intensa pesquisa estética, pela fragmentação da narrativa e pela experimentação.

NAVEGUE

- Acesse o *site* especial sobre o Modernismo brasileiro: <http://www.itaucultural.org.br/modernismo/index2.html>.
- Leia reportagem sobre os 90 anos da Semana de 22: <http://novo.itaucultural.org.br/materiacontinuum/fevereiro-2012-saga-modernista-completa-90-anos/>.

Mário de Andrade: um "escritor-síntese"

Vários artistas contribuíram para o surgimento de nosso movimento modernista, contudo a crítica credita a Mário de Andrade um papel fundamental na defesa das novas propostas artísticas formuladas no início do século XX no Brasil. O crítico literário José Aderaldo Castello afirma que Mário é um "escritor-síntese do seu momento", dada a preocupação do artista em defender teorias sobre o Modernismo, além do fato de ter produzido uma importante obra literária no período.

Mário de Andrade (1893-1945) foi um homem plural, aventurando-se em vários ramos da arte. Diplomou-se pelo Conservatório Dramático e Musical, escreveu crítica literária, poemas, romances, contos, artigos jornalísticos e textos teóricos essenciais para a compreensão do Modernismo brasileiro. Além disso, mergulhou nos estudos etnográficos e folclóricos do Brasil, exerceu cargos públicos ligados à arte e à educação, por meio dos quais pôde colocar em prática projetos inovadores, e foi professor de Estética na Universidade do Distrito Federal (RJ).

MUSEU LASAR SEGALL - ACERVO MÁRIO DE ANDRADE/IEB

SEGALL, Lasar. *Retrato de Mário de Andrade*. 1927. Óleo sobre tela, 73 × 60 cm.

NAVEGUE

O grupo A Barca, surgido em 1998, estuda música popular, viagens, Brasil e Mário de Andrade, mergulhando na vasta cultura musical brasileira. O grupo viajou pelo país, estudou carimbó, tambor de mina, mangaba e boi-bumbá e lançou, em 2000, o disco *Turista aprendiz*. Conheça o grupo em <http://www.barca.com.br>.

Em 1924, realizou uma viagem histórica ("Viagem da Descoberta do Brasil"), em companhia de Oswald de Andrade, Tarsila do Amaral e do francês Blaise Cendrars, na qual travou contato com a cultura de pequenas povoações e das cidades históricas de Minas Gerais. Mário nasceu e morreu em São Paulo, capital que serviu de inspiração para muitos dos textos que criou.

Etnografia é um ramo da Antropologia que faz o estudo descritivo de determinado povo.

Mário em verso

Em 1922, Mário de Andrade publicou *Pauliceia desvairada*, coletânea de poemas iniciada pelo "Prefácio interessantíssimo", texto que apresentou ao leitor o que o autor paulistano denominou "Desvairismo", ou seja, a defesa da escrita automática surrealista, a proposta futurista das palavras dispostas em liberdade (*parole in libertà*), a retomada crítica do passado histórico e a busca da "deformação" artística da realidade em contraposição ao "belo natural"

Mário em prosa

A pluralidade de Mário de Andrade lhe permitiu produzir, além de inovadoras coletâneas de poemas, uma inventiva obra em prosa. O autor inaugurou suas narrativas curtas com *Primeiro andar* (1926), depois publicou *Os contos de Belazarte* (1934). Com *Contos novos*, obra divulgada postumamente em 1947, atingiu sua maturidade no gênero conto. "Vestida de preto" e "Peru de Natal" são considerados clássicos da narrativa curta brasileira. Em *Os filhos de Candinha*, publicado em 1943, o escritor reuniu uma série de crônicas que escreveu ao longo da vida.

A intransitividade do verbo *amar*

Amar, verbo intransitivo (1927) foi o primeiro romance publicado por Mário de Andrade. Nele, um narrador sarcástico, irônico, que tenta entender a história que conta, fala da iniciação sexual-amorosa de Carlos, adolescente que pertence à nova burguesia industrial de São Paulo. Sousa Costa, pai do rapaz, contrata Fräulein Elza, governanta alemã e professora de língua e piano, para iniciar sexualmente o jovem aluno.

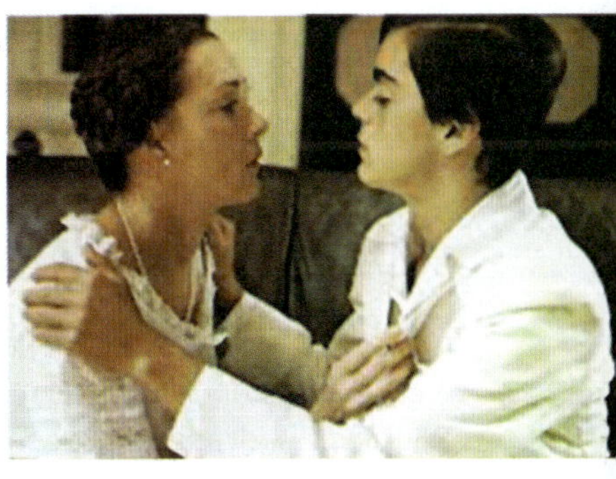

REPRODUÇÃO

Amar, verbo intransitivo foi adaptado para o cinema em 1975 com o nome *Lição de amor*, filme dirigido por Eduardo Escorel.

Macunaíma: obra central da fase heroica

Entre os dias 16 e 23 de dezembro de 1926, deitado numa rede na chácara de Sapucaia, de seu "tio" Pio Lourenço, próxima à cidade paulista de Araraquara, Mário de Andrade escreveu a primeira versão do que a crítica consideraria sua obra-prima, o ponto mais alto de sua literatura e da primeira fase do Modernismo, e que se tornaria referência obrigatória para a compreensão da identidade nacional: *Macunaíma*.

Mário de Andrade classificou *Macunaíma* simplesmente como "história", depois passou a denominá-lo "rapsódia".

Termo que designa um tipo de composição que reúne uma grande variedade de melodias populares e/ou folclóricas.

Macunaíma aproxima-se das epopeias medievais porque apresenta ao leitor um herói popular aventureiro, excepcional, sobre-humano, mas contraditório, que atua num espaço e tempo indefinidos, falando uma língua que mescla o português do Rio Grande do Sul aos regionalismos do Nordeste, do Centro-Oeste e da Amazônia.

O personagem Macunaíma é um herói-síntese do Brasil. Pense nos heróis que você conhece e nas características que eles têm em comum. O protagonista criado por Mário não é um herói como os outros: é covarde, individualista, vaidoso, busca o lucro fácil, desrespeita valores morais e éticos (algo impensável para um herói tradicional) e desvia-se facilmente de sua missão, por isso alguns críticos o classificam como anti-herói.

Macunaíma é uma fascinante e divertida colagem de histórias. Nessa rapsódia, o índio Tapanhumas Macunaíma nasce na selva amazônica, "preto retinto", torna-se o Imperador do Mato Virgem e impõe-se uma missão, um ideal: resgatar seu **muiraquitã**, roubado dele pelo mascate peruano Venceslau Pietro Pietra (na verdade, um gigante comedor de gente, o Piaimã). Nessa aventura, ele vai para São Paulo, onde mora Pietro Pietra, apela para a macumba para vencer o gigante estrangeiro, empreende uma viagem pelo Brasil para fugir do minhocão Oibê e transforma-se numa estrela da Constelação Ursa Maior ao retornar a sua terra de origem.

Makunaíma ("Grande Mau") é um personagem ligado às lendas das tribos da Guiana e da Venezuela amazônica.

AMARAL, Tarsila do. *O batizado de Macunaíma*. 1956. Óleo sobre tela, 132,5 × 250 cm.

ROMULO FIALDINI/TARSILA DO AMARAL LICENCIAMENTOS - COLEÇÃO PARTICULAR, SÃO PAULO

SAIBA MAIS!

- **Muiraquitã** (do tupi *mbyrakitã*) é um amuleto de jade, nefrita ou jadeíta que pode ter formato de sapo, peixe, etc.; é comum na região da Amazônia. Na rapsódia de Mário de Andrade, Macunaíma recebe o talismã sagrado de seu único e grande amor, a guerreira amazona da tribo das Icamiabas Ci, mãe do mato, transformada, após a morte, na estrela Beta da Constelação Centauro, "liberta das formigas, toda enfeitada de luz".

NAVEGUE

Conheça a peça *Macunaíma* (1978), de Antunes Filho, uma das montagens mais importantes do teatro brasileiro, em: <http://www.sescsp.org.br/sesc/hotsites/cpt_novo/areas.cfm?cod=4&esp=1.>.

Como se fosse uma coletânea de "causos" inventados pelo povo, *Macunaíma* apresenta, em cada capítulo, um "conto" sobre as andanças de um personagem que, para Mário de Andrade, condensa muitas das características do povo brasileiro.

Leia o fragmento a seguir, que é o início da rapsódia *Macunaíma*:

No fundo do mato-virgem nasceu Macunaíma, herói da nossa gente. Era preto retinto e filho do medo da noite. Houve um momento em que o silêncio foi tão grande escutando o **murmurejo** do **Uraricoera**, que a índia tapanhumas pariu uma criança feia. Essa criança é que chamaram de Macunaíma.

Já na meninice fez coisas de **sarapantar**. De primeiro passou mais de seis anos não falando. Si o incitavam a falar exclamava:

— Ai! que preguiça!...

e não dizia mais nada. Ficava no canto da maloca, trepado no **jirau** de **paxiúba**, espiando o trabalho dos outros e principalmente os dois manos que tinha, Maanape já velhinho e Jiguê na força do homem. O divertimento dele era decepar cabeça de saúva. Vivia deitado mas si punha os olhos em dinheiro, Macunaíma dandava pra ganhar vintém. E também **espertava** quando a família ia tomar banho no rio, todos juntos e nus. Passava o tempo do banho dando mergulho, e as mulheres soltavam gritos gozados por causa dos **guaiamuns** diz-que habitando a água-doce por lá. No **mocambo** si alguma **cunhatã** se aproximava dele pra fazer festinha, Macunaíma punha a mão nas **graças** dela, cunhatã se afastava. Nos machos guspia na cara. Porém respeitava os velhos e frequentava com aplicação a murua a poracê o torê o bacororô a cucuicogue, todas essas danças religiosas da tribo.

Quando era pra dormir trepava no **macuru** pequeninho sempre se esquecendo de mijar. Como a rede da mãe estava por debaixo do berço, o herói mijava quente na velha, espantando os mosquitos bem. Então adormecia sonhando palavras-feias, imoralidades **estrambólicas** e dava patadas no ar.

Nas conversas das mulheres no **pino do dia** o assunto era sempre as peraltagens do herói. As mulheres se riam, muito simpatizadas, falando que "espinho que pinica, de pequeno já traz ponta", e numa **pajelança** Rei Nagô fez um discurso e avisou que o herói era inteligente.

Nem bem teve seis anos deram água num chocalho pra ele e Macunaíma principiou falando como todos. E pediu pra mãe que largasse da mandioca ralando na cevadeira e levasse ele passear no mato. A mãe não quis porque não podia largar da mandioca não. Macunaíma choramingou dia inteiro. De-noite continuou chorando. No outro dia esperou com o olho esquerdo dormindo que a mãe principiasse o trabalho. Então pediu pra ela que largasse de tecer o **paneiro** de **guarumá-membeca** e levasse ele no mato passear. A mãe não quis porque não podia largar o paneiro não. E pediu pra nora, companheira de Jiguê, que levasse o menino. A companheira de Jiguê era bem moça e chamava Sofará. Foi se aproximando ressabiada porém desta vez Macunaíma ficou muito quieto sem botar a mão na graça de ninguém. A moça carregou o **piá** nas costas e foi até o pé de **aninga** na beira do rio. A água parara pra inventar um ponteio de gozo nas folhas do **javari**. O longe estava bonito com muitos **biguás e biguatingas** avoando na entrada do furo. A moça botou Macunaíma na praia porém ele principiou choramingando, que tinha muita formiga!... e pediu pra Sofará que o levasse até o derrame do morro lá dentro do mato. A moça fez. Mas assim que deitou o **curumim** nas **tiriricas, tajás e trapoerabas** da **serrapilheira**, ele botou corpo num **átimo** e ficou um príncipe lindo. Andaram por lá muito.

Quando voltaram pra maloca a moça parecia muito fatigada de tanto carregar piá nas costas. Era que o herói tinha brincado muito com ela... Nem bem ela deitou Macunaíma na rede, Jiguê já chegava de pescar de **puçá** e a companheira não trabalhara nada. Jiguê **enquizilou** e depois de catar os carrapatos deu nela muito. Sofará aguentou a sova sem falar um isto.

Jiguê não desconfiou de nada e começou trançando corda com fibra de **curauá**. [...]

ANDRADE, Mário de. *Macunaíma, o herói sem nenhum caráter*. ed. esp. Rio de Janeiro: Nova Fronteira, 2012. p. 13-14. (Saraiva de Bolso). (Fragmento).

Murmurejo: sussurro.
Uraricoera: rio extenso da bacia hidrográfica amazônica.
Sarapantar: espantar.
Jirau: estrado de varas.
Paxiúba: tipo de palmeira.
Espertava: despertava.
Guaiamuns: crustáceos marinhos.
Mocambo: quilombo; habitação pobre.
Cunhatã: moça adolescente; cabocla.
Graças: expressão popular que se refere ao órgão genital feminino.
Macuru: balanço feito de duas talas.
Estrambólicas: repugnantes; ridículas.
Pino do dia: horário de sol mais quente.
Pajelança: cerimonial do pajé para obter fórmulas terapêuticas.
Paneiro: cesto de cipó.
Guarumá-membeca: tipo de planta.
Piá: menino.
Aninga: planta ornamental; comigo-ninguém-pode.
Javari: espécie de palmeira.
Biguás e biguatingas: aves aquáticas de grande porte, como o mergulhão.
Curumim: menino, criança.
Tiriricas, tajás e trapoerabas: plantas típicas de regiões tropicais.
Serrapilheira: camada de folhas e ramos que cobre o solo; manta.
Átimo: momento, instante.
Puçá: peneira de pescar camarões, pitus, siris, etc.
Enquizilou: aborreceu-se.
Curauá: planta da família das bromeliáceas.

Macunaíma, o filme

O filme *Macunaíma* (1969), de Joaquim Pedro de Andrade, faz parte do Cinema Novo e do Tropicalismo, movimentos artísticos que procuraram refletir criticamente sobre a identidade nacional. A exemplo do que fez o ator Mazzaropi com o personagem Jeca Tatu, Grande Otelo imortalizou Macunaíma quando o interpretou no cinema.

REPRODUÇÃO

NAVEGUE

Assista ao episódio final da série *Tudo que é sólido pode derreter*, baseado em *Macunaíma*: <http://www3.tvcultura.com.br/tudooqueesolido/player.php?id=2377>.

Responda às questões em seu caderno.

1 Mário de Andrade inicia sua rapsódia narrando o nascimento do "herói da nossa gente", Macunaíma. Essa introdução apresenta um tom épico, típico de uma epopeia — um herói de uma nação (Brasil) nasce "no fundo do mato-virgem", espaço não identificado de maneira concreta —; entretanto, esse "tom elevado" da narrativa é quebrado no mesmo parágrafo.

a) Que elementos do texto permitem afirmar que há essa quebra?

b) Sabendo que o movimento modernista brasileiro propôs uma ruptura com os modelos artísticos consagrados no Brasil e uma releitura da história de nosso país, explique por que Mário de Andrade promove essa quebra.

2 Leia o texto transcrito a seguir:

O padre Antônio Vieira (1608-1697) ressaltava nos nativos brasileiros a tendência à ociosidade, não sendo o trabalho cotidiano e voluntário parte das suas vidas. Os colonizadores tentavam compreender o indígena usando como parâmetros a cultura e a visão de mundo difundidas na Europa, como se estas fossem um padrão universal. Ao contrário do que pensavam os europeus, religião, direito, poder, propriedade, cultura e trabalho não são temas universais, encontrados aqui e em outras partes.

A indolência dos indígenas brasileiros se revelou um poderoso estereótipo — ainda hoje muito difundido —, gerado por um absoluto desconhecimento do modo de vida dos nativos. Uma das origens do mito do índio preguiçoso reside na impressão errada que os europeus tinham da vida desses povos no Novo Mundo, associada à imagem do paraíso bíblico perdido. Acreditava-se que, habitando florestas fartas, que lhes ofereciam ao alcance das mãos os mais deliciosos frutos, os índios teriam que fazer muito pouco esforço em seu cotidiano.

PEREIRA, Luís Fernando. Preguiçoso quem, cara pálida? *Revista de História da Biblioteca Nacional*, ed. 61, 12 set. 2007.

Explique de que maneira o autor modernista quebra o preconceito contra os índios, citado no texto.

3 Como já vimos, *rapsódia* designa, na música, um gênero cujos temas são motivos populares ou cantos tradicionais de um povo. Escreva no caderno verbos e expressões ligados ao universo dos contadores populares de histórias, presentes no trecho que você leu.

Oswald de Andrade: destruição e construção

Até que ponto a influência de uma cultura como a europeia ou a norte-americana pode ser benéfica para a formação de nossa identidade? Você diria que sua biblioteca cultural é composta majoritariamente por exemplares nacionais ou por estrangeiros? No Modernismo, essa discussão ganhou corpo nas mãos de um dos mais controversos escritores da época, Oswald de Andrade (1890-1954).

MUSEU DE ARTE BRASILEIRA - FAAP, SP

AMARAL, Tarsila do. *Oswald de Andrade*. 1923. Óleo sobre tela, 60 × 50 cm.

A trajetória do autor paulistano foi marcada pela polêmica. Advindo de uma família muito rica e formado em Direito, cedo fundou um semanário, *O Pirralho* (1911), veículo conhecido pelo humor ácido e espírito de combate. De 1911 a 1912, viajou pela primeira vez à Europa, onde travou contato com as vanguardas, cujas ideias influenciaram decisivamente a primeira fase do Modernismo brasileiro. De volta ao Brasil, atuou como uma espécie de agitador cultural e preparador da Semana de 22. Na década de 1920, aliou-se a figuras como Mário de Andrade, Anita Malfatti, Di Cavalcanti, Guilherme de Almeida e Victor Brecheret, responsáveis pelo espírito iconoclasta que levaria à criação de um novo movimento.

Espírito de questionamento e crítica às tradições e às regras vigentes.

A produção mais revolucionária do escritor está concentrada entre os anos de 1923 e 1930. Intenso e contraditório, Oswald fez parte da alta burguesia paulistana, ingressou no Partido Comunista e criticou o capitalismo, casou-se com figuras importantes como a pintora Tarsila do Amaral e a líder política Patrícia Galvão (Pagu), escreveu teatro, poesia, romance, crítica literária e conquistou inúmeros desafetos graças a sua postura radical.

Entre outras atividades, foi escritora, jornalista e militante do Partido Comunista.Teve grande atuação no movimento modernista, mesmo sem ter participado da Semana de Arte Moderna.

NAVEGUE

Assista ao documentário *Eh Pagu, eh!*, de Ivo Branco, que conta um pouco da vida de Patrícia Galvão, polêmica esposa de Oswald, em: <http://portacurtas.org.br/filme/?name=eh_pagu_eh>.

Oswald em verso: o Modernismo em ação

Em 1924, Oswald de Andrade anuncia em seu "Manifesto da poesia Pau Brasil", publicado no jornal carioca *Correio da Manhã*, a criação de um movimento de cunho nativista e crítico. Um ano depois, pela editora francesa Au Sans Pareil, lança a coletânea de poemas intitulada *Pau Brasil*, em que reinterpreta liricamente a história do país em poemas curtos, reduzidos ao essencial. Esses textos seriam, segundo ele, nossa primeira poesia de exportação, como fora a árvore, hoje quase extinta, no contexto da colonização portuguesa.

No processo de colonização do Brasil, a árvore nativa pau-brasil foi o principal sustentáculo da economia do país, sendo exportada para a Europa.

Propor uma poesia baseada na "síntese", na "invenção", na trivialidade e na "surpresa" em um país que elegia como príncipes os poetas parnasianos era uma ousadia de Oswald de Andrade. Em tom humorístico e provocativo, no "Manifesto da poesia Pau Brasil", o autor modernista chega a chamar o poeta parnasiano de "máquina de fazer versos".

NAVEGUE

Em 2011, Oswald de Andrade foi tema de exposição no Museu da Língua Portuguesa. Assista a uma reportagem sobre ela em: <http://tvcultura.cmais.com.br/metropolis/bloco-03-metropolis-cmais-13>.

Uma poesia *ready-made*

Oswald de Andrade atribuiu o título "História do Brasil" a uma das partes que constituem a coletânea *Pau Brasil*. O poema que você lerá a seguir compõe um conjunto de quatro textos, inseridos nessa primeira parte do livro de 1925 e agrupados sob o subtítulo "Pero Vaz de Caminha".

os selvagens

Mostraram-lhes uma gallinha
Quasi haviam medo della
E não queriam pôr a mão
E depois a tomaram como espantados

ANDRADE, Oswald de. os selvagens. *Pau Brasil*. 2. ed. São Paulo: Globo, 2003. p. 107. (Obras Completas).

REPRODUÇÃO

Desenho de Oswald de Andrade, extraído da p. 105 de seu livro *Pau Brasil*.

Responda às questões oralmente.

1 Na sua opinião, por que Oswald de Andrade intitulou de "História do Brasil" os quatro poemas da série "Pero Vaz de Caminha"?

2 Você deve ter percebido que os versos que compõem "os selvagens" foram retirados da carta de Pero Vaz de Caminha, que já faz parte da sua biblioteca cultural. Relembre o trecho do hipotexto:

"Mostraram-lhes uma galinha; quase tiveram medo dela, e não lhe queriam pôr a mão. Depois lhe pegaram, mas como espantados".

a) Em relação à grafia das palavras, qual a diferença entre os textos?

b) Oswald de Andrade manteve o mesmo gênero utilizado por Pero Vaz em "os selvagens"? Explique.

3 O poeta e crítico literário Décio Pignatari (1927-2012) definiu os versos de Oswald de Andrade como "uma poesia *ready-made*". Tendo em vista a leitura de "os selvagens" e o estudo que você fez sobre os dadaístas no capítulo 27, explique as palavras de Pignatari.

PARA LEMBRAR

Pero Vaz de Caminha foi o escrivão da esquadra de Pedro Álvares Cabral, em 1500, e autor da *Carta a El-Rei Manuel sobre o achamento do Brasil*.

O recurso do *ready-made*, proposto pelo francês Marcel Duchamp, dialoga com as vertentes destrutiva e construtiva da poesia de Oswald de Andrade. Deslocando a carta de Pero Vaz de seu contexto, Oswald "destrói" sua função original (de apresentar ao rei D. Manuel possibilidades exploratórias relacionadas à nova terra) e a reconstrói propondo uma nova discussão sobre o selvagem (em oposição ao civilizado) e sobre a própria história do Brasil.

Pau Brasil × Verde-Amarelo

O "Manifesto da poesia Pau Brasil" defende uma poesia primitivista, ingênua, calcada no coloquialismo e nos "fatos" brasileiros. O movimento Pau Brasil foi liderado por Oswald de Andrade e contou com as participações de Tarsila do Amaral e Paulo Prado. Em oposição a ele, surgiu no mesmo ano o grupo Verde-Amarelo, criticando um primitivismo que, segundo seus integrantes, era de inspiração francesa e defendendo um nacionalismo radical. O verde-amarelismo transformou-se, em 1927, no grupo neoindianista Anta, que enveredou para uma posição política de extrema direita, de viés fascista, e contou com Menotti Del Picchia, Cassiano Ricardo, Cândido Mota filho, Plínio Salgado e Alfredo Ellis Júnior.

REPRODUÇÃO

Capa do livro *Pau Brasil*, obra que marcou a estreia de Oswald de Andrade na poesia (1925).

Versos cinematográficos e visualidade

Leia outro poema-minuto de Oswald de Andrade (ou poema-piada, como ele próprio se referia a seus escritos humorísticos), retirado dos "Poemas da colonização", parte integrante do livro *Pau Brasil*. Atente para o estilo cinematográfico do autor paulistano:

O capoeira

— Qué apanhá sordado?
— O quê?
— Qué apanhá?
Pernas e cabeças na calçada

ANDRADE, Oswald de. O capoeira. *Pau Brasil*. 2. ed. São Paulo: Globo, 2003. p. 125. (Obras Completas).

A capoeira tem origem africana. Muitos escravos utilizavam essa técnica para se defender dos soldados que invadiam os quilombos. Não raro, era preciso mais de um soldado para dominar um quilombola capoeirista.

Responda às questões em seu caderno.

1 Há no poema duas vozes. Quais são elas?

2 O que a linguagem utilizada pelo capoeira nos permite inferir sobre ele?

3 No poema "O capoeira", parece haver uma câmera que registra, em quadros, as ações apresentadas. Transforme-o em prosa e narre o que ocorreu, preenchendo as lacunas presentes no texto original.

Observe que a poesia de Oswald de Andrade exige um leitor atento, que participe ativamente da construção de sentido dos versos. Em "O capoeira", por exemplo, é necessário que o leitor monte peças aparentemente soltas para compreender o poema.

NAVEGUE

Assista a um especial sobre os 125 anos de nascimento da pintora Tarsila do Amaral e, em seguida, navegue pelo *site* oficial da artista: <http://tvcultura.cmais.com.br/culturaretro/tarsila-do-amaral-cultura-livre-cmais>; <http://www.tarsiladoamaral.com.br/>.

Antropofagia: a devoração cultural

Um dos movimentos mais inventivos propostos pelo grupo de Oswald de Andrade foi inspirado no conhecido quadro de Tarsila do Amaral.

1 Observe a obra *Abaporu*, de Tarsila do Amaral, e descreva suas impressões sobre ela. Você pode associar elementos presentes na tela às vanguardas europeias estudadas na unidade 11. Depois, atribua um novo título ao quadro.

2 Tarsila do Amaral presenteou com *Abaporu* o então marido, Oswald de Andrade, por ocasião de seu aniversário de 38 anos. Leia, na página seguinte, o depoimento da pintora.

TARSILA DO AMARAL LICENCIAMENTOS - MUSEO DE ARTE LATINOAMERICANO - FUNDACIÓN COSTANTINI, BUENOS AIRES

AMARAL, Tarsila do. *Abaporu*. 1928. Óleo sobre tela, 85 × 73 cm.

Objeto educacional digital (animação)
- *Abaporu*

> [...] Aquela figura monstruosa, de pés enormes, plantados no chão brasileiro ao lado de um cacto, sugeriu a Oswald de Andrade a ideia da terra, do homem nativo, selvagem, antropófago.
>
> AMARAL, Aracy. *Texto e cronologia*: Tarsila do Amaral. Projeto cultural Artistas do Mercosul. Produzido e editado por Fundação Finambrás em homenagem aos 50 anos do Museu de Arte Moderna de São Paulo. Buenos Aires, 1998. p. 42. (Fragmento).

TARSILA DO AMARAL LICENCIAMENTOS - MUSEU NACIONAL DE BELAS ARTES, RJ

AMARAL, Tarsila do. *Autorretrato*. 1923. Óleo sobre tela, 73 × 60,5 cm.

A pintora paulista **Tarsila do Amaral** (1886-1973) iniciou sua formação artística no Brasil, depois mudou-se para Paris, onde estudou com mestres consagrados. Em 1922, entrou em contato com os modernistas paulistanos e formou com eles o "Grupo dos Cinco". Casou-se com Oswald de Andrade, e sua obra foi influenciada pela poesia Pau Brasil e pelo Movimento Antropofágico.

Você concorda com a opinião de Oswald sobre a tela *Abaporu*, segundo a qual o personagem representa o homem nativo, o selvagem e antropófago?

3 **Para nomear a pintura, Oswald e Tarsila recorreram a um dicionário de tupi-guarani e compuseram o título *Abaporu* (*aba*: "homem", *poru*: "que come", algo como "antropófago" ou "canibal"). Você considera esse título adequado à obra?**

A tela *Abaporu* serviu de base para um dos movimentos mais importantes da fase heroica modernista: a Antropofagia. Por meio de um irreverente texto, o "Manifesto Antropófago", publicado em 1928, Oswald de Andrade propôs a "deglutição", "devoração" da cultura europeia para transformá-la em algo brasileiro, tendo como base primeira a cultura indígena original. O texto foi publicado no dia 1º de maio de 1928, no primeiro número da *Revista de Antropofagia*, veículo publicado no *Diário de S. Paulo* em dois momentos, ou "dentições", como Oswald denominou as edições.

Leia o poema-piada, que compõe o *Primeiro caderno do aluno de poesia Oswald de Andrade*, e responda oralmente à questão.

Erro de português

Quando o português chegou
debaixo duma bruta chuva
vestiu o índio.
Que pena!
Fosse uma manhã de sol
o índio tinha despido
o português

ANDRADE, Oswald de. Erro de português. In: FERRAZ, Eucanaã (Org.). *Veneno antimonotonia*. Rio de Janeiro: Objetiva, 2005. p. 38.

REPRODUÇÃO

A capa da primeira edição da *Revista de Antropofagia* foi ilustrada com uma xilogravura de um ritual de canibalismo, feita pelo aventureiro alemão Hans Staden.

4 **Agora, reflita sobre o processo de colonização realizado pelos portugueses no Brasil no século XVI e explique o que seria, segundo o Manifesto Antropófago, de Oswald de Andrade, a "reação contra o homem vestido", referida no Manifesto de 1928.**

O movimento antropofágico proposto por Oswald de Andrade buscava resgatar as verdadeiras heranças indígenas, anteriores à moral cristã, à propriedade privada e ao hábito da roupa, que foram impostos ao índio pelo europeu a partir do século XVI. Oswald buscava retomar o vínculo do brasileiro com a terra e, para isso, preferiu evocar o "mau selvagem" — devorador do europeu, inserido numa sociedade primitiva e paradisíaca — em lugar do "bom selvagem" proposto por Rousseau e reaproveitado por românticos como José de Alencar e Gonçalves Dias.

O autor paulistano acreditava que essa sociedade indígena primitiva era fruto de uma estrutura matriarcal ("matriarcado de Pindorama"), desvinculada da propriedade privada e do lucro, oposta em tudo ao patriarcado, típico da sociedade capitalista. Com isso, mostra identificação com as ideias presentes no "Manifesto comunista" de Karl Marx.

ProvocAÇÃO

Sabendo que as ideias de Karl Marx somente começaram a ser divulgadas no século XIX, por que Oswald afirma que "já tínhamos o comunismo" no contexto da colonização do Brasil?

NAVEGUE

"Folheie" eletronicamente a *Revista de Antropofagia* em: <http://www.brasiliana.usp.br/bbd/handle/1918/65/search?query=&view=listing&rpp=40&sort_by=dc.title&order=ASC>.

Oswald em prosa: uma escrita inventiva

Apesar de já ter publicado novelas como *Os condenados* (1921), é com *Memórias sentimentais de João Miramar* que Oswald de Andrade transforma o panorama da prosa brasileira. De gênero híbrido, essa obra publicada em 1924 (quatro anos antes de *Macunaíma*, de Mário de Andrade) é composta de fragmentos de diários, crônicas, cartas, bilhetes, citações, impressões, diálogos, descrições, relatos, piadas, poemas, discursos e neologismos, utilizados para traduzir o universo do burguês João Miramar.

Os condenados compõe, com *A estrela de Absinto* (1927) e *A escada vermelha* (1934), a chamada *Trilogia do exílio*, série de novelas consideradas irregulares pela crítica.

Dividida em 163 capítulos-instantes ou capítulos-relâmpagos, a obra de Oswald narra a vida de um burguês do início do século XX: a infância e adolescência e depois as aventuras irrelevantes na precoce viagem que Miramar faz à Europa; de volta ao Brasil, as relações familiares, de negócios e de amizade do protagonista; o matrimônio com a prima Célia e o nascimento de Celiazinha, a filha do casal; o envolvimento de Miramar com uma amante interesseira, seu projeto literário; e, por fim, a derrocada financeira e sentimental e a viuvez. João Miramar é, ao mesmo tempo, uma espécie de duplo de Oswald de Andrade (nas *Memórias*, são frequentes elementos biográficos do autor paulistano) e representa uma crítica à burguesia paulista, composta em grande parte da aristocracia cafeeira, que sentiu os efeitos da quebra da Bolsa de Nova York, em 1929. Com a queda das exportações e do preço do café, muitos foram à falência.

Na seção **Atividades: Leitura de texto**, você poderá ler capítulos de *Memórias sentimentais de João Miramar*.

Manuel Bandeira: o poeta do prosaico

Que impacto a iminência da morte pode ter sobre a produção de um poeta? O pernambucano Manuel Bandeira conseguiu transformar a certeza de sua finitude precoce numa das poesias mais importantes da literatura brasileira.

Driblando a morte, o poeta viveu mais de oitenta anos e exerceu com plenitude o ofício de escritor. Suas obras iniciais — *A cinza das horas* (1917), *Carnaval* (1919) e *Ritmo dissoluto* (1924) — dialogam de maneira direta com o Parnasianismo e o Simbolismo. É a partir de *Libertinagem* (1930) que Bandeira adere aos princípios modernistas. O poeta de Recife conseguiu como ninguém conciliar sua herança clássica, advinda da tradição literária, com a liberdade proposta pelos artistas de 22.

A extensa produção poética de Manuel Bandeira revela ao leitor suas múltiplas manifestações sobre as adversidades e os prazeres que a vida lhe proporcionou. Por meio de diferentes sujeitos líricos, o poeta transitou por temas que lhe foram muito caros, como a infância, as amizades, os amores, as paixões, a morte, a solidão.

O poema a seguir integra a coletânea *Libertinagem* e apresenta o universo da infância, tão presente na poesia de Bandeira. Leia-o com atenção.

REPRODUÇÃO/ACADEMIA BRASILEIRA DE LETRAS

Manuel Bandeira em 1923.

Encontros familiares e festas juninas compuseram a infância prosaica de **Manuel Bandeira** (1886-1968).

O poeta teve seus estudos de engenharia, em São Paulo, interrompidos pela tuberculose. Na Suíça, para onde foi a tratamento, travou contato com a poesia simbolista. Mais tarde, fixou-se na capital fluminense, onde se relacionou com figuras importantes do Modernismo.

Profundamente

Quando ontem adormeci
Na noite de São João
Havia alegria e rumor
Estrondos de bombas luzes de Bengala
Vozes, cantigas e risos
Ao pé das fogueiras acesas.

Artefatos pirotécnicos que produzem luzes muito brilhantes ou intensas.

No meio da noite despertei
Não ouvi mais vozes nem risos
Apenas balões
Passavam, errantes

SHUTTERSTOCK

Silenciosamente
Apenas de vez em quando
O ruído de um bonde
Cortava o silêncio
Como um túnel.
Onde estavam os que há pouco
Dançavam
Cantavam
E riam
Ao pé das fogueiras acesas?

— Estavam todos dormindo
Estavam todos deitados
Dormindo
Profundamente.

*

Quando eu tinha seis anos
Não pude ver o fim da festa de São João
Porque adormeci

Hoje não ouço mais as vozes daquele tempo
Minha avó
Meu avô
Totônio Rodrigues
Tomásia
Rosa
Onde estão todos eles?

Referências familiares do autor. Totônio Rodrigues: sobrinho de seu avô; Tomásia: ex-escrava e cozinheira da casa do avô; Rosa: mulata, "ama-seca" (babá) de Manuel Bandeira.

— Estão todos dormindo
Estão todos deitados
Dormindo
Profundamente.

BANDEIRA, Manuel. *Manuel Bandeira*: 50 poemas escolhidos pelo autor. São Paulo: Cosac Naify, 2006, p. 28-29.

NAVEGUE

Assista a um fragmento do documentário *O poeta do castelo*, de Joaquim Pedro de Andrade, sobre Manuel Bandeira em: <http://tvcultura.cmais.com.br/metropolis/encerra-metropolis-35>.

Responda às questões em seu caderno.

1 O poema "Profundamente" pode ser dividido em dois blocos, tendo em vista o aspecto temporal presente neles.

a) Que blocos seriam esses? Comprove sua resposta recorrendo aos verbos que os compõem.

b) Que sentidos têm os advérbios *ontem* (primeiro verso da primeira estrofe) e *hoje* (primeiro verso da sexta estrofe) no poema?

c) Você diria que há paralelismo entre os blocos? Justifique.

2 Um dos especialistas na obra de Bandeira mais respeitados do país, Davi Arrigucci Jr., afirma que "Profundamente" é um "caso perfeitamente típico de poema imagético. Ele se constrói a partir da memória do poeta, como eventos do passado".

a) Explique essa colocação do crítico literário.

b) No primeiro bloco do poema, a imagem da festa de São João é construída com base em metonímias. Que efeito de sentido tem essa figura de linguagem no texto?

c) A metonímia presente na primeira estrofe (principalmente) se desdobra numa sinestesia. Encontre-a e responda: com que propósito estilístico essa figura de linguagem é utilizada no poema?

d) Arrigucci defende que o aspecto imagético do poema é reforçado, também, por sua aproximação com uma técnica de pintura denominada impressionismo pontilhista. No pontilhismo, a tela é composta pela justaposição de pequenas manchas (pontos) de cores puras que, no olho do observador, se recompõem, criando uma sensação de unidade. Observe a tela reproduzida ao lado e responda se você concorda com o crítico.

PARA LEMBRAR

Metonímia: figura de linguagem que consiste na substituição de uma palavra por outra, com a qual mantém uma relação objetiva de continuidade ou afinidade.

THE BRIDGEMAN ART LIBRARY/GRUPO KEYSTONE - THE ART INSTITUTE OF CHICAGO, IL, USA

SEURAT, Georges. *Tarde de domingo na ilha de Grande Jatte*. 1884-1886. Óleo sobre tela, 207,5 × 308 cm. Seurat é considerado um dos maiores representantes do pontilhismo.

3 Releia nas duas quadras do poema as respostas dadas às questões feitas em cada um dos blocos:

a) O que as diferencia?

b) Essa diferença não é um detalhe: ela é responsável pela construção de sentido do texto. Explique essa afirmação, atentando para os sentidos denotativo/conotativo da forma verbal *dormindo*.

Em *Itinerário de Pasárgada* (1954), Bandeira afirma que o período que vai dos seus seis anos de idade até os dez foi responsável pela construção do que ele chamou de sua "mitologia pessoal". Parte significativa de sua poesia brota das raízes da infância. No poema que você leu — como em inúmeros outros —, o eu lírico se confunde com a pessoa real do poeta. Em versos livres e brancos, reunidos em estrofes irregulares, mas organizadas a partir de um paralelismo expressivo e temático, o poeta evoca a festa junina, presentificando o passado no "hoje" do eu lírico.

Pela experiência de finitude que a vida lhe impôs tão precocemente, em razão da tuberculose, é possível depreender das produções de Manuel Bandeira sentimentos de dor e vertigem e de extrema valorização da vida, cantada nos versos com plenitude. Por meio da expressão literária, o poeta subverteu a dor e a possibilidade da morte e transformou-as em energia motivadora, reelaborando os acontecimentos contrastantes que impactaram seu histórico afetivo, como desalento × esperança, finitude × perpetuação, inocência × malícia, felicidade × melancolia.

Manuel Bandeira é considerado um dos mestres dos versos livres em língua portuguesa.

SAIBA MAIS!

- Além de Mário de Andrade, Oswald de Andrade e Manuel Bandeira, foram destaque na primeira fase do Modernismo brasileiro Cassiano Ricardo (1895-1974), Menotti Del Picchia (1892-1988), Raul Bopp (1898-1984), Plínio Salgado (1901-1975), Guilherme de Almeida (1890-1969) e Antônio de Alcântara Machado (1901-1935).

Atividades: Leitura de texto

Você lerá a seguir alguns capítulos-relâmpago retirados de *Memórias sentimentais de João Miramar*, de Oswald de Andrade.

8. Fraque do ateu

Saí de D. Matilde porque marmanjo não podia continuar na classe com meninas.

Matricularam-me na escola modelo das tiras de quadros nas paredes alvas escadarias e um cheiro de limpeza.

Professora magrinha e recreio alegre começou a aula da tarde um bigode de arame espetado no grande professor Seu Carvalho.

No silêncio tique taque da sala de jantar informei mamãe que não havia Deus porque Deus era a natureza.

Nunca mais vi o Seu Carvalho que foi para o Inferno.

[...]

62. Comprometimento

O **Forde** levou-nos para igreja e **notário** entre matos derrubados e a vasta promessa das primeiras culturas.

Jogaram-nos flores como bênçãos e sinos tilintintaram.

A lua substituiu o sol na guarita do mundo mas o dia continuou tendo havido entre nós apenas uma separação precavida de bens.

[...]

75. Natal

Minha sogra ficou avó.

[...]

143. Mobilização

Higienópolis encheu-se às cornetadas da falência e desonra. Meu folhetim foi distribuído grátis a amigos e criados. E tia Gabriela sogra granadeira **grasnou** graves **grosas** de infâmias.

Entrava doméstico para comer e dormir longe de Célia. Os criados eram garçons de restaurante.

ANDRADE, Oswald de. *Memórias sentimentais de João Miramar*. São Paulo: Globo, 2004. p. 76, 84, 100, 109, 146. (Obras Completas). (Fragmento).

Forde: automóvel da marca Ford ou, por extensão, qualquer automóvel.

Notário: profissional que elabora documentos públicos; tabelião.

Higienópolis: bairro nobre da zona oeste de São Paulo.

Grasnou: falou alto, em tom desagradável.

Grosas: dúzias e dúzias.

Alusão metafórica ao soldado que lança granadas de mão, querendo dizer que os comentários da sogra eram "bombásticos", "explosivos" (na verdade, palavrões).

Responda às questões em seu caderno.

1 Que momentos da vida de João Miramar são narrados nesses capítulos?

2 Os capítulos que você leu são caracterizados pelo uso de uma linguagem telegráfica, ou seja, rápida, sintética, objetiva.

a) Em qual deles essa depuração e síntese são mais radicais?

b) O que esse capítulo narra?

3 No capítulo 5, Miramar informa sua entrada na "escola mista de D. Matilde", na qual meninos e meninas estudavam juntos. No capítulo 8, que você leu, o protagonista narra um episódio ocorrido na escola para a qual ele se mudou depois de sua saída da escola de D. Matilde.

a) Sintetize o que ocorreu na "escola modelo" envolvendo o professor Seu Carvalho.

b) Que elementos textuais nos permitem concluir que a história está sendo contada do ponto de vista de uma criança e não da perspectiva de um adulto?

4 Em relação ao capítulo 62:

a) Que elemento linguístico evidencia a proposta modernista de adoção de uma linguagem menos formal e mais próxima da oral?

b) Que imagem poética é utilizada pelo narrador para anunciar a chegada da noite?

c) Explique de que maneira o narrador quebra o clima romântico criado a partir da imagem poética da chegada da noite.

5 Os modernistas da primeira fase defendiam a liberdade total em relação à forma e ao conteúdo. Dentro desse espírito, Oswald de Andrade escreveu uma obra de difícil classificação, que mescla, entre outras coisas, prosa e poesia. Releia o capítulo 143, "Mobilização".

a) Transcreva o fragmento em que há uma metáfora, desdobrada em aliteração, figura sonora mais comum na poesia do que na prosa.

b) Que efeito de sentido tem essa figura de linguagem no texto?

PARA LEMBRAR

Aliteração: figura sonora que consiste na repetição sistemática de um som consonantal — ou encadeamento de unidades consonânticas muito parecidas — na sequência do enunciado, com finalidade expressiva.

6 O recurso cinematográfico presente nos poemas reunidos em *Pau Brasil* também é utilizado em *Memórias sentimentais*? Justifique sua resposta.

O QUE VOCÊ APRENDEU NO PERCURSO DESTE CAPÍTULO

- A Semana de Arte Moderna foi como uma síntese do espírito de ruptura e questionamento que começava a dominar a arte brasileira desde os primeiros anos do século XX.
- Na prosa de Mário de Andrade, destaca-se a rapsódia *Macunaíma*, que discute criticamente a identidade nacional.
- Na obra de Oswald de Andrade, convivem os aspectos destrutivos e construtivos (poemas *ready-made*). Destacam-se os movimentos Pau Brasil (primitivismo) e Antropofagia (devoração da cultura estrangeira e busca de síntese). Na prosa, sobressai o romance *Memórias sentimentais de João Miramar*, que registra a vida de um personagem em blocos fragmentários, utilizando recursos da poesia.
- A poesia de Manuel Bandeira caracteriza-se pelo prosaísmo, pelo resgate de uma mitologia pessoal e pela convivência da tradição com a modernidade.

Expressões

Nesta unidade, você estudou obras de autores que desafiaram os padrões artísticos vigentes em nosso país. Lobato, Lima Barreto, Euclides da Cunha, Mário de Andrade, Oswald de Andrade, entre outros, arriscaram-se num projeto ousado que se propunha a redescobrir o Brasil. Convidamos você a expressar seus conhecimentos produzindo, em grupo, uma aula-documentário sobre a fase heroica do Modernismo. Como essa fase do movimento é muito ampla, sugerimos 21 temas que poderão servir de mote para sua aula-documentário.

No Brasil, já foram produzidos inúmeros documentários importantes, como *Edifício Master*, de Eduardo Coutinho, *Notícias de uma guerra particular*, de João Moreira Salles, *Ônibus 174*, de José Padilha. Se possível, assistam a alguns deles para entender como os diretores transformaram em imagens as informações que pesquisaram.

Organizem-se em grupo (oito componentes seria o ideal) e escolham um tema entre os sugeridos ao final desta seção. Pensem em uma aula-documentário de, aproximadamente, quinze a vinte minutos de duração. Antes, porém, de se aventurarem na produção, reflitam sobre as seguintes perguntas:

- Por que esse acontecimento é interessante?
- Por que é importante realizar uma aula-documentário sobre esse tema?
- De que forma vou abordar o assunto?

Depois de definirem o tema, distribuam entre os elementos do grupo as seguintes tarefas:

- **Pesquisa**. Iniciem por uma pesquisa sobre o tema escolhido. Utilizem como fonte a biblioteca de sua escola, *sites* confiáveis, indicações bibliográficas de seu professor, etc. Por exemplo, se o tema for o de número 20, elaborem um roteiro de questões para serem respondidas a partir da pesquisa. Por exemplo: *Que elementos biográficos de Alcântara Machado (se esse for o autor escolhido por você) foram importantes para sua obra? Que obras ele escreveu? Qual a obra mais relevante de Alcântara Machado? Por que essa obra é importante? Do que ela trata? Que relações o autor estabeleceu com outros modernistas? Que aspectos modernistas estão presentes na obra dele? Que imagens ligadas ao autor (fotos, obras de arte, caricaturas, etc.) ajudam a contar a sua história? Quem são, hoje, os estudiosos da obra de Alcântara Machado? Qual deles poderia dar uma entrevista para o documentário (pense em professores que atuem em universidades próximas de você)?*
- **Roteiro**. Partam para a elaboração de um roteiro. Uma aula-documentário envolve imagem e som; por isso pensem em uma maneira criativa de apresentar os dados selecionados. Por exemplo: no início, podem ser exibidas fotos da cidade em que Alcântara Machado nasceu ou imagens de seus familiares, enquanto uma voz em *off* narra fatos sobre a vida do escritor. Em seguida, um professor universitário responde a uma questão sobre as inovações trazidas pelo autor.
- ***Storyboard***. Elaborem um *storyboard* (uma espécie de tira em quadrinhos) descrevendo a sequência das cenas que comporão seu trabalho. É importante que vocês possam visualizar a aula-documentário antes de filmá-la e de fazer as inserções de imagens e som.
- **Pré-produção**. Preparem todo o material para a produção da aula- documentário: fotos que serão utilizadas, textos que serão lidos, pessoas que serão convidadas para ler os textos, gravação de entrevistas, etc. Elaborem um cronograma de filmagem.

- **Produção**. Iniciem a filmagem do material inédito (entrevistas, cenas da cidade, possíveis encenações de acontecimentos, etc.). Gravem vozes *off* e não se esqueçam de recorrer ao *storyboard*.
- **Pós-produção**. Terminada a filmagem, editem o material a partir do que foi planejado no *storyboard*. Para isso utilizem um computador. A maior parte dos computadores modernos já vem com programa completo de edição de vídeo e com instruções claras sobre seu uso.
- **Equipamentos**. Para filmar, vocês não precisarão de um equipamento profissional. Utilizem uma máquina fotográfica (se optarem por fazer fotos de animação), uma filmadora de um telefone celular, uma filmadora de vídeo digital, etc. Nas entrevistas, utilizem uma luminária de mesa para a gravação não ficar escura.
- **Controle de qualidade**. Escolham dois membros do grupo que possam verificar se há problemas (de concordância, regência, construção frasal, etc.) nos textos lidos em *off*, se as imagens estão adequadas aos textos, se a aula-documentário está longa, etc. É normal que, apontados os problemas, haja necessidade de novas filmagens, locuções, ajustes na edição, refeitura de textos.
- **Exibição**. Pronta a aula-documentário, exibam o material para a classe ou para a escola. Vocês poderão promover um festival modernista com os trabalhos.

NAVEGUE

Acesse o *site* <http://www.telabr.com.br>. Nele, você encontrará dicas preciosas para a produção de sua aula-documentário.

Apresentamos, a seguir, uma lista de temas, com uma breve síntese sobre cada um deles. Com o auxílio do professor, façam a sua escolha.

Tema 1 — Dia 13 de fevereiro: O primeiro dia da Semana de 22

Ocorreram, no primeiro festival, os seguintes eventos: conferência de Graça Aranha: "A emoção estética na arte moderna"; apresentação de peça musical de Eric Satie (paródia sobre a *Marcha fúnebre*, de Chopin), executada ao piano pelo maestro Ernani Braga; leitura de poemas de Guilherme de Almeida e Ronald de Carvalho; concerto de Villa-Lobos, com participação da pianista Guiomar Novaes; conferência de Ronald de Carvalho sobre "A pintura e a escultura moderna no Brasil"; solos de piano de Ernani Braga; apresentação de octeto dirigido por Villa-Lobos.

Tema 2 — Dia 15 de fevereiro: O segundo dia da Semana de 22

Ocorreram, no segundo festival, os seguintes eventos: palestra de Menotti del Picchia sobre a nova visão estética dos modernistas; leitura de poemas e fragmentos de prosa por Oswald de Andrade, Luiz Aranha, Sérgio Milliet, Tácito de Almeida, Ribeiro Couto, Mário de Andrade, Plínio Salgado e Agenor Barbosa; leitura do poema "Os sapos", de Manuel Bandeira, por Ronald de Carvalho; apresentação de dança de Yvonne Daumerie; solos de piano de Guiomar Novaes; palestra de Mário de Andrade no saguão do Teatro Municipal sobre as obras de arte expostas e leitura de fragmentos de seu texto-manifesto *A Escrava que não é Isaura*; conferência do folclorista e crítico musical Renato Almeida; apresentação das composições de canto e piano de Villa-Lobos por Frederico Nascimento Filho e Lucília Villa-Lobos.

Tema 3 — Dia 17 de fevereiro: O terceiro dia da Semana de 22

O último festival da Semana foi inteiramente dedicado à obra de Villa-Lobos, com a participação dos músicos Paulina d'Ambrósio, Ernani Braga, Maria Emma e Frutuoso de Lima Vianna.

Capa do livro *Cobra Norato*, de Raul Bopp. São Paulo: Estabelecimento Gráfico Irmãos Ferraz, 1931.

ROMULO FIALDINI - COLEÇÃO WALDEMAR TORRES, PORTO ALEGRE

Capa do livro *História do Brasil*, de Murilo Mendes. Rio de Janeiro: Ariel, 1932. Capa de Di Cavalcanti.

Tema 4 — O Grupo dos Cinco

Com o retorno de Tarsila do Amaral da Europa, em junho de 1922, formou-se o Grupo dos Cinco, composto pela pintora, Mário de Andrade, Anita Malfatti, Oswald de Andrade e Menotti del Picchia.

Tema 5 — A descoberta do Brasil por Mário e Olívia

Em 1924, Mário de Andrade viajou para Minas Gerais e depois, em companhia da mecenas Olívia Guedes Penteado, viajou para o Sul e para o Nordeste.

Tema 6 — O Modernismo pernambucano

Joaquim Inojosa apresentou a Pernambuco muitas da ideias modernistas do grupo paulistano da Semana.

Tema 7 — Blaise Cendrars: um olhar estrangeiro sobre o Brasil

Tarsila do Amaral e Oswald de Andrade retornaram da Europa acompanhados do poeta franco-suíço Blaise Cendrars. O grupo, patrocinado por Paulo Prado, excursionou pelas cidades históricas mineiras e pelo Rio de Janeiro.

Tema 8 — Modernismo no Rio de Janeiro: A revista *Estética*

Prudente de Morais Neto e Sérgio Buarque de Holanda publicaram, entre 1924 e 1925, a revista *Estética*. Além de farto material teórico, os três números da revista apresentaram artigos de Graça Aranha, Blaise Cendrars, Mário de Andrade, entre outros.

Tema 9 — Modernismo em Minas Gerais: *A Revista*

Em Belo Horizonte, Carlos Drummond de Andrade e Martins de Almeida lançaram, em 1925, *A Revista*. Esse veículo mineiro contou ainda com João Alphonsus, Pedro Nava, Emílio Moura e Abgar Renault.

Tema 10 — Modernismo gaúcho: A *Madrugada*

Em 1925, o grupo modernista do Rio Grande do Sul lançou a revista *Madrugada*.

Tema 11 — *Terra Roxa e Outras Terras*: mergulho no folclore

Antônio de Alcântara Machado e A. C. Couto de Barros lançaram, em 1926, *Terra Roxa e Outras Terras* (São Paulo), por meio do qual propuseram uma discussão sobre o "brasileirismo" e sobre o folclore e apresentaram textos escritos pelos cronistas quinhentistas. Participaram desse veículo Oswald de Andrade, Antônio de Alcântara Machado e Rubens Borba de Moraes.

Tema 12 — Modernismo espiritualista: A *Festa*

Entre 1927 e 1929 e 1934 e 1935, circulou pelo Rio de Janeiro a inovadora *Festa, Revista de Arte e Pensamento*, periódico dirigido por Tasso da Silveira e Andrade Murici com a participação, entre outros, de Murilo Araújo, Barreto Filho e, na segunda fase, de Cecília Meireles e Murilo Mendes. Os artistas modernistas que escreveram em *Festa* defendiam posições espiritualistas com bases simbolistas. Os integrantes de *Festa* defendiam uma poesia mais universalista e menos radical.

Tema 13 — Modernismo mineiro: A revista *Verde*

Em 1926, circularam os seis números de *Verde* (Minas Gerais), de Cataguases, editada pelos jovens escritores Rosário Fusco, Ascânio Lopes, Francisco Inácio Peixoto, Enrique de Resende e Guilhermino César. Afinados com a linha modernista de São Paulo, esses autores defendiam uma literatura liberta de regras com uma temática nacionalista.

Tema 14 — Modernismo gaúcho: *Giraluz*

Porto Alegre abrigou um grupo de modernistas, marcados pela invenção e pela valorização da cultura gaúcha. Destacaram-se Vargas Neto, Pedro Vergara, Manuelito de Ornelas e, com a obra *Giraluz* (1928), Augusto Meyer.

Tema 15 — Modernismo: a questão negra

Influenciado pelo pensamento de Paulo Prado e Nina Rodrigues, o suplemento *Leite criôlo* circulou no jornal *Estado de Minas*, em 1929, em seis edições. O veículo centrou foco na discussão sobre o negro e à sua frente estavam Aquiles Vivacqua, João Dornas Filho e Guilhermino César.

Tema 16 — Modernismo baiano: *Arco Et Flexa*

Arco Et Flexa, idealizado por Carlos Chiacchio, circulou, entre 1928 e 1929, em Salvador. Em suas três edições, a revista baiana explorou temáticas de tendência simbolista, mescladas à busca de aspectos indianistas presentes na cultura brasileira, em oposição aos aspectos europeus.

Tema 17 — Modernismo cearense: a *Maracajá*

Em 1929, circulou em Fortaleza, Ceará, a revista *Maracajá*, divulgando o modernismo no Nordeste.

Tema 18 — Oswald e Pagu: *O Homem do Povo*

O Homem do Povo, veículo engajado na luta pela causa operária, surgiu em 1931, durou oito edições e foi dirigido por Oswald de Andrade e Patrícia Galvão, a Pagu.

Tema 19 — Arquitetura, escultura e pintura na Semana de 22

De acordo com o catálogo oficial da exposição, participaram: na arquitetura, Antônio Moya e George Przyrembel; na escultura, Vitor Brecheret e Haarberg; na pintura, Anita Malfatti, Di Cavalcanti, John Graz, Martins Ribeiro, Zina Aita, JF de Almeida Prado, Ferrignac e Vicente Rego Monteiro.

Tema 20 — Outros escritores da fase heroica

Compuseram o quadro de autores da primeira fase do Modernismo brasileiro, além daqueles que você já estudou, Cassiano Ricardo (1895-1974), Menotti del Picchia (1892-1988), Raul Bopp (1898-1984), Plínio Salgado (1901-1975), Guilherme de Almeida (1890-1969) e Alcântara Machado (1901-1935).

TARSILA DO AMARAL LICENCIAMENTOS - COLEÇÃO PARTICULAR, SÃO PAULO

AMARAL, Tarsila do. *A caipirinha*. 1923. Óleo sobre tela, 60 × 81 cm.

Tema 21 — Tropicalistas: herdeiros da Antropofagia

O Tropicalismo foi um movimento cultural, inspirado nas ideias antropofágicas propostas por Oswald de Andrade em 1928. O movimento manifestou-se principalmente na música, com Caetano Veloso, Gilberto Gil, Torquato Neto, Os Mutantes, Tom Zé, entre outros, mas teve expressão nas artes plásticas, com figuras como Hélio Oiticica, no cinema novo de Glauber Rocha, no teatro, sobretudo de José Celso Martinez Corrêa.

Leitura puxa leitura

Comece sua leitura por:

Pauliceia desvairada (1922), de Mário de Andrade

Por que ler: Com poemas construídos com versos livres impondo um aspecto ao mesmo tempo dinâmico e fragmentário, essa obra concentra uma multiplicidade de vozes e olhares que reproduzem o ritmo frenético da modernidade impressa na cidade, nos homens e na vida que se configuram no início do século XX. Com seu "Prefácio interessantíssimo", ela não apenas estabelece um diálogo direto com as vanguardas europeias, como também define um novo modo de ver a cultura brasileira.

Contos novos (1947) e **Macunaíma** (1928), de Mário de Andrade

Por que ler: Nessas obras, Mário de Andrade desenvolve, no campo da prosa, o mesmo espírito criativo de *Pauliceia desvairada*. Mais intimistas, seus contos apresentam diversas questões e fragmentos que compõem o sujeito moderno, enquanto seu romance é uma obra-prima alegórica que concentra os ideais nacionais e antropofágicos na emblemática figura de um herói sem nenhum caráter.

Manifesto da Poesia Pau Brasil (1924) e **Manifesto Antropófago** (1928), de Oswald de Andrade

Por que ler: Publicados por Oswald de Andrade, os dois manifestos não apenas embasaram toda a concepção modernista da primeira fase como também traçaram os ideais estéticos seguidos por grande parte da produção artística nacional no último século.

Pau Brasil (1925), de Oswald de Andrade

Por que ler: Para investigar o modo inventivo e irônico com que Oswald resgata e recria a cultura nacional seguindo as propostas do *Manifesto da Poesia Pau Brasil*.

O rei da vela (1937), de Oswald de Andrade

Por que ler: Uma das mais importantes peças da dramaturgia nacional, essa obra de Oswald de Andrade foi encenada pela primeira vez apenas em 1967 pelo Teatro Oficina.

Meus poemas preferidos (1966), de Manuel Bandeira

Por que ler: Para conhecer as principais obras do poeta carioca, escolhidas por ele próprio para compor essa coletânea.

Macunaíma (1969), de Joaquim Pedro de Andrade

Por que assistir: Clássico do cinema nacional, esse filme é uma adaptação fiel do romance e dos ideais anárquicos que o originaram.

Macunaíma Ópera Tupi (2008), de Iara Rennó

Por que ouvir: Para desfrutar a musicalização de uma série de trechos do livro de Mário de Andrade.

Para gostar de ler v. 39: poesia marginal (2006), de vários autores

Por que ler: Para reconhecer a influência da literatura modernista nesse movimento ocorrido quase 50 anos depois da Semana de Arte Moderna.

Cooperifa: antropofagia periférica (2008), de Sérgio Vaz

Por que ler: Para conhecer histórias do movimento cultural da Cooperifa (Cooperativa Cultural da Periferia) e a espontaneidade da produção poética que surge nos saraus por ela organizados em bairros da periferia paulistana.

Tropicália ou Panis et Circencis (1968), de vários artistas

Por que ouvir: Para conhecer essa importante manifestação da música popular brasileira, que traz clara influência do movimento modernista em sua primeira fase.

Tropicália (2012), de Marcelo Machado

Por que assistir: Esse documentário conta com raras imagens de arquivos da época e com os depoimentos dos principais integrantes da Tropicália.

Tropicália, <http://tropicalia.com.br/>

Por que acessar: Para encontrar um rico acervo multimídia sobre o Tropicalismo e diversos textos que relacionam esse movimento ao Modernismo.

Gal: da Tropicália aos dias de hoje (2006), de Carlos Ebert e Marcello Bartz

Por que ouvir: Ao traçar a trajetória da musa tropicalista, esse documentário acaba revelando os bastidores e a gênese do movimento, bem como seus vínculos com os ideais da primeira fase do Modernismo.

Estrela da vida inteira (1987), de Olivia Hime

Por que ouvir: Para desfrutar dos poemas de Bandeira na voz de Olivia Hime, com melodias compostas por grandes nomes da música brasileira, como Tom Jobim e Gilberto Gil.

Doces Bárbaros (1976), de Doces Bárbaros

Por que ouvir: Para conhecer um projeto de quatro importantes nomes da música baiana e brasileira: Gal Costa, Gilberto Gil, Maria Bethânia e Caetano Veloso.

FOTOS: REPRODUÇÃO

UNIDADE 13

MODERNISMO (2ª FASE): A CONSOLIDAÇÃO DE UM MOVIMENTO

A obra que abre esta unidade é parte integrante da série *Casas voadoras*, do francês Laurent Chéhère. Nela, o artista explora bairros charmosos de Paris, como Belleville e Ménilmontant, para mostrar um lado desconhecido — mas bem real — daquela que é considerada a cidade-luz. A capital francesa mostrada por Chéhère é habitada por africanos, chineses, argelinos, romenos pobres e povos — franceses ou não — nômades, realidade bem distante do estereótipo procurado pelos turistas e tão explorado nos cartões-postais e guias de viagem. Com seu trabalho, o artista tira do anonimato os esquecidos habitantes das casas simples da periferia parisiense e os transforma em protagonistas.

De forma similar, mesclando arte e engajamento social, os artistas da segunda fase modernista (1922-1930), notadamente os ficcionistas do chamado romance nordestino, transformaram milhões de brasileiros esquecidos e maltratados pela fome, seca e miséria em protagonistas de seus romances. Para garantir fidedignidade, esses autores optaram por investigar sua própria gente, tornando-se porta-vozes de pessoas antes anônimas.

Objeto educacional digital (animação)
• *Caravane*

Tal como fizeram os escritores da 2ª fase do Modernismo em relação ao Brasil, a obra *Caravane* (2012), fotomontagem do francês Laurent Chéhère, guardadas as diferenças estéticas, contextos e objetivos, mostra ao mundo a existência de uma Paris diferente daquela dos cartões-postais. O *trailer* da foto evidencia a presença de moradores nômades na cidade mais visitada do mundo.

LAURENT CHÉHÈRE - PARIS-BEIJING GALLERY

Para início de conversa

Você lerá a seguir um conto escrito pelo angolano Ondjaki. A história contada pelo narrador está relacionada a outro conto, chamado "Nós matámos o Cão Tinhoso", escrito pelo moçambicano Luís Bernardo Honwana e publicado num livro homônimo de 1964, bastante lido nas escolas de Luanda, capital de Angola. De forma semelhante aos autores brasileiros da segunda fase modernista, que serão estudados nesta unidade, interessa a Ondjaki falar de sua gente.

Nós chorámos pelo Cão Tinhoso

Para a Isaura. Para o Luís B. Honwana.

Foi no tempo da oitava classe, na aula de português.

Eu já tinha lido esse texto dois anos antes mas daquela vez a estória me parecia mais bem contada com detalhes que atrapalhavam uma pessoa só de ler ainda em leitura silenciosa — como a camarada professora de português tinha mandado. Era um texto muito conhecido em Luanda: "Nós matámos o Cão Tinhoso".

Eu lembrava-me de tudo: do Ginho, da pressão de ar, da Isaura e das feridas penduradas do Cão Tinhoso. Nunca me esqueci disso: um cão com feridas penduradas. Os olhos do cão. Os olhos da Isaura. E agora de repente me aparecia tudo ali de novo. Fiquei atrapalhado.

A camarada professora selecionou uns tantos para a leitura integral do texto. Assim queria dizer que íamos ler o texto todo de rajada. Para não demorar muito, ela escolheu os que liam melhor. Nós, os da minha turma da oitava, éramos cinquenta e dois. Eu era o número cinquenta e um. Embora noutras turmas tentassem arranjar **alcunhas** para os colegas, aquela era a minha primeira turma onde ninguém tinha escapado de ser alcunhado. E alguns eram nomes de **estiga** violenta.

Muitos eram nomes de animais: havia o Serpente, o Cabrito, o Pacaça, a Barata-da-Sibéria, a Joana Voa-Voa, a Gazela, e o Jacó, que era eu. Deve ser porque eu mesmo falava muito nessa altura. Havia o É-tê, o Agostinho-Neto, a Scubidú e mesmo alguns professores também não escapavam da nossa lista. Por acaso a camarada professora de português era bem **porreira** e nunca chegámos a lhe alcunhar.

Os outros começaram a ler a parte deles. No início, o texto ainda está naquela parte que na prova perguntam qual é e uma pessoa diz que é só introdução.

Alcunhas: apelidos.

Estiga: frase espirituosa e zombeteira.

Porreira: bonita.

Os nomes dos personagens, a situação assim no geral, e a **maka** do cão. Mas depois o texto ficava duro: tinham dado ordem num grupo de **miúdos** para **bondar** o Cão Tinhoso. Os miúdos tinham ficado contentes com essa ordem assim muito adulta, só uma menina chamada Isaura afinal queria dar proteção ao cão. O cão se chamava Cão Tinhoso e tinha feridas penduradas, eu sei que já falei isto, mas eu gosto muito do Cão Tinhoso.

Na sexta classe eu também tinha gostado **bué** dele e eu sabia que aquele texto era duro de ler. Mas nunca pensei que umas lágrimas pudessem ficar tão pesadas dentro duma pessoa. Se calhar é porque uma pessoa na oitava classe já cresceu um bocadinho mais, a voz já está mais grossa, já ficamos toda hora a olhar as **cuecas** das meninas "entaladas na gaveta", queremos beijos na boca mais demorados e na **dança de *slow*** ficamos todos agarrados até os pais e os primos das moças virem perguntar se estamos com frio mesmo assim em Luanda a fazer tanto calor. Se calhar é isso, eu estava mais crescido na maneira de ler o texto, porque comecei a pensar que aquele grupo que lhes mandaram matar o Cão Tinhoso com tiros de pressão de ar, era como o grupo que tinha sido escolhido para ler o texto.

JAD DAVENPORT/NATIONAL GEOGRAPHIC SOCIETY/CORBIS/LATINSTOCK

Crianças moçambicanas em sala de aula (2010).

Não quero dar essa responsabilidade na camarada professora de português, mas foi isso que eu pensei na minha cabeça cheia de pensamentos tristes: se essa professora nos manda ler este texto outra vez, a Isaura vai chorar bué, o Cão Tinhoso vai sofrer mais outra vez e vão rebolar no chão a rir do Ginho que tem medo de disparar por causa dos olhos do Cão Tinhoso.

O meu pensamento afinal não estava muito longe do que foi acontecendo na minha sala de aulas, no tempo da oitava classe, turma dois, na escola Mutu Ya Kevela, no ano de mil novecentos e noventa: quando a Scubidú leu a segunda parte do texto, os que tinham começado a rir só para estigar os outros, começaram a sentir o peso do texto. As palavras já não eram lidas com rapidez de dizer quem era o mais rápido da turma a despachar um parágrafo. Não. Uma pessoa afinal e de repente tinha medo do próximo parágrafo, escolhia bem a voz de falar a voz dos personagens, olhava para a porta da sala como se alguém fosse disparar uma pressão de ar a qualquer momento. Era assim na oitava classe: ninguém lia o texto do Cão Tinhoso sem ter medo de chegar ao fim. Ninguém admitia isso, eu sei, ninguém nunca disse, mas bastava estar atento à voz de quem lia e aos olhos de quem escutava.

O céu ficou carregado de nuvens escurecidas. Olhei lá para fora à espera de uma trovoada que trouxesse uma chuva de meia-hora. Mas nada.

Na terceira parte até a camarada professora começou a engolir cuspe seco na garganta bonita que ela tinha, os rapazes mexeram os pés com nervoso miudinho, algumas meninas começaram a ficar de olhos molhados. O Olavo avisou: "quem chorar é maricas então!" e os rapazes todos ficaram com essa responsabilidade de fazer uma cara como se nada daquilo estivesse a ser lido.

Um silêncio muito estranho invadiu a sala quando o Cabrito se sentou. A camarada professora não disse nada. Ficou a olhar para mim. Respirei fundo.

Levantei-me e toda a turma estava também com os olhos pendurados em mim. Uns tinham-se virado para trás para ver bem a minha cara, outros fungavam do nariz tipo **constipação de cacimbo**. A Aina e a Rafaela que eram muito branquinhas estavam com as bochechas todas vermelhas e os olhos também, o Olavo ameaçou-me devagar com o dedo dele a apontar para mim. Engoli também um cuspe seco porque eu já tinha aprendido há muito tempo a ler um parágrafo depressa antes de o ler em voz alta: era aquela parte do texto em que os miúdos já não têm pena do Cão Tinhoso e querem lhe matar a qualquer momento. Mas o Ginho não queria. A Isaura não queria.

Maka: briga, discussão.

Miúdos: pequenos; crianças.

Bondar: matar.

Bué: gíria que significa "bastante".

Cuecas: calcinhas.

Dança de *slow*: dança lenta e com o casal bem junto.

Constipação de cacimbo: resfriado ou alergia respiratória típica da estação seca em Angola.

A camarada professora levantou-se, veio devagar para perto de mim, ficou quietinha. Como se quisesse me dizer alguma coisa com o corpo dela ali tão perto. Aliás, ela já tinha dito, ao me escolher para ser o último a fechar o texto, e eu estava vaidoso dessa escolha, o último normalmente era o que lia já mesmo bem. Mas naquele dia, com aquele texto, ela não sabia que em vez de me estar a premiar, estava a me castigar nessa responsabilidade de falar do Cão Tinhoso sem chorar.

— Camarada professora — interrompi numa dificuldade de falar. — Não tocou para a saída?

Ela mandou-me continuar. Voltei ao texto. Um peso me atrapalhava a voz e eu nem podia só fazer uma pausa de olhar as nuvens porque tinha que estar atento ao texto e às lágrimas. Só depois o sino tocou.

Os olhos do Ginho. Os olhos da Isaura. A mira da pressão de ar nos olhos do Cão Tinhoso com as feridas dele penduradas. Os olhos do Olavo. Os olhos da camarada professora nos meus olhos. Os meus olhos nos olhos da Isaura nos olhos do Cão Tinhoso.

Houve um silêncio como se tivessem disparado bué de tiros dentro da sala de aulas. Fechei o livro.

Olhei as nuvens.

Na oitava classe, era proibido chorar à frente dos outros rapazes.

ONDJAKI. Nós chorámos pelo Cão Tinhoso. In: CHAVES, Rita (Org.). *Contos africanos dos países de língua portuguesa*. 1. ed. São Paulo: Ática, 2009. p. 98-103. (Para Gostar de Ler; 44).

NAVEGUE

Leia/veja entrevista com Ondjaki em: <http://www.rodaviva.fapesp.br/materia/238/entrevistados/ondjaki_2007.htm>. Saiba mais sobre o escritor Ondjaki e leia trechos de suas obras em: <http://www.kazukuta.com/ondjaki/ondjaki.html>.

Responda às questões em seu caderno.

1 Mesmo sendo uma ficção, o conto que você leu apresenta marcas (linguísticas e culturais) específicas de Luanda, espaço da narrativa. Quais são elas?

2 A leitura do conto nos permite identificar três tempos relacionados à vida do narrador-personagem.

a) Quais são eles?

b) É possível caracterizar todos esses tempos? Explique.

3 Como você deve ter notado pela leitura do conto, a história narrada por Jacó está diretamente relacionada ao conto "Nós matámos o Cão Tinhoso". Mesmo não tendo lido o hipotexto de Honwana, é possível inferir elementos importantes dessa narrativa. "Monte" — a partir dos dados que o narrador nos fornece — o conto "Nós matámos o Cão Tinhoso".

4 O primeiro contato do narrador com o conto de Honwana foi na sexta classe. O que mudou dentro dele dois anos depois, tempo da releitura proposta pela professora?

5 Ao longo da leitura do conto, a turma de Jacó começa a se transformar. Explique essa afirmativa.

6 Que personagem tenta quebrar o novo clima que se instaura na classe de Jacó? Por que ele faz isso?

7 Dois planos caminham juntos na narrativa de Ondjaki: um relativo ao conto "Nós matámos o Cão Tinhoso" e outro referente a "Nós chorámos pelo Cão Tinhoso". Explique de que maneira esses planos se misturam.

ProvocAÇÃO

Releia a seguinte passagem:

"[...] se essa professora nos manda ler este texto outra vez, a Isaura vai chorar bué, o Cão Tinhoso vai sofrer mais outra vez e vão rebolar no chão a rir do Ginho que tem medo de disparar por causa dos olhos do Cão Tinhoso."

Na sua opinião, o que o trecho sugere sobre o poder da literatura? Você concorda com essa visão? Que obras de sua biblioteca cultural o fariam reviver emoções como as citadas pelo narrador?

Nossa segunda geração de autores modernistas escreveu suas obras ao longo do governo de Getúlio Vargas, que assumiu o poder com a Revolução de 1930. O gaúcho foi presidente eleito pelo voto indireto e ditador até 1945. Transformou a vida econômica e política do país, com sua postura controladora e populista. Nos quinze anos compreendidos entre a Revolução de 1930 e o final da Segunda Guerra Mundial, Vargas buscou, inicialmente, consolidar-se na Presidência e, depois, promover um conjunto de medidas para desenvolver o capitalismo no Brasil e transformar o sistema político.

Entre as principais medidas tomadas por ele estava o desenvolvimento da política trabalhista: em 1930, foi criado o Ministério do Trabalho, Indústria e Comércio, que propôs, ao longo de todo o período de vigência de seu governo, leis trabalhistas de proteção e atendeu a antigas reivindicações dos operários, como a criação do salário mínimo e a regulamentação da jornada de trabalho de oito horas. Porém, o presidente desejava concentrar o poder em suas mãos. Assim, em novembro de 1937, a polícia militar cercou o Congresso Nacional, impedindo a entrada dos congressistas, com a alegação de que existia uma ameaça dos comunistas de tomarem o poder. Getúlio anunciou que o Brasil entrava em uma nova fase política, o Estado Novo. Havia uma nova Carta Constitucional, que declarava que o país inteiro entrava em "estado de emergência": as liberdades civis, que eram garantidas pela própria Constituição, ficavam limitadas por tempo indeterminado, e isso se prolongou por toda a duração do governo.

No contexto mundial, em 1939, Adolf Hitler e seu exército invadiram a Polônia. O objetivo do ditador alemão era construir um império nazista na Europa. Essa invasão provocou o início da Segunda Guerra Mundial, que durou até 1945 e afetou grandes potências do mundo à época. O principal aliado da Alemanha era a Itália, liderada pelo fascista Benito Mussolini, cujas ideias eram muito semelhantes às da ideologia nazista. Esses dois países e o Japão formaram na guerra o bloco do Eixo; do outro lado, lutando contra a expansão do nazifascismo, estava o chamado Bloco dos Aliados, formado por Inglaterra, França, URSS e, mais tarde, EUA. Essa guerra foi um dos maiores conflitos militares da história e afetou profundamente a economia da Europa. Após declarar guerra ao Eixo, em 1942, o Brasil entrou na guerra ao lado dos Aliados.

O final da guerra trouxe consequências importantes para o governo de Getúlio Vargas. Com a derrota das potências nazifascistas, o sentimento democrático que se difundiu pelo mundo inteiro ganhou força também por aqui. Fazia cada vez menos sentido o Brasil ter apoiado os países democráticos na guerra, já que mantinha um governo ditatorial. Assim, por ação sobretudo dos militares, alguns deles inclusive ligados ao seu governo, Vargas renunciou em 1945.

Ao longo desses quinze anos, apesar da repressão, nossa literatura aproveitou-se do intenso debate e do desenvolvimento da indústria de livros para tratar dos problemas reais, de forma similar ao que faz Ondjaki no conto que você leu, tendo como foco o povo africano.

CAPÍTULO

31

A prosa da segunda fase do Modernismo: retrato crítico do real

PERCURSO DO CAPÍTULO

- O regionalismo ou neorrealismo
- A literatura dos excluídos de Graciliano Ramos
- Erico Verissimo e a construção do Rio Grande do Sul
- Rachel de Queiroz e a análise psicológica do sertanejo

COLEÇÃO DO ARTISTA

Quando leu uma matéria sobre a seca no Ceará na revista *Realidade*, em 1972, Celso Oliveira resolveu dedicar-se à fotografia e ao registro — geralmente em preto e branco — da realidade da gente simples do Nordeste. Dar luz a seres achatados por condições desumanas de vida foi a meta de muitos autores do chamado Romance de 30. Foto de 1993.

Introdução

Influenciados pelo regionalismo romântico e pelo Realismo da segunda metade do século XIX, os romancistas de 1930 investigaram as relações entre o homem e o espaço e as questões sociais, de modo a denunciar a fome, a seca, a miséria, a ignorância e a opressão, sobretudo do homem nordestino. Como "porta-vozes" de suas regiões, surgiram autores do chamado neorrealismo ou regionalismo modernista.

Você conhece *Capitães da Areia*? Durante o Estado Novo (1937-1945), exemplares desse livro de Jorge Amado foram queimados. A obra, que narra o cotidiano de um grupo de meninos de rua da Bahia, causa fascínio há décadas, principalmente entre leitores jovens como você. No romance, são focalizados os atos violentos, os sonhos, o código de ética, os preconceitos, a descoberta da sexualidade e do amor e os afetos e desafetos dos Capitães da Areia, bando predominantemente masculino que habita um trapiche (armazém abandonado) no cais de Salvador e é liderado por Pedro Bala, órfão adolescente de quinze anos. No bando há apenas uma jovem, Dora.

Você lerá a seguir as duas partes finais de "Família". Nesse capítulo, Boa-Vida, um dos membros do grupo, planeja com Pedro Bala assaltar uma casa em que vive um casal de idosos ricos e que está "entupida de objetos de ouro e prata". Para executar o plano, Sem-Pernas (um dos meninos mais agressivos e sofridos do bando) visita a casa, apresenta-se como um órfão deficiente físico chamado Augusto e conquista imediatamente o afeto de dona Ester, pois ela havia perdido um filho na idade que ele tinha. A dona da casa veste o integrante dos Capitães com as roupas de seu falecido filho, e logo Sem-Pernas também conquista dr. Raul, o rico advogado dono da casa. O casal decide adotar o menino de rua e "fazer dele um homem". Sem-Pernas hospeda-se na casa por oito dias e fica indeciso entre mudar de vida ou manter sua lealdade aos Capitães.

MASSAO GOTO FILHO/ ESTADÃO CONTEÚDO

O escritor em 1990.

O baiano **Jorge Amado** (1912-2001) estreou com o romance *O país do carnaval* (1931). Filiado ao PCB, foi preso, exilando-se depois em países como Uruguai, Argentina e França. Sua literatura, antes política, passou a privilegiar a sensualidade, o humor, o feminino e o sincretismo religioso. Entre suas obras destacam-se *Mar morto* (1936) e *Gabriela, cravo e canela* (1958).

Os acontecimentos se precipitaram, porque Raul teve que fazer uma viagem ao Rio de Janeiro, a negócios importantes de advocacia. E o Sem-Pernas achou que não havia melhor ocasião para o assalto.

Na tarde em que se foi, mirou a casa toda, acariciou o gato Berloque, conversou com a criada, olhou os livros de gravura. Depois foi ao quarto de dona Ester, disse que ia até o Campo Grande passear. Ela então lhe contou que Raul traria uma bicicleta do Rio para ele e então todas as tardes ele andaria nela pelo Campo Grande, em vez de passear a pé. O Sem-Pernas baixou os olhos, mas antes de sair veio até dona Ester e a beijou. Era a primeira vez que a beijava, e ela ficou muito alegre. Ele disse baixinho, arrancando as palavras de dentro de si:

— A senhora é muito boa. Eu nunca vou esquecer...

Saiu e não voltou. Essa noite dormiu no seu canto no trapiche. Pedro Bala tinha ido com um grupo para a casa. Os outros tinham rodeado o Sem-Pernas, admirando suas roupas, seu cabelo assentado, o perfume que **evolava** do seu corpo. Mas o Sem-Pernas meteu o braço em um, foi resmungando para seu canto. E ali ficou mordendo as unhas, sem dormir, angustiado, até que Pedro Bala voltou com os outros, trazendo os resultados do assalto. Comunicou ao Sem-Pernas que fora a coisa mais **canja** do mundo, que ninguém dera fé na casa, que todos tinham continuado dormindo. Talvez que nem no dia seguinte descobrissem o roubo. E mostrava os objetos de ouro e de prata:

— Amanhã Gonzales dá uma dinheirama por isso...

O Sem-Pernas fechava os olhos para não ver. Depois que todos foram dormir, ele se aproximou do Gato:

— Tu quer fazer um negócio comigo?

— Que é?

— Eu dou essa roupa, tu me dá a sua...

O Gato olhou cheio de espanto. A sua roupa era a melhor do grupo, sem dúvida. Mas era roupa velha, estava muito longe de valer a boa roupa de **casimira** que o Sem-Pernas vestia. "Tá doido", pensou o Gato enquanto respondia:

— Se topo? Nem se pergunta.

Trocaram a roupa. O Sem-Pernas voltou ao seu canto, procurou dormir.

Na rua vinha dr. Raul com dois guardas. Eram os mesmos soldados que o haviam espancado na cadeia. O Sem-Pernas corria, mas doutor Raul o apontava e os soldados o levavam para a mesma sala. A cena era a mesma de sempre: os soldados que se divertiam a fazê-lo correr com sua perna capengando e o espancavam e o homem de colete que ria. Só que na sala estava também dona Ester, que o olhava com os olhos tristes e dizia que ele não era mais seu filho, era um ladrão. E os olhos de dona Ester o faziam sofrer mais que as pancadas dos soldados, mais que o riso brutal do homem. Acordou molhado de suor, fugiu da noite do trapiche, a madrugada o encontrou vagando no areal.

No outro dia, à noite, Pedro Bala viera trazer o dinheiro da sua parte no furto. Mas o Sem-Pernas o recusou sem dar explicações. Depois Volta Seca chegou com um jornal que trazia notícias de Lampião. Professor leu a notícia para Volta Seca e ficou vendo as outras coisas que o jornal trazia. Então chamou:

— Sem-Pernas! Sem-Pernas!

O Sem-Pernas veio. Outros vieram com ele e formaram um círculo. Professor disse:

— Isso aqui é com tu, Sem-Pernas...

E leu uma notícia no jornal:

Ontem desapareceu da casa número... da rua..., Graça, um filho dos donos da casa, chamado Augusto. Deve ter se perdido na cidade que pouco conhecia. É coxo de uma perna, tem treze anos de idade, é muito tímido, veste roupa de casimira cinza. A polícia o procura para o entregar aos seus pais aflitos, mas até agora não o encontrou. A família gratificará bem quem der notícias do pequeno Augusto e o conduza a sua casa.

O Sem-Pernas ficou calado. Mordia o lábio. Professor disse:

— Ainda não descobriram o furto...

Sem-Pernas fez que sim com a cabeça. Quando descobrissem o furto não o procurariam mais como a um filho desaparecido. Barandão fez uma cara de riso e gritou:

— Tua família tá te procurando, Sem-Pernas. Tua mamãe tá te procurando pra dar de mamar a tu...

NAVEGUE

Assista a uma reportagem sobre a exposição "Jorge Amado e Universal", que o Museu da Língua Portuguesa trouxe a público em 2012: <http://tvcultura.cmais.com.br/metropolis/videos/expo-jorge-amado-metro-18-4-cmais>.

Graça: Bairro de classe média alta de Salvador, espaço principal do romance *Capitães da Areia*.

Evolava: exalava.

Canja: fácil.

Casimira: tecido leve de lã.

Mas não disse mais nada, porque o Sem-Pernas já estava em cima dele e levantava o punhal. E esfaquearia sem dúvida o negrinho se João Grande e Volta Seca não o tirassem de cima dele. Barandão saiu amedrontado. O Sem-Pernas foi indo para o seu canto, um olhar de ódio para todos. Pedro Bala foi atrás dele, botou a mão em seu ombro:

— São capazes de não descobrir nunca o roubo, Sem-Pernas. Nunca saber de você... Não se importe, não.

— Quando doutor Raul chegar vão saber...

E rebentou em soluços, que deixaram os Capitães da Areia estupefatos. Só Pedro Bala e o Professor compreendiam, e este abanava as mãos porque não podia fazer nada. Pedro Bala puxava uma conversa comprida sobre um assunto muito diferente. Lá fora o vento corria sobre a areia e seu ruído era como uma queixa.

AMADO, Jorge. *Capitães da Areia*.
São Paulo: Companhia das Letras, 2009. p. 127-130.
(Companhia de Bolso). (Fragmento).

Investigue em História

Além de *Capitães da Areia*, que outros livros importantes na história foram queimados como um ato de censura?

Registre as respostas em seu caderno.

1 Muitos críticos afirmam que a obra de Jorge Amado é marcada pelo lirismo e pela poesia, ainda que seja escrita em prosa. Você concorda com essa afirmação? Justifique sua resposta.

Jorge Amado, pelo caricaturista Manohead. 2013.

2 Sentimentos ambíguos dominam Sem-Pernas depois que ele retorna para o trapiche.

a) O que o personagem decide sobre seu futuro na casa de dona Ester e dr. Raul?

b) A decisão de Sem-Pernas é coerente? Explique.

c) Por que Sem-Pernas decide trocar de roupa com Gato?

3 Na parte que antecede a que você leu, no mesmo capítulo, após a família levar Sem-Pernas para assistir a um filme no luxuoso cinema Guarani, o novo filho passa a noite na casa de dona Ester e dr. Raul. Antes de dormir, ele é beijado carinhosamente pela mãe adotiva e tem o seguinte sonho:

Depois foi o horror dos sonhos da cadeia, o homem de colete que ria brutalmente, os soldados que surravam o Sem-Pernas, que corria com a perna aleijada em volta da saleta. Mas de repente chegou dona Ester e o homem de colete e os soldados morreram entre infinitas torturas, porque agora o Sem-Pernas estava vestido com uma roupa de marinheiro e tinha um chicote na mão como o mocinho do cinema.

AMADO, Jorge. *Capitães da Areia*.
São Paulo: Companhia das Letras, 2009. p. 123.
(Companhia de Bolso). (Fragmento).

Relacione o sonho de Sem-Pernas na primeira noite que passou na casa do bairro da Graça àquele que ele teve logo que retornou para o trapiche e trocou de roupa com Gato.

NAVEGUE

Conheça a Fundação Casa de Jorge Amado em: <http://www.jorgeamado.org.br>.

ProvocAÇÃO

Capitães da Areia foi publicado em 1937. Nesse romance, Jorge Amado procurou retratar a realidade de muitos meninos de rua de Salvador. Infelizmente, o problema tratado pelo autor baiano ainda persiste em nossos dias. Em sua cidade, há crianças de rua que não frequentam escolas, não têm moradia e sofrem violência? Que medidas você acha que poderiam ser tomadas para acabar com a marginalização de meninos e meninas?

NAVEGUE

Cecília Amado, neta do escritor baiano, dirigiu o filme *Capitães da Areia*, que estreou em 2011. Assista a um *teaser* e leia uma crítica sobre ele em: <http://g1.globo.com/pop-arte/noticia/2011/10/capitaes-da-areia-e-adaptacao-irregular-da-obra-de-jorge-amado.html>.

No romance, sem temer ser parcial, o narrador ocupa-se de mostrar um lado: o dos meninos de rua. E esse lado destoa completamente da visão que tem a elite de Salvador, vítima dos crimes praticados pelo bando e que são veiculados de maneira sensacionalista pela imprensa. Na obra, Jorge Amado fala de Pedro Bala, Dora, Gringo, Professor, Pirulito, Sem-Pernas e Volta Seca, entre outros personagens, mas poderia estar falando de qualquer um de nós; daí o fascínio que, após mais de sete décadas da primeira edição, esse livro continua a causar.

Por meio de *Capitães da Areia*, Jorge Amado busca realizar uma literatura de denúncia, como o fizeram os autores do chamado romance de 30. Graciliano Ramos, Rachel de Queiroz e Erico Verissimo — que serão ainda abordados neste capítulo —, além de José Lins do Rego, Marques Rebelo, José Geraldo Vieira, Lúcio Cardoso, Cornélio Pena e Dyonélio Machado, entre outros autores, compõem o rico e diversificado painel dos romancistas da segunda fase do Modernismo.

Romance regionalista modernista: uma literatura de análise

Como vimos, foi no século XIX que se inaugurou no Brasil o romance regionalista. Embora tenha sido importante para a afirmação de nossa literatura e de nosso nacionalismo pós-independência, a investigação da relação homem-terra proposta pelos românticos mostrou-se superficial, preocupada apenas com a "cor local". Entre os autores regionalistas de 1930, entretanto, essa tendência terá ambições maiores. O regionalismo dos modernistas, em geral, busca investigar as complexas relações entre o homem e sua terra, discutindo os fenômenos naturais, a memória individual e coletiva do povo e a persistência e o poder da tradição. Essa abordagem privilegia o enfoque nos elementos específicos de uma região, mas não perde de vista a universalidade do fenômeno humano, principalmente quando foge aos estereótipos e à mera exploração dos aspectos ditos exóticos de um povo.

Aspectos naturais, linguajar, hábitos, costumes, códigos morais específicos.

No final do século XIX, a proibição do trabalho escravo atingiu a aristocracia rural da zona cafeeira do Vale do Paraíba, porém abalou mais fortemente os grandes latifundiários da região açucareira do Nordeste. Nessa região — sobretudo nas cidades mais distantes —, a sociedade patriarcal, baseada na escravidão e no grande latifúndio, estava acostumada às arbitrariedades praticadas pelo coronel, verdadeiro chefe político local, cujo poder era garantido por jagunços, capangas e cangaceiros.

SAIBA MAIS!

José Américo de Almeida escreveu a obra inaugural do "romance nordestino", *A bagaceira* (1928).

Na região Sul, enquanto São Paulo se afirmava como centro da economia nacional e a cultura cafeeira deslocava-se para o Paraná, a região Nordeste perdia seu *status* de mais de dois séculos de sustentáculo da economia brasileira, baseado no cultivo da cana-de-açúcar. Com isso, a decadência do poderio econômico, os fortes contrastes nas condições de sobrevivência humana e os problemas das secas periódicas transformaram-se em focos de discussão dos romancistas nordestinos.

Material complementar
- Atividade: O prefácio de *A bagaceira*

Em lugar de se basearem no modelo de realismo praticado pelos prosadores do século XIX — geralmente impessoal, distante e de pretensão científica —, os regionalistas de 30 optaram por adotar uma visão crítica e analítica das relações sociais. Esse **neorrealismo** buscava mergulhar na psicologia dos personagens, provocar o leitor e, eventualmente, fazê-lo protestar contra a realidade vigente, de modo a transformá-la.

NAVEGUE

Leia um interessante autorretrato de Graciliano Ramos em: <http://graciliano.com.br/site/autorretrato>.

Graciliano Ramos: a literatura dos seres à parte

Numa obra literária, é possível separar completamente ficção de realidade? Os livros de Graciliano Ramos (1892-1953) nos convidam a refletir sobre esses limites.

Graciliano Ramos nasceu em Quebrangulo (AL), depois mudou-se para as cidades de Buíque (interior de Pernambuco), Maceió e Palmeira dos Índios. De volta à capital de Alagoas, foi preso sob acusação de ser comunista. Os dez meses e dez dias em que esteve preso inspiraram a escrita de *Memórias do cárcere* (publicada postumamente em 1953).

Graciliano Ramos, por Manohead. 2013.

Em uma das entrevistas que concedeu, Graciliano Ramos afirmou: "Nunca pude sair de mim mesmo. Só posso escrever o que sou". Suas obras confirmam esse desdobramento do autor em personagens e, de maneira mais direta, em vozes assumidamente autobiográficas. Em seu primeiro romance, *Caetés* (1933), os acontecimentos cotidianos da cidade alagoana de Palmeira dos Índios são narrados por João Valério, que almeja escrever um romance histórico acerca da devoração do bispo Sardinha. Em *São Bernardo* (1934), é Paulo Honório quem assume o papel de romancista para narrar sua história. No romance *Angústia* (1936), um funcionário público e escritor frustrado, Luís da Silva, toma a palavra e narra sua vida medíocre e seu crime contra o rival Julião Tavares. *Vidas secas* (1938), romance que retrata uma família de retirantes, representa uma quebra na literatura de Graciliano Ramos. Nele, o protagonista narrador-personagem é substituído pela narração em terceira pessoa. *Infância* (1945) e *Memórias do cárcere* são obras narradas em primeira pessoa e constituem autobiografias.

Material complementar
- Atividade: *São Bernardo*, Graciliano Ramos

Ler Graciliano Ramos significa entrar no universo dos excluídos. João Valério, Paulo Honório, Luís da Silva, Fabiano, Sinha Vitória e tantos outros personagens que habitam a literatura do autor são seres à margem, retratados com economia vocabular, isenção de sentimentalismos e, ao mesmo tempo, uma intensidade rara.

São Bernardo: a escrita como autorreflexão

Publicado em 1934, *São Bernardo* é o segundo romance de Graciliano Ramos. Nele, Paulo Honório, homem bruto e de origem humilde, resolve contar sua história depois que sua esposa, a professora idealista Madalena, comete suicídio. Assolado pela culpa, o protagonista narra sua trajetória de pobreza, crimes, violência e posterior riqueza na fazenda São Bernardo, poder conquistado à custa do egoísmo, do desejo de posse, da agressividade e da força bruta.

REPRODUÇÃO

Cena do filme *São Bernardo*, baseado no romance homônimo de Graciliano Ramos e dirigido por Leon Hirszman. Brasil, 1972.

A seguir, você conhecerá alguns aspectos do romance *Vidas secas*.

⊙ *Vidas secas*: a voz dos emudecidos

O romance *Vidas Secas*, de Graciliano Ramos, foi adaptado para o cinema por Nelson Pereira dos Santos em 1963.

Em *Vidas secas*, os temas da opressão, miséria e seca ganham corpo pela retratação de uma família de retirantes — Fabiano, Sinha Vitória, Menino Mais Novo, Menino Mais Velho (crianças sem nome) e a cachorra Baleia — em pleno agreste. Quando comparado aos três romances que o antecedem, chama atenção em *Vidas secas* a narração em terceira pessoa. Muitos críticos veem a opção por esse foco narrativo como uma forma de Graciliano identificar-se e solidarizar-se com o drama da família de Fabiano e/ou como uma maneira de o autor retratar — ao mesmo tempo — o universo interior e exterior dos personagens sem perder a necessária verossimilhança, já que nenhum dos sertanejos que compõem a família focalizada no romance teria condições de narrar seu próprio drama social e íntimo. Graciliano consegue dar voz a seres emudecidos pelas péssimas condições em que vivem e submetidos ao poder arbitrário de figuras como o "proprietário" da fazenda, o "patrão" ou o "Soldado Amarelo".

Isenta de elementos pitorescos, descritivismos exagerados e dramas amorosos — tão caros aos romances românticos regionalistas —, a obra retrata a gente "quase muda" de Graciliano Ramos de maneira inédita nas letras brasileiras.

Entre maio e outubro de 1937, depois de sair da prisão, Graciliano Ramos escreveu os treze capítulos de *Vidas secas* e os publicou avulsos, como se fossem contos. Primeiro, "Baleia", depois, "Sinha Vitória", "Cadeia" e os demais capítulos, que, reorganizados e reunidos, compuseram o romance. Esse caráter autônomo, mas, ao mesmo tempo, interdependente, dos capítulos-quadros justifica a obra ser chamada de "romance desmontável".

A seguir você conhecerá "Baleia", o primeiro capítulo que Graciliano escreveu, mas que, no romance, constitui o nono. A cadela Baleia, vista "como uma pessoa da família", é amada por Fabiano, Sinha Vitória e pelos filhos do casal. Você gosta de cães? Tem animais de estimação em casa? Pois se comoverá com o que vai ler agora.

PARA LEMBRAR

Verossimilhança: conjunto de elementos que, num mundo ficcional, inventado por um autor, parecem verdadeiros para o leitor, criando assim o efeito de real.

Baleia

A cachorra Baleia estava para morrer. Tinha emagrecido, o pelo caíra-lhe em vários pontos, as costelas avultavam num fundo róseo, onde manchas escuras **supuravam** e sangravam, cobertas de moscas. As chagas da boca e a inchação dos beiços dificultavam-lhe a comida e a bebida.

Por isso Fabiano imaginara que ela estivesse com um princípio de **hidrofobia** e amarrara-lhe no pescoço um rosário de sabugos de milho queimados. Mas Baleia, sempre de mal a pior, roçava-se nas estacas do curral ou metia-se no mato, impaciente, enxotava os mosquitos sacudindo as orelhas murchas, agitando a cauda pelada e curta, grossa na base, cheia de moscas, semelhante a uma cauda de cascavel.

Então Fabiano resolveu matá-la. Foi buscar a espingarda de **pederneira**, lixou-a, limpou-a com o **saca-trapo** e fez tenção de carregá-la bem para a cachorra não sofrer muito.

Sinha Vitória fechou-se na **camarinha**, rebocando os meninos assustados, que adivinhavam desgraça e não se cansavam de repetir a mesma pergunta:

— Vão bulir com a Baleia?

Tinham visto o chumbeiro e o polvarinho, os modos de Fabiano afligiam-nos, davam-lhes a suspeita de que Baleia corria perigo.

Supuravam: expeliam secreções.

Hidrofobia: raiva (doença canina).

Pederneira: espingarda de ferro.

Saca-trapo: vareta para limpar resíduos do cano da espingarda.

Camarinha: quarto de dormir.

Ela era como uma pessoa da família: brincavam juntos os três, para bem dizer não se diferençavam, rebolavam na areia do rio e no estrume fofo que ia subindo, ameaçava cobrir o chiqueiro das cabras.

Quiseram mexer na taramela e abrir a porta, mas Sinha Vitória levou-os para a cama de varas, deitou-os e esforçou-se por tapar-lhes os ouvidos: prendeu a cabeça do mais velho entre as coxas e espalmou as mãos nas orelhas do segundo. Como os pequenos resistissem, aperreou-se e tratou de subjugá-los, resmungando com energia.

Ela também tinha o coração pesado, mas resignava-se: naturalmente a decisão de Fabiano era necessária e justa. Pobre da Baleia.

Escutou, ouviu o rumor do chumbo que se derramava no cano da arma, as pancadas surdas da vareta na bucha. Suspirou. Coitadinha da Baleia.

Os meninos começaram a gritar e a espernear. E como Sinha Vitória tinha relaxado os músculos, deixou escapar o mais taludo e soltou uma praga:

— Capeta excomungado.

Na luta que travou para segurar de novo o filho rebelde, zangou-se de verdade. Safadinho. Atirou um cocorote ao crânio enrolado na coberta vermelha e na saia de ramagens.

Pouco a pouco a cólera diminuiu, e Sinha Vitória, embalando as crianças, enjoou-se da cadela **achacada**, gargarejou **muxoxos** e nomes feios. Bicho nojento, babão. Inconveniência deixar cachorro doido solto em casa. Mas compreendia que estava sendo severa demais, achava difícil Baleia endoidecer e lamentava que o marido não houvesse esperado mais um dia para ver se realmente a execução era indispensável.

Nesse momento Fabiano andava no **copiar**, batendo castanholas com os dedos. Sinha Vitória encolheu o pescoço e tentou encostar os ombros às orelhas. Como isto era impossível, levantou os braços e, sem largar o filho, conseguiu ocultar um pedaço da cabeça.

Fabiano percorreu o alpendre, olhando a **baraúna** e as porteiras, **açulando** um cão invisível contra animais invisíveis:

— Ecô! ecô!

Em seguida entrou na sala, atravessou o corredor e chegou à janela baixa da cozinha. Examinou o terreiro, viu Baleia coçando-se a esfregar as peladuras no **pé de turco**, levou a espingarda ao rosto. A cachorra espiou o dono desconfiada, enroscou-se no tronco e foi-se desviando, até ficar no outro lado da árvore, agachada e arisca, mostrando apenas as pupilas negras. Aborrecido com esta manobra, Fabiano saltou a janela, **esgueirou-se** ao longo da cerca do curral, deteve-se no **mourão** do canto e levou de novo a arma ao rosto. Como o animal estivesse de frente e não apresentasse bom alvo, adiantou-se mais alguns passos. Ao chegar às **catingueiras**, modificou a pontaria e puxou o gatilho. A carga alcançou os quartos de Baleia, que se pôs a latir desesperadamente.

Ouvindo o tiro e os latidos, Sinha Vitória pegou-se à Virgem Maria e os meninos rolaram na cama, chorando alto. Fabiano recolheu-se.

E Baleia fugiu precipitada, rodeou o barreiro, entrou no quintalzinho da esquerda, passou rente aos craveiros e às panelas de **losna**, meteu-se por um buraco da cerca e ganhou o pátio, correndo em três pés. Dirigiu-se ao copiar, mas temeu encontrar Fabiano e afastou-se para o chiqueiro das cabras. Demorou-se aí por um instante, meio desorientada, saiu depois sem destino, aos pulos.

Defronte do carro de bois faltou-lhe a perna traseira. E, perdendo muito sangue, andou como gente em dois pés, arrastando com dificuldade a parte posterior do corpo. Quis recuar e esconder-se debaixo do carro, mas teve medo da roda.

NAVEGUE

Assista ao documentário realizado por André Luís da Cunha em homenagem a Graciliano Ramos: *O mestre Graça* (1996): <http://vimeo.com/7366334>.

Achacada: escondida.

Muxoxos: estalos de língua e lábios.

Copiar: alpendre, varanda.

Baraúna: espécie de árvore.

Açulando: provocando.

Pé de turco: arbusto característico da caatinga.

Esgueirou-se: afastou-se com cautela.

Mourão: estaca para construir cerca ou amarrar animais.

Catingueiras: arbustos.

Losna: erva amarga usada para fazer chá.

Encaminhou-se aos juazeiros. Sob a raiz de um deles havia uma **barroca** macia e funda. Gostava de espojar-se ali: cobria-se de poeira, evitava as moscas e os mosquitos, e quando se levantava, tinha as folhas e gravetos colados às feridas, era um bicho diferente dos outros.

Caiu antes de alcançar essa cova arredada. Tentou erguer-se, endireitou a cabeça e estirou as pernas dianteiras, mas o resto do corpo ficou deitado de banda. Nesta posição torcida, mexeu-se a custo, ralando as patas, cravando as unhas no chão, agarrando-se nos **seixos** miúdos. Afinal esmoreceu e aquietou-se junto às pedras onde os meninos jogavam cobras mortas.

Uma sede horrível queimava-lhe a garganta. Procurou ver as pernas e não as distinguiu: um nevoeiro impedia-lhe a visão. Pôs-se a latir e desejou morder Fabiano. Realmente não latia: uivava baixinho, e os uivos iam diminuindo, tornavam-se quase imperceptíveis.

Como o sol a **encandeasse**, conseguiu adiantar-se umas polegadas e escondeu-se numa nesga de sombra que ladeava a pedra.

Olhou-se de novo, aflita. Que lhe estaria acontecendo? O nevoeiro engrossava e aproximava-se.

Sentiu o cheiro bom dos preás que desciam do morro, mas o cheiro vinha fraco e havia nele partículas de outros viventes. Parecia que o morro se tinha distanciado muito. Arregaçou o focinho, aspirou o ar lentamente, com vontade de subir a ladeira e perseguir os preás, que pulavam e corriam em liberdade.

Começou a arquejar penosamente, fingindo ladrar. Passou a língua pelos beiços torrados e não experimentou nenhum prazer. O olfato cada vez mais se **embotava**: certamente os preás tinham fugido.

Esqueceu-os e de novo lhe veio o desejo de morder Fabiano, que lhe apareceu diante dos olhos meio vidrados, com um objeto esquisito na mão. Não conhecia o objeto, mas pôs-se a tremer, convencida de que ele encerrava surpresas desagradáveis. Fez um esforço para desviar-se daquilo e encolher o rabo. Cerrou as pálpebras pesadas e julgou que o rabo estava encolhido. Não poderia morder Fabiano: tinha nascido perto dele, numa camarinha, sob a cama de varas, e consumira a existência em submissão, ladrando para juntar o gado quando o vaqueiro batia palmas.

O objeto desconhecido continuava a ameaçá-la. Conteve a respiração, cobriu os dentes, espiou o inimigo por baixo das pestanas caídas. Ficou assim algum tempo, depois sossegou. Fabiano e a coisa perigosa tinham-se sumido.

Abriu os olhos a custo. Agora havia uma grande escuridão, com certeza o sol desaparecera. Os chocalhos das cabras tilintaram para os lados do rio, o **fartum** do chiqueiro espalhou-se pela vizinhança.

Baleia assustou-se. Que faziam aqueles animais soltos de noite? A obrigação dela era levantar-se, conduzi-los ao bebedouro. Franziu as ventas, procurando distinguir os meninos. Estranhou a ausência deles.

Não se lembrava de Fabiano. Tinha havido um desastre, mas Baleia não atribuía a esse desastre a impotência em que se achava nem percebia que estava livre de responsabilidades. Uma angústia apertou-lhe o pequeno coração. Precisava vigiar cabras: àquela hora cheiros de **suçuarana** deviam andar pelas ribanceiras, rondar as moitas afastadas. Felizmente os meninos dormiam na esteira, por baixo do **caritó** onde Sinha Vitória guardava o cachimbo.

Uma noite de inverno, gelada e nevoenta, cercava a criaturinha. Silêncio completo, nenhum sinal de vida nos arredores. O galo velho não cantava no poleiro, nem Fabiano roncava na cama de varas. Estes sons não interessavam Baleia, mas quando o galo batia as asas e Fabiano se virava, **emanações** familiares revelavam-lhe a presença deles. Agora parecia que a fazenda se tinha despovoado.

NAVEGUE

Veja a comovente cena da morte de Baleia no filme de 1963: <http://veja.abril.com.br/blog/todoprosa/antologia/que-cena-a-morte-de-baleia-em-vidas-secas/>.

Barroca: cova, buraco.
Seixos: pedrinhas.
Encandeasse: turvasse a vista, ofuscasse.
Embotava: enfraquecia.
Fartum: mau cheiro; fedor.
Suçuarana: onça-parda.
Caritó: tipo de prateleira.
Emanações: odores, exalações.

Baleia respirava depressa, a boca aberta, os queixos desgovernados, a língua pendente e insensível. Não sabia o que tinha sucedido. O estrondo, a pancada que recebera no quarto e a viagem difícil no barreiro ao fim do pátio desvaneciam-se no seu espírito.

Provavelmente estava na cozinha, entre as pedras que serviam de **trempe**. Antes de se deitar, Sinha Vitória retirava dali os carvões e a cinza, varria com um molho de vassourinha o chão queimado, e aquilo ficava um bom lugar para cachorro descansar. O calor afugentava as pulgas, a terra se amaciava. E, findos os cochilos, numerosos preás corriam e saltavam, um formigueiro de preás invadia a cozinha.

A tremura subia, deixava a barriga e chegava ao peito de Baleia. Do outro peito para trás era tudo insensibilidade e esquecimento. Mas o resto do corpo se arrepiava, espinhos de **mandacaru** penetravam na carne meio comida pela doença.

Baleia encostava a cabecinha fatigada na pedra. A pedra estava fria, certamente Sinha Vitória tinha deixado o fogo apagar-se muito cedo.

Baleia queria dormir. Acordaria feliz, num mundo cheio de preás. E lamberia as mãos de Fabiano, um Fabiano enorme. As crianças se **espojariam** com ela, rolariam com ela num pátio enorme, num chiqueiro enorme. O mundo ficaria todo cheio de preás, gordos, enormes.

RAMOS, Graciliano. *Vidas secas*. 100. ed. Rio de Janeiro: Record, 2006. p. 85-91. (Fragmento).

Trempe: apoio de panela no fogão.

Mandacaru: planta da família dos cactos do Brasil.

Espojariam: deitariam no chão.

Responda às questões em seu caderno.

1 Não são poucos os estudiosos que descrevem a literatura de Graciliano como despojada e objetiva. Atente para o parágrafo de abertura do capítulo "Baleia", responda se você concorda com isso e justifique sua resposta.

2 No capítulo há sobreposição de dois planos narrativos.

a) Quais são eles?

b) Que efeito de sentido tem essa sobreposição?

3 No capítulo, passagens como "Ela era como uma pessoa da família"; "brincavam os três, para bem dizer não se diferençavam"; "A carga [...] inutilizou uma perna de Baleia"; "Defronte do carro de bois faltou-lhe a perna traseira"; "E, perdendo muito sangue, andou como gente, em dois pés"; "Não poderia morder Fabiano: tinha nascido perto dele, numa camarinha, sob a cama de varas, e consumira a existência em submissão" permitem uma inferência sobre a forma como Baleia é retratada no romance. Qual é ela?

4 Você se lembra do que é um discurso indireto livre? Nele, o narrador revela conteúdos pensados ou falados pelo personagem, mas sem a presença das marcas formais do discurso indireto (os verbos *dicendi*).

a) Localize discursos indiretos livres presentes no capítulo que você leu e transcreva-os em seu caderno.

b) Na sua opinião, por que Graciliano Ramos recorreu a esse recurso estilístico em seu texto?

PARA LEMBRAR

No discurso direto, o narrador dá a palavra ao personagem; no indireto, reproduz o discurso dele com suas próprias palavras; e, no indireto livre, misturam-se as duas vozes sem demarcação entre elas.

5 Leia as definições do termo *resignação*, utilizado pelo narrador para referir-se a Sinha Vitória:

> **1** Ato ou efeito de resignar ou resignar-se. **2** Cedência voluntária. **3** Demissão voluntária da graça recebida ou do cargo exercido; renúncia. **4** Sujeição paciente às amarguras da vida; conformação com a dor física ou moral; paciência no sofrimento. **5** *Ecles* Demissão de um benefício ou cargo eclesiástico nas mãos do colador ou do papa.
>
> Disponível em: <http://michaelis.uol.com.br/moderno/portugues/index.php?lingua=portugues-portugues&palavra=resignação>. Acesso em: 14 maio 2013.

A qual das acepções está relacionado o fragmento "Ela também tinha o coração pesado, mas resignava-se"? Por que o autor utiliza esse termo?

6 No episódio da morte de Baleia, para tentar proteger os filhos, Sinha Vitória mescla ações de violência e de afeto em sua relação com eles. Você concorda com essa afirmação? Justifique.

NAVEGUE

Leia artigo sobre Graciliano Ramos em: <http://www.sescsp.org.br/sesc/revistas_sesc/pb/artigo.cfm?Edicao_Id=431&Artigo_ID=6565&IDCategoria=7576&reftype=1&BreadCrumb=1>.

ProvocAÇÃO

Em carta dirigida à esposa Heloísa Ramos, escrita em 1937, Graciliano explica:

> Escrevi um conto sobre a morte duma cachorra, um troço difícil, como você vê: procurei adivinhar o que se passa na alma duma cachorra. Será que há mesmo alma em cachorro? Não me importo. O meu bicho morre desejando acordar num mundo cheio de preás. Exatamente o que todos nós desejamos. A diferença é que eu quero que eles apareçam antes do sono, e padre Zé Leite pretende que eles nos venham em sonhos, mas no fundo todos somos como a minha Baleia e esperamos preás.
>
> RAMOS, Graciliano. *Cartas*. 2. ed. Rio de Janeiro: Record, 1981. p. 194. (Fragmento).

Você concorda com Graciliano Ramos? Todos desejamos nossos "preás"? Quais seriam os seus? O que você faria para consegui-los?

NAVEGUE

Saiba mais sobre o regionalismo de Graciliano Ramos em: <http://educarparacrescer.abril.com.br/leitura/vidas-secas-400499.shtml>.

No capítulo que você leu há, entre outros, dois aspectos relevantes de *Vidas secas*: a humanização do animal (representada por Baleia) e o desejo humano, que sobrevive a adversidades e misérias. A aproximação entre o homem e o animal é uma constante no romance de Graciliano Ramos. No segundo capítulo, por exemplo, intitulado "Fabiano", o chefe da família reconhece-se como um bicho e vê nisso "motivo de orgulho", já que ser bicho representaria a capacidade de "vencer dificuldades" de toda ordem. Fabiano, assim como Baleia, também tem desejos: de ver os filhos estudando e de ter conhecimentos como os do seu Tomás da bolandeira (velho "lido" e que "tinha nascido para falar certo"); Sinha Vitória deseja possuir uma cama igual à de seu Tomás da bolandeira; o Menino Mais Novo almeja — como muitas crianças — ser como o pai, um vaqueiro valente, ignorando a miséria na qual está inserido; o Menino Mais Velho, que "não sabia falar direito", deseja dominar as palavras difíceis que ouve da boca dos outros.

Rachel de Queiroz: uma mulher falando do Nordeste

Rachel de Queiroz (1910-2003) nasceu em Fortaleza (CE). Em virtude da grande seca de 1915, sua família migrou para o Rio de Janeiro. Mais tarde, esse episódio serviu de inspiração para a romancista escrever seu livro de estreia, *O Quinze* (1930).

Militante do Partido Comunista, Rachel foi perseguida pela ditadura do Estado Novo. Foi a primeira mulher a entrar para a Academia Brasileira de Letras, em 1977. Além de romancista, atuou intensamente na imprensa, como cronista. Destacam-se, entre outros, seus romances *João Miguel* (1932), *Caminho de pedras* (1937), *As três Marias* (1939), *Dora, Doralina* (1975) e *Memorial de Maria Moura* (1992).

A escritora Rachel de Queiroz, em caricatura de Manohead. 2013.

Na década de 1930, a escritora cearense lançou quatro romances neorrealistas, marcados pela preocupação social: *O Quinze* e *João Miguel* (ambientados no Ceará), *Caminho de pedras* e *As três Marias*. Desse conjunto, o primeiro par é o que se pode chamar propriamente de regionalista. Fugindo de uma abordagem baseada unicamente no registro descritivo, Rachel privilegiou em sua obra a análise psicológica do sertanejo, submetido à tragédia da seca e da pobreza. Em sua faceta regionalista, interessa à autora investigar os sentimentos mais íntimos de personagens que aceitam de maneira fatalista seu destino miserável e injusto.

No segundo par de romances, Rachel envereda de maneira mais direta para a militância política, buscando construir uma literatura engajada (sem perder de vista a abordagem psicológica): *Caminho de pedras* apresenta evidente influência dos ideais socialistas da autora cearense, enquanto *As três Marias* privilegia a discussão da emancipação da mulher num ambiente conservador.

Você lerá a seguir uma parte do capítulo 1 do segundo livro de Rachel de Queiroz. Em *João Miguel*, o protagonista que dá nome ao romance vive num presídio do interior do Nordeste, para onde é encaminhado após cometer um violento e gratuito assassinato.

NAVEGUE

Memorial de Maria Moura, uma das obras de destaque de Rachel de Queiroz, ganhou uma adaptação para a TV e foi ao ar em 1994, com direção de Carlos Manga. Saiba mais sobre esse trabalho em: <http://globotv.globo.com/rede-globo/memoria-globo/v/memorial-de-maria-moura-1994/2100457>.

1

João Miguel sentiu na mão que empunhava a faca a sensação fofa de quem fura um embrulho. O homem, ferido no ventre, caiu **de borco**, e de sob ele um sangue grosso começou a escorrer sem parar, um riacho vermelho e morno, formando poças encarnadas nas **anfractuosidades** do ladrilho.

Agora imóvel, João Miguel apertava febrilmente na mão a arma assassina, fitando o seu crime, aquele corpo que **escabujava** no chão, que os outros reviravam e despiam, e em cujos dedos **crispados** uma mulher tentava introduzir um **coto** aceso de vela.

Na confusão de **imprecações** e rezas, e no barulho do próprio sangue que lhe zunia aos ouvidos, ele apenas pôde distinguir a fala de alguém que lhe pôs no ombro a mão pesada:

— Está preso!

Ele olhou o homem que o prendera, olhou a faca, olhou o ferido.

— Está preso!

Sem o atender, João Miguel fixava agora ansiosamente o moribundo, com uma inconsciente esperança de que ele revivesse, de que aquilo não fosse nada, de que ele novamente se erguesse, com o **cacete** na mão, como há pouco, os olhos fuzilantes, a fala **desabrida**.

Mas, no chão enlameado de vermelho, o homem movia os pés como um animal que morre. Por entre a roupa desabotoada, o ventre escuro aparecia, **lanhado**. E a mulher precisou apertar mais a vela, porque os dedos se abriam, moles, enquanto a outra mão raspava fracamente a terra, com as unhas negras.

De borco: de bruços.
Anfractuosidades: fendas, saliências.
Escabujava: debatia-se, esperneava.
Crispados: encolhidos, contraídos.
Coto: pedaço pequeno.
Imprecações: pragas, maldições.
Cacete: porrete, pedaço de pau.
Desabrida: áspera, rude.
Lanhado: ferido, machucado.

O outro, o que prendia, insistiu:

— Está preso!

Um cabra fardado, seguido de mais dois soldados, pálido da **carreira** e respirando com força, foi entrando e gritou:

— E o criminoso?

O homem que prendera acentuou a pressão no ombro de João Miguel e o apresentou ao cabo:

— Está aqui.

João Miguel ouvia tudo, ainda olhando o morto, entendendo mal.

Criminoso? Quem? Seria ele?

Já os soldados o empurravam para fora.

Criminoso?

O cabo deu voz de prisão:

— Pra cadeia!...

João Miguel deixou que o levassem. Detrás dele, em torno dele, os curiosos e as maldições cresciam.

Ele marchava, arrastado, inconsciente, sempre com o pensamento no morto, na faca, no seu gesto rápido, movido por um impulso estranho e novo, e aquele rasgão na carne mole, e a sangueira roxa, e agora a desgraça sem remédio...

Se pudesse começar de novo! O homem, diante dele, vivo, gritando, também bêbado!...

Mas fora tudo ligeiro como um mau relâmpago; só aquele gesto, com a faca... uma faca nova, brilhante, aguda como um punhal...

João Miguel cuspiu um cuspo grosso que lhe pegava a língua, amargo de cachaça.

Sentia no peito uma angústia desconhecida e medonha. Tinha vontade de correr, de vomitar.

Rudemente os soldados o impeliam:

— Ligeiro, cabra! **Avie**, senão come facão no lombo!...

E enquanto ele andava, aos empurrões, a sua mão criminosa, despojada da faca que matara, esboçava gestos vagos de arrependimento, como se tentasse desfazer o que fizera, apagar, desmanchar.

A escolta parou defronte da cadeia.

O cabo deixou João Miguel à porta, entre os soldados, e meteu-se pelo corredor fedorento e escuro.

— Seu Doca!

O carcereiro apareceu, de tamancos, a blusa desabotoada:

— Novidade, cabo Salu?

— Está aí um preso. Furou, ainda agorinha, um homem, num samba lá para as bandas da Estação.

— E o delegado já sabe?

— O delegado está numa festa.

João Miguel, dentro de sua perturbação, num movimento meio inconsciente, tentou escapar. Os soldados subjugaram-no, gritando:

— Seu cabo, o homem quer fugir!

Seu Doca tirou do **armador** uma corda velha que Salu tomou:

— Se você se mexer eu lhe amarro, cabra sem vergonha.

E, voltando-se para o carcereiro:

— Onde é que se bota?

Seu Doca olhou o **rosário** de grades que se cavava ao longo do corredor.

— Bote no quarto do finado Meia-Noite. A chave está na porta.

NAVEGUE

Assista a uma reportagem especial em homenagem ao centenário de Rachel de Queiroz em: <http://tvcultura.cmais.com.br/metropolis/rachel-de-queiroz>.

Carreira: corrida.

Avie: Vamos! (interjeição).

Armador: gancho onde se pendura corda ou rede.

Rosário: série, sequência.

Empurraram João Miguel até a **célula**, donde vinha um cheiro mau de morcego, de dejetos podres; e o deixaram lá dentro, como um bicho encurralado.

O carcereiro deu duas voltas na chave e encostou-se à grade, ouvindo Salu que contava:

— O desgraçado não deu tempo ao outro nem de descer o cacete... Assim que ele **arribou** o braço, passou-lhe a faca e foi um rasgo que abriu de lado a lado do bucho...

Afinal foram embora, em procura do delegado, e João Miguel ficou só dentro de sua calada tormenta.

[...]

QUEIROZ, Rachel de. *João Miguel*. 15. ed. Rio de Janeiro: José Olympio, 2004. p. 9-12. (Fragmento).

Célula: cela.

Arribou: levantou.

Responda às questões em seu caderno.

1 No romance, o protagonista João Miguel mata um homem "num samba lá pelas bandas da Estação". Que reação tem ele após cometer o assassinato?

2 Embora o capítulo 1 não trate diretamente do episódio do assassinato, é possível construir essa cena a partir de alguns elementos presentes no texto. Reconstrua a cena que antecede o crime, caracterizando minimamente o homem morto por João Miguel.

3 Releia as seguintes passagens e atente para as palavras destacadas:

"João Miguel sentiu na mão que empunhava a faca a sensação fofa de quem fura um **embrulho**."

"[...] aquele corpo que escabujava no chão, que **os outros reviravam e despiam** [...]."

"Mas, no chão enlameado de vermelho, o homem movia os pés como um **animal** que morre."

"[...] Assim que ele arribou o braço, passou-lhe a faca e foi um rasgo que abriu de lado a lado do **bucho**..."

Entre outras questões, o capítulo que você leu trata de um universo em que a morte de um homem parece ser um fato quase banal. Você concorda com essa afirmação? Justifique sua resposta.

4 Há no texto dois planos sobrepostos: um em que se privilegiam as ações externas e outro em que se apresenta o universo psicológico de João Miguel. Relacione o uso dos discursos direto e indireto livre à construção desses dois planos.

A cadeia: um mundo de regras próprias

O complexo universo dos presidiários foi explorado por outros autores além de Rachel de Queiroz. Em *Estação Carandiru*, o médico Drauzio Varella relata histórias reais ouvidas nos dez anos em que prestou atendimento voluntário no maior presídio do Brasil. Lançado em 1999 e transformado em filme em 2003, por Hector Babenco, o livro recebeu o Prêmio Jabuti e, desde então, já foi lido por milhares de pessoas. Em 2012, o médico lançou a segunda parte de sua trilogia sobre a prisão, *Carcereiros*, em que mostra o outro lado da questão, ou seja, o olhar dos profissionais que atuam no presídio. Leia um capítulo do livro em: <http://www.companhiadasletras.com.br/trechos/13317.pdf>.

REPRODUÇÃO

Capa do livro *Carcereiros*, de Drauzio Varella. São Paulo: Companhia das Letras, 2012.

Em *João Miguel*, Rachel de Queiroz investiga as forças primitivas que levam um homem a cometer um bárbaro assassinato. Nada justifica o crime cometido por ele, que age por impulso e mata sem razão.

No romance, a escritora cearense explora as relações humanas desenvolvidas no interior de um presídio nordestino no período de três anos em que o protagonista ficou confinado. As degradantes condições de higiene da prisão, a rotina dos encarcerados, as difíceis relações deles com a polícia e com os de fora são alguns dos temas abordados no romance proletário.

Aos poucos, os leitores vão se defrontando como outros personagens como Maria Elói, Zé Milagreiro, Angélica (filha do coronel Nonato, também um preso) e Santa, companheira de João Miguel, que o abandona para ficar com o cabo Salu (personagem citado no capítulo que você leu).

Rachel de Queiroz inova ao não achatar seu protagonista, por mais simples e rústico que ele seja. Ela consegue compor um rico painel psicológico de João Miguel — cheio de sutilezas — a partir de sua crise de identidade, desencadeada pela prisão. Com isso, a autora ignora uma parcela da crítica que via como inverossímil o fato, por exemplo, de um bruto como Paulo Honório, narrador de *São Bernardo*, de Graciliano Ramos, ter um universo interior tão complexo.

Material complementar
• Atividade: *Fogo morto*, José Lins do Rego

José Lins do Rego: uma narrativa memorialista

O escritor José Lins do Rego (1901-1957) nasceu no engenho Corredor, no município paraibano de Pilar. Órfão de mãe, foi criado pelo avô materno num espaço que inspirou vários de seus livros.

É nítido na obra de José Lins do Rego o sentimento de nostalgia de uma infância e adolescência vividas num contexto marcado pela tradição patriarcal, escravocrata e latifundiária. É da memória de uma época em que as regiões canavieiras da Paraíba e de Pernambuco transitaram dos imponentes engenhos para as usinas que José Lins do Rego, o "menino de engenho", se nutre para criar seus personagens, espaços e tramas.

O autor classificou sua obra em ciclos. O da cana-de-açúcar retrata a decadência dos senhores de engenho da Zona da Mata nordestina. São parte desse ciclo *Menino de engenho* (1932), *Doidinho* (1933), *Banguê* (1934), *Usina* (1936) e *Fogo morto* (1943). *Pedra bonita* (1938) e *Cangaceiros* (1953) pertencem ao ciclo do cangaço, do misticismo e da seca. O ciclo das chamadas obras independentes traz os livros *O moleque Ricardo* (1934), *Pureza* (1937) e *Riacho doce* (1939), entre outros.

ROGÉRIO REIS/PULSAR IMAGENS

Engenho do século XVII, Goiana (PE). Foto de 2013.

Erico Verissimo: a voz do Sul

Erico Verissimo (1905-1975) nasceu em Cruz Alta (RS). A partir de 1930, tornou-se redator da *Revista do Globo*. Estreou com a coletânea de contos *Fantoches* (1932), mas só se tornou popular com os personagens que apareceram pela primeira vez em *Clarissa* (1933), romance com o qual inaugurou seu chamado "ciclo de Porto Alegre". Em obras como *Música ao longe* (1935) e *Olhai os lírios do campo* (1938), entre outras, o autor constrói um painel abrangente da cidade gaúcha e das rápidas transformações que atingiram o espaço urbano brasileiro naquela década. Em 1947, iniciou aquela que é considerada sua obra mais importante, a trilogia *O tempo e o vento*, finalizada somente em 1962.

No romance *Incidente em Antares*, de 1971, outras preocupações ocuparam a literatura de Verissimo. Para criticar o regime militar, o autoritarismo e o conservadorismo em outro contexto histórico, o da ditadura instalada no Brasil em 1964, o escritor gaúcho narra uma estranha história em que sete mortos insepultos (em razão de uma greve) marcham para a praça central da fictícia Antares, revelando sem pudores os segredos da cidade.

Erico Verissimo por Manohead. 2013.

⊙ Ficção e realidade na saga de uma família

O tempo e o vento reconstitui a história do Rio Grande do Sul pela trajetória de uma família. O espaço central da trilogia é a cidade fictícia de Santa Fé, localizada no noroeste gaúcho. A obra narra a história dos Terra Cambará, de 1745 até 1945, e é composta de três partes:

- **Parte I**: *O continente* (2 volumes, 1949);
- **Parte II**: *O retrato* (2 volumes, 1951);
- **Parte III**: *O arquipélago* (3 volumes, 1961-1962).

Embora *O continente* tenha como pano de fundo a Revolução Federalista de 1895, nele se rememoram outros fatos históricos importantes como as missões promovidas pelos jesuítas, a Guerra dos Farrapos, a Guerra do Paraguai, a abolição da escravatura e a proclamação da República. Destacam-se, na segunda parte, os episódios "Ana Terra", que retoma o estabelecimento dos primeiros colonos, e "Um certo capitão Rodrigo", que se passa no contexto da Revolução Farroupilha.

NAVEGUE

Acesse o *site* sobre a vida e a obra de Erico Verissimo: <http://www.estado.rs.gov.br/erico/>.

Em 1777, Ana Terra conhece o mestiço Pedro Missioneiro, de quem terá um filho, o menino Pedro Terra. Em 1803, Pedro torna-se pai de Bibiana.

O valente capitão Rodrigo Severo Cambará chega ao povoado de Santa Fé em 1828 e apaixona-se por Bibiana Terra.

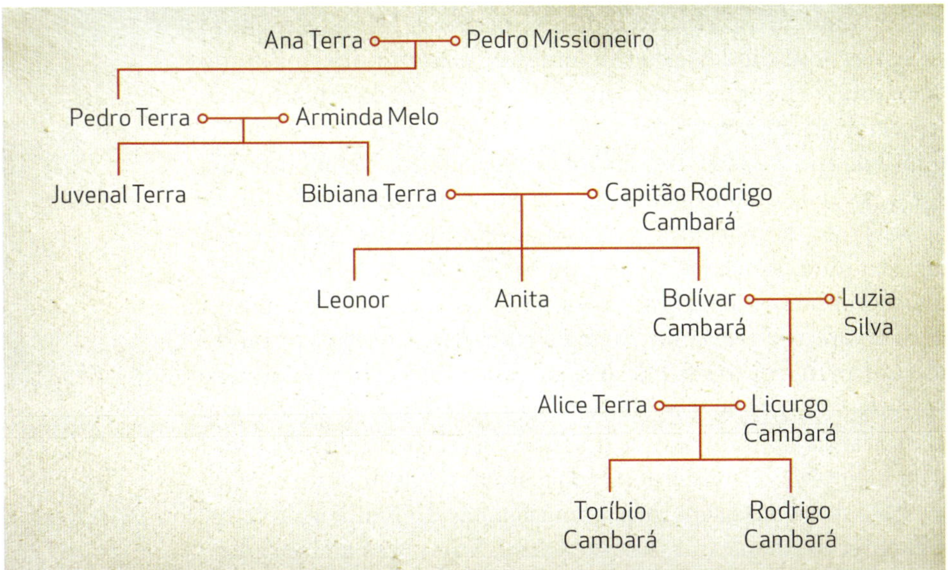

SHUTTERSTOCK

Árvore genealógica da família Terra Cambará.

As partes II e III (*O retrato* e *O arquipélago*) situam-se no final de 1945, após o término do Estado Novo, quando o chefe do clã, Dr. Rodrigo Terra Cambará, personagem de grande destaque na trilogia, é destituído do poder junto com seu líder, Getúlio Vargas, e retorna do Rio de Janeiro para Santa Fé. Sobressai na terceira parte da trilogia de Erico Verissimo o capítulo intitulado "Do diário de Sílvia".

Nesse diário, o leitor tem a oportunidade de ler em cinquenta fragmentos as reflexões íntimas de uma jovem de 25 anos. Sílvia é casada com Jango (João Antônio Cambará), filho de seu padrinho, o poderoso Dr. Rodrigo Terra Cambará, que se orgulha de ser "o primeiro Cambará letrado, o primeiro a vestir um *smoking* e a falar francês". O diário de Sílvia percorre de 24 de setembro de 1941 a 4 de dezembro de 1943, e em suas páginas ela trata de seu frustrado casamento com Jango (administrador do Sobrado de sua família e da estância Angico), de seu amor proibido pelo cunhado (o escritor Floriano Cambará) e de sua relação com o padrinho, além de refletir sobre sua fé em Deus e sobre um mundo em ruínas, marcado pela ditadura do Estado Novo, pela Guerra Civil Espanhola, pela Segunda Guerra Mundial e pelo nazismo e fascismo. Na seção a seguir, você vai conhecer um pouco desse diário.

Alguns episódios de *O tempo e o vento* acabaram sendo publicados separadamente, como obras independentes: *Ana Terra*, *Um certo capitão Rodrigo* e *Do diário de Sílvia*.

Atividades: Leitura de texto

Você lerá agora uma página do diário, datada de 19 de novembro, em que Sílvia fala de Arão Stein, seu amigo que, em *O arquipélago*, tornou-se protegido do Dr. Rodrigo Cambará. Stein é filho de um imigrante judeu-russo e desiste de cursar Medicina para apoiar a mãe num comércio de ferro-velho. Entretanto, o negócio acaba por ficar somente nas mãos de D. Sara, porque o filho se envolve com a ideologia comunista e os problemas sociais. Arão Stein deixa a mãe doente no Brasil e se entrega à luta contra Franco durante a Guerra Civil Espanhola.

19 de novembro

Sou agora uma espécie de confidente do Arão Stein. Está claro que não me custa ouvi-lo. Pelo contrário, faço isso com interesse. Esse homem tem levado uma vida rica de aventuras e paixão. Ponho *paixão* no singular porque ele só tem uma: a causa do comunismo. O diabo é que não consigo apenas escutar. Lá pelas tantas, entro a sofrer com o meu confidente, a sentir nos nervos e na carne, bem como no espírito, suas dores e misérias. Minha tendência para querer bem às pessoas (estou aqui modestamente lembrando a mim mesma como sou boa, generosa e terna) abre muitas frestas no aço ou, melhor, na lata da armadura de egoísmo com que em geral costumo andar protegida.

Stein apareceu em fins de abril do ano passado. Era a primeira vez que eu via um fantasma ruivo. Em 1937 chegou-nos a notícia de que ele tinha sido morto em combate na Guerra Civil Espanhola. A história depois foi desmentida, mas no ano seguinte correu como certo que ele havia morrido de gangrena num campo de concentração. Bom, mas a verdade é que o nosso Stein lá estava à porta do Sobrado, apenas com a roupa do corpo — velha, sebosa e amassada — e um livro debaixo do braço. Trazia uma carta do padrinho Rodrigo, contando que tinha tirado aquele "judeu incorrigível" do fundo duma "cadeia infeta" do Rio, onde ele fora parar depois de repatriado da Espanha. [...] Na sua carta, meu padrinho pedia que déssemos um jeito de hospedar Stein. Mas Jango disse que não. "A troco de que santo vou abrigar um inimigo debaixo do meu teto?" Tio Bicho salvou a situação, acolhendo o velho companheiro em sua casa. Dentro de poucas semanas, com as sopas do Bandeira e os remédios do dr. Camerino, Stein pareceu ressuscitar. A tosse parou. Suas cores melhoraram. Quanto às marcas que o sofrimento lhe havia cavado na cara, essas ficaram.

Arranjou um emprego de supervisor numa tipografia, onde lhe pagam um salário de fome. Aos sábados à noite aparece com Tio Bicho nos serões do Sobrado. A Dinda continua a tratá-lo com a aspereza dos velhos tempos, e com sua ironia seca e oportuna, mas desconfio que a velha tem pelo "muçulmano" uma secreta ternurinha. Sempre que o vê, a primeira coisa em que pensa é alimentá-lo com seus doces e queijos. Stein nunca recusa comida. Parece ter uma fome crônica. O Jango, como eu esperava, trata-o mal, faz-lhe todas as desfeitas que pode. Retira-se da sala quando ele entra, não responde aos seus cumprimentos e jamais olha ou solta qualquer palavra na direção dele.

Foi em algumas dessas noites de sábado do outono e do inverno passados que Arão Stein me contou suas andanças na Espanha, como legionário da Brigada Internacional. Tomou parte em vários combates. Ferido gravemente por um estilhaço de granada, esteve à morte num hospital de Barcelona. Depois da derrota final dos republicanos, fugiu com um punhado de companheiros para a França. Foi internado num campo de concentração onde passou horrores. Andava coberto de muquiranas, mais de uma vez comeu carne podre, quase morreu de disenteria e quando o inverno chegou, para abrigar-se do vento gelado que soprava dos Pireneus, metia-se como uma toupeira num buraco que cavara no chão, e que bem podia ter sido sua sepultura. Finalmente repatriado, ficou no Rio, onde se juntou aos seus camaradas e começou a trabalhar ativamente pelo Partido. Preso pela polícia quando pichava muros e paredes, escrevendo frases antifascistas, foi interrogado, espancado e finalmente atirado, com trinta outros presos políticos, num cárcere que normalmente teria lugar, quando muito, para oito pessoas.

"Queriam que eu denunciasse meus camaradas", contou-nos Stein uma noite. Estendeu as mãos trêmulas. "Me meteram agulhas debaixo das unhas. Me queimaram o corpo todo com ferros em brasa. Me fizeram outras barbaridades que não posso contar na frente de senhoras. Me atiraram depois, completamente nu, numa cela fria e jogaram água gelada em cima de mim. Mas não me arrancaram uma palavra. Mordi os beiços e não falei."

VERISSIMO, Erico. *Do diário de Sílvia*. 2. ed. São Paulo: Companhia das Letras, 2005. p. 18-20. (Fragmento).

Capa do DVD *O tempo e o vento*, de Jayme Monjardim, baseado na obra homônima de Erico Verissimo. Brasil, 2013.

Responda às questões em seu caderno.

1 A maior parte da saga *O tempo e o vento* é narrada em terceira pessoa.
a) Esse foco narrativo se mantém no episódio que você leu?
b) Que relação há entre o foco narrativo e o gênero textual diário?

2 Na página do diário lida por você, há uma forte marca histórica.
a) Que fatos históricos são citados por Sílvia?
b) Que práticas abusivas e desumanas eram comuns no contexto histórico citado em **a** e que são referidas por Sílvia?

3 Pela leitura da página do diário, podemos inferir a posição de Jango, marido de Sílvia, em relação a Stein.
a) Que posição é essa?
b) O que justificaria essa posição?

Material complementar
• Atividade: *O diário de Anne Frank*

ProvocAÇÃO

Do diário de Sílvia é um texto ficcional. Nele, uma mulher fala de suas angústias, insatisfações, crises, alegrias e sonhos. Entretanto, Sílvia é uma criação de Erico Verissimo e, embora verossímil, pertence a uma *pararrealidade*.

Você acha que um homem consegue apreender os sentimentos femininos mais íntimos e expressá-los com verdade? Acredita que, se *Do diário de Sílvia* fosse escrito por uma mulher, ele seria mais condizente com o que pensa e sente alguém do sexo feminino? Discuta com seus amigos e professor.

PARA LEMBRAR

Pararrealidade: realidade paralela, universo verossímil criado pelo autor, que só se completa com a colaboração do leitor.

O QUE VOCÊ APRENDEU NO PERCURSO DESTE CAPÍTULO

- O regionalismo dos modernistas (ou neorrealismo) procurou investigar as complexas relações entre o homem e sua terra, discutindo os fenômenos naturais, a memória individual e coletiva do povo e a persistência e o poder da tradição.
- Graciliano Ramos abordou em sua literatura (marcada pela economia vocabular e isenção de sentimentalismos) os seres excluídos do Nordeste.
- Fugindo de uma abordagem baseada unicamente no registro descritivo, Rachel de Queiroz privilegiou em sua obra a análise psicológica do sertanejo, submetido à tragédia da seca e da pobreza.
- No "ciclo de Porto Alegre", Erico Verissimo constrói um painel abrangente da cidade gaúcha e das rápidas transformações que atingiram o espaço urbano brasileiro na década de 1930. *O tempo e o vento* é a principal realização do autor.

CAPÍTULO 32

Poesia modernista da segunda fase: depuração e expressão da dor

PERCURSO DO CAPÍTULO

- Caracterização da segunda fase da poesia modernista
- Carlos Drummond de Andrade: uma poesia múltipla
- Jorge de Lima: neossimbolismo, catolicismo e experimentação surrealista
- Vinicius de Moraes: a transcendência e a experiência cotidiana
- Cecília Meireles: intimismo e neossimbolismo

YASUYOSHI CHIBA/AFP PHOTO

Em 2012, as *Luzes da Paz — Tooro Nagashi* foram acesas no parque do Ibirapuera, em São Paulo, para relembrar os 67 anos do lançamento da bomba atômica na cidade japonesa de Hiroshima. A poesia cultivada na segunda fase modernista tratou das atrocidades cometidas pela guerra.

Introdução

Muitas experimentações feitas na fase heroica do Modernismo brasileiro foram retomadas e outras foram propostas pelos poetas da segunda fase. Os artistas desse período também usaram em suas produções formas tradicionais, como o soneto. Nessa fase de amadurecimento literário, os poetas voltaram-se para a análise social, a religiosidade, as reflexões filosóficas e existencialistas, o sensualismo e a metalinguagem.

O poema a seguir foi escrito pelo poeta mineiro Murilo Mendes em 1935 e publicado dez anos depois na coletânea *Os quatro elementos*.

Meninos

Sentado à soleira da porta
Menino triste
Que nunca leu Júlio Verne
Menino que não joga **bilboquê**
Menino das **brotoejas** e da tosse eterna

Contempla o menino rico na varanda
Rodando na bicicleta
O mar autônomo sem fim.

É triste a luta das classes.

MENDES, Murilo. Meninos. In: STEGAGNO, Luciana (Sel.). *Melhores poemas*: Murilo Mendes. 3. ed. São Paulo: Global, 2000. p. 67. (Coleção Melhores Poemas).

Bilboquê: brinquedo de madeira composto por uma esfera e um bastão ligados por um barbante.

Brotoejas: erupções na pele.

ACERVO ICONOGRAPHIA

Murilo Mendes em c. 1940.

O mineiro **Murilo Mendes** (1901-1975) foi poeta, prosador e crítico de arte. Entre 1924 e 1929, escreveu textos para publicações modernistas como a *Revista de Antropofagia* e *Verde*, de Minas Gerais.

Desde sua obra de estreia, *Poemas* (1930), ele apresentou sua marca: espiritualidade, sensualidade, barroquismo e um "Surrealismo à moda brasileira", em que utiliza a junção de elementos não esperados na criação de versos com apelo ao inconsciente.

Registre as respostas no caderno.

1 Nas duas primeiras estrofes, o eu lírico trata de dois meninos.

a) Caracterize-os.

b) Podemos afirmar que os meninos são personagens antagônicos, ou seja, contrários, opostos? Explique.

2 Na primeira estrofe, o eu lírico afirma que o "menino triste [...] nunca leu Júlio Verne". Leia o boxe da página seguinte e responda: na sua opinião, qual é o propósito do eu lírico ao dar essa informação?

Um grande inventor

O francês Júlio Verne (1828-1905) escreveu uma série de romances de aventura e ficção científica que fascinaram gerações. Entre eles, *Cinco semanas em um balão* (1863), *Viagem ao centro da Terra* (1864), *Vinte mil léguas submarinas* (1869) e *A volta ao mundo em 80 dias* (1872).

Em sua literatura, o autor antecipou alguns inventos hoje corriqueiros, como o cinema falado, a televisão, o helicóptero, o ar-condicionado, o arranha-céu, o avião, a luz e a água como fontes de energia, entre outros.

Cena da peça teatral *A volta ao mundo em 80 dias*, baseada no clássico homônimo de Júlio Verne e dirigida por Carla Candiotto. Teatro Alfa, São Paulo, 2012.

QUATRO ELEMENTOS COMUNICAÇÃO & MKT. CULTURAL

3 Releia os seguintes versos, que finalizam, respectivamente, a primeira e a segunda estrofes: "Menino das brotoejas e da tosse eterna" e "O mar autônomo sem fim".

a) O que há em comum nesses versos?

b) O que se pode inferir sobre os meninos com base nesses versos?

4 Como você já viu no estudo que fizemos sobre o Realismo (unidade 8), é dos filósofos alemães Karl Marx (1818-1895) e Friedrich Engels (1820-1895) o conceito de luta de classes. Segundo eles, as mudanças importantes ocorridas na história da humanidade decorreram do conflito entre os interesses (contraditórios) das classes sociais. Na sociedade capitalista, a luta se estabeleceria entre a burguesia e o proletariado (operariado).

a) Na sua opinião, por que o último verso menciona a "luta das classes", referindo-se aos meninos do poema?

b) É possível afirmar que o eu lírico se posiciona sobre a "luta das classes"? Justifique sua resposta.

Murilo Mendes compõe um painel de poetas que escreveram seus versos no contexto da Revolução de 30, dos anos da repressão imposta pelo Estado Novo (a partir de 1937) e da devastadora guerra iniciada em 1945. Se, politicamente, o período era árido, no campo da poesia ele contou com autores até hoje considerados de grande peso para a literatura nacional.

Material complementar
• Atividade: Murilo Mendes

Poesia: tempo de combate, reflexão, ousadia e tradição

Em 1942, Mário de Andrade realizou uma conferência no Rio de Janeiro em que tratou da importância da Semana de Arte Moderna para as artes brasileiras. Falando principalmente dele próprio, mas englobando os artistas da primeira fase, ele se assume um "individualista" e condena em sua obra — e na de muitos de seus contemporâneos — aquilo que chama de "ausência de realidade" e "excesso de vaidade". "Fomos bastante inatuais", ele afirma, e "vítimas do nosso prazer da vida e da festança". O que Mário critica nos poetas da fase heroica é o pouco envolvimento deles com os vários problemas reais que acometiam o homem da época. Os poetas do segundo momento modernista, ao contrário, não fugiram a esse compromisso de "esbofetear" a "máscara do tempo", como disse o autor de *Macunaíma*, e assumiram uma postura política de combate.

Imagine um ano em que Carlos Drummond de Andrade estreia como poeta com *Alguma poesia*, Mário de Andrade publica *Remate de males*, Manuel Bandeira lança sua obra mais modernista, *Libertinagem*, e Murilo Mendes publica a coletânea *Poemas*. Corria 1930, ano importante para a reafirmação do Modernismo como movimento literário.

Na poesia, objeto de estudo deste capítulo, várias são as tendências que surgem dentro do chamado segundo momento modernista, entre as quais destacamos as seguintes.

- A mistura entre os temas considerados elevados e os banais, e entre o sublime e o grotesco (tão em voga na primeira fase modernista), é retomada por muitos poetas que optam pela adoção de um *estilo misto*.
- É forte também no período a influência da vanguarda surrealista e da psicanálise de Freud na poesia.
- Colocados em segundo plano na primeira fase do Modernismo, em que se privilegiou a abordagem da revisão da história brasileira e dos temas cotidianos, temas existenciais como o tempo, o amor e a morte retornam, renovados, aos versos escritos pelos poetas do segundo momento.
- Uma das temáticas mais recorrentes na segunda fase modernista é o próprio fazer poético (metalinguagem).

Agora, você conhecerá aspectos da obra de autores responsáveis pela consolidação das propostas estéticas dos artistas modernistas de 1922: Carlos Drummond de Andrade, Jorge de Lima, Vinicius de Moraes e Cecília Meireles. Caso se interesse pela poesia desses autores, pode também pesquisar sobre outros poetas do período, como Murilo Mendes, Henriqueta Lisboa, Mario Quintana, Dante Milano, Augusto Frederico Schmidt, Emílio Moura, Joaquim Cardozo, Dantas Mota e Guilhermino César, entre outros.

SAIBA MAIS!

Como resposta à ditadura imposta por Getúlio Vargas e ao nazifascismo, não são poucos os poetas que produzem uma literatura de viés socialista, marcada por versos revoltados contra as injustiças sociais, as ditaduras, as arbitrariedades, a desigualdade e a guerra.

Investigue em História

O que foi a Revolução de 30?

Drummond: a poética das multifaces

Leia o poema reproduzido a seguir.

No meio do caminho

No meio do caminho tinha uma pedra
tinha uma pedra no meio do caminho
tinha uma pedra
no meio do caminho tinha uma pedra.

Nunca me esquecerei desse acontecimento
na vida de minhas **retinas** tão **fatigadas**.
Nunca me esquecerei que no meio do caminho
tinha uma pedra
tinha uma pedra no meio do caminho
no meio do caminho tinha uma pedra.

ANDRADE, Carlos Drummond de. *Uma pedra no meio do caminho*: biografia de um poema. Sel. e mont. Carlos Drummond de Andrade. 2. ed. São Paulo: Instituto Moreira Salles, 2010. p. 4-5. Carlos Drummond de Andrade © Graña Drummond (www.carlosdrummond.com.br).

Retinas: membranas que recobrem os olhos.

Fatigadas: cansadas.

Se você entrasse hoje num *site* de poemas e se deparasse com os versos acima, o que pensaria? O que representaria essa tal *pedra*, insistentemente citada sete vezes no poema? Por que a *pedra* estaria situada no meio do *caminho*, palavra que aparece espalhada pelo texto seis vezes? Por que o poeta optou pelo coloquialismo *tinha* em lugar de *havia*? Por que não há vírgulas, métrica ou rimas no poema? Por que ele cita "No meio do caminho de nossa vida" ("Nel mezzo del cammin di nostra vita"), verso que inicia a viagem pelo inferno, purgatório e paraíso presente em *A divina comédia*, do escritor italiano Dante Alighieri? Ou "Nel mezzo del cammin", soneto parnasiano escrito pelo "príncipe" Olavo Bilac?

Agora, imagine a reação dos leitores que, em 1928, abriram a *Revista de Antropofagia* e leram "No meio do caminho", poema assinado por um jovem autor mineiro.

O cronista, contista e, principalmente, poeta Carlos Drummond de Andrade (1902-1987) nasceu em Itabira do Mato Dentro (MG) em uma família de fazendeiros. Saiu cedo da cidade natal, mas sua poesia, em maior ou menor grau, sempre retomou as origens. O poeta aproximou-se da literatura em 1916, quando se mudou para Belo Horizonte e conheceu o ensaísta e crítico literário Afonso Arinos e o político Gustavo Capanema. Em 1918, o menino Carlos ingressou no Colégio Nova Friburgo, na cidade fluminense de mesmo nome, de onde foi expulso no ano seguinte por "insubordinação mental". De volta à capital mineira, travou contato com aqueles que seriam, mais tarde, importantes figuras do Modernismo brasileiro: os escritores e intelectuais Aníbal Machado, João Alphonsus, Emílio Moura e Pedro Nava. Em 1924, encontrou os escritores Oswald de Andrade e Mário de Andrade e a pintora Tarsila do Amaral durante uma visita desses modernistas a Minas Gerais. Em 1925, fundou *A Revista*, importante veículo modernista mineiro. Drummond manteve intensa correspondência com Mário de Andrade até a morte desse escritor paulista, em 1945.

NAVEGUE

Assista à reportagem realizada na Festa Literária de Paraty em 2012, em que se podem ouvir alguns dos participantes do evento comentando sobre esse poema de Drummond: <http://tvcultura.cmais.com.br/tvfolha/videos/tv-2.

Em 1934, o poeta mineiro transferiu-se para o Rio de Janeiro, onde, até 1945, ocupou o cargo de chefe de gabinete do ministro da Educação e Saúde, Gustavo Capanema. Paralelamente à carreira pública, dedicou-se ao jornalismo, colaborando no *Correio da Manhã*. Daí em diante nunca mais parou de produzir, conciliando a vida de funcionário público com sua extensa produção literária. Boa parte da crítica considera Drummond o poeta brasileiro mais importante do século XX.

ROGÉRIO REIS/PULSAR IMAGENS

Casa onde nasceu o poeta Carlos Drummond de Andrade, na cidade mineira de Itabira. Foto de 2007.

Carlos Drummond de Andrade é o poeta mais importante da segunda fase da poesia modernista brasileira. *Gauche*, crítico social feroz, lírico, reflexivo, pessimista, investigador do fazer poético, trilhou muitos caminhos em sua vasta produção literária.

Palavra francesa que significa "esquerdo", "diferente", "desajeitado"; "sujeito tímido", "incapaz", "sem muita aptidão".

Sujeito em descompasso (o *gauche*)

O primeiro livro de Drummond, *Alguma poesia* (1930), e o seguinte, *Brejo das almas* (1934), revelam um eu lírico em descompasso com o mundo, um "eu todo retorcido", um *gauche*. Tão conhecido como "No meio do caminho" é o poema que abre o livro de estreia do autor mineiro, "Poema de sete faces". São constantes nas obras dessa primeira fase: reminiscências familiares; lembranças da cidade natal, a Itabira do Mato Dentro; poemas-piada; metalinguagem; ironia; humor; pessimismo; coloquialismo; desencanto com a existência; "inexperiência do sofrimento" (nas palavras do próprio poeta); sensação de isolamento; crítica à sociedade burguesa; impossibilidade de comunicação.

NAVEGUE

Assista a um trecho do documentário *O fazendeiro do ar*, sobre Drummond, realizado por Fernando Sabino e David Neves: <http://www.carlosdrummond.com.br>.

SAIBA MAIS!

- Em *Brejo das almas*, aparece pela primeira vez um soneto na obra de Drummond, o "Soneto da perdida esperança".

Atente para as muitas faces assumidas nos versos a seguir:

Poema de sete faces

Quando nasci, um anjo torto
desses que vivem na sombra
disse: Vai, Carlos! ser *gauche* na vida.

As casas espiam os homens
que correm atrás de mulheres.
A tarde talvez fosse azul,
não houvesse tantos desejos.

O bonde passa cheio de pernas:
pernas brancas pretas amarelas.
Para que tanta perna, meu Deus,
[pergunta meu coração.
Porém meus olhos
não perguntam nada.

O homem atrás do bigode
é sério, simples e forte.
Quase não conversa.
Tem poucos, raros amigos
o homem atrás dos óculos e do bigode.

Meu Deus, por que me abandonaste
se sabias que eu não era Deus
se sabias que eu era fraco.

Mundo mundo vasto mundo,
se eu me chamasse Raimundo
seria uma rima, não seria uma solução.
Mundo mundo vasto mundo,
mais vasto é meu coração.

Eu não devia te dizer
mas essa lua
mas esse conhaque
botam a gente comovido como o diabo.

Drummond, pelo caricaturista Manohead, 2013.

ANDRADE, Carlos Drummond de. Poema de sete faces. *Nova reunião*: 23 livros de poesia. v. 1. Rio de Janeiro: BestBolso, 2009. p. 9. Carlos Drummond de Andrade © Graña Drummond (www.carlosdrummond.com.br).

Responda oralmente às questões propostas.

1 Como você deve ter percebido, nesse poema o sujeito poético explora suas sete faces. Discuta com seus colegas e, a partir das indicações a seguir e de sua análise dos versos, trace um perfil sucinto de cada uma das faces reveladas nas sete estrofes.

a) Primeira face: destino que o anjo torto traça do eu lírico.

b) Segunda face: tema da sedução e do desejo.

c) Terceira face: oposição entre o "coração" e os "olhos".

d) Quarta face: metonímia construída a partir dos elementos "óculos" e "bigode".

e) Quinta face: intertextualidade com a passagem bíblica em que Jesus está pregado na cruz e sua porção humana vivencia o sentimento de abandono: "Por volta da hora nona, clamou Jesus em alta voz dizendo: *Eli, Eli, iemá sabactâni*, que quer dizer: 'Meu Deus, meu Deus, por que me abandonaste?'" (Mateus 27,46; Marcos 15, 34).

f) Sexta face: brincadeira com as rimas.

g) Sétima face: instauração de um interlocutor (*te*).

SAIBA MAIS!

- Mesmo defendendo que a rima não dá conta do "vasto coração" do eu lírico, Drummond é considerado um dos mestres modernos desse recurso poético.

2 Com qual das vanguardas europeias que você estudou esse poema dialoga? Justifique sua resposta.

A estrofe que abre o "Poema de sete faces" revela dois aspectos importantes da poesia de Drummond em sua primeira fase: a ironia e o sentimento de inadaptação do eu lírico diante de um "vasto mundo". Os versos polimétricos convivem com os regulares (versos livres na primeira estrofe e octossílabos na segunda, por exemplo), sugerindo as muitas faces do eu múltiplo: *gauche*; seduzido pelo desejo; entregue aos apelos da carne; sério e silencioso; abandonado e fraco; sem solução; comovido diante da beleza da vida.

Versos de variadas medidas.

Observa-se também no poema um procedimento comum nesse autor mineiro: o *eu ficcional* misturado ao *eu real*, o homem Drummond ("Carlos"), citado textualmente no terceiro verso da primeira estrofe e indiretamente na quarta estrofe. Note ainda que o poeta dialoga com o humor típico da primeira fase modernista quando questiona o valor de uma rima, na "sexta face", e que insere interlocutores em dois momentos do poema: na quinta estrofe, quando apela para "Deus", e na estrofe que encerra o texto, por meio da inserção do pronome *te*, quando o eu lírico se revela humano, "comovido como o diabo" (oposição a Deus).

NAVEGUE

Navegue por este *site* com muitas faces de Drummond: <http://drummond.memoriaviva.com.br>.

Sujeito no mundo: o eu social

A publicação *Sentimento do mundo* (1940) mostra uma mudança na obra do poeta. Nela, suas preocupações sociais tomam corpo. Com as coletâneas seguintes, *José* (1942) e, principalmente, *A rosa do povo* (1945), essa faceta política se consolida e amadurece. Nessa **fase social**, Drummond coloca em segundo plano o lado *gauche* inicial para abordar temas emergenciais de seu tempo: o nazifascismo, a Segunda Guerra e suas consequências, a ditadura de Getúlio Vargas, a alienação das elites, a desigualdade social, a ideologia socialista, a necessidade de união entre as pessoas.

Em um dos poemas mais conhecidos de *Sentimento do mundo*, o eu lírico avisa: "Provisoriamente não cantarei o amor"; em outro, ouvimos o sujeito poético nos alertar: "Teus ombros suportam o mundo", numa alusão a um momento de "guerras", "fomes" e "discussões dentro dos edifícios". Por isso o poeta pede: "Não nos afastemos muito, vamos de mãos dadas". Vive-se um tempo de necessidade, como mostra o poema a seguir.

Material complementar
- Atividade: "Confidência do itabirano", Carlos Drummond de Andrade

Poema da necessidade

É preciso casar João,
é preciso suportar Antônio,
é preciso odiar Melquíades,
é preciso substituir nós todos.

É preciso salvar o país,
é preciso crer em Deus,
é preciso pagar as dívidas,
é preciso comprar um rádio,
é preciso esquecer fulana.

É preciso estudar **volapuque**,
é preciso estar sempre bêbedo,
é preciso ler Baudelaire,
é preciso colher as flores
de que rezam velhos autores.

Referência à obra As flores do mal, de Charles Baudelaire.

É preciso viver com os homens,
é preciso não assassiná-los,
é preciso ter mãos pálidas
e anunciar o FIM DO MUNDO.

ANDRADE, Carlos Drummond de. Poema da necessidade. *Nova reunião*: 23 livros de poesia. v. 1. Rio de Janeiro: BestBolso, 2009. p. 84-85. Carlos Drummond de Andrade © Graña Drummond (www.carlosdrummond.com.br).

Volapuque: língua artificial criada pelo clérigo católico alemão Martin Schleyer (1831-1912).

ProvocAÇÃO

No poema que você leu, Drummond faz uso de uma anáfora para reforçar a ideia de que se vive um tempo de urgência ("necessidade"). Por isso o país precisa ser salvo, uma língua diferente precisa ser aprendida, um poeta precisa ser lido, etc. Não há mais tempo: o "FIM DO MUNDO" (em maiúsculas) está anunciado e é necessário que se faça algo para reverter esse quadro caótico. Discuta com seus colegas e, utilizando a anáfora drummondiana "É preciso...", faça uma lista das necessidades de seu tempo, o século XXI.

Material complementar
• Atividade: "Áporo", Carlos Drummond de Andrade

Um poeta maduro

Em *Claro enigma* (1951), *Fazendeiro do ar* (1955) e *Vida passada a limpo* (1959), Drummond passa a enfocar questões metafísicas como a morte, o tempo e o amor, utilizando em seus poemas recursos clássicos, como sonetos e versos regulares. Nas palavras do professor e crítico literário Alcides Villaça, nessa fase o poeta encontra-se no contexto da Guerra Fria, "esvaziado da utopia", tão presente na fase social, e distante das inquietações de seu primeiro momento (*gauche*), como se pode notar pela leitura do poema a seguir, retirado da coletânea *Fazendeiro do ar*.

REPRODUÇÃO

Capa do livro *Brejo das almas*, de Carlos Drummond de Andrade. Rio de Janeiro: Record, 2001.

No exemplar de um velho livro

Neste brejo das almas
o que havia de inquieto
por sob as águas calmas!

Era um susto secreto,
eram furtivas palmas
batendo, louco inseto,

era um desejo obscuro
de modelar o vento,
eram setas no muro

e um grave sentimento
que hoje, varão maduro,
não punge, e me atormento.

ANDRADE, Carlos Drummond de. No exemplar de um velho livro. *Nova reunião*: 23 livros de poesia. v. 1. Rio de Janeiro: BestBolso, 2009. p. 387-388. Carlos Drummond de Andrade © Graña Drummond (www.carlosdrummond.com.br).

Responda oralmente às questões propostas.

1 No poema há uma citação literal a outra obra de Drummond.
a) Com que obra ele estabelece intertextualidade?
b) O que significa essa obra (hipotexto) na produção drummondiana?

2 No poema, o eu lírico contrapõe dois momentos de sua vida, o passado e o presente. Explique essa afirmação recorrendo a passagens do texto.

3 Explique de que forma o eu lírico sente a mudança pela qual passou.

NAVEGUE

Assista a esta reportagem sobre o "Dia D", como ficou conhecida a série de eventos relacionados à obra do poeta mineiro, em homenagem ao aniversário de 109 anos de seu nascimento: <http://tvcultura.cmais.com.br/entrelinhas/videos/dia-d>.

Drummond e a tradição

São muitos os poemas em que Drummond revela ao seu leitor um vasto repertório literário. Em "A máquina do mundo", o mineiro estabelece um complexo diálogo intertextual com *A divina comédia*, de Dante Alighieri, e, mais diretamente, com um episódio homônimo da obra épica de Camões, *Os lusíadas*.

⊙ Experimentação, passado revivido e erotismo

Muitas experimentações formais são feitas pelo poeta na obra *Lição de coisas* (1962). Alguns especialistas associam essa faceta de Carlos Drummond de Andrade às propostas concretistas — que serão estudadas mais adiante — postas em prática entre 1950 e 1960.

Nas décadas de 1970 e 1980, o poeta mineiro retoma suas reminiscências da infância e as experiências vividas em sua cidade natal, reinterpretando seu passado. *Boitempo* (1968), *As impurezas do branco* (1973), *A paixão medida* (1980) e *Corpo — novos poemas* (1984) são algumas das obras publicadas nessa fase.

Na publicação póstuma *O amor natural* (1992), Drummond apresenta uma visão erotizada do amor. Muitos dos poemas da coletânea foram compostos antes da década de 1970. Em toda a obra do autor, a temática erótica aparece de forma sutil, mas nesse livro tal aspecto surge de maneira explícita e associado ao amor e ao místico.

Jorge de Lima: a poesia caleidoscópica

A formação poética de Jorge de Lima está ligada à tradição parnasiana e simbolista; a intelectual, ao cientificismo dos positivistas, e a pessoal, ao catolicismo adquirido em família, na escola e nas festas populares, tão comuns em sua terra natal. Esses elementos, por vezes díspares, somados ao surrealismo, dão à obra desse autor um caráter caleidoscópico e original.

De maneira geral, é possível perceber três movimentos interligados na poesia de Jorge de Lima:

1. **Fase de formação**

   Essa fase é composta principalmente pelos poemas publicados até 1932: *XIV alexandrinos* (1914), *Poemas* (1927), *Novos poemas* (1929), *Poemas escolhidos* (1932), sonetos (publicados avulsos em jornais e antes da estreia literária do autor) e *Poemas negros*, que, embora tenha sido publicado em 1947, apresenta marcas desse momento. Na obra de 1914, há um nítido cuidado com a forma e com o uso de um vocabulário complexo, herdados de parnasianos como Olavo Bilac. Com a adesão ao Modernismo em 1927, o poeta incorpora à sua literatura as formas coloquiais, os versos livres e a intertextualidade. Nessa fase, é comum a coexistência de versos parnasianos e modernistas.

2. **Fase de transformação**

   Esse momento compreende as coletâneas *Tempo e eternidade*, publicada em 1935, em conjunto com Murilo Mendes; *A túnica inconsútil* (1938); *Anunciação e encontro de Mira-Celi* (1943); e *Livro de sonetos* (1949). São marcantes nessa fase de amadurecimento o catolicismo (textos da *Bíblia*, narrativas cristãs, referências a Deus e a Jesus Cristo), o uso de versos livres, a liberdade expressiva do Modernismo da 1ª fase, uma forte presença de imagens surrealistas (mar, anjos, olhos, viagens), as tradições populares de Alagoas e a mistura de gêneros.

3. **Fase de confirmação**

   Invenção de Orfeu (1952), publicado um ano antes do falecimento do poeta, constitui a única obra dessa fase. Esse extenso poema, que Jorge de Lima levou mais de dez anos para escrever, é estruturado em dez cantos e oscila entre os gêneros épico e lírico. Trata-se de uma espécie de síntese da obra do autor. Em seus versos sobre o amor, a vida, o homem, a arte, estão contidas referências à *Bíblia* (principalmente à "Gênese"), à ilha dos Amores, da obra *Os lusíadas*, de Camões, à epopeia *Eneida*, de Virgílio, à *Divina comédia*, de Dante Alighieri, à *Carta*, de Caminha, e a *Macunaíma*, de Mário de Andrade, entre outras.

ACERVO ICONOGRAPHIA

Jorge de Lima, s. d.

Além de poeta, o alagoano **Jorge de Lima** (1895-1953) foi médico, fotógrafo, pintor, ensaísta e historiador. O poema "Essa negra fulô", de 1929, garantiu fama internacional ao autor. Com *Invenção de Orfeu* (1952), consolidou-se como um dos autores mais inventivos e ousados das letras nacionais.

O poema "O grande circo místico", que compõe sua biblioteca cultural desde o início deste livro, faz parte dessa coletânea. Inconsútil significa "que não tem costura" (uma peça só).

O texto a seguir foi publicado originalmente em *A túnica inconsútil*. Leia-o e atente para a diversidade de imagens que o compõem.

O grande desastre aéreo de ontem

Para Portinari

Vejo sangue no ar, vejo o piloto que levava uma flor para a noiva, abraçado com a hélice. E o violinista em que a morte acentuou a palidez, despenhar-se com sua cabeleira negra e seu **estradivárius**. Há mãos e pernas de dançarinas arremessadas na explosão. Corpos irreconhecíveis identificados pelo Grande Reconhecedor. Vejo sangue no ar, vejo chuva de sangue caindo nas nuvens batizadas pelo sangue dos poetas mártires. Vejo a nadadora belíssima, no seu último salto de banhista, mais rápida porque vem sem vida. Vejo três meninas caindo rápidas, **enfunadas**, como se dançassem ainda. E vejo a louca abraçada ao ramalhete de rosas que ela pensou ser o paraquedas, e a **prima-dona** com a longa cauda de lantejoulas riscando o céu como um cometa. E o sino que ia para uma capela do oeste, vir **dobrando** finados pelos pobres mortos. Presumo que a moça adormecida na cabine ainda vem dormindo, tão tranquila e cega! Ó amigos, o paralítico vem com extrema rapidez, vem como uma estrela cadente, vem com as pernas do vento. Chove sangue sobre as nuvens de Deus. E há poetas míopes que pensam que é o **arrebol**.

LIMA, Jorge de. O grande desastre aéreo de ontem.
In: TELLES, Gilberto Mendonça (Sel.). *Melhores poemas*: Jorge de Lima. 3. ed.
São Paulo: Global, 2006. p. 93. (Coleção Melhores Poemas).

Estradivárius: tipo de violino muito valioso e com grande qualidade sonora.

Enfunadas: estufadas, infladas.

Prima-dona: cantora principal de uma ópera.

Dobrando: soando.

Arrebol: momento em que o sol surge ou some no horizonte.

1 O texto que você leu faz parte de uma coletânea de poemas. Por que podemos afirmar que esse texto, em prosa, é de fato um poema?

2 Como você já sabe, a rima não é o único recurso que garante sonoridade a um poema. Repetições de palavras, de frases e de versos — denominadas recorrências — também são recursos comuns nesse gênero textual.

a) Quais são as recorrências no poema de Jorge de Lima?

b) Que função têm essas recorrências para a construção dos sentidos do poema?

3 Uma das inovações propostas por Jorge de Lima é a mescla de gêneros.

a) Explique de que forma o título do poema confirma isso.

b) Podemos afirmar que o título do poema configura um procedimento tipicamente modernista? Justifique sua resposta.

4 Você deve ter notado que Jorge de Lima dedica seu poema ao pintor Candido Portinari. É possível associar o poema lido a uma pintura modernista? Observe, ao lado, a reprodução de um painel do próprio Portinari para responder a esta questão.

JOÃO CANDIDO PORTINARI/PROJETO PORTINARI - ORGANIZAÇÃO DAS NAÇÕES UNIDAS, NOVA YORK, EUA

O painel *Guerra*, de Candido Portinari, compõe o conjunto *Guerra e paz*, instalado na ONU e finalizado em 1957. A obra simboliza o flagelo das guerras e a necessidade da harmonia que deve imperar entre as nações. Óleo sobre madeira compensada, 1.400 × 1.058 cm.

5 Jorge de Lima transforma um trágico acidente em imagens altamente poéticas. Escolha quatro delas e descreva o processo de transformação de cada uma.

6 Relacione as imagens criadas pelo poeta às vanguardas expressionista e cubista, estudadas por você no capítulo 27.

7 De que forma a religiosidade está presente no poema de Jorge de Lima?

8 O período que encerra o poema pode sugerir uma leitura metalinguística dele. Explique a afirmativa.

NAVEGUE

Conheça outros poemas de Jorge de Lima em: <http://www.jornaldepoesia.jor.br/jorge.html#essanegra>.

Vinicius de Moraes: o poeta da intensidade

"Olha que coisa mais linda / Mais cheia de graça"... Você conhece esses versos?

"Garota de Ipanema" é a segunda canção mais executada de todos os tempos, ficando atrás apenas do clássico "Yesterday", da banda inglesa The Beatles. Obras como essa de Vinicius de Moraes (composta em parceria com Tom Jobim) foram responsáveis pela popularidade de um dos poetas e compositores mais admirados do país.

No texto de abertura da edição de 1967 de sua *Antologia poética* (1954), Vinicius divide sua produção em duas fases. Na primeira, composta pelas coletâneas *O caminho para a distância* (1933) e *Forma exegese* (1935) e chamada por ele mesmo de "transcendental", "mística", "resultante de sua fase cristã", o artista mostra-se bastante influenciado pelo neossimbolismo e pelo catolicismo, ao qual se converteram alguns intelectuais em 1930. A segunda fase, aberta pela coletânea *Ariana, a mulher* (1936), caracteriza-se, segundo ele, pela "oposição ao transcendentalismo anterior" e "nela estão nitidamente marcados os movimentos de aproximação do mundo material" (isto é, a realidade concreta).

O poema a seguir pertence à primeira fase de Vinicius:

A uma mulher

Quando a madrugada entrou eu estendi o meu peito nu sobre o teu peito
Estavas trêmula e teu rosto pálido e tuas mãos frias
E a angústia do regresso morava já nos teus olhos.
Tive piedade do teu destino que era morrer no meu destino
Quis afastar por um segundo de ti o fardo da carne
Quis beijar-te num vago carinho agradecido.
Mas quando meus lábios tocaram teus lábios
Eu compreendi que a morte já estava no teu corpo
E que era preciso fugir para não perder o único instante
Em que foste realmente a ausência de sofrimento
Em que realmente foste a serenidade.

MORAES, Vinicius de. *Antologia poética*. São Paulo: Companhia das Letras, 2009. p. 18. (Companhia de Bolso). Os direitos relativos ao uso do poema de autoria de Vinicius de Moraes foram autorizados pela VM Empreendimentos artísticos e culturais Ltda., além de: © VM e © Cia. das Letras (Editora Schwarcz).

Antes de responder oralmente às questões propostas, sob a orientação do professor, releia o poema em voz alta (ou ouça atentamente a leitura feita pelos colegas).

1 A quem o eu lírico se dirige?

NAVEGUE

Acesse um dos *sites* mais completos sobre um autor brasileiro e conheça com profundidade a obra de Vinicius de Moraes: <www.viniciusdemoraes.com.br>.

ARQUIVO/AGE/ESTADÃO CONTEÚDO

Vinicius de Moraes em 1972.

O carioca **Vinicius de Moraes** (1913-1980) foi jornalista, diplomata, dramaturgo, poeta, cronista, crítico de cinema e compositor. Em 1946, ingressou no Itamaraty (de onde só sairia em 1969, exonerado por pressão do regime militar). Em 1953, conheceu o músico Tom Jobim, apaixonou-se pela música e transformou-se num dos mais relevantes letristas do cancioneiro brasileiro.

2 Faça uma análise da forma do poema "A uma mulher".

3 Alguns críticos associam a primeira fase da poesia de Vinicius de Moraes ao Romantismo. Lendo o poema, você concorda com essa associação? Analise o conteúdo dos versos para justificar sua resposta e recorra à sua biblioteca cultural.

É nítida na primeira fase de Vinicius sua afinidade com os versos livres e brancos, todavia ele os emprega em tom solene, retórico, distante portanto da proposta modernista de defesa de uma poesia próxima da fala, ligada a temas prosaicos, "não poéticos". O que faz dele um poeta propriamente modernista é sua opção por mesclar poemas como o que você acabou de ler a outros em que estão presentes os coloquialismos, as ironias, a oralidade, a simplicidade, a valorização do tempo presente.

Retórico: Declamativo, empolado, afetado.

Leia o poema a seguir, que, na classificação de Vinicius de Moraes, pertence à segunda fase.

Poética (I)

De manhã escureço
De dia tardo
De tarde anoiteço
De noite ardo.

A oeste a morte
Contra quem vivo
Do sul cativo
O **este** é meu norte.

Outros que contem
Passo por passo:
Eu morro ontem

Nasço amanhã
Ando onde há espaço:
— Meu tempo é quando.

Nova York, 1950

MORAES, Vinicius de. *Antologia poética*. São Paulo: Companhia das Letras, 2009. p. 272. (Companhia de Bolso). Os direitos relativos ao uso do poema de autoria de Vinicius de Moraes foram autorizados pela VM Empreendimentos artísticos e culturais Ltda., além de: © VM e © Cia. das Letras (Editora Schwarcz).

PARA LEMBRAR

A "Arte poética", ou simplesmente "Poética", é um modo de entender poesia (ou a literatura de maneira geral), característico de um determinado escritor, época ou gênero literário.

Este: parte do horizonte onde nasce o sol; leste.

Registre suas respostas no caderno.

1 Releia a primeira estrofe do poema, atentando para a disposição vertical "manhã-dia-tarde-noite".

"De **manhã** escureço
De **dia** tardo
De **tarde** anoiteço
De **noite** ardo."

a) O que você conclui?

b) Se você priorizar uma leitura horizontal, em vez de vertical, o que constatará? Explique.

c) Se assumirmos que o verbo *arder* está sendo utilizado em sentido conotativo, o que podemos deduzir?

d) Após a leitura da primeira estrofe, o que se pode inferir sobre a forma como o eu lírico vive?

2 Você conhece a expressão "meu norte"? Ela indica algo como a direção, o guia, o rumo de alguém. Tendo em vista essa informação e o fato de o sol nascer a leste, analise o verso "O este é meu norte", que fecha o segundo quarteto do poema.

3 No primeiro terceto, o eu lírico estabelece uma oposição entre "outros" e "eu". Analise os versos e responda: o que justificaria essa oposição?

4 O que significaria o tempo do "quando", referido pelo eu lírico?

ProvocAÇÃO

Você está quase encerrando o Ensino Médio e partindo para uma nova etapa de sua história. O eu lírico de "Poética (I)" afirma que seu "norte é o este" e que "seu tempo é quando". E quanto a você? Qual seria hoje seu "este"?

NAVEGUE

Assista a esta homenagem do programa *Ensaio*, da TV Cultura, para o poeta Vinicius de Moraes: <http://cmais.com.br/homenagem-a-vinicius-de-moraes-no-ensaio>.

Você deve ter observado que "Poética (I)" é um soneto e que nele se valoriza uma existência marcada pela inquietação e pela liberdade, existência essa avessa, portanto, às convenções morais. É na segunda fase que Vinicius dialoga mais diretamente com o Modernismo. Contudo, apesar da extrema liberdade temática que caracteriza essa fase, nela o poeta passa a fazer uso da metrificação e das formas fixas tradicionais.

O sonetista

Vinicius de Moraes é considerado um dos grandes sonetistas da língua portuguesa. "Soneto de intimidade", "Soneto de separação", "Soneto do maior amor" e "Soneto de fidelidade" compõem uma vasta galeria de poemas escritos pelo carioca. Você pode ouvir e ver a leitura deste último, o mais famoso de Vinicius, tendo ao fundo a canção "Eu sei que vou te amar", em: <http://letras.mus.br/vinicius-de-moraes/86563>.

É também na segunda fase que Vinicius se ocupará das graves questões de seu tempo. Em poemas como "Balada dos mortos dos campos de concentração", "A rosa de Hiroshima" (um dos mais populares, que você lerá na seção **Atividades**), "A bomba atômica" e "O operário em construção", entre outros, temas como a Segunda Guerra, os campos nazistas de extermínio, as ditaduras e a exploração dos menos privilegiados estão em primeiro plano.

Vinicius musical

Além de poeta, Vinicius de Moraes tornou-se um excepcional letrista. Seu convívio com a música começou cedo: o pai tocava violino e piano; a mãe cantava em serestas. Adulto, conheceu Tom Jobim e trabalhou com ele pela primeira vez no espetáculo musical *Orfeu da Conceição* (1956). Dois anos depois, juntou-se a Elizeth Cardoso e, novamente, a Tom para compor o disco *Canção do amor demais*. Depois disso, não parou mais: cantou o amor em suas inúmeras facetas em afrossambas e em canções da bossa nova, estabelecendo parcerias com artistas como Baden Powell, Pixinguinha, Carlos Lyra, Edu Lobo, Francis Hime, Ary Barroso, Chico Buarque e Toquinho.

JOSÉ MEDEIROS/INSTITUTO MOREIRA SALLES

Tom e Vinicius na estreia da peça *Orfeu da Conceição*. Teatro Municipal do Rio de Janeiro, 1956.

A popularidade de Vinicius de Moraes talvez se deva, entre outros fatores, a suas opções como autor. Da temática da oposição matéria × espírito, explorada no início de sua trajetória, transitou para o sensualismo e para o erotismo. Em sua obra, o poeta procurou mesclar as inovações modernistas ao uso de formas da tradição; buscou a clareza em lugar do hermetismo; valorizou a experiência cotidiana; recorreu a temas consagrados pela tradição, como amor, morte, amizade, etc.; não fugiu aos graves problemas de seu tempo — tudo isso dialogando com seu leitor de forma simples e direta.

NAVEGUE

Leia um trecho do primeiro ato de *Orfeu da Conceição*: <http://www.jobim.com.br/colab/orfeu/orfeu_monologo.html>.

Cecília Meireles: a poesia intimista

Em sua infância, você se lembra de ter ouvido ou lido versos como "Não sei se brinco, não sei se estudo, / se saio correndo ou fico tranquilo", retirados da obra *Ou isto ou aquilo* (1964)? Muitas crianças brasileiras travaram contato com a poesia pelas mãos sensíveis de Cecília Meireles, autora de versos que encantam gerações. Perguntas imprevisíveis, situações surpreendentes, comparações estranhas ganham beleza e sensibilidade nos versos da poeta carioca.

REPRODUÇÃO

Capa do livro *Ou isto ou aquilo*, de Cecília Meireles. 7. ed. São Paulo: Global, 2012.

FOLHAPRESS

Cecília Meireles em 1942.

Desde cedo, **Cecília Meireles** (1901-1964) mostrou forte afinidade com a literatura de tradição lusitana. Nascida na capital fluminense e órfã de pai e mãe em tenra idade, foi educada pela avó materna, de origem açoriana. Diplomou-se no curso normal do Instituto de Educação do Rio de Janeiro, em 1917, e dedicou-se ao magistério. Foi poeta, educadora, cronista, folclorista, ensaísta, tradutora e dramaturga. Difundiu a literatura brasileira por vários países estrangeiros. Ensinou literatura luso-brasileira nas universidades do Distrito Federal do Brasil e do estado norte-americano do Texas.

Se Rachel de Queiroz representa a primeira grande voz feminina na prosa brasileira, na poesia esse papel é ocupado por Cecília Meireles.

A autora carioca estreou na literatura aos 18 anos com a coletânea *Espectros* (1919), mas somente com a publicação de *Viagem* (1939) ela imprimiu a marca que a caracterizou como poeta: intimismo e musicalidade de influência simbolista.

Inicialmente, a obra de Cecília Meireles esteve ligada à revista modernista de tradição católica *Festa*; depois, a autora traçou caminhos próprios.

No panorama do segundo momento do Modernismo, Cecília teve uma trajetória poética bem particular, marcada por um lirismo melancólico de tradição luso-brasileira e pelos temas da fugacidade do tempo, precariedade dos seres, solidão, brevidade da vida e religiosidade. As obras *Pequeno oratório de Santa Clara*, de 1955, e *Romance de Santa Cecília*, de 1957, são exemplos de suas recriações poéticas de narrativas cristãs medievais.

São também constantes nos poemas de Cecília Meireles as imagens do mar/oceano, do espaço, da viagem, da música e do sonho.

Ao longo da vida, Cecília viajou para Índia, México e Portugal, entre outros países que a inspiraram.

NAVEGUE

Leia mais sobre a vida e obra de Cecília Meireles em: <http://tvcultura.cmais.com.br/aloescola/literatura/ceciliameireles/index.htm>.

SAIBA MAIS!

- Em coletâneas como *Canções* (1956), Cecília Meireles mostra sua influência advinda da tradição poética lusitana. Redondilhas e poemas em diálogo com as cantigas medievais de amor e de amigo são comuns em sua obra.

O poema a seguir foi publicado originalmente na coletânea *Vaga música*, de 1942.

Reinvenção

A vida só é possível
reinventada.

Anda o sol pelas campinas
e passeia a mão dourada
pelas águas, pelas folhas...
Ah! tudo bolhas
que vêm de fundas piscinas
de ilusionismo... — mais nada.

Mas a vida, a vida, a vida,
a vida só é possível
reinventada.

Vem a lua, vem, retira
as algemas dos meus braços.
Projeto-me por espaços
cheios da tua Figura.
Tudo mentira! Mentira
da lua, na noite escura.

Não te encontro, não te alcanço...
Só — no tempo equilibrada,
desprendo-me do balanço
que além do tempo me leva.
Só — na treva,
fico: recebida e dada.

Porque a vida, a vida, a vida,
a vida só é possível
reinventada.

MEIRELES, Cecília. Reinvenção. In: MOISÉS, Massaud. *A literatura brasileira através dos textos*. 6. ed. São Paulo: Cultrix, 1978. p. 442.

ProvocAÇÃO

No poema de Cecília Meireles, um eu lírico feminino defende com veemência a ideia de que não nos resta outra saída senão reinventar a vida. Você concorda com esse ponto de vista?

Responda às questões em seu caderno.

1 "Reinvenção" é aberto por uma estrofe que se repete — com variações — mais duas vezes, formando uma espécie de refrão.
a) Qual a intenção dessa repetição?
b) Que relação há entre a segunda, quarta e quinta estrofes e a ideia expressa na primeira?

2 Na segunda estrofe, o eu lírico faz referência ao "sol"; na quarta, à "lua"; e, na quinta, à "treva".
a) O que se pode inferir a partir dessa disposição dos elementos?
b) O que o eu lírico sugere ao citar o "sol" na segunda estrofe?
c) Na quarta estrofe, há a inserção de um interlocutor que parece ser a pessoa amada pelo eu lírico ("tua Figura"). O que representaria a "lua", elemento a partir do qual se estrutura a estrofe?
d) Que sentimento vivido pelo eu lírico é expresso na quinta estrofe e reforçado pela imagem da "treva"? Explique.

NAVEGUE

Leia análise do poema "Pequena canção", de Cecília Meireles, em: <http://tvcultura.cmais.com.br/aloescola/literatura/poesias/ceciliameireles-pequenacancao.htm>.

3 O fechamento do poema sugere a existência de um ciclo, do qual não há possibilidade de fugir. Explique essa afirmação.

4 Que efeito de sentido tem a repetição da palavra "vida" no terceto que fecha o poema e na terceira estrofe?

5 Grande parte da crítica defende que há um diálogo entre a poesia de Cecília Meireles e o Simbolismo. Que marcas simbolistas existem em "Reinvenção"?

Leia o poema a seguir, retirado da edição póstuma de *Cânticos* (1982), e responda oralmente às questões.

Cântico VI

Tu tens um medo:
Acabar.
Não vês que acaba todo o dia.
Que morres no amor.
Na tristeza.
Na dúvida.
No desejo.
Que te renovas todo o dia.
No amor.
Na tristcza.
Na dúvida.
No desejo.
Que és sempre outro.
Que és sempre o mesmo.
Que morrerás por idades imensas.
Até não teres medo de morrer.

E então serás eterno.

MEIRELES, Cecília. Cântico VI. *Cânticos*. 3. ed. São Paulo: Moderna, 2003. p. 21. (Coleção Veredas). © do texto de Cecília Meireles, do Condomínio dos Proprietários dos Direitos Intelectuais de Cecília Meireles. (In: Escolha o seu sonho — Editora Nova Fronteira). Direitos cedidos por Solombra — Agência Literária (solombra@solombra.org).

Cântico: hino consagrado a Deus ou aos seres divinos.

Responda oralmente às questões propostas.

1 O "Cântico VI" é construído a partir de recorrências e anáforas.
a) Você concorda com essa afirmação? Justifique sua resposta.
b) Com que intenção você acha que a poeta utiliza esses recursos?

2 Que marca linguística evidencia que o eu lírico se comunica com um interlocutor?

3 O eu lírico se vale de um eufemismo para falar da morte e da vida.
a) Explique essa afirmação.
b) Que efeito de sentido tem essa figura de linguagem no poema?

4 Para explicar ao seu interlocutor que se morre e se renova todo dia, o eu lírico recorre aos mesmos elementos.
a) Explique por que ele utiliza esse recurso paralelístico.
b) Em que momento, segundo o eu lírico, atinge-se a condição da eternidade?

PARA LEMBRAR

Eufemismo é a substituição de uma palavra ou expressão rude, ofensiva, chocante ou desagradável por outra que represente a mesma realidade, mas de forma atenuada.

O *Romanceiro da Inconfidência*

Em *Romanceiro da Inconfidência* (1953), Cecília fez uma incursão na história do Brasil, transformando em versos de cunho social a Inconfidência Mineira, tema que ela estudou por mais de dez anos. Por meio de seu romanceiro (coletânea de poemas ou canções populares), dividido em 85 romances, a escritora reflete não só sobre fatos e personagens históricos, mas também sobre a arbitrariedade, a tirania e a traição humanas.

Em sua "narrativa rimada" — como a denominou a autora —, antes de chegar ao episódio histórico da Inconfidência, Cecília percorre os ciclos do ouro e do diamante, enfatizando a cobiça, a selvageria, a arbitrariedade e o egoísmo humanos. Nos 85 romances escritos pela carioca, há espaço para figuras conhecidas, como os poetas árcades Cláudio Manuel da Costa e Tomás Antônio Gonzaga (o Dirceu de Marília), o alferes Tiradentes e outros personagens, como o líder africano Chico Rei, defensor da liberdade universal, a ex-escrava Xica da Silva, negra exuberante que ascende socialmente, e Santa Ifigênia, princesa núbia evocada para proteger os escravos no trabalho.

NAVEGUE

Ouça o ator e diretor Antônio Abujamra declamando um trecho dessa obra de Cecília em: <http://tvcultura.cmais.com.br/provocacoes/poemas-e-textos/pgm-429-tema-de-os-inconfidentes-18-09-2009>.

Atividades: Leitura de texto

Você já ouviu falar sobre o episódio da bomba de Hiroshima? Essa cidade japonesa sofreu o primeiro ataque atômico da história. No dia 6 de agosto de 1945, uma bomba norte-americana, conhecida como Little Boy [garotinho], foi lançada sobre a cidade localizada ao sul do Japão. Embora a Segunda Guerra já estivesse encerrada para a Alemanha e para a Itália, o Japão ainda resistia como representante das forças do Eixo. A bomba de urânio — de 3,2 m de comprimento, 74 cm de diâmetro e 4,3 toneladas — explodiu a 576 metros de um hospital de Hiroshima. Todas as pessoas que se encontravam em locais abertos no raio de um quilômetro foram mortas imediatamente. Como retaliação ao fato de o Japão não ter se rendido após esse ataque, os Estados Unidos lançaram, três dias depois, uma bomba sobre outra cidade japonesa, Nagasaki. Aproximadamente 200 mil pessoas morreram vítimas das duas bombas atômicas. Os versos a seguir expressam de maneira comovente a indignação do eu lírico diante das atrocidades ocasionadas pela ação norte-americana. "A rosa de Hiroshima" é um apelo à sensibilidade humana.

US NATIONAL ARCHIVES AND RECORDS ADMINISTRATION/SPL/LATINSTOCK

A detonação da bomba atômica, equivalente a 12,5 mil toneladas de dinamite, produziu um gigantesco cogumelo de 18 quilômetros de altura.

A rosa de Hiroshima

Pensem nas crianças
Mudas **telepáticas**
Pensem nas meninas
Cegas inexatas
Pensem nas mulheres
Rotas alteradas
Pensem nas feridas
Como rosas **cálidas**
Mas oh não se esqueçam
Da rosa da rosa
Da rosa de Hiroshima
A rosa hereditária
A rosa radioativa
Estúpida e inválida
A rosa com cirrose
A antirrosa atômica
Sem cor sem perfume
Sem rosa sem nada

MORAES, Vinicius de. A rosa de Hiroshima. *Antologia poética*. São Paulo: Companhia das Letras, 2009. p. 253. (Companhia de Bolso).

Telepáticas: que se comunicam pelo poder da mente.

Cálidas: que irradiam calor.

Responda às questões em seu caderno.

1 O poema se inicia com um verbo no imperativo. Que intenção tem o eu lírico ao optar por esse modo verbal?

2 O verbo que abre o poema é repetido mais três vezes nos versos 3, 5 e 7, criando uma anáfora.

a) Qual o efeito de sentido desse recurso estilístico?

b) A anáfora composta por "Pensem nas crianças", "Pensem nas meninas" e "Pensem nas mulheres" se desdobra em outra figura de linguagem, a gradação. Explique essa afirmação e o efeito expressivo que esse recurso estilístico tem no poema.

3 Você já sabe que as metáforas são construídas a partir de uma relação de similaridade.

NAVEGUE

Se você gostou de "A rosa de Hiroshima", também vai apreciar o engenhoso poema "A bomba atômica". Acesse: <http://www.viniciusdemoraes.com.br/site/article.php3?id_article=174>.

a) Explique a metáfora "rosa-bomba".

b) Estabelecendo uma relação de similaridade entre "rosa" e "bomba", Vinicius de Moraes constrói uma metáfora e, ao mesmo tempo, um paradoxo. Você concorda com essa afirmação? Justifique.

PARA LEMBRAR

Paradoxo: associação de palavras ou expressões de significados inconciliáveis, contraditórios de um mesmo referente.

4 Embora seja composto por apenas uma estrofe, podemos dividir o poema em duas partes. Na primeira, o eu lírico nos convida a pensar sobre as crianças, meninas e mulheres que tiveram suas vidas alteradas pelo advento da bomba. Na segunda parte, o sujeito poético pede que não nos esqueçamos da rosa de Hiroshima.

a) Qual o efeito expressivo da anáfora e da recorrência presentes na segunda parte do poema?

b) Nessa segunda parte, o eu lírico afirma que a rosa de Hiroshima é hereditária, radioativa, estúpida, inválida e cirrótica. Pense nas consequências da queda da bomba para os seres humanos e analise os versos 12, 13, 14 e 15.

5 O verso "A antirrosa atômica" poderia ser lido como uma espécie de conclusão dos versos 12, 13, 14 e 15.

a) Utilizando o neologismo *antirrosa*, a que conclusão chegaria o eu lírico após caracterizar a "rosa" nos versos anteriores? Justifique sua resposta.

b) Após concluir que a rosa é, na verdade, uma antirrosa, o eu lírico constrói uma gradação para justificar sua conclusão. Analise essa afirmação.

NAVEGUE

Assista ao vídeo com Ney Matogrosso interpretando "Rosa de Hiroshima" em: <http://www2.uol.com.br/neymatogrosso/videos/rosa.html>.

O QUE VOCÊ APRENDEU NO PERCURSO DESTE CAPÍTULO

- A segunda fase da poesia modernista caracterizou-se por viés político, estilo misto, influência surrealista e espiritualista e metalinguagem.
- Carlos Drummond de Andrade, o principal poeta da segunda fase, cultivou inicialmente uma poesia de ruptura (em consonância com a fase heroica), marcada pelo perfil *gauche* (*Alguma poesia* e *Brejo das almas*); depois transitou para a temática social (*Sentimento do mundo*, *José* e, principalmente, *A rosa do povo*). Com *Claro enigma*, *Fazendeiro do ar* e *Vida passada a limpo*, passou a enfocar questões metafísicas, utilizando em seus poemas recursos clássicos, como sonetos e versos regulares. Com *Lição de coisas*, partiu para a experimentação formal. As reminiscências familiares — tão presentes em toda a obra drummondiana — retornaram nas décadas de 1970 e 1980. *O amor natural* mostra a faceta erótica do poeta.
- Jorge de Lima mesclou em sua poesia as tradições parnasiana e simbolista, além do catolicismo e da experimentação.
- De maneira geral, a poesia de Vinicius de Moraes pode ser dividida em duas fases: a "transcendental", "mística", "resultante de sua fase cristã", e aquela que se opôs "ao transcendentalismo anterior" e foi marcada por "movimentos de aproximação do mundo material". Da temática da oposição matéria × espírito, explorada no início de sua trajetória, transitou para o sensualismo e erotismo. Em sua obra, estão presentes inovações modernistas, formas da tradição, valorização da experiência cotidiana; temas consagrados pela tradição, como amor, morte, amizade, etc.; e abordagem dos graves problemas de seu tempo.
- A poesia de Cecília Meireles é caracterizada pelo intimismo e pela musicalidade de influência simbolista. A autora carioca teve uma trajetória poética bem particular, marcada por um lirismo melancólico de tradição luso-brasileira e pelos temas da fugacidade do tempo, da precariedade dos seres, da solidão, da brevidade da vida e da religiosidade.

Expressões

Nesta unidade, abordamos os autores modernistas da segunda fase. Agora, convidamos você a criar seus próprios textos verbais e não verbais.

PROPOSTA 1

Na abertura desta unidade, lemos um conto de Ondjaki, "Nós chorámos pelo Cão Tinhoso", narrativa escrita a partir do hipotexto "Nós matámos o Cão Tinhoso", de Luís Bernardo Honwana. No capítulo relativo aos prosadores da segunda fase, você entrou em contato com o texto "Baleia", retirado da obra *Vidas secas*, de Graciliano Ramos. As três histórias têm em comum o fato de tratarem da comoção humana diante da morte de um cão.

Agora, propomos que você, seguindo o exemplo de Ondjaki, crie um jogo literário intertextual a partir do capítulo "Baleia" (seu hipotexto).

Para que o jogo se realize de uma maneira mais interessante:

- procure retomar os sentimentos suscitados em você na primeira vez que ouviu a leitura da triste história da cachorra criada pela família de Fabiano;
- transforme suas reflexões em um conto, descrevendo, em primeira pessoa, a reação do narrador-personagem e a dos colegas da classe dele diante da morte de Baleia (lembre-se de que a história de Ondjaki se passa numa sala de aula);
- procure investigar os sentimentos das personagens, as reações delas diante da morte do animal, as transformações que esse forte sentimento opera nos alunos da classe.

Depois que você finalizar seu texto, troque-o com um colega para que seja feita uma correção dessa primeira versão. Observe tudo o que ele anotou e reescreva o conto. Ao final, promova uma roda de leitura da versão final do texto.

MARCELO SOARES

Xilogravura de Marcelo Soares. 2012.

PROPOSTA 2

No capítulo 32, você conheceu o poeta Jorge de Lima, que também foi artista plástico e pioneiro das fotomontagens (ou colagens fotográficas) no Brasil. Da série de fotomontagens produzidas com recortes de gravuras antigas, enciclopédias, jornais, revistas e livros de anatomia e astronomia, surgiu *A pintura em pânico* (1943).

As primeiras experiências com essa técnica (conhecida como *collage*) foram realizadas por Picasso e Braque, vanguardistas que adicionaram às suas pinturas pedaços de materiais impressos, texturas, etc. A fotomontagem é composta de recortes de fotografias, ilustrações e elementos extraídos de materiais gráficos de todo tipo, criando imagens surrealistas e poéticas.

ARI MAHAFDIKA/SOLENT NEWS & PHOTO AGENCY

O fotógrafo e arquiteto Ari Mahardika, em fotomontagem digital com diferentes possibilidades dele mesmo. (Inglaterra, 2011.)

Observe o trabalho reproduzido ao lado, uma fotomontagem do arquiteto Ari Mahardika.

Já o trabalho abaixo compõe a série *Sonhos*, fotomontagens que a fotógrafa Grete Stern (1904-1999) produziu para a revista argentina *Idílio*, entre 1948 e 1951, com base em sonhos de mulheres.

Agora chegou a sua vez de ousar e fazer sua própria fotomontagem. Sigas as instruções a seguir:

- Separe fotocópias (xérox) de fotos pessoais, revistas, catálogos, jornais, etc.
- Recorte fragmentos de fotos do material que você separou.
- Cole cuidadosamente as fotos num papel rígido com fundo preto (ou da cor que preferir) e componha uma imagem (planejada previamente ou não). Se for possível, plastifique ou envidrace seu trabalho para preservá-lo.
- Atribua um título à sua fotomontagem.
- Peça auxílio ao professor de Arte e faça com os colegas uma exposição dos trabalhos, no pátio da escola. Depois, use sua fotomontagem para decorar uma parede de seu quarto.

GRETE STERN - GALERIA JORGE MARA - LA RUCHE, BUENOS AIRES

STERN, Grete. *Na plataforma. Sonho n. 2: os sonhos com trens.* 1949.

Leitura puxa leitura

Comece sua leitura por:

Vidas secas (1938), de Graciliano Ramos

Por que ler: Nesse romance, considerado um dos maiores da literatura nacional, Graciliano Ramos desenvolve os temas da opressão e da miséria a partir da árdua trajetória, pelo sertão nordestino, de uma família. Por meio de quadros, o romancista investiga os anseios e frustrações de seres humanos vítimas da crueza da realidade que os cerca.

Os ratos (1935), de Dyonélio Machado

Por que ler: A incapacidade de Naziazeno de gritar contra a exploração que o oprime torna-o uma espécie de Fabiano da cidade.

Vidas secas (1963), de Nelson Pereira dos Santos

Por que assistir: Esse filme, um dos precursores do chamado Cinema Novo, é uma adaptação cinematográfica da estética e da linguagem que Graciliano imprime em seu romance.

Terra (1997), de Sebastião Salgado

Por que ler: Nessa coletânea, a fotografia militante de Salgado foca em brasileiros oprimidos e desterrados no campo e na cidade.

Morte e vida severina (1955), de João Cabral de Melo Neto

Por que ler: Nesse poema dramático, Severino, assim como Fabiano, tenta fugir da miséria e da morte que assolam os sertanejos pobres na caatinga.

FOTOS: REPRODUÇÃO

Eles eram muitos cavalos (2001), de Luiz Ruffato

Por que ler: O anonimato e a desumanização vivenciados pelos habitantes de uma São Paulo caótica constituem a matéria-prima dos contos reunidos nesse livro.

Angu de sangue (2005), de Marcelino Freire

Por que ler: Os contos desse livro retratam o submundo urbano, em que a opressão, a violência e a injustiça possuem um incômodo lugar de destaque.

As vinhas da ira (1939), de John Steinbeck

Por que ler: A industrialização do trabalho rural obriga a família Joad a deixar os campos de algodão de Oklahoma para tentar sobreviver na Califórnia de 1930.

Linha de passe (2008), de Walter Salles e Daniela Thomas

Por que assistir: O filme retrata o cotidiano de uma família que vive na periferia de São Paulo e que deve lidar com a brutal desigualdade social.

Terra (1997), de Chico Buarque

Por que ouvir: O disco traz canções especialmente compostas para o lançamento do livro de Sebastião Salgado.

Central do Brasil (1998), de Walter Salles

Por que assistir: Esse filme apresenta o drama de migrantes que buscam nas metrópoles do sudeste uma vida melhor, mas continuam submetidos à miséria.

Da lama ao caos (1994), de Chico Science e Nação Zumbi

Por que ouvir: Misturando ritmos populares, *rock* e música eletrônica, esse álbum denuncia a exclusão a que estão submetidos os pobres das regiões periféricas de Recife.

Cordel do Fogo Encantado (2001), de Cordel do Fogo Encantado

Por que ouvir: Cheias de referências à literatura nordestina e de cordel, as canções desse álbum abordam a relação do sertanejo com sua cultura, a terra, a seca e a miséria.

FOTOS: REPRODUÇÃO

UNIDADE 14

PÓS-MODERNISMO: UM MUNDO EM FRAGMENTOS

Embora o grafite que abre esta unidade tenha sido produzido por um artista brasileiro no século XXI, ele faz referência a um dos símbolos máximos do fim da Guerra Fria: a queda do Muro de Berlim, ocorrida em 9 de novembro de 1989. Essa derrubada do muro pode ser vista como metáfora do fim de um mundo "rachado", chamado por alguns especialistas de pós-moderno, que iniciou sua rápida e radical transformação muito antes de 1989, logo após a Segunda Guerra Mundial.

O chamado Pós-Modernismo surge como decorrência do fim do que se convencionou denominar Modernismo, tempo este marcado por duas desastrosas guerras mundiais, campos nazistas de extermínio, bombas atômicas lançadas sobre Hiroshima e Nagazaki, degradação dos ecossistemas — tudo realizado supostamente em nome do "progresso" humano. O Pós-Modernismo representa uma espécie de "mal-estar" diante da modernidade.

O conceito de Pós-Modernismo abrange, entre outras coisas, o surgimento da ciência da computação nos anos 1950, a *Pop Art* dos anos 1960 e a crítica da cultura ocidental feita pela Filosofia nos anos 1970, e se manifesta no cinema, na moda, na música e nas artes em geral. A literatura pós-moderna buscará outras formas de representação do mundo, embora conserve o espírito libertário e experimental modernista. Os autores recusarão o realismo, proporão jogos metalinguísticos (a literatura falando de si mesma por meio de paródias, pastiches, etc.), e os mais radicais destruirão o gênero romance, cuja estrutura tradicional prevê enredo, tempo, espaço, personagens, etc. E, para expressar um mundo fragmentado, os autores pós-modernistas utilizarão uma narrativa também fragmentada.

FRANCISCO RODRIGUES

Em 2011, o grafiteiro brasileiro Francisco Rodrigues, o Nunca, foi convidado a pintar duas "seções" do muro de Berlim. Na obra de 3,5 metros de altura, esse artista influenciado pela *Pop Art*, pelo universo da HQ, pelos grafismos indígenas e pelas gravuras feitas pelos colonizadores no século XVI grafitou uma mão segurando uma nota de cem euros quebrando o muro alemão, um dos mais importantes símbolos do chamado mundo pós-moderno.

Para início de conversa

Os versos a seguir foram escritos pelo poeta, cronista e produtor cultural carioca Ricardo de Carvalho Duarte, mais conhecido como Chacal. Autor de mais de treze livros, ele fez parte da chamada poesia marginal, geração de escritores que inclui, entre outros, nomes como Cacaso, Francisco Alvim e Ana Cristina César. Esse grupo, que surgiu nos anos 1970, procurou fazer uma poesia mais próxima do cotidiano das pessoas, num contexto de censura e repressão.

Como era bom
o tempo em que marx explicava o mundo
tudo era luta de classes
como era simples
o tempo em que freud explicava
que édipo tudo explicava
tudo era clarinho limpinho explicadinho
tudo muito mais **asséptico**
do que era quando eu nasci
hoje rodado sambado pirado
descobri que é preciso
aprender a nascer todo dia

CHACAL. Como era bom. In: *Boa companhia*: poesia. São Paulo: Companhia das Letras, 2003. p. 122.

PAULO BUCHINHO/IMAGEZOO/CORBIS/LATINSTOCK

Asséptico: limpo; seguro.

Responda às questões em seu caderno.

1 Acesse sua biblioteca cultural, procure "exemplares" que expliquem o significado das referências a Marx (e seu conceito de "luta de classes") e a Freud, e anote-as no caderno.

2 No sexto verso, há uma referência a Édipo, personagem da mitologia grega a partir do qual Freud formulou uma de suas mais conhecidas teorias. Conheça um pouco sobre ela lendo o texto a seguir, escrito pelo médico e psicanalista brasileiro Francisco Daudt.

NAVEGUE

Leia entrevista com Chacal em: <http://g1.globo.com/platb/maquinadeescrever/2010/09/07/895/>.

[...] Então, o que é o tal complexo de Édipo, e por que ele é universal? Foi um lance genial de Freud chamá-lo de Édipo, pois tudo está contido em sua história. Vamos lembrar a peça de Sófocles, que conta o mito: nasce um príncipe. Seu pai vai à astróloga da época (o Oráculo de Delfos) para saber do futuro da criança. Ela lhe prediz que, uma vez crescido, o pequeno vai matar o pai e se casar com a mãe. Horrorizado, o rei o entrega a um escravo para que ele dê um fim no bebê. Penalizado, o escravo o larga com os pés amarrados (Édipo significa "de pés inchados") num canto da mata e volta dizendo "dever cumprido".

O pequeno é achado pelo servo do rei vizinho, que, sem filhos, adota-o como príncipe (mas não conta nada). Crescido, Édipo tem a péssima ideia de consultar a mesma astróloga sobre seu futuro. O que ouve? Que vai matar o pai e se casar com a mãe. Apavorado com a possibilidade, o príncipe foge. Logo para Tebas (seu reino de origem), ó desastre. Daí para frente é só desgraça: mata o pai, casa-se com a mãe (biológicos) e quando uma peste se abate sobre Tebas, descobre a trama toda, e conclui que a culpa é dele, pobre idiota...

Você reparou que a criança foi sacaneada do começo ao fim? Que sua vida esteve sempre atrelada à dos pais? O complexo é, pois, fruto de uma invasão bárbara daqueles que teriam como função prepará-lo para ter vida própria, e não viver a dos pais.

[...]

Disponível em: <http://www1.folha.uol.com.br/colunas/franciscodaudt/1124753-complexo-de-edipo.shtml>. Acesso em: 17 abr. 2013. (Fragmento).

a) Conclua: como poderia ser caracterizado, afinal, o tempo em que Marx e Freud explicavam tudo?
b) Reflita sobre o uso dos diminutivos em português e explique o efeito expressivo que eles assumem em palavras como *clarinho*, *limpinho* e *explicadinho*, presentes no poema de Chacal.
c) Sem ter mais a mesma segurança do tempo passado, em que tudo poderia ser explicado, que descoberta faz o eu lírico sobre seu próprio tempo? O que isso revela sobre a escolha do título do poema?

ProvocAÇÃO

Você diria que seu tempo está mais próximo daquele em que Marx e Freud explicavam tudo ou do tempo em que o eu lírico nasceu?

No poema "Como era bom", Chacal usa de ironia para falar de um período em que se tinha a impressão de que o mundo poderia ser claramente explicado a partir de conceitos como "luta de classes" e "inconsciente". Em oposição a esse mundo aparentemente "clarinho", "limpinho", "explicadinho" e "asséptico", surge um universo caótico (tempo do eu lírico) e sem regras, que muitos teóricos denominam pós-moderno.

O Pós-Modernismo é um fenômeno que engloba diversas manifestações artísticas, sociais, políticas, econômicas, etc. ocorridas, sobretudo, a partir da década de 1950 e que se estendem até fins do século XX.

Com o fim da Segunda Guerra Mundial, as relações entre os Estados Unidos e a União das Repúblicas Socialistas Soviéticas (URSS) foram se tornando cada vez mais tensas: de um lado, o presidente norte-americano Harry Truman, no final da década de 1940 e início dos anos 1950, declarou seu apoio a todas as ações voltadas para impedir o avanço do comunismo, por meio da chamada "Doutrina Truman"; de outro, o avanço soviético crescia, e o socialismo ia se implantando pouco a pouco nos países do Leste Europeu. Resultado: o mundo acabou dividido em dois grandes blocos, marcados por visões opostas e irreconciliáveis. Essa hostilidade entre os EUA e a URSS, e seus respectivos aliados, foi batizada de "Guerra Fria", pois os dois países não se enfrentavam diretamente, mas sim em inúmeros conflitos indiretos ao redor do mundo, como em eventos como a Guerra da Coreia, o processo de descolonização da África e a Guerra do Vietnã. O Brasil, por meio da atuação do governo de Eurico Gaspar Dutra, ficou ao lado dos EUA e dos países do bloco capitalista, rompendo relações diplomáticas com a URSS em 1947 e declarando a ilegalidade do Partido Comunista.

Ainda no Brasil, 1950 marcou a volta de Getúlio Vargas ao poder, eleito presidente da República. Seu retorno significou a retomada de seu projeto de desenvolvimento para o país, focado no forte controle do Estado e na restrição à entrada do capital estrangeiro. Em seu segundo mandato, foram criadas novas leis trabalhistas, além de medidas para dinamizar a indústria. Porém, o país ainda enfrentava uma enorme inflação, que mobilizou cada vez mais os trabalhadores em greves, além de preocupar o Exército e a camada mais conservadora da população. Para piorar a situação, o político de oposição, Carlos Lacerda, sofreu um atentado em 1954, e Getúlio foi acusado de ser o mandante da ação. Diante de intensas pressões em prol de sua renúncia, em 24 de agosto do mesmo ano, o presidente suicidou-se com um tiro no peito, num dos episódios mais marcantes da história do Brasil.

A situação política voltou a se tranquilizar um pouco em 1956, com a posse de Juscelino Kubitscheck. Seu governo foi marcado por um projeto desenvolvimentista que seria realizado por meio de um Plano de Metas; seu objetivo previa um crescimento de "50 anos em 5". Porém, o preço do desenvolvimento foi alto. O Sudeste crescia, enquanto o Nordeste se tornava cada vez mais pobre; o governo não tinha como pagar seus gastos. Em meio a esse princípio de crise, foram realizadas novas eleições em 1960. O presidente eleito foi Jânio Quadros, que, com dificuldades de lidar com a situação econômica cada vez mais complicada, renunciou oito meses depois de sua posse e deixou o país num contexto de grave crise política.

O vice-presidente João Goulart subiu ao poder, apesar de inúmeras controvérsias. A crise econômica favoreceu a ascensão de diversos movimentos populares, como a União Nacional dos Estudantes (UNE), as Ligas Camponesas, a Confederação Geral dos Trabalhadores (CGT) e a Juventude Operária Católica (JOC). Esses movimentos, suas reivindicações e a tolerância do governo começaram a apavorar o Exército, a classe média e os políticos mais conservadores. Assim, os empresários, os latifundiários e os militares articularam um golpe de Estado que ocorreu no dia 31 de março de 1964.

Esse golpe lançou o país em uma forte ditadura militar, que se consolidou entre os anos de 1964 e 1969. O governo militar, primeiro nas mãos do general Castelo Branco e depois do general Costa e Silva, impôs Atos Institucionais que limitavam cada vez mais as liberdades civis e destruíam a Constituição. Entre esses atos, o mais conhecido é o AI-5, que, em dezembro de 1968, determinava o fechamento do Congresso Nacional; o presidente ficava autorizado a fechar também outros órgãos legislativos, cassar mandatos e suspender os direitos políticos de qualquer cidadão.

A oposição ao novo regime era realizada de maneira clandestina por movimentos de esquerda. Porém, quanto maiores as tentativas de reação desses movimentos à ditadura, mais crescia a violência e a repressão. As prisões sem explicação tornaram-se comuns, militares e policiais tinham carta branca para realizar ações que "defendessem" a segurança nacional, e a tortura tornou-se uma prática recorrente. O Brasil vivia seus tenebrosos "anos de chumbo".

É nesse contexto de buscas e incertezas que o Pós-Modernismo está inscrito.

NAVEGUE

Acesse o importante *site* Memória Política e Resistência e conheça o acervo sobre as lutas políticas nos "anos de chumbo" em: <http://www.arquivoestado.sp.gov.br/memoriapolitica>.

Cena do filme *O ano em que meus pais saíram de férias* (Cao Hamburger. Brasil, 2006). Um menino brasileiro se depara com a realidade da ditadura militar no país quando é abruptamente separado dos pais, ativistas políticos de esquerda.

PHOTO12.COM/COLLECTION CINEMA/AFP PHOTO

CAPÍTULO

33

Poesia pós-modernista: experimentação e engajamento

PERCURSO DO CAPÍTULO

- As principais tendências da poesia pós-moderna
- A poesia objetiva de João Cabral de Melo Neto
- A poesia verbivocovisual do Concretismo
- A poesia social de Ferreira Gullar

ASAKO KITAORI - NATIONALITY AMERICAN EDUCATION SCHOOL OF INDUSTRIAL ART

Che Guevara. 1962. Pôster, 61 × 86 cm. Muitos artistas, como esse que reproduziu em sequência a emblemática foto de Che Guevara, espelharam-se em Andy Warhol, um dos expoentes da *Pop Art*, movimento revelador do mundo pós-moderno. Warhol reproduziu ídolos da época, como Marilyn Monroe e Elvis Presley, para mostrar como os mitos contemporâneos são manipulados para o consumo de massas.

Introdução

Consumo desenfreado das massas, ideias esquerdistas, Guerra Fria, prosaísmo, metalinguagem, discussões sociais, retomada da tradição poética, predominância da imagem sobre a mensagem, experimentação, releituras das vanguardas, antilirismo, quebra dos limites entre as artes — todos esses elementos compõem a plural poesia pós-moderna, assunto deste capítulo.

Os versos que você lerá a seguir foram escritos pela carioca Ana Cristina César (1952-1983) e datam de 5 de fevereiro de 1969.

Ana C. (como costumava assinar) traduziu para o português poetas como Silvia Plath, que já faz parte da sua biblioteca cultural.

Tenho uma folha branca
e limpa à minha espera:

mudo convite

tenho uma cama branca
e limpa à minha espera:

mudo convite

tenho uma vida branca
e limpa à minha espera:

CÉSAR, Ana Cristina. Tenho uma folha branca. In: FREITAS FILHO, Armando (Org.). *Inéditos e dispersos*. 3. ed. São Paulo: Ática; Rio de Janeiro: Instituto Moreira Salles, 1998. p. 48.

Responda às questões no caderno.

1 O poema é inteiramente estruturado em anáforas e recorrências.

a) Explique como se estruturam esses recursos estilísticos nos versos.

b) No poema, há uma quebra do paralelismo construído com base em anáforas e recorrências. Que quebra é essa? Qual o seu efeito expressivo no texto?

2 A professora Viviana Bosi, estudiosa da obra de Ana C., defende que a poesia desta é "uma composição que se fabrica ante nossos olhos". Lendo os versos do poema, você concorda com esse aspecto metalinguístico apontado sobre a poética da autora carioca? Justifique.

PARA LEMBRAR

Anáfora: figura de linguagem que consiste na repetição de uma palavra ou construção no início de frases ou versos, com a intenção de enfatizar uma ideia e provocar outros efeitos estilísticos.

Recorrência: repetição de palavras ou expressões que, diferentemente da anáfora, não ocorre necessariamente no início de frases ou versos.

ProvocAÇÃO

Mantendo o paralelismo dos pares anteriores, os dois últimos versos do poema são finalizados com dois-pontos, sugerindo que "uma vida branca e limpa" está à espera, mas precisará ser "preenchida". Prestes a concluir o Ensino Médio, você está finalizando uma etapa importante de sua vida. Converse com seus colegas sobre isso e escreva um verso que venha logo depois dos dois-pontos e que traduza seus desejos em relação a uma "vida branca e limpa" à sua espera. Depois, leia-o para a classe.

O texto que você leu mostra uma das principais características da obra poética de Ana C.: a tentativa de aproximar da expressão escrita (poesia) a experiência de viver. Como outros poetas transgressores do chamado Pós-Modernismo, a autora carioca preferiu o fragmentário à unidade, exigindo a participação do leitor no preenchimento de "lacunas", isto é, na construção de sentido de seus versos.

Pós-Modernismo: uma poesia múltipla

Publicada em 1976, a antologia *26 poetas hoje*, organizada por Heloísa Buarque de Hollanda, apresentou "oficialmente" a chamada **poesia marginal**, que antes circulava de maneira informal, sobretudo entre o público universitário. Escrita por autores como Ana Cristina César, Torquato Neto, Geraldo Carneiro, Waly Salomão, Chacal e Capinan, entre outros, no contexto da censura imposta pelo regime militar, a anárquica poesia marginal usou e abusou dos coloquialismos, da irreverência e do bom humor (por meio de sátiras, paródias, etc.) sem deixar de lado a crítica política.

HÉLIO OITICICA

OITICICA, Hélio. *Seja marginal seja herói*. 1968. Serigrafia sobre tecido, 95 × 114 cm. A obra do artista carioca está ligada ao momento cultural pós-modernista brasileiro.

NAVEGUE

Leia sobre a antologia em: <http://www.heloisabuarquedehollanda.com.br/tag/26-poetas-hoje/>.

Além dessa poesia jovem, confessional, despretensiosa, de tom coloquial, centrada no cotidiano — cultivada principalmente nos anos 1970 pela "geração mimeógrafo" (aparelho de impressão manual com que se reproduziam cópias a partir de uma matriz), de que é exemplo o poema de Ana C., que abre este capítulo —, o Pós-Modernismo brasileiro foi marcado, entre outras tendências, pela retomada, algumas décadas antes, por parte de poetas como Ledo Ivo, Thiago de Melo, Péricles Eugênio da Silva Ramos, Paulo Mendes Campos e Geir Campos, de alguns recursos formais da tradição poética (formas fixas como os sonetos, as odes, etc.).

Muitos desses autores da chamada "geração de 45" enfatizaram a ideia de que a poesia é, antes de qualquer coisa, a arte da palavra, daí a constante pesquisa formal do grupo.

Essa retomada da disciplina formal na poesia representou uma contraposição à literatura libertária de 1922. O poeta de destaque dessa geração é João Cabral de Melo Neto, cujo trabalho com a renovação da linguagem e com a busca da objetividade poética (em detrimento da emoção) é marcante.

Nesse panorama plural, surgem ainda o Concretismo — e outros grupos marcados pela tendência à experimentação — e a poesia social de autores como Ferreira Gullar, caracterizada pelo forte teor político. Você irá explorar agora um pouco de cada uma dessas tendências.

João Cabral de Melo Neto: a poesia da razão

A poesia, em geral, é associada à subjetividade. É possível ser ela objetiva, isenta de sentimentalismo? O poeta que você estudará a seguir defendeu que a origem da poesia não estava na inspiração ou na emoção; estava, antes, no árduo trabalho racional do artista. "Nunca escrevi um poema espontaneamente", dizia João Cabral de Melo Neto.

A poesia de Carlos Drummond de Andrade exerceu enorme influência sobre João Cabral. O poeta pernambucano chegou a afirmar que aprendeu com o mineiro que "ser poeta não significava ser sonhador, que a ironia, a prosa cabiam dentro da poesia".

Contagiado pelo lado *gauche* de *Alguma poesia*, coletânea de estreia de Drummond, João Cabral publica seu primeiro livro, *Pedra do sono* (1942), obra que já apresenta uma das características mais marcantes do autor recifense: a busca pela objetividade. No ano seguinte, lança *Os três mal-amados* (1943), obra baseada inteiramente no poema "Quadrilha", de Drummond. Dois anos depois, a ligação com o itabirano continua em *O engenheiro* (1945), coletânea em que os poemas são marcados pela preocupação com a linguagem, predominando a substantivação em lugar da adjetivação.

A poesia de João Cabral de Melo Neto também foi influenciada pelas obras de artistas plásticos como o holandês Piet Mondrian, com suas telas abstratas geométricas, e o catalão Joan Miró, com suas pinturas abstratas surrealistas; além do encantamento provocado pela fragmentação e pelas colagens propostas por cubistas como o espanhol Pablo Picasso e o francês Georges Braque. As teorias arquitetônicas de Le Corbusier também tiveram influência na obra do poeta pernambucano. João Cabral costumava dizer que havia aprendido com esse arquiteto que a poesia "é uma construção, como uma casa".

CARLOS CHICARINO/ AGÊNCIA ESTADO

Foto de 1992.

João Cabral de Melo Neto (1920-1999) nasceu em Recife (PE). Era primo de Manuel Bandeira e do sociólogo Gilberto Freyre. A carreira de diplomata possibilitou a João Cabral uma série de viagens que influenciaram sua trajetória poética: Barcelona, Londres, Sevilha, Marselha, Genebra e Berna.

Le Corbusier: um arquiteto moderno

O franco-suíço Charles-Édouard Jeanneret-Gris, conhecido pelo pseudônimo de Le Corbusier (1887-1965), é considerado uma das maiores figuras da arquitetura moderna. Depois de estudar edifícios da Grécia antiga, fascinou-se com a maneira pela qual os antigos utilizavam a *razão áurea* (proporção matemática harmônica e agradável à visão). Uma das principais contribuições desse arquiteto foi a defesa da funcionalidade, que, segundo ele, deveria ser um jogo harmônico dos volumes (concreto armado, vidro plano em grandes dimensões, etc.) e da luz. Suas edificações eram feitas para serem utilizadas.

RIEGER BERTRAND/HEMIS.FR/AFP PHOTO

Capela Notre-Dame-du-Haut na cidade francesa de Ronchamp. Foto sem data.

ALBUM/AKG IMAGES/CAMERAPHOTO/LATINSTOCK - STEDELIJK MUSEUM, AMSTERDAM, NETHERLANDS

MONDRIAN, Piet. *Composição com vermelho, amarelo, preto, cinza e azul*. 1921. Óleo sobre tela, 859,5 × 59,5 cm. Mondrian influenciou a poesia de João Cabral.

Uma nova poesia: o poeta-engenheiro

É com *O cão sem plumas* (1950) que João Cabral solidifica definitivamente seu lugar na literatura brasileira, por meio de uma poesia rigorosa, na qual a *coisa*, o *objeto*, as *formas*, o *substantivo* são o foco, e não as emoções. O poeta pernambucano assemelha-se, dessa maneira, a um engenheiro, profissional que, segundo os versos do recifense, "sonha coisas claras", como "superfícies, tênis, um copo de água".

NAVEGUE

Acesse página especial sobre a vida e a obra de João Cabral de Melo Neto em: <http://tvcultura.cmais.com.br/aloescola/literatura/joaocabral/index.htm>.

Nas palavras de João Cabral de Melo Neto, em texto de agradecimento pelo prêmio Neustadt, em 1992, o que ele busca em sua produção é a "materialidade das palavras" e as muitas "possibilidades de organização de estruturas verbais", e não uma poesia produzida *intuitivamente* a partir da *inspiração*. Racionalmente, João Cabral promove um apagamento de seu *eu pessoal* na poesia que faz — o que, para muitos, representou uma espécie de morte da ideia de eu lírico. Veja como essa busca pela objetividade se mostra no metapoema a seguir, que compõe *A educação pela pedra* (1966).

PARA LEMBRAR

Metapoema: poema que o autor utiliza para tratar do próprio poema (ou fazer poético).

Catar feijão

1.

Catar feijão se limita com escrever:
jogam-se os grãos na água do **alguidar**
e as palavras na da folha de papel;
e depois, joga-se fora o que boiar.
Certo, toda palavra boiará no papel,
água congelada, por chumbo seu verbo:
pois para catar esse feijão, soprar nele,
e jogar fora o leve e oco, palha e eco.

2.

Ora, nesse catar feijão entra um risco:
o de que entre os grãos pesados entre
um grão qualquer, pedra ou indigesto,
um grão imastigável, de quebrar dente.
Certo não, quando ao catar palavras:
a pedra dá à frase seu grão mais vivo:
obstrui a leitura fluviante, flutual,
açula a atenção, isca-a com risco.

MELO NETO, João Cabral de. Catar feijão. A educação pela pedra. In: OLIVEIRA, Marly de (Org.). *João Cabral de Melo Neto*: obra completa. Rio de Janeiro: Nova Aguilar, 1999. p. 346-347.

Material complementar
• Atividade: "O poema", João Cabral de Melo Neto

Alguidar: vasilha de barro, metal ou plástico usada para lavar arroz, feijão, etc.

Açula: incita, estimula.

Responda às questões oralmente.

1 A que imagem recorre o poeta para tratar do fazer poético?

2 Você deve ter notado que a organização do poema obedece a uma lógica, ou seja, primeiro se apresenta a semelhança entre o ato de escrever um poema e o de catar feijão e, depois, a diferença.

a) Explique, a partir de sua compreensão da estrofe 1, a metáfora sustentada pela semelhança entre *escrever* e *catar feijão*.

b) Tendo em vista a estrofe 2, explique a diferença que haveria entre o ato de *catar feijão* e o de *escrever*.

3 João Cabral divide rigorosamente seu poema em duas estrofes de oito versos e as numera, mas também recorre a rupturas modernistas, como a criação de neologismos.

Nesse sentido, ele dialoga com outros poetas da geração de 45, que tinham um cuidado rigoroso com a forma.

a) Que neologismos há em "Catar feijão"?

b) Analise e explique a construção de cada um desses neologismos.

c) Levante hipóteses: o que esses neologismos significam no contexto em que estão empregados?

d) Por que você acha que o poeta recorre a esses neologismos em lugar de utilizar palavras dicionarizadas?

NAVEGUE

Leia a versão *online* dos *Cadernos de literatura brasileira*, dedicados a João Cabral, em: <http://ims.uol.com.br/Joao_Cabral_de_Melo_Neto/D714>.

⊙ O Nordeste em João Cabral

O poeta pernambucano passou grande parte de sua vida fora do Brasil, pois mudou-se para o exterior com 27 anos de idade. Cidades espanholas como Sevilha — e suas tradições culturais, como as touradas e a dança flamenca — e Barcelona constituem importantes referências em seus poemas.

Os versos a seguir, retirados da primeira estrofe do longo poema "A palo seco", homenageiam os cantores flamencos, uma das referências de João Cabral.

"A palo seco"

1.1. Se diz *a palo seco*
o *cante* sem guitarra;
o *cante* sem; o *cante*;
o *cante* sem mais nada;

[...]

MELO NETO, João Cabral de. "A palo seco". Quaderna. In: OLIVEIRA, Marly de (Org.). *João Cabral de Melo Neto*: obra completa. Rio de Janeiro: Nova Aguilar, 1999. p. 247. (Fragmento).

"A palo seco": do castelhano, "a pau seco"; objetivamente, sem rodeios. Também pode significar "à capela" (música), sem acompanhamento de guitarra.

Entretanto, a realidade brasileira, sobretudo a da região Nordeste, é constante na poesia de João Cabral. Recife, Olinda, a paisagem física e humana do sertão, do agreste (da Zona da Mata Canavieira ao litoral), o rio Capibaribe estão presentes — de maneira direta ou indireta — em seus poemas. Mesmo a paisagem espanhola acaba sendo, em alguns momentos, pretexto para identificações com a paisagem nordestina.

J. L. BULCÃO/PULSAR IMAGENS

O rio Capibaribe, antes de desaguar no mar, passa pelo centro da cidade do Recife, em Pernambuco. Foto de 2011.

O poema "nordestino" mais conhecido de João Cabral é *Morte e vida severina* (1965), em que ele "relê" a história do nascimento de Jesus Cristo, só que transferida para o Recife e em versão profana. O protagonista do poema narrativo é Severino, lavrador que — como Fabiano de *Vidas secas*, de Graciliano Ramos — se desloca do interior do sertão para o litoral, em busca de novas perspectivas para sua vida, marcada pela miséria, fome e seca. No percurso, o personagem agreste só se depara com a morte de seus iguais, até que, ao final de sua trajetória, tem sua esperança renovada ao saber da notícia do nascimento de um menino, signo da força da vida, mesmo que seja precária e pobre, como a "severina".

O "Auto de Natal pernambucano" (subtítulo dessa obra não religiosa) é estruturado em redondilhas, resgatando a tradição dos cantadores populares da terra do autor.

PARA LEMBRAR

Profano: aquilo que não é sagrado ou devotado a fins sagrados.

João Cabral de Melo Neto era avesso à melodia e à musicalidade do verso, mas, curiosamente, a obra *Morte e vida severina* acabou sendo musicada por Chico Buarque, dirigida por Silnei Siqueira e encenada, em 1966, no Teatro da PUC de São Paulo, o Tuca. O espetáculo comoveu mais de 100 mil espectadores, o que acabou por popularizar o texto do poeta pernambucano por dois elementos que ele particularmente evitava: a emoção e a música.

REPRODUÇÃO

Cartaz da montagem de *Morte e vida severina*, baseada na obra homônima de João Cabral de Melo Neto, realizada pelo Tuca. São Paulo, 1966.

No fragmento a seguir, o personagem Severino apresenta-se ao "público":

O retirante explica ao leitor quem é e a que vai

— O meu nome é Severino,
não tenho outro **de pia**.
Como há muitos Severinos,
que é santo de romaria,
deram então de me chamar
Severino de Maria;
como há muitos Severinos
com mães chamadas Maria,
fiquei sendo o da Maria
do finado Zacarias.
Mais isso ainda diz pouco:
há muitos na freguesia,
por causa de um coronel
que se chamou Zacarias
e que foi o mais antigo
senhor desta **sesmaria**.
Como então dizer quem falo
ora a Vossas Senhorias?
Vejamos: é o Severino
da Maria do Zacarias,
lá da serra da Costela,
limites da Paraíba.
Mas isso ainda diz pouco:
se ao menos mais cinco havia
com nome de Severino
filhos de tantas Marias
mulheres de outros tantos,
já finados, Zacarias,
vivendo na mesma serra
magra e ossuda em que eu vivia.
Somos muitos Severinos
iguais em tudo na vida:
na mesma cabeça grande
que a custo é que se equilibra,
no mesmo ventre crescido
sobre as mesmas pernas finas,
e iguais também porque o sangue
que usamos tem pouca tinta.
[...]

MELO NETO, João Cabral de. Morte e vida severina. In: OLIVEIRA, Marly de (Org.). *João Cabral de Melo Neto*: obra completa. Rio de Janeiro: Nova Aguilar, 1999. p. 171-172. (Fragmento).

Investigue em
- Geografia
- Sociologia
- História

Morte e vida severina data da segunda metade do século XX. A realidade do sertão nordestino modificou-se nesta primeira década do século XXI?

De pia: de batismo.
Sesmaria: terra não cultivada ou abandonada.

Responda às questões oralmente.

1 Explique a estratégia utilizada pelo autor para coletivizar a história do retirante Severino e transformá-la na trajetória dos nordestinos pobres.

2 O que você acha que significa a metáfora "o sangue que usamos tem pouca tinta"?

Concretismo: poesia verbivocovisual

O Concretismo ganhou corpo a partir de 1956 pelas mãos de poetas como Haroldo de Campos (1929-2003), Augusto de Campos (1931), Décio Pignatari (1927-2012), José Lino Grünewald (1931-2000) e Ronaldo Azeredo (1937-2006), alguns dos quais possuíam ligação com o grupo formalista de 45. Por meio de revistas como *Noigandres* e *Invenção*, o grupo veiculou em poemas, manifestos e textos teóricos posturas revolucionárias que chocam até mesmo leitores de poesia do século XXI, como a ruptura total com a ideia de verso, a incorporação na poesia da linguagem dos cartazes (publicidade), o uso do ideograma, a valorização da disposição das palavras no espaço em branco da página, os neologismos, os estrangeirismos, a separação dos prefixos, dos radicais e dos sufixos, os jogos sonoros, etc.

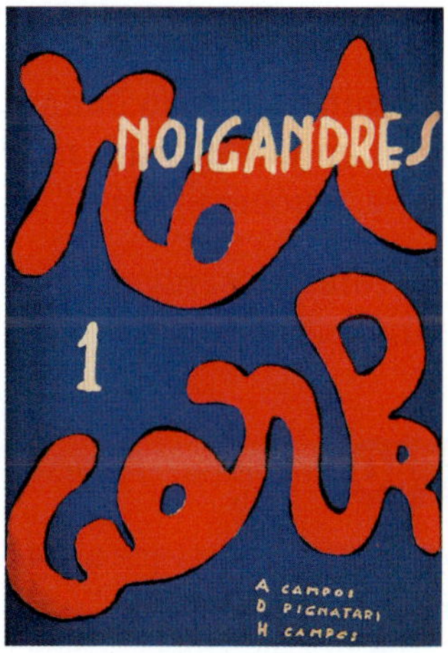

REPRODUÇÃO

Capa da revista *Noigandres* n. 1 (1952).

Os concretistas procuraram trabalhar, de maneira integrada, o som, a visualidade e o sentido das palavras, criando aquilo que o escritor irlandês James Joyce chamou de **arte verbivocovisual**. Embora muitas pessoas ainda relutem em considerar poesia o que os concretistas publicaram, é inegável a importância desse movimento para a arte brasileira.

A poesia visual — que extrapola o âmbito literário — proposta pelos artistas concretistas teve desdobramentos e se espalhou pelos mais variados suportes: internet, livros, revistas, jornais, cartazes, objetos, iPods, CDs, videotextos, holografias, vídeos, etc. Os poetas concretos romperam os limites entre a palavra, a música e as artes visuais.

O poema "Psiu!", a seguir, é de Augusto de Campos e data de 1965. Leia-o atentando para as várias colagens que o compõem:

NAVEGUE

Conheça um *site* inteiramente dedicado à poesia concreta: <http://www.poesiaconcreta.com.br/>.

Material complementar
- Atividade: "Verde", Ferreira Gullar

AUGUSTO DE CAMPOS

Disponível em: <http://www2.uol.com.br/augustodecampos/04_03.htm>. Acesso em: 19 abr. 2013.

Material complementar
- Amplie seus conhecimentos: Os desdobramentos do Concretismo

Responda às questões oralmente.

1 Retome seus estudos sobre o Dadaísmo e responda: que relação podemos estabelecer entre a postura *ready-made* adotada por esses artistas de vanguarda e o poema "Psiu!"?

2 Atente para as cores presentes em "Psiu!". Que relação há entre as cores utilizadas para compor o trabalho e o conteúdo expresso no poema?

NAVEGUE

Assista a apresentações em que são misturadas a música, a poesia e as artes plásticas em: <http://www.poesiaconcreta.com/imagem.php>.

ProvocAÇÃO

Se levarmos em conta a hipótese de que há um tom crítico no poema de Augusto de Campos, que crítica (implícita) seria essa? Você concorda com o ponto de vista do poeta?

Ferreira Gullar: a poesia que nasce do espanto

O poeta maranhense Ferreira Gullar (1930) tem uma longa trajetória. Questionou o poder de expressão da linguagem em *A luta corporal* (1954), aderiu ao Concretismo, depois criticou esse movimento e criou outro, o Neoconcretismo. Dirigiu, em 1961, a Fundação Cultural, em Brasília. Ao romper com os concretistas no final dos anos 1950, Gullar retoma o uso dos versos em suas produções.

ANA CAROLINA FERNANDES/FOLHAPRESS

Ferreira Gullar em 2007.

Nos anos 1960, engaja-se politicamente na luta da esquerda de viés marxista. Em 1964, edita o ensaio *Cultura posta em questão*, cuja primeira edição foi queimada durante a invasão de militares à União Nacional dos Estudantes (UNE). Filiado ao Partido Comunista do Brasil (PCB), entra para o teatro e funda o Grupo Opinião, de que fizeram parte os dramaturgos Oduvaldo Vianna Filho, o Vianninha (1936-1974), e Paulo Pontes (1940-1976). Em 1968, assim como os músicos Gilberto Gil e Caetano Veloso, torna-se preso político. Depois de viver na clandestinidade, exila-se, a partir de 1971, em Paris, Moscou, Santiago, Lima e Buenos Aires.

Ferreira Gullar colaborou ainda com o jornal *O Pasquim*. Em 2002, foi indicado ao Prêmio Nobel de Literatura. Publicou, em 2010, aos 80 anos, 59 poemas inéditos na coletânea *Em alguma parte alguma*.

Investigue em
- **Arte**
- **História**
- **Geografia**

O que têm comum os grupos teatrais Arena e Opinião? Qual a relação deles com a luta dos artistas contra a ditadura militar de 1964?

SAIBA MAIS!

- Durante seu exílio em Buenos Aires, Ferreira Gullar escreveu *Poema sujo*, obra na qual mesclou lembranças de sua vida no Maranhão a temas políticos. O poema que dá nome ao livro publicado em 1975 foi gravado numa fita cassete trazida ao Brasil por Vinicius de Moraes. Acesse: <http://vimeo.com/14870207>.

Em 1975, Ferreira Gullar publica *Dentro da noite veloz*, coletânea que reúne produções de 1962 a 1975 e que ficou conhecida por um poema homônimo que trata do assassinato do guerrilheiro Che Guevara (1928-1967). Apesar de "Dentro da noite veloz" ser considerado um dos poemas mais engajados escritos no contexto da ditadura, Gullar afirma que ele "não era abertamente político". O maranhense costuma falar que sua poesia "nasce do espanto". Quando ele se deparou com uma foto de jornal do esquerdista argentino brutalmente morto na Bolívia, inquietou-se porque "Guevara estava lutando sem ninguém saber disso, nem o povo por quem ele achava que lutava, nem eu [...]. Escrevi, dessa forma, um poema que não se restringe a descrever somente o que aconteceu de fato. Há nele uma série de elementos inventados por mim: uma floresta, árvores..." (trecho da entrevista dada a uma escola da rede particular de ensino).

NAVEGUE

Assista a uma entrevista com Augusto Boal, um dos principais nomes do teatro político brasileiro: <http://reinventar.me/augusto-boal-entrevista>.

A força da poesia gullariana reside justamente no fato de não se restringir a um determinado contexto político. Com isso, o poeta maranhense consegue extrapolar o engajamento necessário a uma época de restrições, como foi a da ditadura militar, e cria uma poesia de cunho universal, que trata, acima de tudo, da vida e da incapacidade humana de expressar aquilo que está para além da linguagem das palavras.

Literatura engajada: a arte com objetivos claros

Muitos intelectuais brasileiros foram influenciados pela faceta política do filósofo francês Jean-Paul Sartre (1905-1980). Com a publicação de *O que é literatura?* (1948), Sartre defendeu uma literatura engajada, empenhada em denunciar as mazelas humanas produzidas pelo capitalismo, em divulgar ideias esquerdistas e em construir um mundo novo. O filósofo acreditava que era papel do intelectual de sua época passar "mensagens" para o leitor.

ATANAS SUTKUS/AGENCE VU/LATINSTOCK

Jean-Paul Sartre em 1965.

Atividades: Leitura de texto

Leia as três partes iniciais do poema "Dentro da noite veloz", de Ferreira Gullar:

Dentro da noite veloz

I

Na quebrada do **Yuro**
eram 13,30 horas
(em São Paulo
era mais tarde; em Paris anoitecera;
na Ásia o sono era seda)
Na quebrada
do rio Yuro
a claridade da hora
mostrava seu fundo escuro:
as águas limpas batiam
sem passado e sem futuro.
Estalo de mato, pio
de ave, brisa
nas folhas
era silêncio o barulho
a paisagem
(que se move)
está imóvel, se move
dentro de si
(igual que uma máquina de lavar
lavando
sob o céu boliviano, a paisagem
com suas polias e correntes
de ar)
Na quebrada do Yuro
não era hora nenhuma
só pedras plantas e águas

II

Não era hora nenhuma
até que um tiro
explode em pássaros
e animais
até que passos
vozes na água rosto nas folhas
peito ofegando
a clorofila
penetra o sangue humano
e a história
se move
a paisagem
como um trem
começa a andar
Na quebrada do Yuro eram 13,30 horas

III

Ernesto Che Guevara
teu fim está perto
não basta estar certo
para vencer a batalha

Ernesto Che Guevara
Entrega-te à prisão
não basta ter razão
pra não morrer de bala

Ernesto Che Guevara
não estejas iludido
a bala entra em teu corpo
como em qualquer bandido

Ernesto Che Guevara
por que lutas ainda?
a batalha está finda
antes que o dia acabe

Ernesto Che Guevara
é chegada a tua hora
e o povo ignora
se por ele lutavas

[...]

GULLAR, Ferreira. *Toda poesia* (1950-1999). 18. ed.
Rio de Janeiro: José Olympio, 2009. p. 195-197. (Fragmento).

Yuro: referência ao vale do rio Yuro, na Bolívia.

Responda às questões no caderno.

1 Que relação existe entre a forma e o conteúdo do poema?

2 A que ilusão você acha que o eu lírico se refere na terceira parte do poema?

3 Que contradição o eu lírico aponta na estrofe que finaliza a terceira parte do poema?

Observe as imagens a seguir. A primeira é a foto mais famosa do revolucionário socialista, tirada pelo cubano Alberto Díaz Gutiérrez (1928-2001), conhecido como Alberto Korda, em 5 de março de 1960, sete anos antes do assassinato de Che. A segunda, de 1968, é do artista irlandês Jim Fitzpatrick, que utilizou a foto de Korda para criar uma imagem em alto contraste e registrou seu trabalho em domínio público, espalhando-o pelo mundo.

MARKA/AGE FOTOSTOCK/EASYPIX

Che Guevara em foto de Alberto Korda, 1960.

JIM FITZPATRICK

Che Guevara por Jim Fitzpatrick, 1968.

ProvocAÇÃO

Retome agora a imagem de abertura deste capítulo e, após analisar todas as imagens de Che Guevara, responda à questão abaixo.

De que maneira você acha que imagens como essas contribuem para a construção de um mito como o do guerrilheiro Che Guevara? Procure refletir sobre a força que uma imagem pode ter na contemporaneidade.

O QUE VOCÊ APRENDEU NO PERCURSO DESTE CAPÍTULO

- A poesia pós-moderna brasileira abrangeu tendências como a poesia marginal, a geração de 45, o Concretismo e a poesia social, entre outras.
- Caracterizam a poesia objetiva de João Cabral de Melo Neto o predomínio da imagem sobre a mensagem e o foco na coisa, no objeto, nas formas e no substantivo. O poeta evitou as emoções, mesmo ao adentrar de maneira mais direta os problemas de seu povo, como em *Morte e vida severina*.
- Os poemas verbivocovisuais do Concretismo caracterizaram-se pela ruptura com o verso, incorporação da linguagem dos cartazes, valorização da disposição das palavras no espaço em branco da página, neologismos, estrangeirismos, separação dos prefixos, radicais e sufixos, jogos sonoros, etc.
- Na poesia social, destaca-se a obra de Ferreira Gullar, inicialmente vinculada aos anseios dos grupos que lutavam contra o regime militar no Brasil. Nos livros *Poema sujo* e *Dentro da noite veloz*, o poeta extrapola o engajamento político e consegue criar uma poesia de cunho universal.

CAPÍTULO

34

Prosa pós-modernista: o embate com a palavra

PERCURSO DO CAPÍTULO

- A prosa pós-moderna
- Clarice Lispector: a literatura do "instante-já"
- *A hora da estrela*: três narrativas
- Guimarães Rosa: um sertão feito de palavras
- Os contos e a nova dimensão do romance em *Grande sertão: veredas*

THE PICTURE DESK/KOBAL/AFP PHOTO

Cena do filme *A hora da estrela*, baseado na obra homônima de Clarice Lispector. Dirigido por Suzana Amaral. Brasil, 1985.

Introdução

O Pós-Modernismo ainda é um conceito que gera controvérsias entre os especialistas, dada a grande diversidade política, econômica, social e artística do período. Embora com propostas diversas, a partir da década de 1940, surgiu no Brasil uma geração de prosadores marcada pela experimentação e pela pesquisa estética.

O conto a seguir foi publicado originalmente na coletânea *No bar* (1968), do mineiro Luiz Vilela. Você já viveu alguma perda amorosa? Se sim, sabe que não é fácil romper uma relação com alguém que se ama. Veja de que maneira o escritor mineiro expressa literariamente essa dor:

Eu estava ali deitado

eu estava ali deitado olhando através da vidraça as roseiras no jardim fustigadas pelo vento que zunia lá fora e nas venezianas do meu quarto e de repente cessava e tudo ficava tão quieto tão triste e de repente recomeçava e as roseiras frágeis e assustadas irrompiam na vidraça e eu estava ali o tempo todo olhando estava em minha cama com a minha blusa de lã as mãos enfiadas nos bolsos os braços colados ao corpo as pernas juntas estava de sapatos Mamãe não gostava que eu deitasse de sapatos deixe de preguiça menino! mas dessa vez eu estava deitado de sapatos e ela viu e não falou nada ela sentou-se na beirada da cama e pousou a mão em meu joelho e falou você não quer mesmo almoçar?

eu falei que não não quer comer nada? eu falei que não nem uma carninha assada daquelas que você gosta? com uma cebolinha de folha lá da horta um limãozinho uma pimentinha? ela sorriu e deu uma palmadinha no meu joelho e eu também sorri mas falei que não não estava com a menor fome nem uma coisinha meu filho? uma coisinha só? eu falei que não e então ela ficou me olhando e então ela saiu do quarto eu estava de sapatos e ela não falou nada ela não falaria nada meus sapatos engraxados bonitos brilhantes

ele não quer comer nada? escutei Papai perguntando e Mamãe decerto só balançou a cabeça porque não escutei ela responder e agora eles estavam comendo em silêncio os dois sozinhos lá na mesa em silêncio o barulho dos garfos a casa quieta e fria e triste o vento zunindo lá fora e nas venezianas de meu quarto

— você precisa compreender isso, Carlos

— não posso, Miriam

— não daria certo

NAVEGUE

Conheça outros contos de Luiz Vilela acessando <http://www.releituras.com/lvilela_menu.asp>.

— não daria certo?

— nossos temperamentos não combinam

— não é verdade

— assim será melhor para nós dois

não Miriam não é verdade Miriam não é certo Miriam não pode Miriam não pode não pode! ó meu Deus não pode

Solidão e dor são sugeridas pela obra *Dream sequence I* (2002), da artista plástica alemã Janaina Tschäpe.

Papai estava parado à porta pensei que você estava dormindo ele falou eu sorri que vento hem! ele falou e eu olhei para a vidraça e lá estavam as roseiras frágeis e assustadas, fustigadas pelo vento esse mês de junho é terrível ele falou ele estava parado no meio do quarto estava de paletó e gravata de pulôver esfregava as mãos eu vou lá no Jorge você não quer ir também? ele ficou olhando pra mim esperando não papai dar uma volta? não obrigado você vai virar sorvete aí dentro ele brincou e eu ri e ele riu e então ficou sério de novo esfregava as mãos fiquei com pena dele eu sabia que ele queria me dizer alguma coisa sabia quase o que ele queria me dizer mamãe devia ter dito a ele Artur chama o Carlos para dar uma volta e ele dissera isso mas agora era diferente era ele mesmo que queria me dizer alguma coisa e estava atrapalhado ficava atrapalhado quando queria conversar essas coisas com um filho e então esfregava as mãos não era por causa do frio Carlos eu sei o que você está sentindo ele falou Eu sei como é é muito aborrecido mesmo mas há coisas piores sabe? eu olhei para ele e então ele abaixou a cabeça e de novo estava atrapalhado e de novo eu fiquei com pena dele eu sei que você gosta muito dela eu sei eu sei que isso é muito aborrecido mas ele olhou pra mim não se preocupe papai eu falei não precisa se preocupar não é nada eu sei mas você não almoçou eu estava sem fome pois é e então nós dois ficamos calados ele tirou o relógio do bolso e olhou as horas você não quer ir mesmo no Jorge? ele perguntou e eu falei que não então ele saiu do quarto escutei ele abrindo o portão e depois os passos dele na calçada o vento zunia lá fora eu estava olhando para os meus sapatos ela gostava deles assim engraxados bonitos brilhantes você é tão cuidadoso Carlos como gosto de você você não pode calcular o tanto que eu gosto de você se te acontecesse alguma coisa se te acontecesse alguma coisa eu não sei o que eu faria mas não vai acontecer nada bem vai? não não vai não pode se te acontecesse alguma coisa acho que eu morreria eu gosto demais de você demais demais

fechei os olhos e contei até quinhentos e recordei os nomes de todas as capitais do Brasil e da Europa e recordei os nomes das dezenas de rios e dezenas de montanhas e deitei de bruços e deitei do lado direito deitei do lado esquerdo e deitei de bruços outra vez e pus o travesseiro em cima da cabeça e pus o travesseiro debaixo da cabeça e apertei a cabeça contra a parede e apertei mais ainda a cabeça contra a parede que ela doeu e então virei de costas outra vez e enfiei as mãos nos bolsos colei os braços ao corpo juntei as pernas abri os olhos e estava de novo olhando através da vidraça as roseiras frágeis e assustadas fustigadas pelo vento que zunia lá fora e nas venezianas de meu quarto

VILELA, Luiz. Eu estava ali deitado. In: BOSI, Alfredo (Org.). *O conto brasileiro contemporâneo*. 4. ed. São Paulo: Cultrix, 1981. p. 291-293.

Responda às questões no caderno.

1 O conto chama a atenção do leitor pela forma.

a) Explique de que maneira os discursos são registrados no texto de Luiz Vilela.

b) Que efeito expressivo esse tipo de registro da fala dos personagens garante ao conto?

c) Em relação à pontuação, o que chama sua atenção? Que efeito de sentido tem esse recurso utilizado pelo autor?

2 Do que trata o conto? Sintetize essa informação em poucas linhas.

3 Que elementos descritivos reforçam a tristeza vivida por Carlos na narrativa?

4 Ocorre gradação na seguinte passagem:

> "não Miriam não é verdade Miriam não é certo Miriam não pode Miriam não pode não pode! ó meu Deus não pode"

De que maneira se constrói essa figura de linguagem no texto? Qual a sua função nele?

PARA LEMBRAR

Gradação: figura de linguagem que consiste no uso de uma sequência de palavras, expressões, frases que intensificam uma ideia que se pretende transmitir ao leitor.

5 Carlos calçava "sapatos engraxados bonitos brilhantes".

a) Que função tem no texto a informação de que a mãe do protagonista não gosta de que ele fique na cama de sapatos?

b) Quase no desfecho do conto, a imagem dos sapatos ressurge, desta vez com outra função. Explique essa afirmação com base no texto.

6 O final do conto se assemelha a seu início. Por que o autor recorreu a essa repetição?

O conto lido mostra uma especial preocupação do autor com a busca de uma linguagem que traduza, de maneira aguda, as angústias vividas por um personagem destruído pela rejeição amorosa.

Essa tendência pela pesquisa, pela investigação de uma linguagem que expresse um novo mundo e pela invenção marcará a dita prosa pós-modernista, que você conhecerá um pouco neste capítulo.

Uma prosa pós-moderna

Quando se fala em pós-modernidade na prosa literária, é necessário retornar ao Modernismo, especificamente aos anos 1920. Influenciados pelas vanguardas artísticas, os modernistas inauguraram, como você já estudou, uma nova maneira de representar a realidade do mundo e do sujeito.

Foi nessa década efervescente que se lançaram duas obras representantes de verdadeiras rupturas na tradição do romance — *Ulisses* (1922), do irlandês James Joyce (1882-1941), e *Mrs. Dalloway* (1925), da inglesa Virginia Woolf (1882-1941) — e que tiveram forte influência sobre a prosa pós-modernista, marcada, entre outras coisas, pela metalinguagem e pela intertextualidade.

Ulisses e *Mrs. Dalloway*: basta um dia

Imagine uma obra que narra simplesmente isto: um homem comum sai de casa, realiza suas tarefas rotineiras e retorna à noite a seu apartamento. Dessa premissa banal nasceu *Ulisses*, considerado por alguns o maior romance do século XX. O livro tem como hipotexto a *Odisseia* de Homero, e a história é ambientada na cidade irlandesa de Dublin. Nessa obra bem-humorada e comovente, narra-se a trajetória de Leopold Bloom e do amigo Stephen Dedalus, ao longo do dia 16 de junho de 1904. Para retratar esse novo Odisseu (o "homem moderno") em seu percurso até o apartamento — onde a esposa, Molly, o espera —, Joyce mesclou estilos, referências culturais de toda ordem (polifonia estética) e promoveu uma verdadeira remodelagem na língua inglesa.

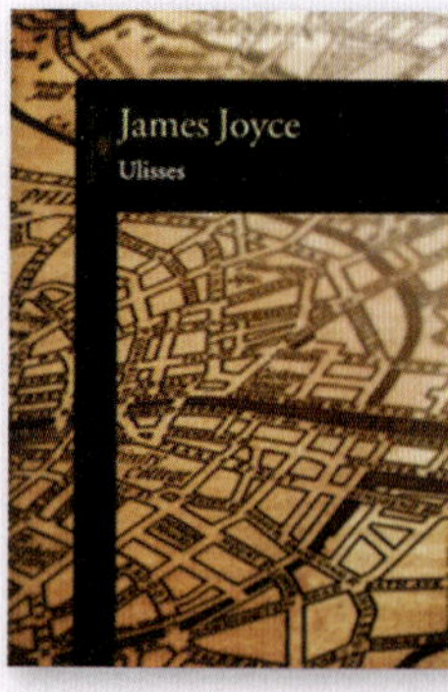

Capas de *Ulisses*, de James Joyce, e *Mrs. Dalloway*, de Virginia Woolf.

Assim como em *Ulisses*, é narrado em *Mrs. Dalloway*, obra mais popular de Virginia Woolf, um único dia da vida de Clarissa Dalloway, em junho de 1923. Quase como num filme, seguimos a protagonista por Londres e convivemos com suas sensações, pensamentos e ações. Na trama, passado e presente se intercalam, e mergulhamos na subjetividade de Dalloway por meio do discurso indireto livre. Polêmico, o livro já foi chamado de impressionista, revolucionário, moderno, pós-moderno...

NAVEGUE

Leia um trecho do romance *Ulisses* em: <http://www.companhiadasletras.com.br/trechos/85016.pdf>.

No Brasil, autores modernistas como Oswald de Andrade, com *Memórias sentimentais de João Miramar*, e Mário de Andrade, com *Macunaíma*, procuraram desconstruir a forma como o romance tradicional era escrito e propor novos caminhos para a ficção. Os escritores pós-modernistas darão continuidade a esse projeto. O destaque recai sobre as obras de Clarice Lispector e Guimarães Rosa, autores marcados pela ruptura com a maneira tradicional de representar a experiência humana, mas que seguiram caminhos bem distintos.

Guimarães Rosa acredita no poder que a palavra escrita tem de traduzir o mundo do homem que habita o sertão; ele crê na busca da palavra *certa* para representar toda e qualquer coisa, daí o escritor mineiro empreender uma incessante pesquisa linguística e criar inúmeras palavras (neologismos) em seu contos e romances.

Clarice Lispector, por sua vez, ainda que ousada em suas construções sintáticas, não se ocupa da criação de novas palavras como Guimarães Rosa. Em um trecho de seu livro *Água viva*, lê-se: "Há muita coisa a dizer que não sei dizer. Faltam as palavras. Mas recuso-me a inventar novas: as que existem devem dizer o que se consegue dizer e o que é proibido".

Clarice Lispector: o registro do que não é relatável

Clarice Lispector (1920-1977) nasceu em Tchetchelnik, uma pequena aldeia da Ucrânia, no período em que sua família emigrava da Rússia para a América, no contexto da perseguição aos judeus, após a Revolução Bolchevique (1917). Entre as possibilidades de viver nos EUA ou no Brasil, a família optou pelo segundo país. Em 1921, quando Clarice tinha apenas dois meses, os Lispector chegaram a Maceió. Três anos depois, mudaram-se para Recife, onde viveram modestamente durante nove anos.

Caricatura de Clarice Lispector por Manohead. 2013.

Foi na infância que Clarice Lispector começou a arriscar-se no terreno da criação literária, embora seus contos nunca chegassem a ser publicados na seção infantil do *Diário de Pernambuco*, fato que já prenunciava que a escrita dessa autora estava longe de ser comum.

Na adolescência, Clarice mudou-se para o Rio de Janeiro, cidade onde atuaria como jornalista e se formaria advogada. Casou-se com um diplomata e viveu na Itália, Suíça, Inglaterra e nos EUA. Separada, retornou à capital fluminense, onde sobreviveu principalmente do jornalismo e das traduções que fazia.

Investigue em História

O que foram os pogroms, que vitimaram os judeus, entre os quais os familiares de Clarice Lispector?

SAIBA MAIS!

Em 2009, Clarice Lispector passou a despertar o interesse de leitores do mundo todo graças à publicação, em inglês, do livro *Clarice,* (lê-se "Clarice vírgula"), escrito pelo norte-americano Benjamin Moser e lançado em vários países. No Brasil, a biografia mais importante dessa escritora é de autoria da professora Nádia Batella Gotlib, intitulado *Clarice: uma vida que se conta*.

A estranheza de um mundo familiar

Falar de Clarice Lispector é falar de uma escritora judia, europeia, nordestina, carioca, que, em lugar de escrever histórias com enredos cheios de fatos e reviravoltas mirabolantes, aborda em suas crônicas, contos, romances — e em outros textos de difícil classificação — o tema do imprevisto que, repentinamente, irrompe numa rotina antes segura, desestabilizando os personagens. Esse imprevisto pode ser desde um rato morto caído numa via pública, que apavora uma mulher; ou um cego mascando chiclete num ponto de ônibus, que faz uma mãe de família sair de seu rumo; até uma receita inocente produzida por donas de casa para matar baratas e que as transforma praticamente em feiticeiras e assassinas. De repente, elementos comuns do dia a dia convertem-se em motivo de perturbação e desequilíbrio, tirando o chão seguro dos personagens, em geral pertencentes à classe média.

NAVEGUE

Acesse este *site* especial sobre Clarice Lispector: <http://tvcultura.cmais.com.br/aloescola/literatura/claricelispector/index.htm>.

As estranhezas que exemplificam esse imprevisto aparecem, respectivamente, nos contos "Perdoando Deus", "Amor" e "A quinta história".

Você já teve a sensação de que algo que lhe era familiar e corriqueiro passa repentinamente a ser motivo de estranhamento? Leia um fragmento do romance *Uma aprendizagem ou O livro dos prazeres* (1969), em que a protagonista, a professora primária (do Ensino Fundamental I) Lóri, se propõe um curioso jogo:

[...]

Mas sua busca não era fácil. Sua dificuldade era ser o que ela era, o que de repente se transformava numa dificuldade intransponível.

Um dia [Lóri] procurou entre os seus papéis espalhados pelas gavetas da casa a prova do melhor aluno de sua classe, que ela queria rever para poder guiar mais o menino. E não achava, embora se lembrasse de que, na hora de guardá-la, prestara atenção para não perdê-la, pois era muito preciosa a composição. A procura se tornava inútil. Então ela se perguntou, como antes fazia, já que perdia tanto as coisas que guardava: se eu fosse eu e tivesse um documento importante para guardar que lugar eu escolheria? Na maioria das vezes isso a guiava a achar o perdido.

Mas desta vez ficou tão pressionada pela frase "se eu fosse eu" que a procura da prova se tornara secundária, e ela começava sem querer a pensar, o que nela era sentir.

E não se sentia cômoda. "Se eu fosse eu" provocara um constrangimento: a mentira em que se havia acomodado acabava de ser levemente locomotiva do lugar onde se acomodara. No entanto já lera biografias de pessoas que de repente passavam a ser elas mesmas e mudavam inteiramente de vida, pelo menos de vida interior. Lóri achava que se ela fosse ela, os conhecidos não a cumprimentariam na rua porque até sua fisionomia teria mudado. "Se eu fosse eu" parecia representar o maior perigo de viver, parecia a entrada nova do desconhecido.

No entanto, Lóri tinha a intuição de que, passadas as primeiras perturbações da festa íntima que haveria, ela teria enfim a experiência do mundo. [...]

[...]

LISPECTOR, Clarice. *Uma aprendizagem ou O livro dos prazeres.* Rio de Janeiro: Rocco, 1998. p. 125-126. (Fragmento).

Um romance intertextual

No romance *Uma aprendizagem ou O livro dos prazeres*, modernamente iniciado por uma vírgula e finalizado por dois-pontos (sugestão de que se trata de uma história inacabada), Lóri mergulha numa viagem em busca de si mesma e envolve-se amorosamente com Ulisses, professor de Filosofia que tem a pretensão de explicar o mundo por meio de fórmulas. Clarice era uma leitora plural. Leu desde romances românticos de finais felizes até complexa filosofia. O nome *Ulisses* não é casual — remete à *Odisseia*, epopeia atribuída a Homero, cujo protagonista, como você já sabe, é tentado por sereias. Lóri, por sua vez, remete a Lorelei, nome de uma sereia na tradição germânica.

REPRODUÇÃO

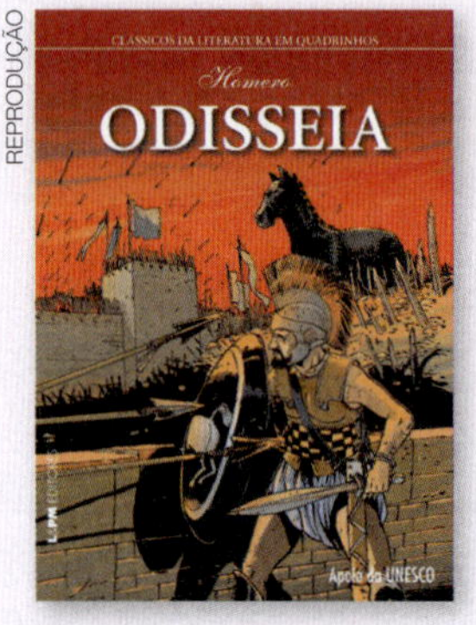

REPRODUÇÃO

No romance *Uma aprendizagem ou O livro dos prazeres*, Clarice Lispector dialoga com a tradição, resgatando Ulisses, protagonista da *Odisseia*.

Responda às questões oralmente.

1 Que estratégia Lóri utiliza para localizar algo que havia guardado, mas não sabia onde estava?

2 Por que falha a estratégia corriqueira — e, de certa forma, segura — adotada por Lóri?

ProvocAÇÃO

Na sua opinião, por que o questionamento "se eu fosse eu" "parecia representar o maior perigo de viver", "a entrada nova do desconhecido"? Você, por exemplo, consegue *ser você* o tempo todo?

NAVEGUE

Assista a uma entrevista com a atriz Beth Goulart, que interpretou Clarice Lispector na premiada peça *Simplesmente eu*: <http://tvcultura.cmais.com.br/metropolis/beth-goulart>.

O "instante-já" do pensamento

A nova experiência literária proposta por Clarice Lispector chocou críticos e leitores quando a autora, em 1943, publicou sua primeira obra, *Perto do coração selvagem*, livro bem distante dos pressupostos do ainda presente neorrealismo, que você estudou no capítulo 31, marcado pela denúncia social e pelo viés político dos autores.

A literatura clariciana caracteriza-se pela transgressão, ruptura e inquietação diante da automatização que normalmente amortece a vida quando aprisionada à repetição do cotidiano.

Faça um exercício: procure registrar em palavras, em uma folha de papel, aquilo que você está sentindo exatamente agora, neste preciso instante. Difícil, não é?

Com sua literatura, na tentativa de capturar o *agora* dos personagens, Clarice procurou aproximar-se do *indizível*, isto é, daquilo que a palavra não pode representar com precisão, mesmo tendo consciência da impossibilidade que é reproduzir por escrito o "instante-já" do pensamento.

Para apreender esse universo caótico, ela recorre principalmente ao **fluxo de consciência**, técnica narrativa em que o autor recria o que se passa na cabeça do personagem, ou seja, turbilhões de ideias, pensamentos, impressões, sensações, desejos — tudo "jorrando" espontaneamente de forma fragmentada, às vezes ilógica, numa sintaxe caótica. (Note que Luiz Vilela faz uso desse recurso no conto que abre este capítulo, "Eu estava ali deitado".)

Refere-se à livre associação de ideias.

"Este livro sou eu"

Embora não fossem poucos os críticos que associavam a literatura de Clarice Lispector à de Virginia Woolf e à filosofia existencialista de Jean-Paul Sartre, a autora ucraniano-brasileira costumava negar essa influência. Entretanto, apaixonada pela literatura da neozelandesa Katherine Mansfield (1888-1923), Clarice teria dito, depois de ler a obra *Felicidade*: "Este livro sou eu".

REPRODUÇÃO

Capa do livro *Felicidade*, de Katherine Mansfield.

Numa das obras mais radicais e complexas de Clarice, *A paixão segundo GH* — primeiro romance dela escrito em primeira pessoa —, o leitor é convidado a mergulhar no fluxo de consciência da protagonista. Publicado numa época difícil para o Brasil, 1964, o livro trata de uma dona de casa de classe média-alta, escultora (a GH do título), que rompeu recentemente um relacionamento e se depara com a solidão e o vazio.

Ano do golpe militar que depôs João Goulart e inseriu o país num clima de autoritarismo e censura.

Resolvida a começar a limpeza da casa pelo quarto de Janair, empregada recém-desligada, GH se surpreende com a presença de uma "barata grossa" que sai do fundo de um armário e a desafia.

Em princípio, esses seres se opõem radicalmente: de um lado, encontra-se o inseto (grotesco, primitivo, repugnante); de outro, GH (humana, mulher, refinada). Depois, haverá uma série de movimentos de atração e repulsa, aproximação e distanciamento entre GH e a barata. Nesse encontro, a protagonista mergulha numa busca íntima e desordenada e tenta relatar o que, segundo ela, "não é relatável".

Leia os parágrafos iniciais desse romance clariciano e atente para o fluxo de consciência criado pela autora na tentativa de reproduzir a confusão vivida pela protagonista. Depois, responda ao que se pede.

— — — — — — estou procurando, estou procurando. Estou tentando entender. Tentando dar a alguém o que vivi e não sei a quem, mas não quero ficar com o que vivi. Não sei o que fazer do que vivi, tenho medo dessa desorganização profunda. Não confio no que me aconteceu. Aconteceu-me alguma coisa que eu, pelo fato de não a saber como viver, vivi uma outra? A isso quereria chamar desorganização, e teria a segurança de me aventurar, porque saberia depois para onde voltar: para a organização anterior. A isso prefiro chamar desorganização pois não quero me confirmar no que vivi — na confirmação de mim eu perderia o mundo como eu o tinha, e sei que não tenho capacidade para outro.

[...]

Perdi alguma coisa que me era essencial, e que já não me é mais. Não me é necessária, assim como se eu tivesse perdido uma terceira perna que até então me impossibilitava de andar mas que fazia de mim um tripé estável.

Essa terceira perna eu perdi. E voltei a ser uma pessoa que nunca fui. Voltei a ter o que nunca tive: apenas as duas pernas. Sei que somente com duas pernas é que posso caminhar. Mas a ausência inútil da terceira me faz falta e me assusta, era ela que fazia de mim uma coisa encontrável por mim mesma, e sem sequer precisar me procurar.

[...]

LISPECTOR, Clarice. *A paixão segundo GH*. 4. ed. Rio de Janeiro: José Olympio, 1974. p. 7-8. (Fragmento).

- Sabendo que o travessão é uma marca que indica diálogo, levante hipóteses: por que no romance *A paixão segundo GH* ele aparece seis vezes, em sequência, no início da narrativa? Que efeito expressivo tem esse recurso?

Investigue em
- **História**
- **Filosofia**
- **Sociologia**

De que maneira a trajetória de Clarice, que chegou a ser acusada de burguesa e alienada, está associada à do cartunista Henfil, integrante do combativo semanário *O Pasquim*, veículo que se opunha à ditadura militar?

ProvocAÇÃO

No segundo parágrafo, GH faz uma afirmação: depois da experiência de "desorganização" por que passou diante da barata, falta-lhe agora uma "terceira perna", membro de que, apesar de inútil, ela sente falta. Analise essa fala da narradora, discuta com seus colegas e explique o que poderia significar a metáfora da terceira perna.

Uma literatura de epifanias

Você já entrou no mar de uma praia vazia? Qual foi a sensação? É o que Lóri, do romance *Uma aprendizagem ou O livro dos prazeres*, decide fazer, às seis horas da manhã. Leia outra passagem dessa obra de Clarice Lispector:

Aí estava o mar, a mais ininteligível das existências não humanas.

[...]

Lóri olhava o mar, era o que podia fazer. Ele só lhe era delimitado pela linha do horizonte, isto é, pela sua incapacidade humana de ver a curvatura da terra.

Deviam ser seis horas da manhã. O cão livre hesitava na praia, o cão negro. Por que é que um cão é tão livre? Porque ele é o mistério vivo que não se indaga. A mulher hesita porque vai entrar.

[...]

Vai entrando. A água salgadíssima é de um frio que lhe arrepia e agride em ritual as pernas.

Mas uma alegria fatal — a alegria é uma fatalidade — já a tomou, embora nem lhe ocorra sorrir. Pelo contrário, está muito séria. O cheiro é de uma maresia tonteante que a desperta de seu mais adormecido sono secular.

E agora está alerta, mesmo sem pensar, como um pescador está alerta sem pensar. A mulher é agora uma compacta e uma leve e uma aguda — e abre caminho na gelidez que, líquida, se opõe a ela, e no entanto a deixa entrar, como no amor em que a oposição pode ser um pedido secreto.

O caminho lento aumenta sua coragem secreta — e de repente ela se deixa cobrir pela primeira onda! O sal, o iodo, tudo líquido deixam-na por uns instantes cega, toda escorrendo — espantada de pé, fertilizada.

Agora que o corpo todo está molhado e dos cabelos escorre água, agora o frio se transforma em frígido. Avançando, ela abre as águas do mundo pelo meio.

NAVEGUE

Acesse o *site* especial sobre Clarice Lispector e conheça suas obras: <http://claricelispectorims.com.br/>.

Já não precisa de coragem, agora já é antiga no ritual retomado que abandonara há milênios. Abaixa a cabeça dentro do brilho do mar, e retira uma cabeleira que sai escorrendo toda sobre os olhos salgados que ardem. Brinca com a mão na água, pausada, os cabelos ao sol quase imediatamente já estão se endurecendo de sal. Com a concha das mãos e com a altivez dos que nunca darão explicação nem a eles mesmos: com a concha das mãos cheias de água, bebe-a em goles grandes, bons para a saúde de um corpo.

LISPECTOR, Clarice. *Uma aprendizagem ou O livro dos prazeres*. Rio de Janeiro: Rocco, 1998. p. 78-79. (Fragmento).

NAVEGUE

Assista a uma entrevista histórica concedida por Clarice a Júlio Lerner, em 1977. <http://cmais.com.br/panorama-com-clarice-lispector>.

Responda às questões oralmente.

1 Que múltiplas sensações vividas por Lóri em seu contato com o mar lhe dão a "alegria fatal" a que se refere o narrador?

2 Que figura de linguagem garante maior expressividade ao que é descrito pelo narrador? Justifique sua resposta.

3 Você já teve uma sensação semelhante à vivida por Lóri? Explique.

Você observou que, no fragmento, Lóri interrompe sua rotina da manhã para experimentar instantes em que o mundo, momentaneamente, parece ganhar outra dimensão? Momentos como esses, chamados de **epifanias** (ver definição no parágrafo seguinte), são comuns na literatura de Clarice. O mar (como você viu), a feira livre, o Jardim Botânico, a visão de uma ferida exposta na perna de um homem podem transformar-se em momentos epifânicos.

Essas epifanias aparecem, respectivamente, no romance *Uma aprendizagem ou O livro dos prazeres* e nos contos "Amor" e "A bela e a fera ou A ferida grande demais".

No sentido místico-religioso, *epifania* (do grego *ephiphaneia*, "aparição", "manifestação") refere-se ao surgimento de Deus perante os olhos humanos. No sentido literário, diz respeito a um momento de êxtase, de revelação, uma visão que "gostaríamos de prender entre os dedos", um estado de graça (**epifania positiva**). Pode também referir-se a um momento em que se sente náusea, tédio ou mal-estar diante de uma imagem incômoda, perturbadora (**epifania negativa**, **crítica** ou **corrosiva**), como um homem comendo vorazmente, como um animal, um pedaço de carne num restaurante, uma "barata grossa" esmagada ou uma mesa com restos de comida.

Epifanias negativas exploradas, respectivamente, em "O jantar", *A paixão segundo GH* e "Feliz aniversário".

Clarice e seus leitores

Numa época em que faz sucesso a chamada literatura de autoajuda, feita para apaziguar a dor dos leitores, ensinando-lhes fórmulas para o bem viver, talvez a obra de Clarice Lispector cause estranhamento. Suas narrativas costumam despertar sentimentos incômodos como perplexidade e inquietação.

Clarice não ignora ou abandona seus leitores; ao contrário, a ucraniana sempre esperou deles cumplicidade e coragem para um enfrentamento. No prefácio de *A paixão segundo GH*, a autora sugere que o romance seja lido somente "por pessoas de alma já formada. Aquelas que sabem que a aproximação, do que quer que seja, se faz gradualmente e penosamente — atravessando inclusive o oposto daquilo de que se vai aproximar".

Lispector nunca fez questão de produzir uma literatura que estivesse a serviço do mercado editorial, até talvez por isso tenha sempre insistido na ideia de que sua escrita não era profissional. "Sempre fiz questão de ser uma amadora" afirma a autora numa antológica entrevista concedida ao jornalista Júlio Lerner, em 1977, na TV Cultura.

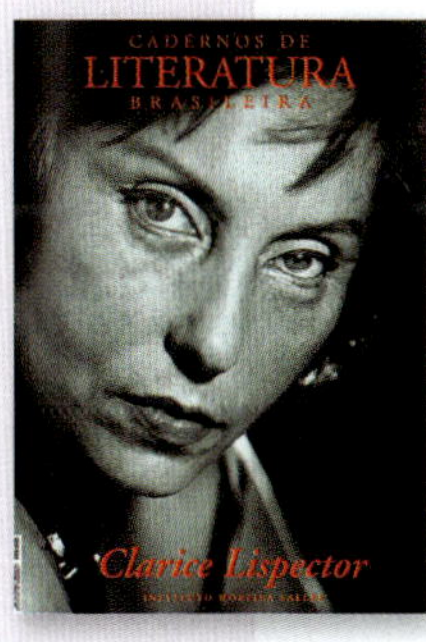

REPRODUÇÃO/INSTITUTO MOREIRA SALLES

Capa do livro *Cadernos de literatura brasileira: Clarice Lispector*.

⊙ *A hora da estrela*: três narrativas

Em 1977, Clarice lança seu último romance, *A hora da estrela*. A autora surpreende o público porque, em lugar de abordar, como comumente fazia, suas mulheres de classe média, letradas, urbanas, preocupadas com a investigação de seus papéis femininos — GH, Lóri, Virgínia de *O lustre* (1946), Lucrécia de *A cidade sitiada* (1949), entre outras —, ela se lança ao desafio de narrar a vida de Macabéa, moça pobre que sai de Alagoas em busca de outra vida em "uma cidade feita toda contra ela", o Rio de Janeiro.

Clarice incumbe um narrador, o escritor marginalizado Rodrigo S.M., de contar as "fracas aventuras" de uma jovem desnutrida, semianalfabeta, moradora de um precário cortiço na rua do Acre, que tenta (inutilmente) namorar um outro nordestino, o ambicioso metalúrgico Olímpico de Jesus. É Glória, uma colega que trabalha com Macabéa num decadente escritório, que a aconselhará a consultar uma ex-prostituta, a cartomante Madama Carlota, a fim de que possa lhe revelar seu óbvio futuro.

Três camadas se superpõem em *A hora da estrela*: a narração da vida de Macabéa, a narração dos conflitos vividos pelo narrador, e a discussão metalinguística acerca do próprio ato de narrar. Na seção **Atividades: entre textos**, você lerá uma passagem desse romance.

NAVEGUE

No programa *Cena aberta*, os episódios traziam a interpretação ficcional de uma obra misturada a um documentário sobre a produção do próprio episódio. Leia o roteiro baseado em *A hora da estrela*, escrito por Jorge Furtado e Guel Arraes, em: <http://www.casacinepoa.com.br/os-filmes/roteiros/hora-da-estrela>.

REPRODUÇÃO

Cartaz do filme *A hora da estrela*. Brasil, 1985.

Clarice contista

Clarice Lispector é considerada uma das contistas mais importantes das letras nacionais. A pequena extensão característica do gênero conto e a consequente inquietação instantânea que ele causa nos leitores talvez expliquem por que parte da crítica defende que é no conto que Clarice melhor se sai como autora. Destacam-se da produção da escritora os contos "Amor", "A imitação da rosa", "Felicidade clandestina", "Feliz aniversário", "Legião estrangeira", "A bela e a fera ou A ferida grande demais" e "Perdoando Deus".

Guimarães Rosa: um sertão feito de palavras

Qual é o limite entre o que pertence à tradição popular (relativa aos causos, contos, cantigas, etc.) e o que está ligado ao universo da literatura escrita? Você estudará um autor que, definitivamente, derrubou os preconceitos que separam o mundo simples do sertão daquele de seus leitores eruditos.

Guimarães Rosa (1908-1967) nasceu em Cordisburgo (MG) e sempre foi apaixonado pelos causos contados pelos vaqueiros com quem conviveu na infância. Desde muito cedo, interessou-se pelo estudo de línguas. Falava inglês, francês, alemão, espanhol e italiano, além de ler com certa fluência russo, holandês, sueco, latim e grego.

Guimarães Rosa, na visão do cartunista Manohead. 2013.

Inicialmente, o autor trabalhou como médico no município mineiro de Itaguara, atendendo à população simples e rústica, depois ingressou no Itamaraty, onde fez carreira diplomática, chegando a embaixador. Serviu na Alemanha, na Colômbia e na França. Em 1963, foi eleito para a Academia Brasileira de Letras, mas, como era supersticioso, adiou sua posse várias vezes. Em 1967, apenas três dias depois de ocupar sua cadeira na ABL, o escritor morreu.

Rosa é um dos autores mais inventivos da literatura brasileira. Em sua obra, apresentou ao leitor um sertão mágico e mítico nunca visto antes. Sua estreia como escritor se deu com a publicação do livro de contos *Sagarana*, em 1946. Depois do lançamento dessa coletânea, não publicou nada por dez anos, até surgir, em 1956, com dois títulos ao mesmo tempo: o livro de novelas *Corpo de baile* e o romance *Grande sertão: veredas*, este último considerado revolucionário pela crítica brasileira.

Corpo de baile é publicado atualmente em três partes: Manuelzão e Miguilim; No Urubuquaquá, no Pinhém; e Noites do sertão.

⊙ A reinvenção do regionalismo

Guimarães Rosa atribuiu outra "cor" à prosa regionalista brasileira. Retomou e subverteu as propostas de autores consagrados que você já conhece, como Graciliano Ramos, Rachel de Queiroz, Jorge Amado e Erico Verissimo. Recuperou e radicalizou o traço experimental da segunda fase modernista, sobretudo no plano da expressão e da inovação da linguagem, e deu uma nova dimensão ao regionalismo brasileiro, criando um sertão imaginário, reinventado por meio da linguagem.

Em sua literatura, o autor mineiro associou temáticas filosóficas e **metafísicas** a uma série de experimentações formais, atribuindo a sua obra uma conotação universalista. Incorporou a seus textos as tradições mais diversas: o pensamento de filósofos como Heráclito, Platão e Plotino; os *Vedas* (base do sistema de escrituras sagradas do hinduísmo); a *Bíblia*; a filosofia intuicionista de Henri Bergson; o taoismo de Lao Tsé; o racionalismo de Ernest Renan; os causos contados pelos sertanejos de sua terra; a mitologia grega; *A divina comédia*, de Dante; a *Ilíada* e a *Odisseia*, de Homero; as fábulas do francês La Fontaine; os contos de fadas europeus; etc.

Todo esse sincretismo (mistura de concepções heterogêneas) se manifesta concretamente na obra de Rosa por meio de uma linguagem recheada de neologismos e pela incessante pesquisa linguística do autor em busca da *língua real* do povo mineiro, com ênfase na reprodução da rica sonoridade da fala. Em suas narrativas epifânicas, os personagens vivem, aprendem e ascendem espiritualmente quando se deparam com as "verdades" da vida. A literatura de Guimarães Rosa é um "convite" (sedutor) aos leitores a participar de um mundo mítico e desconhecido, mas, ao mesmo tempo, cheio de amores, medos, ódios, morte e vida, temas tão comuns ao homem de qualquer espaço e tempo.

PARA LEMBRAR

A área da Filosofia denominada metafísica utiliza a razão (e não a religião) para investigar questões cujo objeto são realidades imateriais (Deus, alma, sentido da vida e da morte, etc.). O termo tem origem grega (*meta*: além de; *física/physis*: natureza ou físico).

SAIBA MAIS!

- Como Rosa buscava expressar em sua obra a *língua real* do sertanejo mineiro, procure ler a literatura desse autor pós-modernista em voz alta, em conjunto com seus amigos. Você verá como a compreensão do que lê ficará facilitada.

NAVEGUE

Faça um *tour* virtual ao Museu Casa de Guimarães Rosa, localizado na cidade natal do escritor: <http://www.eravirtual.org/rosa_br>.

O autor mineiro procurou investigar os mistérios do mundo, como ele próprio confirma em carta remetida a seu tradutor para o alemão, Curt Meyer-Clason: "[...] os meus livros são simples tentativas de rodear e devassar um pouquinho o mistério cósmico, esta coisa movente impossível, perturbante, rebelde a qualquer lógica, que é chamada realidade, que é a gente mesmo, o mundo, a vida. Antes o óbvio, que o frouxo. Toda a lógica contém inevitável dose de mistificação".

⊙ Poucas obras, muitas histórias

Apesar de Rosa ser considerado um dos grandes escritores brasileiros do século XX, sua produção não é extensa. Seu cuidado e sua quase obsessão com as versões finais de suas obras não lhe permitiram publicar muito ao longo da vida.

O título do livro de estreia de Guimarães Rosa, *Sagarana*, remete-nos de imediato a um dos processos de invenção de palavras mais característicos do escritor: o **hibridismo**. *Saga* é um radical de origem germânica e significa "canto heroico", "lenda", "fábula"; *rana* tem origem tupi e quer dizer "à maneira de". Assim, o título *Sagarana* sugere que se trata de um livro à *maneira* das fábulas, isto é, que contém histórias semelhantes a lendas ou fábulas, com ensinamentos diretos ou indiretos ao leitor.

PARA LEMBRAR

Hibridismo: processo de formação de palavras a partir de elementos de origens diferentes.

Na coletânea *Primeiras estórias* (1962), os temas da loucura, do amor, da paranormalidade, da infância, da violência e do misticismo são explorados em 21 contos. Destacam-se as narrativas curtas "Famigerado", "A terceira margem do rio", "Sorôco, sua mãe, sua filha", "A menina de lá", "Pirlimpsiquice" e "O espelho". Na novela *Campo geral*, Rosa mostra o mundo filtrado pela visão do menino Miguilim, morador do Mutum.

PHOTO12/ARCHIVES DU 7EME ART/AFP PHOTO

Cena do filme *Mutum*, baseado na obra de Guimarães Rosa. Dirigido por Sandra Kogut. Brasil/França, 2007.

O conto que você lerá a seguir foi retirado da coletânea póstuma *Ave, palavra* (1970), que reúne textos publicados pelo autor em revistas e jornais entre 1947 e 1967. Guimarães Rosa chamou esses textos (contos, poemas, trechos de diários, reportagens, reflexões filosóficas, etc.) de "miscelânea". Nessa coletânea, encontramos um Rosa múltiplo, com narrativas sobre o sertão, outras sobre a Europa e, ainda, histórias urbanas que poderiam se passar em qualquer cidade do mundo. Um pequeno fragmento do conto "Fita verde no cabelo", transcrito na íntegra abaixo, você já conheceu no início desta obra. Agora, poderá ler o texto todo e se encantar com o universo desse escritor mineiro.

NAVEGUE

Assista a uma encenação de fragmento do conto "Famigerado", seguida de uma brincadeira investigativa sobre a dúvida central do conto — o significado desse termo: <http://tvcultura.cmais.com.br/nossalingua/videos/csi-nl-cmais-4>.

Fita verde no cabelo

(Nova velha estória)

Havia uma aldeia em algum lugar, nem maior nem menor, com velhos e velhas que velhavam, homens e mulheres que esperavam, e meninos e meninas que nasciam e cresciam. Todos com juízo, suficientemente, menos uma meninazinha, a que por enquanto. Aquela, um dia, saiu de lá, com uma fita verde inventada no cabelo.

Sua mãe mandara-a, com um cesto e um pote, à avó, que a amava, a uma outra e quase igualzinha aldeia. Fita Verde partiu, sobre logo, ela a linda, tudo era uma vez. O pote continha um doce em calda, e o cesto estava vazio, que para buscar framboesas.

Daí, que, indo no atravessar o bosque, viu só os lenhadores, que por lá lenhavam; mas o lobo nenhum, desconhecido nem peludo. Pois os lenhadores tinham exterminado o lobo. Então, ela, mesma, era quem se dizia: "*Vou à vovó, com cesto e pote, e a fita verde no cabelo, o tanto que a mamãe me mandou.*" A aldeia e a casa esperando-a acolá, depois daquele moinho, que a gente pensa que vê, e das horas, que a gente não vê que não são.

E ela mesma resolveu escolher tomar este caminho de cá, louco e longo e não o outro, encurtoso. Saiu, atrás de suas asas ligeiras, sua sombra também vindo-lhe correndo, em pós. Divertia-se com ver as avelãs do chão não voarem, com inalcançar essas borboletas nunca em buquê nem em botão, e com ignorar se cada uma em seu lugar as **plebeiinhas** flores, princesinhas e incomuns, quando a gente tanto passa por elas passa. Vinha **sobejadamente**.

Demorou, para dar com a avó em casa, que assim lhe respondeu, quando ela, toque, toque, bateu:

— "*Quem é?*"

— "*Sou eu...*" — e Fita Verde descansou a voz. — "*Sou sua linda netinha, com cesto e com pote, com a fita verde no cabelo, que a mamãe me mandou.*"

NAVEGUE

Leia "A terceira margem do rio" em: <http://www.releituras.com/guimarosa_margem.asp>.

Plebeiinhas: comuns, não nobres.

Sobejadamente: exuberantemente.

Vai, a avó difícil, disse: — *"Puxa o* **ferrolho** *de pau da porta, entra e abre. Deus a abençoe."*

Fita Verde assim fez, e entrou e olhou.

A avó estava na cama, **rebuçada** e só. Devia, para falar agagado e fraco e rouco, assim, de ter apanhado um ruim **defluxo**. Dizendo: — *"Depõe o pote e o cesto na arca, e vem para perto de mim, enquanto é tempo."*

Mas agora Fita Verde se espantava, além de entristecer-se de ver que perdera em caminho sua grande fita verde no cabelo atada; e estava suada, com enorme fome de almoço. Ela perguntou:

— *"Vovozinha, que braços tão magros, os seus, e que mãos tão trementes!"*

— *"É porque não vou poder nunca mais te abraçar, minha neta..."* — a avó murmurou.

— *"Vovozinha, mas que lábios, ai, tão arroxeados!"*

— *"É porque não vou nunca mais poder te beijar, minha neta..."* — a avó suspirou.

— *"Vovozinha, e que olhos tão fundos e parados, nesse rosto* **encovado**, *pálido?"*

— *"É porque já não estou te vendo, nunca mais, minha netinha..."* — a avó ainda gemeu.

Fita Verde mais se assustou, como se fosse ter juízo pela primeira vez.

Gritou: — *"Vovozinha, eu tenho medo do Lobo!..."*

Mas a avó não estava mais lá, sendo que demasiado ausente, a não ser pelo frio, triste e tão repentino corpo.

ROSA, João Guimarães. Fita verde no cabelo. *Ave, palavra*. 5. ed. Rio de Janeiro: Nova Fronteira, 2001. p. 114-116.

Ferrolho: tranca.

Rebuçada: encoberta, ocultada.

Defluxo: coriza, resfriado.

Encovado: magro, abatido.

Responda às questões em seu caderno.

1 Que semelhanças há entre a informação fornecida acerca da localização da aldeia de Fita Verde e a dos espaços presentes nos contos de fadas?

2 Releia o terceiro parágrafo do texto. Que elemento presente nele diferencia radicalmente "Fita verde no cabelo" de "Chapeuzinho Vermelho"? Que função tem essa mudança para a construção de sentido do texto?

3 Em relação às perguntas feitas por Fita Verde:

a) Em que elas se parecem com aquelas feitas por Chapeuzinho Vermelho do conto tradicional?

b) Quem é o interlocutor de Chapeuzinho Vermelho? E o de Fita Verde?

c) No conto de fadas, as questões reforçam o caráter de fantasia do texto. O lobo fala e pensa como um ser humano. Explique como as questões feitas por Fita Verde colaboram para distanciar o conto de Guimarães Rosa do universo dos contos de fadas tradicionais.

4 Reflita sobre a linguagem utilizada por Guimarães Rosa para construir o conto que você leu. O que chamou sua atenção?

5 A literatura de Guimarães Rosa é caracterizada pela presença frequente de neologismos.

a) Releia o conto e transcreva alguns neologismos criados por Rosa.

b) O que você acha que eles significam? Leve em conta o contexto em que estão empregados.

NAVEGUE

Assista a um fragmento da revolucionária peça teatral *Nova velha estória* (1991), de Antunes Filho (CPT), baseada no conto "Chapeuzinho Vermelho": <http://www.sescsp.org.br/sesc/hotsites/cpt_novo/areas.cfm?cod=4&esp=10>.

PARA LEMBRAR

Neologismo: criação de novas palavras derivadas de outras já existentes ou atribuição de novos significados a estas últimas.

ProvocAÇÃO

No penúltimo parágrafo do conto, Fita Verde grita: "Vovozinha, eu tenho medo do Lobo!...". O que poderia significar esse "Lobo", já que não há esse personagem no conto de Guimarães Rosa?

Observe como em "Fita verde no cabelo", conto que tem como subtítulo o sugestivo "Nova velha estória", Guimarães Rosa faz uso da tradição oral (a *velha* estória, extraída da herança dos contos de fadas) para recriá-la e ressignificá-la, transformando o conhecimento popular em criação literária (a *nova* estória). Note que a história de Fita Verde — diferentemente da de Chapeuzinho Vermelho — é estruturada a partir de elementos "realistas": a tradição mineira do doce em calda que a menina leva para sua avó, o extermínio do lobo, o suor e a fome da menina depois de realizar o percurso até a casa da avó e, acima de tudo, a morte da avó (uma das mais inquietantes questões metafísicas humanas). Entretanto — como é comum na literatura de Rosa —, convive com essas marcas realistas outro universo, o do "mistério cósmico" (usando as palavras do autor), sugerido, em "Fita verde no cabelo", pela aldeia incerta em que vive uma menina; pelo fabular tempo do "era uma vez"; pelo "moinho, que a gente pensa que vê, e das horas, que a gente não vê que não são"; pelo caminho mágico das avelãs, borboletas, "plebeiinhas flores, princesinhas e incomuns" por que passa a menina sem juízo até alcançar a aldeia da avó.

Rosa diferencia "estória" de "história". A primeira seria a narrativa de lendas, contos, causos, ficção, literatura.

⊙ *Grande sertão: veredas* – uma nova dimensão do romance

Com *Grande sertão: veredas* — único romance publicado por Guimarães Rosa —, a narrativa atinge um grau de sofisticação inédito na literatura brasileira. A história é narrada pelo ex-jagunço e atual fazendeiro Riobaldo e se dirige a um interlocutor letrado e culto que não toma a palavra nenhuma vez no romance, embora haja marcas de sua presença. O narrador-personagem relata sua "travessia" pelo sertão, sua dúvida sobre a existência do diabo, com quem teria estabelecido um pacto para vencer o poderoso jagunço Hermógenes, e sua perturbadora paixão pelo ambíguo companheiro Diadorim (na verdade, uma mulher).

MARCELO PRATES/AGÊNCIA O GLOBO

Cena da minissérie televisiva *Grande sertão: veredas*, baseada na obra homônima de Guimarães Rosa, produzida e exibida pela Rede Globo em 1985, com direção de Walter Avancini.

Leia agora uma passagem de *Grande sertão: veredas*, em que Riobaldo filosofa, à sua maneira, sobre o poder de Deus e a beleza da constante transformação humana.

Material complementar
• Atividade: *Grande sertão: veredas*, Guimarães Rosa (I)

[...]

O senhor... Mire e veja: o mais importante e bonito, do mundo, é isto: que as pessoas não estão sempre iguais, ainda não foram terminadas — mas que elas vão sempre mudando. Afinam ou desafinam. Verdade maior. É o que a vida me ensinou. Isso que me alegra, montão. E, outra coisa: o diabo, é às brutas; mas Deus é traiçoeiro! Ah, uma beleza de traiçoeiro — dá gosto! A força dele, quando quer — moço! — me dá o medo pavor! Deus vem vindo: ninguém não vê. Ele faz é na lei do mansinho — assim é o milagre. E Deus ataca bonito, se divertindo, se economiza. A pois: um dia, num **curtume**, a faquinha minha

Curtume: lugar onde se faz o tratamento do couro.

que eu tinha caiu dentro dum tanque, só caldo de casca de curtir, **barbatimão, angico**, lá sei. — "Amanhã eu tiro..." — falei, comigo. Porque era de noite, luz nenhuma eu não disputava. Ah, então, saiba: no outro dia, cedo, a faca, o ferro dela, estava sido roído, quase por metade, por aquela aguinha escura, toda quieta. Deixei, para mais ver.

Estala, espoleta! Sabe o que foi? Pois, nessa mesma da tarde, aí: da faquinha só se achava o cabo... O cabo — por não ser de frio metal, mas de chifre de galheiro. Aí está: Deus... Bem, o senhor ouviu, o que ouviu sabe, o que sabe me entende...

[...]

ROSA, João Guimarães. *Grande sertão: veredas*. Rio de Janeiro: Nova Fronteira, 2001. p. 39. (Fragmento).

NAVEGUE

Assista à interpretação do ator e diretor Antônio Abujamra de um trecho de *Grande sertão* em: <http://tvcultura.cmais.com.br/provocacoes/pgm-600-viver-e-muito-perigoso-22-01-2013>.

Barbatimão e angico: árvores típicas do cerrado.

Responda às questões no caderno.

1 Que diferença Riobaldo estabelece entre Deus e o diabo?

2 Em geral, o senso comum atribui ao diabo o papel de traiçoeiro. Explique de que maneira Riobaldo subverte essa crença.

3 Que recurso Riobaldo utiliza para comprovar o poder sutil e traiçoeiro que ele atribui a Deus?

Material complementar
- Atividade: *Grande sertão: veredas*, Guimarães Rosa (II)

ProvocAÇÃO

Você concorda com Riobaldo quando este defende que "o mais importante e bonito, do mundo, é isto: que as pessoas não estão sempre iguais, ainda não foram terminadas — mas que elas vão sempre mudando. Afinam ou desafinam"? Agora que está finalizando o Ensino Médio, percebe que algo mudou em você? O quê?

NAVEGUE

Assista ao *trailer* do "docudrama" *Sertão veredas*, dirigido por Willy Biondani. <http://www.bossanovafilms.com.br/portifolio/sertao-veredas>.

Atividades: Entre textos

Você lerá dois textos a seguir. O primeiro deles compõe uma das passagens iniciais de *A hora da estrela*, de Clarice Lispector. Atente para as reflexões do narrador Rodrigo S.M. sobre a literatura e a história que irá contar. O segundo texto, retirado do capítulo "Fuga", é o parágrafo final de *Vidas secas*, de Graciliano Ramos.

Texto 1

[...]

Proponho-me a que não seja complexo o que escreverei, embora obrigado a usar palavras que vos sustentam. A história — determino com falso **livre-arbítrio** — vai ter uns sete personagens e eu sou um dos mais importantes deles, é claro. Eu, Rodrigo S.M. Relato antigo, este, pois não quero ser modernoso e inventar modismos **à guisa** de originalidade. Assim é que experimentarei contra os meus hábitos uma história com começo, meio e — "**gran finale**" seguido de silêncio e de chuva caindo.

Livre-arbítrio: possibilidade de decidir sem motivo ou causa determinante.

À guisa: à maneira, ao modo.

***Gran finale*:** do italiano, "grande final".

História exterior e explícita, sim, mas que contém segredos — a começar por um dos títulos, "Quanto ao futuro", que é precedido por um ponto final e seguido de outro ponto final. Não se trata de capricho meu — no fim talvez se entenda a necessidade do delimitado. (Mal e mal vislumbro o final que, se minha pobreza permitir, quero que seja grandioso.) Se em vez de ponto fosse seguido por reticências o título ficaria aberto a possíveis imaginações vossas, porventura até **malsãs** e sem piedade. Bem, é verdade que também eu não tenho piedade do meu personagem principal, a nordestina: é um relato que desejo frio. Mas tenho o direito de ser dolorosamente frio, e não vós. Por tudo isto é que não vos dou a vez. Não se trata apenas de narrativa, é antes de tudo vida primária que respira, respira, respira. Material poroso, um dia viverei aqui a vida de uma molécula com seu estrondo possível de átomos. O que escrevo é mais do que invenção, é minha obrigação contar sobre essa moça entre milhares delas. E dever meu, nem que seja de pouca arte, o de revelar-lhe a vida.

Porque há o direito ao grito.

Então eu grito.

Grito puro e sem pedir esmola. Sei que há moças que vendem o corpo, única posse real, em troca de um bom jantar em vez de um sanduíche de mortadela. Mas a pessoa de quem falarei mal tem corpo para vender, ninguém a quer, ela é virgem e **inócua**, não faz falta a ninguém. Aliás — descubro eu agora — eu também não faço a menor falta, e até o que escrevo um outro escreveria. [...]

Como a nordestina, há milhares de moças espalhadas por cortiços, vagas de cama num quarto, atrás de balcões trabalhando até a estafa. Não notam sequer que são facilmente substituíveis e que tanto existiram como não existiriam. Poucas se queixam e ao que eu saiba nenhuma reclama por não saber a quem. Esse quem será que existe?

[...]

LISPECTOR, Clarice. *A hora da estrela*. Rio de Janeiro: Rocco, 2006. p. 11-12. (Fragmento).

Malsãs: maléficas.
Inócua: inofensiva.

Texto 2

[...]

Não sentia a espingarda, o saco, as pedras miúdas que lhe entravam nas alpercatas, o cheiro de carniças que empestavam o caminho. As palavras de Sinha Vitória encantavam-no. Iriam para diante, alcançariam uma terra desconhecida. Fabiano estava contente e acreditava nessa terra, porque não sabia como ela era nem onde era. Repetia docilmente as palavras de Sinha Vitória, as palavras que Sinhá Vitória murmurava porque tinha confiança nele. E andavam para o Sul, metidos naquele sonho. Uma cidade grande, cheia de pessoas fortes. Os meninos em escolas, aprendendo coisas difíceis e necessárias. Eles dois velhinhos, acabando-se como uns cachorros, inúteis, acabando-se como Baleia. Que iriam fazer? Retardaram-se temerosos. Chegariam a uma terra desconhecida e civilizada, ficariam presos nela. E o sertão continuaria a mandar gente para lá. O sertão mandaria para a cidade homens fortes, brutos, como Fabiano, Sinha Vitória e os dois meninos.

RAMOS, Graciliano. *Vidas secas*. 65. ed. Rio de Janeiro / São Paulo: Record, 1994. p. 126. (Fragmento).

Responda às questões em seu caderno.

1 A leitura do primeiro parágrafo do texto 1 nos permite inferir duas coisas sobre o escritor (e narrador) Rodrigo S.M.: uma relacionada ao próprio ato de narrar (atente para a expressão "falso livre-arbítrio") e outra relativa ao estilo que ele possui e que nos informa que abandonará na narrativa de Macabéa.

a) Explique essa afirmação.

b) Alguns críticos apontam que Rodrigo S.M. é, na verdade, um *alter ego* (personagem que expressa a personalidade do próprio autor) de Clarice Lispector. Que elemento presente no primeiro parágrafo confirmaria essa hipótese?

c) Se aceitarmos como correta a hipótese exposta acima, podemos pensar na ideia de que Clarice Lispector assume um compromisso social ao contar a história de Macabéa, ao contrário do que alguns críticos politicamente mais engajados acusavam a escritora de não fazer? Releia o segundo parágrafo para responder.

2 O romance *A hora da estrela* possui treze títulos, entre os quais "Ela que se arranje" e "Ela não sabe gritar".

a) No segundo parágrafo, Rodrigo S.M. explica que há uma diferença entre um título como o que ele escolheu ("Quanto ao futuro"), precedido de um ponto-final e seguido de outro, e o que poderia ter escolhido: esse mesmo título, só que seguido de reticências. Que diferença seria essa? Levante hipóteses.

b) "O direito ao grito" é outro dos treze títulos de *A hora da estrela*. Relacione-o ao papel do escritor Rodrigo S.M. e à condição da personagem Macabéa.

3 Em relação ao texto 2:

a) A que "terra desconhecida" se refere o narrador de *Vidas secas*?

b) O que representa para Fabiano, Sinha Vitória e os meninos essa "terra desconhecida"?

c) Que função, segundo o texto, seria atribuída ao sertão pelas pessoas da "terra desconhecida"?

4 Que relação se pode estabelecer entre o que os narradores escrevem no texto 2 e no último parágrafo do texto 1?

5 Que ponto de vista crítico explicita Rodrigo S.M. e que, de certa forma, vai contra o sonho da família de Fabiano? Você concorda com esse ponto de vista?

O QUE VOCÊ APRENDEU NO PERCURSO DESTE CAPÍTULO

- A tendência pela pesquisa e investigação de uma linguagem que expressasse um novo mundo e a invenção marcaram a prosa pós-modernista.
- Clarice Lispector aborda em suas obras de gêneros híbridos o tema do imprevisto que inesperadamente irrompe na rotina dos personagens e os desestabiliza.
- A técnica do fluxo de consciência e as epifanias são recorrentes na obra de Clarice Lispector.
- Além dos contos, destacam-se na produção de Clarice os romances *A paixão segundo GH* e *A hora da estrela*.
- Guimarães Rosa atribuiu outra cor à prosa regionalista brasileira, retomando e subvertendo as propostas de autores consagrados.
- O autor mineiro recuperou e radicalizou o traço experimental da segunda fase modernista.
- O sertão de Guimarães Rosa é um sertão imaginário, reinventado por meio da linguagem (arcaísmos, neologismos, etc.).
- O autor buscou a língua real do mineiro, enfatizando a sonoridade da fala.
- *Sagarana*, livro de contos, marcou a estreia de Guimarães Rosa como escritor. *Grande sertão: veredas*, único romance de Rosa, é considerado revolucionário pela crítica brasileira.

Expressões

Você conheceu nesta unidade um jeito bem diferente de fazer prosa e, mais ainda, de fazer poesia. Nesta seção, vamos trabalhar com seu lado artístico mais experimental.

PROPOSTA 1

Para realizar esta proposta, você lerá três textos.

O primeiro deles é o poema concreto "Beba Coca-Cola" (1957), um dos mais conhecidos de Décio Pignatari. Por meio da crítica ao consumo do refrigerante mais popular do mundo, ele discute o poder e a influência da cultura norte-americana. Atente para a forma como o poeta "desmonta" um *slogan* e inverte seu sentido.

Texto 1

DÉCIO PIGNATARI

Texto 2

RÉGIS BONVICINO

O texto 2, *Totem* (1979), é a releitura do hipotexto de Décio Pignatari feita pelo artista Régis Bonvicino, com base na logomarca da Coca-Cola.

O texto 3, transcrito a seguir, é o poema "Tecendo a manhã", de João Cabral de Melo Neto, um dos poetas inspiradores do Concretismo.

Texto 3

Tecendo a manhã

Um galo sozinho não tece uma manhã:
ele precisará sempre de outros galos.
De um que apanhe esse grito que ele
e o lance a outro; de um outro galo
que apanhe o grito de um galo antes
e o lance a outro; e de outros galos
que com muitos outros galos se cruzem
os fios de sol de seus gritos de galo.
para que a manhã, desde uma teia tênue,
se vá tecendo, entre todos os galos.

O país do Carnaval
Toda terça
O amor acaba
Um passeio pela cidade do Rio de Janeiro
Cidade de Deus
Inferno
Asfalto selvagem
Onde estivestes de noite
No shopping
Depois que acabou
Abraçado ao meu rancor
Um beijo de Colombina

SÉRGIO RODRIGUES

PROPOSTA 2

Você já ouviu falar em poesia de lombada? Num procedimento próximo ao *ready-made* dadaísta, alguns títulos localizados nas lombadas dos livros podem formar um poema, como o exemplo acima.

Monte o seu poema de lombada! Combine com a turma que todos tragam livros de casa (ou retire-os da biblioteca de sua escola), depois organize os livros de tal forma que seus títulos se transformem em poemas. Se for possível, fotografe seu poema ou poste-o no mural da sala ou no *blog* da turma.

Investigue em Inglês

Traduza alguns poemas de lombada acessando o *site*: < http://bookriot.com/2012/10/26/the-best-of-book-spine-poetry/>.

2
E se encorpando em tela, entre todos,
se erguendo tenda, onde entrem todos,
se **entretendendo** para todos, no toldo
(a manhã) que plana livre de armação.
A manhã, toldo de um tecido tão aéreo
que, tecido, se eleva por si: luz balão.

MELO NETO, João Cabral de. In MORICONI, Italo (Org.). Os cem melhores poemas brasileiros do século. Rio de Janeiro: Objetiva, 2001. p. 151.

Entretendendo: *neologismo a partir de "entreter" e "entendendo".*

Mire-se na bela imagem criada por João Cabral e, em grupo, faça a "releitura concretista" desses versos, a exemplo do que fez Régis Bonvicino com o poema de Décio Pignatari. Use recursos *verbivocovisuais* em seu intertexto: palavras, jogos sonoros (sugerindo os "gritos" de galo, por exemplo), cores (para representar a manhã), etc. Tenha como inspiração a ideia de que um "galo sozinho não tece uma manhã", ou seja, pense que seu ano letivo já se encaminha para o final e que o sentimento de grupo deve ser fortalecido, relembrado e vivido com intensidade. Depois de pronto o poema de seu grupo, cole-o em um painel acessível a toda a escola. Reserve um espaço para que todos os alunos de sua turma possam afixar papeis falando sobre o que representa o grupo em sua história — dentro e fora da escola.

Leitura puxa leitura

Comece sua leitura por:

Grande sertão: veredas (1962), de João Guimarães Rosa

Por que ler: Considerado um dos mais importantes romances da língua portuguesa, a obra máxima de Rosa mescla aventura e reflexão. Nela, o sertão, mais do que mero cenário, transforma-se no próprio mundo. Amores, guerras, disputas, amizade são temas explorados em *Grande sertão: veredas*. Com um trabalho único de exploração e inovação da linguagem, o autor mineiro produziu uma obra-prima da literatura universal sem abrir mão das peculiaridades do interior do Brasil.

A hora da estrela (1977), de Clarice Lispector

Por que ler: Para conhecer o drama de Macabéa, uma migrante do sertão alagoano que vive no Rio de Janeiro, e a inquietante figura do narrador/escritor Rodrigo S.M.

A hora da estrela (1986), de Suzana Amaral

Por que assistir: Adaptação cinematográfica do romance de Clarice Lispector, esse filme se destaca pela premiada interpretação de Marcélia Cartaxo como Macabéa.

Corpo de baile (1956) e **Primeiras estórias** (1962), de João Guimarães Rosa

Por que ler: Essas coletâneas reúnem uma quantidade excepcional das obras-primas que Rosa produziu nos gêneros novela e conto. Destaque para "Campo geral" e "A terceira margem do rio".

Grande sertão: veredas (1985), de Walter Avancini

Por que assistir: Adaptação televisa que apresenta a vida do jagunço Riobaldo, bem como as paisagens e os costumes do sertão descrito por Guimarães Rosa.

Clarice (1999), de Ana Miranda

Por que ler: Nesse romance, Ana Miranda faz da escritora Clarice Lispector uma personagem literária tão complexa quanto seus próprios escritos.

Mrs. Dalloway (1925), de Virginia Woolf

Por que ler: Obra-prima da literatura inglesa moderna, o romance narra um dia na vida de Clarissa Dalloway por meio de uma narrativa que se assemelha à criada por Clarice Lispector.

A legião estrangeira (1964) e **Laços de família** (1960), de Clarice Lispector

Por que ler: Os contos dessas coletâneas exploram, em geral, a visão da menina ou da jovem mulher e da esposa e da dona de casa. Destaque para os contos que dão nome às coletâneas.

O ovo e a galinha (2010), de Vanessa Bruno <http://www.teatroparaalguem.com.br/peca/o_ovo_e_a_galinha>

Por que acessar: Para assistir a uma webpeça baseada no estranho e instigante conto homônimo de Clarice Lispector.

Mutum (2007), de Sandra Kogut

Por que assistir: Baseado na novela "Campo geral", esse filme faz do sertão um espaço em que a beleza e alegria se mesclam à dureza e à violência.

Vermelho amargo (2011), de Bartolomeu de Campos Queirós

Por que ler: Nesse romance escrito em prosa poética, o narrador nos dá uma visão ao mesmo tempo delicada, intimista, intensa e dolorosa de sua infância.

Circuladô (1991), de Caetano Veloso

Por que ouvir: Para ouvir "A terceira margem do rio", coautoria de Veloso e Milton Nascimento, baseada no conto homônimo e no romance *Grande sertão: veredas*.

Narradores de Javé (2003), de Eliane Caffé

Por que assistir: A escrita da história do Vale de Javé, no sertão nordestino, e os diversos "causos" relacionados a ela aproximam esse filme das narrativas roseanas.

Quantas madrugadas tem a noite (2004), de Ondjaki

Por que ler: Tanto no estilo de narração como na própria narrativa desse romance, o angolano Ondjaki deixa explícita a influência de *Grande sertão: veredas*.

Um rio chamado tempo, uma casa chamada terra (2003), de Mia Couto

Por que ler: A elaboração e inovação na linguagem e a universalidade do regional também são aspectos importantes na prosa do moçambicano Mia Couto.

UNIDADE

15

QUE ARTE LITERÁRIA SE FAZ HOJE EM LÍNGUA PORTUGUESA?

É possível atribuir nome a um mundo tão complexo e múltiplo como o nosso? Como classificar esses novos tempos, em que a lógica da globalização, a busca dos prazeres rápidos, o medo, a incerteza quanto ao futuro, a ansiedade, o narcisismo, a sensação de falta absoluta de tempo, a competição exagerada, o individualismo, a tecnologia da informação convivem com a valorização da autonomia e da liberdade individual, a flexibilidade dos costumes e a democratização da informação proporcionada pela internet?

Que arte representa este século XXI? Obras como a dos grafiteiros OsGemeos? E a arte das palavras? Que espaço ela tem nos dias de hoje, em tempos hipermodernos?

Em 2007, a convite do conde de Glasgow, os brasileiros OsGemeos, Nina Pandolfo e Nunca grafitaram um castelo escocês construído no século XIII. A vizinhança indignou-se por considerar esse trabalho um ato de vandalismo contra um patrimônio histórico medieval, opinião não compartilhada pelas dezenas de turistas que passaram a visitar o castelo para ver essa arte popular. Pichação, grafite, intervenção urbana, pintura... Afinal, o que é arte hoje?

JOHN MCKENNA/ALAMY/GLOW IMAGES

Para início de conversa

A letra de canção a seguir foi composta pela banda O Terno, que já faz parte de sua biblioteca cultural. "66" foi retirada do disco homônimo do grupo, lançado em 2012. Leia os versos e veja se você se reconhece neles.

66

Me diz meu Deus o que é que eu vou cantar
Se até cantar sobre "Me diz meu Deus o que é que eu vou cantar"
já foi cantado por alguém
E além do mais tudo o que é novo hoje em dia falam mal?

Então não sei o que eu devo fazer,
Pois se eu não posso inovar
Eu vou cantar o que já foi
E vão dizer que é nostalgia
E que esse tempo já passou
E eu tô por fora do que é novo,
Mas se é novo falam mal

E hoje faz sucesso quem faz plágio diferente
E de repente, pode até ser bem legal
Pois já fizeram coisa boa no passado
Que eu misturo como eu quero
Com mais tudo o que eu quiser

Me diz como é que eu posso escrever
Se só de fazer quatro versos
Uma métrica abstrata e invisível me aparece
Me dizendo que esse verso está comprido
E eu já devia ter parado um tempo atrás
E assim só tá piorando, olha só tá muito grande
Olha que feio, tá enorme, faz favor de terminar!

ZZVE ILLUST/EASTNINE INC./CORBIS/LATINSTOCK

Então não sei o que eu devo fazer
Pois se eu fizer bem quadradão
Vão me chamar de quadradão
Mas se eu fizer muita loucura
Vão dizer que eu tô maluco
E "desse jeito você nunca vai ser muito popular!"

Mas hoje o que toca na novela não tem graça
E vai pro rádio pra tocar mais uma vez
Então eu corro pra internet
Sou garoto antenado
E baixo o novo embalo quente
Que é de sessenta e seis
Sessenta e seis!

BERNARDES, Martim. 66. Intérprete: O Terno.
In: O TERNO. *66*. São Paulo: Estúdio DVMúsica, 2012.
1 CD. Faixa 1.

Responda às questões no caderno.

1 Em "66", o eu lírico, que é um músico, confessa seu dilema artístico.

a) Que dilema é esse, explicitado de maneira direta nas duas primeiras estrofes?

b) Na terceira estrofe, que solução, ainda que provisória, o eu lírico encontra para resolver seu dilema?

2 A canção "66" apresenta forte oralidade.

a) Que elementos típicos do discurso oral estão presentes nela?

b) Com que intenção o compositor teria utilizado esse registro?

3 Explique a oposição que o eu lírico estabelece, na quarta e na quinta estrofes, entre "uma métrica abstrata e invisível" e um jeito "quadradão" de fazer música. Use seus conhecimentos sobre os movimentos literários estudados até aqui para responder.

4 O eu lírico afirma que se "fizer muita loucura vão dizer" que ele está "maluco" e que, por isso, "nunca vai ser muito popular".

a) Explique essa ideia defendida por ele.

b) Você concorda com essa ideia? Explique seu ponto de vista.

5 Na última estrofe, de maneira bem-humorada, o eu lírico promove uma crítica e, ao mesmo tempo, encontra uma solução para seu dilema.

a) O que ele critica nas músicas que as pessoas ouvem comumente?

b) Qual é a solução encontrada para o dilema do eu lírico? E que elemento produz o humor?

NAVEGUE

Conheça os *blogs* dos grafiteiros OsGemeos e Nina Pandolfo: <http://osgemeos.com.br/> e <http://www.ninapandolfo.com.br/blog/?cat=10>.

ProvocAÇÃO

O Terno é uma banda de jovens como você. Você também vive o dilema do eu lírico de "66"? Que marca tem sua geração neste complexo mundo hipermoderno?

Na canção da banda O Terno são feitas referências a tecnologias que marcaram os mundos moderno e pós-moderno — respectivamente o rádio e a televisão (com as telenovelas) — e também a um invento que é, praticamente, símbolo dos tempos hipermodernos, a internet. Você pertence a uma geração que se comunica de uma forma muito particular e que se acostumou a conviver com a rapidez e o instantâneo. Hoje em dia, sabe-se em segundos o que ocorre em qualquer parte do planeta e, mais importante do que simplesmente ter conhecimento, pode-se opinar, organizar movimentos, criar comunidades virtuais, denunciar abusos, etc. Esse é um privilégio impensável há cinco ou seis décadas.

A modernidade foi construída com base na ideia de futuro, na crença nas ideologias (entre elas, o sonho de uma sociedade sem classes) e na ruptura com o mundo das tradições. Entretanto, as guerras, os genocídios e um certo desencanto com o "progresso" tecnológico (motivado sobretudo pela construção das bombas nucleares) contribuíram, de certa forma, para a transição da modernidade ao que se convencionou chamar de **pós-modernidade**, período marcado pelo acelerado desenvolvimento tecnológico e da mídia de massa, pelo surgimento do mundo bipolar e pelo crescimento da globalização. Na pós-modernidade, a rapidez e o acesso massificado à informação fizeram, praticamente, cair o conceito de "novidade" (tão presente nas vanguardas artísticas que consolidaram a modernidade nas artes).

Filósofos como os franceses Sébastien Charles e Gilles Lipovetsky defendem que, a partir dos anos 1980, adentramos a **hipermodernidade**. A década de 1980 foi marcada pela queda do Muro de Berlim, que assinalou o fim da Guerra Fria, do comunismo na Europa e da divisão do mundo em dois blocos antagônicos. Nesse período, o Brasil vivia um processo que o próprio governo militar definia como o de abertura política. Mas o início da redemocratização do país só foi possível em 1985, com a eleição, no Congresso Nacional, do civil Tancredo Neves para a presidência da República.

No entanto, Tancredo morreu antes de tomar posse e foi substituído por seu vice, José Sarney, em cujo governo sucessivos planos econômicos frustraram as tentativas de redução da dívida externa brasileira e dos altos índices de inflação.

Em 1989, a primeira eleição direta para a presidência da República desde 1960 levou Fernando Collor de Mello ao poder, mas seu governo foi marcado pela corrupção e por ações econômicas ineficazes, que culminaram em seu *impeachment*. Com isso, o vice Itamar Franco assumiu o cargo entre 1992 e 1994, período em que seria implantado um bem-sucedido plano econômico — o Plano Real. Tido como idealizador desse projeto, o então ministro da Fazenda, Fernando Henrique Cardoso, candidatou-se à Presidência e venceu as eleições por dois mandatos consecutivos, período em que a economia brasileira se estabilizou.

De lá para cá, o Brasil transformou-se consideravelmente, tanto em termos econômicos quanto do ponto de vista político. Após oito anos do governo Fernando Henrique, iniciou-se a presidência de Luiz Inácio Lula da Silva, ocupante do cargo por dois mandatos e capaz de eleger sua sucessora, Dilma Rousseff, o que representou um marco para a história do país, que, pela primeira vez, teve o cargo mais importante da República ocupado por uma mulher.

Diante de tantas mudanças no âmbito da organização política e econômica do país ao longo de trinta anos, a sociedade brasileira vem se transformando com rapidez, na convivência com os dilemas da trajetória da modernização. Novas demandas globais relacionadas, por exemplo, à chamada "Sociedade da Informação" recolocam constantemente aos indivíduos a necessidade e a relevância do conhecimento.

Na unidade que encerra esta obra, você terá acesso a um conjunto de textos literários em língua portuguesa produzidos contemporaneamente em países da África e da Ásia, em Portugal e no Brasil. Leia-os com atenção e procure traçar um panorama da literatura feita em seu tempo. Atente também para as atividades propostas nos capítulos, pois elas são diferentes daquelas que você realizou até agora.

CAPÍTULO 35

Literatura em língua portuguesa: um pouco da África, da Ásia e de Portugal

PERCURSO DO CAPÍTULO

- Fernando Sylvan (Timor-Leste)
- Luís Bernardo Honwana (Moçambique)
- Baltazar Lopes da Silva (Cabo Verde)
- José Saramago (Portugal): *Ensaio sobre a cegueira*
- Rui Lage: nova literatura portuguesa

CRISTINA DE MIDDEL

Com humor, na série *The Afronauts* (2012), a fotógrafa espanhola Cristina de Middel transforma em "realidade" o sonho de um professor secundário de criar um projeto espacial na Zâmbia recém-independente, em 1964. Da mesma maneira que a fotógrafa, os poetas e prosadores africanos expressam em seus versos e em sua ficção os desejos, sonhos e frustrações de um povo.

Introdução

Ondjaki, Mia Couto e Rui Knopfli são alguns dos autores africanos que já fazem parte de sua biblioteca cultural. Camões, Fernando Pessoa, Camilo Castelo Branco, Gil Vicente, Sophia de Mello Breyner Andresen, entre outros autores portugueses, também são familiares a você. O que esses artistas têm em comum? A língua que utilizaram para escrever sua literatura: a nossa língua portuguesa. Neste capítulo, você trabalhará com textos escritos nas últimas décadas em países da África, da Ásia e em Portugal.

Como você estudou no capítulo 28, a Revolução de Abril ou Revolução dos Cravos, ocorrida em Portugal em 25 de abril de 1974, pôs fim a décadas de um regime ditatorial comandado por António Salazar. Esse movimento foi crucial para a emancipação das colônias portuguesas na África e na Ásia. A literatura do timorense Fernando Sylvan registra essa experiência de luta pela liberdade, como você verá nos versos a seguir.

Meninas e meninos

Todos já vimos
nos livros, nos jornais, no cinema e na televisão
retrato de meninas e meninos
a defender a liberdade de armas na mão.

Todos já vimos
nos livros, nos jornais, no cinema e na televisão
retratos de cadáveres de meninos e meninas
que morreram a defender a liberdade de armas na mão.

Todos já vimos!
E então?

SYLVAN, Fernando. Meninas e meninos. In: ANDRESEN, Sophia de Mello Breyner (Sel.). *Primeiro livro de poesia*: poemas em língua portuguesa para a infância e a adolescência. 9. ed. Lisboa: Caminho, 1991. p. 115.

Responda às questões oralmente.

1 O eu lírico inclui o leitor logo no primeiro verso do poema.

a) Que estratégia ele utiliza para isso?

b) Que efeito tem essa estratégia?

2 Podemos estabelecer um paralelismo entre a primeira e a segunda estrofes.

a) Que palavra e expressão quebram esse paralelismo?

b) Explique de que maneira a quebra de paralelismo convida o leitor a refletir sobre o drama de meninas e meninos timorenses.

3 Explique o que significa a questão proposta pelo eu lírico na última estrofe.

Fernando Sylvan: uma literatura do Timor

Fernando Sylvan, pseudônino de Abílio Leopoldo Motta-Ferreira (1917-1993), foi presidente da Sociedade de Língua Portuguesa, além de poeta, ensaísta, cronista e dramaturgo. Embora tenha vivido desde os três anos distante geograficamente de seu país natal, participou ativamente da resistência Maubere (organização não partidária que lutou pela independência de Timor-Leste).

ANDERSON DE ANDRADE PIMENTEL

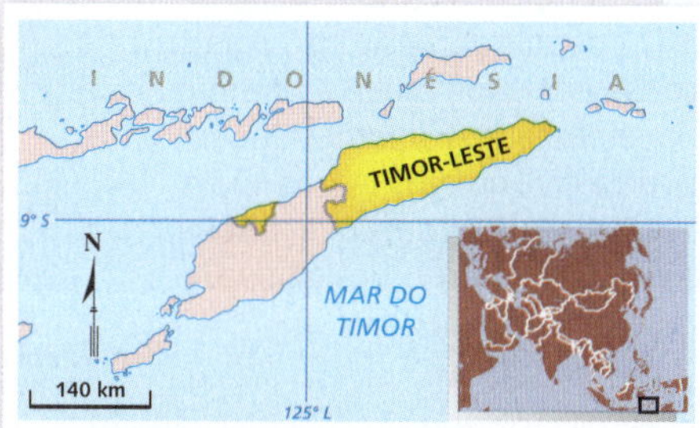

Fonte: IBGE. *Atlas geográfico escolar*. 5. ed. Rio de Janeiro: IBGE, 2009. p. 51.

A República Democrática de Timor-Leste situa-se na parte oriental da ilha de Timor, no sudeste asiático.

Em Timor-Leste, apenas 5% da população fala a língua portuguesa. O país foi colônia de Portugal de 1512 a 1975. Desde então e até 1999, foi invadido pela Indonésia e, durante quase três décadas, os timorenses viveram expostos à violência e à supressão de seus direitos civis. Em 1999, o país foi finalmente decretado livre.

Investigue em
- **História**
- **Geografia**

Como se deu o processo de libertação do povo timorense?

De maneira diferente do que tem feito nos demais capítulos até agora, neste você será convidado a utilizar seus conhecimentos sobre gêneros textuais — adquiridos ao longo do Ensino Médio — e, principalmente, sua criatividade para escrever sua própria literatura.

Seu ponto de partida serão os textos literários criados pelos autores africanos e portugueses "profissionais" apresentados neste capítulo.

Leia os textos com cuidado, discuta-os com seus colegas e o professor e entregue-se à tarefa de "organizar o caos" por meio da escrita, como diria o crítico Antonio Candido. Desse modo, você estará construindo sua própria seção **Entre textos**, como as várias estudadas nesta obra, já que partirá de hipotextos para criar intertextos originais. Em outras atividades deste capítulo, você poderá, também, trabalhar com outras formas de arte, como tem feito na seção **Expressões**.

Aprendemos, nesta obra didática, que um escritor escreve para um leitor. E com você não será diferente. Depois que seu texto estiver finalizado, reescrito e corrigido, presenteie um colega com sua produção.

Ritualize esse fim de ciclo, que é o encerramento do Ensino Médio, no 3º ano. Combine com os colegas um momento formal de entrega dos textos, manuscreva ou digite seu trabalho e coloque-o num envelope "diferente" (construído e pintado por você, por exemplo).

Se for um trabalho de artes plásticas, de vídeo, de teatro, etc., você poderá apresentá-lo para os alunos da escola, fotografá-lo, filmá-lo ou doá-lo para a biblioteca. Dessa forma, sua turma deixará uma marca na escola, garantindo seu lugar na história da instituição.

Divirta-se com essa tarefa e reflita sobre o que foi sua trajetória nesses últimos três anos.

Honwana: brancos e negros de mãos iguais

Moçambique

Quando o personagem central de *Os lusíadas*, Vasco da Gama, desembarcou em Moçambique em 1498, viu-se em meio a um dos impérios mais poderosos da África. Durante o século XVI, Portugal pôs a perder a riqueza do país africano e transformou-o num centro de comércio de escravos. Em 1962, iniciou-se um movimento para libertação de Moçambique por meio das ações da Frente para a Libertação de Moçambique (Frelimo). Em 1975, depois de muita luta, o país foi declarado independente. Os conflitos entre a Frelimo e a Renovação Nacional Moçambicana (Renamo) desencadearam uma sangrenta guerra civil no país. A paz só foi restaurada em 1992. Embora a língua oficial de Moçambique seja o português, o macua (que pertence ao grupo linguístico banto) é a língua mais falada pela população.

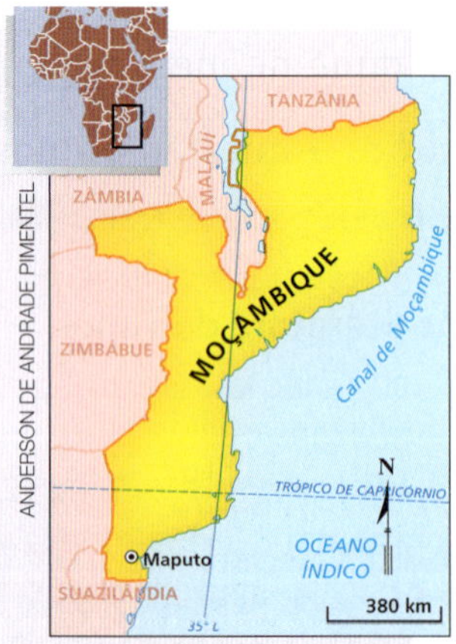

ANDERSON DE ANDRADE PIMENTEL

Moçambique ocupa grande parte da costa oriental africana.

Fonte: IBGE. *Atlas geográfico escolar.* 5. ed. Rio de Janeiro: IBGE, 2009. p. 45.

O conto a seguir foi escrito por um dos autores mais importantes de Moçambique, Luís Bernardo Honwana (1942), que lutou pela independência de seu país e, por essas ações políticas, foi preso nos anos 1960. Na década de 1990, exercendo papel de ministro da Cultura, Honwana foi um dos signatários do Acordo Ortográfico da Língua Portuguesa. Atente para a contundente crítica feita ao racismo no conto a seguir, em que uma criança pergunta aos adultos preconceituosos por que as palmas das mãos dos negros são brancas.

Indiretamente, Honwana faz parte de sua biblioteca cultural. É ele o autor de "Nós matámos o cão tinhoso", hipotexto usado por Ondjaki para escrever o conto que você já conhece.

As mãos dos pretos

O termo, neste caso, não tem valor pejorativo.

Já não sei a que propósito é que isto vinha, mas o Senhor Professor disse um dia que as palmas das mãos dos pretos são mais claras do que o resto do corpo porque ainda há poucos séculos os avós deles andavam com elas apoiadas ao chão, como os bichos do mato, sem as exporem ao sol, que lhes ia escurecendo o resto do corpo.

Lembrei-me disso quando o Senhor Padre, depois de dizer na catequese que nós não prestávamos mesmo para nada e que até os pretos eram melhores que nós, voltou a falar nisso de as mãos serem mais claras, dizendo que isso era assim porque eles andavam com elas às escondidas, andavam sempre de mãos postas, a rezar.

Eu achei um piadão tal a essa coisa de as mãos dos pretos serem mais claras que agora é ver-me não largar seja quem for enquanto não me disser por que é que eles têm as mãos assim tão claras. A Dona Dores, por exemplo, disse-me que Deus fez-lhes as mãos assim mais claras para não sujarem a comida que fazem para os seus patrões ou qualquer outra coisa que lhes mandem fazer e que não deve ficar senão limpa.

Material complementar
- Atividade: Produção de grafite a partir da poesia do são-tomense Francisco Tenreiro

O Antunes da Coca-Cola, que só aparece na vila de vez em quando, quando as coca-colas das cantinas já tenham sido vendidas, disse que o que me tinham contado era **aldrabice**. Claro que não sei se realmente era, mas ele garantiu-me que era. Depois de lhe dizer que sim, que era aldrabice, ele contou então o que sabia desta coisa das mãos dos pretos. Assim:

"Antigamente, há muitos anos, Deus, Nosso Senhor, Jesus Cristo, Virgem Maria, São Pedro, muitos outros Santos, todos os anjos que nessa altura estavam

Aldrabice: trapaça; mentira.

no céu e algumas pessoas que tinham morrido e ido para o céu, fizeram uma reunião e resolveram fazer pretos. Sabes como? Pegaram em barro, enfiaram em moldes usados de **cozer** o barro das criaturas, levaram-nas para os fornos celestes; como tinham pressa e não houvesse lugar nenhum ao pé do **brasido**, penduraram-nas nas chaminés. Fumo, fumo, fumo e aí os tens escurinhos como carvões. E tu agora queres saber por que é que as mãos deles ficaram brancas? Pois então se eles tiveram de se agarrar enquanto o barro deles cozia?!..."

Depois de contar isto, o Senhor Antunes e os outros Senhores que estavam à minha volta desataram a rir, todos satisfeitos.

Nesse mesmo dia, o Senhor Frias chamou-me, depois de o Senhor Antunes se ter ido embora, e disse-me que tudo o que eu tinha estado para ali a ouvir de boca aberta era uma grandessíssima **peta**. Coisa certa e certinha sobre isso das mãos dos pretos era o que ele sabia: que Deus acabava de fazer os homens e mandava-os logo tomar banho num lago do céu. Depois do banho as pessoas estavam branquinhas. Os pretos, como foram feitos de madrugada e a essa hora a água do lago estivesse muito fria, só tinham molhado as palmas das mãos e dos pés, antes de se vestirem e virem para o mundo.

Mas eu li num livro que por acaso falava nisso, que os pretos têm as mãos assim mais claras por viverem encurvados, sempre a apanhar o algodão branco da **Virgínia** e de mais não sei onde. Já se vê que Dona Estefânia não concordou quando eu lhe disse isso. Para ela é só por as mãos deles desbotarem à força de tão lavadas.

Bem, eu não sei o que vá pensar disso tudo, mas a verdade é que, ainda que calosas e **gretadas**, as mãos dum preto são mais claras que todo o resto dele. Essa é que é essa!

A minha mãe é a única que deve ter razão sobre essa questão das mãos dos pretos serem mais claras do que o resto do corpo. No outro dia em que falámos nisso, eu e ela, estava-lhe eu ainda a contar o que já sabia dessa questão e ela já estava farta de rir. O que achei esquisito foi que ela não me dissesse logo o que pensava disso tudo, quando eu quis saber, e só tivesse respondido depois de se fartar de ver que eu não me cansava de insistir sobre a coisa, e **esmo** até chorar, agarrada à barriga como quem não pode mais de tanto rir. O que ela disse foi mais sou menos isto:

LARRY WILLIAMS/CORBIS/LATINSTOCK

"Deus fez os pretos porque tinha de os haver. Tinha de os haver, meu filho. Ele pensou que realmente tinha de os haver... Depois arrependeu-se de os ter feito porque os outros homens se riam deles e levavam-nos para casa deles para os pôr a servir de escravos ou pouco mais. Mas como Ele já não os pudesse fazer ficar todos brancos, porque os que já se tinham habituado a vê-los pretos reclamariam, fez com que as palmas das mãos deles ficassem exatamente como as palmas das mãos dos outros homens. E sabes por que é que foi? Claro que não sabes e não admira porque muitos e muitos não sabem. Pois olha: foi para mostrar que o que os homens fazem é apenas obra dos homens... Que o que os homens fazem, é feito por mãos iguais, mãos de pessoas que se tivessem juízo sabem que antes de serem qualquer outra coisa são homens. Deve ter sido a pensar assim que Ele fez com que as mãos dos pretos fossem iguais às mãos dos homens que dão graças a Deus por não serem pretos."

Depois de dizer isso tudo, a minha mãe beijou-me as mãos.

Quando fui para o quintal, para jogar à bola, ia a pensar que nunca tinha visto uma pessoa a chorar tanto sem que ninguém lhe tivesse batido.

HONWANA, Luís Bernardo. As mãos dos pretos. In: CHAVES, Rita (Org.). *Contos africanos dos países de língua portuguesa*. 1. ed. São Paulo: Ática, 2009. p. 24-28. (Para Gostar de Ler; 44).

Material complementar
- Atividade: Criação de versos a partir da poesia do guineense António Baticã

Cozer: cozinhar.

Brasido: braseiro.

Peta: mentira; fraude.

Virgínia: estado norte-americano produtor de algodão.

Gretadas: rachadas.

Esmo: sem medida; sem razão.

Atividade: Produção de desenho

Você deve ter percebido que, para muitos dos textos que compõem esta obra, foram produzidas ilustrações exclusivas. Agora será sua vez de ilustrar um texto. Discuta com seus colegas o conto de Honwana e analise cada um dos preconceitos presentes nas falas dos personagens quando estes explicam ao narrador as razões pelas quais as palmas das mãos dos negros seriam brancas. Atente especialmente para a seguinte fala da mãe do narrador:

"Pois olha: foi para mostrar que o que os homens fazem é apenas obra dos homens... Que o que os homens fazem, é feito por mãos iguais, mãos de pessoas que se tivessem juízo sabem que antes de serem qualquer outra coisa são homens."

Depois disso, individualmente ou em duplas, você e seus colegas irão ilustrar o conto lido numa folha à parte, utilizando a técnica e o material que considerarem mais interessantes. Reflitam sobre o recorte interpretativo que adotarão para "transformar" o texto verbal em não verbal. Depois de prontos seus trabalhos, espalhem-nos pelo pátio e promovam na escola uma campanha contra o racismo.

NAVEGUE

Veja uma entrevista com outro importante escritor moçambicano atual, Mia Couto (que já compõe sua biblioteca cultural), no programa *Roda Viva*, da TV Cultura: <http://tvcultura.cmais.com.br/rodaviva/roda-viva-mia-couto-05-11-2012>.

Baltazar Lopes da Silva: o drama da seca

Cabo Verde

O processo de colonização portuguesa iniciou-se em Cabo Verde (arquipélago com dez ilhas vulcânicas e cinco cobertas por vegetação tropical) em 1460. A localização da região despertou o interesse dos portugueses: Cabo Verde servia como porto de escala para os navios que passavam pela África com destino às Índias. Foi por muito tempo entreposto para navegantes e comerciantes de escravos. Em meados do século XX, começaram a surgir os primeiros movimentos para libertação do país, que teve sua independência proclamada — após décadas de violentas guerras — em 5 de julho de 1975.

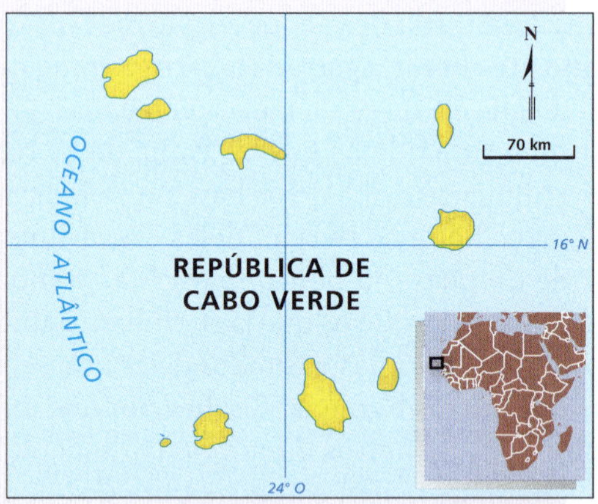

ANDERSON DE ANDRADE PIMENTEL

Fonte: IBGE. *Atlas geográfico escolar*. 5. ed. Rio de Janeiro: IBGE, 2009. p. 45.

O arquipélago de Cabo Verde situa-se na costa ocidental da África.

O escritor, linguista e filósofo Baltazar Lopes da Silva (1907-1989) é um dos nomes mais respeitados quando se fala em arte e literatura em Cabo Verde. É de sua autoria, entre outros, *Cântico da manhã futura* (1986). Como os brasileiros Rachel de Queiroz e Graciliano Ramos, o escritor cabo-verdiano aborda a seca e suas consequências. Leia os parágrafos iniciais do conto "A seca", em que o narrador-personagem reflete sobre as consequências de um ambiente inóspito e hostil na população e sobre sua imobilidade diante da tragédia que se repete todos os anos.

NAVEGUE

Assista a um vídeo em que a cantora cabo-verdiana Cesária Évora interpreta "Mar azul" ao lado da brasileira Marisa Monte: <http://videos.sapo.cv/3JqMbkKZ1NmmBpkCn77A>.

A seca

Era seca, nua, devastadora como nas crises mais terríveis de que rezava a crônica da minha ilha. Desaparecidas todas as esperanças, enganadas as promessas de chuva. De todas as ribeiras a notícia que vinha era a mesma. Não se colheria um grão de milho, e dos feijoeiros nem falar, que a **lestada** de novembro **crestara** tudo.

No meu **degredo** do Morro Brás eu ia tomando o pulso à crise pela diminuição progressiva da frequência do posto. O meu **decurião**, Emílio, foi o primeiro a desertar. Vinha de muito longe, de um lugar perto da Jalunga. Os **condiscípulos** informaram-me de que a família de Emílio **batera**, fugindo à seca, **em direitura** da **Preguiça**. Soube tempos depois que ele não pôde aguentar a jornada e ficou numa moita de **purgueira** no Canal de Carambola. Lá fui com meus discípulos plantar uma cruz no lugar onde Emílio morreu.

FREDERIC SOLTAN/CORBIS/LATINSTOCK

Trabalho do pintor sul-africano Faith 47 para denunciar injustiças sociais na África do Sul. No topo do mural, lê-se a inscrição: "Todos serão iguais perante a lei". Cidade do Cabo, fevereiro de 2011.

Todas as manhãs era com a apreensão de chefe de patrulha de regresso do combate que eu fazia a chamada. E raro era o dia em que não faltava um de meus soldados.

— Manuel João!

— Não está...

— Cândido Almeida!

— Não veio...

— José Joaquim!

— Está muito mal, professor...

Constantemente passava pela minha porta gente que fugia dos povoados de Norte-a-Baixo, em direção à vila. Era um cortejo lamentável de homens, mulheres, crianças. Os animais domésticos faziam também parte do êxodo para outras regiões mais habitadas. Nelas, ao menos, havia a consolança de um olhar de cristão no meio do drama **lancinante**. Os meninos, com as barrigas inchadas sobre as pernas magras. E vinha tudo: o pote de barro, a cama de **finca-pé**, as esteiras. A vaquinha magra e as cabras do pé da porta não abandonavam os donos em tal provação. Os cachorros de língua de fora, farejando restos de osso para enganarem a fome. Muitas vezes, os animais miúdos eram transportados no **ceirão** dos burros ou em balaios à cabeça, das mulheres. Homens e bichos não conheciam distâncias naquela irmanação perante o destino comum. Como representante da autoridade administrativa, cargo que acumulava com as minhas funções de professor de posto de ensino, não tive comunicação nenhuma de desrespeito da propriedade do próximo. Era de uma rigidez de pedra a concepção de honra daqueles homens que batiam para a **Estância**, acossados pela fome. Ao longo dos caminhos, as canhotas ficavam pairando, à espera de momento oportuno para se abaterem sobre a carcaça dos animais que caíam, desistindo da viagem.

[...]

SILVA, Baltazar Lopes da. A seca. In: SANTILLI, Maria Aparecida (Org.). *Estórias africanas*: história e antologia. São Paulo: Ática, 1985. p. 124-128. (Fragmento).

Lestada: vento forte que sopra do leste.

Crestara: queimara.

Degredo: exílio.

Decurião: chefe.

Condiscípulos: colegas, companheiros.

Batera em direitura: rumara em direção.

Preguiça: aldeia situada na ilha de São Nicolau, em Cabo Verde.

Purgueira: tipo de arbusto tropical.

Lancinante: doloroso, torturante.

Finca-pé: haste de madeira robusta.

Ceirão: cesto de vime.

Estância: refere-se à Estância de Brás, também uma aldeia da ilha de São Nicolau.

Atividade: Produção de HQ ou de vídeo

Que sensação você teve ao ler o fragmento do conto de Baltazar Lopes da Silva? Guardadas as diferenças estéticas, ele tem proximidade com a temática explorada em alguns dos textos que você conheceu na unidade 13.

Agora, observe as imagens a seguir.

NAVEGUE

Saiba mais sobre a literatura nos países lusófonos em: <http://lusofonia.com.sapo.pt/LA.htm>.

REPRODUÇÃO

REPRODUÇÃO

REPRODUÇÃO

Imagens do filme *Viagem a Cabo Verde*, de José Miguel Ribeiro. Portugal, 2010.

Essas imagens pertencem ao premiado curta de animação *Viagem a Cabo Verde* (2010, 18 min.), do cineasta português José Miguel Ribeiro. Nele, um personagem aventura-se numa sensível viagem ao país africano por 60 dias, sem telefone celular, relógio ou programações prévias. Com apenas uma mochila nas costas, o viajante testemunha povos, montanhas, o mar, a música, a bruma seca e os amores cabo-verdianos. Atente para a simplicidade e beleza dos desenhos e para a poesia contida neles.

Agora, em grupos, transformem o conto "A seca" em desenhos sequenciais. Se preferirem, façam uma série de desenhos em papel, como se fosse uma história em quadrinhos, ou, se houver recursos na escola, filmem esses desenhos e convertam-nos em animação, como fez José Miguel Ribeiro. Sigam as instruções:

- Um grupo de alunos desenvolve o roteiro para posterior transformação em desenhos. Esse roteiro pode apresentar, por exemplo, um narrador que reflete sobre a terrível seca que assola sua gente; aos poucos, ele vai se lembrando de personagens como Emílio, que morre e tem uma cruz fincada pelos amigos no local em que faleceu; Manuel João, Cândido Almeida, José Joaquim poderão ter pequenas narrativas que contem como fugiram da seca; o "cortejo lamentável de homens, mulheres, crianças" e a situação dos animais podem ser descritos (para constituírem uma cena); os roteiristas podem inventar um final para o conto (já que somente parte dele está transcrita neste capítulo); etc.
- Outro grupo elabora os desenhos a partir das cenas descritas no roteiro.
- Um terceiro grupo pinta os desenhos e dá acabamento a eles.
- Alguns alunos filmam a sequência.
- Outros colegas editam o filme ou, caso seja um trabalho em papel, colam os desenhos em sequência, quadro a quadro, etc.

NAVEGUE

Assista ao *trailer* do filme de animação *Viagem a Cabo Verde*, de José Miguel Ribeiro: <http://videos.sapo.pt/WpOGml4LM2bHqdao403l>.

Veja dicas de como fazer isso em: http://uoltecnologia.blogosfera.uol.com.br/2011/03/24/aplicativos-para-youtube-permitem-criar-animacoes-em-minutos-e-nem-precisa-de-camera/ e em: http://www.telabr.com.br/oficinas-virtuais/texto/143.

Finalizado o trabalho, exponham-no na escola (se for em papel) ou exibam-no para os alunos de outras classes (se for em vídeo). Vocês também podem postá-lo no YouTube (ou similar) e permitir que milhares de pessoas tenham acesso ao vídeo, inclusive alunos de Cabo Verde, com os quais vocês poderão se comunicar pela internet.

Saramago: a escritura consagrada

José Saramago é considerado um dos grandes autores da literatura portuguesa contemporânea. Em sua escrita inventiva, ele recria engenhosamente a oralidade — subvertendo as regras de pontuação — e valoriza os pequenos eventos que formam o cotidiano, em narrativas que se assemelham ao gênero crônica. Interessa ao autor fazer uma investigação sutil e alegórica do homem por meio da história, da política, das ideologias e do imprevisto da existência. A Idade Média, o século XVIII, as narrativas bíblicas, o heterônimo clássico de Fernando Pessoa (Ricardo Reis), a clonagem, a selvageria humana são, entre outros, temas explorados pelo escritor português em sua densa e — de certo modo — popular ficção.

NAVEGUE

Conheça a fundação José Saramago em: <http://josesaramago.org>.

J. BOSCO

O escritor português, pelo cartunista J. Bosco (2011).

Filho de agricultores sem recursos, **José Saramago** (1922-2010) abandonou a escola ainda menino para ser serralheiro. Autodidata, antes de se dedicar apenas à literatura, foi mecânico, desenhista industrial e gerente de produção. Estreou em 1947 com o romance *Terra do pecado*. Somente em 1976 passou a viver de sua produção literária. Em 1982, publicou um grande sucesso editorial, *Memorial do convento*. Em 1991, lançou o polêmico *O Evangelho segundo Jesus Cristo*, romance censurado pelo governo português. Entre outros livros, destacam-se *O ano da morte de Ricardo Reis* (1984), *A jangada de pedra* (1986), *Ensaio sobre a cegueira* (1995), *Todos os nomes* (1997), *A caverna* (2000), *O homem duplicado* (2002) e *Caim* (2009).

Material complementar
- Atividade: Produção de crônica, conto ou poema a partir de texto da angolana Ana Paula Tavares

Ensaio sobre a cegueira: ensaio sobre o humano

Suponha que você acordasse amanhã e percebesse que não está mais enxergando. Agora, imagine toda uma população cega. O que aconteceria com o mundo? Essa é a premissa inquietante de *Ensaio sobre a cegueira*. No romance, todas as inúmeras imagens que estruturam a sociedade contemporânea perdem o sentido em razão da ausência de visão dos personagens. Diante disso, as estruturas socioeconômicas, antes tão (aparentemente) sólidas, são rapidamente destruídas, e a dita civilidade cede espaço para a selvageria, a brutalidade e o horror.

Alegoricamente, Saramago não nomeia os personagens nesse romance: refere-se a eles como o "primeiro cego", a "mulher do primeiro cego", a "rapariga dos óculos escuros", o "médico" e a "mulher do médico" (personagem que enxerga), entre outros.

SAIBA MAIS!

- Em 1998, a Academia Sueca comunicou a atribuição do Prêmio Nobel da Literatura a José Saramago, "que, com parábolas portadoras de imaginação, compaixão e ironia, torna constantemente compreensível uma realidade fugidia". Trata-se do único autor em língua portuguesa a receber esse prêmio.

Você lerá a seguir os parágrafos iniciais de *Ensaio sobre a cegueira*. Atente para a estrutura textual e para a forma como o autor organiza e apresenta os diálogos. Se possível, ouça a leitura feita por um colega ou leia o texto para a turma.

Ensaio sobre a cegueira

[...]

O sinal verde acendeu-se enfim, bruscamente os carros arrancaram, mas logo se notou que não tinham arrancado todos por igual. [...] Alguns condutores já saltaram para a rua, dispostos a empurrar o automóvel empanado para onde não fique a estorvar o trânsito, batem furiosamente nos vidros fechados, o homem que está lá dentro vira a cabeça para eles, a um lado, a outro, vê-se que grita qualquer coisa, pelos movimentos da boca percebe-se que repete uma palavra, uma não, duas, assim é realmente, consoante se vai ficar a saber quando alguém, enfim, conseguir abrir uma porta, Estou cego.

RHOMBUS MEDIA/THE KOBAL COLLECTION/AFP PHOTO

Cena do filme *Ensaio sobre a cegueira*, baseado no romance homônimo de José Saramago. Dirigido pelo brasileiro Fernando Meirelles. Brasil/Canadá/Japão, 2008.

Ninguém o diria. Apreciados como neste momento é possível, apenas de relance, os olhos do homem parecem sãos, a íris apresenta-se nítida, luminosa, a **esclerótica** branca, compacta como porcelana. As pálpebras arregaladas, a pele crispada da cara, as sobrancelhas de repente revoltas, tudo isso, qualquer o pode verificar, é que se descompôs pela angústia. Num movimento rápido, o que estava à vista desapareceu atrás dos punhos fechados do homem, como se ele ainda quisesse reter no interior do cérebro a última imagem recolhida, uma luz vermelha, redonda, num semáforo. Estou cego, estou cego, repetia com desespero enquanto o ajudavam a sair do carro, e as lágrimas, rompendo, tornaram mais brilhantes os olhos que ele dizia estarem mortos. Isso passa, vai ver que isso passa, às vezes são nervos, disse uma mulher. O semáforo já tinha mudado de cor, alguns transeuntes curiosos aproximavam-se do grupo, e os condutores lá de trás, que não sabiam o que estava a acontecer, protestavam contra o que julgavam ser um acidente de trânsito vulgar, farol partido, **guarda-lamas amolgado**, nada que justificasse a confusão, Chamem a polícia, gritavam, tirem daí essa lata. O cego implorava, Por favor, alguém que me leve a casa. A mulher que falara de nervos foi de opinião que se devia chamar uma ambulância, transportar o pobrezinho ao hospital, mas o cego disse que isso não, não queria tanto, só pedia que o encaminhassem até à porta do prédio onde morava, Fica aqui muito perto, seria um grande favor que me faziam. E o carro, perguntou uma voz. Outra voz respondeu, A chave está no **sítio**, põe-se em cima do **passeio**. Não é preciso, interveio uma terceira voz, eu tomo conta do carro e acompanho este senhor a casa. Ouviram-se murmúrios de aprovação. O cego sentiu que o tomavam pelo braço, Venha, venha comigo, dizia-lhe a mesma voz. Ajudaram-no a sentar-se no lugar ao lado do condutor, puseram-lhe o cinto de segurança, Não vejo, não vejo, murmurava entre o choro, Diga-me onde mora, pediu o outro. Pelas janelas do carro espreitavam caras vorazes, gulosas da novidade. O cego ergueu as mãos diante dos olhos, moveu-as, Nada, é como se estivesse no meio de um nevoeiro [...].

Mas a cegueira não é assim, disse o outro, a cegueira dizem que é negra, Pois eu vejo tudo branco, Se calhar a mulherzinha tinha razão, pode ser coisa de nervos, os nervos são o diabo, Eu bem sei o que é, uma desgraça, sim, uma desgraça, Diga-me onde mora, por favor, ao mesmo tempo ouviu-se o arranque do motor. [...]

[...]

Disponível em: <http://www.planonacionaldeleitura.gov.pt/clubedeleituras/upload/e_livros/clle000123.pdf>. Acesso em: 15 abr. 2013. (Fragmento).

NAVEGUE

Assista ao *trailer* do filme *Ensaio sobre a cegueira*, de Fernando Meirelles, baseado no romance de Saramago, em: <http://entretenimento.r7.com/videos/veja-o-trailer-de-ensaio-sobre-a-cegueira/idmedia/588a5389eb48b8736d4e90b8a4d042fe.html>.

Esclerótica: parte branca do globo ocular.

Guarda-lamas: para-lama.

Amolgado: amassado.

Sítio: lugar.

Passeio: calçada.

Pela leitura do trecho, você deve ter observado que Saramago narra sua história utilizando um recurso expressivo bastante ousado: o discurso direto se mistura ao indireto sem a presença de suas marcas típicas (mudança de parágrafo, travessão, aspas, etc.), o que garante uma fluidez ímpar à narrativa. É como se estivéssemos ouvindo uma história em lugar de apenas lendo. O próprio autor explica essa estratégia:

Material complementar
• Atividade: Leitura dramática de poema do português Nuno Júdice

[...] [esses recursos] provêm de um princípio básico segundo o qual todo o dito se destina a ser ouvido. Quero com isso significar que é como narrador oral que me vejo quando escrevo e que as palavras são por mim escritas tanto para serem lidas como para serem ouvidas. Ora, o narrador oral não usa pontuação, fala como se estivesse a compor música e usa os mesmos elementos que o músico: sons e pausas, altos e baixos, uns, breves ou longas, outras [...].

Disponível em: <http://bravonline.abril.com.br/materia/estudo-linguagem-jose-saramago>. Acesso em: 15 abr. 2013. (Fragmento).

Atividade: Produção de conto fantástico

A partir da premissa fantástica utilizada por Saramago em *Ensaio sobre a cegueira*, segundo a qual uma "cegueira branca" se espalha entre os homens, pense na situação vivida por um personagem e escreva um conto sobre esse tema.

Nesse gênero, as ambiguidades, as dúvidas, o discurso indireto livre (revelador do universo interior do personagem), a coexistência de elementos reais e irreais contribuem para a criação do fantástico.

Na produção de seu conto, atente para os seguintes aspectos:

1. Caracterize seu personagem: Quem é ele? Que profissão exerce? Como ele é fisicamente?
2. Crie um conflito: Quando fica cego, onde o personagem está? O que ele precisa fazer, mesmo sem enxergar? Sair da escola? Fugir de onde está por alguma razão? Como ele se comunica com as outras pessoas?
3. Estruture seu enredo.
4. Fique atento à verossimilhança.
5. Você poderá, se quiser, "imitar" o estilo de Saramago e reproduzir os discursos da maneira como faz o escritor português em seus romances. Lembre-se de que o conto é uma narrativa curta, portanto todos os elementos que o compõem devem ter uma função para a construção do enredo.
6. Depois de finalizada a primeira versão de seu texto, troque-o com um colega e peça-lhe que indique ajustes necessários para melhorá-lo. Ele deverá observar a ortografia, a pontuação, a coesão, a coerência, a verossimilhança, a correta divisão dos parágrafos, a caracterização dos personagens, a eficácia do conflito, o desfecho, etc. Auxilie-o também com o texto dele.
7. Depois, reescreva seu conto e presenteie um outro colega com sua produção.

NAVEGUE

Leia a autobiografia de José Saramago em: <http://josesaramago.blogs.sapo.pt/95061.html>.

Material complementar
• Atividade: Criação de cena teatral de conto do português Miguel Sousa Tavares

NAVEGUE

Faça um *tour* virtual pela casa de José Saramago em: <http://acasajosesaramago.com/a-casa-2>.

Rui Lage: a nova poesia portuguesa

Rui Lage é natural do Porto, nasceu em 1975 e pertence à novíssima geração de poetas portugueses. Entre 1998 e 2004, dirigiu a revista de literatura, música e artes plásticas *Águas-furtadas*. Publicou, entre outros, *Revólver* (2006) e *Corvo* (2008). Lage integrou o projeto *Dicionário amoroso da língua portuguesa* e escreveu um poema a partir da palavra-mote *insecto*.

NAVEGUE

Leia outros poemas de Rui Lage em <http://bibliotecariodebabel.com/geral/quatro-poemas-de-rui-lage>.

Nessa obra, 35 autores — do Brasil, de Portugal, de Angola, de Moçambique e do Timor Leste — contribuíram para criar um "dicionário de palavras íntimas".

Insecto

Para o Jorge Reis-Sá

Conheço-o do tecto
da casa materna,
do muro do caule
do lixo do **charco**
conheço-me nele
inerte **insurrecto**
voador rastejante
estrídulo chato
mordedor amável
esmagado no quarto
nas folhas do livro
na sola do sapato
eu, Rui Lage,
insecto.

LAGE, Rui. Insecto. In: MOUTINHO, Marcelo; REIS-SÁ, Jorge (Orgs.). *Dicionário amoroso da língua portuguesa*. Rio de Janeiro: Casa da Palavra, 2009. p. 37.

Charco: água parada e suja.

Insurrecto: rebelde.

Estrídulo: que tem som agudo, ruidoso.

Atividade: Produção de poema visual

Você deve ter observado que, no poema, Rui Lage cria um jogo em que camufla sua própria identidade na figura de um inseto. A associação (ou transformação literal) de um ser humano em animal já foi bastante explorada pela literatura. O exemplo clássico é o romance de Kafka de 1915, *A metamorfose*, em que Gregor Samsa se vê metamorfoseado num inseto monstruoso, ou, ao contrário, a paródia moderna "A metamorfose", conto de Luis Fernando Verissimo, em que uma barata acorda e se vê "transformada em ser humano".

Transforme os versos de Lage num poema visual. Pense em uma imagem que possa "traduzir" o inseto-homem ("voador rastejante") Rui Lage e os espaços descritos no poema e percorridos pelo inseto: teto da casa materna, "muro do caule do lixo do charco", "folhas do livro", "sola do sapato". Finalizado seu trabalho, exponha-o no painel da sala de aula ou escaneie-o e poste-o em um *blog*.

NAVEGUE

Leia *A metamorfose*, do escritor tcheco Franz Kafka, em: <http://www.dominiopublico.gov.br/download/texto/ua00106a.pdf>.

Investigue em Literatura

Que obras interessantes você poderia acrescentar à sua biblioteca cultural e que foram escritas por autores portugueses da contemporaneidade, como Vergílio Ferreira, Agustina Bessa-Luís, David Mourão-Ferreira, Bernardo Santareno, Sophia de Mello Breyner, Maria Judite de Carvalho, Herberto Helder, Lobo Antunes, Lídia Jorge, Gonçalo M. Tavares, Valter Hugo Mãe, Jorge Reis-Sá, Inês Pedrosa, José Luís Peixoto, Dulce Maria Cardoso?

O QUE VOCÊ APRENDEU NO PERCURSO DESTE CAPÍTULO

- Fernando Sylvan, Luís Bernardo Honwana e Baltazar Lopes são alguns dos representantes da atual literatura asiática/africana escrita em língua portuguesa.
- O português José Saramago recria radicalmente a oralidade e valoriza os pequenos eventos do cotidiano, em narrativas que se assemelham ao gênero crônica.
- A Idade Média, o século XVIII, as narrativas bíblicas, o heterônimo clássico de Fernando Pessoa (Ricardo Reis), a selvageria humana são, entre outros, temas explorados pelo autor. *Em Ensaio sobre a cegueira*, o autor trata da fragilidade do que chamamos "civilidade".
- Rui Lage é um representante da literatura contemporânea portuguesa.

CAPÍTULO

36

Um pouco da literatura que se faz hoje no Brasil

PERCURSO DO CAPÍTULO

- Adélia Prado: lirismo e simplicidade
- Mário Chamie: verso incisivo
- Milton Hatoum: um novo regionalismo
- Antonio Cicero: tudo pode ser poesia
- Marcelino Freire: a literatura visceral
- Marcelo Montenegro: a poesia do detalhe

A arte realizada no contexto da hipermodernidade continua a experimentar novas formas e expressões. Na intervenção artística colaborativa realizada no Congresso Nacional, em Brasília (2011), dezenas de pessoas atiraram 360 boias salva-vidas no espelho d'água com a frase "A arte salva".

JOSÉ CRUZ/AGÊNCIA BRASIL

Introdução

Ferreira Gullar, Manoel de Barros, Mario Quintana, Arnaldo Antunes, Armando Freitas Filho, Paulo Leminski, Affonso Romano de Sant'Anna, Chacal, Paulo Henriques Britto, Waly Salomão e Ana C. são alguns dos autores contemporâneos com os quais você conviveu nesta obra didática. Neste capítulo, experimentará a literatura de outros autores e caminhos para realizar suas próprias buscas.

A crônica é um dos gêneros mais lidos pelos brasileiros. O crítico Antonio Candido afirmou, certa vez, que ela é "filha do jornal e da era da máquina, onde tudo acaba tão depressa". Entretanto, não são poucas as crônicas que permanecem, pelas mãos de autores talentosos e admirados pelos leitores, como Rubem Braga, Paulo Mendes Campos, Fernando Sabino, Ivan Angelo, Luis Fernando Verissimo, Carlos Drummond de Andrade, Otto Lara Resende e Walcyr Carrasco, entre tantos outros. Além dos suportes jornal e revista, que veiculam as crônicas semanal ou diariamente, outro meio que tem sobressaído na contemporaneidade são os *blogs*. Por meio deles, os leitores conseguem comunicar-se quase instantaneamente com seus escritores favoritos e ler os textos publicados em vários momentos do dia — autorais ou não.

A crônica que você lerá a seguir foi escrita pelo gaúcho Caio Fernando Abreu (1948-1996) e publicada originalmente no jornal *O Estado de S. Paulo* de 22 de abril de 1986. Talvez você ainda nem tivesse nascido quando esse texto chegou aos leitores do periódico, mas é bem provável que se identifique com ele.

Investigue em Literatura

Que cronistas e blogueiros são mais populares em sua cidade? Quais textos publicados por eles são de seu interesse?

Pequenas epifanias

Há alguns dias, Deus — ou isso que chamamos assim, tão descuidadamente, de Deus — enviou-me certo presente ambíguo: uma possibilidade de amor. Ou disso que chamamos, também com descuido e alguma pressa, de amor. E você sabe a que me refiro.

Antes que pudesse me assustar e, depois do susto, hesitar entre ir ou não ir, querer ou não querer — eu já estava lá dentro. E estar dentro daquilo era bom. Não me entenda mal — não aconteceu qualquer intimidade dessas que você certamente imagina. Na verdade, não aconteceu quase nada. Dois ou três almoços, uns silêncios. Fragmentos disso que chamamos, com aquele mesmo descuido, de "minha vida". Outros fragmentos, daquela "outra vida". De repente cruzadas ali, por puro mistério, sobre as toalhas brancas e os copos de vinho ou água, entre casquinhas de pão e cinzeiros cheios que os garçons rapidamente esvaziavam para que nos sentíssemos limpos. E nos sentíamos.

Por trás do que acontecia, eu redescobria magias sem susto algum. E de repente me sentia protegido, você sabe como: a vida toda, esses pedacinhos desconexos, se armavam de outro jeito, fazendo sentido. Nada de mal me aconteceria, tinha certeza, enquanto estivesse dentro do campo magnético daquela outra pessoa. Os olhos da outra pessoa me olhavam e me reconheciam como outra pessoa, e suavemente faziam perguntas, investigavam terrenos: ah você não come açúcar, ah você não bebe uísque, ah você é do signo de libra. Traçando esboços, os dois. Tateando traços difusos, vagas promessas.

Nunca mais sair do centro daquele espaço para as duras ruas anônimas. Nunca mais sair daquele colo quente que é ter uma face para outra pessoa que também tem uma face para você, no meio da tralha desimportante e sem rosto de cada dia atravancando o coração. Mas no quarto, quinto dia, um trecho obsessivo do conto de Clarice Lispector — "Tentação" — na cabeça estonteada de encanto: "Mas ambos estavam comprometidos. Ele, com sua natureza aprisionada. Ela, com sua infância impossível". Cito de memória, não sei se correto. Fala no encontro de uma menina ruiva, sentada num degrau às três da tarde, com um cão bassê também ruivo, que passa acorrentado. Ele para. Os dois se olham. Cintilam, prometidos. A dona o puxa. Ele se vai. E nada acontece.

De mais a mais, eu não queria. Seria preciso forjar climas, insinuar convites, servir vinhos, acender velas, fazer caras. Para talvez ouvir não. A não ser que soprasse tanto vento que velejasse por si. Não velejou. Além disso, sem perceber, eu estava dentro da aprendizagem solitária do não pedir. Só compreendi dias depois, quando um amigo me falou — descuidado, também — em *pequenas epifanias*. Miudinhas, quase pífias revelações de Deus feito joias encravadas no dia a dia.

Era isso — aquela outra vida, inesperadamente misturada à minha, olhando a minha opaca vida com os mesmos olhos atentos com que eu a olhava: uma pequena epifania. Em seguida vieram o tempo, a distância, a poeira soprando. Mas eu trouxe de lá a memória de qualquer coisa macia que tem me alimentado nestes dias seguintes de ausência e fome. Sobretudo à noite, aos domingos. Recuperei um jeito de fumar olhando para trás das janelas, vendo o que ninguém veria.

Atrás das janelas, retomo esse momento de mel e sangue que Deus colocou tão rápido, e com tanta delicadeza, frente aos meus olhos há tanto tempo incapazes de ver: uma possibilidade de amor. Curvo a cabeça, agradecido. E se estendo a mão, no meio da poeira de dentro de mim, posso tocar também em outra coisa. Essa pequena epifania. Com corpo e face. Que reponho devagar, traço a traço, quando estou só e tenho medo. Sorrio, então. E quase paro de sentir fome.

ABREU, Caio Fernando. Pequenas epifanias. In: WERNECK, Humberto (Org.). *Boa companhia*: crônicas. São Paulo: Companhia das Letras, 2003. p. 171-173.

CHRISTIE'S IMAGES/CORBIS/LATINSTOCK

KLEE, Paul. *Costumed couple* [Casal fantasiado]. 1923. Técnica mista sobre papel sobre madeira, 51 × 28 cm.

Responda à questão oralmente.

- Você já estudou o conceito de epifania no capítulo dedicado à análise da obra de Clarice Lispector. Que tipo de (pequena) epifania vive o narrador da crônica que você leu? Justifique sua resposta.

PARA LEMBRAR

Epifania positiva: momentos de êxtase, em que algo se revela ao personagem; uma espécie de estado de graça.

ProvocAÇÃO

O que seria esse "presente ambíguo" dado por Deus ao narrador? A que "magia" ele se refere? Que sensação é essa que ele vive? Por que, sendo tão forte a experiência vivida, o narrador recusa sua continuidade? Você já experimentou algo parecido com essa "pequena epifania" narrada na crônica? Em que ela consistiu?

No capítulo que trata das literaturas em língua portuguesa escritas em Portugal, África e Ásia, você fez um trabalho diferente de análise textual: criou desenho, HQ, vídeo, conto e poema visual, a partir dos hipotextos apresentados. Neste capítulo, você será convidado a realizar a mesma tarefa, só que tendo como base textos literários escritos por autores brasileiros da contemporaneidade. Exercite sua criatividade e, ao mesmo tempo, despeça-se de uma fase importante de sua história: o Ensino Médio.

Adélia Prado: lirismo e simplicidade

A mineira de Divinópolis Adélia Prado (1935) — uma das principais vozes poéticas da literatura brasileira contemporânea — estreou com o livro *Bagagem* (1976). O cotidiano doméstico, a sexualidade e a religiosidade são temas recorrentes nos versos ou na prosa — de forte teor lírico — da autora. É constante em seus versos a presença de um sujeito poético que expressa a condição feminina, principalmente aquela ligada ao casamento. São também de sua autoria *O coração disparado* (1978), *Terra de Santa Cruz* (1981), *A faca no peito* (1988) e *Poesia reunida* (1999), entre outros.

CHRISTIAN LASZLO

Em abril de 2013, a bailarina e coreógrafa Jussara Miller estreou na capital paulista o espetáculo de dança *Cá entre nós*, baseado na poesia de Adélia Prado, com direção de Norberto Presta.

NAVEGUE

Veja e ouça Adélia recitando um de seus poemas em: <http://www.itaucultural.org.br/aplicexternas/enciclopedia_lit/index.cfm?fuseaction=biografias_texto&cd_verbete=4907&cd_item=226&cd_idioma=28555>.

Impressionista

Uma ocasião,
meu pai pintou a casa toda
de alaranjado brilhante.
Por muito tempo moramos numa casa,
como ele mesmo dizia,
constantemente amanhecendo.

PRADO, Adélia. Impressionista. In: COHN, Sérgio (Org.). *Poesia.br*. Rio de Janeiro: Beco do Azougue, 2012. p. 145.

Atividade: Produção de poema

O título atribuído ao poema de Adélia Prado já sugere a forte carga imagética presente em seus versos. Em "Impressionista", é como se o "alaranjado brilhante" utilizado pelo pai para pintar a casa da infância do eu lírico fosse tão intenso que chegasse até nossos olhos. A ideia da casa "constantemente amanhecendo" é uma mescla das impressões subjetivas do pai do sujeito poético com a concreta intensidade da cor escolhida para as paredes.

- Retome alguma lembrança marcante de sua infância mais remota (o cheiro de um doce que sua avó fazia, o som da voz de uma tia, uma cantiga de ninar, brincadeiras realizadas com primos e amigos, a árvore em que você costumava subir, etc.) e tome nota de algumas palavras que sirvam para representar essa passagem de sua vida.

- Organize as palavras em versos ou em parágrafos e produza um poema. Utilize os recursos que melhor servirem à sua expressão: versos com métrica regular, rimas, aliterações, assonâncias, sinestesias, versos livres, hipérboles, poema em prosa, anáforas, recorrências, hipérbatos, versos brancos, haicai, poesia concreta, etc.
- Mostre seu texto a um colega e peça que ele faça uma leitura crítica, apontando eventuais desvios ortográficos, de pontuação, etc. e passagens pouco claras, entre outros aspectos.
- Considere a correção feita por seu leitor crítico e reescreva seu poema. Depois de pronto, ofereça-o de presente a um familiar.

Investigue em Literatura

Que belos poemas escreveram autores populares de cordel (ou que dialogam com essa literatura típica do Nordeste) como Patativa do Assaré, José Camelo de Melo Resende, José Pacheco, Manoel Camilo dos Santos, Otacílio Batista e Zé da Luz?

Mário Chamie: verso incisivo

Mário Chamie (1933-2011) publicou *Lavra lavra* em 1962, obra que inaugurou a poesia práxis, tendência dissidente do Concretismo. O poeta criticava aquilo que denominou "engessamento" concretista, propondo a recuperação do verso e a convocação do artista para as "circunstâncias do mundo", para a realidade. Artistas como o cineasta Glauber Rocha, com o filme *Terra em transe*; o compositor Aldir Blanc, que escreveu o "Minifesto para Mário Chamie"; Chico Buarque, com a composição "Construção"; Zé Celso Martinez Corrêa e Fernando Peixoto, com a montagem teatral *O rei da vela*, de Oswald de Andrade, sofreram — direta ou indiretamente — influência das propostas artísticas de Mário Chamie.

Palavras do crítico Antonio Candido sobre a poesia práxis.

Chamie acreditava que sua poesia tinha uma função: "tentar deixar o legado de uma experiência única e intransferível".

O poema a seguir foi publicado na coletânea *Caravana contrária* (1998). Leia-o e entre em contato com esse legado.

REPRODUÇÃO

O cinema de Glauber Rocha foi afetado pelos conceitos poéticos presentes na poesia práxis de Mário Chamie. Na foto, cartaz do filme *Terra em transe*, de 1967.

Sol permanente

Amor é
a força
viva da dor.
Mas a dor
de amar
é a força viva
do amor,
sombra que morre
sem passar,
sol que nasce
sem se pôr.

CHAMIE, Mário. *Caravana contrária*: poemas. São Paulo: Geração Editorial, 1998. p. 74.

Material complementar
- Amplie seus conhecimentos: Ana Maria Marques e a poesia do instantâneo

Atividade: Intervenção artística na escola

O poema de Mário Chamie, como você observou, procura buscar uma definição para o sentimento mais cantado da poesia de todos os tempos: o amor.

Além de dezenas de canções, fazem parte de sua biblioteca cultural poemas como "Amor é um fogo que arde sem se ver", de Camões, ou "Amar", de Armando Freitas Filho, ou "amor/Humor", de Oswald de Andrade, por meio dos quais os poetas e compositores procuram definir o que é amor/amar.

- Junte-se a alguns colegas e pensem em palavras que poderiam traduzir, à sua maneira, o que é amor/amar e anotem-nas em um papel.
- Utilizem essas palavras para compor painéis coloridos (grafites, xilogravuras, colagens, pinturas, desenhos com giz de cera, etc.) sobre esse tema.
- Prontos os trabalhos, espalhem-nos pela escola nos mais diferentes espaços: salas de aula, banheiros, pátios, quadras, corredores. Combinem regras com o professor e colegas de outros grupos sobre como o material será colado (e posteriormente retirado) para que não haja danos aos espaços coletivos da escola.
- Se possível, fotografem ou filmem sua intervenção artística.
- Inspirem-se, observando, ao lado, dois exemplos de intervenção artística urbana.

VALU RIBEIRO

Intervenção de Ygor Marotta, espalhada por São Paulo, pedindo "Mais amor por favor".

SAULO ABRAMVEZT

Coletivo Transverso e VJ Suave, por Renato Acha, Brasília (DF).

NAVEGUE

Acesse "Mais amor por favor" no Facebook e veja interessantes intervenções urbanas convidando as pessoas para o amor: <https://www.facebook.com/maisamorporfavor>.

Os autores promissores desta década, segundo a *Granta*

Numa iniciativa inédita, em 2012, a internacional revista literária inglesa *Granta* divulgou os 20 selecionados por um júri para a publicação *Os melhores jovens escritores brasileiros*.

Com tiragem de 10 mil exemplares, a *Granta* apresentou um texto de cada um deles, entre os 247 inscritos no país. Nesse grupo figuram nomes como Antonio Prata, Antônio Xerxenesky e Vinicius Jatobá, entre outros jovens autores.

A revista surgiu em Cambridge, Inglaterra, em 1882, e começou a publicar um século depois, em 1983, uma edição dos 20 melhores jovens escritores britânicos. Essa estratégia foi replicada pela *Granta* norte-americana e pela versão espanhola dessa revista. Os números com as seleções são publicados uma vez a cada dez anos.

REPRODUÇÃO

Capa da revista *Granta*, volume 9.

Seleções são sempre polêmicas porque podem cometer injustiças. Por que um autor é considerado melhor do que outro? Quem os seleciona? Faça seu próprio julgamento lendo, se possível, os contos desses escritores nascidos a partir de 1972. Saiba mais sobre eles em: <http://www.publishnews.com.br/telas/noticias/detalhes.aspx?id=69286>.

Milton Hatoum: um novo regionalismo

O amazonense Milton Hatoum (1952) é um dos mais prestigiados escritores da atualidade. *Dois irmãos* (2000), *Cinzas do norte* (2005) e *A cidade ilhada* (2009) são algumas de suas premiadas obras. A cidade de Manaus é, em geral, pano de fundo para suas narrativas. São muitos os críticos que vinculam a obra do autor ao regionalismo. Além da capital do Amazonas, de onde saiu em 1967, Hatoum morou em cidades como Brasília, Paris, Barcelona e São Paulo, onde vive hoje. A crônica a seguir (publicada originalmente em 2012 na coletânea *Ten/Dez*, organizada pela Flip) trata de uma Brasília que, segundo Hatoum, foi seu "primeiro pouso de uma rota nômade e errante".

Flores secas do cerrado

como sair: a cidade não tem saída
nem entrada
é labirinto
Nicolas Behr, Brasilíada

Há pessoas silenciosas ou de poucas palavras, mas em Brasília até as paredes emitem sons suspeitos. Silêncio, mesmo, só na lonjura, no cerrado original.

Na parede do quarto do hotel observo um **origâmi** com dobras geométricas; da janela vejo árvores desfolhadas com galhos retorcidos, o gramado marrom, o horizonte queimado pela seca de setembro. No centro da paisagem **calcinada**, a Praça dos Três Poderes... Dizem que a nova Biblioteca de Brasília foi inaugurada sem livros. Será uma metáfora da cabeça de muitos políticos? Ou do tempo em que vivemos?

A arrumadeira do hotel é uma mulher de Minas; o recepcionista é um rapaz pernambucano, e um dos ajudantes do *chef* de cozinha, baiano. O Brasil todo está aqui, e esse Brasil de verdade parece ausente nas esculturas côncava e convexa do Congresso Nacional. Cada vez que entro no elevador ouço sons de pássaros. Cantam e não aparecem: onde estão? Não há pássaros nas imagens do Pantanal e da Amazônia coladas em duas paredes de vidro do elevador panorâmico. Mas quando subo ou desço dezessete andares, sou obrigado a ouvir trinados metálicos na caixa de vidro e aço. Recordo o conto "Paolo Uccello", de **Marcel Schwob**. O genial artista **florentino** do **Quattrocento** era obcecado por pássaros, e também pela geometria e perspectiva. Uccello queria entender o mundo (o espaço) em profundidade. Ele pintava pássaros nas paredes de seu ateliê, daí o apelido Uccello e o título do conto de Schwob. Mas a vida não é imaginária, nem sempre é, sobretudo quando o elevador para no térreo e o cronista se senta à mesa do café da manhã e escuta pedaços de conversas indiscretas:

"Volto na próxima semana por causa do resultado da licitação..."

"Acertei com o senador, só falta..."

"Consegui marcar uma audiência, agora vai ser mais fácil..."

A mulher de Minas ganha menos de dois salários mínimos e mora em Samambaia, uma das favelas do Distrito Federal. Na época em que morei em Brasília ninguém dizia favela, e sim cidade-satélite. Esse eufemismo urbano ainda persiste, mas o tempo também apaga os eufemismos. O Plano Piloto da nova capital foi construído sob o signo da miséria brasileira: os **candangos** pobres, operários, artesãos e desempregados migraram de todos os quadrantes e foram morar na periferia da cidade-monumento.

Como seriam o Brasil e Brasília se não houvesse existido o toque militar de recolher e sua noite longa e infame?

O ajudante do *chef* de cozinha ganha mais do que a mulher de Minas e mora em Sobradinho.

"Se eu não comesse no hotel, passaria fome. Meus dois meninos são filhos da Capital."

Gêmeos da **era Collor**, vieram ao mundo durante um pesadelo político. Sobradinho. Nunca me esqueci das cidades-satélites, aonde íamos pichar muros com *slogans* contra a censura e a brutalidade do regime militar. Por onde andam meus amigos daquela época? Zé Wilson, o Cuca, viajou ainda jovem para o outro

NAVEGUE

Acesse o *site* da Festa Literária Internacional de Paraty: <www.flip.org.br>.

NAVEGUE

Acesse o *site* oficial de Milton Hatoum: <www.miltonhatoum.com.br>.

Origâmi: arte japonesa de dobrar papéis para criar formas poéticas e delicadas de flores, animais, etc.

Calcinada: torrada, estorricada.

Marcel Schwob: escritor francês (1867-1905).

Florentino: natural da cidade italiana de Florença.

Quattrocento: era dourada do Renascimento, na Itália.

Candangos: operários das grandes construções de Brasília.

Era Collor: período histórico (1990-1992) em que o Brasil foi governado pelo alagoano Fernando Collor de Mello.

lado do espelho, nem me deu adeus. Ainda me lembro do entusiasmo com que comentava os clássicos; lia tudo e nos olhava por trás de lentes grossas no rosto de criança. Chico dos Anjos, filho do escritor Cyro dos Anjos, também partiu antes do tempo. Disse ao Chico: ***O amanuense Belmiro*** é um belo romance. E como os mineiros escrevem bem, de dar inveja.

Percebi uma ponta de orgulho no olhar do meu amigo. Depois deu uma gargalhada. O Chico ria quando todos ficavam sérios, não era tempo de risadas, mas ele tinha humor, e um astral na lua.

Em 1968 nada era muito **asséptico** em Brasília, uma cidade embrionária, capital pequena. E vigiada. Alguns homens do poder usavam terno e gravata, muitos ostentavam farda e metais, eram ferozes com suas armas, mas também tinham medo, porque o medo, a violência e o barro estavam nas entranhas de Brasília. A poeira vermelha cobria as **superquadras**, manchava as fachadas dos ministérios e as garras curvilíneas da Catedral, então inacabada. A poeira barrenta borrava o Palácio do Planalto; o outro, da Alvorada, também avermelhava. “Barro subversivo, barro maldito”, diziam. Até o barro primordial do cerrado era comunista. O setor hoteleiro era acanhado, lembro as duas noites em que dormi no Hotel das Nações, noites de angústia, meu coração moído de saudades do Norte. Depois fui morar num quarto de uma casa na Avenida W-3 Sul: aluguel barato de uma pensão informal. Uma família de negros: o pai era um mestre de obras baiano, candango de primeira mão, que trabalhara na construção do Hotel das Nações, inaugurado em 1962. Essas casas da W-3 Sul tinham um pátio nos fundos, que podia ser um quintal, mas agora estão desfiguradas. Duas crianças brincavam de cabra-cega ao redor da pitangueira. Um dia elas me ofereceram um punhado de frutas e comecei a gostar de Brasília. Agora os pátios foram cobertos por puxadinhos, ocupados por quartos pequenos e **contíguos**, promessa de cortiço. As famílias cresceram, a renda caiu, os proprietários alugam os fundos da casa.

Nem Brasília, planejada com uma racionalidade extrema e desumana, resistiu ao caos urbano-arquitetônico. A miséria e suas favelas cercam os três poderes da República, o medo e a violência do passado voltaram com outra feição. Chico dos Anjos, Cuca, vocês não viram isso. João Luiz Lafetá, um crítico fino que morou em Brasília naquela época, também partiu sem ver o país subtraído de uma esperança teimosa, tão brasileira. João Alexandre Barbosa, outro amigo, crítico literário dos mais **eruditos**, também nos deixou. Ele e centenas de professores da UnB foram **exonerados** dessa instituição na década de 1960. Mas a Universidade de Brasília resistiu, sobreviveu.

Penso em vocês enquanto escuto trinados metálicos de pássaros ausentes. Dezessete andares em trinta segundos. Melhor caminhar **a esmo**, rever Brasília no escuro da madrugada, à espera do amanhecer. Saio da jaula de aço e vidro e vejo na recepção duas mulheres falsamente louras conversando com **lobistas**. Estão sentadas em poltronas forradas de couro e bebendo uísque, talvez faturem por noite o que a mulher de Minas ganha por mês, e seus parceiros lobistas ganharão mais do que todas as putas e outras mulheres trabalhadoras ganhariam em dez anos de labuta.

O origâmi na parede não me diz nada, é mais um ornato no quarto de um hotel que poderia estar nas Filipinas, na Holanda ou na África do Sul. Faço uma viagem **à deriva** pelo cerrado, quero encontrar um lugar do passado, o Poço Azul, onde me refugiava do medo e dos homens.

***O amanuense Belmiro*:** obra do escritor mineiro Cyro dos Anjos (1906-1994) (amanuense: escrevente).

Asséptico: limpo, asseado.

Superquadras: grandes áreas residenciais urbanas.

Contíguos: muito próximos entre si.

Eruditos: cultos, instruídos.

Exonerados: demitidos, destituídos.

A esmo: sem rumo; ao acaso.

Lobistas: pessoas que cuidam de certos ramos de negócio no Congresso Nacional, com o intuito de aprovar leis que as favoreçam ou que não as prejudiquem.

À deriva: a esmo, sem rumo.

GROUNDER/SHUTTERSTOCK

Viagem no tempo: o visível, o invisível na **opacidade** da memória. Aqui, há pássaros de verdade: sanhaços e saíras e saís-azuis pousam nas sombras de jatobás e bicam os frutos carnosos das camélias. Corpos nus deitados nas pedras do Poço Azul e a mata úmida que se debruça sobre o riacho. Não vejo árvores anãs com galhos retorcidos, nem braços tortos de seres vegetais, trágicos. Aqui, o passado não **lanha** meu corpo nem minha alma, posso colher flores secas do cerrado e escrever esta crônica de amor a uma cidade que não sai de mim.

HATOUM, Milton. Flores secas do cerrado. In: CALDER, Liz; MOURA, Flávio (Orgs.). *Ten/Dez*. São Paulo: Associação Casa Azul; Brasília: Ministério da Cultura, 2012. p. 131-133.

Opacidade: instransparência, turvamento.

Lanha: fere, machuca.

Atividade: Produção de crônica

Você deve ter notado que, para declarar seu amor à cidade de Brasília, Hatoum fala de lugares, das pessoas que os habitam, das injustiças sociais flagrantes na capital federal, da era Collor, dos amigos, da ditadura militar que assolou o Brasil após 1964, do "caos urbano-arquitetônico", da Universidade de Brasília.

Agora, escolha uma cidade e escreva uma "crônica de amor" para ela. Faça (como o autor amazonense) uma "viagem no tempo", misturando o "visível" e o "invisível na opacidade da memória".

- Decida qual vai ser o tom de sua crônica (humorístico, lírico, reflexivo) e o registro mais adequado ao perfil dela (formal ou informal). Se optar por um tom mais intimista e/ou descontraído, lembre-se de que é possível estabelecer a interlocução com o leitor.
- Use figuras de linguagem e outros recursos estilísticos para tornar a linguagem de seu texto mais próxima da literária. Não se esqueça dos recursos coesivos: eles devem ajudar o leitor a seguir sua linha de raciocínio, além de enfatizar suas ideias.
- Troque sua crônica com a de um colega e, com base no guia abaixo, verifique se o texto está claro, correto, coerente, e se consegue cumprir sua intenção comunicativa: divertir o leitor, emocioná-lo, fazê-lo refletir, etc. Se não, veja o que pode ser modificado para que isso ocorra.
- Retome seu texto, leia as observações do colega e reescreva-o. Ao terminar, combine com o professor e a classe como será a troca de crônicas entre os colegas.

Guia para verificação e correção de textos

Utilize este guia como base para revisar e, se necessário, reescrever as produções textuais que você venha a realizar daqui para a frente.

Observe os seguintes aspectos:

a) Os objetivos do texto foram mantidos tendo em vista o gênero textual?

b) Há marcas linguísticas e estruturais próprias do gênero?

c) Os recursos estilísticos e coesivos foram usados adequadamente?

d) As ideias se desenvolvem com coerência e clareza, do início ao desfecho?

e) O registro linguístico está adequado ao contexto de produção?

f) O texto está livre de problemas gramaticais, ortográficos ou de pontuação capazes de prejudicar seu entendimento?

Material complementar
- Atividade: Ilustração do texto imagético de Diógenes Moura

Antonio Cicero: tudo pode ser poesia

Autor de *Guardar* (1996), *A cidade e os livros* (2002) e *Porventura* (2012), o compositor, filósofo e poeta Antonio Cicero (1945) afirma que "Qualquer coisa pode ser o estopim" para sua poesia: uma frase ouvida no metrô, uma palavra lida num livro, a lembrança de uma pessoa, de um lugar, etc. Você já travou contato, anteriormente, com o poema "Guardar". Agora, prepare-se para conhecer outro poema retirado da coletânea de estreia desse autor carioca. Antes, leia, a seguir, a lenda grega do Minotauro.

NAVEGUE

Comunique-se com Antonio Cicero em seu blog: <www2.uol.com.br/antoniocicero>.

O labirinto do Minotauro

Teseu, príncipe de Atenas, foi um dos heróis da mitologia grega. Conta-se que ele conseguiu derrotar o Minotauro — ou Astérion, nome grego do monstro que habitava o labirinto de Creta. Essa edificação fora construída para esconder o fruto de um relacionamento entre Pasífae, a mulher de Minos, rei da ilha, com um touro encantado. A cada sete anos, o monarca cretense enviava sete moças e sete rapazes para serem devorados pelo Minotauro. Mas, aos 16 anos, Teseu decidiu acabar com esse tributo indigno: misturou-se aos jovens condenados e rumou com eles para o reino de Minos. Lá chegando, tomou posse da espada que seu pai escondera sob uma pedra quando ainda era jovem. Antes de entrar no labirinto, porém, Teseu foi abordado por Ariadne, uma das filhas de Minos. Ela lhe deu um novelo de lã para que com ele marcasse o caminho de volta e saísse do labirinto. Após matar o Minotauro, o herói escapou de lá com segurança.

WERNER FORMAN/UNIVERSAL IMAGES GROUP/GETTY IMAGES

Detalhe de pintura grega representando o Minotauro. c. 515 a.C.

O argentino Jorge Luis Borges é autor de um conto fantástico no qual o próprio Minotauro narra sua versão da história. No poema de Antonio Cicero, transcrito a seguir, quem faz isso é Minos. Surpreenda-se com o que revela o personagem sobre sua razão para mandar construir o labirinto.

NAVEGUE

Leia uma entrevista em que Antonio Cicero fala de seu processo de criação: <http://g1.globo.com/platb/maquinadeescrever/2012/08/13/em-porventura-antonio-cicero-rima-poesia-com-filosofia>.

Minos

Não ocultei o monstro: Jamais hei de ocultá-lo.
Jamais erguerei paredes para vedá-lo às vistas dos curiosos e maledicentes.
Jamais hei de exilá-lo.
Ao contrário:
plantei-o no trono do salão central do palácio que ergui para abrigá-lo, na capital do meu reino, no umbigo desta ilha que eu mesmo tornei eixo do mundo.
Que para ele convirjam todos os turistas, todas as rotas marinhas, todas as linhas aéreas, todos os cabos submarinos, todas as redes **siderais**.
Construí canais estradas viadutos ferrovias **funiculares** pontes túneis até o palácio; depois, **áditos pórticos limiares** entradas **umbrais aleias ânditos** elevadores passagens escadas **ombreiras** travessas portas corredores **servidões** rampas porteiras vielas passadouros escadarias portões arcadas soleiras portelas caminhos galerias **sendas** portais veredas cancelas áditos pórticos limiares entradas umbrais aleias ânditos elevadores passagens escadas ombreiras travessas portas corredores servidões rampas porteiras vielas passadouros escadarias portões arcadas soleiras portelas caminhos galerias sendas portais veredas cancelas áditos pórticos limiares entradas umbrais aleias ânditos elevadores passagens escadas

Siderais: celestes.

Funiculares: sistemas de transporte para subir e descer fortes declives.

Áditos, pórticos, limiares, umbrais, ombreiras, servidões: entradas, portais.

Aleias, sendas: caminhos estreitos, veredas.

Ânditos: passagens estreitas e elevadas.

ombreiras travessas portas corredores servidões rampas porteiras vielas passadouros escadarias portões arcadas soleiras portelas caminhos galerias sendas portais veredas cancelas alamedas áditos pórticos limiares entradas umbrais aleias ânditos elevadores passagens escadas ombreiras travessas portas corredores servidões rampas porteiras vielas passadouros escadarias travessas portões arcadas soleiras portelas caminhos galerias sendas portais veredas cancelas áditos pórticos limiares entradas umbrais aleias degraus portinholas ruelas ânditos elevadores passagens escadas ombreiras travessas portas corredores servidões rampas porteiras vielas passadouros escadarias portões arcadas soleiras portelas caminhos galerias sendas portais veredas cancelas alamedas áditos pórticos

CICERO, Antonio. Minos. In: FERRAZ, Eucanaã. *Veneno antimonotonia*. Rio de Janeiro: Objetiva, 2005. p. 183.

Atividade: Produção de grafite

Em seu poema, Antonio Cicero subverte a ideia de que Minos teria mandado construir o labirinto para aprisionar o Minotauro. Nos versos, ficamos sabendo, pela boca do próprio rei de Creta, que o personagem jamais fora ocultado. Ao contrário, ele fora "plantado" "no trono do salão central do palácio", erguido especialmente para "abrigar" o monstro no "umbigo da ilha". Com isso, o poeta carioca sugere que não existem verdades absolutas, pois sempre haverá outro ponto de vista possível para analisar ou explicar qualquer evento da vida.

Agora, você e seus colegas deverão escolher um espaço — autorizado pelo professor e pela direção da escola — para produzir um grafite que retrate o labirinto descrito por Cicero em "Minos".

- Atentem para a estrutura labiríntica do poema, em que vários elementos vão sendo repetidos para sugerir a ideia dos espaços iguais que compõem esse tipo de construção.
- Insiram, no centro do labirinto, o "monstro" em seu trono.
- Se a escola não permitir que muros e paredes sejam usados como fundo para o grafite, colem sobre eles papelões pintados de branco, nos quais serão aplicadas as tintas.

Literatura na rede

A literatura do século XXI tem se adequado muito bem ao mundo *on-line*. Conecte-se ao universo virtual literário de nosso tempo.

- Consulte a revista *Crispim*: <http://www.revistacrispim.com.br/home.php>.
- Acesse o *site* "A Hortaliça": <http://www.hortifruti.org/>.
- Divirta-se (e crie) com a literatura "remixada" dos *mashups* literários (inspirados no trabalho dos DJs, que misturam instrumentos e músicas em novas "faixas", os *mashups* misturam narrativas, gêneros e estilos): <http://mixlit.wordpress.com/na-midia/>; <http://oglobo.globo.com/cultura/leia-trechos-dos-mashups-literarios-brasileiros-2952798>.
- Obtenha informações sobre literatura brasileira em: <http://www.literaturabrasileira.net/>.
- Leia a literatura de Daniel Galera em: <http://ranchocarne.org/>.
- Acesse o "Jardim Bizarro", *blog* de S. Nazarian: <http://santiagonazarian.blogspot.com.br/>.
- Consulte as revistas *Cult* e *Piauí*: <http://revistacult.uol.com.br/home/>; <http://revistapiaui.estadao.com.br/edicao-80>.
- Acesse todas as edições digitais da revista *Teresa*: <http://www.fflch.usp.br/dlcv/lb/index.php?option=com_content&view=article&id=6&Itemid=18>.
- Mergulhe nos textos disponíveis na Brasiliana USP: <http://www.brasiliana.usp.br/>.
- Conheça "O Literato de Nordestina": <http://www.oliteratodenordestina.jex.com.br/noticias+literarias/ii+concurso+de+poesia+revista+literaria+-+edicao+2011>.
- Leia poemas em: <http://www.revistaliteraria.com.br/inscritos3ed.htm>.

- Conheça a literatura dos jovens autores:
Antônio Xerxenesky: <http://antonioxerxenesky.com/>;
Carol Bensimon: <http://www.carolbensimon.com/>;
Carola Saavedra: <http://carolasaavedra.wordpress.com/>;
Laura Erber: <http://www.lauraerber.com/>;
Michel Laub: <http://michellaub.wordpress.com/>;
Miguel Del Castillo: <http://editora.cosacnaify.com.br/blog/?tag=colunista-miguel>.

Marcelino Freire: a literatura visceral

O escritor pernambucano Marcelino Freire (1967) é um agitador cultural: além de escrever, organiza baladas literárias, escreve em *blogs* e integra um coletivo na internet que lança autores. Em sua obra, o cuidado com as palavras e a valorização da sonoridade delas aproximam a prosa da poesia e do teatro. O olhar de Marcelino, em geral, é direcionado para os pobres, os marginalizados e as minorias. É autor de, entre outras obras, *EraOdito* (2002), *Angu de sangue* (2000), *BaléRalé* (2003) e *Contos negreiros* (2005). É também um dos contistas em destaque nas antologias *Geração 90* (2001) e *Os transgressores* (2003).

O texto que você lerá a seguir integra a coletânea *Rasif: mar que arrebenta* (2008), composta de contos fortes, agressivos, mas, ao mesmo tempo, líricos, melancólicos e bem-humorados. "Amor é a mordida de um cachorro pitbull", lemos em uma das narrativas curtas do livro. No conto "PONTO.COM.PONTO", transcrito a seguir, acompanhamos o fluxo de consciência de um narrador perturbado com a possibilidade do encontro/desencontro com alguém que conheceu na internet.

Termo árabe que deu origem à palavra *recife*, "formação rochosa à flor da água ou submersa, geralmente próxima à costa, em áreas de pouca profundidade".

PONTO.COM.PONTO

Meu coração
Não sei por quê
Bate feliz quando te vê
E os meus olhos
ficam sorrindo
E pelas ruas
vão te seguindo
Mas mesmo assim
Foges de mim

Marcamos neste terceiro banco à esquerda, perto do chafariz. Neste sol ensolarado, onde, qual luz? Terceiro banco, contei um, dois, três. À esquerda, perto do chafariz. À tarde. Marcamos e ela disse que conhecia bem o caminho. Perto da sua casa, pertinho. Do chafariz, os pingos. Escuto o sol. O caminho que faz. Também a água e os passarinhos. Terceiro banco, à esquerda, contei. Agora é esperar. Onde? Via internet. A gente se conheceu na rede. Dentro da tarde, distante dos carros. A avenida dentro da tarde, o parque. Neste sol de São Paulo, a cada passo. Esta dor. Um, dois, três. Pertinho. É só esperar. O seu perfume pular. Do seio para o meu nariz. E as cambalhotas que faz. Cada gota de suor. Escuto o sol. Os pingos. O barulho que faz. Dentro do parque. Daqui a pouquinho. Será a nossa primeira vez. Um, dois, três. Escuto os ponteiros. Já se foi uma hora. Dentro desta demora. Esta dor. Agora é esperar. O seu perfume. Onde, qual luz? Marcamos. Via internet. Neste terceiro banco, à esquerda. O meu peito ziguezagueia. Cada passo da cidade de São Paulo. Sinto. Ela não vem. Depois de tanto tempo. Um, dois, três. Marcamos o encontro. Dentro da tarde, neste terceiro

PARA LEMBRAR

Fluxo de consciência: técnica narrativa em que o autor expressa de maneira fragmentada o que se passa na cabeça do personagem: turbilhões de ideias, pensamentos, impressões, sensações, desejos.

NAVEGUE

REPRODUÇÃO

Conheça a Balada Literária, idealizada por Marcelino Freire: <http://baladaliteraria.zip.net>.

banco. A gente vai ser feliz. Depois de tanto tempo, meu amor. No computador. Marcamos. Este encontro real. Nada virtual. O seu perfume. E as cambalhotas que faz. Esta dor. A cidade de São Paulo. Onde tudo parece retardar. A vida leva tempo para chegar. Marcamos. Assim que ela sentar neste banco. Acordará o meu corpo. E existiremos. Dentro da tarde. Será a nossa primeira vez. Ela vem. E ela não vem. É sempre assim. Tudo caminha para o fim. Também a água e os passarinhos. Neste terceiro banco, perto do chafariz. Um, dois, três. À esquerda, pertinho. É ela. Não. É uma velha que vem. E senta. Não é ela. Esta dor. Onde tudo parece retardar. Quem você espera? Quer ajuda? Por que todo mundo acha que eu preciso de ajuda? Ora. A velha é velha. Pelo cheiro da urina. E pelo peso. Sinto. Quem você espera? Quer ajuda? Neste sol ensolarado. A velha quer puxar conversa. Quem você espera? Uma amiga. Virtual. Marcamos, via internet. Este encontro real. Sentirei o seu perfume. O meu peito ziguezagueia. Pestaneja sem sossego. Será nossa primeira vez. Um, dois, três. Ainda é cedo. Ela vem, eu sei. Ela virá. É a cidade de São Paulo. A vida leva tempo para chegar. Posso ajudar? Por que todo mundo acha que eu preciso de ajuda? Eu preciso que ela chegue. De sua casa, pertinho. Ela disse que sabia o caminho. Marcamos. Neste terceiro banco, perto do chafariz. Dentro do parque. Longe da avenida. A velha cheira a urina. A velha quer puxar conversa. Quase sem delicadeza. É de nascença? Pergunta. Esta dor. Sinto. O barulho da sua boca. Como pode? Por que não chega? Depois de tanto tempo. Dentro do parque. Um silêncio covarde. Quase sem delicadeza. Sinto pelo peso. A velha é velha. Ah! Se eu fosse um morcego! Por que não me deram asas? Tudo em mim é bailarino. Órbita que ri. Sem graça. Voaria, dentro do parque. Sairia para outro destino. Ela disse que conhecia o caminho. Pertinho. Marcamos. É bem comum a pessoa marcar e não ir. Quem você espera? Quer ajuda? A velha quer puxar conversa. Onde, qual luz? Ela. Dentro desta demora. Vou-me embora. Guiado pela sombra. Longe do parque. Até mais, meu filho. E boa sorte! Cego, de volta à vida real. E a caminho da morte.

FREIRE, Marcelino. PONTO.COM.PONTO. *Rasif*: mar que arrebenta. Rio de Janeiro: Record, 2008. p. 115-118.

NAVEGUE

REPRODUÇÃO

Marcelino Freire é um dos integrantes do coletivo Edith. Apresente seus textos para eles: <http://visiteedith.com/?page_id=2>.

NAVEGUE

Quer discutir o ofício da escrita e o papel do escritor no mundo de hoje? Acesse o *blog* de Marcelino Freire: <http://marcelinofreire.wordpress.com/author/marcelinofreire>.

Atividade: Criação de cena teatral

No conto "PONTO.COM.PONTO", conhecemos a perspectiva do rapaz que marcou um encontro no "terceiro banco à esquerda, perto do chafariz" com uma moça a quem conheceu pela internet. Misturam-se sinestesicamente na cabeça do narrador imagens como a do chafariz, sons como o da água, o calor do sol, o cheiro do perfume, o barulho dos ponteiros do relógio que insistem em avançar as horas e tornar clara a impossibilidade do encontro.

Agora, dividam-se em grupos e, sob a orientação do professor, criem três cenas teatrais relacionadas ao hipotexto de Marcelino Freire:

a) uma que trate do encontro pela internet entre o narrador e sua namorada virtual (mostrem o que eles escreveram/falaram um para o outro e que despertou a paixão no casal);

b) outra que revele a perspectiva da moça e as razões que a impediram de encontrar o narrador;

c) uma terceira que simplesmente adapte o conto lido, tal como ele é, para a linguagem teatral.

Material complementar

• Atividade: Produção de radioconto a partir de "O corte", do catarinense Cristóvão Tezza

- Não se esqueçam de que o gênero dramático é marcado, em geral, pelo discurso direto e pelas rubricas (descrição das ações dos personagens). Usem sua criatividade para transformar o fluxo de consciência do narrador em falas que possam ser ouvidas pela plateia. Por exemplo, ele pode falar para a velha o que está sentindo. Ou dialogar com outros personagens que vocês inventarem. Observem se a variedade linguística adotada pelos personagens é adequada a eles.
- Terminado o texto, passem-no para outro grupo ler e fazer ajustes pensando na encenação (lembrem-se de outros elementos importantes nesse momento: sonoplastia, cenário, iluminação).
- Finalizada a segunda versão do texto, o grupo ensaia e apresenta a cena para a classe. Depois da apresentação, vocês podem discutir as várias cenas compostas pela turma.

Duas dicas para fazer essa adaptação:

- No texto literário, a fala ou é indicada pelo travessão ou pelas aspas (discurso direto), ou é contada pelo narrador (discurso indireto), que também descreve o comportamento e as ações dos personagens. Para transformar o texto literário em teatral, em lugar de travessões, vocês deverão utilizar o nome do personagem para indicar quem fala. Além disso, as ações deverão ser assinaladas entre parênteses (rubricas ou didascálias). Será necessário, também, elaborar novas falas para determinados personagens, a fim de que possam "completar" a cena, quando for necessário.
- Não se esqueçam de que a plateia compõe a tríade teatral. Assim, é importante definir para quem será apresentada a encenação: para os alunos da escola, no pátio ou no auditório, durante os intervalos de aula; ou ainda para crianças em orfanatos, idosos de um asilo ou pessoas hospitalizadas.

Marcelo Montenegro: a poesia do detalhe

Natural de São Caetano do Sul (SP), Marcelo Montenegro (1971) é poeta, dramaturgo e iluminador de teatro. Publicou *Orfanato portátil* (2003) e *Garagem lírica* (2012). Sua poesia é caracterizada pelo detalhe e pela valorização do tempo presente. Observe o poema a seguir, retirado da primeira publicação do autor. Os versos tratam das pequenas coisas da vida que insistem em permanecer.

NAVEGUE

"Buquê de presságios" estabelece intertextualidade com o poema "Resíduo", de Drummond. Leia o hipotexto que inspirou Montenegro em: <http://www.algumapoesia.com.br/drummond/drummond39.htm>.

Buquê de presságios

De tudo, talvez, permaneça
o que significa. O que
não interessa. De tudo,
quem sabe, fique aquilo
que passa. Um **gerânio**
de aflição. Um gosto
de obturação na boca.
Você de cabelo molhado
saindo do banho.
Uma piada. Um provérbio.
Um buquê de presságios.
Sons de gotas na torneira da pia.

Presságios: previsões, pressentimentos.

Gerânio: tipo de flor.

Tranqueiras líricas
na velha caixa de sapato.
De tudo, talvez, restem
bêbadas anotações
no guardanapo.
E aquela música linda
que nunca toca no rádio.

MONTENEGRO, Marcelo. Buquê de presságios. In: COHN, Sérgio (Org.). *Poesia.br*. Rio de Janeiro: Beco do Azougue, 2012. p. 119.

Material complementar
• Atividade: Criação de conto, crônica ou poema a partir de "O medo", de João Carrascoza

Atividade: Produção de carta pessoal

Em seus versos, Marcelo Montenegro fala sobre o que permanece, o que fica dentro de nós, mesmo com o passar dos anos. Coisas simples como a imagem dos cabelos molhados de alguém de quem se gosta, uma piada, um provérbio, anotações feitas em um guardanapo, uma bela música acabam por compor um verdadeiro "baú de memórias", um mosaico.

Escolha um amigo com o qual você tenha uma história especial e envie a ele uma carta contando o que fica (e o que ficará) em seu "buquê de presságios". Diferentemente do que ocorre em alguns outros gêneros, ao escrever uma carta pessoal, sempre temos ideia exata de quem será nosso interlocutor. Assim, podemos adequar o registro empregado ao grau de familiaridade que temos com ele: se somos íntimos, usamos um registro mais coloquial.

Apesar da eficiência dos *e-mails*, as cartas pessoais ainda enternecem quem as recebe. Talvez por isso sejam tão frequentes na literatura, no cinema, nas telenovelas. Siga os passos para a realização dessa tarefa e bom trabalho.

- Faça um rascunho da carta.
- Inicie indicando o lugar e a data.
- Lembre-se do vocativo e das saudações de despedida, que devem estar adequados ao destinatário.
- Promova a interlocução no decorrer da mensagem.
- Conte ao destinatário o que permanece da história de vocês.
- Revise sua carta, seguindo as instruções do guia da página 611.

PARA LEMBRAR

Uma carta pessoal, em geral, inicia-se com indicação de data e lugar e vocativo e encerra-se com saudação de despedida e assinatura do remetente.

Investigue em Literatura

Que obras significativas de autores da contemporaneidade, como Nelson Ascher, Fabrício Carpinejar, Eucanaã Ferraz, Augusto Massi, Glauco Mattoso, Roberto Piva, Sebastião Uchoa Leite, Orides Fontela, Chico Buarque, Francisco Alvim, Hilda Hilst, Daniel Galera, J. P. Cuenca, Laura Erber, Michel Laub, Santiago Nazarian e Fabrício Corsaletti, têm sido publicadas?

O QUE VOCÊ APRENDEU NO PERCURSO DESTE CAPÍTULO

- Neste capítulo, você leu (e realizou criações sobre) textos dos seguintes autores da literatura contemporânea brasileira:
  - Adélia Prado ("Impressionista")
  - Mário Chamie ("Sol permanente")
  - Milton Hatoum ("Flores secas do cerrado")
  - Antonio Cicero ("Minos")
  - Marcelino Freire ("PONTO.COM.PONTO")
  - Marcelo Montenegro ("Buquê de presságios")

Expressões

Chegamos ao final do Ensino Médio! Muitas foram as vivências experimentadas por você nesse percurso. Muito mais do que conhecimentos sobre os movimentos literários, modestamente esperamos que esta obra didática tenha proporcionado a você a possibilidade de expressar-se criticamente e de se fazer ouvir. Agora, para ritualizar o desfecho desta fase de sua vida, convidamos você a responder a cada uma das questões a seguir para a composição de um livro da turma.

GABRIEL AMORIM

O aluno Gabriel Amorim produziu esta foto quando cursava o 3º ano do Ensino Médio (2012).

O caderno das questões (re)veladoras

1. O psicanalista francês Jacques Lacan (1901-1981) defende que o universo simbólico, o das palavras, é o que nos "coloca" no mundo. Que palavras traduzem seu momento presente? Um momento marcado por expectativas, sonhos, anseios, rupturas...
2. O crítico literário Antonio Candido, como você já sabe, credita à literatura o poder de "organizar o caos" que habita as pessoas. Que poema, romance, conto, crônica, etc. que compõe sua biblioteca cultural serve como "organizador de seu caos"?

ROGÉRIO REIS/PULSAR IMAGENS

Praia do Arpoador, Rio de Janeiro (RJ), 2011.

3. Muitas são as pessoas que nos servem de referência ao longo da vida. A alemã Hannah Arendt (1906-1975), uma das pensadoras mais influentes do século XX, por exemplo, teve como referência Heidegger (1889-1976), também filósofo alemão; o escritor Caio Fernando Abreu tinha Clarice Lispector como grande inspiradora; Platão foi um discípulo de Sócrates; Caetano Veloso, quando garoto, sonhava ser um pensador como "aqueles existencialistas de Paris", chegando a fazer uma referência explícita ao filósofo Jean-Paul Sartre em sua canção "Alegria, alegria", um dos hinos do Tropicalismo. Quem seria(m) sua(s) grande(s) referência(s) hoje? Por quê?

EDSON SATO/PULSAR IMAGENS

Estudantes guaranis-kaiowás. Aldeia de Amambai (MS), 2012.

4. Não deve haver arte que "imite" melhor a realidade do que o cinema, mesmo quando inventa mundos fantásticos. Qual é o grande filme de sua vida? Por quê?
5. O que imagina que estará fazendo daqui a quinze anos?
6. Em cada uma das etapas que compõem nossa vida, prometemo-nos jamais abandonar determinadas pessoas que nos são caras e que fazem nossa existência mais grandiosa. Quem são as pessoas que você gostaria de levar para sua vida toda neste momento? Por quê?

DANIEL CYMBALISTA/PULSAR IMAGENS

A ONG Clave de Sol ensina adolescentes a construir e a tocar instrumentos musicais. Itapecerica da Serra (SP), 2009.

7. O semioticista e escritor italiano Umberto Eco (1932) afirmou, após anunciar sua aposentadoria na universidade, que não acredita na felicidade, mas na inquietação. Que inquietações o movem?
8. Que marcas de sua escola ficam em sua vida e que farão parte de sua existência? (Pessoas, conhecimentos, professores, funcionários, etc.)
9. Como você sabe, os simbolistas acreditavam no poder especial que a música tem de nos chegar à alma. Que música(s) toca(m) você especialmente?
10. Que palavras você deixa para você mesmo quando ler este livro depois de concluído seu curso universitário e/ou de ter ingressado numa carreira de trabalho, constituído família?

Depois de responder às questões em uma folha de rascunho, troque suas respostas com um amigo e faça as correções pertinentes. Finalizada a revisão, passe o texto a limpo, digitando o material. Com auxílio do professor, você e seus colegas vão reunir todos os textos e compor o livro da turma. Tirem cópias para que cada aluno receba um exemplar numa cerimônia organizada pela sala. Uma boa ideia é deixar um exemplar no acervo da biblioteca da escola para acesso coletivo. Outra opção é fazer uma versão digital do livro por meio, por exemplo, de um *blog* ou um *site*.

Para ilustrar sua página do livro, retome o projeto proposto pela fotógrafa Sannah Kvist, *All I Own* (Tudo o que tenho), e visto por você na seção **Expressões** da unidade 5. Em 2012, a sueca propôs a jovens nascidos nos anos 1980 que reunissem seus objetos pessoais e compusessem com eles "esculturas" para serem registradas por sua câmera. Escolha um lugar de sua casa (preferencialmente o local onde você dorme), reúna suas coisas mais preciosas neste momento da vida e tire uma foto desse material. Lembre-se: o importante não é a quantidade de coisas que você reunirá em sua foto, mas a simbologia que elas têm em sua história. Um pequeno diário, um instrumento musical, um programa de peça teatral, um livro, um porta-retratos — tudo isso pode compor sua escultura.

REPRODUÇÃO

No filme francês *Entre os muros da escola* (2008), o diretor francês Laurent Cantet conta a história de professores que preparam o ano letivo de uma escola da periferia parisiense.

Leitura puxa leitura

Comece sua leitura por:

Granta n. 9 (2012), de vários autores

Por que ler: Esse número da revista *Granta* faz uma seleção dos 20 melhores escritores brasileiros com menos de 40 anos. Leia e diga se concorda com essa avaliação.

Barba ensopada de sangue (2012), de Daniel Galera

Por que ler: O mais recente romance do autor gaúcho apresenta diversas questões filosóficas e psicológicas mescladas a aspectos culturais da nossa sociedade.

Grafias urbanas (2006), de vários autores

Por que ler: Essa coletânea de contos contemporâneos apresenta dez narrativas curtas que despertam o olhar do leitor para questões relacionadas à vida nas grandes cidades.

Traçados diversos: uma antologia de poesia contemporânea (2009), de Adilson Miguel (org.)

Por que ler: O livro traça um painel rico e diverso da produção poética brasileira contemporânea, com nomes que já obtiveram destaque junto à crítica e ao público.

Folha explica: literatura brasileira hoje (2010), de Manuel da Costa Pinto (org.)

Por que ler: Reunindo 30 romancistas e 30 poetas, essa coletânea apresenta um panorama da produção literária brasileira atual.

FOTOS: REPRODUÇÃO

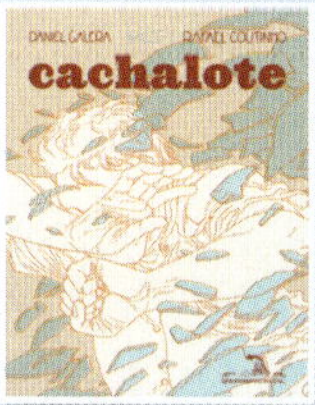

Cachalote (2010), de Rafael Coutinho e Daniel Galera

Por que ler: Essa premiada obra em quadrinhos mescla a visão artística de Rafael Coutinho às intrigantes narrativas de Daniel Galera.

O cheiro do ralo (2002), de Lourenço Mutarelli

Por que ler: Esse romance é uma crítica profunda a nossa sociedade cada vez mais individualista e consumista.

O mundo do grafite (2008), de Nicholas Ganz

Por que ler: Esse livro apresenta diversos trabalhos de grafite, feitos em metrópoles dos Estados Unidos, da Europa e do Brasil.

Deus foi almoçar (2012), de Ferréz

Por que ler: Ferréz se destacou nos últimos anos por levar a periferia de São Paulo para a literatura. Nesse novo romance, porém, o autor troca o conflito externo pelo interno.

Dois irmãos (2000), de Milton Hatoum

Por que ler: Nesse romance, o manauense Hatoum conta uma comovente história familiar que se mistura a importantes eventos do nosso passado recente.

O cheiro do ralo (2006), de Heitor Dhalia

Por que assistir: Essa adaptação cinematográfica retrata de maneira tragicômica a acidez do texto de Mutarelli.

Guerra e spray (2012), de Banksy

Por que ler: O inglês Banksy é um dos mais célebres e intrigantes artistas da atualidade. Suas obras questionam, ironizam e criticam diversos aspectos da cultura contemporânea.

Nó na orelha (2011), de Criolo

Por que ouvir: O cantor paulista apresenta, nesse álbum, canções com letras de temática social, mesclando o *hip-hop* a outros ritmos.

Esaú e Jacó (1904), de Machado de Assis

Por que ler: O penúltimo romance do mestre realista é uma das grandes influências para *Dois irmãos*.

Apêndice

Questões do Enem e de vestibulares

Unidade 1

1 (UEL-PR)

Texto I

Corte

O dia segue normal. Arruma-se a casa. Limpa-se em volta. Cumprimenta-se os vizinhos. Almoça-se ao meio-dia. Ouve-se rádio à tarde. Lá pelas 5 horas, inicia-se o de sempre.

MELLO, Maria Amélia. Corte. *Minas Gerais*, Belo Horizonte, n. 686, ano XIV, 4 nov. 1979. Suplemento Literário, p. 92.

Texto II

Solar

Minha mãe cozinhava exatamente:
arroz, feijão-roxinho, molho de batatinhas.
Mas cantava.

PRADO, Adélia. *O coração disparado*. 3. ed. Rio de Janeiro: Salamandra, 1984. p. 28.

Com base nos textos I e II, considere as afirmativas a seguir.

I. Como "Corte" está em forma de prosa, sua caracterização destoa da estrutura comum em poemas.

II. A ausência de expressão em primeira pessoa inviabiliza a caracterização de "Corte" como texto literário.

III. O fato de "Solar" possuir apenas três versos constitui prática literária inovadora, sem precedentes entre as manifestações poéticas brasileiras.

IV. O uso de primeira pessoa em "Solar" auxilia o caráter de subjetividade que se pode atribuir ao poema.

Estão corretas apenas as afirmativas:

a) I e III.
b) I e IV.
c) II e III.
d) I, II e IV.
e) II, III e IV.

2 (PUC-RJ)

Com licença poética

Quando nasci um anjo esbelto,
desses que tocam trombeta, anunciou:
vai carregar bandeira.
Cargo muito pesado pra mulher,
esta espécie ainda envergonhada.
Aceito os subterfúgios que me cabem,
sem precisar mentir.
Não sou tão feia que não possa casar,
acho o Rio de Janeiro uma beleza e
ora sim, ora não, creio em parto sem dor.
Mas o que sinto escrevo. Cumpro a sina.
Inauguro linhagens, fundo reinos
– dor não é amargura.
Minha tristeza não tem pedigree,
já a minha vontade de alegria,
sua raiz vai ao meu mil avô.
Vai ser coxo na vida é maldição pra homem.
Mulher é desdobrável. Eu sou.

PRADO, Adélia. *Poesia reunida*. São Paulo: Siciliano, 1995. p. 11.

Adélia Prado é considerada uma das mais importantes escritoras brasileiras contemporâneas. Sua poesia trata de temas que vão do mistério da criação poética à vida cotidiana, passando pela condição feminina. Leitora contumaz, ela estabelece uma série de diálogos com obras e autores de nossa literatura. A partir da leitura do texto acima, estabeleça uma comparação entre o poema de Adélia e o seguinte trecho do "Poema de sete faces" de Carlos Drummond de Andrade:

Quando nasci, um anjo torto
desses que vivem na sombra
disse: Vai, Carlos! ser *gauche** na vida.

**gauche*: palavra da língua francesa que possui inúmeros significados, dentre os quais os de torto, malfeito, desajeitado.

3 (Enem-MEC)

Gênero dramático é aquele em que o artista usa como intermediária entre si e o público a representação. A palavra vem do grego *drao* (fazer) e quer dizer ação. A peça teatral é, pois, uma composição literária destinada à apresentação por atores em um palco, atuando e dialogando entre si. O texto dramático é complementado pela atuação dos atores no espetáculo teatral e possui uma estrutura especifica, caracterizada: 1) pela presença de personagens que devem estar ligados por uma lógica uns aos outros e à ação; 2) pela ação dramática (trama, enredo), que é o conjunto de atos dramáticos, maneiras de ser e de agir das personagens encadeadas à unidade do efeito e segundo uma ordem composta de exposição, conflito, complicação, clímax e desfecho; 3) pela situação ou ambiente, que é o conjunto de circunstâncias físicas, sociais, espirituais em que se situa a ação; 4) pelo tema, ou seja, a ideia que o autor (dramaturgo) deseja expor, ou sua interpretação real por meio da representação.

COUTINHO, A. *Notas de teoria literária.* Rio de Janeiro: Civilização Brasileira, 1973. (Adaptado).

Considerando o texto e analisando os elementos que constituem o espetáculo teatral, conclui-se que:

a) a criação do espetáculo teatral apresenta-se como um fenômeno de ordem individual, pois não é possível sua concepção de forma coletiva.
b) o cenário onde se desenrola a ação cênica é concebido e construído pelo cenógrafo de modo autônomo e independente do tema da peça e do trabalho interpretativo dos atores.
c) o texto cênico pode originar-se dos mais variados gêneros textuais, como contos, lendas, romances, poesias, crônicas, notícias, imagens e fragmentos textuais, entre outros.
d) o corpo do ator em cena tem pouca importância na comunicação teatral, visto que o mais importante é a expressão verbal, base da comunicação cênica em toda a trajetória do teatro até os dias atuais.
e) a iluminação e o som de um espetáculo cênico independem do processo de produção/recepção do espetáculo teatral, já que se trata de linguagens artísticas diferentes, agregadas posteriormente à cena teatral.

4 (Fuvest-SP)

Chega!
Meus olhos brasileiros se fecham saudosos.
Minha boca procura a "Canção do exílio".
Como era mesmo a "Canção do exílio"?
Eu tão esquecido de minha terra...
Ai terra que tem palmeiras
onde canta o sabiá!

Carlos Drummond de Andrade. Europa, França e Bahia. *Alguma poesia.*

Neste excerto, a citação e a presença e trechos ..... constituem um caso de .....
Os espaços pontilhados da frase acima deverão ser preenchidos, respectivamente, com o que está em:

a) do famoso poema de Álvares de Azevedo/ discurso indireto.
b) da conhecida canção de Noel Rosa/ paródia.
c) do célebre poema de Gonçalves Dias/ intertextualidade.
d) da célebre composição de Villa-Lobos/ ironia.
e) do famoso poema de Mário de Andrade/ metalinguagem.

Unidade 2

(Unesp) Leia a cantiga trovadoresca abaixo e responda às questões a seguir.

Sedia la fremosa seu sirgo torcendo

Estêvão Coelho
Sedia la fremosa seu sirgo torcendo,
Sa voz manselinha fremoso dizendo
Cantigas d'amigo.
Sedia la fremosa seu sirgo lavrando,
Sa voz manselinha fremoso cantando
Cantigas d'amigo.
— Par Deus de Cruz, dona, sey que avedes
Amor muy coytado que tan ben dizedes
Cantigas d'amigo.
Par Deus de Cruz, dona, sey que andades
D'amor muy coytada que tan ben cantades
Cantigas d'amigo.
— Avuytor comestes, que adevinhades.

Estava a formosa seu fio

(paráfrase de Cleonice Berardinelli)

Estava a formosa seu fio torcendo,
Sua voz harmoniosa, suave dizendo
Cantigas de amigo.
Estava a formosa sentada, bordando,
Sua voz harmoniosa, suave cantando
Cantigas de amigo.
— Por Jesus, senhora, vejo que sofreis
De amor infeliz, pois tão bem dizeis
Cantigas de amigo.
Por Jesus, senhora, eu vejo que andais
Com penas de amor, pois tão bem cantais
Cantigas de amigo.
— Abutre comeste, pois que adivinhais.

In: BERARDINELLI, Cleonice. *Cantigas de trovadores medievais em português moderno*. Rio de Janeiro: Organ. Simões, 1953. pp. 58-59.

O paralelismo é um dos recursos estilísticos mais comuns na poesia lírico-amorosa trovadoresca. Consiste na ênfase de uma ideia central, às vezes repetindo expressões idênticas, palavra por palavra, em séries de estrofes paralelas. A partir destas observações, releia o texto de Estêvão Coelho e responda:

5 (Unesp) O poema se estrutura em quantas séries de estrofes paralelas? Identifique-as e explique as ideias centrais que são enfatizadas em cada série paralelística.

6 (Unesp) Considerando-se que o último verso da cantiga caracteriza um diálogo entre personagens; considerando-se que a palavra "abutre" grafava-se "avuytor", em português arcaico; e considerando-se que, de acordo com a tradição popular da época, era possível fazer previsões e descobrir o que está oculto, comendo carne de abutre, mediante estas três considerações:

a) Identifique o personagem que se expressa em discurso direto, no último verso do poema.

b) Interprete o significado do último verso, no contexto do poema.

7 (UFRGS-RS) Em relação ao *Auto da Barca do Inferno* de Gil Vicente, considere as seguintes afirmações.

I. Trata-se de um grande painel que satiriza a sociedade portuguesa de seu tempo.

II. Representa a transição da Idade Média para o Renascimento, guardando traços dos dois períodos.

III. Sugere que o Diabo, ao julgar justos e pecadores, tem poderes maiores que Deus.

Quais estão corretas?

a) Apenas I.

b) Apenas I e II.

c) Apenas I e III.

d) Apenas II e III.

e) I, II e III.

8 (Fuvest-SP) Indique a afirmação correta sobre o *Auto da Barca do Inferno*, de Gil Vicente:

a) É intrincada a estruturação de suas cenas, que surpreendem o público com o inesperado de cada situação.

b) O moralismo vicentino localiza os vícios não nas instituições, mas nos indivíduos que as fazem viciosas.

c) É complexa a crítica aos costumes da época, já que o autor é o primeiro a relativizar a distinção entre o Bem e o Mal.

d) A ênfase desta sátira recai sobre as personagens populares, as mais ridicularizadas e as mais severamente punidas.

e) A sátira é aqui demolidora e indiscriminada, não fazendo referência a qualquer exemplo de valor positivo.

9 (PUC-SP, adaptada) Gil Vicente, criador do teatro português, realizou uma obra eminentemente popular. Seu *Auto da Barca do Inferno*, encenado em 1517, apresenta, entre outras características, a de pertencer ao teatro religioso alegórico. Tal classificação justifica-se por:

a) ser um teatro de louvor e litúrgico em que o sagrado é plenamente respeitado.

b) não se identificar com a postura anticlerical, já que considera a igreja uma instituição modelar e virtuosa.

c) apresentar estrutura baseada no maniqueísmo cristão, que divide o mundo entre o Bem e o Mal, e na correlação entre a recompensa e o castigo.

d) apresentar temas profanos e sagrados e revelar-se radicalmente contra o catolicismo e a instituição religiosa.

e) aceitar a hipocrisia do clero e, criticamente, justificá-la em nome da fé cristã.

10 (UEL-PR) Em *Farsa de Inês Pereira* (1523), Gil Vicente apresenta uma donzela casadoura que se lamenta das canseiras do trabalho doméstico e imagina casar-se com um homem discreto e elegante. O trecho a seguir é a fala de Latão, um dos judeus que foi em busca do marido ideal para Inês, dirigindo-se a ela:

"Foi a coisa de maneira,
tal friúra e tal canseira,
que trago as tripas maçadas;
assim me fadem boas fadas
que me soltou caganeira...
para vossa mercê ver
o que nos encomendou."

VICENTE, Gil. *Farsa de Inês Pereira*. 22. ed. São Paulo: Brasiliense, 1989. p. 95.

friúra: frieza, estado de quem está frio
maçadas: surradas
fadem: predizem

Sobre o trecho, é correto afirmar:

a) Privilegia a visão racionalista da realidade por Gil Vicente, empregada pelo autor para atender às necessidades do homem do Classicismo.

b) É escrito com perfeição formal e clareza de raciocínio, pelas quais Gil Vicente é considerado um mestre renascentista.

c) Retrata uma cena grotesca em que se notam traços da cultura popular, o que não invalida a inclusão de Gil Vicente entre os autores do Humanismo.

d) Sua linguagem é característica de um período já marcado pelo Renascimento, o que se evidencia pela referência de Gil Vicente a figuras mitológicas clássicas, como as "boas fadas".

e) Revela em Gil Vicente uma visão positiva do homem de fé que se liberta da doença pelo recurso à divindade.

11 (Unicamp-SP) Leia o diálogo abaixo, de *Auto da Barca do Inferno*:

DIABO
Cavaleiros, vós passais
e não perguntais onde is?
CAVALEIRO
Vós, Satanás, presumis?
Atentai com quem falais!
OUTRO CAVALEIRO
Vós que nos demandais?
Siquer conhece-nos bem.
Morremos nas partes d'além,
e não queirais saber mais.

Gil Vicente, *Auto da Barca do Inferno*, em *Antologia do Teatro de Gil Vicente*. Org. Cleonice Berardinelli, Rio de Janeiro: Nova Fronteira/Brasília: INL, 1984. p. 89.

a) Por que o cavaleiro chama a atenção do Diabo?

b) Onde e como morreram os dois Cavaleiros?

c) Por que os dois passam pelo Diabo sem se dirigir a ele?

12 (Fuvest-SP)

E chegando à barca da glória, diz ao Anjo:
Brísida. Barqueiro, mano, meus olhos,
prancha a Brísida Vaz!
Anjo. Eu não sei quem te cá traz...
Brísida. Peço-vo-lo de giolhos!
Cuidais que trago piolhos,
anjo de Deus, minha rosa?
Eu sou Brísida, a preciosa,
que dava as môças aos molhos.
A que criava as meninas
para os cônegos da Sé...
Passai-me, por vossa fé,
meu amor, minhas boninas,
olhos de perlinhas finas!
[...]

Gil Vicente, *Auto da barca do inferno.*
(Texto fixado por S. Spina)

a) No excerto, a maneira de tratar o Anjo, empregada por Brísida Vaz, relaciona-se à atividade que ela exercera em vida? Explique resumidamente.

b) No excerto, o tratamento que Brísida Vaz dispensa ao Anjo é adequado à obtenção do que ela deseja – isto é, levar o Anjo a permitir que ela embarque? Por quê?

Unidade 3

13 (UFRGS-RS) Leia o soneto abaixo, de Luís de Camões.

Um mover de olhos, brando e piedoso,
sem ver de quê; um riso brando e honesto,
quase forçado, um doce e humilde gesto,
de qualquer alegria duvidoso;

um despejo quieto e vergonhoso;
um desejo gravíssimo e modesto;
uma pura bondade manifesto
indício da alma, limpo e gracioso;

um encolhido ousar, uma brandura;
um medo sem ter culpa, um ar sereno;
um longo e obediente sofrimento:

Esta foi a celeste formosura
da minha Circe, e o mágico veneno
que pôde transformar meu pensamento.

Em relação ao poema acima, considere as seguintes afirmações.

I. O poeta elabora um modelo de mulher perfeita e superior, idealizando a figura feminina.
II. O poeta não se deixa seduzir pela beleza feminina, assumindo uma atitude de insensibilidade.
III. O poeta sugere o desejo erótico ao referir a figura mitológica de Circe.

Quais estão corretas?

a) Apenas I.
b) Apenas III.
c) Apenas I e II.
d) Apenas I e III.
e) I, II e III.

14 (UFJF-MG) Leia o texto abaixo e responda:

CANTIGA
Vi chorar uns claros olhos
Quando deles me partia.
Oh! que mágoa! Oh! que alegria

VOLTAS
(...)
O bem que Amor me não deu,
No tempo que o desejei,
Quando dele me apartei,
Me confessou que era meu.
Agora que farei eu,
Se a fortuna me desvia
De lograr esta alegria?

(Camões – *Lírica*)

Mudando andei costume, terra e estado,
Por ver se se mudava a sorte dura;
A vida pus nas mãos de um leve lenho.
Mas, segundo o que o Céu me tem mostrado,

Já sei que deste meu buscar ventura
Achado tenho já que não a tenho.

(Camões – *Lírica*)

A partir da leitura dos dois fragmentos, assinale a afirmativa INACEITÁVEL:

a) Há diversidade formal e temática na lírica de Camões, devido à sua relação tanto com a tradição popular quanto com a cultura clássica.

b) Nos dois textos encontramos a ação do destino se opondo à felicidade do poeta.

c) A expressão "fortuna", do primeiro fragmento, é equivalente, no plano semântico, à expressão "ventura", do segundo.

d) A forma do primeiro fragmento expressa a relação entre a lírica de Camões e a tradição poética medieval peninsular.

e) O terceiro verso do segundo fragmento é uma metáfora clara da instabilidade da vida do poeta.

15 (UFJF-MG) Com os versos "Cantando espalharei por toda a parte, / Se a tanto me ajudar o engenho e a arte.", Camões explica que o propósito de *Os Lusíadas* é divulgar os feitos portugueses. Sobre esse poema épico, só é INCORRETO afirmar que:

a) se trata da maior obra literária do Quinhentismo português.

b) Camões sofre a clara influência dos clássicos greco-latinos.

c) há forte presença do romantismo, devido ao nacionalismo.

d) como epopeia moderna, há momentos de crítica à nação e ao povo.

e) louva não apenas o homem português, mas o homem renascentista.

16 (PUC-SP)

Tu só, tu, puro amor, com força crua
Que os corações humanos tanto obriga,
Deste causa à molesta morte sua,
Como se fora pérfida inimiga.
Se dizem, fero Amor, que a sede tua
Nem com lágrimas tristes se mitiga,
É porque queres, áspero e tirano,
Tuas aras banhar em sangue humano.
Estavas, linda Inês, posta em sossego,
De teus anos colhendo doce fruito,
Naquele engano da alma ledo e cego,
Que a fortuna não deixa durar muito,
Nos saudosos campos do Mondego,
De teus fermosos olhos nunca enxuito,
Aos montes ensinando e às ervinhas,
O nome que no peito escrito tinhas.

Os Lusíadas, obra de Camões, exemplificam o gênero épico na poesia portuguesa, entretanto oferecem momentos em que o lirismo se expande, humanizando os versos. O episódio de Inês de Castro, do qual o trecho acima faz parte, é considerado o ponto alto do lirismo camoniano inserido em sua narrativa épica. Desse episódio, como um todo, pode afirmar-se que seu núcleo central

a) personifica e exalta o Amor, mais forte que as conveniências e causa da tragédia de Inês.

b) celebra os amores secretos de Inês e de D. Pedro e o casamento solene e festivo de ambos.

c) tem como tema básico a vida simples de Inês de Castro, legítima herdeira do trono de Portugal.

d) retrata a beleza de Inês, posta em sossego, ensinando aos montes o nome que no peito escrito tinha.

e) relata em versos livres a paixão de Inês pela natureza e pelos filhos e sua elevação ao trono português.

17 (UFSCar-SP) A questão baseia-se no poema épico *Os Lusíadas*, de Luís Vaz de Camões, do qual se reproduzem, a seguir, três estrofes.

Mas um velho, de aspeito venerando,
Que ficava nas praias, entre a gente,
Postos em nós os olhos, meneando
Três vezes a cabeça, descontente,
A voz pesada um pouco alevantando,
Que nós no mar ouvimos claramente,
C'um saber só de experiências feito,

Tais palavras tirou do experto peito:
"Ó glória de mandar, ó vã cobiça
Desta vaidade a quem chamamos Fama!
Ó fraudulento gosto, que se atiça
C'uma aura popular, que honra se chama!
Que castigo tamanho e que justiça
Fazes no peito vão que muito te ama!
Que mortes, que perigos, que tormentas,
Que crueldades neles experimentas!
Dura inquietação d'alma e da vida
Fonte de desamparos e adultérios,
Sagaz consumidora conhecida
De fazendas, de reinos e de impérios!
Chamam-te ilustre, chamam-te subida,
Sendo digna de infames vitupérios;
Chamam-te Fama e Glória soberana,
Nomes com quem se o povo néscio engana."

Os versos de Camões foram retirados da passagem conhecida como "O Velho do Restelo". Nela, o velho

a) abençoa os marinheiros portugueses que vão atravessar os mares à procura de uma vida melhor.
b) critica as navegações portuguesas por considerar que elas se baseiam na cobiça e busca de fama.
c) emociona-se com a saída dos portugueses que vão atravessar os mares até chegar às Índias.
d) destrata os marinheiros por não o terem convidado a participar de tão importante empresa.
e) adverte os marinheiros portugueses dos perigos que eles podem encontrar para buscar fama em outras terras.

18 (UFRGS-RS) Assinale a alternativa correta.

No canto I de *Os Lusíadas*, na passagem que narra o concílio dos deuses, Júpiter:

a) conclama os deuses a auxiliarem os portugueses na Ásia, como recompensa pelos ásperos perigos da viagem;
b) encontra acolhida a suas palavras entre os deuses maiores e menores;
c) reconhece a grandeza do povo lusitano, que enfrenta o mar desconhecido em frágeis embarcações;
d) aceita as justificativas de Baco para impedir a chegada dos navegadores portugueses à Índia.
e) mostra dúvidas quanto à possibilidade de que os feitos do povo lusitano venham a suplantar a glória dos gregos e romanos.

19 (UFRGS-RS) Assinale a alternativa incorreta.

No canto V de *Os Lusíadas*,

a) Adamastor representa os perigos enfrentados pelos navegadores lusitanos na travessia do oceano Atlântico para o oceano Índico;
b) os portugueses assistem à transformação do gigante Adamastor em penedo quando tentam ultrapassar a parte mais meridional da África;
c) apesar das ameaças do gigante, os navegantes prosseguem, esperando ardentemente que os perigos e castigos profetizados sejam afastados;
d) a nuvem negra que se desfaz, antes associada ao Cabo das Tormentas, abre novas esperanças em relação aos objetivos da viagem;
e) a voz de "tom horrendo e grosso" do gigante Adamastor, ao dar lugar a um "medonho choro", deixa ver aos navegadores que o perigo já foi afastado.

20 (UFSCar-SP) Leia o texto abaixo e responda ao que se pede:

Partimo-nos assim do santo templo
Que nas praias do mar está assentado,
Que o nome tem da terra, para exemplo,
Donde Deus foi em carne ao mundo dado.
Certifico-te, ó Rei, que se contemplo
Como fui destas praias apartado,
Cheio dentro de dúvida e receio,
Que a penas nos meus olhos ponho o freio.

Camões, *Os Lusíadas*, Canto 4º – 87.

O trecho faz parte do poema épico *Os Lusíadas*, escrito por Luís Vaz de Camões, e narra a partida de Vasco da Gama, para a viagem às Índias.

a) Em que estilo de época ou época histórica se situa a obra de Camões?

b) Para dizer que o nome do templo é Belém, Camões faz uso de uma perífrase: "Que o nome tem da terra, para exemplo,/Donde Deus foi em carne ao mundo dado". Em que outro trecho dessa estrofe Camões usa outra perífrase?

21 (UFLA-MG) Todas as alternativas são corretas sobre o Padre Anchieta, exceto:

a) Foi o mais importante jesuíta em atividade no Brasil do século XVI.

b) Foi o grande orador sacro da língua portuguesa, com seus sermões barrocos.

c) Estudou tupi-guarani, escrevendo uma cartilha sobre a gramática da língua dos nativos.

d) Escreveu tanto uma literatura de caráter informativo como de caráter pedagógico.

e) Suas peças apresentam sempre o duelo entre anjos e diabos.

(UFSC) Texto para as questões 22 e 23.

A CARTA DE PERO VAZ DE CAMINHA

Num dos trechos de sua carta a D. Manuel, Pero Vaz de Caminha descreve como foi o contato entre os portugueses e os tupiniquins, que aconteceu em 24 de abril de 1500: "O Capitão, quando eles vieram, estava sentado em uma cadeira, aos pés de uma alcatifa por estrado; e bem vestido, com um colar de ouro, muito grande, ao pescoço (...) Acenderam-se tochas. E eles entraram. Mas nem sinal de cortesia fizeram, nem de falar ao Capitão; nem a ninguém. Todavia um deles fitou o colar do Capitão, e começou a fazer acenos com a mão em direção à terra, e depois para o colar, como se quisesse dizer-nos que havia ouro na terra. E também olhou para um castiçal de prata, e assim mesmo acenava para a terra, e novamente para o castiçal, como se lá também houvesse prata! (...) Viu um deles umas contas de rosário, brancas; fez sinal que lhas dessem, folgou muito com elas, e lançou-as ao pescoço, e depois tirou-as e meteu-as em volta do braço, e acenava para a terra e novamente para as contas e para o colar do Capitão, como se davam ouro por aquilo. Isto tomávamos nós nesse sentido, por assim o desejarmos! Mas se ele queria dizer que levaria as contas e mais o colar, isto não queríamos nós entender, por que não lho havíamos de dar! E depois tornou as contas a quem lhas dera. E então estiraram-se de costas na alcatifa, a dormir sem procurarem maneiras de esconder suas vergonhas, as quais não eram fanadas; e as cabeleiras delas estavam raspadas e feitas. O Capitão mandou pôr por baixo de cada um seu coxim; e o da cabeleira esforçava-se por não a estragar. E deitaram um manto por cima deles; e, consentindo, aconchegaram-se e adormeceram".

COLEÇÃO BRASIL 500 ANOS, Fasc. I, Abril, SP, 1999.

Alcatifa: tapete, carpete.

Fanadas: murchas.

Coxim: almofada que serve de assento.

22 (UFSC) De acordo com o texto, assinale a(s) proposição(ões) **VERDADEIRA(S)**.

01. Pero Vaz de Caminha, um dos escrivães da armada portuguesa, escreve para o Rei de Portugal, D. Manuel, relatando como foi o contato entre os portugueses e os tupiniquins.

02. Em *E eles entraram. Mas nem sinal de cortesia fizeram, nem de falar ao Capitão; nem a ninguém*, fica implícito que os tupiniquins desconheciam hierarquia ou categoria social lusitanas.

04. O trecho ... *e acenava para a terra e novamente para as contas e para o colar do Capitão, como se davam ouro por aquilo. Isto tomávamos nós nesse sentido, por assim o desejarmos*, evidencia que havia problemas de comunicação entre portugueses e tupiniquins.

08. Nada, na embarcação portuguesa, pareceu despertar o interesse dos tupiniquins.

23 (UFSC) A propósito do texto, é **CORRETO** afirmar que:

01. A expressão ... *folgou muito com elas...* pode ser substituída por *divertiu-se muito com as contas do rosário.*

02. Os tupiniquins, bastante comunicativos, falaram aos marinheiros que havia muita riqueza na terra descoberta.

04. Pelo trecho... *E também olhou para um castiçal de prata, e assim mesmo acenava para a terra...* entende-se que os tupiniquins estavam dentro da embarcação portuguesa.

08. Os tupiniquins ficaram constrangidos com a presença dos portugueses e logo abandonaram o navio.

24 (Enem-MEC)

Texto I

XLI
Ouvia:
Que não podia odiar
E nem temer
Porque tu eras eu.
E como seria
Odiar a mim mesma
E a mim mesma temer.

HILST, H. *Cantares.*
São Paulo: Globo, 2004 (fragmento).

Texto II

Transforma-se o amador na cousa amada,
por virtude do muito imaginar;
não tenho, logo, mais que desejar,
pois em mim tenho a parte desejada.

Camões. Sonetos. Disponível em: http://www.jornaldepoesia.jor.br. Acesso em: 3 set. 2010 (fragmento).

Nesses fragmentos de poemas de Hilda Hilst e de Camões, a temática comum é:

a) o "outro" transformado no próprio eu lírico, o que se realiza por meio de uma espécie de fusão de dois seres em um só.

b) a fusão do "outro" com o eu lírico, havendo, nos versos de Hilda Hilst, a afirmação do eu lírico de que odeia a si mesmo.

c) o "outro" que se confunde com o eu lírico, verificando-se, porém, nos versos de Camões, certa resistência do ser amado.

d) a dissociação entre o "outro" e o eu lírico, porque o ódio ou o amor se produzem no imaginário, sem a realização concreta.

e) o "outro" que se associa ao eu lírico, sendo tratados, nos Textos I e II, respectivamente, o ódio e o amor.

25 (Fuvest-SP)

Quando da bela vista e doce riso,
tomando estão meus olhos mantimento,[1]
tão enlevado sinto o pensamento
que me faz ver na terra o Paraíso.
Tanto do bem humano estou diviso,[2]
que qualquer outro bem julgo por vento;
assi, que em caso tal, segundo sento,[3]
assaz de pouco faz quem perde o siso.
Em vos louvar, Senhora, não me fundo,[4]
porque quem vossas cousas claro sente,
sentirá que não pode merecê-las.
Que de tanta estranheza sois ao mundo,
que não é d'estranhar, Dama excelente,
que quem vos fez, fizesse Céu e estrelas.

(Camões, ed. *A.J. da Costa Pimpão*)

[1] Tomando mantimento – tomando consciência.
[2] Estou diviso – estou separado, apartado.
[3] Sento – sinto.
[4] Não me fundo – não me empenho.

a) Caracterize brevemente a concepção de mulher que esse soneto apresenta.

b) Aponte duas características desse soneto que o filiam ao Classicismo, explicando-as sucintamente.

Unidade 4

26 (UFRJ)

SONETO

[Moraliza o poeta nos ocidentes do sol
a inconstância dos bens do mundo]

Nasce o Sol, e não dura mais que um dia,
Depois da Luz se segue a noite escura,
Em tristes sombras morre a formosura,
Em contínuas tristezas a alegria.

Porém se acaba o Sol, por que nascia?
Se formosa a Luz é, por que não dura?
Como a beleza assim se transfigura?
Como o gosto da pena assim se fia?

Mas no Sol, e na Luz, falte a firmeza,
Na formosura não se dê constância,
E na alegria sinta-se tristeza.

Começa o mundo enfim pela ignorância,
E tem qualquer dos bens por natureza
A firmeza somente na inconstância.

MATOS, Gregório. *Obras completas de Gregório de Matos*. Salvador: Janaína, 1969, 7 volumes.

Todo soneto apresenta a estruturação: tese, anti-tese e síntese. Com base nessa informação, faça o seguinte:

a) **Explique** de que maneira a síntese do soneto de Gregório de Matos vincula-se ao projeto estético do Barroco.

b) **Descreva** como a relação entre os sentimentos de "alegria" e "tristeza" ganha novo sentido no desenrolar do soneto.

27 (UFF-RJ)

Senhora Dona Bahia,
nobre e opulenta cidade,
madrasta dos naturais,
e dos estrangeiros madre:

Dizei-me por vida vossa
em que fundais o ditame
de exaltar os que aqui vêm,
e abater os que aqui nascem?

Se o fazeis pelo interesse
de que os estranhos vos gabem,
isso os paisanos fariam
com conhecidas vantagens.

E suposto que os louvores
em boca própria não valem,
se tem força esta sentença,
mor força terá a verdade.

O certo é, pátria minha,
que fostes terra de alarves,
e inda os ressábios vos duram
desse tempo e dessa idade.

Haverá duzentos anos,
nem tantos podem contar-se,
que éreis uma aldeia pobre
e hoje sois rica cidade.

Então vos pisavam índios,
e vos habitavam cafres,
hoje chispais fidalguias,
arrojando personagens.

Gregório de Matos

alarves: que ou quem é rústico, abrutado, grosseiro, ignorante; que ou o que é tolo, parvo, estúpido.

ressábios: sabor; gosto que se tem depois.

cafres: indivíduo de raça negra.

Todas as afirmativas sobre a construção estética ou a produção textual do poema de Gregório de Matos estão adequadas, EXCETO uma. Assinale-a.

a) Existem antíteses, características de textos no período barroco.

b) Há uma personificação, pois a Bahia, ser inanimado, é tratada como ser vivo.

c) A ausência de métrica aproxima o poema do Modernismo.

d) O eu lírico usa o vocativo, transformando a Bahia em sua interlocutora.

e) Há diferença de tratamento para os habitantes locais e os estrangeiros.

(UEL-PR) Leia o texto a seguir e responda às próximas questões:

Triste Bahia! Oh quão dessemelhante
Estás, e estou do nosso antigo estado!
Pobre te vejo a ti, tu a mi empenhado,
Rica te vejo eu já, tu a mi abundante.

A ti trocou-te a máquina mercante,
Que em tua larga barra tem entrado,
A mim foi-me trocando, e tem trocado
Tanto negócio, e tanto negociante.

Deste em dar tanto açúcar excelente
Pelas drogas inúteis, que abelhuda
Simples aceitas do sagaz Brichote.

Oh se quisera Deus, que de repente
Um dia amanheceras tão sisuda
Que fora de algodão o teu capote!

MATOS, Gregório de. *Poesias selecionadas*. 3. ed. São Paulo: FTD, 1998. p. 141.

28 (UEL-PR) No que diz respeito à relação entre o eu lírico e a Bahia, considere as afirmativas a seguir.

I. Na primeira estrofe, o eu lírico identifica-se com a Bahia, pois ambos sofrem a perda de um antigo estado.

II. Na primeira estrofe, a Bahia aparece personificada, fato confirmado no momento em que ela e o eu lírico se olham.

III. Na terceira estrofe, constata-se que a Bahia não está isenta da culpa pela perda de seu antigo estado.

IV. Na quarta estrofe, o eu lírico conclui que a lamentável situação da Bahia está em conformidade com a vontade divina.

Assinale a alternativa correta.

a) Somente as afirmativas I e II são corretas.

b) Somente as afirmativas II e IV são corretas.

c) Somente as afirmativas III e IV são corretas.

d) Somente as afirmativas I, II e III são corretas.

e) Somente as afirmativas I, III e IV são corretas

29 (UEL-PR) Sobre figuras de linguagem no poema, considere as afirmativas a seguir.

I. A descrição do eu lírico e da Bahia configura uma antítese entre o estado antigo e o atual de ambos.

II. A antítese é verificada na oposição entre as expressões "máquina mercante" e "drogas inúteis", embora ambas se refiram à Bahia.

III. Os versos 3 e 4 são exemplos do papel relevante da gradação no conjunto do poema, pois enumera estados de espírito do eu lírico.

IV. Os versos "Um dia amanheceras tão sisuda / Que fora de algodão o teu capote!" configuram exemplos de personificação e metáfora, respectivamente.

Assinale a alternativa correta.

a) Somente as afirmativas I e IV são corretas.

b) Somente as afirmativas II e III são corretas.

c) Somente as afirmativas III e IV são corretas.

d) Somente as afirmativas I, II e III são corretas.

e) Somente as afirmativas I, II e IV são corretas.

30 (UEL-PR) A partir da leitura do texto, considere as afirmativas a seguir.

I. O poema faz parte da produção de Gregório de Matos caracterizada pelo cunho satírico, visto que ridiculariza vícios e imperfeições e assume um tom de censura.

II. As figuras do desconsolado poeta, da triste Bahia e do sagaz Brichote são imagens poéticas utilizadas para expressar a existência de um triângulo amoroso.

III. O poema apresenta a degradação da Bahia e do eu lírico, em virtude do sistema de trocas imposto à Colônia, o qual privilegiava os comerciantes estrangeiros.

IV. Os versos "Que em tua larga barra tem entrado" e "Deste em dar tanto açúcar excelente" conferem ao poema um tom erótico, pois, simbolicamente, sugerem a ideia de solicitação ao prazer.

Assinale a alternativa correta.

a) Somente as afirmativas I e II são corretas.

b) Somente as afirmativas I e III são corretas.

c) Somente as afirmativas III e IV são corretas.

d) Somente as afirmativas I, II e IV são corretas.

e) Somente as afirmativas II, III e IV são corretas.

31 (UFMG-MG) Um dos recursos utilizados pelo padre Antônio Vieira em seus sermões consiste na "agudeza" – maneira de conduzir o pensamento que aproxima objetos e/ou ideias distantes, diferentes, por meio de um discurso artificioso, que se costuma chamar de "discurso engenhoso". Assinale a alternativa em que, no trecho transcrito do "Sermão da Sexagésima", o autor utiliza esse recurso.

a) Lede as histórias eclesiásticas, e achá-las-eis todas cheias de admiráveis efeitos da pregação da palavra de Deus. Tantos pecadores convertidos, tanta mudança de vida, tanta reformação de costumes; os grandes desprezando as riquezas e vaidades do Mundo; os reis renunciando os cetros e as coroas; as mocidades e as gentilezas metendo-se pelos desertos e pelas covas [...]

b) Miseráveis de nós, e miseráveis de nossos tempos, pois neles se veio a cumprir a profecia de S. Paulo: [...] "Virá tempo, diz S. Paulo, em que os homens não sofrerão a doutrina sã." [...] "Mas para seu apetite terão grande número de pregadores feitos a montão e sem escolha, os quais não façam mais que adular-lhes as orelhas."

c) Para um homem se ver a si mesmo são necessárias três coisas: olhos, espelho e luz. [...] Que coisa é a conversão de uma alma, senão entrar um homem dentro de si e ver-se a si mesmo? Para esta vista são necessários olhos, é necessária luz e é necessário espelho. O pregador concorre com o espelho, que é a doutrina; Deus concorre com a luz, que é a graça; o homem concorre com os olhos, que é o conhecimento.

d) Quando Davi saiu a campo com o gigante, ofereceu-lhe Saul as suas armas, mas ele não as quis aceitar. Com as armas alheias ninguém pode vencer, ainda que seja Davi. As armas de Saul só servem a Saul, e as de Davi a Davi, e mais aproveita um cajado e uma funda própria, que a espada e a lança alheia.

32 (UEG, adaptada)

Pequei, Senhor; mas não porque hei pecado,
Da vossa alta clemência me despido;
Porque quanto mais tenho delinquido,
Vos tenho a perdoar mais empenhado.

Obras poéticas de Gregório de Matos.
Rio de Janeiro: Record, 1990.

Durante o período colonial brasileiro, as principais manifestações artísticas, populares ou eruditas, foram, assim como nos demais aspectos da vida cotidiana, marcadas pela influência da religiosidade. Nesse sentido, com base na análise da presença da religiosidade na obra de Aleijadinho e Gregório de Matos, é CORRETO afirmar:

a) Ambas são modelos da arte barroca, uma vez que se inspiram mais na temática cristã do que em elementos oriundos da mitologia greco-romana.

b) A presença da temática religiosa em ambos deve-se à influência protestante holandesa na região da Bahia e de Minas Gerais.

c) No trecho do poema, tem-se a expressão de um pecador que, embora creia em Deus, não tem certeza de que obterá o perdão divino.

d) A pobreza estética da obra de Aleijadinho e Matos deriva da censura promovida pela Santa Inquisição às obras artísticas no Brasil.

33 (UFRGS-RS) Assinale com V (verdadeiro) ou F (falso) as afirmações abaixo sobre os dois grandes nomes do barroco brasileiro.

( ) A obra poética de Gregório de Matos oscila entre os valores transcendentais e os valores mundanos, exemplificando as tensões do seu tempo.

( ) Os sermões do Padre Vieira caracterizam-se por uma construção de imagens desdobradas em numerosos exemplos que visam a enfatizar o conteúdo da pregação.

( ) Gregório de Matos e o Padre Vieira, em seus poemas e sermões, mostram exacerbados sentimentos patrióticos expressos em linguagem barroca.

( ) A produção satírica de Gregório de Matos e o tom dos sermões do Padre Vieira representam duas faces da alma barroca no Brasil.

( ) O poeta e o pregador alertam os contemporâneos para o desvio operado pela retórica retumbante e vazia.

A sequência correta de preenchimento dos parênteses, de cima para baixo, é:

a) V – F – F – F – F.
b) V – V – V – V – F.
c) V – V – F – V – F.
d) F – F – V – V – V.
e) F – F – F – V – V.

Unidade 5

34 (UFPI) O Canto quinto do poema *O Uraguai* é composto como a descrição de uma suntuosa pintura que o leitor do poema é convidado a observar. Segundo o poema, o quadro teria sido pintado na entrada principal de uma igreja, construída na região onde se passa o conflito histórico de que trata o texto. Nessa imagem são descritas paisagens de outros países colonizados pela Companhia de Jesus, cenas de outras guerras e relatos de morte:

Na vasta e curva abóbeda pintara
A destra mão de artífice famoso,
Em breve espaço, e Vilas, e Cidades,
E Províncias e Reinos. No alto sólio
Estava dando leis ao mundo inteiro
A Companhia. Os Cetros, e as Coroas,
E as Tiaras, e as Púrpuras em torno
Semeadas no chão. Tinha de um lado
Dádivas corruptoras: do outro lado
Sobre os brancos altares suspendidos
Agudos ferros, que gotejam sangue.
(...)

Pela leitura desse canto, pode-se afirmar que:

a) O poema celebra a grandeza do empreendimento missionário dos padres jesuítas no Brasil e no mundo.

b) Os cetros, as coroas, as tiaras e as púrpuras são imagens dos presentes que os portugueses trouxeram no início da colonização do Brasil.

c) O poeta confunde poesia e pintura, pois não é possível fazer este tipo de paralelo entre uma obra poética e uma pintura num poema.

d) A imagem descrita no poema mostra toda a cobiça material e o desejo de poder, os erros cometidos e as ações espúrias com que os jesuítas realizaram a colonização do Brasil e de outras partes do mundo católico, segundo o poema *O Uraguai*.

e) Os versos 5 e 9 dão testemunhos patentes da generosidade da Companhia de Jesus.

35 (UFPE, adaptada) Leia os textos a seguir:

Inspirados na frase de Horácio *Fugere urbem* ("fugir da cidade"), os árcades voltaram-se para a natureza em busca de uma vida simples, bucólica, pastoril. O campo, que representa a natureza selvagem controlada e posta a serviço do homem, seria o espaço de eleição, o *locus amoenus* ou "refúgio ameno" em oposição aos centros urbanos. Leia os textos abaixo e analise as observações feitas em seguida.

"O faisão, a perdiz e a cotovia/ À tua casa voavam, como que à Arca./ O boi afável de bom grado tornava/ Ao matadouro, ao lado do cordeiro,/ E todo animal para lá levava/ A si mesmo em oferenda./ O cardume escamado mais prazer tinha/ Em se banhar em teu prato do que no riacho."

Thomas Carew

Eu, Marília, não sou algum vaqueiro,
Que viva de guardar alheio gado,
De tosco trato, de expressões grosseiro,
Dos frios gelos e dos sóis queimado.
Tenho próprio casal e nele assisto;
Dá-me vinho, legume, fruta, azeite;
Das brancas ovelhinhas tiro o leite
E mais finas lãs, de que me visto.
(...)
Encheu, minha Marília, o grande Jove,
De imensos animais de toda espécie
As terras, mais os ares,
O grande espaço dos salobres rios,
Dos negros, fundos mares.
Para sua defesa,
A todos deu as armas que convinha,
A sábia Natureza.

Ao homem deu as armas do discurso,
Que valem muito mais que as outras armas;
Deu lhe dedos ligeiros,
Que podem converter em seu serviço
Os ferros e os madeiros;
Que tecem fortes laços
E forjam raios, com que aos brutos cortam
Os voos, mais os passos.

Tomás Antonio Gonzaga. *Marília de Dirceu*

Considerando esses dois textos, assinale com **V** (verdadeiro) ou **F** (falso) as afirmações a seguir:

( ) Como mostram os excertos acima, no período do Arcadismo, o gênero pastoral, tanto na Europa quanto no Brasil, criou uma visão idealista do campo, como um lugar paradisíaco onde o homem, dominando a natureza e os animais, poderia obter tranquilamente o seu sustento.

( ) A fuga da cidade proposta pela poesia árcade não representava apenas um estado de espírito e uma posição política e ideológica, mas uma realidade, uma vez que esses poetas viviam e trabalhavam no campo.

( ) O fingimento foi uma característica marcante do Arcadismo, através do qual os poetas imaginavam-se ingênuos pastores da Arcádia, região da Grécia antiga, reunidos em confrarias dedicadas à contemplação da vida e à fruição do momento.

( ) Critilo e Doroteu são dois pseudônimos árcades que figuram nas Cartas Chilenas. Nessas correspondências, o culto à natureza se sobrepõe ao conteúdo propriamente político, razão por que a obra é considerada expressão do Arcadismo brasileiro.

( ) Enquanto a lírica brasileira do período árcade dedicou-se ao pastoralismo, a narrativa continuou a investir numa elegia da floresta virgem e de seu habitante, o índio, através dos épicos de Basílio da Gama e de Frei Santa Rita Durão.

(Unifesp, adaptada) As questões 36 e 37 baseiam-se no texto a seguir, extraído de *Formação da Literatura Brasileira*, de Antonio Candido.

No Brasil, o homem de estudo, de ambição e de sala, que provavelmente era, encontrou condições inteiramente novas. Ficou talvez mais disponível, e o amor por Doroteia de Seixas o iniciou em ordem nova de sentimentos: o clássico florescimento da primavera no outono. Foi um acaso feliz para a nossa literatura esta conjunção de um poeta de meia idade com a menina de dezessete anos. O quarentão é o amoroso refinado, capaz de sentir poesia onde o adolescente só vê o embaraçoso cotidiano; e a proximidade da velhice intensifica, em relação à moça em flor, um encantamento que mais se apura pela fuga do tempo e a previsão da morte:

Ah! enquanto os destinos impiedosos
não voltam contra nós a face irada,
façamos, sim, façamos, doce amada,
os nossos breves dias mais ditosos.

36 Em seu texto, Antonio Candido refere-se ao poeta ...., que tornou .... como tema de sua lírica.

Os espaços da frase devem ser preenchidos com:

a) renascentista Luís Vaz de Camões ... Inês de Castro

b) árcade Tomás Antônio Gonzaga ... Marília

c) romântico Gonçalves Dias ... a natureza

d) romântico Álvares de Azevedo ... a morte

e) árcade Bocage ... Marília

37 Nos versos apresentados por Antonio Candido, fica evidente que o eu lírico

a) reconhece a amada como única forma de não sofrer pela morte.

b) se mostra frustrado e angustiado pela possibilidade de morrer.

c) considera o presente desagradável, tanto quanto a morte iminente.

d) se entrega ao amor da amada para burlar o tempo e atrasar a morte.

e) convida a amada a aproveitar o presente, já que a morte é inevitável.

38 (UFRGS, adaptada) Assinale a alternativa correta em relação a *Marília de Dirceu*, de Tomás Antonio Gonzaga.

a) No livro, é estabelecido um contraste entre a paisagem, bucólica e amena, e o cenário da masmorra, opressivo e triste.

b) Trata-se de um conjunto de cartas de amor, enviadas por Marília, de Minas Gerais, a Dirceu, que se encontra em Moçambique.

c) Na obra, o pensamento racional é anulado em favor do sentimentalismo romântico.

d) Nas liras de Gonzaga, Marília é uma mulher irreal, incorpórea, imaginada pelo pastor Dirceu.

e) Trata-se de um livro satírico, carregado de termos pejorativos em relação às convenções da época.

39 (Unesp, adaptada) A seguir, são apresentados um trecho do poema satírico *Cartas Chilenas*, do poeta neoclássico Tomás Antônio Gonzaga (1744-1810), e um fragmento do poema *João Boa-Morte, cabra marcado para morrer*, do poeta neoconcretista Ferreira Gullar (1930).

Cartas Chilenas

Os grandes, Doroteu, da nossa Espanha
têm diversas herdades: umas delas
dão trigo, dão centeio e dão cevada;
as outras têm cascatas e pomares,
com outras muitas peças, que só servem,
nos calmosos verões, de algum recreio.
Assim os generais da nossa Chile
têm diversas fazendas: numas passam
as horas de descanso, as outras geram
os milhos, os feijões e os úteis frutos,
que podem sustentar as grandes casas.
(...)
Amigo Doroteu, és pouco esperto;
as fazendas que pinto não são dessas
que têm para as culturas largos campos
e virgens matarias, cujos troncos
levantam, sobre as nuvens, grossos ramos.
Não são, não são fazendas onde paste
o lanudo carneiro e a gorda vaca,
a vaca, que salpica as brandas ervas
com o leite encorpado, que lhe escorre
das lisas tetas, que no chão lhe arrastam.
Não são, enfim, herdades, onde as loiras,
zunidoras abelhas de mil castas,
nos côncavos das árvores já velhas,
que bálsamos destilam, escondidas,
fabriquem rumas de gostosos favos.
Estas quintas são quintas só no nome,
pois são os dois contratos que utilizam
aos chefes, ainda mais que o próprio Estado.
Cada triênio, pois, os nossos chefes
levantam duas quintas ou herdades,
e, quando o lavrador da terra inculta
despende o seu dinheiro, no princípio,
fazendo levantar, de paus robustos,

as casas de vivenda e, junto delas,
em volta de um terreiro, as vis senzalas,
os nossos generais, pelo contrário,
quando estas quintas fazem, logo embolsam
uma grande porção de loiras barras.

Tomás Antônio Gonzaga, *Cartas Chilenas*.
1.ª edição: 1788-1789.

João Boa-Morte

Vou contar para vocês
um caso que sucedeu
na Paraíba do Norte
com um homem que se chamava
Pedro João Boa-Morte,
lavrador de Chapadinha:
talvez tenha morte boa
porque vida ele não tinha.

Sucedeu na Paraíba
mas é uma história banal
em todo aquele Nordeste.
Podia ser em Sergipe,
Pernambuco ou Maranhão,
que todo cabra da peste
ali se chama João
Boa-Morte, vida não.

Morava João nas terras
de um coronel muito rico.
Tinha mulher e seis filhos,
um cão que chamava "Chico",
um facão de cortar mato,
um chapéu e um tico-tico.

Trabalhava noite e dia
nas terras do fazendeiro.
Mal dormia, mal comia,
mal recebia dinheiro;
se recebia não dava
pra acender o candeeiro.
João não sabia como
fugir desse cativeiro.

Ferreira Gullar, *João Boa-Morte, cabra marcado para morrer*. 1. edição: 1962.

Aspectos da métrica e da rima costumam ser diferenciais de certos períodos literários. Esses recursos podem ligar os poemas de Gonzaga e de Ferreira Gullar com o Neoclassicismo, de um lado, e com a transposição de temas para a literatura de cordel, de outro. Tendo em vista essas possibilidades,

a) aponte as diferenças entre os dois poemas, quanto ao número de sílabas métricas e quanto ao emprego de rimas;
b) identifique um par de expressões rimadas, na segunda estrofe do poema de Ferreira Gullar, que remete à região onde é típica a literatura de cordel.

40 (Enem-MEC) Leia o poema a seguir:

Torno a ver-vos, ó montes; o destino
Aqui me torna a pôr nestes outeiros,
Onde um tempo os gabões deixei grosseiros
Pelo traje da Corte, rico e fino.
Aqui estou entre Almendro, entre Corino,
Os meus fiéis, meus doces companheiros,
Vendo correr os míseros vaqueiros
Atrás de seu cansado desatino.
Se o bem desta choupana pode tanto,
Que chega a ter mais preço, e mais valia
Que, da Cidade, o lisonjeiro encanto,
Aqui descanse a louca fantasia,
E o que até agora se tornava em pranto
Se converta em afetos de alegria.

Cláudio Manoel da Costa. In: Domício Proença Filho. *A poesia dos inconfidentes*. Rio de Janeiro: Nova Aguilar, 2002. p. 78-9.

Considerando o soneto de Cláudio Manoel da Costa e os elementos constitutivos do Arcadismo brasileiro, qual a opção correta acerca da relação entre o poema e o momento histórico de sua produção?

a) Os "montes" e "outeiros", mencionados na primeira estrofe, são imagens relacionadas à Metrópole, ou seja, ao lugar onde o poeta se vestiu com traje "rico e fino".
b) A oposição entre a Colônia e a Metrópole, como núcleo do poema, revela uma contradição vivenciada pelo poeta, dividido entre a civilidade do mundo urbano da Metrópole e a rusticidade da terra da Colônia.

c) O bucolismo presente nas imagens do poema é elemento estético do Arcadismo que evidencia a preocupação do poeta árcade em realizar uma representação literária realista da vida nacional.

d) A relação de vantagem da "choupana" sobre a "Cidade", na terceira estrofe, é formulação literária que reproduz a condição histórica paradoxalmente vantajosa da Colônia sobre a Metrópole.

e) A realidade de atraso social, político e econômico do Brasil Colônia está representada esteticamente no poema pela referência, na última estrofe, à transformação do pranto em alegria.

Unidade 6

41 (Unifesp-SP, adaptada)

Texto I

O Vale de Santarém é um destes lugares privilegiados pela natureza, sítios amenos e deleitosos em que as plantas, o ar, a situação, tudo está numa harmonia suavíssima e perfeita; não há ali nada grandioso nem sublime, mas há uma como simetria de cores, de sons, de disposição em tudo quanto se vê e se sente, que não parece senão que a paz, a saúde, o sossego do espírito e o repouso do coração devem viver ali, reinar ali um reinado de amor e benevolência. (...) Imagina-se por aqui o Éden que o primeiro homem habitou com a sua inocência e com a virgindade do seu coração.

À esquerda do vale, e abrigado do norte pela montanha que ali se corta quase a pique, está um maciço de verdura do mais belo viço e variedade. (...)

Para mais realçar a beleza do quadro, vê-se por entre um claro das árvores a janela meio aberta de uma habitação antiga, mas não dilapidada – (...) A janela é larga e baixa; parece mais ornada e também mais antiga que o resto do edifício, que todavia mal se vê (...)

(Almeida Garrett, *Viagens na minha terra*)

Texto II

Depois, fatigado do esforço supremo, [o rio] se estende sobre a terra, e adormece numa linda bacia que a natureza formou, e onde o recebe como um leito de noiva, sob as cortinas de trepadeiras e flores agrestes.

A vegetação nessas paragens ostentava outrora todo o seu luxo e vigor; florestas virgens se estendiam ao longo das margens do rio, que corria no meio das arcarias de verdura e dos capitéis formados pelos leques das palmeiras. Tudo era grande e pomposo no cenário que a natureza, sublime artista, tinha decorado para os dramas majestosos dos elementos, em que o homem é apenas um simples comparsa. (...)

Entretanto, via-se à margem direita do rio uma casa larga e espaçosa, construída sobre uma eminência e protegida de todos os lados por uma muralha de rocha cortada a pique.

José de Alencar, *O guarani*

Lendo-se atentamente os textos I (de Almeida Garrett) e II (de José de Alencar), percebe-se que ambos os narradores se identificam quanto à atitude de admiração e louvor à natureza contemplada.

Entretanto, verifica-se também, entre os dois, uma diferença profunda e marcante no seu ato contemplativo, quanto aos valores atribuídos a essa natureza. Essa diferença é marcada

a) pela existência da vegetação.

b) pela avaliação da magnitude e da beleza do cenário.

c) pela inclusão, na paisagem natural, da habitação humana.

d) pelo predomínio das referências ao mundo vegetal sobre as referências ao mundo mineral (terra, rocha, montanha etc.).

e) pela explicitação da perda do paraíso terrestre.

42 (Mackenzie-SP) "Autor de uma vastíssima obra, toda ela orientada pelo espírito histórico, mesmo quando escreve romances, o pano de fundo é a história, da qual foi um profundo estudioso".

Em se tratando de Romantismo português, o trecho acima refere-se a:

a) Alexandre Herculano

b) Júlio Dinis

c) Almeida Garrett

d) Camilo Castello Branco

e) Antero de Quental

43 (Mackenzie-SP) "A tragédia ______________, de ______________, é considerada pelos críticos uma das obras-primas do Romantismo português. O drama inspira-se num episódio matrimonial, vivido no final do século XVI por Madalena de Vilhena, viúva de D. João de Portugal – desaparecido com D. Sebastião, na batalha de Alcácer-Quibir –, e por D. Manuel de Sousa Coutinho. Os dois se casam e tem uma filha, Maria. Passam-se anos. Eis que, um dia, D. João de Portugal regressa, disfarçado de romeiro."

A alternativa que preenche corretamente as lacunas acima é:

a) *Eurico, o Presbítero* – Alexandre Herculano

b) *As pupilas do senhor reitor* – Júlio Dinis

c) *Frei Luís de Sousa* – Almeida Garrett

d) *Amor de Perdição* – Camilo Castelo Branco

e) *A ilustre casa de Ramires* – Eça de Queirós

44 (Fuvest-SP, adaptada)

"Neste despropositado e inclassificável livro [...], não é que se quebre, mas enreda-se o fio das histórias e das observações por tal modo, que, bem o vejo e sinto, só com muita paciência se pode deslindar a seguir em tão embaraçada meada." Eis como o autor vê sua obra, dentro da qual faz reflexões como esta: "o povo, o povo está são; os corruptos somos nós os que cuidamos saber e ignoramos tudo".

Trata-se da obra:

a) *Portugal*, de Miguel Torga

b) *Quincas Borba*, de Machado de Assis

c) *Os Maias*, de Eça de Queirós

d) *Vidas secas*, de Graciliano Ramos

e) *Viagens na minha terra*, de Almeida Garrett

Unidade 7

45 (UEPG-PR, adaptada) Leia o trecho do poema a seguir.

Canto IX – I-Juca Pirama

O guerreiro parou, caiu nos braços
Do velho pai, que o cinge contra o peito,
Com lágrimas de júbilo bradando:
"Este, sim, que é meu filho muito amado!
E pois que o acho enfim, qual sempre o tive,
Corram livres as lágrimas que choro,
Estas lágrimas, sim, que não desonram".

(Gonçalves Dias. *Poesias Americanas*)

Com relação à obra indianista de Gonçalves Dias, e sobre este poema em particular, a(s) alternativa(s) correta(s) é (são):

a) O herói do poema não é apenas um índio tupi: representa todos os índios brasileiros ou ainda todos os brasileiros, uma vez que o índio foi durante o Romantismo o representante de nossa nacionalidade.

b) O poeta, ao pôr em discussão profundos valores e sentimentos humanos, como a bondade filial e a honra, supera os limites da abordagem puramente indianista e ganha universalidade.

c) O índio de Gonçalves Dias diferencia-se do de Joaquim Norberto e Gonçalves Magalhães, não pela questão de autenticidade do índio, mas por ser mais poético, como vemos em "I-Juca Pirama". O deslumbramento sem vulgaridade do herói indígena traduz a poesia do poeta, malabarista de ritmos nos sentimentos de heroísmo, dignidade, generosidade, bravura, maldição e tradição.

d) Quanto aos aspectos formais, em "I-Juca Pirama" Gonçalves Dias variou a métrica de trecho em trecho. Teoricamente, o poeta teria desprezado a metrificação. No entanto, do ponto de vista expressivo, a variação métrica utilizada produz a iconicidade sonora do texto, construindo plasticamente o poema como um significante rítmico do ritual narrado.

e) I-Juca Pirama significa "aquele que é digno de ser morto"; o poema conta a história de um guerreiro tupi, aprisionado pelos Timbiras, que vai morrer em um festim canibal.

46 (Insper-SP) Utilize o excerto abaixo para responder ao teste.

Vagabundo

Eu durmo e vivo ao sol como um cigano,
Fumando meu cigarro vaporoso;
Nas noites de verão namoro estrelas;
Sou pobre, sou mendigo e sou ditoso!
Ando roto, sem bolsos nem dinheiro;
Mas tenho na viola uma riqueza:
Canto à lua de noite serenatas,
E quem vive de amor não tem pobrezas.
(...)

Álvares de Azevedo

A visão de mundo expressa pelo eu lírico nos versos de Álvares de Azevedo revela o(a)

a) desequilíbrio do poeta adolescente e indeciso, que não é capaz de amar uma mulher nem a si próprio.

b) valorização da vida boêmia que proporciona um outro tipo de felicidade, desvinculada de valores materiais.

c) postura acrítica que o poeta tem diante da realidade, seja em relação ao amor, seja em relação à vida social.

d) lamento do poeta que leva a vida peregrina e pobre, sem bens materiais e nenhuma forma de felicidade.

e) constatação de que a música é o único expediente capaz de levá-lo à obtenção de recursos materiais.

47 (UFTM-MG) Para responder à questão, leia o poema de Tobias Barreto.

A Escravidão

Se é Deus quem deixa o mundo
Sob o peso que o oprime,
Se ele consente esse crime,
Que se chama escravidão,
Para fazer homens livres,
Para arrancá-los do abismo,
Existe um patriotismo Maior que a religião.
Se não lhe importa o escravo
Que a seus pés queixas deponha,
Cobrindo assim de vergonha
A face dos anjos seus,
Em delírio inefável,
Praticando a caridade,
Nesta hora a mocidade
Corrige o erro de Deus!

Considerando a temática abordada no poema, é correto afirmar que ele se enquadra no movimento romântico

a) condoreiro, a exemplo de Castro Alves que, com o poema *Navio Negreiro*, aborda a questão da escravidão no Brasil.

b) indianista, a exemplo de Gonçalves Dias que, com o poema *I-Juca Pirama*, analisa a condição dos excluídos socialmente.

c) ultrarromântico, a exemplo de Fagundes Varela que, com o poema *Cântico do Calvário*, mostra o sofrimento do negro no Brasil.

d) condoreiro, a exemplo de Castro Alves que, com o poema *Vozes d'África*, exalta a força e a simpatia dos negros africanos.

e) ultrarromântico, a exemplo de Casimiro de Abreu que, com o poema *Meus oito anos*, recorda a escravidão que conhecera na infância.

48 (UFPE) Julgue as afirmações abaixo a respeito da produção literária brasileira que prosperou na primeira metade do século XIX.

a) No Brasil, o Romantismo desenvolveu-se após a Independência. Na Europa, com o ressuscitar do passado, o nativismo explorou figuras e cenas medievais; em nosso país, com o indianismo romanceando as origens nacionais, o mundo indígena foi enfocado com heróis baseados em personagens e ações reais.

b) José de Alencar, na prosa, criou uma galeria de heróis indígenas que se submetiam voluntariamente ao colonizador. Por exemplo, em *O Guarani*, Peri é escravo de Ceci e converte-se ao cristianismo, sendo batizado. Em *Iracema*, a personagem-título se submete ao branco Martim, entrega que implica sacrifício e abandono de sua tribo de origem.

c) Em *Ubirajara*, narrativa que enfoca uma fase anterior à colonização, Alencar despertou para a falsidade da idílica submissão dos colonizados aos colonizadores, escrevendo: "Foi depois da colonização que os portugueses, assaltando os índios como a feras e caçando-os a dente de cão, ensinaram-lhe a traição que eles não conheciam".

d) Gonçalves Dias, que representa o Indianismo na poesia, já nos *Primeiros Cantos*, tem a consciência do destino atroz que aguardava os tupis com a conquista portuguesa. Na fala do xamã, as predições são assustadoras: "Manitós já fugiram da Taba/ ó desgraça! ó ruína! Ó Tupã!"

e) Gonçalves Dias lamentou a sorte do Novo Mundo, com sua gente vencida e suas terras profanadas. Além do mais, o escritor maranhense, diferentemente de Alencar, dá voz ao nativo: "Chame-lhe progresso, quem do extermínio secular se ufana/ Eu, modesto cantor do povo extinto,/ Chorarei os vastíssimos sepulcros".

49 (Unicamp-SP) Os animais desempenham um papel simbólico no romance *Iracema*. Dentre eles, destacam-se o cão Japi e a jandaia (ou ará), que aparecem nos excertos abaixo.

Poti voltou de perseguir o inimigo. (...)

O cão fiel o seguia de perto, lambendo ainda nos pelos do focinho a marugem do sangue tabajara, de que se fartara; o senhor o acariciava satisfeito de sua coragem e dedicação. Fora ele quem salvara Martim (...).

— Os maus espíritos da floresta podem separar outra vez o guerreiro branco de seu irmão pitiguara. O cão te seguirá daqui em diante, para que mesmo de longe Poti acuda a teu chamado.

— Mas o cão é teu companheiro e amigo fiel.

— Mais amigo e companheiro será de Poti, servindo a seu irmão que a ele. Tu o chamarás Japi; e ele será o pé ligeiro com que de longe corramos um para o outro. (...)

Tanto que os dois guerreiros tocaram as margens do rio, ouviram o latir do cão, que os chamava, e o grito da ará, que se lamentava. A ará, pousada no jirau fronteiro, alonga para sua formosa senhora os verdes tristes olhos. Desde que o guerreiro branco pisou a terra dos tabajaras, Iracema a esqueceu. (...)

Iracema lembrou-se que tinha sido ingrata para a jandaia esquecendo-a no tempo da felicidade; e agora ela vinha para a consolar no tempo da desventura. (...)

Na seguinte alvorada foi a voz da jandaia que a despertou. A linda ave não deixou mais sua senhora (...).

A jandaia pousada no olho da palmeira repetia tristemente:

— Iracema!

Desde então os guerreiros pitiguaras, que passavam perto da cabana abandonada e ouviam ressoar a voz plangente da ave amiga, se afastavam, com a alma cheia de tristeza, do coqueiro onde cantava a jandaia. E foi assim que um dia veio a chamar-se Ceará o rio onde crescia o coqueiro, e os campos onde serpeja o rio.

José de Alencar. *Iracema*. São Paulo: Ática, 1992. p. 52 e 80.

a) Explique o papel simbólico desempenhado pelo cão.

b) Explique o papel simbólico desempenhado pela jandaia ou ará.

50 (Fuvest-SP) Leia o trecho a seguir extraído de *Memórias de um sargento de milícias*:

Todo o barbeiro é tagarela, e principalmente quando tem pouco que fazer; começou portanto a puxar conversa com o freguês. Foi a sua salvação e fortuna.

O navio a que o marujo pertencia viajava para a Costa e ocupava-se no comércio de negros; era um dos combóis que traziam fornecimento para o Valongo, e estava pronto a largar.

— Ó mestre! disse o marujo no meio da conversa, você também não é sangrador?

— Sim, eu também sangro...

— Pois olhe, você estava bem bom, se quisesse ir conosco... para curar a gente a bordo; morre-se ali que é uma praga.

— Homem, eu da cirurgia não entendo muito...

Unidade 8

(Unesp) Leia o texto a seguir para responder às questões de 51 a 53.

Uma campanha alegre, IX

Há muitos anos que a política em Portugal apresenta este singular estado:

Doze ou quinze homens, sempre os mesmos, alternadamente possuem o Poder, perdem o Poder, reconquistam o Poder, trocam o Poder... O Poder não sai duns certos grupos, como uma pela* que quatro crianças, aos quatro cantos de uma sala, atiram umas às outras, pelo ar, num rumor de risos.

Quando quatro ou cinco daqueles homens estão no Poder, esses homens são, segundo a opinião, e os dizeres de todos os outros que lá não estão — os corruptos, os esbanjadores da Fazenda, a ruína do País!

Os outros, os que não estão no Poder, são, segundo a sua própria opinião e os seus jornais — os verdadeiros liberais, os salvadores da causa pública, os amigos do povo, e os interesses do País.

Mas, coisa notável! — os cinco que estão no Poder fazem tudo o que podem para continuar a ser os esbanjadores da Fazenda e a ruína do País, durante o maior tempo possível! E os que não estão no Poder movem-se, conspiram, cansam-se, para deixar de ser o mais depressa que puderem — os verdadeiros liberais, e os interesses do País!

Até que enfim caem os cinco do Poder, e os outros, os verdadeiros liberais, entram triunfantemente na designação herdada de esbanjadores da Fazenda e ruína do País; em tanto que os que caíram do Poder se resignam, cheios de fel e de tédio — a vir a ser os verdadeiros liberais e os interesses do País!

Ora como todos os ministros são tirados deste grupo de doze ou quinze indivíduos, não há nenhum deles que não tenha sido por seu turno esbanjador da Fazenda e ruína do País...

Não há nenhum que não tenha sido demitido, ou obrigado a pedir a demissão, pelas acusações mais graves e pelas votações mais hostis...

Não há nenhum que não tenha sido julgado incapaz de dirigir as coisas públicas — pela Imprensa, pela palavra dos oradores, pelas incriminações da opinião, pela afirmativa constitucional do poder moderador...

E todavia serão estes doze ou quinze indivíduos os que continuarão dirigindo o País, neste caminho em que ele vai, feliz, abundante, rico, forte, coroado de rosas, e num chouto** tão triunfante!

**Pela*: bola.

***Chouto*: trote miúdo.

Eça de Queirós. *Obras*.
Porto: Lello & Irmão-Editores, [s.d.].

51 Considere as frases com relação ao que se afirma na crônica de Eça de Queirós:

I. Os que estão no poder não querem sair e os que não estão querem entrar.

II. Quando um partido ético está no poder, tudo fica melhor.

III. Os governantes são bons e éticos, mas vivem a trocar acusações infundadas.

IV. Os políticos que estão fora do poder julgam-se os melhores eticamente para governar.

As frases que representam a opinião do cronista estão contidas apenas em:

a) I e II.

b) I e III.

c) I e IV.

d) I, II e III.

e) II, III e IV

52 Considerando que o último parágrafo do fragmento representa uma ironia do cronista, seu significado contextual é:

a) Portugal vai muito bem, apesar de seus maus governantes.

b) A alternância dos grupos no poder faz bem ao país.

c) O país experimenta um progresso vertiginoso.

d) O país vai mal em todos os sentidos.

e) Portugal não se importa com seus políticos.

53 "Não há nenhum que não tenha sido demitido, ou obrigado a pedir a demissão, pelas acusações mais graves e pelas votações mais hostis..."

Com esta frase, o cronista afirma que

a) a atividade política está sempre sujeita a acusações descabidas.

b) é altamente honroso, em certos casos, demitir-se para evitar males ao estado.

c) a defesa de boas ideias frequentemente leva à renúncia.

d) os políticos honestos sofrem acusações e perseguições dos desonestos.

e) todos os políticos se equivalem pelos desvios da ética.

(Unifesp) Leia a seguir um trecho de *O crime do padre Amaro* para responder às questões 54 e 55.

Amaro lia até tarde, um pouco perturbado por aqueles períodos sonoros, túmidos de desejo; e no silêncio, por vezes, sentia em cima ranger o leito de Amélia; o livro escorregava-lhe das mãos, encostava a cabeça às costas da poltrona, cerrava os olhos, e parecia-lhe vê-la em colete diante do toucador desfazendo as tranças; ou, curvada, desapertando as ligas, e o decote da sua camisa entreaberta descobria os dois seios muito brancos.

Erguia-se, cerrando os dentes, com uma decisão brutal de a possuir.

Começara então a recomendar-lhe a leitura dos Cânticos a Jesus.

— Verá, é muito bonito, de muita devoção!

Disse ele, deixando-lhe o livrinho uma noite no cesto da costura.

Ao outro dia, ao almoço, Amélia estava pálida, com as olheiras até o meio da face. Queixou-se de insônia, de palpitações.

— E então, gostou dos Cânticos?

— Muito. Orações lindas! respondeu. Durante todo esse dia não ergueu os olhos para Amaro. Parecia triste — e sem razão, às vezes, o rosto abrasava-se-lhe de sangue.

Eça de Queirós, *O crime do padre Amaro*.

54 O trecho em que a ação de uma personagem se demonstra impregnada de determinismo biológico e permite associar o romance de Eça de Queirós ao movimento estético denominado Naturalismo é:

a) Erguia-se, cerrando os dentes, com uma decisão brutal de a possuir.

b) Começara então a recomendar-lhe a leitura dos Cânticos a Jesus.

c) (...) deixando-lhe o livrinho uma noite no cesto da costura.

d) Queixou-se de insônia, de palpitações.

e) Durante todo esse dia não ergueu os olhos para Amaro.

55 O texto permite afirmar que

a) o livro de orações que Amaro costumava ler desperta seu amor por Amélia.

b) a observação diária de certas ações de Amélia desperta o desejo de Amaro.

c) embora Amélia ache lindas as orações do livro, a obra a deixa perturbada.

d) o livro que Amaro empresta a Amélia aumenta, aos poucos, sua religiosidade.

e) com a leitura do livro, Amélia passa a corresponder aos sentimentos de Amaro.

56 (Fuvest-SP) Leia o excerto de *A cidade e as serras*, de Eça de Queirós, e responda ao que se pede.

Era um domingo silencioso, enevoado e macio, convidando às voluptuosidades da melancolia. E eu (no interesse da minha alma) sugeri a Jacinto que subíssemos à basílica do Sacré-Coeur, em construção nos altos de Montmartre. (...)

Mas a basílica em cima não nos interessou, abafada em tapumes e andaimes, toda branca e seca, de pedra muito nova, ainda sem alma. E Jacinto, por um impulso bem jacíntico, caminhou gulosamente para a borda do terraço, a contemplar Paris. Sob o céu cinzento, na planície cinzenta, a cidade jazia, toda cinzenta, como uma vasta e grossa camada de caliça* e telha. E, na sua imobilidade e na sua mudez, algum rolo de fumo**, mais tênue e ralo que o fumear de um escombro mal apagado, era todo o vestígio visível de sua vida magnífica.

**Caliça*: pó ou fragmentos de argamassa ressequida que sobram de uma construção ou resultam da demolição de uma obra de alvenaria.

***Fumo*: fumaça.

a) Em muitas narrativas, lugares elevados tornam-se locais em que se dão percepções extraordinárias ou revelações. No contexto da obra, é isso que irá acontecer nos "altos de Montmartre", referidos no trecho? Justifique sua resposta.

b) Tendo em vista o contexto histórico da obra, por que é Paris a cidade escolhida para representar a vida urbana? Explique sucintamente.

c) Sintetizando-se os termos com que, no excerto, Paris é descrita, que imagem da cidade finalmente se obtém? Explique sucintamente.

Unidade 9

57 (Fuvest-SP)

Assim se explicam a minha estada debaixo da janela de Capitu e a passagem de um cavaleiro, um **dandy**, como então dizíamos. Montava um belo cavalo alazão, firme na sela, rédea na mão esquerda, a direita à cinta, botas de verniz, figura e postura esbeltas: a cara não me era desconhecida. Tinham passado outros, e ainda outros viriam atrás; todos iam às suas namoradas. Era uso do tempo namorar a cavalo. Relê Alencar: "Porque um estudante (dizia um dos seus personagens de teatro de 1858) não pode estar sem estas duas coisas, um cavalo e uma namorada". Relê Álvares de Azevedo. Uma das suas poesias é destinada a contar (1851) que residia em Catumbi, e, para ver a namorada no Catete, alugara um cavalo por três mil-réis...

Machado de Assis. *Dom Casmurro*.

Considerando-se o excerto no contexto da obra a que pertence, pode-se afirmar corretamente que as referências a Alencar e a Álvares de Azevedo revelam que, em **Dom Casmurro**, Machado de Assis

a) expôs, embora tardiamente, o seu nacionalismo literário e sua consequente recusa de leituras estrangeiras.

b) negou ao Romantismo a capacidade de referir-se à realidade, tendo em vista o hábito romântico de tudo idealizar e exagerar.

c) recusou, finalmente, o Realismo, para começar o retorno às tradições românticas que irá caracterizar seus últimos romances.

d) declarou que o passado não tem relação com o presente e que, portanto, os escritores de outras épocas não mais merecem ser lidos.

e) utilizou, como em outras obras suas, elementos do legado de seus predecessores locais, alterando-lhes, entretanto, contexto e significado.

58 (Fuvest-SP)

Gente que mamou leite romântico pode meter o dente no rosbife* naturalista; mas em lhe cheirando a teta gótica e oriental, deixa logo o melhor pedaço de carne para correr à bebida da infância. Oh! meu doce leite romântico!

Machado de Assis, *Crônicas*.

**Rosbife*: tipo de assado ou fritura de alcatra ou filé bovinos, bem tostado externamente e sangrante na parte central, servido em fatias.

a) A imagem do "rosbife naturalista" empregada, com humor, por Machado de Assis, para evocar determinadas características do Naturalismo, poderia ser utilizada também para se referir a certos aspectos do romance *O cortiço*? Justifique sua resposta.

b) A imagem do "doce leite romântico", que se refere a certos traços do Romantismo, pode remeter também a alguns aspectos do romance *Iracema*? Justifique sua resposta.

59 (Unicamp-SP) Leia o seguinte comentário a respeito de *O Cortiço*, de Aluísio Azevedo:

Com efeito, o que há n'*O Cortiço* são formas primitivas de amealhamento*, a partir de muito pouco ou quase nada, exigindo uma espécie de rigoroso ascetismo inicial e a aceitação de modalidades diretas e brutais de exploração, incluindo o furto (...) como forma de ganho e a transformação da mulher escrava em companheira máquina. (...) Aluísio foi, salvo erro meu, o primeiro dos nossos romancistas a descrever minuciosamente o mecanismo de formação da riqueza individual. (...) N'*O Cortiço* [o dinheiro] se torna implicitamente objeto central da narrativa, cujo ritmo acaba se ajustando ao ritmo da sua acumulação, tomada pela primeira vez no Brasil como eixo da composição ficcional.

Antonio Candido, De cortiço a cortiço. In: *O discurso e a cidade*. São Paulo: Duas Cidades, 1993. p. 129-3.

*amealhar: acumular (riqueza), juntar (dinheiro) aos poucos

a) Explique a que se referem o rigoroso ascetismo inicial da personagem em questão e as modalidades diretas e brutais de exploração que ela emprega.

b) Identifique a "mulher escrava" e o modo como se dá sua transformação "em companheira-máquina".

60 (UFSCar-SP)

Eram cinco horas da manhã e o cortiço acordava, abrindo, não os olhos, mas a sua infinidade de portas e janelas alinhadas. [...]

Daí a pouco, em volta das bicas era um zunzum crescente; uma aglomeração tumultuosa de machos e fêmeas. Uns, após outros, lavavam a cara, incomodamente, debaixo do fio de água que escorria da altura de uns cinco palmos. O chão inundava-se. As mulheres precisavam já prender as saias entre as coxas para não as molhar; via-se-lhes a tostada nudez dos braços e do pescoço, que elas despiam, suspendendo o cabelo todo para o alto do casco; os homens, esses não se preocupavam em não molhar o pelo, ao contrário metiam a cabeça bem debaixo da água e esfregavam com força as ventas e as barbas, fossando e fungando contra as palmas da mão.

Aluísio Azevedo. *O cortiço*

Aluísio de Azevedo pertence ao Naturalismo.

a) Cite duas características desse estilo de época.

b) Exemplifique, no texto, essas duas características.

61 (UFG-GO) Leia o soneto abaixo.

XXXI

Longe de ti, se escuto, porventura,
Teu nome, que uma boca indiferente
Entre outros nomes de mulher murmura,
Sobe-me o pranto aos olhos, de repente...
Tal aquele, que, mísero, a tortura
Sofre de amargo exílio, e tristemente
A linguagem natal, maviosa e pura,
Ouve falada por estranha gente...
Porque teu nome é para mim o nome
De uma pátria distante e idolatrada,
Cuja saudade ardente me consome:
E ouvi-lo é ver a eterna primavera
E a eterna luz da terra abençoada,
Onde, entre flores, teu amor me espera.

BILAC, Olavo. Melhores poemas. Seleção de Marisa Lajolo. São Paulo: Global, 2003. p. 54. (Coleção Melhores poemas).

Olavo Bilac, mais conhecido como poeta parnasiano, expressa traços românticos em sua obra. No soneto apresentado observa-se o seguinte traço romântico:

a) objetividade do eu lírico.

b) predominância de descrição.

c) utilização de universo mitológico.

d) erudição do vocabulário.

e) idealização do tema amoroso.

62 (Enem-MEC)

Abatidos pelo fadinho harmonioso e nostálgico dos desterrados, iam todos, até mesmo os brasileiros, se concentrando e caindo em tristeza; mas, de repente, o cavaquinho de Porfiro, acompanhado pelo violão do Firmo, romperam vibrantemente com um chorado baiano. Nada mais que os primeiros acordes da música crioula para que o sangue de toda aquela gente despertasse logo, como se alguém lhe fustigasse o corpo com urtigas bravas. E seguiram-se outras notas, e outras, cada vez mais ardentes e mais delirantes. Já não eram dois instrumentos que soavam, eram lúbricos gemidos e suspiros soltos em torrente, a correrem serpenteando, como cobras numa floresta incendiada; eram ais convulsos, chorados em frenesi de amor: música feita de beijos e soluços gostosos; carícia de fera, carícia de doer, fazendo estalar de gozo.

AZEVEDO, A. *O Cortiço*. São Paulo: Ática, 1983 (fragmento).

No romance *O Cortiço* (1890), de Aluísio Azevedo, as personagens são observadas como elementos coletivos caracterizados por condicionantes de origem social, sexo e etnia. Na passagem transcrita, o confronto entre brasileiros e portugueses revela prevalência do elemento brasileiro, pois

a) destaca o nome de personagens brasileiras e omite o de personagens portuguesas.

b) exalta a força do cenário natural brasileiro e considera o do português inexpressivo.

c) mostra o poder envolvente da música brasileira, que cala o fado português.

d) destaca o sentimentalismo brasileiro, contrário à tristeza dos portugueses.

e) atribui aos brasileiros uma habilidade maior com instrumentos musicais.

63 (Uesc-BA)

[...] Jamais o problema da vida e da morte me oprimira o cérebro; nunca até esse dia me debruçara sobre o abismo do Inexplicável; faltava-me o essencial, que é o estímulo, a vertigem... Para lhes dizer a verdade toda, eu refletia as opiniões de um cabeleireiro, que achei em Módena, e que se distinguia por não as ter absolutamente. Era a flor dos cabeleireiros; por mais demorada que fosse a operação do toucado, não enfadava nunca; ele intercalava as penteadelas com muitos motes e pulhas, cheios de um pico, de um sabor... Não tinha outra filosofia. Nem eu.

Não digo que a Universidade me não tivesse ensinado alguma; mas eu decorei-lhe só as fórmulas, o vocabulário, o esqueleto. Tratei-a como tratei o latim: embolsei três versos de Virgílio, dois de Horácio, uma dúzia de locuções morais e políticas, para as despesas da conversação. Tratei-os como tratei a história e a jurisprudência. Colhi de todas as coisas a fraseologia, a casca, a ornamentação...

ASSIS, Machado de. *Memórias póstumas de Brás Cubas*. 22. ed. São Paulo: Ática, 1997. p. 55.

O narrador-personagem

a) revela-se vaidoso ao evidenciar os seus dotes intelectuais.

b) ressalta o papel decisivo da universidade na sua formação cultural.

c) põe em destaque a superficialidade e mediania de sua postura em face do conhecimento.

d) mostra-se preocupado com questões que problematizam a vida humana.

e) confessa o seu desejo de libertar-se das limitações da vida acadêmica.

Unidade 10

64 (URCA-CE, adaptada) Considere o poema a seguir. A única alternativa correta é:

CAMINHO

Tenho sonhos cruéis; n'alma doente
Sinto um vago receio prematuro.
Vou a medo na aresta do futuro,
Embebido em saudades do presente...
Saudades desta dor que em vão procuro
Do peito afugentar bem rudemente,
Devendo, ao desmaiar sobre o poente,
Cobrir-me o coração dum véu escuro!...
Porque a dor, esta falta d'harmonia,
Toda a luz desgrenhada que alumia
As almas doidamente, o céu d'agora,
Sem ela o coração é quase nada:
Um sol onde expirasse a madrugada,
Porque só é madrugada quando chora.

a) Este soneto abre o livro de poemas Clepsidra, de Camilo Pessanha, o poeta mais exemplar do Simbolismo português.

b) As sugestões da profundidade do ego que fala no poema são características marcantes do livro Clepsidra que o inserem dentro da estilística árcade.

c) O desapego quanto à forma é perceptível neste poema e na grande maioria dos que compõem o livro Clepsidra.

d) De autoria de Camilo Pessanha, este poema ficou de fora do livro Clepsidra por não representar o ideal simbolista do poeta.

e) Considerado um dos maiores poetas do Modernismo português, Camilo Pessanha escreveu o poema "Caminho" conforme a estética de Orpheu.

65 (Insper-SP, adaptada) Leia o poema a seguir.

Ismália

Quando Ismália enlouqueceu,
Pôs-se na torre a sonhar...
Viu uma lua no céu,
Viu outra lua no mar.

No sonho em que se perdeu,
Banhou-se toda em luar...
Queria subir ao céu,
Queria descer ao mar...

E, no desvario seu,
Na torre pôs-se a cantar...
Estava perto do céu,
Estava longe do mar...

E como um anjo pendeu
As asas para voar...
Queria a lua do céu,
Queria a lua do mar...

As asas que Deus lhe deu
Ruflaram de par em par...
Sua alma subiu ao céu,
Seu corpo desceu ao mar...

Alphonsus de Guimaraens

Julgue como V (verdadeiro) ou F (falso) as afirmações que seguem.

I. Os temas centrais desse poema, bem marcados nas duas primeiras estrofes, são o amor e a saudade.

II. Um dos mais significativos poemas simbolistas, Ismália aborda a dualidade entre corpo e alma.

III. A partir de um jogo intertextual, o poema de Alphonsus de Guimaraens parodia o drama de Narciso diante do espelho.

A sequência correta é:

a) F, V, F
b) V, V, F
c) V, F, F
d) F, F, V
e) V, F, V

66 (Enem-MEC) Leia o poema a seguir.

Cárcere das almas

Ah! Toda a alma num cárcere anda presa,
Soluçando nas trevas, entre as grades
Do calabouço olhando imensidades,
Mares, estrelas, tardes, natureza.
Tudo se veste de uma igual grandeza
Quando a alma entre grilhões as liberdades
Sonha e, sonhando, as imortalidades
Rasga no etéreo o Espaço da Pureza.
Ó almas presas, mudas e fechadas
Nas prisões colossais e abandonadas,
Da Dor no calabouço, atroz, funéreo!
Nesses silêncios solitários, graves,
que chaveiro do Céu possui as chaves
para abrir-vos as portas do Mistério?!

CRUZ E SOUSA, J. *Poesia completa*. Florianópolis: Fundação Catarinense de Cultura/ Fundação Banco do Brasil, 1993.

Os elementos formais e temáticos relacionados ao contexto cultural do Simbolismo encontrados no poema **Cárcere das almas**, de Cruz e Sousa, são:

a) a opção pela abordagem, em linguagem simples e direta, de temas filosóficos.

b) a prevalência do lirismo amoroso e intimista em relação à temática nacionalista.

c) o refinamento estético da forma poética e o tratamento metafísico de temas universais.

d) a evidente preocupação do eu lírico com a realidade social expressa em imagens poéticas inovadoras.

e) a liberdade formal da estrutura poética que dispensa a rima e a métrica tradicionais em favor de temas do cotidiano.

67 (UFRJ) Texto para a próxima questão:

O assinalado

Tu és o louco da imortal loucura,
o louco da loucura mais suprema.
A terra é sempre a tua negra algema,
prende-te nela a extrema Desventura.
Mas essa mesma algema de amargura,
mas essa mesma Desventura extrema
faz que tu'alma suplicando gema
e rebente em estrelas de ternura.
Tu és Poeta, o grande Assinalado
que povoas o mundo despovoado,
de belezas eternas, pouco a pouco.
Na Natureza prodigiosa e rica
toda a audácia dos nervos justifica
os teus espasmos imortais de louco!

SOUSA, Cruz e. *Poesia completa*. Florianópolis: Fundação Catarinense de Cultura, 1981. p. 135

O título do texto – "O assinalado" – remete a uma concepção de poeta que se associa, a um só tempo, às correntes estéticas do Simbolismo e do Romantismo. Apresente essa concepção.

Unidade 11

68 (UFPE, adaptada) Fernando Pessoa é considerado o maior poeta do primeiro modernismo português, pela genial versatilidade de sua criação. Leia o poema a seguir e analise as questões seguintes como falsas ou verdadeiras.

Gato que brincas na rua
Como se fosse na cama,
Invejo a sorte que é tua
Porque nem sorte se chama.
Bom servo das leis fatais
Que regem pedras e gentes,
Que tens instintos gerais
E sentes só o que sentes.
És feliz porque és assim,
Todo o nada que és é teu.
Eu vejo-me e estou sem mim,
Conheço-me e não sou eu.

Pessoa, F. *Obra Poética*.

I. Fernando Pessoa, o ortônimo, escreveu uma poesia diversificada. Além de seu cancioneiro, dialogou, por exemplo, com a literatura quinhentista, como no caso da obra *Mensagem*; compôs poemas dramáticos, poemas ingleses e quadras ao gosto popular.

II. No poema lido, o olhar do eu lírico se move para as coisas ínfimas, para o pormenor, o que desperta a reflexão filosófica e faz encontrar nessas coisas significados maiores.

III. Se fixa na rapariga que come chocolate, o poema destacado reflete um momento existencial do eu lírico, em que a atenção se foca na falta de preocupação do gato, que espanta o poeta e lhe inspira inveja.

IV. O sujeito do discurso sente inveja do gato porque o animal, seguindo a lei de seu destino, sente prazer em brincar sem ter disso consciência, o que nos permite remeter à filosofia do heterônimo Alberto Caeiro, para quem "a luz do sol vale mais que os pensamentos".

V. Os dois últimos versos do poema encerram um lamento do eu lírico e permite concluir que o gato, ao contrário do poeta, não se vê e está centrado em si; não se conhece, mas sabe o que é, ou seja, um gato.

69 (PUC-SP) Leia o poema a seguir, de Alberto Caeiro, e indique a alternativa que estabelece conexão entre o poeta e o texto.

Eu não tenho filosofia: tenho sentidos...
Se falo na Natureza não é porque saiba o que ela é,

Mas porque a amo, e amo-a por isso,
Porque quem ama nunca sabe o que ama
Nem sabe por que ama, nem o que é amar...
Amar é a eterna inocência,
E a única inocência não pensar...

a) Médico e estudioso da cultura clássica, desenvolve em seus poemas temas mitológicos, em composições denominadas odes.

b) Poeta bucólico, vive em contato direto com a natureza; daí sua lógica ser a mesma da ordem natural.

c) Como engenheiro do século XX e poeta futurista, os temas de sua obra estão voltados para as fábricas, a energia elétrica, as máquinas e a velocidade.

d) Apresenta um conceito direto das coisas, um objetivismo absoluto, apesar de a sensação não se manifestar em seus poemas.

e) Cultor do paganismo, foi mestre apenas de Fernando Pessoa e manteve-se distanciado dos demais heterônimos.

70 (Unicamp-SP) O poema a seguir pertence a *O Guardador de Rebanhos*, de Alberto Caeiro:

Da minha aldeia vejo quanto da terra se pode ver no Universo...
Por isso a minha aldeia é tão grande como outra terra qualquer,
Porque eu sou do tamanho do que vejo
E não do tamanho da minha altura...

Nas cidades a vida é mais pequena
Que aqui na minha casa no cimo deste outeiro.
Na cidade as grandes casas fecham a vista à chave,
Escondem o horizonte, empurram o nosso olhar para longe de todo o céu,
Tornam-nos pequenos porque nos tiram o que os nossos olhos nos podem dar,

E tornam-nos pobres porque a nossa única riqueza é ver.

Pessoa, F. *Obra Poética*. Rio de Janeiro: Editora Nova Aguilar, 1983. p. 142.

a) Explique a oposição estabelecida entre a aldeia e a cidade.

b) De que maneira o uso do verso livre reforça essa oposição?

71 (PUC-SP)

O Tejo é mais belo que o rio que corre pela
[minha aldeia,
Mas o Tejo não é mais belo que o rio que corre
[pela minha aldeia
Porque o Tejo não é o rio que corre pela minha
[aldeia.

O Tejo tem grandes navios
E navega nele ainda,
Para aqueles que veem em tudo o
que lá não está,
A memória das naus.
O Tejo desce de Espanha
E o Tejo entra no mar em Portugal.
Toda a gente sabe isso.
Mas poucos sabem qual é o rio da minha aldeia
E para onde ele vai
E donde ele vem.
E por isso, porque pertence a menos gente,
É mais livre e maior o rio da minha aldeia.

Pelo Tejo vai-se para o mundo.
Para além do Tejo há a América
E a fortuna daqueles que a encontram.
Ninguém nunca pensou no que há para além
Do rio da minha aldeia.

O rio da minha aldeia não faz pensar em nada.
Quem está ao pé dele está só ao pé dele.

O poema anterior, do heterônimo de Fernando Pessoa, Alberto Caeiro, integra o livro *O Guardador de Rebanhos*. Indique a alternativa **que nega** a adequada leitura do poema em questão.

a) O elemento fundamental do poema é a busca da objetividade, sintetizada no verso: "Quem está ao pé dele está só ao pé dele".

b) O poema propõe um contraste a partir do mesmo motivo e opõe um sentido geral a um sentido particular.

c) O texto sugere um conceito de beleza que implica proximidade e posse e, por isso, valoriza o que é humilde, ignorado e despretensioso.

d) O rio que provoca a real sensação de se estar à beira de um rio é o Tejo, que guarda a "memória das naus", marca do passado grandioso do país.

e) O poema se fundamenta numa argumentação dialética em que o conjunto das justificativas deixa clara a posição do poeta.

72 (Enem-MEC)

Isto

Dizem que finjo ou minto
Tudo que escrevo. Não.
Eu simplesmente sinto
Com a imaginação.
Não uso o coração.

Tudo o que sonho ou passo
O que me falha ou finda,
É como que um terraço
Sobre outra coisa ainda.
Essa coisa é que é linda.

Por isso escrevo em meio
Do que não está ao pé,
Livre do meu enleio,
Sério do que não é.
Sentir? Sinta quem lê!

PESSOA, F. *Poemas escolhidos*. São Paulo: Globo, 1997.

Fernando Pessoa é um dos poetas mais extraordinários do século XX. Sua obsessão pelo fazer poético não encontrou limites. Pessoa viveu mais no plano criativo do que no plano concreto, e criar foi a grande finalidade de sua vida. Poeta da "Geração Orfeu", assumiu uma atitude irreverente.

Com base no texto e na temática do poema **Isto**, conclui-se que o autor.

a) revela seu conflito emotivo em relação ao processo de escritura do texto.

b) considera fundamental para a poesia a influência dos fatos sociais.

c) associa o modo de composição do poema ao estado de alma do poeta.

d) apresenta a concepção do Romantismo quanto à expressão da voz do poeta.

e) separa os sentimentos do poeta da voz que fala no texto, ou seja, do eu lírico.

Unidade 12

73 (UFPE, adaptada) Lima Barreto foi uma das figuras mais contraditórias e controvertidas da literatura brasileira do início do século XX. Sobre sua obra, analise como falso (F) ou verdadeiro (V) o que segue.

I. Seu conto "O homem que sabia javanês" é um relato mordaz sobre um trapaceiro que se passa por tradutor de um idioma exótico.

II. O autor foi um dos pioneiros no uso do estilo jornalístico na literatura. Com linguagem objetiva e informal, descreve com clareza e simplicidade o cotidiano das classes desfavorecidas, às quais pertencia.

III. Nos seus escritos, denuncia os problemas políticos e os preconceitos sociais de seu tempo, que ele, como mulato pobre, vivenciou.

IV. Em seu livro mais famoso, *Triste Fim de Policarpo Quaresma*, Lima Barreto foca a vida de uma personagem cujo nacionalismo beira a xenofobia. Por trás disso, faz uma grande crítica à política da República Velha.

V. O romancista transforma o Marechal Floriano Peixoto num grande herói nacional em *Triste Fim de Policarpo Quaresma*, atribuindo-lhe um caráter magnânimo e superior.

74 (PUC-RS)

"A travessia foi penosamente feita. O terreno inconsistente e móvel fugia sob os passos aos caminhantes; remorava a tração das carretas absorvendo as rodas até ao meio dos raios; opunha, salteadamente, flexíveis barreiras de espinheirais, que era forçoso destramar a facão; e reduplicava, no reverberar intenso das areias, a adustão da canícula. De sorte que ao chegar à tarde, à "Serra Branca", a tropa estava exausta. Exausta e sequiosa. Caminhara oito horas sem parar, em pleno arder do sol bravio do verão."

O fragmento pertence ao livro *Os sertões*, de Euclides da Cunha, que relata a Guerra de Canudos, travada no Nordeste brasileiro entre os homens liderados por Antônio Conselheiro e as tropas militares republicanas.

Neste trecho da obra,

I. alternam-se a linguagem coloquial e a inconformidade com a exploração do homem pelo homem.

II. a complexidade vocabular e o predomínio da descrição constituem características marcantes.

III. a reiteração de expressões regionais e a preocupação com a condição humana permeiam o ponto de vista do narrador.

A(s) afirmativa(s) correta(s) é/são

a) I, apenas.

b) II, apenas.

c) III, apenas.

d) I e III, apenas.

e) I, II e III.

75 (UEM-PR)

Leia o poema a seguir.

Poemeto erótico

Teu corpo claro e perfeito,
– Teu corpo de maravilha,
Quero possuí-lo no leito
Estreito da redondilha...

Teu corpo é tudo o que cheira...
Rosa... flor de laranjeira...
Teu corpo, branco e macio,
É como um véu de noivado...
Teu corpo é pomo doirado...
Rosal queimado do estio,
Desfalecido em perfume...
Teu corpo é a brasa do lume...
Teu corpo é chama e flameja
Como à tarde os horizontes...
E puro como nas fontes
A água clara que serpeja,
Que em cantigas se derrama...
Volúpia da água e da chama...
A todo momento o vejo...
Teu corpo... a única ilha
No oceano do meu desejo...
teu corpo é tudo o que brilha,
Teu corpo é tudo o que cheira...
Rosa, flor de laranjeira...

BANDEIRA, M. *Melhores poemas*. São Paulo: Global, 2004. p. 38-9

Sobre ele e sobre seu autor, Manuel Bandeira, a(s) alternativa(s) correta(s) é (são):

a) Os versos "Quero possuí-lo no leito/ Estreito da redondilha...", encontrados na primeira estrofe do texto de Bandeira, fazem referência à métrica adotada no poema, ou seja, a redondilha maior, com sete sílabas poéticas.

b) O poema marca o momento inicial da produção de Bandeira, na qual, antes da presença da poética modernista que se veria posteriormente, a influência direta do Parnasianismo era evidente, o que permite a classificação de Bandeira como "neoparnasiano".

c) A produção literária de Manuel Bandeira, construída durante mais de quatro décadas, é caracterizada por grande variedade de propostas poéticas, que abarcaram tanto tendências vanguardistas quanto modelos tradicionais.

d) Nos últimos anos da década de 10 do século XX, também são encontradas as primeiras produções de João Cabral de Melo Neto, que, juntamente com Bandeira, desempenharia importante papel no modernismo brasileiro a partir de 1922.

e) Embora as primeiras produções líricas de Bandeira encontrem expressão menos radical do que aquela que se verificará a partir do livro *Libertinagem*, o autor sempre apresentou propostas ousadas no romance, como no caso de *Serafim Ponte Grande*.

76 (UEG) Leia o poema que segue:

Relicário - Oswald de Andrade

No baile da corte
Foi o conde d'Eu quem disse
Pra Dona Benvinda
Que farinha de Suruí
Pinga de Parati
Fumo de Baependi
É comê bebê pitá e caí

Em termos estéticos e históricos, respectivamente, nota-se, no poema de Oswald de Andrade, a presença de

a) Linguagem formal e referência a importante figura do Período Regencial

b) Linguagem informal e alusão a um monarquista que exerceu papel de destaque na Guerra do Paraguai

c) Versos brancos e alusão a um grande capitalista que alavancou o desenvolvimento da indústria nacional

d) Versos polimétricos e referência a uma importante dama do Segundo Reinado.

77 (UFPR)

A ambição do grupo [modernista] era grande: educar o Brasil, curá-lo do analfabetismo letrado, e, sobretudo, pesquisar uma maneira nova de expressão, compatível com o tempo do cinema, do telégrafo sem fio, das travessias aéreas intercontinentais.

BOAVENTURA, M. E. "A Semana de Arte Moderna e a Crítica Contemporânea: vanguarda e modernidade nas artes brasileiras". Conferência – IEL-Unicamp, 2005, p. 5-6. Fonte: http://www.iar.unicamp.br/dap/vanguarda/artigos.html

Conforme o trecho acima e os conhecimentos sobre a Semana de Arte Moderna de 1922 e o modernismo brasileiro subsequente, é correto afirmar:

a) A Semana de 1922 marcou o modernismo inspirado em vanguardas europeias, buscando uma nova arte com uma identidade brasileira experimental, miscigenada, antropofágica e cosmopolita. O movimento celebrava o progresso da nação, simbolizado pelo desenvolvimento da cidade de São Paulo.

b) A Semana foi o grande marco da arte moderna brasileira, caracterizando-se pela busca por uma imitação do surrealismo e do cubismo, realizada por acadêmicos em constante contato com os artistas europeus.

c) A Semana de 1922 somou-se ao regionalismo nordestino para mostrar as raízes da cultura brasileira, recusando qualquer interferência da arte estrangeira. Os modernistas fizeram, com isso, uma forte crítica à modernização e à alfabetização brasileira.

d) Monteiro Lobato e Mário de Andrade lideraram a Semana de 1922, que teve o intuito de aliar as produções mais recentes no campo da música, literatura e artes plásticas futuristas com as obras tradicionalistas da arte brasileira.

e) Os modernistas passaram a se organizar, depois da Semana de 1922, para efetivar uma arte revolucionária nos moldes do realismo soviético, pois acreditavam na conscientização da população para uma mudança no poder.

78 (UPF-RS) Sobre *Libertinagem*, de Manuel Bandeira, é correto afirmar:

a) Verifica-se, nos poemas, a sobreposição da estética parnasiano-simbolista sobre a estética modernista.

b) A linguagem coloquial se faz presente na obra.

c) O desejo de liberdade, expresso no título do livro, não se manifesta na temática dos poemas.

d) O desejo de liberdade, expresso no título do livro, não se manifesta na forma dos poemas.

e) O verso livre está ausente da obra.

79 (UEPG-PR, adaptada)

Carta Pras Icamiabas

Ás mui queridas súbditas nossas, Senhoras Amazonas.

Trinta de Maio de Mil Novecentos e Vinte e Seis,

São Paulo.

Senhoras:

Não pouco vos surpreenderá, por certo, o endereço e a literatura desta missiva. Cumpre-nos, entretanto, iniciar estas linhas de saudade e de muito amor, com desagradável nova. É bem verdade que na boa cidade de São Paulo – a maior do universo, no dizer de seus prolixos habitantes – não sois conhecidas por "icamiabas", voz espúria, sinão pelo apelido de Amazonas [...]

[...] as donas de cá tombam nos leitos nupciais.

Andam elas vestidas de rutilantes joias e panos finíssimos, que lhes acentuam o donaire do porte, e mal encobrem as graças, que, a de nenhuma outra cedem pelo formoso torneado e pelo tom. São sempre alvíssimas a dona de cá; e tais e tantas habilidades demonstram no brincar, que enumerá-las aqui, seria fastiendo porventura; e, certamente quebraria os mandamentos, discrição, que em relação de Imperator para súbditas se requer. [...]

Ci guarde a Vossas Excias.

Macunaíma,

Imperator

Mário de Andrade.
Macunaíma – o herói sem caráter

A respeito da "Carta pras Icamiabas", que constitui o capítulo nono de *Macunaíma*, e sobre a obra de Mário de Andrade como um todo, avalie como verdadeiro (V) ou falso (F) o que segue:

I. Mário de Andrade prende-se à crítica de costumes, ao criar heroínas idealizadas e mitificar a figura da mulher numa sociedade urbana em transformação.

II. A paródia, presente na obra de Mário de Andrade, é uma das características do Modernismo, que visava combater o academicismo, o conservadorismo na arte, a cultura reacionária burguesa e patriarcal da produção nacional.

III. Mário de Andrade inverte, aqui, os relatos dos cronistas quinhentistas, como Pero Vaz de Caminha, Gabriel Soares de Sousa e Pero de Magalhães Gandavo. Agora é o índio que descreve a terra desconhecida e seus habitantes para seus pares distantes.

IV. Na carta há a tentativa de Macunaíma em expressar uma linguagem culta, que para o autor assume na obra a finalidade de carnavalização da norma culta, ou seja, uma sátira da linguagem culta.

V. O texto constitui uma paródia à Carta de Pero Vaz de Caminha. Esta apresenta uma visão ufanista da terra, enquanto no texto de Mário de Andrade encontra-se um tom irônico de revisão do mito da boa terra, de crítica acerba aos portugueses.

80 (Enem-MEC)

Negrinha

Negrinha era uma pobre órfã de sete anos. Preta? Não; fusca, mulatinha escura, de cabelos ruços e olhos assustados. Nascera na senzala, de mãe escrava, e seus primeiros anos vivera-os pelos cantos escuros da cozinha, sobre velha esteira e trapos imundos. Sempre escondida, que a patroa não gostava de crianças.

Excelente senhora, a patroa. Gorda, rica, dona do mundo, amimada dos padres, com lugar certo na igreja e camarote de luxo reservado no céu. Entaladas as banhas no trono (uma cadeira de balanço na sala de jantar), ali bordava, recebia as amigas e o vigário, dando audiências, discutindo o tempo. Uma virtuosa senhora em suma — "dama de grandes virtudes apostólicas, esteio da religião e da moral", dizia o reverendo.

Ótima, a dona Inácia.

Mas não admitia choro de criança. Ai! Punha-lhe os nervos em carne viva.

[...]

A excelente dona Inácia era mestra na arte de judiar de crianças. Vinha da escravidão, fora senhora de escravos — e daquelas ferozes, amigas de ouvir cantar o bolo e estalar o bacalhau. Nunca se afizera ao regime novo — essa indecência de negro igual.

LOBATO, M. Negrinha. In: MORICONE, I. (Org.). *Os cem melhores contos brasileiros do século.* Rio de Janeiro: Objetiva, 2000. (Fragmento).

A narrativa focaliza um momento histórico-social de valores contraditórios. Essa contradição infere-se, no contexto, pela

a) falta de aproximação entre a menina e a senhora, preocupada com as amigas.

b) receptividade da senhora para com os padres, mas deselegante para com as beatas.

c) ironia do padre a respeito da senhora, que era perversa com as crianças.

d) resistência da senhora em aceitar a liberdade dos negros, evidenciada no final do texto.

e) rejeição aos criados por parte da senhora, que preferia tratá-los com castigos.

Unidade 13

(UERJ) Leia o poema abaixo e responda às questões 81 a 85.

Igual-desigual

Eu desconfiava:
todas as histórias em quadrinho são iguais.
Todos os filmes norte-americanos são iguais.
Todos os filmes de todos os países são iguais.
Todos os *best-sellers*[1] são iguais
Todos os campeonatos nacionais e
[internacionais de futebol são
iguais.
Todos os partidos políticos
são iguais.
Todas as mulheres que andam na moda
são iguais.
Todas as experiências de sexo
são iguais.
Todos os sonetos, gazéis, virelais, sextinas e
[rondós[2] são iguais
e todos, todos
os poemas em verso livre são enfadonhamente
[iguais.

Todas as guerras do mundo são iguais.
Todas as fomes são iguais.
Todos os amores, iguais iguais iguais.
Iguais todos os rompimentos.
A morte é igualíssima.
Todas as criações da natureza são iguais.
Todas as ações, cruéis, piedosas ou indiferentes,
[são iguais.
Contudo, o homem não é igual a nenhum outro
[homem, bicho ou coisa.
Não é igual a nada.
Todo ser humano é um estranho
ímpar.

CARLOS DRUMMOND DE ANDRADE.
Nova reunião: 19 livros de poesia.
Rio de Janeiro: José Olympio, 1985.

[1] *best-sellers* – livros mais vendidos

[2] gazéis, virelais, sextinas, rondós – tipos de poema

81 O poema de Carlos Drummond de Andrade se caracteriza por uma repetição considerada estilística, porque é claramente feita para produzir um sentido. Pode-se dizer que a repetição da expressão *são iguais* é empregada para reforçar o sentido de:

a) afirmação da igualdade no mundo de hoje

b) subversão da igualdade pelo raciocínio lógico

c) valorização da igualdade das experiências vividas

d) constatação da igualdade entre fenômenos diversos

82

"e todos, todos
os poemas em verso livre são enfadonhamente
iguais".

Os versos livres são aqueles que não se submetem a um padrão. Considerando essa definição, identifica-se nos versos acima a figura de linguagem denominada:

a) antítese

b) metáfora

c) metonímia

d) eufemismo

83

"Todos os amores, iguais iguais iguais".

A intensificação da repetição do termo *iguais* no mesmo verso, relacionado a *amores*, enfatiza determinada crítica que o poeta pretende fazer. A crítica de Drummond se dirige às relações amorosas, no que diz respeito ao seguinte aspecto:

a) exagero

b) padronização

c) desvalorização

d) superficialidade

84

"Todo ser humano é um estranho
Ímpar".

No contexto, a associação dos adjetivos *estranho* e *ímpar* sugere que cada ser humano não se conhece completamente. Isto acontece porque cada indivíduo pode ser caracterizado como:

a) solitário

b) singular

c) intolerante

d) indiferente

85 O título do poema anuncia a noção de desigualdade. Pela leitura do conjunto do texto, é possível concluir que a desigualdade entre os homens diz respeito principalmente a:

a) traços individuais

b) convicções políticas

c) produções culturais

d) orientações filosóficas

86 (Unicamp-SP) O excerto a seguir foi extraído do poema "Balada Feroz", de Vinícius de Moraes.

(...) Lança o teu poema inocente sobre o rio venéreo engolindo as cidades
Sobre os casebres onde os escorpiões se matam à visão dos amores miseráveis
Deita a tua alma sobre a podridão das latrinas e das fossas
Por onde passou a miséria da condição dos escravos e dos gênios. (...)
Amarra-te aos pés das garças e solta-as para que te levem
E quando a decomposição dos campos de guerra te ferir as narinas, lança-te sobre a cidade mortuária
Cava a terra por entre as tumefações e se encontrares um velho canhão soterrado, volta
E vem atirar sobre as borboletas cintilando cores que comem as fezes verdes das estradas.
(...)
Suga aos cínicos o cinismo, aos covardes o medo, aos avaros o ouro
E para que apodreçam como porcos, injeta-os de pureza!
E com todo esse pus, faz um poema puro
E deixa-o ir, armado cavaleiro, pela vida
E ri e canta dos que pasmados o abrigarem
E dos que por medo dele te derem em troca a mulher e o pão.
Canta! canta, porque cantar é a missão do poeta
E dança, porque dançar é o destino da pureza
Faz para os cemitérios e para os lares o teu grande gesto obsceno
Carne morta ou carne viva – toma! Agora falo eu que sou um!

Vinicius de Moraes. *Antologia Poética*. São Paulo: Companhia das Letras, 2009. p. 51-53.

a) Como é próprio do modernismo poético, os versos acima contrariam a linguagem mais depurada e as imagens mais elevadas da lírica tradicional. Como podemos definir as imagens predominantes em "Balada feroz"? A que se referem tais imagens?

b) Qual é o papel da poesia e do poeta diante da realidade representada?

87 (Fuvest-SP)

Receita de mulher

As muito feias que me perdoem
Mas beleza é fundamental. É preciso
Que haja qualquer coisa de flor em tudo isso
Qualquer coisa de dança, qualquer coisa de *haute couture**.
Em tudo isso (ou então
Que a mulher se socialize elegantemente em azul,
como na República Popular Chinesa).
Não há meio-termo possível. É preciso
Que tudo isso seja belo. É preciso que súbito
Tenha-se a impressão de ver uma garça apenas pousada e que um rosto
Adquira de vez em quando essa cor só encontrável no terceiro minuto da aurora.

Vinicius de Moraes.

* "haute couture": alta costura.

No conhecido poema "Receita de mulher", de que se reproduziu aqui um excerto, o tratamento dado ao tema da beleza feminina manifesta a

a) oscilação do poeta entre a angústia do pecador (tendo em vista sua educação jesuítica) e o impudor do libertino.

b) conjugação, na sensibilidade do poeta, de interesse sexual e encantamento estético, expresso de modo provocador e bem-humorado.

c) idealização da mulher a que chega o poeta quando, na velhice, arrefeceu-lhe o desejo sexual.

d) crítica ao caráter frívolo que, por associar-se ao consumo, o amor assume na contemporaneidade.

e) síntese, pela via do erotismo, das tendências europeizantes e nacionalistas do autor.

88 (UFRN) O livro *A rosa do povo*, de Carlos Drummond de Andrade, publicado em 1945, é considerado uma das obras mais notáveis de sua produção poética. Nessa obra, Drummond atinge seu mais alto nível literário, inclusive sem descuidar do momento histórico em que está inserido. Os textos abaixo são fragmentos dos poemas "O medo" e "Nosso tempo", respectivamente:

O medo

Em verdade temos medo.
Nascemos escuro.
As existências são poucas:
Carteiro, ditador, soldado.
Nosso destino, incompleto.
E fomos educados para o medo.
Cheiramos flores de medo.
Vestimos panos de medo.
De medo, vermelhos rios
Vadeamos.

Nosso tempo

O poeta
Declina de toda responsabilidade
Na marcha do mundo capitalista
e com suas palavras, intuições, símbolos e outras armas
promete ajudar
a destruí-lo
como uma pedreira, uma floresta,
um verme.

Da leitura dos versos acima, afirma-se que essa obra poética

a) funciona como instrumento de militância sociopolítica, que alerta os homens sobre os riscos do Socialismo.

b) reflete sobre os problemas do mundo, manifestando-os numa espécie de ação pelo testemunho.

c) assume uma função política, orientando os homens a evitar os perigos da vida em sociedade.

d) serve como testemunho do pavor gerado no mundo capitalista, que descuida da natureza.

(Fuvest-SP) Leia o poema a seguir para responder às questões 89 e 90.

A rosa de Hiroxima

Pensem nas crianças
Mudas telepáticas
Pensem nas meninas
Cegas inexatas
Pensem nas mulheres
Rotas alteradas
Pensem nas feridas
Como rosas cálidas
Mas oh não se esqueçam
Da rosa da rosa
Da rosa de Hiroxima
A rosa hereditária
A rosa radioativa
Estúpida e inválida
A rosa com cirrose
A antirrosa atômica
Sem cor sem perfume
Sem rosa sem nada.

Vinicius de Moraes, *Antologia poética*.

89 Neste poema,

a) a referência a um acontecimento histórico, ao privilegiar a objetividade, suprime o teor lírico do texto.

b) parte da força poética do texto provém da associação da imagem tradicionalmente positiva da rosa a atributos negativos, ligados à ideia de destruição.

c) o caráter politicamente engajado do texto é responsável pela sua despreocupação com a elaboração formal.

d) o paralelismo da construção sintática revela que o texto foi escrito originalmente como letra de canção popular.

e) o predomínio das metonímias sobre as metáforas responde, em boa medida, pelo caráter concreto do texto e pelo vigor de sua mensagem.

90 Dentre os recursos expressivos presentes no poema, podem-se apontar a sinestesia e a aliteração. Os aspectos expressivo e exortativo do texto conjugam-se, de modo mais evidente, no verso:

a) "Mudas telepáticas".

b) "Mas oh não se esqueçam".

c) "Da rosa da rosa".

d) "Estúpida e inválida".

e) "A antirrosa atômica".

91 (Enem-MEC)

Ai, palavras, ai, palavras
que estranha potência a vossa!
Todo o sentido da vida
principia a vossa porta:
o mel do amor cristaliza
seu perfume em vossa rosa;
sois o sonho e sois a audácia,
calúnia, fúria, derrota...
A liberdade das almas,
ai! Com letras se elabora...
E dos venenos humanos
sois a mais fina retorta:
frágil, frágil, como o vidro
e mais que o aço poderosa!
Reis, impérios, povos, tempos,
pelo vosso impulso rodam...

MEIRELES, C. *Obra poética*. Rio de Janeiro: Nova Aguilar, 1985 (fragmento).

O fragmento destacado foi transcrito do *Romanceiro da Inconfidência*, de Cecília Meireles. Centralizada no episódio histórico da Inconfidência Mineira, a obra, no entanto, elabora uma reflexão mais ampla sobre a seguinte relação entre o homem e a linguagem:

a) A força e a resistência humanas superam os danos provocados pelo poder corrosivo das palavras.

b) As relações humanas, em suas múltiplas esferas, têm seu equilíbrio vinculado ao significado das palavras.

c) O significado dos nomes não expressa de forma justa e completa a grandeza da luta do homem pela vida.

d) Renovando o significado das palavras, o tempo permite às gerações perpetuar seus valores e suas crenças.

e) Como produto da criatividade humana, a linguagem tem seu alcance limitado pelas intenções e gestos.

Unidade 14

(UFTM-MG) Leia o trecho de *A hora da estrela*, de Clarice Lispector, para responder às questões de 92 a 94.

Olímpico de Jesus trabalhava de operário numa metalúrgica e ela nem notou que ele não se chamava de "operário" e sim de "metalúrgico". Macabéa ficava contente com a posição social dele porque também tinha orgulho de ser datilógrafa, embora ganhasse menos que o salário mínimo. Mas ela e Olímpico eram alguém no mundo. "Metalúrgico e datilógrafa" formavam um casal de classe. A tarefa de Olímpico tinha o gosto que se sente quando se fuma um cigarro acendendo-o do lado errado, na ponta da cortiça. O trabalho consistia em pegar barras de metal que vinham deslizando de cima da máquina para colocá-las embaixo, sobre uma placa deslizante. Nunca se perguntara por que colocava a barra embaixo. A vida não lhe era má e ele até economizava um pouco de dinheiro: dormia de graça numa guarita em obras de demolição por camaradagem do vigia.

92 A partir da leitura do texto, pode-se concluir que Olímpico, ao apresentar-se como *metalúrgico* em vez de *operário*,

a) revela ser um homem culto e com bom nível de instrução.

b) pretende conferir melhor *status* ao trabalho que exerce.

c) mostra ser um homem humilde e despretensioso.

d) atribui destaque ao fato de realizar um serviço braçal.

e) demonstra ter vergonha de trabalhar no ramo dos metais.

93 De acordo com as informações textuais, Macabéa e Olímpico têm em comum o fato de que ambos

a) aparentam estar despreocupados com seu futuro financeiro.

b) desejam ardentemente mudar de condição social.

c) demonstram ter grande ambição e espírito aventureiro.

d) são um tanto alienados com relação às condições em que vivem.

e) realizam um trabalho altamente qualificado, mas são mal pagos.

94 Uma característica que *A hora da estrela* compartilha com outros textos produzidos pelo Neomodernismo brasileiro (ou Geração Modernista pós 1945) é

a) o enfoque histórico, retratando o passado brasileiro.

b) o propósito nacionalista, com heróis idealizados.

c) o uso de uma linguagem distante do cotidiano.

d) a criação de personagens burlescos e pouco complexos.

e) o tom intimista, de investigação psicológica.

95 (PUC-RS) Para responder à questão, ler o trecho do conto "As margens da alegria", de Guimarães Rosa.

ESTA É A ESTÓRIA. Ia um menino, com os Tios, passar dias no lugar onde se construía a grande cidade. Era uma viagem inventada no feliz; para ele, produzia-se em caso de sonho. Saíam ainda com o escuro, o ar fino de cheiros desconhecidos. A Mãe e o Pai vinham trazê-lo ao aeroporto. (...) O voo ia ser pouco mais de duas horas. O menino fremia no acorçoo, alegre de se rir para si, confortavelzinho, com um jeito de folha a cair. A vida podia às vezes raiar numa verdade extraordinária. Mesmo o afivelarem-lhe o cinto de segurança via forte afago, de proteção, e logo novo senso de esperança: ao não sabido, ao mais. Assim um crescer e desconter-se – certo como o ato de respirar – o de fugir para o espaço em branco. O Menino.

De acordo com o texto, afirma-se:

I. O menino experimentava sensações até então inusitadas no enfrentamento do desconhecido, com sentimentos de entusiasmo e de descoberta.

II. A viagem parecia encaminhar-se na direção do não sabido e da revelação de algo extraordinário.

III. O viajante sentia medo e até dificuldade de respirar durante o percurso, e tinha vontade de fugir do seu destino.

IV. A viagem de avião daria ao menino o acesso a uma cidade ainda sem história.

A(s) afirmativa(s) correta(s) é/são

a) I, apenas.

b) II, apenas.

c) III, apenas.

d) I, II e IV, apenas.

e) I, II, III e IV.

96 (Enem-MEC)

Texto I

O meu nome é Severino,
não tenho outro de pia.
Como há muitos Severinos,
que é santo de romaria,
deram então de me chamar
Severino de Maria;
como há muitos Severinos
com mães chamadas Maria,
fiquei sendo o da Maria
do finado Zacarias,
mas isso ainda diz pouco:
há muitos na freguesia,
por causa de um coronel
que se chamou Zacarias
e que foi o mais antigo
senhor desta sesmaria.
Como então dizer quem fala
ora a Vossas Senhorias?

MELO NETO, J. C. *Obra completa*. Rio de Janeiro: Aguilar, 1994 (fragmento).

Texto II

João Cabral, que já emprestara sua voz ao rio, transfere-a, aqui, ao retirante Severino, que, como o Capibaribe, também segue no caminho do Recife. A autoapresentação do personagem, na fala inicial do texto, nos mostra um Severino que, quanto mais se define, menos se individualiza, pois seus traços biográficos são sempre partilhados por outros homens.

SECCHIN, A. C. *João Cabral*: a poesia do menos. Rio de Janeiro: Topbooks, 1999 (fragmento).

Com base no trecho de Morte e Vida Severina (Texto I) e na análise crítica (Texto II), observa-se que a relação entre o texto poético e o contexto social a que ele faz referência aponta para um problema social expresso literariamente pela pergunta "Como então dizer quem fala / ora a Vossas Senhorias?". A resposta à pergunta expressa no poema é dada por meio da

a) descrição minuciosa dos traços biográficos do personagem-narrador.

b) construção da figura do retirante nordestino como um homem resignado com a sua situação.

c) representação, na figura do personagem-narrador, de outros Severinos que compartilham sua condição.

d) apresentação do personagem-narrador como uma projeção do próprio poeta, em sua crise existencial.

e) descrição de Severino, que, apesar de humilde, orgulha-se de ser descendente do coronel Zacarias.

Bibliografia

BOSI, Alfredo. *Dialética da colonização*. São Paulo: Companhia das Letras, 1992.

________. *História concisa da literatura brasileira*. 43. ed. São Paulo: Cultrix, 1994.

CAMPOS, Haroldo de. Uma poética da radicalidade. In: ANDRADE, Oswald de. *Obras completas de Oswald de Andrade*. São Paulo: Globo, 2003.

CANDIDO, Antonio. *Ficção e confissão — Ensaio sobre Graciliano Ramos*. São Paulo: 34, 1992.

________. *Formação da literatura brasileira*: momentos decisivos. 10. ed. Rio de Janeiro: Ouro Azul, 2006.

________. *Vários escritos*. 3. ed. rev. e ampl. São Paulo: Duas Cidades, 1995.

________; CASTELLO, José Aderaldo. *Presença da literatura brasileira*: das origens ao Realismo. 13. ed. Rio de Janeiro: Bertrand Brasil, 2008.

________; GOMES, Paulo Emílio Salles; PRADO, Décio de Almeida; ROSENFELD, Anatol. *A personagem de ficção*. 11. ed. São Paulo: Perspectiva, 2005.

CARA, Salete de Almeida. Machado de Assis nos anos 1870. In: COELHO, Márcia; FLEURY, Marcos (Orgs.). *O bruxo do Cosme Velho*: Machado de Assis no espelho. São Paulo: Alameda, 2004.

CASTELLO, José Aderaldo. *A literatura brasileira*: origens e unidade. São Paulo: Edusp, 2004. v. 1.

CHARLES, Sébastien. *Cartas sobre a hipermodernidade*. Trad. Xerzes Gusmão. São Paulo: Barcarolla, 2009.

COSTA, Horácio. Formação do cânone da poesia portuguesa moderna. In: FERNANDES, Annie Gisele; SILVEIRA, Francisco Maciel (Orgs.). *A literatura portuguesa*: visões e revisões. São Paulo: Ateliê Editorial, 2009.

COUTINHO, Afrânio. *Introdução à literatura no Brasil*. 16. ed. Rio de Janeiro: Bertrand Brasil, 1995.

FRYE, Northrop. *Anatomia da crítica*. São Paulo: Cultrix, 1973.

________. *O caminho crítico*. São Paulo: Perspectiva, 1973.

________. *Sobre Shakespeare*. São Paulo: Edusp, 1999.

________. *T. S. Eliot*. São Paulo: Imago, 1998.

GOTLIB, Nádia B. *Clarice — Uma vida que se conta*. 2. ed. São Paulo: Ática, 1995.

LAJOLO, Marisa. *Bocage*. 3. ed. São Paulo: Nova Cultural, 1990. (Col. Literatura Comentada).

LIMA, Jorge de. *Melhores poemas de Jorge de Lima*. 3. ed. São Paulo: Global, 2006.

MOISÉS, Massaud. *A criação literária*: prosa 1. 20. ed. São Paulo: Cultrix, 2006.

________. *A literatura portuguesa*. 36. ed. São Paulo: Cultrix, 2008.

________. *A literatura portuguesa através dos textos*. 30. ed. São Paulo: Cultrix, 2006.

________. *Dicionário de termos literários*. 12. ed. São Paulo: Cultrix, 2004.

________. *Presença da literatura portuguesa*: Romantismo e Realismo. Rio de Janeiro: Bertrand Brasil, 1998.

NOVAES, Adauto (Org.). *Civilização e barbárie*. São Paulo: Companhia das Letras, 2004.

NUNES, Benedito. *O drama da linguagem*: uma leitura de Clarice Lispector. 2. ed. São Paulo: Ática, 1989.

POUND, Ezra. *ABC da literatura*. 11. ed. São Paulo: Cultrix, 2006.

PROENÇA, M. Cavalcanti. *Estudos literários*. 2. ed. Rio de Janeiro: José Olympio, 1974.

RONCARI, Luiz. *Literatura brasileira*: dos primeiros cronistas aos últimos românticos. São Paulo: Edusp, 1995.

ROSENFELD, Anatol. *Texto e contexto I*. São Paulo: Perspectiva, 1993.

_______. O encantamento. In: GUINSBURG, J. (Org.). *O Romantismo*. São Paulo: Perspectiva, 1978.

_______. Romantismo e Classicismo. In: GUINSBURG, J. (Org.). *O Romantismo*. São Paulo: Perspectiva, 1978.

SARAIVA, A. J.; LOPES, Óscar. *História da literatura portuguesa*. 17. ed. Porto: Porto Editora, 2001.

SCHWARTZ, Jorge. *Vanguardas latino-americanas*: polêmicas, manifestos e textos críticos. 2. ed. rev. ampl. São Paulo: Edusp, 2008.

SPINA, Segismundo. *Era medieval*. 11. ed. Rio de Janeiro: Difel, 2006. v. 1. (Col. Presença da Literatura Portuguesa).

STALLONI, Yves. *Os gêneros literários*. Trad. e notas Flávia Nascimento. 3. ed. Rio de Janeiro: Difel, 2007. (Coleção Enfoques – Letras).

TELES, Gilberto Mendonça. *Vanguarda europeia e modernismo brasileiro*: apresentação e crítica dos principais manifestos vanguardistas, de 1857 a 1972. 20. ed. Rio de Janeiro: José Olympio, 2012.

VENTURA, Roberto. *Os sertões*. São Paulo: Publifolha, 2002.

WALDMAN, Berta. *A paixão segundo Clarice Lispector*. 2. ed. São Paulo: Escrita, 1992. (Coleção Ensaios).

WELLEK, René; WARREN, Austin. *Teoria da literatura*. 2. ed. Lisboa: Publicações Europa-América, 1965. (Col. Biblioteca Universitária).

ZOLA, Émile. *O romance experimental e o Naturalismo no teatro*. Trad. Italo Caroni e Célia Berrettini. São Paulo: Perspectiva, 1982.